Textbook of

HOSPICE

&

PALLIATIVE CARE

호스피스·완화의료

개정보완판

KSHPC
한국호스피스·완화의료학회

Textbook of Hospice and Palliative Care

호스피스·완화의료

`개정보완판`

첫째판 1쇄 발행 | 2018년 7월 7일
둘째판 1쇄 인쇄 | 2023년 4월 7일
둘째판 1쇄 발행 | 2023년 4월 21일

지 은 이   한국호스피스·완화의료학회
발 행 인   장주연
출 판 기 획   이성재
책 임 편 집   배진수
편집디자인   조원배
표지디자인   김재욱
일 러 스 트   유학영
제 작 담 당   이순호
발 행 처   군자출판사(주)
　　　　　등록 제4-139호(1991. 6. 24)
　　　　　본사 (10881) **파주출판단지** 경기도 파주시 회동길 338(서패동 474-1)
　　　　　전화 (031) 943-1888　　　팩스 (031) 955-9545
　　　　　홈페이지 | www.koonja.co.kr

ISBN 979-11-5955-997-6

정가 120,000원

Textbook of
HOSPICE
&
PALLIATIVE
CARE
호스피스·완화의료

편찬위원회(첫째판) (가나다순)

편찬위원장

홍영선   가톨릭대학교 서울성모병원 종양내과

간사

황선욱   가톨릭대학교 성바오로병원 가정의학과

편집위원

강경아	삼육대학교 간호학과
권소희	경북대학교 간호대학
권정혜	한림대학교 강동성심병원 혈액종양내과
김대균	가톨릭대학교 인천성모병원 가정의학과
김유정	분당서울대학교병원 혈액종양내과
김정은	고려대학교 의과대학 가정의학교실
박중철	녹색병원 가정의학과
백선경	경희대학교병원 종양혈액내과
서상연	동국대학교 의과대학 가정의학교실
안호정	가톨릭대학교 성빈센트병원 종양내과
이용주	연세대학교 강남세브란스병원 건강검진센터
최윤선	고려대학교 구로병원 가정의학과
황애란	연세대학교 세브란스병원 완화의료센터

편찬위원회(개정증보판) (가나다순)

편찬위원장

윤석준   충남대학교병원 가정의학과

간사

서원윤   충남대학교병원 가정의학과

편집위원

서민석   인천성모병원 가정의학과
문나연   서울특별시 서남병원 가정의학과
이재우   충북대학교병원 가정의학과
이청우   중앙보훈병원 가정의학과
김아솔   충북대학교병원 가정의학과
유수정   상지대학교 간호대학
김유정   분당서울대학교병원 혈액종양내과
오소연   양산부산대학교병원 혈액종양내과
유신혜   서울대학교병원 혈액종양내과

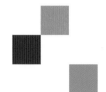

집필진 (가나다순)

강경아　삼육대학교 간호학과

강버들　연세대학교 세브란스병원 종양내과

강정훈　경상국립대학교 의과대학 내과

고수진　울산대학교병원 혈액종양내과

곽정임　안양샘병원 가정의학과

권소희　경북대학교 간호대학

권신영　한국원자력의학원 원자력병원 호스피스완화의료센터

권정혜　한림대학교 강동성심병원 혈액종양내과

김대균　가톨릭대학교 인천성모병원 가정의학과

김대현　국립암센터 마취통증의학과

김도봉　지샘병원 전인치유교육원

김도연　동국대학교 일산병원 혈액종양내과

김민선　서울대학교병원 소아청소년과

김민정　국립중앙의료원 가정의학과

김선현　가톨릭관동대학교 국제성모병원 가정의학과

김세홍　가톨릭대학교 성빈센트병원 가정의학과

김수정　성누가병원 내과

김시영　경희대학교병원 종양혈액내과

김영성　국민건강보험 일산병원 가정의학과

김원철　고려대학교 안암병원 의료사회사업팀

김유정　분당서울대학교병원 혈액종양내과

김은정　고려대학교 구로병원 호스피스완화의료센터

김정은　고려대학교 의과대학 가정의학교실

김준석　고려대학교 구로병원 혈액종양내과

김지선　충북대학교 의과대학 신경과

김창곤　광주대학교 사회복지전문대학원

김현숙　한국교통대학교 간호학과

김훈교　가톨릭대학교 성빈센트병원 종양내과

나임일　한국원자력의학원 원자력병원 혈액종양내과

남은미　이화여자대학교 서울병원 혈액종양내과

라정란　가톨릭대학교 서울성모병원 호스피스완화의료센터

맹치훈　경희대학교병원 종양혈액내과

박은호　가톨릭대학교 생명대학원

박중철　녹색병원 가정의학과

박진노　보바스기념병원 내과

서민석　가톨릭대학교 인천성모병원 가정의학과

서상연　동국대학교 의과대학 가정의학교실

손영순　메리포터 호스피스 영성연구소

송홍석　계명대학교 동산의료원 혈액종양내과

신상원　고려대학교 안암병원 종양혈액내과

신성훈　고신대학교병원 혈액종양내과

신진영　건국대학교병원 가정의학과

심재용　연세대학교 세브란스병원 가정의학과

안호정　가톨릭대학교 성빈센트병원 종양내과

양경희　원광보건대학교 간호학과

오소연　양산부산대학교병원 혈액종양내과

오승택　가톨릭대학교 의정부성모병원 대장항문외과

윤덕미　연세대학교 세브란스병원 마취통증의학과

윤석준　충남대학교병원 가정의학과

이경희　영남대학교병원 혈액종양내과

이국진	가톨릭대학교 부천성모병원 혈액종양내과	조성중	삼육의료원 서울병원 가정의학과
이기주	연세대학교 강남세브란스병원 사회사업팀	조현정	국립암센터 완화의료클리닉
이명아	가톨릭대학교 서울성모병원 종양내과	지영현	천주교 서울대교구 생명위원회
이순남	이화여자대학교 목동병원 혈액종양내과	최선영	가톨릭관동대학교 국제성모병원 가정의학과
이영숙	서울대학교병원 의료사회복지팀	최성은	안양샘병원 호스피스완화의료센터
이용주	연세대학교 강남세브란스병원 건강검진센터	최윤선	고려대학교 구로병원 가정의학과
이준용	중앙보훈병원 가정의학과	최재필	서울의료원 감염내과
이창걸	연세대학교 세브란스병원 방사선종양학과	최혜진	연세대학교 세브란스병원 종양내과
이현우	아주대학교병원 혈액종양내과	함봉진	서울대학교병원 정신건강의학과
원영웅	한양대학교 의과대학 내과	허정식	제주대학교 의학전문대학원 비뇨기과학교실
장선희	창신대학교 간호대학	홍영선	가톨릭대학교 서울성모병원 종양내과
장윤정	국립암센터 중앙호스피스센터	홍진의	서울대학교병원 완화의료·임상윤리센터
장창현	함께하는 정신과의원	황선욱	가톨릭대학교 성바오로병원 가정의학과
장혜정	강동경희대학교병원 혈액종양내과	황애란	연세대학교 세브란스병원 완화의료센터
전미선	아주대학교병원 방사선종양학과	황인규	중앙대학교 의과대학 내과
전상훈	가톨릭대학교 부천성모병원 종양내과	황인철	가천대학교 길병원 가정의학과
정재우	가톨릭대학교 생명대학원		

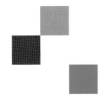

발간사 (개정증보판)

지난 2018년 한국호스피스·완화의료학회 창립 20주년을 맞아 첫 번째 교과서인 '호스피스·완화의료'를 출간한 지 5년 가까운 시간이 흘렀습니다.

그 사이 연명의료결정법이 시행되어 현장의 혼란을 겪으며 여러 차례 개정 작업을 통해 임상 현장에 적용되고 있고, 우리 국민들의 존엄한 죽음과 관련된 자기결정권 존중을 위해 많은 사람들이 애쓰고 있습니다. 특히 호스피스·완화의료의 현장에서는 다양한 직종의 전문인력들이 다학제팀의 일원으로서 생애 말기에 계신 환자와 가족분들의 삶의 질 향상을 위해 노력하고 계십니다. 첫 번째 교과서인 '호스피스·완화의료'가 이러한 호스피스·완화의료 종사자의 역량을 키워감에 있어 조금이나마 도움이 되었기를 바래봅니다.

한편, 2020년부터 COVID-19로 인해 많은 사람들에게 슬프고 안타까운 일들이 생겼습니다. 호스피스·완화의료 현장에서도 많은 입원형 호스피스 병동이 문을 닫고 입원중이던 환자들이 다른 병원으로 이송되는 일도 있었습니다. 가족들의 면회가 제한되면서 입원형 호스피스 병동에서조차 가족들이 없는 외로운 죽음을 맞게 되는 일들도 있었습니다. 여러 형태의 호스피스·완화의료 현장에서 일하고 있는 분들이 그 분들에게는 새로운 가족이 되기도 했었습니다. COVID-19의 대유행은 사라지고 있지만 또 다시 이러한 신종 감염성 질환의 대유행이 발생하여 많은 사람들이 죽음을 맞이하게 된다면 그 분들의 생애 말기 돌봄에 대한 대책도 미리미리 마련되었으면 하는 바람을 가져봅니다.

이번 '호스피스·완화의료 개정증보판'에서는 초판에 담지 못했던 주제인 '윤리' 부분을 새롭게 포함하였습니다. 여러분들이 연명의료결정과정을 포함하여 생애말기 돌봄의 현장에서 경험하는 윤리적 이슈와 갈등의 고민들에 조금이나마 도움이 될 수 있었으면 좋겠습니다. 아울러 초판 간행 이래로 변화된 제도와 현황들을 반영하기 위해 노력하였습니다. 또한 초판의 다양한 오류들을 최대한 수정하고자 하였습니다. 한국호스피스·완화의료학회는 지속적인 교과서의 수정, 보완, 개편 작업을 통해 한국의 현재 의료시스템 내에서 다양한 생애 말기 돌봄 유형의 개발과 전문가 양성에 이바지하고자 합니다.

끝으로 이 개정증보판을 출간하는데 애써주신 편집위원들에게 감사드리며, 집필진들의 헌신과 노력을 잊지 않겠습니다. 편집과 구성, 디자인, 출판 과정에 애써주신 군자출판사 관계자분들께도 감사의 말씀을 드립니다.

2023년 4월

한국호스피스·완화의료학회 회장 **최 윤 선**
한국호스피스·완화의료학회 이사장 **이 경 희**

호스피스·완화의료 Textbook of Hospice and Palliative Care

발간사 (첫째판)

한국호스피스·완화의료학회 창립 20주년을 맞아 학회에서 발행하는 첫 번째 교과서인 '호스피스·완화의료'를 출간하게 되어 기쁘고 감사하게 생각합니다.

우리나라에 호스피스·완화의료가 도입된 지도 50년이 넘었습니다. 학회 임원들과 회원들의 호스피스·완화의료제도화를 위한 꾸준한 노력으로 「호스피스·완화의료 및 임종과정에 있는 환자의 연명의료 결정에 관한 법률」(이하 「연명의료결정법」, 법률 제14013호, 공포 2016.2.3. 시행2017.8.4.)도 제정·공포·시행되었습니다.

'어떻게 죽을 것인가?' 인 「연명의료법」과 '어떻게 돌볼 것인가?'의 「호스피스·완화의료법」이 갑자기 합쳐지면서 법이 제정되어 임상현장에서는 혼란과 어려움이 생긴 것도 사실입니다. 하지만 「연명의료결정법」은 호스피스·완화의료 대상이 되는 말기환자의 범위를 말기암에서 점진적으로 모든 말기 만성질환으로 확대시키고 호스피스·완화의료 활성화를 위한 체계적 기반이 마련될 수 있는 법적 근거이기도 합니다.

사람은 자신의 삶의 의미를 찾아 부여할 줄 아는 유일한 존재입니다. 죽음을 마주하게 되면, 남은 삶을 보다 뜻있고 보람 있게 살며 삶을 정리하고 싶어 합니다. 말기환자에서의 말기 돌봄과 임종 돌봄까지를 포함한 '호스피스'는 1960년대 영국에서 호스피스운동으로 시작되었습니다. WHO는 2002년에 호스피스 철학을 완화의료(palliative care)로 정의하며 제도화의 계기가 되었습니다. 2014년엔 말기환자뿐만 아니라 만성 질환자까지, 말기만이 아니라 질환 진단 이후 언제든지 환자와 가족의 고통을 돌봐야하는 것으로 확대되었습니다. 호스피스는 전문완화의료의 한 형태로 말기환자를 대상으로 집중적으로 완화의료서비스를 제공하는 것을 의미합니다. 최근 유럽을 중심으로, 생명의 제한을 느끼고 언젠가는 죽음을 앞두었다는 것을 인지하는 기간, 그리고 의료와 복지의 통합적 돌봄을 '생애말기돌봄(end of life care)'으로 개념화하고 있습니다. 호스피스·완화의료는 연명의료결정의 대안이나 반대적 개념이 아니며 호스피스·완화의료를 선택하지 않은 모든 임종과정 환자에게도 완화의료적 접근, 즉 호스피스철학을 가진 질 높은 '임종돌봄'을 제공해야 합니다.

호스피스·완화의료는 치명적인 질병으로 고통받고 있는 환자와 가족들의 삶의 질 향상을 목적으로 하는 생애말기 돌봄 서비스 가운데 가장 이상적인 전인적 돌봄 모델입니다. 임종장소나 돌봄 장소에 구애됨이 없이 제공되어져야하고 서비스를 원할 때에는 받을 수 있어야 하는 인간의 권리입니다. 하지만 죽음에 대한 거부나 공포, 현대의학의 역량이 치료(cure)에 집중되어 돌봄(care)의 중요성이 간과되고 있습니다. 현재의 의료모델이 다학제팀 접근으로 제공되는 호스피스·완화의료 수가체계나 기금조성에 불리한 점, 그리고 호스피스·완화의료의 개념에 대한 혼란이 호스피스·완화의료 활성화에 장애요인이 되기도 합니다.

한국호스피스·완화의료학회는 현재 의료시스템과 의료전달체계 내에서 서비스가 유기적으로 제공되도록 다양한 생애말기돌봄 유형 개발과 호스피스·완화의료관련 전문가 양성을 위해 노력하고 있습니다. 그 일환으로 2년에 걸쳐 83명의 다학제로 구성된 전문가 집필진이 국내·외 최신 연구결과를 국내실정에 맞추어 총 600여 페이지 12부 41장으로 구성된 첫 번째 교과서를 발간하게 되었습니다. 호스피스·완화의료와 관련된 방대한 주제를 첫 번째 교과서에 모두 담지 못한 아쉬움은 있으나 호스피스·완화의료 개요, 윤리와 관련법, 통증과 증상 관리, 의사소통, 영적 돌봄, 연구와 관련된 것이 실제 호스피스·완화의료현장에서 적용 가능하도록 최선의 노력을 하였습니다. 앞으로도 학회에서는 첫 번째 교과서에 만족하지 않고 부족한 부분이 있다면 지속적으로 전문가들이 모여 보완, 수정해 나가면서 훌륭한 교과서로 거듭날 것을 약속드리고 이 책을 통하여 학회와 회원 여러분들의 계속된 발전이 있기를 기원합니다.

끝으로 이 교과서를 발간하는 데 홍영선 편찬위원장님을 비롯한 편집위원들, 77명의 집필자들의 헌신과 노력이 있었음을 기억해주시기 바라며, 멋진 편집과 구성, 디자인으로 훌륭한 책을 만들어주신 군자출판사 사장님 이하 임직원분들께도 심심한 감사의 말씀을 드립니다.

2018년 7월
한국호스피스·완화의료학회 회장 **이 창 걸**
한국호스피스·완화의료학회 이사장 **최 윤 선**

축사 (첫째판)

먼저 "호스피스·완화의료"의 교과서로서의 형태를 갖춘 책이 출간됨을 축하합니다.

내가 호스피스에 관심을 갖게 된 것은 1973년 미국 보스톤 대학교에서 정신건강 간호학으로 석사과정에서 공부를 할 때에 처음으로 Elisabeth Kübler-Ross (July 8, 1926 – August 24, 2004)의 "On Death and Dying" (1969) 책이 출간되어 교수가 그의 이론을 소개하면서부터이다. 뿐만 아니라 우리는 그룹으로 팀을 만들어 그 이론을 연구하고 이해하며 질문을 만들어 발표하는 토론시간을 가지는 과정 중에 죽음에 이르는 사람들이 5개의 다른 심리과정을 거친다는 점에 나는 정신간호에 관한 연구를 하는 사람으로 너무나 흥미롭고 더 나아가 임종자의 정신간호라는 새로운 영역이 필요함을 깨닫게 된 계기가 호스피스와의 인연이 된 것이다.

또한 1993년경인가 영국 런던에서 열린 국제 간호사대회 참석하면서 St Christopher's Hospice 센터를 방문하고 Dame Cicely Mary Saunders (22 June 1918–14 July 2005)를 직접 만나서 호스피스교육과 연구 동향 등을 친절하게 설명 들을 기회가 있어 호스피스교육에 대한 정립이 필요함을 더욱 깨달았다고 생각된다.

우리나라는 1960년경부터 국소적으로 종교기관에서 외국인의료인에 의해 호스피스운동이 도입되어 지역에서부터 임상간호와 의료가 실시되었지만 체계적인 교육, 연구, 사회문화적 동의, 법적 제도화 없이 50여 년의 호스피스운동이 이루어진 안타까운 역사를 가지게 되었다. 그러나 호스피스학회를 중심으로 호스피스 영역의 많은 분들의 놀라운 노력에 의해 "연명의료결정법"이 법적으로 제도화되어 호스피스 분야도 함께 교육과 연구가 체계적으로 이루어질 필요가 대두되었다. 차제에 의료계, 사회복지학계, 의료법학계 등에서 80여 분의 전문가들이 구성되어 그간의 이론과 실제에서 얻은 지식을 총 망라하는 일이 교과서의 형태로 나타남을 진심으로 반기고 축하한다.

이미 호스피스전문간호사(Nurse Practitioner)의 교육이 석사과정에서 체계적으로 이루어지고 있고 통증완화의료(palliative care)가 임상현장에서 말기환자에게 많은 희망을 주고 있다. 이렇듯 질병 말기환자의 의료적, 사회와 법적, 영적 도움을 전문적으로 수행하는 의료 영역은 이미 세계화되어 학술단체가 조직되어 국가 간 정보교환과 학술교류도 이루어지고 있다.

호스피스교육의 선구자인 Saunders 박사 또한 이미 간호사교육, 사회복지사교육, 의사교육을 완수하고 호스피스 케어를 위해서는 다학제적인 교육이 필요함을 강조하였다.

한국호스피스·완화의료학회의 임원들이 중심이 되고 현 이창걸 회장님, 최윤선 이사장님의 독려로 본서가 완성됨을 기쁘게 생각합니다. 많은 산고가 있었으리라 생각되어 모든 저자들의 희생적 수고에 감사하고 이 책을 기꺼이 출간해주신 군자출판사 관계자들의 노고에도 감사 드린다.

2018년 7월

전 한국호스피스·완화의료학회 회장 이 소 우

축사 (첫째판)

호스피스·완화의료를 사랑하는 모든 분들에게 감사의 인사를 드립니다.

이제 우리가 기다리며 고대하던 '호스피스·완화의료 교과서' 출간을 진심으로 축하드립니다.

집필해주시고 수고해주신 모든 분들께 깊이 감사드립니다. 이것은 학회 발전에 역사적 이정표이기에 그 큰 기쁨을 함께 나누고 싶습니다. 왜냐하면 호스피스·완화의료의 학문발전에 기여하는 핵심적 주춧돌이 완성되어가는 느낌이 들기 때문입니다. 최신의 학문적 발전과 정신적 영성이 공급되어야만 올바른 길로 나아갈 수 있기 때문입니다.

우리나라의 호스피스는 처음으로 1965년 강릉에서 '마리아의 작은 자매회'에 의해 시작되었습니다. 다행히 1980년대에 전국적으로 확대되면서, 1998년에 역사적인 '한국호스피스·완화의료학회'가 창설되어 의료계에 정착되면서, 이제는 국가사업으로 제도화되어가고 있습니다. 호스피스·완화의료의 특징은 통증조절과 같은 현대의학의 접목과 다학제 돌봄으로 말기환우의 신체, 정서, 사회, 영적인 문제뿐만 아니라 가족을 함께 돌봄으로써 마지막 삶을 최상으로 살아 삶의 완성과 아름다운 마무리를 도와주는 의료 돌봄이라고 말할 수 있겠습니다.

저는 1980년대에 호스피스·완화의료가 시작되기 전에, 종양내과 의사로 말기 암환우들을 항암제로 치료하면서, 죽음에 직면한 환우들을 바라보면서 큰 고통과 번민에 직면하게 되었습니다. 왜냐하면 의사인 내가 환우의 죽음에 대한 책임을 혼자 지고 있는 듯이 느껴졌기 때문입니다. 다행히 제가 근무하는 병원에 완화의료 병동이 개설되고 다학제 팀이 구성되면서 중압감에서 서서히 벗어나게 되었습니다. 그때부터 호스피스 전문간호사의 도움과 함께, 봉사자, 성직자, 사회사업가 등의 도움으로 암환우와 가족을 함께 돌보면서 저는 통증조절 등의 신체적 증상완화에 집중할 수 있었기 때문입니다. 그러므로 호스피스·완화의료야말로 죽음이 가까운 환우를 돌보는 최선의 방법임을 실감하고 있습니다.

사람은 누구나 태어나서 한세상 살다가 죽습니다. 그렇다면 삶과 죽음의 의미는 무엇인가? 오랫동안 호스피스 의사로 일하면서 제가 깨달은 것은, 인간은 누구나 죽고 죽음 앞에서 모든 것이 사라지기에, 삶이란 내 것이 아니고 주어진 선물이라는 것입니다. 그러므로 가치 있는 삶이란 선물로 받은 삶을 선물로 내어주는 사랑의 삶을 살아, 삶을 완성하는 것이라고 생각합니다. 그러므로 호스피스·완화의료는 우리 삶과 죽음에 올바르게 기여하는 것입니다.

학회 회원 여러분, 우리나라 호스피스·완화의료가 새롭게 태어나도록 더욱 열심히 노력해 나아갑시다. 우리는 앞으로 많은 경험을 쌓아가면서 더 좋은 교과서를 만들어 인간미 넘치는 의료인과 봉사자를 양성할 수 있도록 노력합시다.

또한 제도화가 올바르게 정착되어 모든 국민이 혜택을 받을 수 있도록 노력하여야 합니다.

더욱이 호스피스·완화의료를 통하여, 서로 돕고 나누는 삶을 실천하고 보여줌으로써 우리나라에 새로운 삶과 돌봄의 희망을 주도록 노력하여야 할 것입니다.

한국호스피스·완화의료학회 회원 여러분, 우리는 여러분을 믿습니다.

그러나 무엇보다도 우리에게 사랑의 마음을 주신 하느님께 감사와 찬미와 영광을 드립니다.

2018년 7월

전 한국호스피스·완화의료학회 초대 이사장 이 경 식

머리말

한국에서 호스피스·완화의료가 최초로 시작된 것은 일찍이 1965년이었습니다. 그러나 그것은 호주에서 온 '마리아의 작은 자매회' 수녀들이 강릉 '갈바리 의원'에서 시작한 것이었습니다. 사실 그 시기는 호스피스의 본 고장인 영국이나 호주의 호스피스 시작 시기와 비슷합니다. 그런데 당시의 한국사회는 6.25 전쟁이 가져온 잿더미 속에서 경제를 부흥시키는 때여서, 먹고 사는 것이 가장 시급한 숙제였습니다. 삶의 질을 높이거나 임종하는 이들을 편안하게 돌보는 것에 신경을 쓸 틈이 없는 시기였고 자력으로는 호스피스·완화의료를 시작할 수 없었습니다.

1970년대 미국에 유학한 간호대학 교수들이 호스피스·완화의료를 접하고 한국에 들여와 강의를 시작한 것이 한국사회에 호스피스·완화의료의 씨앗을 뿌리는 직접적인 계기가 되었습니다. 1980년대 초에 와서야 환자들을 방문하고 돌보는 일이 한국 의료인들의 손에 의해 시작되었습니다. 여기에는 몇몇 신념 있는 의사들의 참여와 종교인, 간호사, 학생들의 노력이 원동력이 된 것이 사실입니다.

1998년 호스피스·완화의료의 학문적 발전과, 저변 확대 그리고 제도화를 앞당기기 위해 여러 분야의 호스피스 종사자, 전문가들이 모여 한국호스피스·완화의료학회를 창립한 이래, 한국의 호스피스·완화의료는 최근 제도화를 이룰 때까지 먼 길을 왔습니다. 그동안 호스피스·완화의료에 참여한 여러 사람들의 헌신적인 노력이 제도화의 결실을 위한 자양분이 되었습니다.

하지만 서구에서 도입된 호스피스·완화의료를 가지고 한국의 환자들을 돌보는 과정에서 어떤 부분에서는 몸에 맞지 않는 옷을 입은 것 같은 어색함도 없지 않았습니다. 이제 창립 20돌을 맞는 한국호스피스·완화의료학회가 우리의 정서와 문화에 어울리는 호스피스·완화의료를 찾는 일을 주도해 왔고, 그러한 노력이 호스피스·완화의료 교과서로 결집되어 이제 결실을 맺게 되었습니다.

이 교과서의 완성이 끝이 아니라고 생각합니다. 급변하는 의학의 개념과, 과학의 끊임없는 발전이 호스피스·완화의료에도 계속 영향을 미쳐 더 좋은 환자 돌봄의 개념은 끊임없이 변화하리라고 생각합니다. 그래서 이 교과서의 발간은 우리의 새로운 시작이 될 것입니다.

이 책을 만드는 동안 집필자로 참여해 주신 여러 선생님들의 노고에 감사드립니다. 그분들의 평생의 경험과 신념이 이 책으로 모아진 것이라 해도 지나침이 없을 것입니다. 아울러 바쁜 시간을 쪼개어 오랜 기간 편집에 참여하고 헌신해 주신 편집위원 여러분과, 편집을 실무 지휘해 주신 학회 최윤선 이사장님께 깊은 감사와 존경의 박수를 보냅니다. 또 책을 꼼꼼하게 감수하여 더 좋은 교과서로 태어날 수 있도록 도움을 주신 여러 자문위원님들께도 감사를 드립니다.

마지막으로 책의 발간에 많은 도움을 주신 학회 사무국 직원들과 군자출판사의 관계자 여러분께도 찬사를 보냅니다

2018년 7월

한국호스피스·완화의료학회 교과서 편찬위원장 홍 영 선

목차

1부
호스피스·완화의료 개요

1장	호스피스·완화의료의 철학과 역사	2
2장	해외 호스피스·완화의료 현황	5
I	세계 호스피스·완화의료 현황 개요	5
II	국가별 사례	7
3장	한국 호스피스·완화의료의 현황과 전망	22
I	국내 호스피스·완화의료의 도입	23
II	한국호스피스·완화의료학회의 결성	23
III	한국 호스피스·완화의료의 제도화 과정	24
IV	한국 호스피스·완화의료의 전망	27

2부
호스피스·완화의료 관련 법

4장	호스피스·완화의료 관련 법	32
I	우리나라 호스피스·완화의료 관련 법	32
II	암관리법	32
III	호스피스·완화의료 및 임종과정에 있는 환자에서 연명의료 결정에 관한 법(약칭: 연명의료결정법)	35

3부
호스피스·완화의료 윤리

5장	안락사와 의사조력자살	46
I	안락사의 정의	46
II	안락사의 역사	47
III	안락사의 유형과 의사조력자살	47
6장	생명 윤리의 원칙	51
I	이중 효과	51
II	의료윤리의 4원칙	52
7장	존엄한 생의 말기란 무엇인가?	54
I	존엄한 생의 말기의 의미	54
II	존엄한 죽음(존엄사) 개념의 문제	54
III	존엄한 생의 말기를 위해 필요한 요소	55
8장	임종기 수액과 영양제 투여의 유보와 중단	57
9장	완화적 진정의 윤리적 측면	60
I	완화적 진정의 기본 원칙	60
II	완화적 진정에 따른 의식 상실	60
III	완화적 진정에 따른 임종	61
IV	완화적 진정과 안락사	61
10장	임종기의 무익한 의료	62

4부
호스피스·완화의료 서비스 구성과 체계

11장 호스피스·완화의료팀 구성 66
- I 팀의 정의와 구성 66
- II 팀 기능(Team performance) 67
- III 호스피스·완화의료팀 70
- IV 요약 74

12장 호스피스·완화의료 서비스 제공 체계 76
- I 호스피스·완화의료 돌봄의 모델 76
- II 호스피스·완화의료돌봄의 모델 77
- III 호스피스·완화의료 돌봄의 정의에 대한 오해 79
- IV 요약 80

13장 호스피스·완화의료 기관 운영 및 관리 81
- I 기관 내 호스피스·완화의료의 도입 81
- II 요약 91

14장 호스피스·완화의료 종사자의 스트레스 및 소진 관리 92
- I 용어 정의: 스트레스, 소진, 공감피로, 공감만족의 정의 93
- II 호스피스·완화의료 환경의 특성 97
- III 호스피스·완화의료 종사자의 스트레스 및 소진 관리 99
- IV 요약 101

5부
환자 평가와 돌봄계획

15장 포괄적 환자 평가 106
- I 다면적 평가 106
- II 평가도구 107
- III 정신학적 평가 114
- IV 영적인 평가 116
- V 가족, 돌봄제공자 평가 117
- VI 사회적, 경제적, 문화적 평가 118

- VII 요약 118

16장 돌봄의 목표 설정 122
- I 돌봄의 목표 122
- II 돌봄의 목표 설정을 위한 7단계 모델 124
- III 돌봄 계획 126
- IV 요약 129

17장 사전돌봄계획 131
- I 사전돌봄계획의 개념과 목적 131
- II 배경 및 현황 133
- III 사전돌봄계획의 절차 135
- IV 사전돌봄계획의 장점과 단점 139
- V 요약 140

6부
통증관리

18장 통증의 병태생리 144
- I 통증 전달경로의 해부학적 구조 145
- II 통증의 병태생리 149
- III 통증의 종류에 따른 통증 경로 154

19장 통증 평가 157
- I 통증의 특성 157
- II 통증 조절의 목표 및 지속적 평가 163
- III 요약 164

20장 신경병증성 통증 167
- I 원인 및 분류 167
- II 진단 168
- III 치료 169
- IV 요약 172

21장 돌발성 통증 174
- I 돌발성 통증의 정의 174
- II 돌발성 통증의 원인 및 역학 174
- III 돌발성 통증의 임상 양상 175

IV 돌발성 통증의 진단 및 평가 ················ 175

V 돌발성 통증의 치료 ······················ 176

VI 요약 ·································· 179

22장 마약성 진통제 ···························· 180

I 마약성 진통제의 사용 ·················· 180

II 작용 기전과 분류 ······················ 182

III 마약성 진통제의 부작용 ·············· 186

23장 비마약성 진통제와 보조진통제 ·········· 191

I 비마약성 진통제 ······················ 191

II 보조진통제 ···························· 197

24장 통증의 비약물 요법 ···················· 204

I 통증의 중재적 시술 ···················· 204

II 방사선치료의 역할 ···················· 219

7부 증상관리

25장 호흡기증상 ···························· 224

I 호흡곤란 ······························ 224

II 기침 ································ 230

III 딸꾹질 ······························ 237

IV 가래 ································ 238

V 객혈 ································ 239

26장 소화기증상 ···························· 243

I 구역, 구토 ···························· 243

II 연하곤란 ···························· 245

III 변비 ································ 246

IV 설사 ································ 247

V 악성 장폐색 ·························· 251

VI 위장관 출혈 ·························· 256

VII 복수(Ascites) ······················ 258

VIII 황달 ································ 263

27장 비뇨기증상 ···························· 270

I 배뇨증상 ···························· 270

II 막힘 요로병증 ························ 273

III 혈뇨 ································ 274

IV 누공 ································ 275

V 성기능장애 ·························· 278

28장 림프부종 ···························· 281

I 림프부종의 분류 ···················· 281

II 림프부종의 병태생리 ················ 281

III 임상 양상 ·························· 282

IV 진단 ································ 282

V 치료 ································ 284

VI 림프부종의 합병증 ·················· 287

VII 치료평가 ·························· 288

VIII 요약 ································ 288

29장 기타 신체증상 ························ 290

I 구강 증상 ···························· 290

II 가려움증 ···························· 295

III 암성 발한 ·························· 296

IV 욕창 / 상처 ························ 298

30장 우울, 불안, 수면장애 ················ 302

I 완화의료에서의 정신장애 ············ 302

II 우울장애 ···························· 302

III 불안장애 ·························· 306

IV 수면장애 ·························· 309

V 요약 ································ 314

31장 섬망 ································ 316

I 말기질환에서의 섬망의 역학 ·········· 317

II 병리생리 ···························· 317

III 섬망의 임상 양상 및 임상적 진단 ···· 317

IV 섬망의 선별검사도구 ················ 319

V 섬망의 위험인자 ···················· 320

VI 섬망의 아형 ························ 320

VII 확진을 위한 정밀검사 ·············· 321

VIII 섬망의 감별진단 ···················· 322

호스피스 · 완화의료 Textbook of Hospice and Palliative Care

IX　섬망의 관리 ································· 322

X　말기 섬망의 관리에 대한 논의 ····· 326

XI　말기 환자에서 섬망의 예후적 의미 ····· 328

XII　요약 ································· 328

32장　응급상황 ································· 330

I　고칼슘혈증 ································· 330

II　출혈 ································· 332

III　상대정맥증후군 ························· 335

IV　척수압박증후군 ························· 337

V　간질발작 ································· 340

33장　임종기 돌봄 ························· 343

I　임종기의 정의 ························· 343

II　임종 전 돌봄 ························· 344

III　임종기 증상 및 관리 ················· 346

IV　임종 시 돌봄 ························· 354

V　임종 후 돌봄 ························· 355

VI　요약 ································· 356

34장　보완대체요법 ························· 358

I　정의와 사용현황 ······················· 358

II　보완대체요법의 임상적 적용 문제 ····· 360

III　보완대체의학의 주요 영역 ············· 362

IV　요약 ································· 369

8부
비암성 말기 환자에서의 호스피스 · 완화의료

35장　말기 만성질환(심부전, 만성폐쇄성 폐질환, 신장질환, 간질환) ························· 372

I　말기심부전의 호스피스 · 완화의료 ····· 372

II　말기 만성폐쇄성 폐질환 ················ 379

III　말기신장질환 ························· 387

IV　말기 간질환 ························· 391

36장　신경계질환(파킨슨, 근위축삭경화증) ········ 396

I　파킨슨병의 호스피스 · 완화의료 ······· 396

II　근위축측삭경화증의 호스피스 · 완화의료 ··· 400

37장　후천면역결핍증후군 ················· 404

I　국내 외 현황 ························· 404

II　증상 조절 ························· 406

III　예후와 말기 진단 ··················· 409

IV　말기 환자 관리와 감염관리 ··········· 410

V　요약 ································· 411

9부
특수 상황에서의 호스피스 · 완화의료

38장　소아청소년 호스피스 · 완화의료 ········· 414

I　소아청소년 호스피스 · 완화의료 개요 ······· 414

II　호스피스 · 완화의료의 소개와 의사결정 지원 ····· 415

III　위중한 질환으로 투병 중인 소아청소년의 요구와 돌봄 ··· 418

IV　위중한 질환을 가진 자녀를 둔 부모의 요구와 돌봄 ··· 421

V　위중한 질환을 가진 형제자매를 둔 소아청소년의 요구와 돌봄 ························· 422

VI　말기상황의 소아청소년의 죽음 인식과 돌봄 ······ 423

VII　말기상황의 소아청소년과의 의사소통 원칙 ········ 426

VIII　소아청소년과 가족의 임종준비 돌봄 ········· 427

IX　소아청소년 사망 후 가족 돌봄 방법 ········· 429

39장　노인 호스피스 · 완화의료 ··············· 432

I　노인호스피스 · 완화의료 개요 ··········· 432

II　노인 호스피스 · 완화의료 대상자의 특징 ·········· 433

III　노인말기환자의 접근방법 ············· 436

IV　노인 호스피스 · 완화의료 요구와 돌봄 ······· 437

V　노인 호스피스 · 완화의료 환자와의 의사소통 ······ 444

VI　노인 호스피스 · 완화의료 가족 지지 ········· 445

VII　노인환자의 임종준비 ················· 446

10부
심리사회적 돌봄 및 영적 돌봄

40장 심리사회적 돌봄 ·········· 450

Ⅰ 심리사회적 돌봄의 이해 ·········· 450

Ⅱ 심리사회적 돌봄의 과정 ·········· 453

Ⅲ 심리사회적 돌봄의 실천방법 ·········· 458

41장 영적 돌봄 ·········· 465

Ⅰ 개념 ·········· 465

Ⅱ 영적 요구 사정 ·········· 469

Ⅲ 영적 문제와 진단 ·········· 476

Ⅳ 영적 돌봄 ·········· 477

Ⅴ 영적 평가 ·········· 481

Ⅵ 영적 돌봄 제공자 ·········· 481

42장 가족 돌봄 ·········· 484

Ⅰ 말기 환자 가족의 이해 ·········· 485

Ⅱ 가족 돌봄을 위한 개입 ·········· 491

43장 사별가족에 대한 사정과 상담 ·········· 503

Ⅰ 사별가족과 돌봄에 대한 이해 ·········· 503

Ⅱ 사별(임종)의 단계 및 사별 경험 후 나타나는 증상 ··· 505

Ⅲ 사별 경험 후 돌봄의 단계 ·········· 508

Ⅳ 사별가족 돌봄의 방법(모현 호스피스 예시) ·········· 511

Ⅴ 사별가족 돌봄 사정 및 돌봄 프로그램 ·········· 513

Ⅵ 사별가족 돌봄 전문가 양성 ·········· 519

11부
의사소통

44장 나쁜 소식 전하기 ·········· 522

Ⅰ 나쁜 소식 전하기의 정의 ·········· 522

Ⅱ 의사소통 기술 ·········· 523

Ⅲ 나쁜 소식 전하기의 모델 ·········· 523

Ⅳ 호스피스 · 완화의료에서의 나쁜 소식 전하기 ·········· 525

Ⅴ 나쁜 소식 전하기와 관련한 환자의 입장 ·········· 528

Ⅵ 요약 ·········· 528

45장 환자, 가족, 의료진 상호 간의 의사소통 ·········· 530

Ⅰ 국내 의료 환경의 특수성 ·········· 531

Ⅱ 바람직한 의사소통 ·········· 531

Ⅲ 의료진과 가족 간 의사소통 ·········· 533

Ⅳ 요약 ·········· 534

12부
호스피스·완화의료 전문인력 교육

46장 국내 필수인력 교육현황 ·········· 538

Ⅰ 의사 교육 ·········· 538

Ⅱ 간호사 교육 ·········· 542

Ⅲ 사회복지사 교육 ·········· 546

13부
호스피스·완화의료 연구

47장 호스피스·완화의료 연구 ·········· 558

Ⅰ 호스피스 · 완화의료 연구의 어려움 ·········· 558

Ⅱ 호스피스 · 완화의료 연구의 대상 ·········· 559

Ⅲ 호스피스 · 완화의료에서 연구 설계 ·········· 561

Ⅳ 호스피스 · 완화의료 연구에서의 윤리적 문제 ·········· 564

Ⅴ 심리사회적 주제에 대한 연구 ·········· 566

Ⅵ 삶의 질 : 원칙과 실제 ·········· 569

찾아보기 ·········· 581

1부

호스피스·완화의료 개요

1장 호스피스·완화의료의 철학과 역사
2장 해외 호스피스·완화의료의 현황
3장 한국 호스피스·완화의료의 현황과 전망

1장
호스피스·완화의료의 철학과 역사

| 홍영선, 지영현 |

사람은 누구든지 편안한 죽음을 맞거나 아니면 삶의 가장 마지막 순간까지 편안한 삶을 유지하기를 원한다. 거기에 더해서 존엄성을 유지하면서 죽는 것, 즉 선종은 우리나라에서도 옛날부터 가장 좋은 죽음의 모습으로 일컬어져 왔다. 그러나 현대 의학이 도입되고 발전해 가면서 의학은 병의 완치와 생명의 연장에 초점을 맞추어 왔다. 따라서 치유되지 않는 질병의 치료나 임종하는 환자의 돌봄은 방법이 별로 없거나, 큰 의미가 없는 것으로 치부되어 별 관심을 받지 못했던 것이 사실이다. 최근 삶의 질에 대한 관심이 높아지면서 죽음의 모습에 대한 관심도 높아졌고 그에 따라 임종하는 환자들의 편안한 삶과 죽음에 대한 희망 또한 높아졌다. 한국 사회에서는 1960년대 중반에 호스피스(hospice) 개념이 소개된 이래 종교계와 간호계의 숨은 노력에 힘입어 수십 년 동안 발전해왔고, 1980년대 이후 의사들도 적극적으로 참여하고 있다.

호스피스는 임종을 앞둔 말기 환자의 고통스러운 증상을 조절하고 환자와 그 가족들이 겪는 정신적, 사회적, 영적 문제를 포함한 제반 문제를 돕기 위한 의학적 돌봄으로 그러한 돌봄의 철학을 말하기도 한다. 호스피스에서는 의사, 간호사, 사회복지사뿐 아니라 여러 분야의 전문가와 자원봉사자가 하나의 팀을 이루어 환자와 가족의 고통을 덜어주고 삶의 질을 높이며 행복하고 편안한 가운데에, 인간으로서의 존엄성을 유지하면서 임종을 맞이하도록 돕는다. 또한, 환자의 임종 후에 남은 가족은 사별의 슬픔을 겪게 되는데 호스피스에서는 이 사별의 극복까지 돕는다.

서구 사회에서는 호스피스의 개념이 11세기부터 시작되었다. 그 이후 수세기 동안 가톨릭 교회의 전통에 따라 호스피스는 병자, 부상자, 임종자를 돌보고 여행자와 순례자들에게 휴식처를 제공하는 장소로서의 역할을 했다. 현대적인 개념의 호스피스는 생의 마지막 몇 개월 간을 병원, 요양원 또는 가정에서 보내는 환자들에 대한 완화의료 돌봄을 포함하고 있다. 이러한 의미에서의 첫 번째 현대적 호스피스 기관은 1967년 시슬리 손더스(Cicely Saunders)가 설립하였다.

'호스피스'라는 용어는 영어의 'hospice'의 음을 그대로 표기한 말이며, 라틴어 'hospes'에서 유래된 것으로 전해진다. 역사가들은 11세기인 1065년경에 호스피스가 기원한 것으로 보고 있으며 1090년대 십자군 운동이 일어났을 때 십자군들의 이동과 관련된 숙소이자 병자들의 수용소로서의 역할을 한 것으로 전하고 있다. 중세에는 십자군 운동과 관련하여 호스피스가 비교적 번창하였으나 십자군이 철수하고 수도회가 쇠퇴함에 따라 점차 시들해졌다.

호스피스는 17세기 프랑스에서 Daughters of Charity of Saint Vincent de Paul에 의해 다시 부흥되기 시작했다. 그 이후 프랑스에서 계속 발전했으며 1843년에 L'Association des Dames du Calvaire 호스피스가 Jeanne Garnier에 의해서 설립되었다. 1900년까지 6개의 호스피스가 더 만들어졌다.

그사이 다른 지역에서도 호스피스가 발달하기 시작했다. 영국에서는 19세기 중엽에 말기 환자의 요구에 관심을 가지기 시작하였고, Lancet이나 British Medical Journal 같은 의학 잡지에 가난한 말기 환자를 잘 돌보고 위생 상태를 유지해야 한다는 논문들이 발표되었다. 이에 따라 관련 시설들을 개선하는 노력의 일환으로 1892년에는 런던에 35병상의 Friedenheim (또는 Home of Peace)이 설립되었고 결핵으로 임종하는 환자들을 돌보았다. 1905년까지 영국에는 4개의 호스피스가 더 개설되었다. 호주에서도 호스피스가 활발하게 생겨났는데, 아델레이드에 개설된 Home for Incurables (1879), 시드니의 Home of Peace (1902)와 Anglican House of Peace for Dying(1907) 등이 그것이다.

초기 호스피스 발전에 크게 기여한 단체 중 하나는 아일랜드의 Religious Sisters of Charity로 1879년 아일랜드 더블린에 Our Lady's Hospice를 열었다. 이 호스피스에서는 1845년부터 1945년 사이에 결핵 또는 암으로 사망하는 환자들을 2만명 가까이 돌보았다고 한다. Religious Sisters of Charity는 국제적으로도 활동범위를

넓혀, 1890년에 호주 시드니에 Sacred Heart Hospice for the Dying을 열었고, 이어서 1930년대에는 멜버른과 뉴사우스 웨일즈에도 호스피스를 개설하였다. 1905년에는 영국 런던에 St. Joseph's Hospice를 열기도 했다. 시슬리 손더스는 1950년대에 그곳에서 일하면서 현대 호스피스의 기본이 되는 많은 원칙들을 개발했다고 한다.

시슬리 손더스는 간호사이자 의사, 의료사회복지사로서 병이 아니라 환자에게 집중해야 한다고 강조했고, 통증의 원인에 신체적 측면뿐 아니라 정신적, 영적 측면도 있음을 나타내는 '총체적 통증(total pain)'의 개념을 도입하였다. 그녀는 1967년 최초의 현대적 호스피스 기관인 St. Christopher's Hospice를 설립하였다. 그녀는 1963년 이후 여러 번 미국에 방문하여 자신의 철학을 전파하였고 1970년대 미국 호스피스의 발전에 영향을 미쳤다.

한편 이러한 현대적인 호스피스 운동으로부터 '완화의료(palliative care)'의 개념이 발전하게 되었다. 세계보건기구(World Health Organization, WHO)에서는 완화의료를 생명을 위협하는 질환으로 인해 통증과 여러 가지 신체적, 심리사회적, 영적인 문제들에 직면한 환자와 가족의 문제를 조기에 알아내고, 적절한 평가와 치료를 통해 그로 인한 고통을 예방하고 해소하여 삶의 질을 향상시키기 위한 의학의 한 분야라고 정의하고 있다. 완화의료는 증상 조절, 환자의 가치관과 선호도에 기반한 돌봄 계획 수립, 지속적인 의사소통, 그리고 정신사회적 및 영적 지지 제공 등을 핵심으로 한다. 완화의료는 임종을 앞둔 말기 환자뿐 아니라 생명을 위협하는 질환으로 고통 받는 모든 환자를 대상으로 하므로 호스피스에 비해 보다 확대된 개념이라고 할 수 있다. 최근에는 수명 연장을 목표로 하는 치료가 불가능해진 후에야 호스피스 돌봄으로 전환하는 이분법적인 의학관으로부터 탈피하여 수명 연장을 목표로 하는 의학적 치료와 병행하여 처음부터 완화의료를 함께 제공하는 방향으로 패러다임의 전환이 이루어지고 있다. 질병의

심각성 정도, 서비스 제공시점, 서비스 제공방법 및 내용의 포괄성 정도에 따라 일반적으로 완화의료나 호스피스로 구분되지만 완화의료는 각국의 의료체계, 역사적 발전배경에 따라, 호스피스, 호스피스·완화의료, 완화의료, 생애말기돌봄 등의 용어로 사용되고 있다.

호스피스·완화의료는 지난 몇십 년간 세계적으로 확산되어 현재 유럽, 미국, 캐나다를 비롯하여 일본, 대만 등 많은 나라에서 체계적인 서비스가 제공되고 있다. 그 밖에도 점차 많은 나라에서 호스피스·완화의료 서비스를 제공하기 위한 움직임이 일어나고 있으며 동남아시아, 중동, 아프리카 등 호스피스·완화의료 돌봄이 열악한 지역에서도 많은 국제적 지원 하에 마약성 진통제의 보급 및 호스피스·완화의료의 제도화를 위한 작업이 진행되고 있다. 우리나라는 호스피스가 비교적 일찍 도입되었음에도 불구하고 제도적 지원을 받지 못하다가 2015년 7월부터 건강보험 수가가 적용되었고 2017년 8월부터 호스피스·완화의료에 관한 법률이 발효되어 시행되고 있다.

📖 참고문헌

1. 홍영선. 한국 호스피스의 과거, 현재, 미래. J Korean Med Assoc 2008;51(6):509-16.
2. Connor, Stephen. Hospice: Practice, Pitfalls, and Promise. Taylor&Francis. p.4, 1998.
3. Hyun Sook Kim and Young Seon Hong. Hospice Palliative Care in South Korea: Past, Present, and Future. Korean J Hosp Palliat Care 2016;19(2):99-108.
4. Kim HS, Kim BH. Palliative care in South Korea. In: Ferrell BR, Coyle N, Paice JA, eds. Oxford textbook of palliative nursing. 4th ed. New York : Oxford University Press;2015. p.1136-43.
5. Lewis, Milton James. Medicine and Care of the Dying: A Modern History. Oxford University Press US. p.20, 2007.
6. Robbins, Joy. Caring for the Dying Patient and the Family. Taylor&Francis. p.138, 1983.
7. The Economist Intelligence Unit. The 2015 quality of death index: ranking palliative care across the world. London: The Economist Intelligence Unit; 2015.

2장

해외 호스피스·완화의료 현황

| 조현정, 김현숙 |

I 세계 호스피스·완화의료 현황 개요

1. 호스피스·완화의료 관련 역학

노인 인구 증가, 비전염성 질환으로 인한 사망 증가로 호스피스·완화의료에 대한 관심이 전세계적으로 높아지고 있다. WHO (World Health Organization) 및 WHPCA (World Hospice Palliative Care Alliance)의 추산에 의하면 전 세계적으로 호스피스·완화의료를 필요로 하는 인구는 약 2000만명이며 이 중 60세 이상 노인의 비중이 69%이다 그림 2-1.

성인 호스피스·완화의료 대상자의 90%는 비전염성 질환에 의해서 사망하며, 특히 노인 인구는 심혈관계질환, 만성폐쇄성 폐질환 등으로 사망한다. 성인 호스피스·완화의료 대상자의 78%는 중, 저소득 국가에 있으나 인구 10만 명당 호스피스·완화의료 수요 인구 비율은 고소득 국가에서 높다. 성인 호스피스·완화의료 대상자의 4분의 3이 동태평양, 유럽, 동남아시아지역에

거주하는데 지역별로 호스피스·완화의료 대상 질환의 빈도가 달라 아프리카에서는 HIV/AIDS (42%) 및 비암성 질환의 빈도가 높고 타 지역에서는 비암성 질환, 암의 순서이다.

소아 호스피스·완화의료 대상자는 전세계적으로 약 120만명으로 추산되며 선천성 기형(25%), 신생아 질환

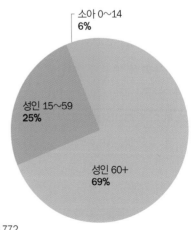

N=20,398,772

그림 2-1. 호스피스·완화의료 필요 인구의 연령 분포
출처: WHPCA, WHO 2014. Global atlas of palliative care at the End of Life.

5

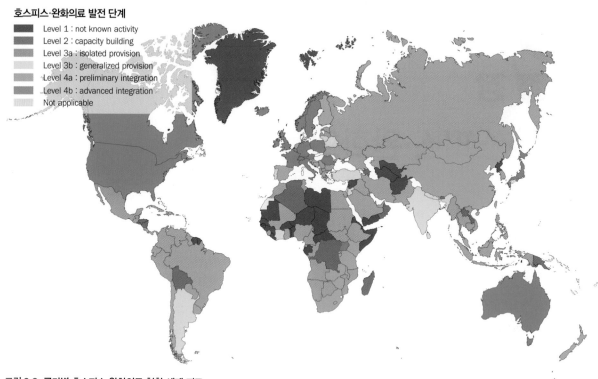

호스피스·완화의료 발전 단계
- Level 1 : not known activity
- Level 2 : capacity building
- Level 3a : isolated provision
- Level 3b : generalized provision
- Level 4a : preliminary integration
- Level 4b : advanced integration
- Not applicable

그림 2-2. 국가별 호스피스·완화의료 현황 세계 지도
출처: WHPCA, WHO 2014. Global atlas of palliative care at the End of Life.

(15%), 단백-에너지 영양결핍(14%) 순으로 집계되었다. 소아 호스피스·완화의료 대상자의 약 절반이 아프리카의 어린이들이며 대상자의 98%는 중, 저소득 국가의 어린이들이다.

2. 호스피스·완화의료 발달

지역, 국가, 문화권에 따라 질병 역학, 보건의료체계 등의 사회경제문화적 여건이 달라 호스피스·완화의료 제도 및 발전 양상이 다양하다. 2011년부터 WHPCA에서는 1) 호스피스·완화의료에 대한 국가 정책 유무, 2) 마약성 진통제 접근성, 3) 호스피스·완화의료 서비스 공급, 4) 전문 인력 양성 및 5) 보건의료체계로의 통합 정도를 활용하여 세계 호스피스·완화의료의 발전 단계 지도를 작성해왔는데 그림 2-2 지역별 호스피스·완화의료 발달 정도의 차이가 뚜렷하여 유럽, 북미, 호주 등에서는 통합된 호스피스·완화의료 체계를 갖추고 있으

며 아프리카, 라틴 아메리카, 아시아의 많은 지역은 호스피스·완화의료 서비스가 없거나 걸음마 단계에 있음을 알 수 있다. 2011년 조사에 의하면 전세계 234개국 중 136개국에서 최소 1개 기관 이상의 호스피스·완화의료 서비스가 제공되었으며 아예 호스피스·완화의료 서비스가 제공되지 않는 국가가 대다수였으며, 호스피스·완화의료가 보건의료체계에 선진적으로 통합된 국가는 약 20개국(8%)에 불과했다.

EIU (Economist Intelligence Unit)는 2015년 80개 국가의 호스피스·완화의료 현황을 비교한 죽음의 질 순위 (quality of death ranking)를 발표했는데, 앞서 WHPCA에서 이용한 주요 지표들에 지역사회 연계(community engagement)를 추가하여 비교하였다. WHPCA 보고서와 마찬가지로 지역 및 국가 소득 별 호스피스·완화의료 발전 정도의 차이가 확인되었다. 영국, 호주, 뉴질랜드 등의 국가들이 높은 순위를 차지했으며, 호스피

1부

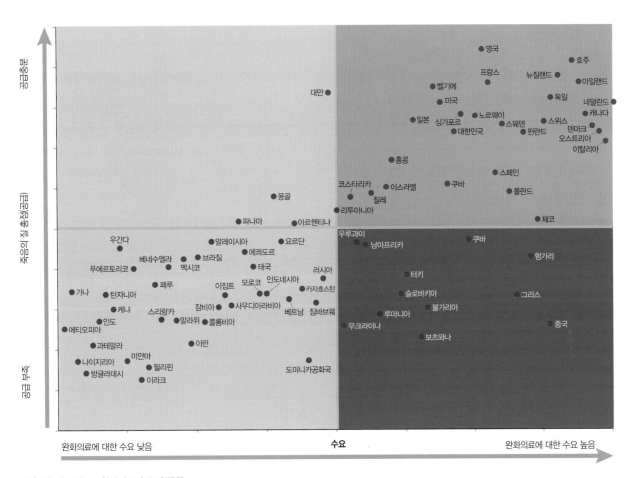

그림 2-3. 호스피스 · 완화의료 수요와 공급
출처: Economist Intelligence Unit, 2015, The 2015 Quality of Death Index Ranking palliative care across the world.

스·완화의료에 대한 국가정책과 공공/민간 재정 확보 등이 호스피스·완화의료 정착에 필수적인 요소로 제시되었다. 우리 나라는 18위로 집계되었으며 아시아 지역에서는 대만(6위), 일본(14위)등이 완화의료의 수준이 상위로 평가되었다. 한편 EIU 보고서에서는 국가별 호스피스·완화의료 수요 및 공급 정도를 추산했는데 **그림 2-3**, 중국, 그리스 등 일부 국가에서는 수요에 비해 공급이 부족하여 호스피스·완화의료의 보급이 상대적으로 시급함을 짐작할 수 있다.

전세계적으로 향후 호스피스·완화의료를 필요로 하는 인구는 증가할 것으로 예상된다. 국가별, 지역별로 호스피스·완화의료가 기존 의료제도에 안정적으로 통

합되어 제공될 수 있도록 호스피스·완화의료에 대한 정책적 지원, 인력 교육, 마약성 진통제 보급, 지역 사회 연계 등 다각적인 노력이 필요하다.

II 국가별 사례

1. 영국

1) 호스피스·완화의료 제도

영국은 EIU에서 조사한 죽음의 질 순위에서 2010년, 2015년 모두 선두를 지켰는데 이는 오랜 기간 동안 지

속적으로 민간영역과 공공영역에서 호스피스·완화의료를 보급하고 정착시키기 위해 노력해온 결과이다. 영국에서 호스피스·완화의료가 발달할 수 있었던 배경으로는 오랜 종교적 전통, 활발한 자선 기부 및 국가보건의료서비스(Nutional Health Service, NHS) 운영을 꼽을 수 있다.

19세기 후반 런던에는 종교적 돌봄을 강조하며 임종이 가까운 환자들을 돌보는 시설들이 생겨났으며 이 시설들은 이후 현대적인 호스피스운동의 근거지가 된다. 20세기들어 맥밀란(Macmillan organization), 마리퀴리재단(Marie Curie Memorial foundation) 등 암 환자 돌봄을 위한 민간 단체들이 설립되는 등 암 환자의 돌봄에 대한 관심이 증가하던 가운데, 현대 호스피스·완화의료의 창시자로 불리는 Cicely Saunders는 1967년 St. Christopher's hospice를 설립하여 통증 조절, 마약성 진통제 투여에 대한 주요 연구들을 발표하고 전인적 돌봄을 강조하는 돌봄 모델을 제시하여 이후 호스피스 운동이 활성화되는데 선구적인 역할을 했다.

1991년 호스피스, NHS, 자선단체 들을 아우르는 National Council for Hospice and Specialist Palliative Care Services가 설립되어 주로 말기 암 환자 돌봄 위주로 활동했으며, 말기 암 환자 대상 호스피스·완화의료서비스가 어느 정도 정착한 2004년 National Council for Palliative Care로 명칭을 바꾸고 모든 말기 환자를 대상으로 한 연속적인 돌봄을 목표로 대상 범위를 확대하였다.

2008년 End of life care strategy가 발표되어 모든 말기 환자에게 호스피스·완화의료를 제공하는 것을 국가보건 정책의 주요 과제로 선정하였다. End of life care strategy에서는 말기 돌봄이 필요할 모든 환자와 가족에게 통합적이고 지속적인 돌봄을 제공하도록 생애 말기 돌봄 지침(The end of life care pathway)을 제시했는데 1단계: (말기 돌봄에 대한) 의사소통 시작, 2단계: 돌봄 계획 평가 및 검토, 3단계: 각 환자에 필요한 돌봄 조정, 4단계: 환자가 이용하는 모든 환경에서 양질의 돌봄 제공, 5단계: 임종이 임박한 시기의 돌봄, 6단계: 임종 후 돌봄 및 사별 돌봄, 그리고 모든 단계에서 돌봄 제공자와 가족 지지, 환자와 돌봄 제공자에게 정보 제공, 영적 돌봄을 제공하도록 제시하였다 그림 2-4. End of life care strategy 발표 후 말기 돌봄에 대한 공론화와 인식 개선을 위해 Dying matters coalition이 설립되어 죽음, 사별, 말기 돌봄에 대한 의사소통을 촉진하기 위한 다양한 활동을 하고 있다. 한편 비영리단체인 The Gold Standard Framework에서는 일차의료, 요양원, 종합병원 등에서 각각의 진료 환경에 적합한 양질의 호스피스·완화의료를 제공할 수 있도록 교육 및 조정을 제공한다.

호스피스 돌봄은 무료로 제공되며 호스피스 기관 운영에 필요한 재원의 상당 부분은 기부금 등 자선 기금으로 충당한다. 성인 호스피스·완화의료 재원은 기부금 53%, 정부 지원 30%였으며 소아 호스피스 재원은 정부 지원 비율이 더 낮고(15%) 기부금 비율(77%)이 더 높았다.

2) 호스피스·완화의료 기관

2016년 현재 호스피스·완화의료 기관들의 대표 기구인 Hospice UK에 220 기관(NHS 25기관 포함)이 등록되어 있으며 이중 입원형 서비스는 176기관, 총 2760 병상에서 제공되고 있다.

가정에서의 돌봄이 큰 부분을 차지하며 병원, 호스피스, 요양원 등 어디에서나 말기 돌봄을 받을 수 있다. 호스피스·완화의료기관에 따라 가정형호스피스, 입원형, 낮돌봄, 가족 휴식을 위한 입원(respite care)등을 다양하게 제공한다.

3) 호스피스·완화의료 대상 및 이용 현황

초기에는 말기 암 환자가 호스피스·완화의료의 주요 대상이었으나 2000년이후 대상이 비암성 질환으로 확장되어 2008년 End of life care strategy에서는 진단에 상관없이 모든 말기 환자에게 연속성 있는 말기 돌봄을 제

1부

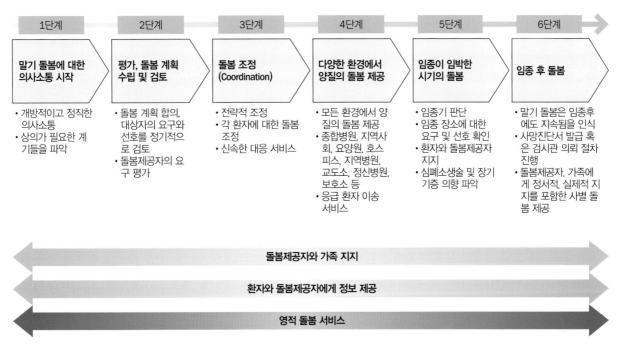

그림 2-4. 생애 말기 돌봄 지침(The End of Life Care Pathway)
출처: Department of Health, UK, 2008, End of Life Care Strategy—Promoting high quality care for all adults at the end of life.

공하도록 했다. 2015~2016 보고에 의하면 비암성 질환자의 이용이 증가하고 있으나 여전히 암 환자의 이용이 약 80%에 달한다.

2016년 보고서를 보면 성인은 그해 호스피스·완화의료 수요의 44%에 해당하는 약 20만명이 호스피스·완화의료 서비스를 이용했다. 서비스 유형별로는 지역사회에서 호스피스를 받은 환자가 159,000명으로 가장 많았고 54,000명이 외래 진료를, 48,000명이 입원형호스피스, 35,000명이 낮돌봄 호스피스, 16,000명이 병원에서 호스피스·완화의료를 받았다 **그림 2-5**. 입원형호스피스·완화의료서비스는 호스피스에서 제공되는 서비스의 약 15%를 차지했다. 평균 입원 기간은 15일이었고 32%의 환자가 입원 후 집으로 퇴원했다. 환자의 25%는 입원 기간이 5일 미만이었다.

4) 호스피스·완화의료팀
의사, 간호사, 사회복지사, 각종 요법 치료사(물리치료, 작업치료, 재활치료, 음악/미술 치료 등), 상담가, 자원봉사자 들이 활동한다.

의사의 경우 1987년 The Royal College of Physicians에서 완화의료를 전문 분야로 인정한 후 전문의 수련과정을 시작하였다. 전문의 수련과정은 4년이며 전문 과목 진료, 연구, 관련 전문과목(종양학, 감염, 심장, 혈액학 등)수련을 포함한다. 2012년 현재 전문의 수는 334명이며 이는 인구 100만명 당 5.3명에 해당한다.

지역사회의 일반의 및 지역 간호사(district nurse)가 가정에 있는 환자에 대한 일상적인 진료를 담당하는 한편, NHS, 호스피스, 기타 관련 기관에서 다양한 호스피스·완화의료팀이 가정을 방문하여 환자가 집에서 지낼 수 있도록 지원한다. 가정에서 머물며 간호하는 마리 퀴리 간호사(Marie Curie nurse), 전문적인 자문과 조언을 제공하는 맥밀란 임상 전문간호사(Macmillan clinical nurse specialist) 등 다양한 간호 돌봄의 도움을 받을 수 있다.

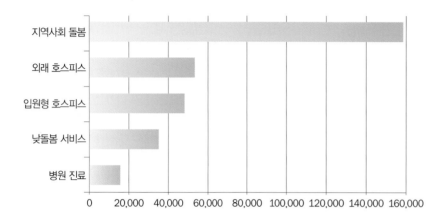

그림 2-5. 호스피스·완화의료 서비스 유형별 연간 이용 현황
출처: hospiceUK 2016. Hospice care in the UK 2016−Scope, scale and opportunities.

일반적인 경우보다 복잡한 문제가 동반된 환자의 경우 전문 호스피스·완화의료팀의 돌봄을 받을 수 있다. 전문 호스피스·완화의료 자문의, 호스피스·완화의료 전문 간호사를 반드시 포함하고, 물리치료사, 작업치료사, 사회복지사, 심리영적 돌봄, 영양사, 언어치료사, 약사, 중재적 통증 시술 전문가와 연계하도록 권고하고 있다.

성크리스토퍼 호스피스 설립 시부터 자원봉사자들의 참여가 매우 활발하여 환자를 위한 봉사부터 재원 마련을 위한 기부금 모금에 이르기까지 자원봉사자들이 호스피스 운영에서 중요한 부분을 담당한다.

2. 호주

1) 호스피스·완화의료 제도

1970년대 마리아의 작은 자매회(Little company of Mary)를 비롯한 종교 단체에서 호스피스를 운영해오던 가운데, 완화의료가 활성화되고 있던 영국, 캐나다 등의 영향을 받아 호주에서도 현대적인 호스피스·완화의료가 발전하기 시작했다.

1991년 호스피스·완화의료 관련 단체의 대표기구인 Palliative Care Australia (PCA)가 설립되어 국가정책 및 의료제도 수립에 기여하였다. 2000년 National palliative care strategy가 승인되고 2010년 개정되면서 주 단위가 아니라 국가 전체 차원에서, 근거에 기반한 양질의 호스피스·완화의료를 누구나 받을 수 있도록 하는 것을 원칙으로 하여 정책적, 재정적 지원을 시작하였다. 이러한 국가 차원의 지원에 힘입어 연구, 인력 교육, 증상 조절에 필요한 약제에 대한 접근성, 돌봄의 질, 근거에 대한 접근성 향상을 목표로 하는 프로그램이 시행되었다. 일례로 PCA는 전문 호스피스·완화의료 서비스의 질 향상을 위해 National Standards Assessment Program (NSAP)을 개발하여 교육, 기관들의 자가 평가 및 타 기관과의 비교, 감사 도구 등을 제공하고 있다. 또한 정부 지원으로 호스피스·완화의료에 대한 문헌 근거 접근 및 근거 활용을 위해 Care Search 웹사이트가 만들어졌다. Palliative Care Outcomes Collaboration (PCOC)를 구축하여 전국에서 환자성과를 표준화된 도구로 측정한 데이터를 수집하여 발표하고 목표 기준을 제시하여 기관들의 돌봄의 질 향상을 유도하고 있다. PCOC에서 수집하는 평가 항목 및 세부기준은 **표 2-1**과 같다.

2) 호스피스·완화의료 기관

신생아, 소아, 종합병원, 호스피스, 일반의 진료, 가정, 요양원 등 다양한 환경에서 완화의료를 제공한다. 전문 완화의료 서비스는 병원 입원, 호스피스, 지역 서비스(가정) 등 다양한 형태로 운영된다. 요양원의 경우 Aged care act를 근거로 호스피스·완화의료 서비스 연계 및 관련 프로그램을 운영하도록 규정하였다.

표 2-1. Palliative Care Outcomes Collaboration에서 수집하는 평가 항목, 세부 기준, 등록 결과 예시

평가 항목 및 세부 기준	충족한 기관 비율(2015년)
1. 환자가 서비스 받기로 한 날부터 실제 서비스 시작까지 기간(Time from date ready for care to episode start) → 환자의 90%에서 당일 혹은 익일에 시작해야 함	전체(73.5%) 입원(88.7%) 지역(52.3%)
2. 불안정기에 머문 기간(Time patient spent in an unstable phase*) → 환자의 90%에서 불안정기에 머문 기간이 3일 이하여야 함	전체(37.9%) 입원(48.6%) 지역(27.3%)
3. 통증의 변화(Change in pain)	
3.1 초기에 통증이 없음/약함인 상태의 90%에서 그대로 통증 없음/약함으로 지속	입원(63.0%) 지역(4.4%)
3.2 통증이 중등/중증도인 경우의 60%에서 통증 없음/약함으로 감소	입원(57.5%) 지역(20.0%)
3.3 초기에 통증에 의한 디스트레스 없음/약함인 상태의 90%에서 그대로 디스트레스 없음/약함으로 지속	입원(47.8%) 지역(4.4%)
3.4 초기에 통증에 의한 디스트레스가 중등/중증도인 상태의 60%에서 디스트레스 없음/약함으로 호전	입원(36.2%) 지역(11.4%)
이외 피로, 가족/돌봄자 평가에 대한 세부기준이 있음	

*불안정기(unstable phase) : 새로운 문제 발생 혹은 기존 문제가 악화된 상태

2012년 기준으로 총 226기관에서 전문 호스피스·완화의료 서비스를 제공하였다. 호주 전역의 공공병원 728기관중 124기관에서, 사립병원 286기관 중 24기관에서 병원 내 호스피스·완화의료 병상을 운영한다.

공공 병원 및 일반의 진료는 주 정부 지원 및 메디케어 혜택을 받으며 처방 약제비를 지원 받을 수 있으며 사립병원 이용은 행위별 수가가 적용된다. 주에 따라 비용 및 재원이 다양한 것으로 나타났다.

3) 호스피스·완화의료 대상 및 이용 현황

평균 수명 증가와 더불어 비감염성 질환이 전체 질환의 80%를 차지할 정도로 증가추세이다. 연 사망 144,000명 중 약 절반은 임종이 예상되어 호스피스·완화의료가 필요한 경우로 추산된다. 2016년 보고서 (2013~2014 회계연도 통계)에 의하면 공립/사립병원

통틀어 호스피스·완화의료 입원이 연간 62,200건으로 2009~2010년도보다 11% 증가했다. 75세 이상이 입원건수의 51%에 해당했으며 병원 입원 중 사망 환자의 44%가 호스피스·완화의료 돌봄을 받았다. 호스피스·완화의료 입원 기간은 평균 9.1일(2015년)이었다.

호스피스·완화의료 입원 중 사망환자의 53%는 암이 주진단이었으며, 입원 중 암으로 사망한 환자의 76%는 최종 입원시 호스피스·완화의료 입원이었다. 입원 중 비암성 질환으로 사망한 환자 중 호스피스·완화의료 돌봄을 받은 경우는 신부전(48%), 뇌졸중(39%) 장마비/장폐색(38%)으로 높은 비율을 보였다.

호스피스·완화의료 전문의가 진료한 환자는 연간 약 13,000명으로 71,500건의 진료를 받았다. 호스피스·완화의료 전문의 서비스에 대한 정부의 지불 금액(Medicare Benefit Schedule, MBS)은 연간 530만 호주달러로 환자 1인당 평균 411달러를 지불하였다.

PCOC는 전문 호스피스·완화의료 돌봄을 받은 환자의 80% 이상에 대해 최초 의뢰시점부터 임종까지의 자료를 수집하고 있다. 2015년 기준으로 36,338명의 환자가 PCOC에 참여하는 104기관을 방문하여 48,267건의 진료를 받았으며 이중 52.3%는 입원형 서비스를 받았고 진단으로는 암이 80%를 차지했다.

일반의 진료 1,000건 중 1건이 호스피스·완화의료 관련 진료였으며 이중 90% 이상은 65세 이상이었다. 요양원 거주자 231,500명 중 약 4%에서 호스피스·완화의료 돌봄이 필요하다고 평가되었으며 이들 중 23%가 암환자였다.

4) 호스피스·완화의료팀

호스피스·완화의료 전문의, 간호사, 약사, 일반의, 타전문의(종양전문의, 노인전문의 등), 기타 보건 종사자, 지원 인력, 자원 봉사자 등이 활동한다.

2014년 기준 호스피스·완화의료 전문의 192명, 호스피스·완화의료 분야에 근무하는 간호사는 3,269명으로

추산되었으며 이는 인구 10만명당 각각 0.8명, 12명에 해당한다. 호스피스·완화의료 전문의의 80%, 간호사의 49%가 병원에서 근무한다. PCA는 인구 10만명당 호스피스·완화의료 전문의 1.5명, 임상 자문 간호사(Clinical nurse consultant)는 1명 이상이 필요하며 호스피스·완화의료 입원 병동에 필요한 간호인력은 환자일수당 간호시간 6.5(간호사 1인이 돌보는 환자수 약 3.7명)로 산정하였다.

1994년 Australian and New Zealand Society of Palliative Medicine (ANZSPM)이 설립되어 Royal Australasian College of Physicians (RACP)와 공조하여 각각 전문의 수련프로그램을 진행하였고 2004년 완화의학이 전문 의학 분야로 인정되었다.

실무에 종사하는 간호사를 위한 다양한 수련 과정을 운영하며 전문 호스피스·완화의료 분야에 근무하는 간호사는 대부분 대학원과정 이수가 요구한다.

이외 의료인 대상 단기 교육 및 교류, 멘토링을 위해 Program of Experience in the Palliative Approach (PEPA)를, 의대, 간호대 및 보건관련 학부생을 대상으로 온라인 핵심역량 기반 교육프로그램 Palliative Care Curriculum for Undergraduates (PCC4U)를 운영한다.

3. 미국

1) 호스피스·완화의료 제도 및 수가

미국의 호스피스·완화의료는 종합병원에서 일반진료와 병행되어 제공되는 완화의료와 여명 6개월 대상자에게 제공되는 메디케어 프로그램으로의 호스피스 제도로 구별된다. 미국은 선진국 중 유일하게 전국민 의료보장체계를 도입하지 않고, 1965년부터 일부 취약계층에 대한 의료보장제도 즉, 65세 이상 노인에 대한 연방정부 의료보장인 메디케어와 저소득층에 대해 주정부가 관장하는 의료보장인 메디케이드를 시행하고 있다. 이에 미국의 보건의료는 자연스럽게 '시장화' 되어 발전해왔다.

1982년도에 미국 의회에서 65세 이상이면서 장애를 가진 자들의 의료서비스를 보장하기 위해 연방정부가 마련한 의료보장제도의 혜택을 받는 수혜자들에 대한 호스피스 케어에 대한 지불을 보장하는 법(Tax Equity and Fiscal Responsibility Act, TEFRA)이 통과되면서, 메디케어 지불체계에서 여명기간이 얼마남지 않은 사람들에게 일당정액제(Per Diem payment)로 지불할 수 있게 되었다. 그리고 이 법이 1986년에 의회에서 영구적인 'Medicare Hospice Benefit'로 변경되었다. 이는 말기환자의 욕구를 인정하고, 그에 대한 의료가 필요하다는 것을 인정한 세계 최초의 법이다. 미국에서 이러한 법제화는 긍정적인 성과를 가져오는 제도화된 호스피스·완화의료를 급속히 발전시키는데 기여하기도 했지만, 생의 마지막 6개월 동안의 일당수가제 지불체계를 도입하면서, 호스피스 서비스에 의뢰되는 시기가 당초 의도했던 것보다 제한되고 늦추어지는 결과도 또한 초래되었다.

미국의 호스피스 표준은 캐나다, 영국, 호주 등의 경험에서 나온 것들을 취합한 National Consensus Project에서 만들어졌고, 이를 병원 및 보건의료 체계의 인증평가에 적용하고 있다.

미국 호스피스기관의 소요비용의 85.5%가 'Medicare Hospice Benefit'에서 지급되고 있고, 개인 보험에서 6.9%, 메디케이드에서 5.0%, 자비로 0.8%, 그리고 후원금 등 기타에서 지불되는 경우가 1.9%를 차지하고 있다. 메디케어에서 지불하는 호스피스 서비스인 경우 환자의 자비부담은 없다.

미국에서는 정부가 지불하는 전체 호스피스 비용 중 78% 이상을 가정방문호스피스에 소요하고 있다.

호스피스 환자 1인당 1년에 소요할 수 있는 예산인 hospice cap이 매년 11월 1일부터 10월 31일까지이며 매해 금액을 재조정하는데, 2015년도 금액은 미화 27,382.63불이었다. 2016년 현재 메디케어에서 인정하는 환자 1인당 입원형호스피스 일당 수가는 미화

705.93불이며, 24시간 지속적 가정형호스피스는 미화 926.19불(시간당 미화 38.59불), 가정형호스피스를 이용하는 가족의 휴식을 위해 사용하는 가족 휴식 서비스는 미화 164.15불이며, 5일 이상을 초과하지 못하도록 되어 있고, 가정형호스피스의 경우 처음 60일간은 1일당 미화 183.17불이고, 61일 이후에는 1일당 미화 143.94불로 감소된다. 미국의 호스피스 대상자는 매년 증가 추세에 있고, 정부에서 소요하는 호스피스·완화의료 비용도 매년 증가하고 있다.

2) 호스피스·완화의료 기관

미국 최초의 호스피스 기관은 40여년 전에 설립된 커네티컷 호스피스(Connecticut Hospice)이다. 이 호스피스 기관은 영국의사인 Dr. Cicely Saunders 등의 조언을 듣고, 예일대학교 간호대학 학장이었던 Florence Wald가 이끌어 1974년도에 설립되어, 미국 호스피스·완화의료의 발전에 기여를 했다. 호스피스 기관 및 프로그램의 수는 매년 증가하여, 2014년도에는 약 6,100프로그램으로 증가하였다. 호스피스 기관 및 프로그램은 미국 50개주 모든 곳에서 사용 가능하고, 92.8%의 호스피스 기관은 메디케어와 메디케이드 서비스 인증기관이다.

미국의 호스피스·완화의료 서비스는 주로 환자의 가정에서 제공되나, 독립된 호스피스센터, 병원, 간호요양원(skilled nursing facility) 그리고 요양원과 기타 장기 요양시설(long-term care facilities)에서 제공되기도 한다. 독립형 호스피스센터는 입원시설을 가지고 있어 입원형호스피스 서비스도 제공하나 주로 가정방문 호스피스를 제공하는 기관이다. 간호요양원은 호스피스기관에서 방문호스피스도 제공할 수 있도록 되어있다.

미국에서 가장 많은 호스피스 기관 유형은 독립형 호스피스 센터로 2014년도 호스피스 프로그램의 59.1%를 차지하고 있었고, 그 다음은 병원 소속 호스피스가 19.6%, 가정 간호 에이전시 소속 호스피스가 16.3%, 요양시설 소속 호스피스가 5.0%이었다. 이러한 호스피스 프로그램 중 정부가 운영하는 기관은 약 4% 정도로 소수를 차지하고 있고, 대부분은 메디케어에서 인증 받은 비영리 호스피스 프로그램이다.

각 호스피스 프로그램의 규모를 살펴보기 위해 2014년 한 해 동안의 등록자 수를 살펴보면 78.9%의 호스피스 프로그램이 일 년 등록 환자수가 500명 이하로 운영하고 있었고, 1일 관리하는 환자 수의 평균은 138.9명이었고, 중간값은 79.0명이었다.

3) 호스피스 대상 기준, 대상자와 기간

미국의 호스피스는 진단에 상관없이 모든 생명을 위협하는 질환자를 대상으로 한다.

65세 이상을 대상으로 하고 있는 공공 의료보장제도인 메디케어에서는 호스피스 대상자를 의사 2인 - 1인은 주치의, 1인은 호스피스 기관 의사-에 의해 여명이 6개월 이하로 진단된 자이면서, 완치를 위한 치료를 더이상 받지 않고 호스피스서비스를 받겠다고 신청한 자로 정하고 있다. 호스피스 대상자로 인정되는 한 사망 시까지 호스피스 서비스를 제공하는데, 1차 인정시 90일, 2차 인정시 90일 그 후 무제한 60일씩 호스피스·완화의료 서비스를 제공한다. 단 언제든지 본인이 원하면 호스피스 서비스를 중단하고 치료적 관리로 전향할 수 있다. National Hospice and Palliative Care Organization (NHPCO)는 2014년도 1년 동안 호스피스 서비스를 받은 대상자는 1백 6십만~1백 7십만 명으로 추정되고, 호스피스 서비스를 받는 동안 1백 2십만 명이 사망한 것으로 추정된다고 보고하였다 **그림 2-6**.

지난 10년 동안 호스피스 프로그램의 수와 호스피스 서비스를 제공받은 환자의 수가 상당히 증가하였다. 즉, 2001년 메디케어 수혜자 중 사망한 자들 중에서 3일 이상 호스피스를 사용한 환자는 18.8%였으나, 2007년에는 30.1%로 증가하였다. 그리고 메디케어 수혜자 중 암으로 사망한 자들 중에서 3일 이상 호스피스를 사용한 자들은 2001년 36.6%였으나, 2007년에는 43.4%

그림 2-6. 연간 호스피스·완화의료 서비스 수혜자 수
출처: NHPCO Facts and Figures: Hospice Care in America 2015 Edition. Alexandria, VA: National Hospice and Palliative Care Organization, September 2015. [cited 2016 Nov. 10]. Available from http://www.nhpco.org/sites/default/files/public/Statistics_Research/2015_Facts_Figures.pdf.

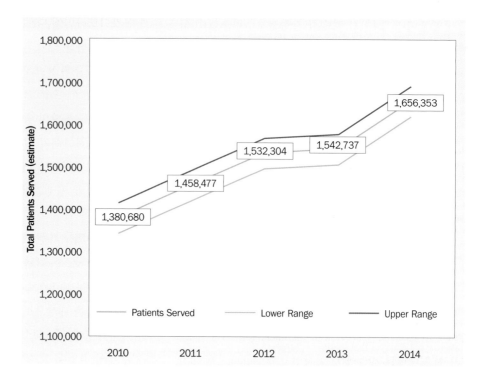

로 증가하였고, 치매환자만을 살펴보았을 때도 2001년 14.4%였으나, 2007년에는 33.6%로 증가하였다.

대부분의 호스피스 서비스는 환자의 거주지에서 제공된다. 2014년도에는 환자의 58.9%가 거주지에서 방문서비스를 제공받았고, 31.8%가 호스피스 입원 시설에서 호스피스 서비스를 받았다 표 2-2.

2014년도 미국의 호스피스 대상자를 구체적으로 살펴보면 다음과 같다. 대상자의 성별 분포는 남성이 53.7%였고, 여성은 46.3%를 차지하고 있었다. 호스피스에 등록하는 일차적 진단별 분포를 살펴보면 70년대 호스피스 설립 초창기에는 대부분이 암 환자였으나, 점차 감소하여 2014년도에는 암 환자가 전체 호스피스 등록자의 36.6%를 차지하고 있었고, 비암성 질환이 63.4%를 차지하고 있었다. 비암성 질환의 질환을 살펴보면 치매 14.8%, 심장질환 14.7%, 폐질환 9.3%, 뇌졸중 또는 혼수 6.4%, 신장질환 3.0% 등의 순 이었다. 그리고 대상자의 연령분포는 0~64세가 16.1%, 65~84세가 42.8%, 85세 이상이 41.1%를 차지하고 있

표 2-2. 호스피스 환자의 사망 장소

사망 장소		2014	2013
거주지		58.9%	66.6%
	가정	35.7%	41.7%
	요양 시설	14.5%	17.9%
	거주 시설 (Residential facility)	8.7%	7.0%
호스피스 입원 시설		31.8%	26.4%
병원		9.3%	7.0%

출처: NHPCO Facts and Figures: Hospice Care in America 2015 Edition. Alexandria, VA: National Hospice and Palliative Care Organization, September 2015. [cited 2016 Nov. 10]. Available from http://www.nhpco.org/sites/default/files/public/Statistics_Research/2015_Facts_Figures.pdf.

었다.

2014년도 호스피스·완화의료 서비스 기간의 중간값은 17.41일로 2013년도 18.51일에서 감소하였다. 이는 호스피스 대상자의 50%는 17일보다 적은 기간 동안 서비스를 받았고, 50%는 17일 이상 서비스를 받았음을 의미한다. 그리고 총 호스피스·완화의료 서비스 기

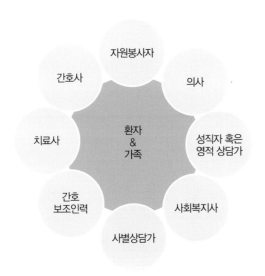

그림 2-7. 다학제간 팀

간은 2013년도 72.6일이었고, 2014년도에는 71.31일로 2013년에 비해 줄어들었다.

4) 호스피스팀

미국의 전형적인 호스피스서비스는 가정에서 가족이 일차돌봄제공자가 되어 돌봄을 제공하고, 필요시 말기 질환자의 의사결정을 돕는다. 그리고 호스피스팀원들이 환자를 평가하고, 더 필요한 케어나 다른 서비스를 제공하기 위해 정기적인 방문을 한다.

호스피스팀원들은 1일 24시간, 1주 7일 전화로 연락이 가능하며, 통증관리와 증상조절에 대한 각 환자 개인의 욕구에 적합한 케어 계획을 수립한다. 이 다학제간 호스피스팀원에는 일반적으로 환자의 주치의, 호스피스 전문의 또는 의료감독자(medical director), 간호사, 호스피스 간호보조인력, 사회복지사, 사별상담가, 성직자 또는 영적 상담가, 훈련된 자원봉사자, 그리고 필요시 언어치료사, 물리치료사, 작업치료사 등의 치료사들로 구성된다 그림 2-7.

의료감독자는 의사 또는 전문간호사(nurse practitioner)가 되며, 호스피스의 진료서비스 제공에 핵심역할을 한다. 호스피스서비스 재원의 85%를 차지하는 메디

케어 가이드라인에 따르면 호스피스 프로그램에 의료감독자가 필수적으로 요구되나, 의사의 역할에 환자에 대한 직접 돌봄은 포함되어있지 않다.

의사의 경우 여러 선구자들의 다양한 노력 끝에 2004년에 American Board of Internal Medicine에서 완화의학을 세부전문분야로 인정해줄 것을 요청하여, 2006년에 공식적으로 인정을 받게 되었다. 이후 다양한 전문영역의 의사면허시험평가기관에서 호스피스·완화의료을 의학의 세부전문분야로 인정하게 되었고, 2006년에 고등교육인증평가원(Accreditation Council for Graduate Medical Education)에 다양한 분야의 전문의 자격을 가진 의사들을 교육시키는 1년 과정의 완화의학 세부전문의 펠로우 과정이 만들어지게 되어, 2015년 12월 현재 7,351명의 완화의학 세부전문의가 있다.

2012년 현재 노인인구의 증가로 필요한 완화의학 전문의는 10,000~20,000으로 추정되나, 완화의료에서 특정 역할을 가지고 일하고 있는 의사는 5,000명 정도가 되며, 1년 과정의 완화의학 펠로우 수련 과정은 연 200명 정도 수련을 할 수 있다.

간호사(registered nurse, RN) 혹은 실무간호사(licensed practical nurse, LPN)는 환자의 관리계획대로 서비스가 제공되는지를 조정하는 역할을 한다. 또한 통증과 증상을 사정하고 투약을 하며, 가족상담, 가정방문 등을 한다. 가정호스피스의 경우 최소 2주에 한번 가정형호스피스서비스 평가를 위해 가정방문을 해야 한다.

사회복지사는 일반적으로 4년제 대학 졸업자로, 환자의 사회적, 심리적 영역을 사정하며, 환자의 문제해결에 도움이 되는 지역사회자원을 활용하고, 환자에게 요구되는 상담서비스를 제공한다.

간호보조인력인 home health aid는 간호사가 서면으로 명령한 간호보조업무를 수행하고, 필요시 언어치료사, 물리치료사, 작업치료서, 영양사 등이 기타 상담가로 참여한다.

그리고 호스피스기관은 전체 환자관리에 소요된 시간의 최소 5% 이상 자원봉사자를 활용해야 한다. NHPCO는 미국에서 2014년 한해동안 430,000명의 호스피스 자원봉사자가 1,900만 시간의 서비스를 제공했다고 추정하였다. 자원봉사자는 호스피스에 필요한 오리엔테이션과 훈련을 받아야하고, 기관에서는 자원봉사자 모집을 위해 어떤 노력을 했는지 기록하여야하며, 자원봉사자를 활용하여 예산이 감축된 부분에 대해 기록을 해야한다.

호스피스 다학제팀원들이 담당하는 환자 수는 학제에 따라 다양한 데, 2014년도에 각 팀원들이 담당한 호스피스 환자 수는 간호보조인력은 10.8명, 간호사 사례관리자는 11.2명, 사회복지사는 24.3명이었다.

4. 일본

1) 호스피스·완화의료 제도 및 수가

일본은 1973년에 오사카시의 요도가와 크리스천 병원에서 호스피스·완화의료 서비스가 시작되었고, 1981년에 시즈오카현 하마마쯔시의 세이레이 미카타하라 병원에 완화의료 전용 병동이 처음으로 개설되었다. 그리고 1990년부터 인증된 완화의료병동에 국민건강보험을 적용하기 시작하였으며, 1992년에는 가정 간호 호스피스 서비스, 2002년에는 병원 호스피스·완화의료팀에 대해 국민건강보험을 적용하였고, 2006년부터는 재택요양진료소 제도를 도입하여 전국의 병의원이 지역사회에서 가정방문호스피스를 제공하도록 하였으며, 전국의 방문간호스테이션을 중심으로 가정방문호스피스를 강화하는 등 호스피스·완화의료의 제도화를 위한 노력을 지속해왔다.

그러나 일본에서는 별도의 호스피스·완화의료 단독법이 제정되어 있지 않고, 관련 규정이 의료법, 국민건강보험법, 장기요양보험법, 암관리법에 산재해있는데, 그 중에서 암관리법이 완화의학의 발전에 가장 중요한 역할을 하고 있다. 그 결과, 일본에서 주요 전문화된

호스피스·완화의료 서비스의 주요 분야는 완화의료병동형과 호스피스·완화의료 자문팀 서비스이고, 가정방문서비스는 발달이 잘 되어있지는 않다. 또한 미국이나 대만과는 달리 환자나 보호자가 호스피스·완화의료 서비스를 수용하는 데는 아직도 어려움이 존재한다.

국민건강보험과 장기요양보험에서 지불되는 일본의 호스피스·완화의료수가는 일당정액제이며, 병동형과 가정방문호스피스 수가로 분류되어 있으며, 재택요양진료소의 방문호스피스 수가도 별도 지정되어 있다. 호스피스·완화의료 수가에는 진찰료, 검사, 투약, 간호관리료, 린넨 서비스 등이 포함되고, 식사, 가운, 병실료 등은 개인이 부담하도록 되어있다. 가정방문호스피스의 경우 투약비용은 일당정액제에 별로도 추가된다. 환자가 가정에서 사망한 경우, 간호사는 사망 1개월 내에 제공한 말기환자 관리료를 청구할 수 있다.

환자 개인이 부담하는 부담금은 10~30%로 연령에 따라 다르게 부과되어, 3세 미만은 20%, 3~69세는 30%, 70세 이상은 10%를 부담하고 있다. 입원 호스피스·완화의료서비스는 건강보험에서 지불하고, 가정호스피스 서비스는 장기요양보험과 함께 지불된다.

2015년 Economist Quality of Death Index에서 일본은 아시아 지역에서 대만 다음으로 높은 14위를 기록했다.

일본 호스피스·완화의료의 과제는 지역사회 또는 지역의 완화의료 프로그램 개발, 국가적 차원에서의 완화의료 질 향상 및 질 측정 방법 수립, 증거기반 의학을 발전시키고 정책을 개발하는 것, 그리고 비암성질환자를 위한 호스피스·완화의료 서비스 제공 등이다.

2) 호스피스·완화의료 기관

일본의 호스피스·완화의료 기관유형은 3가지 즉, 완화의료병동, 완화의료팀, 재택요양진료소로 구분해볼 수 있다.

완화의료병동에서는 말기 암 환자와 에이즈 환자들에게 집중적인 증상조절 및 심리사회적 서비스를 제공

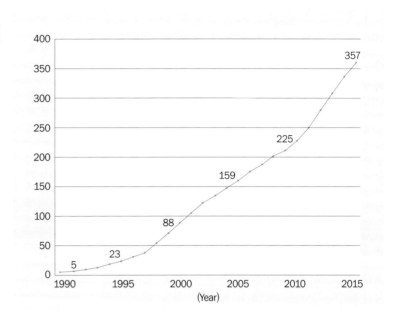

그림 2-8. 일본 완화의료병동 수의 변화
출처: Mori M, Morita T. Advances of Hospice Palliative Care in Japan: A Review Paper. Korean J Hosp Palliat Care. 2016 ;19(4):283–291.

하고 있는데, 최소 1인 이상의 완화의학 훈련을 받은 의사를 확보하도록 규정하고 있다. 2015년 현재 전국에 357개의 완화의료병동이 있으며, 7,184개의 병상을 확보하고 있다 그림 2-8 . 독립된 건물을 가진 완화의료병동도 있으나, 대부분의 완화의료병동은 종합병원에 설치되어있다.

완화의료팀(palliative care team, PCT)은 일본의 암병원으로 지정된 모든 병원(422개소)에 의무적으로 두도록 되어있으며, 최소 1명 이상의 전일제 의사, 1명 이상의 전일제 간호사, 이용 가능한 1명 이상의 정신과의 등으로 팀원이 구성되어, 입원 및 외래진료를 받는 모든 암 환자들을 대상으로 완화의료 서비스를 제공하고 있다. 2014년 현재 513개 완화의료팀이 일본완화의학회(Japanese Society for Palliative Medicine, JSPM)에 등록되어 활동하고 있는데, PCT의 82.5%가 외래에서 서비스를 제공하고 있다.

가정방문호스피스는 재택요양진료소와 24시간 방문간호스테이션에 의해 제공되는데, 재택요양진료소는 2008년도 11,450개소에서 2014년도에는 14,662개소로 증가하였고, 24시간 방문간호스테이션은 2008년도 3,844개소에서 2014년도 6,124개소롤 증가하였다.

3) 호스피스·완화의료 대상 기준, 대상자와 기간

일본의 병원에서는 말기암과 에이즈 환자를 호스피스·완화의료 대상자로 인정하고 있다. 2011년도 한해 동안 암으로 사망한 자는 약 350,000명이었고, 이중에서 약 9%가 완화의료병동을 이용하였고, 이용률이 서서히 증가하여, 2015년도에는 약 10%가 완화의료병동을 이용하였다. PCT가 완화의료서비스를 제공한 환자들 또한 암 환자가 대부분으로 전체 대상자 중 암 환자가 97%를 차지하고 있었고, 암 이외의 질환자는 3%를 차지하고 있었다.

2013년에 보고된 한 연구결과에 의하면 암과 함께 HIV 환자의 말기돌봄을 제공하는 기관은 55개소(24.3%) 이었는데, 많은 기관에서 에이즈환자의 완화의료병동 입원을 거부하는 이유로 HIV 감염에 대한 지식의 부족, 치료 경험의 부족 때문이었다. 이에 비암성 질환을 대상으로 하는 호스피스·완화의료서비스의 개발 및 전문인력들에 대한 교육이 요구되고 있다.

일본에서는 생존 기간에 상관없이 호스피스·완화의

료를 제공할 수 있는데, 이들의 평균 완화의료병동 입원기간은 33일로 보고되어 있다. 일본인들은 입원 호스피스 서비스를 선호하기 때문에 가정방문 호스피스 서비스를 수용하는데 문제가 있다.

4) 호스피스·완화의료팀

일본의 호스피스·완화의료팀은 의사, 간호사, 사회복지사, 자원봉사자 등으로 구성되어 있다.

의사는 6년의 기본교육과 2년 훈련과정 후 국가시험을 통과한 자들이고, 간호사는 3~4년의 기본교육 후 국가시험을 통과한 자들이며, 사회복지사는 4년의 기본교육 후 국가시험을 통과한 자들이다. 자원봉사자는 기관마다 훈련 프로그램이 있고, 그 규모는 기관에 따라 다르다. 그리고 성직자는 호스피스·완화의료 기관이 종교기관인 경우 팀원으로 포함되어 있지만, 성직자를 팀원으로 포함하고 있는 비율은 낮다.

현재 일본에서는 전국적인 협회나 학회에서 호스피스·완화의료에 대한 인증프로그램을 운영하고 있다. 일본에서 가장 큰 호스피스·완화의료 학술단체인 JSPM에서는 2010년부터 완화의학 인증프로그램을 운영하고 있는데, 완화의학전문의로 인증을 받으려면 완화의학분야에서 최소 2년의 수련을 받아야하고, 동료가 심사하는 학회지에 제1저자로 1편 이상의 논문을 발표해야하며, 20사례 이상의 사례보고서를 작성해야 한다. 2016년 현재 136명의 의사가 호스피스·완화의료 의사로 인증을 받았다.

간호사의 경우는 2016년 현재 일본간호사협회에서 인증을 받은 종양간호사가 656명, 호스피스·완화의료간호사가 2,038명, 암통증간호사가 776명이 배출되어있고, 약사의 경우는 일본 약물완화의료과학회(Japanese Society for Pharmaceutical Palliative Care and Sciences)로부터 호스피스·완화의료약사로 568명이 인증을 받았다.

그리고 직종별 다양한 호스피스·완화의료 기본교육 프로그램들이 개발되어 실시되고 있다. 의사들에 대한 호스피스·완화의료 기본교육을 위해 2일로 구성된 Palliative care Emphasis program on symptom management and Assessment for Continuous medical Education (PEACE program)은 2016년 현재 3,100명의 의사들이 교육자로 훈련을 받았고, 73,200명이 이 프로그램을 수료하였다. 미국에서 말기시기의 간호를 향상시키기 위해 간호교육자를 위한 교육프로그램으로 개발된 End-of-Life Nursing Education Consortium (ELNEC) 프로그램의 일본판인 ELNEC-J 프로그램도 개발되어, 2016년 현재 1,500명 이상이 교육자로 훈련을 받았고, 5,000명 이상이 이 프로그램에 참여하였다.

2012년에는 보건노동복지부에서 소아청소년의를 교육시키는 프로그램인 Care for Life-threatening Illness in Childhood (CLIC)의 개발이 시작되는 등 소아청소년을 위한 호스피스·완화의료 교육도 실시되고 있다.

5. 대만

1) 호스피스·완화의료 제도 및 수가

1990년 타이페이시에 위치한 막카이 기념병원(MacKay Memorial Hospital)에 대만에서 처음으로 호스피스병동이 설립되었다. 호스피스병동의 설립에 이어, 병원의 암병동에서 완화의료 서비스를 제공하는 호스피스·완화의료 자문팀(hospice shared-care), 가정형 호스피스, 지역사회 호스피스 서비스를 제공하는 기관으로 확장되었다. 그리고 건강증진국에 의해 전국적인 '암치료 질보장 프로젝트'에 이어 호스피스 제도화가 일찍 이루어진 대만은, 2015년 Economist Quality of Death Index에서 아시아 지역에서 가장 높은 6위를 기록했다.

대만은 2000년도에 아시아에서 처음으로 자연사법(Natural Death Act)을 만들었다. 이 법안은 개인이 호스피스·완화의료를 선택할 환자의 권리와 '심폐소생술금지(DNR)'라는 처치명령에 서명 할 수 있는 권리를 보장했다. 이 법은 2002년에 개정되어 사전연명의료의향서에 미리 정해져있었으면 말기 환자의 생명 유지 장치들의 철회를 허용했고, 2011년 두 번째 개정시에는 모든 가족 구성원이 동의하고 윤리위원회의 승인을 받은 경우 말기 환자를 위한 생명 유지 장치들의 철회를 허용했으며, 2013년 세 번째 개정으로 최소 한명의 가족 구성원이 동의하면 생명 유지 장치들의 철회를 허용하고 있다. 2015년에는 또 다른 선구자적인 "환자자율법(Patient Autonomy Act)"이 제정되어 2018년도부터 적용되는데, 이 법에는 환자가 자신의 의지에 따라 의료처치를 거부할 수 있다고 명시되어있다. 이 법에서의 환자는 말기암 환자뿐만 아니라 혼수, 식물상태인 말기 치매 환자 등에도 적용되는데 이에 대해서는 논란의 여지가 많다.

대만은 국민에 대해 보편적인 건강보장을 제공하는 국가이고, 호스피스·완화의료는 보편적인 건강보장의 일부이다. 국민건강보험은 1996년부터 암 환자들에 대한 가정형 호스피스를 보장하고 있고, 2000년부터는 암 환자의 입원 서비스를, 그리고 2003년부터는 운동신경질환에 대한 입원서비스를 보장하고 있다. 한편 대만 호스피스·완화의학회(Taiwan Academy of Hospice Palliative Medicine)는 2000년부터 호스피스 서비스에 대해 공식적인 인증을 하기 시작했고, 보건복지부는 2004년부터 호스피스·완화의료 자문을 인정하기 시작했으며, 가정형 호스피스 표준, 입원 호스피스 표준 및 말기 암 환자의 통증 조절에 대한 기준을 설정했다. 그리고 2010년부터 비암성질환의 말기에 제공하는 호스피스·완화의료서비스도 국가에서 보장하고 있다.

그러므로 호스피스·완화의료 서비스 제공의 핵심비용은 국민건강보험에서 일당정액제를 적용하여 지불되는데, 서비스 제공기간 그리고 기관의 종류에 따라 차등하여 수가를 적용하고 있고, 가정 호스피스·완화의료의 수가는 제공 인력에 따라 차등 수가제를 적용하는 등 저렴한 방법으로 지불되고 있다. 대만의 가정형호스피스 비용은 전액 건강보험에서 부담하고 있고, 입원형

호스피스·완화의료 수가 중 식사와 2인실 이상의 병실료는 자부담 하도록 하고 있다. 이에 저소득층의 경우는 대만호스피스재단의 기금으로 지원하고 있고, 소규모의 공적 기부금은 미술치료, 향기요법, 임상 영적상담 서비스, 또는 환자와 가족을 위한 기타 활동 등 추가 서비스를 제공하는데 사용되고 있다.

대만에서 호스피스·완화의료의 접근을 방해하는 요소들은 다음과 같다.

- 죽음에 대해 말하는 것을 두려워하는 문화
- 사랑과 효를 보이는 방법으로 포기하지 않는 문화로 무의미한 소생술 실천
- 환자의 사망 전에 모든 치료와 시술을 다하려는 의료인의 '방어적 의학'실천

이에 이들을 개선하기 위해 대중 교육 및 홍보, 의료인을 위한 교육 등 노력을 지속적으로 해나가고 있다.

2) 호스피스·완화의료 기관

대만의 호스피스·완화의료 서비스는 1990년 1개 기관이 설립된 이후 빠르게 증가하여 2015년에는 51개 기관의 718병상, 112 호스피스·완화의료 자문팀, 그리고 77개의 가정방문팀이 있다.

대만의 타이페이시 공공보건부에서는 일차의료세팅에 완화의료를 도입할 목적으로, 2013년부터 지역사회 프로그램을 개발했는데, 이는 병원 외래 조기 완화의료 제공뿐만 아니라 지역 병원 의사와 간호사에 의한 가정방문도 포함하고 있다. 이 프로그램에는 대만의 7개 병원과, 지역의 105개 의원이 참여하고 있으며, 현재까지 671명의 대상자가 등록되어 있다. 지역에서 이 프로그램에 참여하고 있는 의사는 13시간의 강의와 8시간의 호스피스·완화의료 현장실습을 받는다.

3) 호스피스·완화의료 대상 기준, 대상자와 기간

대만에서 호스피스·완화의료 대상자가 되려면 의사 2인

의 승인이 필요하고, 그 중 1인은 암 전공이어야 한다. 대만의 호스피스·완화의료 서비스는 대부분 암 환자에 집중되어 있지만, 2010년부터 비암성질환자에 대한 호스피스입원서비스, 호스피스·완화의료 자문 서비스, 가정 호스피스 서비스, 지역사회 호스피스 서비스도 국민 건강보험에서 보장하고 있다. 또한 호스피스·완화의료 대상자는 치유할 수 없는 말기 질환자로 아래와 같다.

- 말기암
- 말기운동신경질환
- 고령 및 초기의 기질적 신경질환
- 기타 말기 퇴행성 뇌병변
- 만성 폐쇄성 폐 질환
- 급성 신부전, 비특이성
- 기타 폐부전
- 만성 간 질환 또는 간경화증
- 심부전 그리고 만성 신부전

2015년 현재 호스피스·완화의료 대상자의 약 90% 말기 암 환자이지만, 비암성질환에 대한 호스피스·완화의료 서비스에 대한 관심과 지지가 증가하고 있다. 암 환자 중 호스피스·완화의료 이용률은 2000년도에 7%에서 최근 59%로 크게 증가하였다.

4) 호스피스·완화의료팀

호스피스·완화의료팀에는 의사, 간호사, 사회복지사, 간호조무사, 사례관리자, 그리고 필요에 따라 영양사, 약사, 물리치료사, 임상상담가, 성직자 등이 포함된다.

의사의 경우 80시간 이상의 교육을 받은 상근직이 있어야 하며, 호스피스·완화의료 병동에 관리 책임을 갖는다. 매년 20시간 이상의 보수교육을 받아야 하며, 최

소 주 1회 방문호스피스 대상자를 방문해야 한다.

2016년 현재 759명의 완화의학 의사가 있는데, 대부분은 가정의학 전문의에서 출발하였으나, 최근에는 신장내과, 노인의학 등 관련 분야에서 완화의학을 공부하는 의사들이 증가하고 있다

간호사의 경우 20시간의 실습을 포함한 80시간의 교육을 받아야 하고, 매년 20시간 이상의 보수교육을 받아야한다. 가정호스피스를 제공하기위해 최소 1인 이상의 상근직 간호사가 필요하며, 1개월에 방문건수가 45건 이상이면 간호사 1인이 추가되어야 한다.

사회복지사는 최소 100시간 이상의 교육을 받아야 하며, 매년 20시간 이상의 보수교육을 받아야한다. 최소 1인 이상의 상근직이 필요하다.

다른 국가와 달리 70% 이상의 국민이 불교인 대만에서는 영적돌봄이 중요하여 1995년 국립대만대학교병원에 완화의료병동이 개설된 후, 이 기관에서 2000년부터 임상 불교 영적상담가(Clinical Buddhist Chaplains, CBC) 교육프로그램을 운영해왔고, 우수 영적돌봄 교육센터로 알려져 있다. CBC 교육프로그램은 4단계, 즉 완화의료병동에서 기본 3개월 임상훈련 프로그램, 지속 교육 프로그램 및 고급연구, 교수법 훈련 프로그램 그리고 교육자 발달 프로그램으로 구성되어있다. 2016년 현재 대만 전역 38병동에서 35명의 CBC가 일하고 있다. CBC는 환자의 영적 고통을 완화시키고, 영적 상태를 증진시키며, 죽음에 대한 두려움을 감소시키는 역할을 할 뿐만 아니라, 가족에게도 서비스 제공, 호스피스·완화의료팀 실천에서 장애물을 넘을 수 있도록 도와주고, 슬픔을 감소시킨다.

그리고 의사, 간호사, 사회복지사, 성직자 등이 사례관리자 역할을 할 수 있다.

참고문헌

1. 이정렬, 손명세, 이창걸, 이태화, 김광숙, 김기경 등. 각국의 호스피스 법령·수가체계 분석 및 도입방안 연구. 암정복추진개발사업 최종보고서 2007. 서울: 연세대학교 간호대학 간호정책연구소 & 보건복지부. [cited 2016 Nov. 11]. Available from http://report.ndsl.kr/repDetail.do?cn=TRKO201100006961.

2. American Academy of Hospice and Palliative Medicine. Number of Certified Hospice and Palliative Medicine Physicians by Cosponsoring Specialty Board [Internet]. Chicago: American Academy of Hospice and Palliative Medicine ;2015 [cited 2016 Nov. 23]. Available from: http://aahpm.org/hpm/number-certified.

3. Bruera, Eduardo, et al., eds. Textbook of Palliative Medicine. CRC Press, 2015;35-41.

4. Cheng SY, Chen CY, Chiu TY. Advances of Hospice Palliative Care in Taiwan. Korean J Hosp Palliat Care 2016;19(4):292-5.

5. Currow D. C. and Kaasa. S. Policy in palliative care. In: Nathan I, Cherny et al. eds. Oxford textbook of palliative medicine 5th eds. Oxford University Press, 2015;25-31.

6. Currow DC, Phillips J. Evolution of palliative care in Australia 1973-2013. CancerForum. 2013;37(1):38-42.

7. eHospice. Hospice and palliative care in Taiwan. 2015 May 19. [cited 2016 Nov. 18]. Available from https://www.ehospice.com/Default/tabid/10686/ArticleId/15164/

8. End of Life Care Strategy-Promoting high quality care for all adults at the end of life. Department of Health;2008.

9. Finlay I. Uk strategies for palliative care. J R Soc Med 2001;94:437-41.

10. Global Atlas of Palliative Care at the End of Life. Worldwide palliative care alliance. World Health Organization;2014.

11. Gordon R, Eagar K, Currow D, Green J. Current funding and financing issues in the Australian hospice and palliative care sector. J Pain Symptom Manage. 2009;38(1):68-74.

12. Hospice accounts-Analysis of the accounts of UK charitable hospices for year ended 21 March 2015. HospiceUK;2016.

13. Hospice care in the UK 2016-Scope, scale and opportunities. HospiceUK;2016.

14. Kojima Y, Iwasaki N, Yanaga Y, et al. End-of-life care for HIV-infected patients with malignancies: A questionnaire-based survey. Palliat Med 2016; 30(9): 869-76.

15. Mori M, Morita T. Advances of Hospice Palliative Care in Japan. Korean J Hosp Palliat Care. 2016 ;19(4):283-91.

16. National Hospice and Palliative Care Organization. History of Hospice Care. [cited 2016 Nov. 10]. Available from http://www.nhpco.org/history-hospice-care.

17. National Standards Assessment Program - Quality Report 2010-2015. Palliative Care Australia;2016.

18. NHPCO Facts and Figures: Hospice Care in America 2015 Edition. Alexandria, VA: National Hospice and Palliative Care Organization, September 2015. [cited 2016 Nov. 10]. Available from http://www.nhpco.org/sites/default/files/public/Statistics_Research/2015_Facts_Figures.pdf

19. Palliative Care http://www.aihw.gov.au/palliative-care/

20. Palliative Care Outcomes Collaboration. http://www.pcoc.org.au/

21. Palliative Care Service Provision in Australia: A Planning Guide. Palliative Care Australia;2003.

22. The Economist Intelligence Unit. The 2015 quality of death index: Ranking palliative care across the world. London: The Economist Intelligence Unit; 2015.

23. Tsuneto S. Past, present, and future of palliative care in Japan. Jpn J Clin Oncol 2013 Jan;43(1):17-21. doi: 10.1093/jjco/hys188.

24. Update to hospice payment rate, hospice cap, hospice wage index and hospice pricer for Fiscal Year (FY) 2016. Medicare Quaterly Provider Compliance Newsletter. 5(4). [cited 2016 Nov. 10]. Available from http://www.cms.gov/Outreach-and-Education/Medicare-Learning-Network-MLM/MLMMattersArticles/Downloads/MM9301.pdf

25. von Gunten C. F. Development of palliative medicine in the United States. In Bruera, Eduardo, et al., eds. Textbook of Palliative Medicine. CRC Press, 2015;35-41.

3장

한국 호스피스·완화의료의 현황과 전망

| 김대균, 이경희 |

오늘날 의료기술의 급속한 발전과 전문화는 분명 많은 환자들의 생명에 희망을 다시 불어넣어 왔다. 그러나 의료 서비스의 비인간화 현상, 완치가 불가능한 환자에 대한 부족한 관심 등에 대한 조용하지만 부단한 반성이 이제는 한국의 의료계 한복판에서도 대두되기 시작하였다. 또한 핵가족화와 여성의 사회진출 증가 등 사회상의 변화가 매우 빠르게 진행되어 오면서 한국에서도 개인이나 가족 단위로 말기 환자를 돌본다는 것이 현실적으로 큰 부담이 되고 있다. 게다가 질 높은 의료와 삶의 질 향상에 대한 요구가 크게 늘어남에 따라, 말기 환자의 관리도 단순히 생명유지와 연장의 차원을 벗어나 생존기간 동안의 '삶의 질'을 높일 수 있는 의료의 중요성이 대두되고 있다.

그러나 아직 한국에서의 호스피스·완화의료의 발전을 위해 극복되어야 할 장애물들은 여전히 많다. 한국에는 효(孝)라 불리는 조상과 부모에 대한 존중의 강한 전통이 존재한다. 가족 중 어느 누군가가 질병으로 고통 받는 경우 가족애로 결속된 다른 가족 구성원들은 마지막

순간까지도 완치를 목적으로 하는 치료를 중단하지 못하는 경우가 흔하다. 이는 서양에서 유래된 호스피스·완화의료의 목적과 이념에 일정 부분 충돌하는 부분이며 문화적으로 호스피스·완화의료의 수용이 쉽지 않을 수 있음을 예상할 수 있다. 물론 1965년 갈바리의원에서 마리아의 작은 자매회 수녀들에 의해 14개 병상의 호스피스 활동이 처음 시작된 이후로 지난 50여 년 동안 한국에서의 호스피스는 많은 부침 속에서도 더디기는 하나 양적으로나 질적으로 팽창되어 왔음은 주지의 사실이다. 그러나 호스피스·완화의료에 대한 대중뿐 아니라 의료 전문가들의 이해와 관심은 여전히 부족한 현실이다. 호스피스 운동은 간호사들에 의해 촉진되는 것이 일반적이며 한국에서의 호스피스의 역사에도 간호사(특히 종교계 의료기관에 소속된)들의 노력은 의미 있게 각인되어져 왔다. 다만 한국에서의 간호사는 그 직무의 수행과 활동에 있어 독립적이지 못한 여건이 호스피스 발전이 더딘 이유의 하나로 역시 중요하게 검토될 필요가 있다. 반면 근간에 종양학 및 가정의학 분야의 의사들 중

심으로 호스피스·완화의료에 대한 관심이 의미 있게 증가되면서 학문적, 임상적, 제도적인 측면에서 빠른 속도로 변화와 발전이 기대되고 있는 점은 한국의 의료현실을 고려할 때 고무적인 일이라 할 수 있다.

I 국내 호스피스·완화의료의 도입

1963년 당시 가톨릭 춘천교구장이었던 퀼란 주교의 초청으로 호주에서 온 마리아의 작은 자매회 수녀들에 의해 1965년 강원도 강릉 갈바리 의원에서 14개 병상의 조직적인 호스피스 활동이 시작한 것을 한국 호스피스의 효시로 볼 수 있다. 1965년 3월 15일 호주인 자원봉사 의사 1명과 호주 출신 수녀 4명, 직원 22명으로 강릉시 홍제동 5-2번지 현재의 병원터에서 개원한 갈바리 의원은 변변한 의료기관 하나 없던 강릉지역 사회에 큰 영향을 미쳤다. 당시 개원에 참여했던 호주 출신 헤디건, 에스텔 수녀 등은 무연고자 환자들을 위해 인근 여관을 이용, 간호와 숙식을 제공하는 호스피스 간호를 시작했다. 이는 국내뿐 아니라 아시아에 있어서는 최초의 호스피스 활동이라고 할 수 있다. 이후 호스피스는 일부의 간호사, 의사, 목사, 신부, 수녀들에 의해 활동이 개별적으로 이루어졌으며 1980년대에 들어 가톨릭의대, 연세대학교, 이화여자대학교 등을 중심으로 병원이나 대학에서 관심을 가지기 시작한 후 산발적으로 증가하였다. 미국에서 혈액종양내과 전문의를 취득하고 활동하다가 1981년 가톨릭의과대학 성모병원 내과에 부임한 이경식 교수가 호스피스의 필요성에 대하여 주창하여 당시 성모병원에서 가톨릭의과대학 및 간호대학 학생들과 간호사, 수녀들의 호응으로 호스피스 연구모임을 시작하였다. 1988년에는 강남성모병원에 한국 최초로 14 병상의 호스피스병동이 설립되어 활동을 시작하였으며 이는 Cicely Saunders에 의해 '총체적 통증

(total pain)'의 개념과 다학제적인 접근을 근간으로하는 현대적 의미의 호스피스·완화의료를 기반으로 하는 국내 최초의 시도였다. 초창기에는 간호사 중심으로 병동이 운영되고 개별 의사들이 자신의 환자들을 필요에 따라 입원시키는 방식이었다. 1990년대에 와서 수적, 양적으로 급속히 팽창되어온 호스피스는 1991년 개신교 중심의 한국 호스피스 협회 발족, 1992년 한국 가톨릭호스피스 협회 발족을 계기로 간호사뿐 아니라 의사, 사회복지사, 사목자들의 적극적인 개입이 시작되었다. 1996년에는 WHO에서 가톨릭대학교 간호대학을 Collaborating Center for Hospice and Palliative Care로 지정해 아시아 최초로 호스피스 교육 연구소가 개설돼 한국 호스피스 분야의 국제적인 활동이 시작되었으며 마침내 1998년 7월 4일 한국호스피스·완화의료학회(The Korean Society for Hospice and Palliative Care, KSHPC)가 결성되며 다학제간 접근을 위한 체계적인 노력의 발판이 마련되었다. 이어 2003년에는 '한국 호스피스 간호의 질적인 향상을 도모하고 죽음을 앞둔 말기환자와 그 가족의 삶의 질 유지를 위하여 호스피스 간호사들이 활동함'을 목적으로 한국호스피스·완화간호사회(Korean Hospice Polliative Care Nurse Association, KHPNA)가 창립되었다. 2013년도에는 '문명의 찬란한 불빛 아래 사람들에게 난무하는 질병과 고통을 함께 동행하고자 한다.'는 목적으로 한국불교호스피스협회가 결성되었다.

II 한국호스피스·완화의료학회의 결성

한국호스피스·완화의료학회는 한국의 호스피스·완화의료의 학문적 발전, 말기 암 환자의 삶의 질을 높여 편안한 삶을 살도록 도움, 호스피스·완화의료 제도를 보건정책 및 의료법에 반영, 국제 호스피스·완화의료 학회나 협회와 교류 및 정보 교환에 그 설립의 취지를 두

고 있다. 1998년 7월 4일 창립총회 및 제 1회 학술대회를 개최하였고 초대회장에는 서울대의대의 고창순 교수, 부회장에 김성환, 송옥자, 이소우, 한성숙, 허봉렬, 김수지 교수가 선임되었으며 초대 이사장은 가톨릭의대의 이경식 교수가 맡았다. 학회 결성의 실무는 맡았던 홍영선 교수(당시 여의도성모병원)의 신문인터뷰(한겨레, 1998년7월14일)를 보면 "누구나 호스피스 혜택을 누리기 위해서는 완화의료란 개념이 우선 의료체계에 정착되어야 할 것이며 구체적으로는 의과대 및 간호대의 교과과정으로 반영되고, 의료조직망으로 완성되야하며, 국가적차원에서는 의료보험이 적용되고, 마약유통 등 정책적 지원도 요구된다"라고 밝히고 있어 학회의 역할이 학술적인 장에 국한되지 않고 제도화의 주도적인 역할 역시 자임하고 있었음을 확인할 수 있다. 한국호스피스·완화의료학회는 창립 이래 호스피스·완화의료 제도화를 위한 대국민 홍보, 법제화를 위한 국회 공청회 및 세미나를 열어 호스피스·완화의료의 필요성을 역설하였고, 매년 의료진을 위한 연수강좌 등을 마련하여 의료진의 참여와 역량 강화에 힘쓰고 있다. 2003년부터는 호스피스·완화의료 서비스 활동에 대한 인식을 증진시키고 지역 내 호스피스 활동의 활성화에 필요한 기금마련을 목적으로 전세계적으로 실시되는 Voices for Hospices를 정례적으로 개최하였고 2006년에는 호스피스·완화의료 제도화를 위한 100만 서명운동과 범국민걷기 대회를 통해 홍보의 노력을 이어갔다. 한편 국제적인 교류를 위한 노력의 일환으로 2005년에는 "The 6th Asia Pacific Hospice Conference (APHC):Changing Society and Human Life with Hospice Palliative Care"를 개최하였으며 이 자리를 통해 세계 30여개국의 호스피스 기관장이 모여 다음과 같은 내용의 '호스피스·완화의료 한국선언(Korea Declaration on Hospice and Palliative Care)'을 채택하였다.

• 호스피스·완화의료는 의료인, 자원봉사자, 사회복지사 등 다양한 직종의 사람들이 불치병으로 고통

받고 있는 환자 및 그 가족을 돕는 활동이다.
• 불치병 환자에 대한 호스피스·완화의료에 대하여 정부의 역할이 중요하다.
• 암 환자를 대상으로 축적된 지식이 암 이외의 만성 질환자에게도 확대 적용될 수 있다.

국내 유일의 호스피스·완화의료 관련 다학제 학회로서 한국호스피스·완화의료학회는 호스피스·완화의료 학술연구와 최신의학에 대한 정보를 제공하기 위해 학술지인 한국호스피스·완화의료학회지(Korean Journal of Hospice and Palliative Care, *Korean J Hosp Palliat Care*)를 1998년 1호를 시작으로 2001년까지는 매년 1회, 2002년부터 2006년까지는 연 2회 그리고 2007년 이후로는 매년 4회 정기 발행해 오고 있다. 정기적인 학술 행사로는 연 2회(춘계 및 추계)의 "학술대회"와 연 2회의 "의료인을 위한 연수강좌"를 시행하고 있으며 6개의 지회가 주관하는 매년 2~3회의 "증례발표" 역시 꾸준히 진행해 오고 있다.

III 한국 호스피스·완화의료의 제도화 과정

한국에서는 2010년 이후로는 매년 약 20만 명 이상의 암 환자가 발생하고 있으며, 암사망자 역시 2010년 7만 여명을 넘어서 꾸준히 증가하고 있다. 그러나 말기 암 환자들은 의료의 중심에서 소외되어 있었으며 응급실을 전전하거나, 3차 의료기관에 장기간 입원하거나, 민간요법, 대체요법 등 검증되지 않은 비제도권 영역의 의료 행태에 의존하는 경향을 보여 왔다. 암 환자 5,765명의 사망 전 1년간 의료 이용 양상을 분석한 결과 약 37%가 2곳 이상의 의료기관을 이용하였으며, 5곳 이상의 의료기관을 이용한 경우도 21.5%나 되었다. 의료기관을 이용하는 암 환자들은 사망 시점에 가

까워질수록 의료비 지출이 증가하는 양상을 보인다. 국민건강보험공단이 조사한 자료(2011년)에 따르면 1인 환자의 월 평균 치료비는 '사망 직전'에 급증한다. 사망 2년 전의 월평균 진료비는 약 50만 원이나 사망 1달 전 진료비는 280만 원까지 5배 넘게 치솟고 있다. 이 비용의 상당 부분은 말기 암 환자의 상태 악화의 원인 규명 및 상태 보전에 투입되어 이 중 상당 부분은 환자가 치료를 통해 더 이상의 이익을 얻을 가능성이 없는 무의미한 치료(futile care)에 사용되고 있을 가능성이 높다. 한국에서 말기 환자 10명 가운데 3명이 인공호흡기 등에 의지해 생명을 유지하다 사망에 이르고 있다. 재가 암 환자를 대상으로 한 연구 결과에서도 간호 필요율에 대한 충족율이 20~30%로 낮을 뿐 아니라 경증 암 환자의 25.5%, 중증 암 환자의 46.5%가 충분한 통증 관리를 받지 못하고 있으며, 재가 암 환자들이 원하는 도움으로는 경제적 지원(38.9%), 의료에 대한 정보 제공 및 상담(28.1), 증상조절(20.2%) 등으로 조사되었다. 이러한 현실을 타개하기 위해서는 호스피스·완화의료에 대한 인식 개선의 노력이나 종사자들의 헌신 등 의료계나 종교계 혹은 시민사회의 노력만으로는 한계가 분명한 만큼 호스피스·완화의료의 제도화에 대한 요구는 2000년대 초반부터 꾸준히 제기되어 왔다.

호스피스·완화의료는 암 환자를 중심으로 발전해 온 점을 고려할 때 한국에서의 호스피스·완화의료의 제도화 과정을 살펴보기 위해서는 무엇보다도 정부의 국가 암관리 정책 변천 과정을 살펴보아야 한다. 정부는 1996년 제1기 암관리 10개년 계획을 수립하고 2000년에는 국가암관리대책을 총괄할 암관리과를 보건복지부 건강증진국 내에 설치하였다. 2001년에는 국립암센터를 설립하고 국립암센터 연구소 내에 삶의 질 향상연구과를 설치하여 호스피스·완화의료에 대한 연구 추진의 계기를 마련하였다. 1998년 7월 국회의원 회관에서 국회보건복지포럼의 주재로 개최된 '호스피스 제도화에 대한 세미나'에서 호스피스·완화의료 법제화가 처음 추진되었으나 이견에 의해 중단된 후 공식적인 제도화에 대한 정부의 방침은 한동안 정해지지 않았다. 그러나 호스피스·완화의료 제도화에 대한 요구가 늘어나면서 정부에서는 2002년 호스피스·완화의료 제도화 및 법제화를 위한 시범사업 계획을 수립하였으며 2003년에 「암관리법」을 제정하여 말기 암 환자 관리에 대한 국가의 책임을 명시하고 이를 근거로 2003년부터 2년간의 시범사업을 실시하였다. 시범사업에 앞서 정부는 2002년 8월 처음으로 다음과 같은 공식적인 제도화 방안을 제시하였다. 첫째, 호스피스 전문병원을 지정하여 말기 환자의 통증완화 치료를 받을 수 있도록 전용병상 설치를 의무화하며, 소형병원의 호스피스 전문병원 전환을 유도한다. 둘째, 호스피스 전문병원에 대한 건강보험 수가 상 인센티브를 부여하며, 일당 정액제를 원칙으로 하고 포괄수가제를 인정한다. 셋째, 호스피스 전문인력을 양성하기 위해 의료법 시행규칙에 전문간호사 제도 도입을 위한 근거조항을 마련한다. 월드컵이 개최되었던 2002년은 호스피스·완화의료에 있어서도 제도화를 위한 구체적인 논의가 처음 시작된 의미 있는 해였던 것이다.

2003년부터 시범사업을 위해 호스피스·완화의료 사업지원평가단이 설치되었으며 호스피스·완화의료 서비스 모형개발(시설 및 인력수준, 활동지침, 수가모형 등)을 위해 가정형, 병동형, 산재형, 시설형, 공공형 각각 1개소씩 5개소 선정하여 시범사업을 운영하였고 교육대상자별(의사, 간호사, 사회복지사, 성직자, 자원봉사자 등)로 호스피스·완화의료 교육모형을 개발하고 이에 근거하여 교육을 실시하였다. 정부에서는 또한 1997년부터 국립보건원에서 보건소 공무원을 대상으로 「호스피스관리과정」을 운영하였으며 2002년부터 국립암센터에서 보건소 공무원을 대상으로 「재가암 환자 관리 과정」을 운영하였다. 2003년부터 보건복지부에서 국립암센터를 「호스피스·완화의료 시범사업」교육기관으로 지정·운영하기 시작하였다.

시범사업이 종료된 2005년에는 15개의 호스피스·완화의료 전문기관을 선정하여 인건비, 시설 및 장비지원비 등 운영비용 지원을 위한 국고 지원사업(2.4억원)을 시작하였다. 국고지원을 받는 기관은 2008년 30개 기관(524병상, 13억원)에서 2016년에는 65개 기관(1,091병상, 30억원)으로 증가되었다.

2006년 10월 보건복지부에서는 완화의료 전문기관의 인프라와 서비스 표준화를 위하여 완화의료 전문기관의 인력·시설 및 장비 기준을 마련하고 「말기 암 환자 전문의료기관 지정기준 고시」를 제정하여 말기 암 환자 완화의료전문기관을 지정하여 운영을 지원하기 시작하였다. 특히 표준화된 호스피스·완화의료 이용 절차 마련 및 평가제 도입 등을 주요 내용으로 「암관리법」을 개정하여 2011년 6월 1일부터 시행하였다. 「암관리법」 주요 개정 사항에는 호스피스·완화의료 이용에 관한 의료인의 설명 의무, 호스피스·완화의료 이용 희망 시 동의서 제출, 호스피스·완화의료 전문기관 지정 취소 및 변경사항의 시·도 통보 등이 포함되어 있었다. 이러한 지원에 힘입어 정부의 기준을 충족하는 호스피스·완화의료 전문기관의 수는 2008년 19개소(282병상)에서 2022년 88개소(1,501병상)으로 꾸준히 증가되어 왔다 표3-1.

호스피스·완화의료의 제도화에 있어 핵심적인 요소인 건강보험 급여화를 위한 노력은 2007년부터 시작되었다. 정부는 말기 암 환자의 특성에 맞는 양질의 의료서비스를 제공함으로써 환자와 가족의 삶의 질 향상을 위해 완화의료서비스의 제도화가 필요하다는 인식에 따라 2007년부터 2008년까지 완화의료 특성에 맞는 수가 개발을 위한 연구 용역을 추진하여 완화의료 급여

화를 위한 근거 기반을 마련하였으며, 이를 토대로 건강보험심사평가원이 실무를 맡아 입원형 완화의료 건강보험 수가 1차 시범사업(2009년 9월~2011년 6월, 7개 기관)을 수행하였고 1차 시범사업의 낮은 원가보상률 등 문제점을 개선하여 2차 시범사업(2011년 9월부터 2015년 6월, 12개 기관)을 수행하였다. 6년여 간의 시범사업에 대한 평가 과정을 거쳐 드디어 2015년 7월 1일부터 완화의료전용 입원병상에서 말기 암 환자에게 제공되는 완화의료서비스(병동형 완화의료서비스)에 대한 건강보험 급여가 시작되었다.

건강보험 급여는 기본적으로는 일당정액 수가로 운영하되 증상 완화를 위한 별도의 시술이나 적극적인 통증 치료에 대해서는 별도의 행위별 수가를 적용하는 구조이며 환자 및 가족의 경제적 부담을 적극적으로 경감시켜 호스피스·완화의료 이용의 부담을 줄이고자 선택진료비를 폐지하였고 상급병실료 및 간병(호스피스 보조인력 제도) 등에 대해서도 건강보험을 적용하였다. 또한 호스피스·완화의료 제공에 있어 필수적인 의사, 간호사, 사회복지사의 상담에 대한 별도의 수가(전인적 돌봄 상담수가)와 임종관리료를 신설하고 일당정액 수가에 음악, 미술, 원예 등 요법치료에 대한 급여를 포함하였다.

입원형호스피스에 대한 제공체계의 구축과 지원 등 제도화를 위한 노력이 암관리법 개정에 이어 건강보험 급여화를 통해 구체화되고 있는 반면 호스피스·완화의료 서비스의 다른 유형들인 가정 및 자문형 호스피스·완화의료의 체계는 최근에야 관심을 받고 있다. 말기 암 환자들의 다양한 요구에 부응하여 호스피스·완화의

표 3-1. 호스피스·완화의료 전문기관 현황

	2008	2009	2010	2011	2012	2013	2014	2015	2016	2017	2018	2019	2020	2021	2022*
기관수	19	40	42	46	56	54	57	66	77	81	84	88	86	88	88
병상수	282	633	675	755	893	867	950	1,100	1,293	1,321	1,358	1,416	1,405	1,470	1,501

* 2022년 11월 기준

료 이용기회를 확대하고 국민들의 다수가 임종기 돌봄의 장소로 가정을 희망하고 있음에도 말기 암 환자의 대부분이 병원사망을 선택하고 있는 현실(2020년의 경우 전체 암사망자의 90.3%)을 타계하기 위해서는 다양한 서비스 유형이 필요하며 입원형호스피스·완화의료 체계만으로는 한계가 있다. 정부는 이에 2013년 10월에 입원형에 대한 건강보험급여화뿐 아니라 가정형 및 자문형완화의료팀의 도입 추진을 포함하는 「호스피스·완화의료 활성화 대책」을 발표하였다. 그리고 2016년 3월부터는 17개 기관이 참여한 가정형호스피스 수가시범사업이 시작되었으며, 한 차례의 시범사업 연장을 거쳐 2020년 9월부터 건강보험 수가 적용을 받게 되었다. 자문형완화의료팀(Palliative Care Team, PCT) 제도는 의사, 간호사, 사회복지사 등의 다학제팀에 의해 급성기 병동의 말기 암 환자에게 통증 관리, 상담 등 완화의료 서비스의 일부를 제공하고, 완화의료문기관 이용을 안내하는 가교 역할을 수행하게 되어 말기 암 환자와 가족의 삶의 질을 높일 수 있을 것으로 기대되었다. 이에 2017년 8월부터 20개 기관이 참여하는 시범사업을 시작하여 2022년 1월 건강보험 수가 적용을 받게 되었다.

한편 2015년 12월 연명의료결정법의 입법에 따라 호스피스 적용의 대상이 말기암 외에도 만성폐쇄성 폐질환, 만성 간경화, 후천성면역결핍증 등 일부 비암성 질환 말기로 확대됨에 따라 말기 암환자 중심으로 발전해온 국내 호스피스·완화의료 제공 체계 및 역할을 고령사회 생애말기 국민에 대한 보편적인 돌봄의 일부로 변화시켜가기 위한 노력이 모색되어지고 있다.

한편 2003년 암관리법이 제정되어 지방자치단체장의 재가암 환자에 대한 통증관리 및 간호서비스 제공이 명문화된 것을 계기로 2005년 4월부터는 전국적으로 보건소 재가암 환자 관리 사업을 시작하였다. 정부에서는 제 2기 암정복 10개년 계획(암정복 2015 프로젝트) 중 암 환자 재활 및 완화의료 부문 정책의 일환으로 말기 암 환자 호스피스·완화의료 기관 육성지원시범사업을 통해 호스피스 전문기관-보건소 중심의 재가 암 관리사업-가정을 연계하는 '지역 중심의 말기 암 환자 연계 체계'를 모색하고자 하였다. 그러나 보건소 중심의 재가암 관리 사업의 경우 보건소가 가지고 있는 공공성 및 지역사회중심의 통합적·지속적 관리의 장점을 활용하여 포괄적 서비스를 제공한다는 취지에도 불구하고 각 보건소당 지원 예산이 너무 적고 무엇보다 서비스를 제공할 수 있는 전문 인력의 확충이 부족한 이유 등으로 실질적인 효과는 기대할 수 없었다. 그러나 지역사회 내에서 제공되는 보건, 의료, 복지서비스의 통합을 통한 서비스 수준의 향상이 모색되고 있어 그 가능성은 여전히 유효하다 할 수 있다. 특히 민간의료기관의 비중이 높고 '시장'의 기능이 압도적인 보건의료체계를 갖추고 있는 한국의 현실에서는 종합병원급 이상의 대형 의료기관이 밀집한 대도시 지역과 달리 기본 의료시설 및 인력이 빈약한 중소도시나 농어촌지역은 호스피스 수가의 개발 등의 제도화 시행 이후에도 공공보건 조직을 이용한 지역중심의 말기 암 환자 연계 체계의 필요성이 지속적으로 강조될 필요가 있다 **표 3-2**.

IV 한국 호스피스·완화의료의 전망

외국의 사례를 볼 때 국가마다 호스피스 사업을 도입하게 된 시기와 배경이 다르고 독특한 사회문화적 상황이 다르기에 제도적인 발전의 전개 과정이나 방향 역시 다를 수밖에 없다. 그러나 대부분 호스피스 사업을 수행할 수 있는 법적 근거를 마련하고 이와 함께 호스피스 사업의 재원 조달을 위해 건강보험의 수가 지불체계에 호스피스를 포함시켰으며 수가 지불을 위한 세부 규정들을 마련하고 있음을 알 수 있다. 우리나라 역시 암관리법 개정을 통한 말기 암 환자 호스피스·완화의료의 법적 기반 마련이 이루어지고 이를 계기로 입원형호스

표 3-2. 호스피스·완화의료 제도화 과정

1965	강릉 갈바리 의원 개원(한국 호스피스 운동의 효시)
1988	서울성모병원에서 최초의 호스피스 병동 운영 시작
1996	아시아 최초의 호스피스 교육연구소 개설(가톨릭대학교 간호대학)
1998.7.4	한국호스피스·완화의료학회 창립
2003–04	보건복지부 호스피스·완화의료 시범사업 시행
2005	보건복지부 호스피스·완화의료 국고지원사업 시작
2006	「말기 암 환자 전문 의료기관 지정기준 고시」 제정
2008	보건복지부 말기암환자 완화의료전문기관 지정 시작
2009.9–2015.6	호스피스완화의료 수가 1차 및 2차 시범사업
2011	암관리법 개정 : 표준화된 호스피스·완화의료 이용 절차 마련
2013.10	보건복지부 호스피스완화의료 활성화 대책 발표
2014	의료기관인증원 상급종합, 종합병원 말기환자 전원체계 관련평가기준 신설
	암관리법 시행령, 시행규칙 개정(관리 강화)
2015.7.15	입원형 호스피스 수가 전면적용
2016.2.3.	호스피스완화의료 및 임종과정의 환자에 대한 연명의료결정에 관한 법률 제정
2016.3.	가정형 호스피스 수가시범사업 시작
2017.8	자문형 호스피스 수가시범사업 시작
2017.8.4	연명의료결정법 일부 시행(호스피스 부분)
2018.7	소아청소년 완화의료 시범사업 실시
2019.6	제1차 「호스피스·연명의료 종합계획」 발표
2020.9	가정형 호스피스전문기관 지정 및 건강보험 수가 적용
2022.1	자문형 호스피스전문기관 지정 및 건강보험 수가 적용

피스에 대한 건강보험 급여화, 호스피스·완화의료 전문 의료기관의 지정 및 지원, 표준교육프로그램의 개발 등 제도적인 기반이 꾸준히 확대되어 왔다. 그럼에도 불구하고 호스피스·완화의료의 발전을 위해 넘어서야 할 장애물들은 여전히 많다.

말기환자 돌봄에 있어 호스피스·완화의료의 정착을 위해서는 환자 개인의 자율성을 존중하는 문화가 조성되어야 한다. 지나친 가족의 개입과 책임을 당연시하며 무의미한 의료집착적인 치료의 경우에도 이를 중단하지 못하는 전통적인 사회 규범이나 개인적인 가치관을 변화시키기 위한 노력이 필요하다. 또한 서비스 이용의 형평을 제한하고 있는 전문의료기관의 대도시 편중

의 문제, 체계적인 완화의학 교육 프로그램의 부재, 더디게 개선되고 있는 의료인들의 호스피스·완화의료에 대한 인식 부족, 질 높은 서비스의 제공을 위해 필요한 표준화된 서비스 지침의 개발 등 앞으로도 다양한 영역에서 많은 어려움을 극복해나가야 한다.

그러나 품위 있는 죽음을 위해 정부가 해야 할 일에 대한 질문에 대해 일반인 응답자들은 '말기 환자에 대한 재정지원(29.8%)', '호스피스 서비스에 대한 보험인정(16.5%)'을 중시한 답변을 고려하면 건강보험 급여적용 및 다양한 유형의 서비스 개발 등 말기 환자의 재정적 부담을 경감하고 이용의 기회를 다양화하려는 사회, 제도적 대책이 마련되고 있어 바람직한 임종문화와 호스피스

제도의 정착에 대한 교육과 홍보가 강조될 경우 호스피스·완화의료의 이용은 꾸준히 확대될 것으로 예상된다.

향후로는 일차의료와 연계되는 지역사회중심의 통합적인 호스피스·완화의료 회송체계를 구축하여야 할 것이며 전문적인 교육 훈련 프로그램의 개발과 함께 질적 평가제도를 도입하여 모든 호스피스·완화의료기관에서 일정 수준 이상의 서비스를 제공할 수 있어야 한다.

호스피스·완화의료는 죽음이 예견되는 환자와 그 가족의 삶의 질을 극대화화기 위해서 다양한 분야의 전문가들과 자원봉사자들이 팀 접근을 통해 총체적으로 돌보는 사랑의 행위이다. 이를 통해서 말기환자가 여생동안 인간으로서의 존엄성과 높은 삶의 질을 유지하고, 마지막 순간을 평안하게 맞이하도록 환자와 가족의 신체적, 정서적, 사회 경제적, 영적 요구를 충족시키며 사별가족의 고통과 슬픔도 돌보는 것이다. 호스피스·완화의료는 비록 비교적 이른 시기에 한국에 소개되었으나 더딘 발전의 과정을 인내하며 오늘에 이르고 있다. 다행히도 최근 수년간 한국에서의 호스피스·완화의료 운동은 예전에 경험하지 못한 속도감 있는 변화를 맞고 있으며 특히 말기 환자 관리에 있어 정부의 정책변화와 건강보험 급여화는 호스피스·완화의료의 제도적 정착에 대한 전망을 밝게 하고 있음이 분명하다. 한국인의 정서적, 문화적, 사회적인 특성과 자원을 바탕으로 하는 한국적인 호스피스·완화의료 체계를 완성시키기 위한 노력은 계속되어야 할 것이다.

2016년 12월 연명의료결정법의 입법을 통해 말기 암 환자에 국한되었던 호스피스·완화의료를 다른 비암성 말기 환자들이 자유의사에 따라 선택할 수 있는 법률적 근거가 마련되었다. 이후 연명의료계획서 작성·등록과 연명의료중단 등 결정 이행 모두 지속적으로 증가 추세에 있어 조기에 정착되어가고 있다는 평가를 받고 있다(연명의료중단 등 결정 이행(누계): ('18)32,211건 → ('22)250,645건). 그러나 연명의료중단등결정의 이행 시기를 임종기로 제한하고 있고, 다수의 국민들이 생애 마지막 시기를 보내고 있는 요양병원은 대다수가 아직 제도에 참여하고 있지 않는 등 제도개선에 대한 요구가 지속적으로 발생되고 있다. 특히 말기 환자의 자기결정권 존중을 위해 필수적인 의사와 환자 및 가족들이 함께 하는 의사결정의 과정이 충실히 시행되기에 제약이 많은 국내 의료 현장의 여건 등 또한 앞으로 개선해가야 할 중요한 부분이라는 평가가 많다. 앞으로도 지속적인 보완을 통해 환자의 자기결정권이 존중되어 보다 이른 시기에 환자와 의료진이 연명의료에 대해 논의하는 변화가 정착되어야 할 것이다.

"Palliative for all"의 노력은 현재 진행형이다.

📑 참고문헌

1. 이경식, 한국 호스피스·완화의료: 개요. 대한의사협회지, 1998;41:1120.
2. 최윤선, 한국호스피스의 현황과 전망. 대한가정의학회지, 1997;18(8).
3. 홍영선, 한국 호스피스의 과거와 현재. 한국호스피스·완화의료학회지 2000;3(2):185-9.
4. 김준석, 우리나라 호스피스·완화의료의 현주소와 전망. 대한내과학회지. 2004;67(4):327-9.
5. 윤영호 등, 말기 암 환자의 의료이용 행태. 가정의학회지. 1998;19(6).
6. 홍영선, 이경식, 호스피스 제도화, 한국호스피스·완화의료학회지, 2002;5(2), p.81-9.
7. 김분한, 한국 호스피스완화 돌봄의 현재와 나아갈 방향, 한국호스피스·완화의료학회지. 2011;14(4):191-1968.
8. 김현숙, 홍영선. 한국 호스피스·완화의료: 과거, 현재 그리고 미래. 한국호스피스·완화의료학회지.2016;19(2):99-1089.
9. 이영숙: 한국 호스피스·완화의료 사회복지의 과거, 현재 그리고 미래 전략. 한국호스피스·완화의료학회지.2013;16(2):65-7310.
10. 2007년 말기 암 환자 호스피스기관 지원대상 선정계획. 보건복지부. 2006년 11월11.
11. 2004년 말기 암 환자 호스피스 시범사업 교육 보고서. 이경식 등. 보건복지부.
12. 재가암 환자의 효율적 관리방안. 암정복추진연구개발사업/연구보고서. 보건복지부. 2005.

2부

호스피스·완화의료 관련 법

4장 호스피스·완화의료 관련 법

4장
호스피스·완화의료 관련 법

| 박진노 |

Ⅰ 우리나라 호스피스·완화의료 관련 법

우리나라의 호스피스·완화의료와 관련된 법의 시작은 2008년 개정발표된 암관리법이다. 호스피스·완화의료 내용이 암관리법 안에 일부분으로 발표되어 말기 암 환자를 중심으로한 법 적용이 시작되었다. 이후 단독법의 필요성이 제기되다가 '연명의료중단결정'이란 사회적 이슈와 함께 2016년 2월 '호스피스·완화의료 및 임종과정에 있는 환자에서 연명의료 결정에 관환 법률(약칭: 연명의료결정법)'으로 연명의료결정법과 호스피스·완화의료법이 통합되어 발표되었고, 2018년 3월 개정 및 시행되었다. 암관리법과 연명료결정법 두 가지 법의 역사와 배경, 관련 내용을 살펴보자.

Ⅱ 암관리법

1차 암관리종합계획(1996년부터 2005년)에서 암관리법이 제정되었고, 2008년에 말기 암 환자, 호스피스·완화의료에 대한 내용이 포함되기 시작하였다. 당시 호스피스에 대한 대국민 홍보를 진행하고 있었지만, 일반인들에게 임종과 관련지어 '호스피스는 죽으러 가는 곳'이라는 부정적 인식은 여전하였다. 이를 반영하여 '호스피스' 대신 '완화의료'란 용어를 공식용어로 사용하자는 움직임이 있었고 2008년 암관리법 개정에도 반영되었다. 참고로 '완화의료'가 '호스피스'라는 용어를 대신하였지만, '완화의료'라는 용어가 '호스피스'에 국한되어 사용된다는 비판이 호스피스·완화의료 의료종사자들을 중심으로 꾸준히 있어오다가, 원래대로 '호스피스·완화의료'라는 용어로 바뀌게 되었으며, 2016년 발표된 '연명의료결정법'에서 '호스피스·완화의료'로 명칭을 재조정하였다.

2008년 보건복지부에서 호스피스·완화의료 전문의료기관 지정 기준을 고시하였고, 암관리법에 보건복지부장관이 실시해야 할 말기 암 환자 관리사업에 대한 내용(1. 말기 암 환자의 적정한 통증관리 등 삶의 질 향상을 위한 지침개발 및 보급, 2. 말기 암 환자 전문기관의 육성, 3. 말기 암 환자에 대한 가정방문 보건의료사업, 4. 말기 암 환자와 그 가족을 위한 교육프로그램의 개발 및 보급, 5. 그 밖에 보건복지가족부장관이 필요하다고 인정하는 사업) 추가와 말기 암 환자 전문의료기관 지정 근거를 마련하였다. 암관리법 시행령과 시행규칙에는 완화의료 대상자 선정과 입소절차를 마련하였으며, 완화의료 기관의 지정 및 취소(기관 지정기준 포함), 완화의료기관 평가제도를 신설하였다. 완화의료 대상자 선정은 보건복지가족부령이 정하는 말기 암 환자의 진단을 받은 자로 본인이 완화의료 이용을 희망하는 자로 정하였다. 말기암 판정의 정확성 확보를 위해 담당 주치의 및 완화의료 담당의사의 진단을 받도록 하였으며, 환자 또는 그 가족의 신청을 요건으로 하였다. 의료인이 말기 암 환자 또는 그 가족 등에게 완화의료의 선택과 이용절차에 대해 설명하도록 하였고, 말기 암 환자가 의사결정 능력이 없는 경우 대리인을 선임하여 환자 개인의 자기 결정권 행사를 돕도록 하였다. 완화의료에 대한 정의를 '통증 및 증상 완화, 신체적, 심리사회적, 영적 영역에 대한 포괄적인 평가와 치료를 통해 환자 및 가족의 삶의 질 향상을 목적으로 하는 의료'라고 명시 하였다.

2009년 말기 암 환자 호스피스·완화의료 건강보험수가 시범 사업 시작과 함께 암관리법에서 수가시범 사업 운용 상 행정적인 작은 문제점들을 개선 및 수정하다가, 2011년 암관리법 개정에서 말기 암 환자 대상의 호스피스·완화의료 법적 근거를 마련하게 되었다. 이전까지는 호스피스·완화의료 기관 지정 기준에 국한된 내용과 호스피스·완화의료 기관 이용 기준 등에 관한 내용이 주요 내용이었다. 2011년에는 암관리법에서 말기

암 환자 완화의료시행 법적 근거를 마련했고, 2차 암관리 종합계획으로 호스피스 목표 병상수 조정과 암생존자, 암재활을 강조한 정책을 발표하였다.

2013년 보건복지부에서 호스피스·완화의료 활성화 대책을 발표하여 2020년까지 완화의료 이용률을 11.9%→20%로, 완화의료전문병상은 880개→1,400여 개로 확대할 계획임을 밝혔다. 지역거점공공병원의 완화의료병동 신설·확대 지원, 의료기관 평가 가점 부여, 완화의료전문기관 건강보험 수가 적용을 통해 병상 확대를 할 예정이라고 밝혔다. 또한 완화의료팀(palliative care team, PCT: 의사, 간호사, 사회복지사 인력 구성을 기본으로 하며, 전용병동은 없으나 통증관리, 상담 등 완화의료 서비스 일부 제공하여 호스피스·완화의료 적용대상 환자, 적용 가능성이 있는 환자 혹은 일시적인 도움이 필요한 환자와 그 가족들에게 호스피스·완화의료에 대한 인식을 긍정적으로 가지게 하는 팀)제도 도입과 가정호스피스·완화의료 제도 도입을 위해 준비하겠다고 밝혔으며, 호스피스·완화의료 입원형 시범사업 이후 본 사업으로 이어가겠다고 밝혔다 **그림 4-1**. 의료기관평가인증원과 함께 말기환자 돌봄 평가 기준을 만들고 완화의료전문기관 지정과 취소를 강화하며, '완화의료'를 '호스피스·완화의료'로 명칭 사용을 바꾸기로 하였고, 병동 입원시 간병부담을 줄일 방안 마련을 하기로 하였다. 이를 위해 암관리법에서 필요한 내용을 2014년도에 마련하기로 하였다. 이전부터 호스피스 홍보를 위해 한국호스피스·완화의료학회, 복지부, 국립암센터 등에서 함께 호스피스자원봉사 기념식, 음악회 등 여러 형태로 호스피스의 날 행사를 해오던 것을 2014년에는 공식적으로 국립암센터 주관으로 제1회 호스피스·완화의료 기념식을 하였다. 국립암센터, 지역암센터, 각 호스피스·완화의료전문기관 등을 중심으로 진행하였다. 2016년 2월 발표된 '연명의료결정법'에서 구체적으로 매년 10월 둘째 주 토요일을 호스피스(완화의료)의 날로 정하였다.

그림 4-1. 2013년 호스피스·완화의료 활성화 대책 발표(보건복지부) 내용 중 완화의료팀과 가정호스피스·완화의료제의 도입 개념

표 4-1. 호스피스·완화의료기관 시설기준(암관리법)

시설내용	개수	단위면적(㎡)	비 고
입원실	3	6.3(병상당)	1실 5인 이하 입원실일 것
임종실	1		
목욕실	1		
가족실	1		
상담실	1		환자 및 보호자의 상담을 위해 구분된 공간일 것
처치실	1		간단한 수술 및 처치를 할 수 있는 구분된 공간일 것
간호사실	1		
진료실	1		

표 4-2. 호스피스·완화의료 인력기준(암관리법)

인 력
의사 　연평균 1일 입원환자를 20명으로 나눈 수 이상(이 경우 소수점은 올림). 다만(2015년 개정), 완화의료병동 이외의 병동에서 완화의료 자문을 제공하는 경우에는 전문의 1명 이상
간호사 　연평균 1일 입원환자를 2명으로 나눈 수(이 경우 소수점은 올림) 다만(2015년 개정), 가정에서 완화의료를 제공할 경우에는 호스피스 전문간호사 또는 가정 전문간호사를 추가로 1명 이상, 완화의료병동 이외의 병동에서 완화의료 자문을 제공하는 경우에는 호스피스 전문간호사를 추가로 1명 이상
사회복지사 　상근 1인 이상. 다만(2015년 개정), 가정 또는 완화의료병동 이외의 병동에서 완화의료 자문을 제공하는 경우에는 사회복지사 1급 1명 이상

2016년 암관리법 개정에서 말기 암 환자의 호스피스·완화의료에 관한 내용은 '연명의료결정법'이 효력을 발휘하는 2017년 8월 4일부터 암관리법에서 삭제되게 되었다. 그동안 암관리법에는 호스피스·완화의료 수가 및 입원형 시범사업 진행이 되면서 호스피스·완화의료 전문기관, 지원기관의 요건과 인력기준, 시설기준 내용을 담게 되었고, 표 4-1, 2, 3 암관리법에 명문화된 이후에는 호스피스·완화의료 발전의 초석이 되었다. 사별돌봄, 자원봉사자 관련 내용은 법률적용 및 의료수가 적용의 한계성으로 포함되지 못하였다는 비판은 있었으나, 2016년 2월 암관리법의 호스피스·완화의료 관련 내용을 기초로 '연명의료결정법'이 발표되었다.

표 4-3. 호스피스·완화의료 인력 교육이수 기준(암관리법)

교 육
1) 필수 인력(의사, 간호사, 사회복지사)은 아래 교육 세부기준에 따른 완화의료 관련 교육을 이수하여야 한다. 다만, 「전문간호사 자격인증 등에 관한 규칙」제2조에 따른 호스피스전문간호사는 기본 교육을 이수한 것으로 본다.
2) 완화의료전문기관으로 지정된 후 결원, 인사이동 등의 부득이한 사유로 가목에 따른 필수 인력이 3)에 따른 완화의료 기본 교육을 사전에 이수하지 못한 경우에는 완화의료병동 근무 개시 후 3개월이 경과하기 전까지 해당 교육을 이수하여야 한다.
3) 교육의 세부 기준 가) 교육 내용 : 말기암환자에 대한 전인적(全人的) 평가 방법과 돌봄 계획 수립 방법, 환자와 가족에 대한 의사소통 및 상담법, 말기암환자의 통증 및 증상 관리를 포함하는 완화의료 관련 내용. 다만(2015년 추가), 가정에서 완화의료를 제공하는 경우에는 가정 내 환자와 가족에 대한 전인적 평가와 돌봄 제공 방법을, 완화의료병동 이외의 병동에서 완화의료 자문을 제공하는 경우에는 돌봄계획상담과 자문상담방법을 완화의료 관련 내용에 포함하여야 한다. 나) 최소 교육 이수 시간 : 기본 교육 60시간 및 보수 교육 연간 4시간. 다만(2015년 추가), 가목의 구분에 따른 필수인력이 가정 또는 완화의료병동 이외의 병동에서 완화의료 자문을 제공하는 경우에는 16시간의 추가교육을 이수하여야 한다. 다) 교육 기관 : 법 제19조에 따른 지역암센터, 법 제22조에 따른 완화의료전문기관, 법 제27조에 따른 국립암센터, 「의료법」 제28조에 따른 의사회 · 한의사회 · 간호사회, 「사회복지사업법」 제46조에 따른 한국사회복지사협회 및 완화의료 관련 전문 학회

III 호스피스·완화의료 및 임종과정에 있는 환자에서 연명의료 결정에 관한 법(약칭: 연명의료결정법)

1. 법 제정과 관련된 배경: 보라매 병원사건

1997년 12월 4일 술에 취해 화장실에 가다 시멘트 바닥에 넘어져 두부 수상으로 경막외출혈이 발생한 환자를 부인이 퇴원시킨 사건이다. 대법원 판결을 통해 의학적 권고에 반하는 환자의 퇴원(discharge against medical advice)에 대해 의사를 살인방조죄로 처벌하였다. 환자는 뇌수술로 혈종을 제거하였으나 심한 뇌부종으로 자발호흡이 돌아오지 않아 인공호흡기를 부착하여 치료를 받았다. '부르면 눈을 뜨고 있는 상태', 빛에 대한 반사, '통증을 가하면 반응함' 등을 보여 의식이 회복되는 추세였고, 자발 호흡을 하지 못하고 있었기 때문에 퇴원을 하면 사망할 것이 예측되는 상태로 담당의사 등은 병원에 있는 경우 회복되거나 적어도 연명이 될 가능성이 있다고 예상하였다(퇴원 당시 피해자는 인공호흡 조절수보다 자가호흡수가 많았으므로 일단 자발호흡이 가능하였던 것으로 보이고, 수축기 혈압도 150/80으로 당장의 생명유지에 지장은 없었던 것으로 보이는 점, 피해자의 동맥혈 가스 분석 등에 기초한 폐의 환기기능

을 고려할 때 인공호흡기의 제거나 산소 공급의 중단이 즉각적인 호흡기능의 정지를 유발할 가능성이 적었을 것으로 보이는 점 등).

환자의 부인은 남편의 사업 실패 후 직업 없이 가족에 대한 구타를 일삼고, 남편이 살아남을 경우 가족에게 짐만 될 것이라는 판단을 하면서, 발생된 260만원의 치료비 외에도 앞으로 발생할 추가 치료비에 대한 경제적 부담을 이유로 퇴원을 요구했다. 1997년 12월 6일 오후 2시 의료진은 퇴원시 사망가능성을 설명한 후 의료진은 환자의 아내에게 퇴원 후 피해자의 사망에 대해 법적인 이의를 제기하지 않겠다는 귀가서약서에 서명을 받고 수련의를 동반시켜 집으로 퇴원 시키고 집에 도착한 뒤 수동으로 실시하던 인공호흡 시술 중단과 기구 제거를 하였다. 인공호흡을 중단하고 5분 뒤 환자는 사망하였다.

1심에서 피해자의 부인, 담당의사, 담당의사를 보조한 3년차 수련의, 1년차 수련의를 살인죄의 부작위범으로 처벌하였으나, 2심에서 1년차 수련의(인턴)을 제외(무죄)한 의료진을 살인죄의 방조범(작위에 의한 살인방조범)으로 인정하였다. 법원은 정상을 참작하여 의료진은 물론 살인죄의 주범인 피해자의 부인에게도 집행

유예를 선고했다. 살인죄의 방조범으로 처벌받은 의료진은 상고하였으나 대법원은 상고를 기각했다.

이 사건은 소생 가능성이 남아 있는 환자에 대한 판결이었고 생명에 대한 경제적 논리가 영향을 미친 판결이었기에 살인방조죄를 의료진에게 적용하였다. 하지만 의료인들은 판결을 과대해석하여, 이후 병원의료현장에서 소생가능성이 없는 환자보호자의 퇴원 요구도 거절하고 중환자실 등에서 무의미한 연명의료를 시행하는 경우가 빈번하게 발생하였다. 특히, 소생 가능성이 없고 연명이 매우 짧은 경우조차도 심폐소생술 등의 연명의료를 임종할 때까지 시행하는 현상이 발생하게 되었다. 의료진들은 의료집착적 연명의료의 무익함을 설명하기보다 무의미한 연명의료에 대한 결정을 회피하는 태도를 보였고 임종기의 무의미한 연명의료가 더욱 조장되는 결과를 낳았다. 즉, 보호자의 연명의료 요구나 연명의료 중단의 요구가 있어도 임종기 환자의 소생과 연명이 의학적으로 불가능하여 연명의료가 환자에게 불이익이 되고 불필요하다는 판단은 의료진의 전문영역으로 서로 존중하여 왔으나 보라매병원 사건을 계기로 의료계의 관행은 연명의료의 불필요성과 상관없이 대부분의 경우 임종 직전에 연명의료를 하는 쪽으로 바뀌었다. 이 사건을 계기로 소생과 연명에 대해 가망 없는 환자들을 보호자들이 임종 전에 가망 없는 환자에 대한 퇴원 서약서를 쓰고 집으로 모시는 관행이 있었는데 점차로 사라지게 되었다. 이는 2003년 전후를 기점으로 병원 사망자수가 가정 사망자수를 넘어서는 역전현상이 발생하게 되는 데 일부 영향을 준 것으로 유추해볼 수 있다.

2. 법 제정과 관련된 배경: 무의미한 연명치료 제거 등에 관한 판결

2008. 2. 18. 폐암 진단을 위해 기관지내시경을 이용한 폐 조직 검사 중, 과다 출혈 등으로 심정지가 발생하였다. 병원 의료진은 심폐소생술을 시행하여 심박동기능을 회복시키고 인공호흡기를 부착하였으나, 환자는 저산소성 뇌손상으로 지속적 식물 상태가 되었다. 병원 중환자실에서 인공호흡기를 부착, 항생제 투여, 인공영양 공급, 수액 공급 등 치료가 지속되었다.

2008. 6. 2. 환자와 자녀들은 병원을 상대로 연명치료장치제거 등을 구하는 소송(서울서부지방법원 2008가합6977)을 제기 하였다. 해당 법원은 2008. 11. 28. 자녀들의 청구를 기각하고, 환자의 청구만을 받아들여 '병원은 환자에 대하여 인공호흡기를 제거하라'는 '연명치료중단 판결'을 선고하였다(법원에서 환자의 자기결정권만 인정하여 연명의료중단 요청에 대한 판결의 소송 권한이 가족에게는 없고 환자에게만 있다고 판단했다는 의미) 병원은 불복하고 항소 하였으나 2009. 2. 10. 항소기각판결이 선고되었고(서울고등법원 2008나116869), 다시 상고하였으나 2009. 5. 21. 대법원에서 상고기각판결(대법원 2009다17417 전원합의체 판결)이 선고되어 제1심판결이 확정되었다.

병원 의료진은 2009. 6. 23. 10:30경 연명치료중단 판결에 따라 부착된 인공호흡기를 제거하였으나, 환자는 제거 후에도 자발호흡으로 연명하다가 2010. 1. 10. 사망하여 201일을 생존 하였다. 회생이 불가능하고 임종이 가까운 환자의 경우, 평소 환자가 연명의료 장치에 거부를 밝힌 가족들의 증언을 토대로 인공호흡기 제거를 법원이 허락한 사례이다.

판결에 따르면, 의학적으로 환자가 의식의 회복가능성이 없고 생명과 관련된 중요한 생체기능의 상실을 회복할 수 없으며 환자의 신체상태에 비추어 짧은 시간 내에 사망에 이를 수 있음이 명백한 경우(이하 '회복불가능한 사망의 단계'라 한다)에 이루어지는 진료행위(이하 '연명치료'라 한다)는 원인이 되는 질병의 호전을 목적으로 하는 것이 아니라 질병의 호전을 사실상 포기한 상태에서 오로지 현 상태를 유지하기 위하여 이루어지는 치료에 불과하므로, 그에 이르지 아니한 경우와는 다른 기준으로 진료중단 허용 가능성을 판단하여야 한다. 그러므로 회복불가능한 사망의 단계에 이른 후에 환자가 인간으로서의 존엄과 가치 및 행복추구권에 기초하여 자기결정권을 행사하는 것으로 인정되는 경우에는 특별한 사정이 없는 한 연명치료의 중단이 허용될 수 있다(대법원 2009. 5. 21. 선고 2009다17417 전원합의체 판결 참조).

사회의 반향이 컸던 이 사건의 대법원 판결에는 법제정을 촉구하는 내용이 있었다. 이로 인해 2009. 09 대한의사협회, 대한의학회, 대한병원협회는 '연명치료 중지에 관한 지침'을 발표하였다. 2010. 08 보건복지부에서 종교계, 법조계, 의료계, 윤리학계, 시민단체 등의 대표 인사가 포함된 '사회적 논의 추진협의체'를 구성하여 연명의료에 관하여 협의안을 작성하였으나 최종 협의체에서 과반수 이상의 동의를 얻지 못했다. 적어도 임종 과정의 환자들에게 지속적으로 실시되는 불필요한 연명의료의 관행을 막아보고자 2013. 5. 국가생명윤리위원회 산하 '무의미한연명치료중단 제도화 특별위원회'에서 이견이 적은 임종기 환자에 관해서만 법으로 통과를 하기로 의견을 모았다. 연명의료결정법을 국회에서 논의 중 종교계 등이 호스피스·완화의료와 같은 환경조성을 연명의료중단결정의 대안으로 주장하는 움직임이 있었고, 연명의료결정법 국회통과를 위해 호스피스·완화의료 단독법안과 합해서 제정하는 것이 국회 통과를 용이하게 할 것이라는 제안이 검토되었다. 당시 암관리법에 있던 호스피스 내용을 호스피스단독법으로 만들 목적으로 국회의원 발의 중이었다. 결국 호스피스·완화의료 내용을 연명의료결정법에 포함시켜 2016. 2. 4. 국회에서 '호스피스·완화의료 및 임종과정에 있는 환자에서 연명의료 결정에 관한 법'이 제정 발표 되었고, 2018. 2. 4 전반적인 법 시행과 2018. 3. 27 일부 개정 법률이 발표되었다.

3. 연명의료결정법

국내 최초로 호스피스·완화의료가 법으로 만들어진 것

표 4-4. 연명의료결정법 본문 목차

제1장 총칙	제1조	목적/ 제2조 정의/ 제3조 기본원칙/ 제4조 다른 법률과의 관계
	제5조	국가 및 지방자치단체의 책무/ 제6조 호스피스의 날 지정
	제7조	종합계획의 시행, 수립/ 제8조 국가호 스피스연명의료위원회
제2장 연명의료중단등 결정의 관리체계		제9조 국립연명의료관리기관/ 제10조 연명 의료계획서의 작성·등록 등
		제11조 사전연명의료의향서 등록기관
		제12조 사전연명의료의향서 의 작성·등록 등
		제13조 등록기관의 지정취소
		제14조 의료기관윤리위원회의 설치 및 운영 등
제3장 연명의료중단 등결정 이행		제15조 연명의료중단등결정 이행의 대상
		제16조 환자가 임종과정에 있는지 여부에 대한 판단
		제17조 환자의 의사확인
		제18조 환자의 의사를 확인할 수 없는 경우의 연명의료중단등결정
		제19조 연명의료중단등결정의 이행 등
		제20조 기록의 보존
제4장 호스피스·완화의료		제21조 호스피스사업
		제22조 자료제공의 협조 등
		제23조 중앙호스피스센터의 지정 등
		제24조 권역별호스피스센터의 지정 등
		제25조 호스피스전문기관의 지정 등
		제26조 변경·폐업 등 신고
		제27조 의료인의 설명의무
		제28조 호스피스의 신청
		제29조 호스피스전문기관의 평가
		제30조 호스피스전문기관의 지정 취소 등
제5장 보칙		제31조 민감정보 및 고유식별정보의 처리/ 제 32조 정보 유출 금지
		제33조 기록 열람 등/ 제34조 보고·조사 등/ 제35조 청문
		제36조 유사명칭의 사용금지/ 제37조 보험 등의 불이익 금지
		제38조 연명의료 결정 등 비용의 부담
제6장 벌칙		제39조 벌칙/ 제40조 벌칙/ 제41조 자격정지 의 병과
		제42조 양벌규정/ 제43조 과태료

으로 호스피스·완화의료 관계자들의 수 십 년간의 염원이 이루어졌다. 호스피스·완화의료가 의료계의 독립된 하나의 과목으로 인정되지 못한 상태에서 의사, 간호

사, 사회복지사, 자원봉사자, 종교인 등의 통합의료와 복지라는 복잡한 구조라서 보건의료 수가와 정책에 관심대상이 되기 어려웠으나, 말기에 통증과 증상으로 고생하는 환자와 보호자들에게 힘이 되는 법이 만들어진 것이기에 환영하였으며, 다른 나라와 다르게 법으로 뒷받침되는 특징을 가지고 있다. 법 조문 목차 **표 4-4**에서 보듯이 호스피스·완화의료 이외에 '연명의료중단등결정'이란 분야가 함께 하나의 법으로 만들어졌다. 이로 인한 장점, 단점은 뒤에 서술하기로 하고, 국가호스피스연명의료위원회(제8조)를 두어 호스피스에 관한 종합계획을 시행 및 수립 할 수 있는 기반을 마련하였으며, 특히 연명의료결정제도와 호스피스완화의료제도를 조율하여 국가정책을 수립할 근간이 되는 점에서 중요한 역할을 기대할 수 있다. 국제적으로 기념하고 있는 호스피스의 날을 우리나라 법으로 지정(제6조)하여 호스피스·완화의료에 대한 국가의 의지를 담고 있는 특징이 있다.

임종에 관한 의료행위에 대한 의사결정에 환자 본인의 의사를 적극반영하고 자기결정권(제1조 및 조문 전반)을 강조 및 보호하려는 취지를 갖고 있다. 만약, 사전돌봄계획을 통해 사전연명의료의향서나 연명의료계획서가 작성되지 못한 경우에 유족들 사이에 의견 불일치가 있다면 연명의료결정에 가족 등 타인의 개입 절차를 마련하고(제15-19조) 있다. 자기결정권을 존중하도록 말기나 임종기에 미리 사전연명의료의향서나 연명의료계획서를 작성하는 사회문화형성을 유도한다. 완치와 소생이 불가능한 질환에서는 의료진의 전문가적 관점으로 결정하는 것이 아니라 환자와 가족 등이 같이 참여해서 연명의료와 관련된 의사를 결정하는 공동의사결정(shared decision making)의 기틀을 마련하고 자연스럽게 의료진의 설명, 환자 및 가족들과 소통 문화형성도 유도(제17-19조, 제27조)하고 있으며, 연명의료중단을 의료진과 환자가 공론화하여 의논할 수 있는 법적 환경을 만든다. 연명의료결정관련 서류작성 시기를

암은 말기, 비암성 질환은 임종기로 구분해서 적용한다. 임상의료현장에서는 임종기와 말기를 구분하는데 어려움이 있어서 작성시기가 늦춰져 자기결정권을 행사하기 어려운 경우가 일어나, 2023년 이후 모든 질환에서 말기로 통일하여 연명의료결정 관련 논의, 상담, 서식작성이 조기에 이루어지도록 하자는 움직임이 있다. 연명의료 결정의 이행은 사회적 공감을 이룬 부분만 담아서 보수적으로 임종기에 국한하였으나 이 부분도 말기로 확대하자는 움직임과 아직 시기상조라는 의견이 대립 중이라 귀추가 주목된다. 이 법 제정 및 개정을 통해 호스피스완화의료 대상질환을 비암성 질환으로 확대(제2조 제6호)하고 확대시기를 앞당기는 결과를 가져온 점과 호스피스·완화의료 및 연명의료결정제도가 연계된 정책수립의 계기가 된 점은 고무적이다.

4. 연명의료결정법과 하위법령, 시행규칙의 논란

위에 열거한 연명의료결정법의 장점에도 불구하고 연명의료제도와 호스피스제도를 한 법에 묶으면서 생긴 혼선이 커 호스피스·완화의료 일선에서는 우려가 많다. 두 제도를 하나의 법에 포함하기로 한다면 국가호스피스연명의료위원회를 비롯해 두 법의 장점을 살리도록 복지부 질병정책과와 생명윤리정책과, 중앙호스피스센터와 국가생명윤리정책원이 서로 잘 협력하고 조율을 위해 노력해야 한다. 두 법의 연결고리를 명확히 해주었어야 했지만, 연결을 시켜줄 법 조항이 빠짐으로 인한 혼란이 예상된다. 우선 법의 목록으로 개요를 살펴보고, 호스피스·완화의료 입장에서 바라본 문제점을 정리하였다.

첫째, 가장 큰 논란은 연명의료 중단 이외에 유보 내용이 들어간 우리나라는 연명의료결정유보와 중단을 동일하게 보지 않고 유보보다 중단을 더 힘들어하는 국가이다. 현장에서 "인공호흡기 달면 떼기 힘들다"라는 환자나 보호자들 인식 때문에 완치나 생명유지 가능성이 있는 인공호흡기가 필요한 환자에게조차 적용 안 할까 하는 생명경시 풍조에 대한 우려로 중단 뿐만 아니라 유

보까지 포함되게 되어 이행시기 등 복잡한 면을 가지게 되었다. 또한 윤리적으로는 중단과 유보는 서로 어느 것이 윤리적으로 더 심각한지 비교가 어려우며 똑같은 정도의 심각성을 가지므로 달리 볼 수 없는 것이라고 한다. 하지만, 다른 나라도 나라마다 국민들의 견해 차가 매우 크고 다양하다. '무의미한 연명치료 제거 등에 관한 판결(일명 세브란스 김할머니 사건)'에서 보듯이 시행 중이던 연명의료를 중단하는 것 (인공호흡기 제거 등)에 대한 윤리적, 법적인 부분을 해결하여, 임종과정 환자에 대한 의료집착적인 연명의료 행위를 줄이고 환자들의 남은 시간동안 삶의 질을 높이는 것이 연명의료결정법 제정의 주된 목적이었다. 우리나라에서 보라매, 세브란스 김할머니 사건 등을 비추어보면 중단이 지니는 무게가 유보보다 크다는 현장을 참고한다면 윤리적으로는 같을지 모르나 우리 사회의 기준이나 법적으로는 다를 수 있다는 것이다. 특히, 이런 논쟁은 호스피스·완화의료 현장 관계자들에 의한 주장에서 두드러진다. 호스피스에서는 연명의료 중단보다는 앞으로 임종기에 예상되는 연명의료 행위를 하지 않겠다고 유보하는 경우가 대부분이고, 이미 환자들은 유보를 전제로 호스피스·완화의료를 선택하는 것이다. 호스피스·완화의료 대상자들은 죽음이 임박했다는 것은 알지만 임종 시 통증과 고통은 없기를 바라는 분들이며, 각자의 기질에 따라 연명의료 시행 여부에 대한 내용을 반복적으로 거론하는 것이 삶의 질을 감소시킬 소지가 있다. 반복적인 확인으로 호스피스·완화의료 대상 환자들의 불안감 증가, 섬망 발생 등 예기치 않은 결과들이 발생할 소지가 높아 호스피스·완화의료 대상자에게 모두 일률적인 연명의료중단등결정 절차를 적용하는 것은 불합리하다. 일례로 호스피스·완화의료 기관 환자의 말기암 인식은 2015년 77.6%에 그치는 점이다. 이런 연유로 호스피스·완화의료 관계자들은 연명의료중단등결정과 호스피스·완화의료 간에 구분을 명확히 할 조항을 삽입하거나 법의 분리를 주장하고 있다. 탁상공론만으로는 문제해결이 되지 않기에 우선 실시된 법안은 시간을 두고 지켜보다가 중단과 유보에 관한 논쟁이 지속된다면 법적으로 수정이나 법의 분리 등 대안을 찾는 것이 현명하다.

둘째, 대리인 조항 보완이 필요하다. 연명의료 계획과 이행 대리인은 환자가 미성년자인 경우만 적용된다. 미성년자뿐만 아니라, 무연고 독신환자, 정신장애환자, 가족 간 연락이 두절된 경우 등 대상자 확대가 필요하다. 이들에게는 연명의료에 대해 사전연명의료의향서 혹은 연명의료계획서를 작성하지 못한 경우라면, 자기의사결정능력이 소실된 경우 연명의료에 대한 결정이 어려워진다. 이와 함께 현장에서는 가족의 범위에 대한 논쟁도 있다. 대리인 지정은 여러 관련법들에서 권한이 나누어져 있는 등 어려움이 많다는 의견들이지만, 연명의료결정법은 특별법이고 연명의료 결정에 있어서 언급한 특수한 경우에 제한적인 지정대리인 제도를 고려해 문제가 해결되길 기대한다. 연명의료결정과 관련하여 좀 더 이른 시기에 작성하여 자기의사결정으로 연명의료관련 내용을 결정하고 문서로 남기기 위해서는 작성자가 의사결정능력이 소실되는 이후부터 임종까지 연명의료결정 서식 등에 담지 못한 환자의 입장에서 최선의 이익이 되도록 진행되기를 법이 희망한다면 조금이나마 대리인 제도로 보완할 수 있다. 말기로 연명의료이행시기를 앞당기게 되면 환자가 명시하지 않은 내용 등 모호해지는 부분이 증가할 수 있다. 환자가 자기의사결정능력이 있을 때 지정한 대리인이 결정하지 못한 내용에 대해 환자 자신의 입장을 충분히 고려하여 환자에게 최선의 이익이 되도록 의료진과 상의할 수 있도록 조언을 주는 역할을 할 수 있게 하는 것은 법의 자기결정권 존중의 의미에서 법의 취지에 부합한다.

셋째, 말기에 환자의 삼킴능력과 소화능력이 없는 상태에서 영양분, 물 공급을 중단할 수 있는지에 대한 모호함이 있다(제19조 제2항). 환자의 능력저하로 식사, 경관영양 공급이 어려워진 말기 상태에서는 중단할 수 없다고 해석될 수도 있는 법 규정보다는 의료진의 환자에게 이익이 되는 판단에 맡기는 것이 현실적이다.

넷째, 연명의료결정제도 참여조건은 제한적이라도 연명의료결정제도 관련 서류는 모든 의료기관에서 검색이 되도록 열어주어야 한다는 지적이다. '의료기관 윤리위원회' 운영기관이나 '공용윤리위원회' 위탁기관이 심폐소생술, 혈액 투석, 항암제 투여, 인공호흡기 착용, 수혈, 승압제 사용, ECMO(체외막 산소화 장치, extracorporeal membrane oxygenation) 등 연명의료 대상 범위 7가지 중 한 가지를 할 수 있는 기관이 연명의료결정제도 상담, 결정, 이행할 수 있도록 하고 있다. 결정제도 참여기관이 아니더라도 연명의료관련 서류 내용 검색을 할 수 있다면, 제도의 확산 및 활성화에 도움이 되고 환자에게는 편리성을 제공할 수 있다. 예를 들면, 말기 연명의료결정내용 이행만을 위해 환자가 요양병원에서 급성기병원으로 이송되는 상황을 줄인다.

5. 연명의료결정법 및 하위법령, 시행규칙에 대한 의료진과 일반인들에 대한 교육

연명의료결정법을 잘 정착시키기 위해 중앙호스피스센터와 국가생명윤리정책원은 법 시행 이후 많은 노력을 이루어왔다. 각 기관은 호스피스·완화의료전문기관 및 종사자교육과 연명의료결정절차에 대한 교육을 넘어서 의료진들이 환자와 가족을 배려하고 의견을 잘 경청할 수 있도록 상담기술, 즉, 소통과 공감의 대화에 관한 교육, 견해차에 대한 교육, 간헐적인 말기기 적용이 필요한 비암성 질환에 대한 교육, 서식지 이외에 가능한 일찍 사전돌봄계획을 하도록 논의 시점을 빨리 잡는 교육 등이 필요하다. 일반인들을 위해서는 인생에서 생사관, 호스피스·완화의료, 사전돌봄계획에 대한 교육과 홍보가 필요하다. 법이 모든 것을 담는 것이 아니므로 호스피스·완화의료가 말기에 국한된 것이 아니라 병 진단부터 사별 가족 관리까지라는 것을 교육, 임상의료

표 4-5. 호스피스·완화의료기관 시설 기준(연명의료결정법)

가. 입원형 호스피스 전문기관

구분	수량	설치 기준
병동	1개 이상	병동 당 병상 수는 29병상 이하로 할 것
입원실	3개 이상	1) 입원실 당 병상 수는 4병상 이하로 할 것 2) 1인용 입원실은 1개 이상 둘 것 3) 입원실 면적은 1병상 당 6.3제곱미터 이상으로 할 것 4) 흡인기(吸引器) 및 산소발생기, 욕창방지용품, 휠체어, 이동형 침대, 손씻기 시설 및 보건복지부 장관이 정하는 환기시설을 설치할 것 5) 남성용 또는 여성용 입원실을 구분하여 설치할 것
간호사실	1개 이상	병동의 각 층마다 1개 이상 설치할 것
처치실	1개 이상	다른 시설과 구분되는 독립된 공간에 설치할 것
임종실	1개 이상	다른 시설과 구분되는 독립된 공간에 설치할 것
상담실	1개 이상	다른 시설과 구분되는 독립된 공간에 설치할 것
가족실	1개 이상	다른 시설과 구분되는 독립된 공간에 설치할 것
목욕실	1개 이상	목욕실 바닥은 문턱이 없고 미끄럼을 방지할 수 있도록 할 것
화장실	2개 이상	남성용 또는 여성용 화장실을 구분하여 설치할 것
이동시설	1개 이상	2층 이상인 병동에는 환자의 이동이 가능한 엘리베이터(휠체어 리프트를 포함한다)를 설치할 것
안전시설		1) 입원실, 목욕실 및 화장실에는 간호사실로 연락 가능한 통신장치를 각각 설치할 것 2) 병동의 복도·계단·화장실 및 목욕실에는 보건복지부 장관이 정하는 안전손잡이를 각각 설치할 것

현장에서 강조할 부분이다.

6. 연명의료결정법 및 하위법령이 담은 시설 및 전문인력기준

시행규칙에서 밝히는 기관의 시설 및 전문인력 기준은 다음 **표 4-5, 6, 7**과 같다. 추가로 **표 4-8, 9, 10**에 암관리법

과 연명의료결정법의 차이, 암질환 비암성질환의 차이, 말기진단기준 등에 대해 아래 표에 기술하였다.

2부

표 4-5. 호스피스·완화의료기관 시설 기준(연명의료결정법) 〈계속〉

나. 가정형 호스피스전문기관

구분	수량	설치 기준
상담실	1개 이상	다른 시설과 구분되는 독립된 공간에 설치할 것(병동형이 있을 때 공유 가능)
사무실	1개 이상	다른 시설과 구분되는 독립된 공간에 설치할 것
이동차량	1대 이상	가정 방문용 차량을 구비할 것

다. 자문형 호스피스전문기관

구분	수량	설치 기준
임종실	1개 이상	다른 시설과 구분되는 독립된 공간에 설치할 것(병동형 임종실 공유 가능, 자문형만 있는 기관은 기존 1인실을 임종실로 사용 가능)
상담실	1개 이상	다른 시설과 구분되는 독립된 공간에 설치할 것(병동형이나 가정형과 공유 가능)

표 4-6. 호스피스·완화의료 인력기준(연명의료결정법)

당직의사 근무 체계와 간호사의 24시간 근무 체계를 갖추어 운영할 것

인 력
가. 입원형 호스피스전문기관 　1) 의사 또는 한의사: 호스피스 병동의 병상 20개당 전문의 1명 이상. 다만, 병상 20개당 기준으로 계산한 후 남은 병상이 20개 미만인 경우에는 1명을 추가로 두어야 한다. 　2) 간호사(전담): 호스피스 병동의 병상 10개당 간호사 1명 이상. 다만, 병상 10개당 병상 수를 계산한 후 남은 병상이 10개 미만인 경우에는 1명을 추가로 두어야 한다. 　3) 사회복지사(전담): 호스피스 병동 당 1급 사회복지사(「사회복지사업법」 제11조에 따른 사회복지사를 말한다. 이하 같다) 1명 이상
나. 가정형 호스피스전문기관 　1) 의사 또는 한의사: 전문의 1명 이상 　2) 간호사(전담): 호스피스 전문간호사, 가정 전문간호사 또는 호스피스 전문기관에서 2년 이상 호스피스 업무에 종사한 경력이 있는 간호사를 1명 이상 둘 것 　3) 사회복지사(전담): 1급 사회복지사 1명 이상
다. 자문형 호스피스전문기관 　1) 의사 또는 한의사: 전문의 1명 이상 　2) 간호사(전담): 호스피스 전문간호사, 종양 전문간호사 또는 호스피스 전문기관에서 2년 이상 호스피스 업무에 종사한 경력이 있는 간호사를 1명이상 둘 것 　3) 사회복지사: 1급 사회복지사 1명 이상(입원형, 가정형 기관의 경우 겸임 가능, 자문형만 있는 경우 병원 내 사회복지사가 겸임 가능)

표 4-7. 호스피스·완화의료 인력 교육이수 기준(연명의료결정법)

교　육
가. 입원형 호스피스 : 의사, 간호사, 사회복지사는 보건복지부 장관이 인정하는 60시간 이상의 호스피스 교육을 이수하여야 한다. 호스피스 전문간호사는 교육 이수로 보고 제외한다.
나. 가정형 및 자문형 호스피스 : 의사, 간호사, 사회복지사는 보건복지부 장관이 인정하는 76시간 이상의 호스피스 교육을 이수하여야 한다. 호스피스 전문간호사는 보건복지부 장관이 인정하는 16시간의 호스피스 교육을 이수하여야 한다.
다. 보수교육 : 보건복지부 장관이 인정하는 연간 4시간 이상의 호스피스 보수교육을 받아야 한다.

교육이수 기준을 충족하지 못하는 때에는 그 채용 후 3개월 이내에 위 가, 나에 따른 교육이수 기준을 충족하게 할 수 있다.

표 4-8. 호스피스·완화의료에 대한 암관리법과 연명의료결정법의 비교

구분	암관리법	환자연명의료결정법
대상질환	• 말기 암 환자	• 말기환자 　– 암 　– 비암질환 　　· 후천성면역결핍증 　　· 만성폐쇄성 폐질환 　　· 만성 간경화 등 • 임종과정에 있는 환자
호스피스의 날	• 법적 근거 없음 • 호스피스 주간으로 운영 　– 매년 10월 둘째주	• 법적 근거 신설 • 호스피스의 날 마련 　– 매년 10월 둘째주 토요일
위원회	• 별도 위원회 없음 　– 국가암관리위원회에서 논의	• 국가호스피스연명의료위원회 신설
종합계획	• 암관리종합계획에 포함 　(5년 주기)	• 호스피스와 연명의료 및 연명의료중단등결정에 관한 종합계획 신설 　(5년 주기)
서비스 유형	• 입원형 중심 운영 • 시행규칙 개정으로 가정형 시범사업 운영 중	• 입원형, 자문형, 가정형 등
중앙·권역 센터	• 없음	• 중앙 호스피스센터 지정 • 권역별 호스피스센터 지정
제공기관	• 병·의원, 한방 병·의원	• 병·의원, 한방 병·의원 • 요양병원('18.02.04. 시행)

표 4-9. 호스피스·완화의료 대상질환 비교: 말기암과 말기 비암성질환

구 분	말기암	말기 비암
질환조절 치료	불가능	적극적 조치 (질환담당 의료진)
호스피스 서비스	자문형 가정형 입원형(주치의변경)	자문형 가정형 (호스피스 전문팀)
말기기간	수일에서 수주	수개월에서 수년 (예측이 어려움)

표 4-10. 말기환자 진단기준

질환명	진단기준 요약
암	① 적극적 치료에도 불구 암으로 수개월 내 사망예정 이거나, ② 암으로 일상생활이 어렵고, 신체 장기의 기능이 악화 되어 회복을 기대하기 어려운 상태
AIDS	HIV 감염인이 다음 중 하나에 해당하면서, 기능수준이 Karnofsky Performance Status[*] 〈50%로 저하를 보인 경우 말기로 판단할 수 있다. ① 다약제 내성으로 항레트로바이러스제 치료에 실패하여 3개월 이상 치료에도 CD4 세포 〈25 cell/μℓ이거나 HIV RNA 〉100,000 copies/ml인 경우 ② 임상적으로 중증인 뇌병변장애: 중추신경계림프종, 진행성 다발성 백질 뇌병증, HIV 뇌병증, HIV 관련 치매, 치료에 불응하는 뇌톡소포자충증 등 ③ 에이즈 정의 암 또는 기타 암성질환 말기 ④ 말기 심부전, 말기 호흡부전, 말기 간경화, 투석하지 않고 있는 말기 신부전
만성폐쇄성 폐질환	① 매우 심한 만성 호흡기질환으로 인하여 숨이 차서 의자에 앉아 있는 것도 어려운 경우 ② 장기간의 산소 치료를 필요로 하는 경우로 담당의사의 판단으로 수개월 내 사망이 예상되는 경우 ③ 호흡부전으로 장기간의 인공호흡기가 필요한 경우 혹은 폐 이식이 필요하지만 금기기준에 해당하거나 환자가 이식을 거절한 경우
만성 간경화	Child–Pugh[**] C 등급 비대상성[***] 간경화증 환자로 아래의 항목 중 1가지 이상 해당하는 경우 말기로 판단할 수 있다. 단, 환자가 동의한 간이식이 가능한 경우는 제외한다. ① 적극적인 치료에도 불구하고 호전을 보이지 않는 간신 증후군 ② 적극적인 치료에도 불구하고 호전을 보이지 않는 위중한 간성 뇌증 ③ 적극적인 치료에도 불구하고 호전을 보이지 않는 정맥류 출혈

[*] 카르노프스키 수행 상태지수 Karnofsky Performance Status : David A. Karnofsky에 의하여 개발된 환자의 활동 장애 정도와 전신 수행능력(performance status) 평가 척도 50 이하인 경우 자기돌봄이 불가능한 활동장애 상태에 해당

[**] Child–Pugh 등급 : Child박사와 Turcotte박사가 만든 간질환 평가지표에 Pugh박사가 프로트롬빈 지연시간을 포함한 간질환자의 예후예측 지표, A,B,C 등급으로 구분되고 C등급은 간기능이 상당히 악화되어 있는 상태

[***] 비대상성 상태 : 간세포의 손상으로 기능을 하는 간세포의 숫자가 줄어들어 한계점을 넘어 간의 70~80%이상의 간세포가 기능을 못하게 되어, 복수, 간성뇌증, 신부전 등이 발생하는 상태

참고문헌

1. 김정회. 말기환자의 치료와 관련한 심평원의 입장. 의료정책포럼. 2009;9(1):38-44.
2. 김요은. 국내호스피스완화의료제도의 문제점과 개선방향. 병원경영정책연구. 2015;4(2):74-106.
3. 보건복지부 보도자료. 호스피스완화의료 활성화 대책. 2013.10.10.
4. 국립암센터. 2016 호스피스완화의료지원사업 현황1. 2017.02.
5. 보건복지부. 2017 말기암환자호스피스전문기관 지정 및 지원 사업 안내. 2017.02.
6. 국가법령정보센터 http://www.law.go.kr 대법원 2002도995 판결문: 살인(인정된 죄명 : 살인방조) · 살인 대법원 2004.6.24, 선고.
7. 통계청 보도자료. http://kostat.go.kr 2008년 사망통계 잠정결과. 2009.04.28.
8. 국가법령정보센터 http://www.law.go.kr 대법원 2015다9769, 판결 (2016.1.28, 선고).
9. 국가법령정보센터 http://www.law.go.kr 대법원 2009다17417 (무의미한 연명치료장치제거 등 2009. 5. 21. 전원합의체 판결).
10. 국가법령정보센터 http://www.law.go.kr 서울고등법원 2008나116869 (2009. 2. 10).
11. 국가법령정보센터 http://www.law.go.kr 서울서부지방법원 2008가합6977.
12. 국가법령정보센터 http://www.law.go.kr/법령/호스피스·완화의료및임종과정에있는환자의연명의료결정에관한법률 호스피스·완화의료 및 임종과정에 있는 환자의 연명의료결정에 관한 법률 [시행 2017.8.4.] [법률 제14013호, 2016.2.3., 제정]/ [시행 2018.3.27.] [법률 제15542호, 2018.3.27., 일부개정].
13. 국가법령정보센터 http://www.law.go.kr 호스피스·완화의료 및 임종과정에 있는 환자의 연명의료결정에 관한 법률 시행령 [시행 2017.8.4.] [대통령령 제28206호, 2017.7.24., 제정] /[시행 2018.2.4.] [대통령령 제28620호, 2018.2.2., 일부개정].

2부

14. 국가법령정보센터 http://www.law.go.kr 호스피스·완화의료 및 임종과정에 있는 환자의 연명의료결정에 관한 법률 시행규칙 [시행 2017.8.4.] [보건복지부령 제512호, 2017.8.4., 제정]/ [시행 2018.2.4.] [보건복지부령 제552호, 2018.2.2., 일부개정].

15. Daniel N Ko, Craig D Blinderman: Withholding and withdrawing life-sustaining treatment (including artificial nutrition and hydration). In: Nathan I Cherny, Marie T. Fallon, Stein Kaasa, Russell K. Portenoy, David C. Currow. Oxford Textbook of Palliative Medicine (I), 5th ed, New York: Oxford University Press, 2015, pp.323-4.

16. Phua J, Joynt GM, Nishimura M, Deng Y, Myatra SN, Chan YH, et al. ACME Study Investigation and the Asian Critical Trials Group. Withholding and withdrawal of life-sustaning treatments in intensive care units in Asia. JAMA Intern Med. 2015;175(3):363-71.

17. 보건복지부 보도자료. 암 이외 AIDS, 만성폐쇄성 폐질환, 만성간경화도 8.4부터 일반병동에서 호스피스 서비스 받는다. 2017.8.4.

18. 대한의학회. 말기와 임종과정에 대한 정의 및 의학적 판단지침. 2016.11.

3부

호스피스·완화의료 윤리

5장 안락사와 의사조력자살

6장 생명 윤리의 원칙

7장 존엄한 생의 말기란 무엇인가?

8장 임종기 수액과 영양제 투여의 유보와 중단

9장 완화적 진정의 윤리적 측면

10장 임종기의 무익한 의료

5장

안락사와 의사조력자살

| 장선희 |

'좋은 죽음'에 대한 사회적 인식은 시대적 흐름에 따라 변화되어 왔다. 우리나라의 경우 20세기 중후반만 하더라도 의료기술의 발달과 함께 질병 퇴치와 생명 연장을 기대하면서 의료행위가 죽는 순간까지 이어지기를 희망하였다. 그러나 그 이후 최첨단 의학기술과 유전생명공학의 발전으로도 죽을 수밖에 없음을 알게 되었고, 생명 유지를 위한 연명의료가 가능해지면서 의미 없이 목숨만 붙어 있을 수 있다는 두려움은 '죽을 수 있는 권리'를 요구하게 되었다. 그리고 그 방안으로 안락사가 다시 대두되었다.

한 사회가 정의하는 '좋은 죽음'은 그 사회의 전반에 거쳐 큰 영향을 미치기에 사회구성원의 다양한 의견을 조율하고 합의점에 도달하기 위한 과정은 계속 진행 중일 수밖에 없다. 이러한 논쟁 이전에 점검해야 해야 하는 것에 이견이 없는 것은 생의 말기 대상자에게 특별한 배려와 효과적인 총체적 돌봄이 제공되어야 한다는 것이다. 따라서 안락사와 존엄사, 의사조력자살, 자연사에 대한 개념을 구분하고, 다양한 입장을 이해하면서 자신의 견해를 살펴봄은 호스피스완화의료를 공부하는 우리에게 의미 있는 시간이 될 것이다.

I 안락사의 정의

안락사(euthanasia)의 어원은 'eu'의 좋다(good)와 'thanatos'의 죽음(death)의 합성어로, '좋은 죽음(good death)'을 의미하는 그리스어에서 유래했고, 그 외에도 '안락한 죽음', '고통이 없는 편안한 죽음'을 뜻하지만 '인위적인' 행위를 포함한다. Merriam-Webster 온라인 사전에서는 안락사를 '자비를 이유로 불치의 질병이나 부상당한 사람 또는 가축을 비교적 고통스럽지 않은 방식으로 죽이거나 죽음을 허용하는 행위'로 정의하고 있고, 대한의사협회 의사윤리지침 제5장36조(안락사 등 금지)에서는 '감내할 수 없고 치료와 조절이 불가능한 고통을 겪는 환자에게 사망을 목적으로 물질을 투여하는 등 인위적, 적극적인 방법으로 자연적인 경과보다 앞서 환자가 사망에 이르게 하는 행위' 또는 '환자가 자신의 생명을 끊는데 필요한 수단을 제공함으로써 환자의 자살을 도와주는 행위'로 정의하고 있다. 따라서 안락사라는 행위의 조건은 첫째, 그 행위가 반드시 죽임을 당하는 사람의 이익을 위한 것이어야 하고, 둘째, 당사자가 아닌 타인이 죽음을 야기해야 한다는 것을 포함한다.

II 안락사의 역사

로마 시대 플리니 더 영거(pliny the younger, 62–114 AD)의 기록에 따르면 고대 그리스, 로마시대는 '좋은 죽음'에 대해 어떠한 도덕적 판단을 내리지 않았다. 그래서 조력자살과 안락사가 사회적으로 용인되었으나 노예, 범죄자 및 군인에게는 허용되지 않았고, 인간생명의 존엄성과 인간 고유의 보편적 가치 및 권리에 대한 인식은 없었다. 그 이후 유대교와 기독교의 확산으로 인해 생명은 하느님께서 주신 선물이므로 자살과 안락사는 생명의 선물을 모욕하고 반항하는 행위로 금기시 되었고, 이 사조는 천년 동안 변함없이 지속되었다. 불교와 유교도 자살을 금지하고 있으며 불교는 자살을 '살생하지 마라'는 교리에 어긋나는 것으로 본다. 인간은 자신에게 할당된 시간만큼 삶을 살아야하는 존재이므로 자살 행위는 전생의 업보로서 자신의 고통을 회피하는 그릇된 행동이라는 것이다. 유교 또한 자살은 조상에게 해야 할 도리가 아닌 불명예스러운 행위이며, 생명을 주신 부모님의 은혜를 저버리는 행위로 여긴다.

18세기부터 자살이 서양 지식인들 사이에서 가장 큰 논쟁 주제로 부각되면서, 소수 지성인들에 의해 자살에 대한 정당성 및 자살자와 그의 가족에게 내려지는 형벌이 너무 야만적이고 부당하다는 주장이 제기되었다. 근대 안락사의 논란의 기원은 1870년 새뮤얼 윌리엄스가 마취제와 모르핀을 사용하여 고통받는 환자의 생명을 의도적으로 마감시키는 것을 제안에서 찾을 수 있다. 이렇게 불붙은 안락사의 윤리에 대한 논쟁은 35년간 미국과 영국에서 격렬하게 진행되었고, 비록 부결되기는 하였지만 1906년 안락사를 합법화하기 위한 오하이오 법안이 발의되면서 논란의 절정에 달했다. 20세기 후반, 의학의 발달로 만성 질환 시대의 도래와 무의미한 연명의료는 안락사를 중심으로 다시 논쟁하게 되었다. 1976년 미국의 "인간의 죽음에도 권리"라는 카렌 앤 퀸란(Karen Ann Quinlan) 사건을 시작으로 안락사의 입법화 움직임이 시작되었고, 1997년부터 미국 오리건 주에서는 최초의 첫 합법적 안락사가 인정되었다. 스위스, 네델란드, 벨기에, 콜롬비아 등에서는 적극적 안락사도 허용하고 있으며, 2009년 워싱턴 주에서는 조력자살까지도 허용되고 있지만, 이러한 논쟁 이전에 세계보건기구(WHO)에서는 모든 사회구성원에게 통증완화 돌봄이 보장되어야 하며, 그 이전까지는 적극적 안락사와 의사조력자살이 합법화되지 않도록 권장하고 있다. 국내에서 안락사는 의료계와 사회 모두 금기시 해왔지만, 시대가 바뀜에 따라 국민들의 인식 변화의 움직임이 나타나고 있다. 2022년 시행된 설문 조사 결과에서 이전과는 달리 많은 수의 일반인들이 안락사와 의사조력자살 입법화에 찬성을 하였다. 이러한 사회 인식 변화를 반영한 의사조력자살을 허용하는 법안이 발의되기까지 하였다.

III 안락사의 유형과 의사조력자살

안락사는 관점에 따라 능동적, 수동적, 자발적, 비자발적, 간접적, 직접적인 안락사 등으로 분류된다 표 5-1.

표 5-1. 안락사의 분류

생명 주체의 의사표시 여부	시행자의 방법과 행위
자의적	소극적
비자의적	적극적
타의적	간접적 또는 직접적

1. 시행자의 안락사 행위에 따른 분류

시행자의 안락사 행위에 따라 적극적 안락사, 소극적 안락사, 직접적 안락사, 간접적 안락사로 구분된다.

1) 적극적 안락사(active euthanasia)

적극적 안락사는 죽음을 앞당기는 것을 의도하여 약물 등을 투여하거나 기타 다른 행위를 실행하는 안락사의 한 형태로, 예를 들면 치사량의 약물이나 독극물을 직접적으로 주사하여 환자를 죽음으로 이끄는 경우이다.

2) 소극적 안락사(passive euthanasia)

소극적 안락사는 죽음의 진행을 늦출 수 있는 방법이 있지만 시행하지 않음으로써 죽음을 앞당기는 형태로 즉, 생명유지를 위한 필수적인 모든 것을 공급하지 않는 것이다. 소극적 안락사, 연명의료결정법, 존엄사 간의 구분 여부를 두고 학자간 논쟁이 있지만 용어 간 개념의 차이가 존재하므로 옛 용어와 새 용어를 명확하게 이해하고 적절하게 사용할 필요가 있다. 연명의료결정법과 소극적 안락사가 심폐소생술, 혈액 투석, 항암제 투여, 인공호흡기 착용 및 그 밖에 의학적 시술로서 치료 효과 없이 임종과정의 기간만을 연장하는 '연명의료' 행위를 중단하는 부분은 동일하다. 하지만 연명의료결정법에서는 영양분, 물, 산소 공급 등의 중단은 금지하는데 반해, 소극적 안락사는 이러한 행위들을 모두 포함한다. 또한 존엄사(Death with Dignity)는 국가마다 연명의료결정부터 적극적 안락사까지 다양하게 정의되고 있고, '불치'에 대한 해석범위도 다양하기 때문에 연명의료결정과 구분된다.

2. 생명 주체의 안락사 동의 여부

생명 주체의 동의 여부에 따라 안락사는 자발적, 비자발적, 반자발적으로 나뉜다.

1) 자발적 안락사(voluntary euthanasia)

환자의 직접적인 동의가 있을 경우 환자를 죽음에 이르게 하는 행위가 시행되는 것을 의미한다. 동의할 능력이 있는 환자의 자유로운 동의에 의하여 치명적인 약물 주사를 투입한 경우가 해당된다.

2) 비자발적 안락사(non-voluntary euthanasia)

환자 스스로 삶과 죽음에 대한 선택을 할 수 없는 경우에도 불구하고 가족의 요구 혹은 국가의 요구에 의해 환자를 죽음에 이르게 하는 행위를 일컫는다. 무뇌아, 혼수상태, 중증의 치매, 정신장애 등 미성년이거나 의식이 없는 경우, 또는 정신 질환으로 자신의 의사를 표현하거나 결정할 수 없는 경우가 해당된다.

3) 반자발적 안락사(involuntary euthanasia)

대상자의 의사에 반하여 시행하는 안락사로 즉 살인에 해당된다.

3. 의사조력자살

의사조력자살이란 극심한 고통으로부터 삶을 마무리하고 싶어하는 말기환자에게 의사가 생명을 끊을 수 있는 처방과 정보를 알려주거나, 직접적인 시술을 통해 죽음을 앞당기는 행위를 의미한다. 말기환자가 죽음을 위해 자살을 요청하는 경우, 의사가 고통 없는 방법으로 사용되는 약물이나 기구를 직접 제공하거나 환자의 주변에 놓아두고, 환자 스스로 시행하는 경우가 많아 자살로 분류되기도 한다.

4. 안락사 찬반양론

안락사 논쟁에 앞서 우리 사회의 인간존엄과 가치 보호, 자율성에 의한 자기결정 존중, 행위의 궁극적인 목적이 무엇인지, 무의미한 연명, 사회적 약자에 대한 정책, 대안 등에 대한 검토가 필요하다.

1) 찬성의견

안락사에 찬성하는 이들의 의견을 종합해보면 다음과 같다.

첫째, 개인의 자유라는 입장에서 볼 때, 대상자가 '죽을 권리(right to die)'를 주장한다면 자기결정권이 존중되어야 한다. 이러한 행위가 타인에게 해를 끼치지 않는다면 국가와 법에 예속되지 않아도 된다. 둘째, 품위 손상의 관점에서 볼 때, 무의미한 생명연장으로 인해 인격이 황폐화되고 타인에게 감당하기 어려운 부담을 준다면 안락사는 정당하다. 셋째, 견딜 수 없는 고통을 겪는 대상자가 안락사를 요청하고, 의사가 위 실행을 대상자의 전반적인 이익에 부합된다고 판단한다면 선행의 원칙에 의거하여 환자를 도와야 할 의무가 있다. 오히려 죽음의 자발적인 행위를 가로막는 것이 비윤리적이다. 이 외에도 다원주의와 우생학에서 영향을 받은 나치의 사고에 기초하여 살 가치가 없는 생명도 있다는 인식도 있다.

2) 반대의견

안락사에 반대하는 이들의 의견은 다음과 같다.

죽음 문제는 그 사회의 윤리적 판단기준에 있어 최전선에 위치하기 때문에 안락사를 허용하면 생명 경시 풍조가 생겨날 것을 우려한다. 인간의 생명은 어떤 상태에 있든지 상관없이 그 자체로 무한한 가치가 있는데, 돌보기 귀찮다는 이유로 여러 형태의 안락사가 시행될 수도 있고, 안락사의 허용 시 사회적, 경제적 약자에게는 '죽을 수 있는 권리'보다 '죽어야만 하는 의무' 내지 '죽일 권리'로 전락할 수 있다. 또한 안락사가 허용될 경우 이것의 오·남용 등으로 인해 의사는 치유자에서 살인자로의 불신도 생길 수밖에 없다. 살인이 일급 죄악으로 여겨지는 이유가 인간생명의 존엄성 훼손에 기인한다고 할 때 스스로의 목숨을 끊게 하는 것 또한 자기 살인이기에 인간존엄성에 대한 중대한 도전이며, 장애인 권익옹호 단체인 'Not Dead Yet'은 조력자살은 의료시스템이 제공할 수 있는 가장 저렴한 대책이라고 주장한다. 한국호스피스완화의료학회는 2020년 존엄사 입법 촉구에 대한 법률인의 소수 의견에 대해 안락사 반대에 대한 의견을 재확인하였다. 반대하는 근거는 WHO의 권고사항을 토대로 현재 시행 중인 연명의료법을 효과적으로 운영하거나 호스피스완화의료를 확대함으로써 고통받는 사람을 지원하는 것이 우선되어야 한다는 입장이다. 또한 죽음을 원할 정도의 고통을 받는 환자는 사회에 존재하지만, 이러한 일부 환자의 바램을 일반화 시키는 것은 문제가 있으며, 또한 의학 윤리에서 정당성을 판단하는 기준인 이중 효과의 원리(목적이 수단을 정당화 시킬 수 없다)에 위배된다. 그리고 안락사에 대해 아직 사회적 합의가 되어 있지 않는 상황이므로 심각한 사회 분열을 초래할 가능성이 있으며, 의사의 오진 또는 법의 악용이나 적용의 문제가 발생할 때 되돌릴 수 없는 치명적 결과를 초래할 수 있다는 근거를 제시하고 있다.

📑 참고문헌

1. 구영모. 생명의료윤리. 동녘, 2014, 133쪽.
2. 토마스 모어(Thomas More,1478~1535)의 유토피아(Utopia)
3. 임종식,「안락사, 정당화될 수 있는가?」.과학사상, 28호, 1999, 107-125
4. 권혁남. 안락사 논쟁에 대한 윤리적 접근방식과 그 한계에 관한 연구. 인문과학연구논총2011;32:205-26.
5. 권혁남. 안락사에 대한 주장과 인간론에 관한 연구, 인간연구 2011;20:103-36.
6. 김상득. 생명의료윤리학. 서울: 철학과현실사; 2005.
7. 문성학. 안락사의 도덕성 논쟁. 철학논총 1998;15:231-50.
8. Michel Hautecouverture. 안락사를 합법화해야 할까?. 서울: 믿음인; 2021.
9. 법률나무. 생활법률이야기 10 (존엄사, 안락사). 서울: 미디어북; 2017
10. 유레카 편집부. 죽을 권리에 대한 논쟁 안락사와 존엄사. 서울: 디지털유레카; 2020.
11. 윤정로 외. 생명의 위기. 고양: 푸른나무; 2001.
12. 이은영. 존엄한 죽음에 관한 철학적 성찰: 연명의료결정법과 안락사, 존엄사를 중심으로. 인격주의 생명윤리 2018;8(2):109-37.
13. 이안 다우비긴. 안락사의 역사. 신윤경 역, 서울: 섬돌; 2007.
14. 임종식. 안락사, 정당화될 수 있는가?. 과학사상 1999;28:107-25.
15. Gunnar Duttge, 김성은. 존엄사 - 법적 안락사의 유형과 규범적 기초. 형사정책연구 2008; 19(4):367-89.
16. M. Scott Peck. 영혼의 부정: 혼돈에 빠진 안락사 그 참된 의미에 대하여. 파주: 김영사; 2001.
17. Merriam-Webster. Retrieved from https://www.merriam-webster.com/dictionary/ euthanasia/
18. Not Dead Yet. Retrieved from https://notdeadyet.org/

6장

생명 윤리의 원칙

| 황인규 |

질병 치료와 건강 증진이라는 의학 목표의 기원을 거슬러 올라가면 인간 생명 존중으로 귀결된다. 의학은 오랜 시간 전부터 현대까지 면면히 이 본질적이고 숭고한 가치를 지향해왔기 때문에 의료진들은 그 어떤 직종보다도 윤리적인 소양이 요구된다. 대부분의 의료인들은 이러한 자질을 생명 존중의 가치를 담은 집단의 전문적 규범이나 윤리적인 선서에서 배운다. 하지만 현대 의학 기술의 급격한 발달, 사회 가치의 다변화 등으로 임상 현장에서는 이런 선언적 문구만으로는 판단하기 어려운 가치가 충돌하는 사례들이 속속 생겨나고 있다. '임종기에 접어든 환자에게 혈액 검사를 하는 것이 유익한가?'와 같이 다소 사소한 이슈에서부터 '식물인간으로 오랫동안 기계에 의존해 살아가야만 하는 환자에게 인공 호흡기를 제거하는 것이 옳은가?'라는 한때 우리 사회를 흔들어 놓았던 민감한 주제까지 의료인들은 다양한 문제 상황들과 맞닥뜨리게 되었다.

I 이중 효과

의료 현장에서 이런 윤리적 딜레마에 직면했을 때 옳고 그름에 대한 가치 판단의 기준으로 이중 효과(double effect)가 흔히 쓰인다. 이중 효과는 어떤 치료적 행위로 인해 좋은 결과와 나쁜 결과를 동시에 야기할 때 적용할 수 있다. 가령 산모가 백혈병에 걸려 항암치료를 받았고 그 결과로 환자는 완치되었지만, 약제로 인해 태아는 사망하게 되는 경우를 예를 들 수 있다. 이중 효과에 비춰서 옳고 그름을 판단하기 위해서는 다음과 같은 네 가지 조건을 모두 만족해야 도덕적으로 정당화될 수 있다. 첫째, 의료 행위 자체가 도덕적으로 선하거나 최소한 나쁘면 안 된다. 둘째, 목적이 수단을 정당화해서는 안 된다. 셋째, 의료 행위의 의도가 악해서는 안 된다. 넷째, 의료 행위에 따른 나쁜 영향이 좋은 효과보다 크면 안 된다. 안락사가 법적 논란을 떠나 윤리적으로도 정당화되기 어려운 이유 중 하나가 환자의 고통을 덜어주려는 선한 목적을 위해 살인이라는 방법을 채택한다는 것이고, 이것은 생명 존중이라는 의학의 본질적 가치와 정면으로 배치되기 때문이다.

II 의료윤리의 4원칙

현대 사회에서는 1970년대 의료윤리학자인 Tom Beauchamp 등이 제시한 4원칙, 즉 자율성(autonomy), 선행(beneficence), 악행 금지(non-maleficence), 정의(justice) 등이 가장 널리 통용되는 의료 윤리의 원칙이다.

자율성은 환자가 자신의 치료법을 결정할 수 있는 권리로 의료 윤리의 기본적인 원칙 중 하나이다. 환자가 자기 치료에 대해 올바른 결정을 하기 위해서는 의료진은 먼저 상태와 예후 등에 관해 사실을 전달해야 한다. 대부분의 환자들은 자신의 질병 상태와 치료 결과에 대해 자세히 알고 싶어한다. 우리나라 의료법에서도 환자가 의료진으로부터 설명을 들을 권리와 이후 치료를 스스로 결정할 수 있는 자기결정권을 명시하고 있다. 이러한 자기결정권은 환자가 의식 소실 등의 이유로 의사 표현이 불가능하더라도 존중되어야 하며, 이것이 연명의료결정법의 핵심 내용이다. 하지만 이런 자기결정권을 무조건 수용하는 것은 주의해야한다. 예를 들어 심근 경색 환자가 시술에 대한 두려움으로 응급 처치를 거부할 경우나 말기 암 환자가 고통으로 인해 의료진에게 안락사를 요구할 경우 의료진은 그것을 자율성 존중이라는 미명으로 그대로 수용하기에는 어려움이 있다.

따라서 의료진은 다음으로 환자에게 최선의 이익이 무엇인지를 판단하는 선행의 원칙을 적용한다. 이와 더불어 환자 건강에 의도적인 위험을 초래하지는 않는지를 고민한다(악행 금지의 원칙). 만일 치료로 인해 환자에게 돌아가는 이익이 감수해야하는 피해를 웃도는 경우 이 행위는 도덕적으로 정당화될 수 있다. 가령 폐

렴으로 호흡이 불안정하고 심한 호흡 곤란을 호소하는 환자에게 그 고통을 줄여주는 목적의 완화적 진정은 약물로 인한 부작용의 정도를 감안해서 적용할 수 있다. 이 모든 것을 판단하려면 말기 질환을 돌보는 의료진은 치료에 따른 결과와 위험성, 예후에 대해 잘 알고 있어야 한다. 이러한 경험과 지식을 바탕으로 환자/보호자와 충분히 소통을 해서 그들이 자율적으로 합리적 판단을 할 수 있도록 도와줘야 한다. 환자에게 일부 정보만 제공하거나 어려운 의학적 용어를 사용하여 자신이 원하는 방향으로 오도해서는 안 된다. 의료진은 환자에게 정직한, 그리고 환자의 입장에서 최선이 무엇인지를 찾는 자세를 견지해야 한다. 환자는 의료진이 그들을 위한 치료를 할 것이라는 전적인 믿음을 가지고 돌봄을 받기 때문이다. 만일 의료진이 내린 결정이 순수하게 환자가 원하고 이득이 되는 방향이 아니라, '다른 변수로 인해 의료진이 결정을 내렸다'라는 사실을 알면 환자는 심한 배신감을 느낀다.

정의의 원칙은 한정된 의료 자원을 환자들에게 차별 없이 적용해야 한다는 것이다. 의료진은 환자의 생명을 보호할 의무가 있지만, 이것은 사용 가능한 모든 의료 자원을 한 환자에게 쏟아 부어도 된다는 의미는 아니다. 병실이나 의료 기기, 의사의 시간 등은 한정이 되어 있고 이 한정된 자원이 어느 특정한 환자와 집단에 쏠림없이 필요 정도에 따라 공평하게 제공되도록 노력해야 한다.

'질병 치료'라는 의학의 목표에 기반한 접근법은 생애 말기 환자의 '최선의 이익'과 부합되지 않는 경우가 많고, 의료진은 이로 인해 종종 윤리적 딜레마에 빠지게 된다. 의학적 유용성이 의심될 때 의료 윤리의 4원칙에 비추어 적절성을 평가한 뒤, 이후 환자에 대한 애틋함과 진실한 자세로 환자/보호자와 의사 소통을 해서 치료 목표를 결정해야 한다.

참고문헌

1. Kockler NJ. The principle of double effect and proportionate reason. Virtual Mentor. 2007;9(5):369-74.
2. Bosshard G, Broeckaert B, Clark D, et al. A role for doctors in assisted dying? An analysis of legal regulations and medical professional positions in six European countries. J Med Ethics. 2008;34(1):28-32.
3. BEAUCHAMP, Tom L., et al. Principles of biomedical ethics. Oxford University Press, USA, 2001.
4. Crane MK, Wittink M, Doukas DJ. Respecting end-of-life treatment preferences. Am Fam Physician. 2005;72(7):1263-68.
5. Akdeniz M, Yardimci B, Kavukcu E. Ethical considerations at the end-of-life care. SAGE Open Med. 2021 Mar 12;9:20503121211000918.
6. LO, Bernard. Resolving ethical dilemmas: a guide for clinicians. Lippincott Williams & Wilkins, 2009. 11-7.

3부

7장
존엄한 생의 말기란 무엇인가?

| 박은호 |

I 존엄한 생의 말기의 의미

호스피스 완화의료는 생의 말기를 보내는 환자와 가족들의 고통을 덜어주고 적절한 삶의 질을 보장하여, 말기 환자들이 인간적 존엄성 혹은 인간적 품위를 지니고 가능한 한 평온하게 임종을 맞이할 수 있도록 돕는다. 그런 면에서 호스피스 완화의료는 '존엄한 생의 말기'를 보장하기 위한 활동이라고 할 수 있다. 존엄한 생의 말기라는 표현은 존엄하지 않은 생의 말기를 보낼 수 있다는 가능성과 관련된다. 예를 들어 조절되지 않는 인지 장애, 참을 수 없는 고통이나 마비 증상 속에서 생을 마감하는 것, 급작스러운 죽음, 지나치게 비인간적인 의학적 개입으로 인해 죽음의 과정이 연장되는 것 등을 생각해 볼 수 있다. 안락사 운동이나 소위 '죽을 권리(right to die) 운동' 등도 위와 같이 존엄하지 않은 생의 말기를 보낼 수 있다는 두려움과 관련된다. 그런 면에서 존엄한 생의 말기는 위와 같이 환자의 존엄

성을 누리지 못하게 하는 다양한 요소들을 제거하거나 완화시키는 것을 통해서 이루어질 수 있을 것이다. 그러나, 존엄한 생의 말기는 외적인 요소 외에도 환자 자신이 죽음을 받아들이는 태도와도 관련된다. 임종 과정에는 신체적 고통뿐만 아니라 죽음에 대한 두려움이나 자신의 일생에 대한 후회, 버림받는 느낌 등 다양한 정신적, 영적 고통이 수반될 수 있다. 그러한 상황들 속에서 환자들이 존엄성을 유지하면서 평온하게 자신의 죽음을 맞이할 수 있기 위해서는 다른 이들의 도움이 필요하다.

II 존엄한 죽음(존엄사) 개념의 문제

그런데 사람들은 존엄한 생의 말기보다는 '존엄한 죽음' 은 '존엄사'라는 말을 자주 사용한다. 2016년 제정된 연명의료결정법이 제정되는 과정에서도 일명 '존엄사법'

이라는 이름의 법률안이 여러 차례 제안되었고, 연명의료결정법에 대해서도 일부 언론은 '존엄사법'이라는 호칭을 사용하였다. 실제로 '존엄한 죽음' 혹은 '존엄사'라는 말은 글자 그대로 이해한다면 긍정적인 의미를 담고 있는 듯하다. 실제로 일반인들은 '안락사'라는 표현에서 거부감을 표현하지만 '존엄한 죽음'에 대해서는 수용의 필요성에 동의를 하는 경향이 높다는 것이다. 그러나 많이 사용되는 '존엄사'라는 용어는 1997년 세계에서 최초로 의사조력자살(physician assisted suicide)을 합법화한 미국 오레곤 주의 존엄사법(Death with dignity act)에서 유래되었다. 이 법은 말기 질환으로 고통받는 환자가 인간적이며 존엄한 방식(humane and dignified manner)으로 자신의 생을 마감하기 위해서 의사에게 필요한 약을 요청할 수 있다고 규정하고 있는 것이다. '존엄한 죽음' 혹은 '존엄사'라는 개념은 이와 같이 다양한 의미를 가질 수 있을 뿐만 아니라, 직접적으로 의사조력자살을 의미할 수 있기 때문에 호스피스 완화의료의 관점에서는 '존엄한 생의 말기'라는 표현을 사용하는 것이 적절해 보인다.

III 존엄한 생의 말기를 위해 필요한 요소

1. 안락사와 치료집착의 배제

존엄한 생의 말기를 보장하기 위해서 무엇보다 말기 질환으로 고통받는 환자의 고통을 덜어주기 위해서 인위적으로 환자의 죽음을 초래하는 안락사와 반대로 환자에게 실질적인 이익이 없이 죽음을 인위적으로 지연시키는 '의료 집착'을 배제해야 한다. 전자는 고통을 덜어주기 위해서 오히려 고통받는 환자를 제거하고, 후자는 죽어야 하는 인간의 조건을 거부하면서 환자에게 무익한 고통을 인위적으로 초래하면서 환자의 존엄성을 훼손하기 때문이다. 이와 관련해서 말기 환자에게 무익한

의료 행위를 중단하는 '연명의료중단'은 필요한 의료 행위를 중단하면서 환자의 죽음을 인위적으로 초래하는 '소극적 안락사'와는 분명히 다른 것임을 지적할 필요가 있다.

2. 균형적인 의료 행위의 선택

환자가 존엄한 생의 말기를 보내기 위해서는 환자에게 적절한 의료 행위를 선택하는 것이 필요한데, 여기에 '치료의 균형성'이라는 원리가 적용된다. 이 원리는 현재 이루어지고 있는 의료 행위에도 불구하고 환자에게 피할 수 없는 죽음이 임박한다면, 불확실하고 고통스러운 생명 연장만을 초래하는 의료 행위를 포기하는 결정을 내릴 수 있다고 말한다. 이러한 결정을 위해서는 역량을 갖춘 의사의 환자의 예후에 대한 적절한 판단이 우선되어야 한다. 이후 의사는 환자와 가족들에게 의학적 상태를 설명해주면서 동시에 충분한 의사 소통을 통해 그들이 지닌 본래 가치관을 치료 결정에 반영할 수 있도록 해야한다.

3. 기본적 돌봄(usual care)의 보장

환자의 기본적인 생리 기능을 돌보고 보장하기 위한 기본적 돌봄의 제공 역시 존엄한 생의 말기를 보장하기 위해서 필요한 것이다. 이러한 기본적인 돌봄에는 일반적으로 신체의 항상성을 유지시키기 위한 영양/수분 공급, 환자의 신체적 온전성을 보장해 줄 수 있는 위생 관리나 욕창 관리, 호흡을 용이하게 해 주는 단순 산소 공급 등이 해당된다. 일부 기본적 돌봄의 유지와 관련하여서는 또 다른 윤리적 고민이 필요할 수 있기 때문에 다른 장에서 논의를 하고 있다.

4. 완화 돌봄

말기 환자가 겪게 되는 다양한 신체적, 영적, 정신적 고통을 돌보는 완화 돌봄 역시 중요한 요소가 된다. 완화 돌봄을 통해서 환자는 생의 말기에 겪게 되는 다양

한 고통을 보다 견딜만한 것으로 느끼게 되며 환자의 삶의 질이 향상될 수 있는 것이다. 완화 돌봄을 통해서 안락사에 대한 요청은 크게 감소되는 것으로 알려져 있다. 이러한 완화 돌봄에는 통증 관리를 위해서 많은 양의 진통제가 사용될 수 있고, 합병증과 부작용의 위험을 동반할 수 있다. 그러나 그러한 결과들이 의도된 것이 아니라면, 진통제 사용은 정당할 뿐만 아니라 존엄한 생의 말기를 보장하기 위해서 중요한 요소가 된다. 실제로 극심한 통증은 환자로 하여금 생의 말기를 주체적으로 살아가지 못하게 하는 요소가 될 수 있다. 환자가 마지막 순간까지 자신의 돌봄 계획에도 함께 참여하면서 주체로서 존엄하게 살 수 있도록 적절한 통증 조절이 필요한 것이다.

5. 사회적 관계의 유지

환자가 자신의 치료에 대한 주체가 되는 것뿐만 아니라, 가족, 친구, 직장과 같은 다양한 사회적 관계를 유지할 수 있도록 도와주는 것도 존엄한 생의 말기를 보장해 주는 중요한 도움이 될 수 있다. 무엇보다 가족은 말기 환자의 돌봄에 있어서 핵심적인 역할을 하는 공동체이다. 가정은 한 인간이 그 자체로 인정을 받는 기본

적인 사회이기 때문이다. 이러한 사회적 관계의 유지는 생의 말기가 여분의 시간이나 죽음의 과정이 아닌 삶의 일부라는 사실을 분명히 느끼게 해 줄 것이다.

6. 종교적 돌봄

환자에 대한 돌봄 가운데 종교적 돌봄 역시 존엄한 생의 말기를 보장하는데 필요한 요소라고 볼 수 있다. 많은 경우 종교는 죽음 이후의 삶에 대한 희망을 알려 주며 현재의 삶을 새로운 삶을 위한 준비 단계로 이해한다. 이러한 희망을 통해서 말기 환자는 생의 마지막 순간에 위로와 평안을 느낄 수 있을 것이다.

7. 진실 말하기

환자가 자신의 죽음을 의식적으로 직면하고 존엄한 태도로 맞이하기 위해서는 자신의 상태를 정확히 알 필요가 있다. 생의 말기를 보내면서 환자는 가족 관계에 대한 특별한 의무 이행, 직업적인 문제들의 정리를 비롯해서 마무리해야 할 과업들을 가지고 있다. 때문에 환자는 자신의 상태를 정확히 이해하고 그에 따라서 자신의 치료 계획은 물론, 자신의 삶을 정리하는 시간을 가질 수 있어야 한다.

📑 **참고문헌**

1. Kass, Leon R. Life Liberty & the Defense of Dignity: The Chanllenge for Bioethics, 2003.
2. Hillyard, D., Dombrink, J. Dying Right, The Death with Dignity Movement, Routledge, 2001.
3. 교황청 신앙교리성, 안락사에 관한 선언 「가치와 권리(Iura et Bona)」 (1980.5.5), 가톨릭 교회의 가르침 25/2(2020), 117-128.
4. 교황청 신앙교리성, 중증 말기 병자의 돌봄에 관한 서한 「착한 사마리아인(Samaritanus Bonus)」 (2020.7.14), 가톨릭 교회의 가르침, 26/2(2021), 181-238.

8장
임종기 수액과 영양제 투여의 유보와 중단

| 강정훈 |

임종 시기에 접어든 환자에게 연명을 가능하게 할 수 있는 의학적 처치, 즉 인공호흡기 사용, 심폐소생술 실시, 투석, 승압제 사용, 수혈 등을 유보하거나 중단하는 것이 옳은지에 관한 문제는 오랫동안 논쟁의 대상이었다. 긴 시간의 사회적 격론을 거친 끝에 2018년 연명의료결정법이 제정되면서 법의 테두리 안에서 정리되었다. 이 법이 제정됨에 따라, 의료인들이 회복 불가능한 임종기 환자에서 위에 열거된 의학적 처치를 중단 혹은 유보할 때 법적 책임을 면할 수 있는 근거가 마련되었다.

하지만 의료 현장에서 법적 문제는 해결됐을 지 몰라도, 윤리적 문제까지 해결된 것은 아니다. 연명의료결정법은 환자의 자율성을 존중하기 위한 취지로 제정되었기에, 환자 치료에 최선을 다해야 한다는 의료인의 직업 윤리에서 비롯된 의학적 판단과 무의미한 치료를 중단하고 싶다는 환자의 희망 사이에 괴리가 생길 여지는 여전히 남아 있다. 환자에게 최선의 이익이 무엇인지 판단하기 위해서는 의학적, 사회문화적 관점을 종합적으로 고려해야 하기 때문에, 목적은 같다 하더라도 판단 주체의 입장과 가치관에 따라 그 해법은 상반될 수 있는 것이다. 이렇게 의료 행위의 윤리적 가부를 판단하기 어려울 때에는 앞서 언급된 의료 생명 윤리의 4원칙, 즉 선행의 원칙, 자율성 존중의 원칙, 악행 금지의 원칙, 정의의 원칙에 입각해 판단을 하게 되나, 복잡한 의료 환경에서 그 잣대로도 균형 있는 판단을 내리는 것은 쉽지 않다. 예를 들어 자율성 존중의 원칙을 너무 강조하다 보면 자칫 죽을 권리가 인정되면서 '존엄사'란 미명 하에 의사 조력 자살이 용인될 소지가 있고, 환자의 사회경제적 상황을 등한시한 채 생명 존중 원칙만 강조되면 법의 제정 취지를 무색하게 하는 무의미한 연명 치료가 시행될 수 있다. 이런 상황에서 다양한 요소를 종합적으로 고려해 결정을 내리는 것은 어려운 일이다.

법에서 임종기에 유보하거나 중단할 수 있는 처치로 명시되지는 않았으나, 임종기 환자에게 수액과 영양제를 투여하는 것이 적절한지는 여전히 중요한 논쟁거리이다. 우선 국내에서는 법 조항으로 '연명의료중단 등 결정 이행 시에도 영양분 공급, 물 공급, 산소의 단순 공급은 시행하지 아니하거나 중단되어서는 아니된다'라고 명시적으로 규정하고 있어, 의학적 효용과 상관없이 이러한 처치의 완전한 중단은 현실적으로 어렵다. 한국호스피스완화의료학회에서 이러한 국내 상황을 고려해서 최근 만든 임종 돌봄 임상진료지침에서도 이 부분에 관해서는 "경구 섭취의 가능성, 흡인의 위험, 심폐 기능, 동반질환 등의 이득과 위해를 평가한 후 시행할 것을 권고한다." 라고 원칙적으로 언급하는 데 그치고 있다.

그러나 의학적 관점에서 볼 때 임종기 환자의 수액 및 영양제 정주의 효용은 아직 명확히 입증되지 않았다. 어떤 연구자는 말기 암 환자들에게 수액과 영양제를 투여하지 않으면 갈증과 배고픔을 느낄 수 있기 때문에 임종 때까지 투여해야 한다고 주장하는 반면, 임종기에는 감각이 둔해져 그런 고통을 거의 느낄 수 없으며 오히려 이런 의학적 처치가 부종과 호흡기 분비물의 증가만 초래해서 도움이 안 된다는 의견도 있다.

최근까지의 체계적 문헌고찰과 연구들을 살펴보면, 임종 시기에 수액 투여가 환자에게 증상 호전이나 생존 기간 향상에 도움이 된다는 근거는 부족하다는 것이 중론이다. 증상 별로 살펴보면 부종에 관한 네 개의 연구 중 셋에서는 그 정도와 빈도에 차이가 없었지만, 한 관찰 연구에서는 수액 투여 그룹에서 그 정도가 더 심했다고 보고했다. 효과 면에서 갈증, 생존 기간, 통증에 관한 대부분의 비교 연구에서는 임종기에 수액을 투여한 군과 하지 않은 군들 간에 차이는 관찰되지 않았다. 수액이 임종기 환자에게서 호흡기 분비물 증가를 유도하는지에 관한 여덟 개의 연구 중 여섯 개에서 영향이 없는 것으로, 둘은 분비물을 증가시킨다고 보고하였다. 수액 투여가 말기 동요(terminal agitation)에 영향을 미치는지 분석한 여섯 개의 연구 모두 별다른 영향이 없다고 보고했다. 호흡 곤란에 대한 넷 중 세 연구에서

유의미한 차이가 없다고 보고했고, 한 후향적 관찰 연구에서만 수액 투여가 호흡 곤란의 정도를 가중시킨다고 보고했다. 이러한 의학적 근거를 바탕으로 유럽종양내과학회 가이드라인에서는 기대 여명이 수 일~수 주 이내인 경우에는 주사 영양제를 줄여나갈 것을 권고하고, 만일 시작하지 않은 환자인 경우에는 시작하지 말 것을 권고하고 있다.

그렇다면 의사 결정의 주체들은 수액과 영양제 투여를 어떻게 받아들이고 있을까? 여러 연구에서 가족들뿐만 아니라 환자 또한 임종 시기에 있더라도 수액과 영양제를 중지하는 것보다는 계속 투여 받기를 원한다는 것으로 나타났다. 이는 환자가 수액과 영양제를 자신에 대한 관심의 상징이자 세심한 돌봄의 한 부분으로 인지하기 때문이다. 또한 환자가 더 이상 경구 섭취를 할 수 없을 때가 되면 가족들은 큰 스트레스를 받는다. 암이 진행하면서 음식 섭취량이 줄어드는 것은 자연스러운 현상임을 알면서도, 가족들은 수액과 영양제를 중단하는 것은 주저하게 된다. 대부분의 말기 질환자의 가족들이 수액과 영양제는 환자의 컨디션을 좀 더 좋아지게 하고, 아사를 피하게 하는 가장 기본적인 돌봄의 일부로 생각하기 때문이다. 의료진의 인식 역시 환자와 가족들의 결정에 큰 영향을 미치기에 중요한데, 말기 질환 환자를 주로 돌보는 의료진보다는 자주 접하지 않는 의료진이 수액과 영양제가 도움이 된다고 생각하는 경향성이 있다.

요약하자면, 임종기 환자에게 물과 영양 공급의 원천 중단은 국내에서 법적으로는 금지되어 있고 환자 및 보호자들도 투여의 지속을 원하나, 의학적으로 증상 호전이나 생존 기간 연장에는 효용이 없다는 보고가 다수를 차지하고 있다. 즉, 이 사안은 환자와 보호자의 인식, 또 수액과 영양제를 투여받고 싶다는 환자의 자율성을 존중해야 한다는 원칙, 의료인의 선행과 악행 금지의 원칙, 국내의 법적 측면을 고려해야 하는 복합적인 문제이다. 이런 상황에서 의료진은 임종기 환자에게 무

조건적인 투여 혹은 투여 금지와 같은 이분법적인 판단
을 내리기보다는, 환자에게 수액과 영양제가 가지는 의
학적 의미를 잘 설명한 뒤, 환자와 보호자의 의견을 경
청, 공유하여 치료 방향을 결정하는 것이 바람직하다.

3부

📑 참고문헌

1. 법제처: 호스피스·완화의료 및 임종과정에 있는 환자의 연명의료결정에 관한 법률. 2017; https://www.law.go.kr/법령/호스피스·완화의료및임종과정에있는환자의연명의료결정에관한법률/(20170804,14013,20160203)/제19조.
2. 보건복지부 국립암센터 한국호스피스완화의료학회 임종 돌봄 임상진료지침. 2019; www.guideline.or.kr/guide/view.php?number=1108&cate=A. Accessed 12-26, 2021.
3. Chiu TY, Hu WY, Chuang RB, et al. Terminal cancer patients' wishes and influencing factors toward the provision of artificial nutrition and hydration in Taiwan. J Pain Symptom Manage. 2004;27(3):206-14.
4. Mercadante S, Ferrera P, Girelli D, et al. Patients' and relatives' perceptions about intravenous and subcutaneous hydration. J Pain Symptom Manage. 2005;30(4):354-58.
5. Marcolini EG, Putnam AT, Aydin A. History and Perspectives on Nutrition and Hydration at the End of Life. Yale J Biol Med. 2018;91(2):173-6.
6. Kingdon A, Spathis A, Brodrick R, et al. What is the impact of clinically assisted hydration in the last days of life? A systematic literature review and narrative synthesis. BMJ Support Palliat Care. 2021;11(1):68-74.
7. Wu CY, Chen PJ, Ho TL, et al. To hydrate or not to hydrate? The effect of hydration on survival, symptoms and quality of dying among terminally ill cancer patients. BMC Palliat Care. 2021;20(1):13.
8. Crawford GB, Dzierzanowski T, Hauser K, et al. Care of the adult cancer patient at the end of life: ESMO Clinical Practice Guidelines. ESMO Open. 2021;6(4):100225.

9장

완화적 진정의 윤리적 측면

| 정재우 |

완화적 진정이란, 임종이 임박한 환자의 불응성 증상 (refractory symptoms)을 완화시키고 통증을 경감시키기 위해 수면을 유도하고 진정을 유지시키는 것을 가리킨다. 완화적 진정에는 특별히 윤리적으로 주의가 필요한데, 그 이유는 완화적 진정이 필요한 환자의 상태로 인해 시행 이후 의식 상실과 임종이 뒤따르는 경우가 있을 수 있기 때문이다.

I 완화적 진정의 기본 원칙

완화적 진정의 기본 원칙은 진정 약물의 '균형적 사용'이라고 말할 수 있다. 여기서 '균형적(proportionate)'이란, 기대하는 효과를 위하여 의료수단을 적절하게 사용하는 경우를 말하며, 반대로 '불균형적(disproportionate)'이란, 그러한 효과에 비하여 의료수단을 부족하거나 과도하게 사용하는 경우를 말한다. 사실, 환자의 실제 상태를 파악하고, 이에 비추어 적절하고 균형적으로

의료수단을 사용하는 것은 모든 의료행위의 기본 원칙이며, 이는 윤리적 관점에서도 필요한 일이다. 완화적 진정의 경우, 기대하는 효과가 환자의 불응성 증상의 완화라면, 그러한 효과를 내기 위해 적절한 수단을 선별하고 적절한 정도로 사용하는 것이 '균형적'이라고 할 것이다. 얕은/깊은 진정, 간헐적/지속적 진정, 점진적/빠른 방식 등의 종류는, 각 환자의 실제 상태에 의거해 균형적인 것을 찾아 실행하는 과정에서 나타날 것이다.

II 완화적 진정에 따른 의식 상실

환자가 자신의 삶을 정리하고, 가족·지인 등과 용서·화해의 시간을 가지며, 마지막 인사를 나누고, 각자의 믿음에 따라 죽음 이후의 삶에 대해 준비하는 것은 존엄한 임종을 위해 필요한 일이다. 환자가 온전한 정신으로 이러한 보편적인 인간의 도리를 다하고, 마지막을 준비하도록 배려할 필요가 있다. 그렇기 때문에 불가

피한 이유 없이 환자의 의식을 박탈하는 것은 정당하지 못하다. 윤리적 관점에서, 의식 상실을 동반하는 깊은 완화적 진정은, 환자의 증상 완화를 위해 다른 방법이 없는 경우에, 환자가 자신의 인간적·종교적 도리를 다하였다면 용인된다. 따라서 이러한 진정이 필요하다고 판단되는 경우, 의료진은 이러한 상황을 환자·가족에게 설명하고 동의를 얻을 필요가 있다.

이러한 진정이 필요하다고 판단되는 경우, 의료진은 이러한 상황을 환자·가족에게 설명하고 동의를 얻을 필요가 있다.

하지만 이런 윤리적 고민과는 별개로 완화적 진정이 생존 기간을 단축 시킨다는 근거는 크지 않다. 현재까지 나온 대규모의 관찰 연구 결과들은 완화적 진정을 시행한 그룹과 시행하지 않은 그룹 사이에 생존 기간에 차이가 없다고 보고하고 있다.

III 완화적 진정에 따른 임종

특별히 중요한 윤리적 딜레마는, 깊은 완화적 진정이 환자의 임종으로 이어질 것이라 예상되는 때에 발생한다. 이것은 진정 약물 사용이라는 하나의 행위에서, 통증 완화와 환자의 죽음이라는 (하나는 긍정적이고 다른 하나는 부정적인) '이중 효과'가 동시에 비롯되어 부정적 결과를 배제할 수 없는 경우이다. 이때 환자의 죽음이 예상되는 경우에도 이런 진정 약물을 사용하는 것이 윤리적으로 용인되는가, 이런 경우 의료진은 환자의 죽음이라는 부정적 결과에 대해 책임이 있는가 하는 물음이 일어난다. 윤리적 관점에서, 이러한 진정 약물 사용은, 그것이 환자의 죽음이 아니라 증상 완화를 지향하고, 부정적 결과를 동반하지 않는 다른 효과적 방법이 없으며, 환자가 위에서 말한 인간적·종교적 도리를 다하였다면 용인된다. 이런 경우 환자의 죽음은 예상되지만 의도하지 않은 결과로서 받아들여진 것이다. 따라서

IV 완화적 진정과 안락사

이러한 깊은 완화적 진정과 안락사는 분명히 구별되어야 한다. 여기서 안락사란, 환자의 죽음을 직접적으로 의도하는 모든 행위와 부작위를 가리키며, 깊은 완화적 진정이란 24시간 지속적으로 환자의 수면을 유도하는 것을 일컫는다. 진정 약물 사용의 경우, 환자를 죽게 할 의도로 환자의 사망을 초래할 정도의 약물을 투여한다면, 그것은 안락사에 해당한다. 반면에 깊은 완화적 진정은 환자의 죽음이 아니라 고통 완화를 위하여 환자를 진정시키고 이를 환자가 임종할 때까지 약물을 투여하는 것이다. 개념적으로는 깊은 완화적 진정과 안락사는 뚜렷이 구분이 되지만, 임상 현장에서 적용할 때 환자나 보호자는 둘의 개념을 혼돈할 수 있기 때문에 충분한 설명이 필요하다.

📖 참고문헌

1. 군나 두트게, 신동일 편, 생의 마지막 단계에서의 존엄성, 세창출판사, 2016.
2. 교황청 보건사목평의회, 새 의료인 헌장, 한국천주교주교회의, 2019.
3. 교황청 신앙교리성, 중증 말기 병자의 돌봄에 관한 서한 「착한 사마리아인」 (2020.7.14), 가톨릭 교회의 가르침, 26/2(2021), 181-238.
4. Lee SH, Kwon JH, Won YW, et al. Palliative Sedation in End-of-Life Patients in Eastern Asia: A Narrative Review. Cancer Res Treat. 2022;54(3):644-650.

10장
임종기의 무익한 의료

| 원영웅 |

현대 의학의 발달로 연명 의료가 가능해졌고 환자의 자율성 존중이 강화되면서 무익한 의료에 대한 논쟁도 함께 불러 일으켰다. 하지만 그 기원은 생각보다 오래돼서 기원전 4세기 히포크라테스까지 거슬러 올라간다. 히포크라테스는 환자가 질병이 진행되어 더 이상의 치료가 의미가 없다고 생각될 때 의사들은 이들을 치료할 필요가 없다는 것을 제안하였다. 국내에서는 2008년 조직 검사를 받다가 출혈로 인해 식물 인간 상태가 된 뒤, 가족들의 요청대로 연명 치료 중단 판결을 받은 김 할머니 사건이 우리나라에서 연명의료결정법 제정을 촉발시킨 계기가 되었다.

우리는 무익한 의료의 정의와 적절성을 논하기에 앞서 의료의 목표가 무엇인지 생각해볼 필요가 있다. 의료의 궁극적 목적은 단순히 신체 기관의 기능과 생리학적 활동 현상을 유지시키는 것에 그치는 것이 아니라, 생명을 보전하여 수용 가능한 삶의 질을 유지할 수 있는 상태로 되돌려 놓는 것이다. 무익한 의료에 대한 정의는 1990년대부터 논란이 되어왔다. 의학적 처치의

무익함에 대한 정의는 치료 시 성공 가능성으로 판단하는 정량적 접근, 치료 후 삶의 질 저하의 시각에서 보는 정성적 방법, 생리학적 기능 회복 가능성 여부로 판단하는 방법 등이 있다. 하지만 어떠한 정의법도 모든 상황에 적용되는 하나의 문장으로 담을 수는 없다. '무익함'은 특정 임상 상황에서 놓였을 때 의사가 생각하는 의료적으로 유의미하게 호전될 가능성에 대한 전문적 판단과 이것에 대한 환자와 보호자의 가치 판단이 복합적으로 작용하기 때문이다.

미국 의사 협회에서는 무익한 의료에 대한 명쾌한 문장적 정의가 어려움을 감안하여 다음과 같은 사례별 판단 지침을 권고하였다. 먼저 환자와 보호자와 함께 돌봄의 목표, 원하는 삶의 질에 대해서 논의를 한다. 이후 이들이 특정 치료를 거부하더라도 고통을 경감시키는 치료는 지속됨을 설명하여 안심시킨다. 다음으로 의료진과 환자/보호자가 서로 용인할 수 있는 범위의 치료 계획을 협의한다. 만일 환자/보호자가 의학적으로 받아들이기 힘든 치료를 요구할 때는 윤리위원회나 기

관의 자원을 활용하여 도움을 청한다. 원하는 치료를 제공할 수 있는 다른 의사나 다른 기관으로 의뢰를 고려해도 되며, 만일 이 모든 것이 어렵다면 의사는 반드시 치료해야 할 윤리적 의무는 없다.

대한의사협회에서도 연명의료 중단에 대해 다음과 같은 세 가지 원칙을 발표하였다. 그 첫째는 연명의료 중단에 대한 논의는 환자의 치료 거부권(right to refuse medical treatment)의 맥락에서 논의해야 하며, 환자의 죽을 권리(right to die)와 연결 지어서는 안 된다. 둘째는 연명의료 중단에 대한 논의는 임종기 환자 등 환자의 회생가능성이 없는 경우를 전제로 하며 회생가능성이 있는 환자와 연결 지어서는 안 된다. 셋째 원칙은 환자가 존엄하게 삶의 종료에 이를 수 있도록 호스피스 완화의료에 대한 정책적 지원이 확대되어야 한다는 것이다. 더불어 의사는 임종기 환자 등 환자의 회생가능성이 없는 경우 환자의 치료거부권을 존중해야 하며, 환자가 사전에 연명의료에 대한 의사를 표명하지 않은 상태에서 의사결정 능력이 없어졌다면 적법하게 환자의 결정을 대리할 수 있는 가족 혹은 후견인이 연명의료에 관한 결정을 하는 경우 이를 존중하여야 한다고 하였다.

한편 의학적으로 무익함을 판정할 때 의료진은 다음과 두 가지 의료 원칙을 명심해야 한다. (1) 연명 치료의 유보와 철회는 환자가 사망하는 결과는 같기 때문에 둘 중 어느 것을 결정하든지 본질적으로 의사의 도덕적 책임에는 큰 차이가 없다. (2) 죽이는 것과 죽도록 허용하는 것은 아주 큰 차이가 있다는 것이다. 우리나라에서 무익한 연명 치료 철회 여부에 대해 설문 조사를 한 결과 절대 다수인 암 환자의 88.3%, 의료진의 98.9%가 찬성 의견을 보였다. 또 다른 국내 호스피스 병동 입원 환자를 대상으로 연명 의료와 관련된 의료 행위에 대한 선호도 연구에서 97.6%가 심폐 소생술을, 76.9%가 승압제를 원하지 않았다. 이에 반해 항생제와 주사 영양

제를 원하지 않는 경우는 12.9%와 4.4%에 그쳤다.

무익한 의료는 일반적으로 치료하는 의료진이 의학적 근거와 전문적 경험을 바탕으로 더 이상의 치료가 유익하지 않다고 생각했을 때 판정을 내리게 된다. 이후 의료진의 판단을 근거로 환자/보호자와 충분히 의사 소통을 해서 그 결정에 대한 의견의 일치가 있어야 한다. 만일 환자/보호자가 이 사실을 받아들이지 못하는 경우 일정 시간 동안 환자/보호자가 원하는 치료를 시도해보는(time-limited trial) 것도 한 방법이다. 가령 명백한 임종기이고, 의료진의 충분한 설명에도 불구하고 환자/보호자가 받아들이지 못하고 심폐 소생술을 원하는 경우 일정 시간 동안 중환자실에서 치료를 해볼 수 있다. 이 시간을 통하여 가족들이 상황을 수용할 수 있고, 의료진과 보호자 모두 최선을 다했다는 느낌을 받게 한다. 하지만 이러한 time-limited trial을 해보기 전에 환자/보호자가 납득 못하는 많은 경우는 충분한 의사 소통이 안되어서 생겨나기 때문에 의료진이 의료 기록을 보여주면서 충분히 설명을 해야 한다. 만일 이 모든 절차에도 불구하고 합의가 되지 않아도 의료진이 무익한 의료라고 판단되면 중지하는 것은 윤리적으로는 문제가 되지 않는다. 가끔씩 의료 비용의 문제로 더 이상의 치료가 무익하거나 무의미하다고 오판할 수 있다. 하지만 의학적으로 무익하다는 것은 환자 치료에 얼마만큼의 비용이나 의료 자원이 투여되든지 환자 유익을 기대할 수 없을 때를 의미한다.

결론적으로 의료진은 임종기 환자에서 치료가 무익하다고 판단되면 이것을 중단하려는 노력을 해야 한다. 치료가 환자의 임종 과정을 지연시켜 고통을 연장시키는 결과만 초래되기 때문이다. 선행되어야 할 조건으로 환자/보호자에게 충분히 현재 상태에 대해 설명하고, 그들의 가치관과 상황을 경청한 뒤 의료진과 의견 일치가 있어야 한다.

📑 참고문헌

1. Lawrence J. Schneidermann and Michael De Ridder, "Medical Futility," Handbook of Clinical Neurology 118, no. 3 (2013): 169.

2. Truog RD, Campbell ML, Curtis JR, et al. Recommendations for end-of-life care in the intensive care unit: a consensus statement by the American College of Critical Care Medicine. Crit Care Med. 2008;36(3):953-63.

3. Lawrence J. Schneiderman and Nancy S. Jecker, "Medical Futility: Its Meaning and Ethical Implications," Ann Intern Med. 1990;112(12):949–54.

4. Hastings Center, Guidelines on the Termination of Life-Sustaining Treatment and the Care of the Dying (Bloomington: Indiana University Press, 1987): 32.

5. Council on Ethical and Judicial Affairs, American Medical Association. "Medically Ineffective Interventions, Code of Medical Ethics Opinion 5.5"

6. 법제 및 윤리분과, 대한의사협회. "무의미한 의료 중단".

7. Yun YH, Kim KN, Sim JA, et al. Comparison of attitudes towards five end-of-life care interventions (active pain control, withdrawal of futile life-sustaining treatment, passive euthanasia, active euthanasia and physician-assisted suicide): a multicentred cross-sectional survey of Korean patients with cancer, their family caregivers, physicians and the general Korean population. BMJ Open. 2018;8(9):e020519.

8. Han JH, Chun HS, Kim TH, et al. Preference and Performance Fidelity of Modified Korean Physician Order for Life-Sustaining Treatment (MK-POLST) Items in Hospice Patients with Cancer. J Hosp Palliat Care. 2019;22(4):198-206.

9. Saric L, Prkic I, Jukic M. Futile Treatment-A Review. J Bioeth Inq. 2017;14(3):329-337.

10. Swetz KM, Burkle CM, Berge KH, et al. Ten common questions (and their answers) on medical futility. Mayo Clin Proc. 2014;89(7):943-59.

11. Wilkinson D, Savulescu J. A costly separation between withdrawing and withholding treatment in intensive care. Bioethics. 2014;28(3):127-37.

4부

호스피스·완화의료 서비스 구성과 체계

11장 호스피스·완화의료팀 구성

12장 호스피스·완화의료 서비스 제공 체계

13장 호스피스·완화의료 기관 운영 및 관리

14장 호스피스·완화의료 종사자의 스트레스 및 소진 관리

11장

호스피스·완화의료팀 구성

| 권신영, 이용주 |

I 팀의 정의와 구성

팀(team)이란 완화의료에 필수적 요소이다. 팀의 의미는 단지 두 명 이상이 함께 일하는 것이 아닌 '소수의 상호 보완적이며 전문성을 가진 사람들이 각자의 책임감을 가지고 공동의 목적, 목표를 위한 업무수행과 접근을 하는 집단'으로 정의하고 있다. 팀원들은 공동의 목표를 위해 서로 의존하면서 근무하고 있다.

1. 의료팀(Health-care team)

업무를 통해 의료인들은 함께 일하게 된다. 다학제 (multiprofessional) 팀은 환자가 광범위하고 복합적인 의학적 문제가 발생했을 때 필요하며 다학제 팀은 다학문 (multidisciplinary) 또는 학제간(interdisciplinary) 팀으로 구분할 수 있다. 학제간 의료팀의 팀 멤버는 각자 전문 분야나 영역에서 의사결정을 위한 중요한 정보들을 제공하며 의료진이 학제간 의료팀의 정보를 기반으로 최

종적으로 의사결정을 내리게 된다.

1) 학제간 의료팀(Interdisciplinary team)

학제간 의료팀은 멤버들이 '공통된 팀의 목표를 가지는 하나의 공동체'로 표현되는데 이들은 계획수립, 문제해결, 의사결정과 팀업무를 평가하고 수행하는데 상호 의존적으로 일한다. 위의 4가지 항목은 학제간 의료팀에 공통적인 내용이며 팀에 따라 다음의 세부적인 차이를 보일 수 있다.

- 규모
- 전문 분야
- 팀원들 사이에 친화도, 통합성의 정도
- 상호 책임감의 범위와 정도
- 회원 자격 및 내규
- 팀 내에서 환자의 경로
- 의사결정
- 리더쉽과 운영

2. 팀 업무의 장점

의료 서비스에서 팀 형태의 업무는 독립적인 업무 형태와 비교하여 효과적이고 서비스의 양과 질 모두를 향상시키는 것으로 알려져 있다. 팀 업무는 의견 교환을 통해 협업을 향상시키며 최고의 전문성을 제공한다. 이런 팀 업무의 장점은 병원 입원 기간 감소, 의료비 절감, 비예측 입원 감소와 환자의 접근성 용이 등 다양한 구조적 이점을 가지고 있다. 팀 업무를 통해 혼자 하는 것보다 많은 업무 수행을 할 수 있고 팀은 개인이 할 수 없는 통합적인 업무를 수행할 수 있다. 다양한 분야의 임상 전문가들에 의해 이루어지는 의사결정은 환자 돌봄과 팀의 구조적인 효과를 이루는 주요소이다. 따라서 학제간 팀은 정확하고 빠른 환자의 평가, 효과적이고 통합적인 치료와 돌봄, 환자와 보호자 및 다른 기관 전문가와의 효율적인 의사소통, 팀 활동과 성과에 대한 평가 등을 할 수 있도록 노력해야 한다. 하지만 팀원들은 서로 지지와 피드백을 잘 해주기도 하나 업무나 의견에 있어 서로 충돌할 수도 있다.

II 팀 기능(Team performance)

1. 팀의 크기와 구성원 : 핵심 팀과 확장 팀

팀의 기능은 팀의 구조와 팀 과정에 의해 영향을 받는다. 구조적인 요소는 팀의 조직적 요소뿐 아니라 개인과 팀 내 그룹의 특징도 포함한다. 팀은 소수의 인원으로 이루어지며 일반적으로 15명을 넘지 않는다. 보통 5~10명이며 5~6명을 가장 이상적인 수로 본다. 팀의 인원이 많은 경우 멤버들 간의 차이점이 쉽게 묵인될 수 있는 장점이 있으나 의사결정의 원칙과 과정이 더욱 정형화되어 오랜 시간이 소요된다. 따라서 효율적인 팀 운영을 위해서는 20명 전후의 인원을 최대로 본다. 멤버들은 팀 내에서 흔히 핵심(core) 멤버와 준멤버(associated)로 나뉘며 준 멤버는 광범위 팀(extended team)에 속한다. 핵심 멤버는 상근직이며 팀 리더와 내규에 의해 통제를 받는다. 준 멤버는 주로 비상근직 이며 팀 내규의 통제를 받지 않고 외부 관리를 받는다. 팀 기능은 팀의 지식과 기술, 태도, 철학을 기본 골격으로 하고 있으며 효과적인 팀 기능을 위해서는 조직적인 지지와 충분한 인적, 물적 자원이 필요하다. 또한 팀 업무에 있어 조직적인 문화와 서로 간의 지지는 긍정적인 팀 기능을 가능하게 한다.

Freeman 등은 팀워크의 철학을 세 가지로 해석하였다.
- 지배성: 팀의 계급 구조로 한 사람이 팀의 위상과 권위를 대표하는 리더 역할을 하고 다른 팀원들을 이끌어간다.
- 통합성: 각 전문가들의 헌신을 통해 동등한 가치를 가지며 팀원들은 각자 역할이 있고 팀 내에서 의견 교환과 토의를 하는 것이 중요하다.
- 자발성: 각 분야 전문가들이 뚜렷한 역할을 하며 자연스럽게 팀이 운영되고 필요한 경우 다른 멤버와 자유롭게 소통한다.

2. 팀 과정(Team process)

1) 팀으로의 발전

팀 과정은 팀의 목표를 이루기 위해 팀원들이 어떻게 업무와 역학 관계를 조정하는지 보여준다. 새로운 팀이 결성되면 팀은 다음의 전형적인 발전 단계를 갖는다.

(1) 팀 형성기(Forming)

팀내에 그룹이 형성되어 팀 업무를 처음 시작하는 단계이다. 각 그룹은 팀 리더를 따르고 팀 리더는 각 멤버들을 위한 업무 규칙, 업무 방법 등을 지시한다.

(2) 팀 격변기(Storming)

팀 결성 후 초반에 팀 내의 의견 충돌, 힘겨루기 등의 갈등이 특징적으로 갈등은 팀내 하위 그룹에서도 생기며 팀원 간 견해 차이와 경쟁이 발생한다.

(3) 팀 규정기(Norming)

팀원들 사이의 갈등이 자연스럽게 해결되고 팀의 규율을 존중하며 공통 업무의 표준을 수용하는 단계이다. 팀 멤버들은 서로 갈등을 줄이고 소속감을 느끼게 되며 서로의 의견과 느낌을 표현하며 협력 관계를 발전시켜 나간다.

(4) 팀 수행기(Performing)

마지막 단계로 팀원들은 각자의 역할을 알고 서로 협력하며 팀의 목표를 위해 헌신하는 과정이다. 팀이 위의 모든 단계를 거치는 것은 아니다. 많은 의료팀이 출발점에서부터 형성되지 않으며 이미 팀워크에 익숙한 사람들이 선발되기도 한다. 하지만 이러한 공통의 단계를 거치면서 팀의 역동을 이해하고 팀을 바른 방향으로 이끌어 갈 수 있다.

2) 팀원

팀은 개인의 능력과 업무를 다양화 시켜야 한다. 팀원은 팀 내에 뚜렷한 역할이 있어야 하며, 각자 분야에서 전문성을 발휘할 수 있는 본인의 능력에 대한 확신과 믿음이 있어야 한다. 동시에 효율적인 의견 교환을 위해서 서로의 업무에 대한 지식을 가지고 있어야 하며 팀 멤버들의 전문 분야에 대해 잘 이해하고 있어야 한다. 팀 협동에서 각 팀원들은 진정한 팀워크가 무엇이며 어떻게 행동해야 하는지 이해하는 태도가 필요하다. 실제로 팀원들의 팀 업무에 대한 해석은 팀의 규범만큼이나 중요하다. 팀원들이 충돌하는 이유는 의식적, 무의식적으로 다른 가치관을 가지고 있기 때문이며 이는 효과적인 팀 운영으로 개선할 수 있다. 이때는 각자의 업무와 역할을 분명하게 명시하는 것이 중요한데, 미국의 15개 정신과 팀에서 팀의 효율성에 영향을 주는 요소에 대해 연구한 결과 우선 팀의 목적을 분명히 하는 것이 효과적인 다학제 의료팀을 위한 가장 중요한 결정이며, 다음으로는 팀의 업무와 책임을 분명하게 해서 모든 팀원이 이를 이해하고 받아들일 수 있게 하는걸 중요한 요소로 본다. 이는 팀 접근에 있어 업무의 우선 순위를 나누고 문제 해결 및 의사결정을 하는데 가장 중요한 근거가 된다.

(1) 팀원의 역할

역할은 팀원이 그들의 업무를 어떻게 해야 하는지에 대한 기대임과 동시에 다른 멤버들 역시 기대하는 행동이다. 역할을 분명히 하고 개개인의 전문적인 역량을 키우며 뚜렷한 가치관을 가지도록 해야 한다. 팀원으로서의 역할은 개인의 전문성을 반영하고 자신의 역할에 대한 의무와 특권을 동시에 부여한다. 따라서 모호한 역할로 인한 팀내 갈등은 팀워크를 저해하므로 우선적으로 해결되어야 할 것이다. 역할이 중복되면 팀원 사이에 업무의 반복과 경쟁이 일어날 수 있으므로 우선 역할을 분명히 함으로써 팀이 각자의 전문성을 가질 수 있게 한다. 예를 들어서 간호사, 사회복지사, 성직자들 중 누가 사별가족과 면담하여야 하는가? 라는 상황에서 이들이 하는 업무 중 일부는 겹칠 것이며 면담을 받는 사별가족 입장에서는 같은 내용의 면담을 반복하게 되는 상황이 발생할 수 있다. 부분적인 일의 중복은 팀의 영향력을 향상시킬 수도 있으나 팀원들 간의 업무 중복에 대해서는 사전에 반드시 합의를 거쳐야 한다. 팀원은 시간이 지나면 전문적 역할과 함께 부가적으로 팀 내 개인의 역할들도 정착되게 된다. 모든 팀원은 각자의 공적인 역할과 함께 각자의 개성을 살린 팀내의 개인 역할이 있다. 팀원들은 그들만의 개성과 스타일을 통하여 팀 내에서 특별한 위치를 갖게 되는데 예를 들면 팀내의 '엄마 같은 존재', '재주꾼', '해결사' 같은 역할을 의미한다. 팀원 개인의 영향력은 그룹 내 각각의 역할과 관련이 있다. 모든 팀원의 영향력이 같은 것이 가장 이상적이지만, 소그룹에서는 전문가, 높은 위치의 사람, 그룹 내 참여도가 높은 사람이 더욱 영향력이 높은 것으로 밝혀졌다. 이러한 다양한 상황에서 의사는 환자의 의학적 처치에 대하여 최종적인 법적 책임을 가지며 이는 팀의 의사결정에 큰 영향을 미친다.

3) 리더십

팀 리더십은 다음의 세 가지를 고려한다. 첫째 관리 감독, 둘째 전문 분야의 업무처리, 마지막으로 동기부여와 정책결정이다. 관리 감독은 중요하나 팀 리더의 필수요소는 아니며 전문적인 업무중심의 다학제 의료팀에서 지도력은 환자와 가족이 요구하는 상황마다 책임여부가 다르다. 팀 리더는 다음을 통해 팀을 바른 길로 이끌어야 한다.

- 목적과 목표를 향해 일관적이고 의미 있는 방향을 추구한다.
- 약속과 확신을 구현한다.
- 개인의 능력들을 모아 힘을 키운다
- 내외적인 장애 요인들을 제거하고 외부와의 긴밀한 관계를 유지한다
- 다양한 가능성을 항상 열어둔다.
- 진심을 다해 일을 한다.

4) 의견 교환과 결속력

의견 교환은 팀 멤버들이 상호간 수행하는 모든 업무에서 발생한다. 의견 교환은 환자와 가족, 타 직종 전문가, 팀 내에서나 팀 내 그룹간 모두 중요하다.

학제간 팀은 팀 업무의 문제 사정, 계획, 평가 등의 환자 돌봄을 위해 적어도 주 1회 이상 팀회의를 가져야 한다.

결속력은 소속감을 느끼는 것이며 팀원들이 자부심을 갖고 즐겁게 일하며 팀원으로 계속 근무하고 싶도록 만든다. 이러한 소속감은 오랜 시간 함께 일하며 어려움을 극복하고, 긍정적인 피드백 및 의견을 교환하며

팀의 확실한 규율을 유지하면서 생긴다.

5) 의사결정과 충돌의 조정

의사결정의 기술은 능률적인 팀 협동의 기본이며 주로 리더가 담당한다. 일에 따라서 서로 개입하는 정도는 다르나 모든 팀원은 팀의 의사결정에 참여해야 한다. 의사결정이란 여러 안건 들 중 우선순위에 따라 문제를 제시하고 해결책을 토의하는 과정이다. 완화의료팀에서 회의 내용을 정하고 의사결정을 하는 과정은 궁극적으로 환자와 가족들의 요구에 의해 이루어져야 한다. 함께 일할 때는 스트레스나 갈등이 생기기 마련이다. 팀 내의 역할이 모호하기 때문에 팀원들은 중복되는 일들로 인해 영향을 받지 않도록 마음을 편안히 가지는 게 필요하다. 의사소통의 부족은 효과적인 팀 협동심을 떨어뜨리는 가장 큰 원인이다. 따라서 각 팀원들의 갈등을 조율하면서 팀의 모든 일이 함께 논의되어야 한다. 더불어 인적·물적 자원의 부족, 조직의 변화, 일에 대한 저항과 같은 외부 요소들은 팀 내 스트레스를 가중시키는데 이러한 갈등을 해결하는 능력은 성공적인 팀의 중요한 특징이다. 팀 내에서 발생되는 갈등은 중요하게 고려되고 빨리 발견되어야 한다. 팀 내 갈등이 무엇이며, 얼마나 심각한지, 원인은 무엇인지, 문제의 근간을 찾아내는 것이 중요하며, 이에 대한 해결책을 논의하고 올바른 과정을 거쳐야 한다. 전통적인 역할을 다소 배제하는 것이 팀원들의 창조적인 대화를 할 수 있는 좋은 수단이 된다. 또한, 각 팀원들이 다른 팀원의 기록을 공유한다면 많은 도움이 될 것이다.

3. 팀 건설(Team building)

팀은 역동적이다. 적절한 구조의 팀은 팀 과정의 형성을 촉진시킨다. 팀이 진화함에 따라 팀 과정은 종종 팀이 가장 잘 기능할 수 있는 범위 내에서 형성된다. 따라서 팀 구조와 팀 과정은 효과적인 팀을 만들 때 고려해야 되는 사항이다. 지식을 공유하고 시간을 함께 보

내며 서로를 알아가는 것은 팀 건설의 핵심이다. 좋은 사회적 관계, 좋은 개인 인식, 좋은 피드백, 유머로 구성된 근무 분위기는 팀의 정신적 건강, 조직적인 수행 그리고 믿음에 긍정적 영향을 미친다.

III 호스피스·완화의료팀

1. 호스피스·완화의료팀 구성의 역사와 국내 실정

말기 암 환자의 돌봄은 호스피스·완화의료 전문기관에서 이루어져야 한다. 호스피스·완화의료 전문기관은 일반적인 의학 연구기관, 종합병원, 요양원, 일반병동과는 매우 다른 특성을 가지고 있다. 호스피스·완화의료 병동들의 공통목적은 다학제 팀 접근을 통해 포괄적이고, 전문적인 완화의료 서비스를 제공하는 것이다. 호스피스·완화의료의 실무자들은 병동에 입원한 말기환자들의 치료와 돌봄을 책임진다. St. Christopher's Hospice는 1967년 런던에서 Dame Cicely Saunders에 의하여 창설되었으며 이는 근대 호스피스 운동의 효시로 불리고 있다. 호스피스·완화의료는 환자와 가족들의 총체적 고통(신체적, 정서적, 사회적, 영적 고통)이라는 개념을 통해서 임종말기 환자들의 고통을 줄여주기 위한 목적으로 설립되었다. 또한 임종이 가까운 환자들의 돌봄과 증상조절을 연구하고 교육하려는 목적도 가지고 있다. 팀 협동은 그중 가장 성스러운 호스피스 돌봄의 초석이었다. 1960년대부터 호스피스운동은 점점 성장해왔으며 외과의사인 Balfour Mount는 1975년에 몬트리올의 Royal Victoria 병원에서 완화의료병동을 만들었다. 최근 세계적으로 호스피스는 상당한 성장을 하였다. 반면 호스피스제도를 시행하지 않는 나라도 일부 있는데 그 이유는 종교에 의한 역사적인 관련성(십자군전쟁), 또는 제공되는 서비스의 내용이나 질이 다른 서비스와 비교하여 다르지 않기 때문이다.

국내의 경우, 1965년 호주의 선교사에 의해 강릉에 우리나라 최초로 설립된 '갈바리 호스피스'를 시작으로 다학제를 중심으로 한 호스피스 서비스를 제공하였다. 하지만 아직도 호스피스업무만 전담하는 의료기관과 의료진은 드물며 의료기관에서 설립한 호스피스 기관의 경우 그 기관에서 호스피스업무를 겸임하도록 지정곳이 많고 전담 인력의 수가 적은 것으로 보고되고 있다. 많은 전문기관이 호스피스·완화의료 업무를 할 수 있는 충분한 인력을 갖추지 못하고 있으며 호스피스·완화의료 전문 인력도 부족한 현실이다. 다학제 팀의 인력문제의 개선이 시급한 것으로 보인다.

2. 호스피스·완화의료팀의 특성

1) 팀 업무(Team work)

호스피스·완화의료 서비스는 항상 팀으로 일한다는 것이 가장 고유한 특징이다. 호스피스·완화의료팀은 팀의 특성상 다학제 팀이며 환자중심의 돌봄을 수행하는 팀이다. 팀은 크게 입원형(palliative care unit)또는 병원내 자문팀(palliative care team)의 구조를 가지며 병동 또는 의료기관에서 근무한다. 호스피스·완화의료팀은 어떤 조건에서도 팀을 통해 전문화된 완화의료 서비스를 제공하고 있다. 호스피스·완화의료팀의 실무자들은 대개 병동에서 핵심 멤버로 환자와 가족들의 요구를 종합하고 만족시킬 수 있는 서비스를 제공하는 것이 주 업무이다. 상황에 따라 전문가들의 역할은 조금씩 다르지만 실무자의 큰 장점은 가용한 모든 전문 자원을 이용할 수 있으며 매일 서로 회의를 통해 업무를 하는 것이다. 호스피스·완화의료팀의 가치에 대한 연구 결과 환자와 가족은 학제간 돌봄에 대하여 전반적으로 만족하였으나 구체적인 점을 설명할 수는 없었다. 또한, 연구결과들에서는 다양한 구성의 호스피스·완화의료팀의 팀원 개개인의 효과를 입증하는 어렵다. 하지만, 호스피스·완화의료팀이란 큰 조직은 환자의 신체증상 조절, 재원기간의 단축, 환자와 가족의 만족도 그리고 비용측면에서 긍정적인 영향을 미친다는 점은 분명하다.

2) 호스피스·완화의료팀의 명확성과 유연성

팀을 이루기 위하여 팀원이 역할이 분명하여야 한다. 이는 팀 내에 의견 교환과 협력 및 팀의 조직 운영에 매우 중요하다. 호스피스·완화의료팀은 팀의 이름이나 프로그램에 의하여 정의되며, 팀원들도 뚜렷이 구성되어야 한다. 반면 효율적인 팀기능을 위해서는 유연한 팀 운영이 필요한데 경우에 따라 다양한 멤버의 개입이 요구된다. 따라서 팀은 환자, 가족 및 상황에 따라 구성원의 형태를 바꾸어야 한다. 환자와 가족의 요구를 다루는 것은 소수 또는 모든 팀원을 필요로 할 수 있으며 팀원 외에 다른 사람이 필요할 수 있다.

3. 호스피스·완화의료팀의 분류

1) 호스피스·완화의료팀의 구성원

(1) 호스피스·완화의료팀의 핵심 멤버

호스피스·완화의료를 담당하고 있는 의사, 의학적 자문을 구하는 협진의(정신건강의학과, 마취통증의학과, 방사선종양학과, 영상의학과, 외과 등), 간호사, 사회복지사로 구성된다. International Association for Hospice & Palliative Care (IAHPC) 지침에서는 의사, 간호사, 사회복지사, 성직자, 치료사들을 핵심 전담 팀으로 하며 인적자원이 없는 경우에 의사와 간호사만으로 제한을 하고 다른 세부 전문적인 치료서비스는 병동에서 시행 가능하도록 하였다. 입원형 완화의료팀에는 자문형보다 더 많은 멤버가 있으며 간호사와 의사가 주로 핵심멤버로 환자들에 대한 주 의사결정을 내린다. 따라서 간호사와 의사는 대개 상근으로 일하며 다른 멤버들은 시간제 근무이거나 다른 부서에 속해 있다. 국내 호스피스는 대부분 입원형 호스피스·완화의료 서비스를 제공하고 있으며 핵심 멤버는 의사, 간호사, 사회복지사로 구성되어 있다.

(2) 광범위 팀(Extended team)

광범위 팀은 환자와 보호자의 요구를 충족할 수 있도록 고안되어 있다. 광범위 팀은 자원봉사자, 심리치료사, 성직자, 통증전문의, 물리치료사, 작업치료사, 요법치료사, 영양사도 포함된다. 약물전문가(약사)는 몇몇 나라에서 광범위 팀에 포함되며 점점 중요한 위치로 자리잡아 가고 있다. 광범위 팀의 개념에서는 환자의 가족들도 팀 멤버로 포함할 수 있다. 가족들은 환자 돌봄에 있어 중요한 역할을 하며, 그들의 의견은 환자의 치료와 돌봄 계획을 수립 할 때 반드시 포함되어야 한다.

2) 광범위 다학제 호스피스·완화의료팀

국내에는 아직 완화의료 전문의 제도가 생소한 개념이나, 외국의 경우 완화의료 전문의는 복잡한 의학적인 문제를 주로 다루며, 3차 병원의 완화의료기관의 운영과 학술적인 문제를 주 업무로 하며, 주로 가장 어려운 말기 환자들을 치료한다. 따라서 병동에서는 응급 상황이나 합병증이 수시로 발생하므로 더욱 광범위한 다학제 완화의료팀을 필요로 한다. 핵심인력들은 경험이 많은 간호사들도 포함하고, 정형외과, 감염내과, 마취통증의학과, 비뇨기과, 외과 등 많은 전문의들이 완화의료팀과 연계되어야 하고 빠른 시간 내에 협진이 이루어지는 시스템이다.

3) 요양원과 공동주거시설의 호스피스·완화의료

호스피스·완화의료를 받는 환자들이 주로 노인인 반면 요양원이나 시설에 있는 노인 환자를 대상으로 한 호스피스·완화의료서비스 제공은 아직 미흡하다. 이러한 시설에 입원한 환자들은 만성질환을 가지고 있다. 따라서 팀을 구성할 때는 노인 의학, 요양 병원 의료, 노인 간호의 전문가들이 포함되어야 한다. 아직 활성화되어 있지 않은 분야이나 노인 인구의 증가와 함께 중요한 서비스영역으로 확대되어야 할 것으로 보인다.

4부

4. 자문형 호스피스·완화의료팀

자문형 호스피스·완화의료는 암을 포함한 말기 환자들에게 완화의료 전문가의 도움을 통해 더 나은 돌봄을 제공한다. 자문형 호스피스·완화의료팀 역시 팀으로 구성되어 있으며 의사, 간호사, 사회복지사가 팀원으로 활동하고 있다. 자문형 호스피스·완화의료팀은 증상조절과 정신적/영적인 문제를 조언하고 완화의료에 종사하는 실무자들의 교육을 담당하거나 호스피스전문기관 그리고 가정형 호스피스와의 연계를 돕는다. 호스피스·완화의료 병동이 없는 병원의 경우 자문형 호스피스·완화의료팀의 역할은 통증과 같은 신체 증상 조절을 위한 자문과 전원병원 안내와 같은 적절한 타 의료 기관을 연계해 주는 역할을 한다. 호스피스·완화의료 전문 병동이 있는 경우 자문형 호스피스·완화의료팀은 증상조절에 대한 자문뿐만 아니라 말기 암 환자의 호스피스·완화의료 병동 연계도 가능하여 보다 포괄적인 서비스를 제공할 수 있다. 자문형 호스피스·완화의료팀은 다음의 네 가지 서비스 형태가 있는데 첫째, 환자와의 직접적인 접촉 없이 병동의 전문가들에게 상담/조언을 하는 경우. 둘째, 의뢰자와 함께 일회성의 방문을 하여 평가 및 조언하는 경우. 셋째, 환자와 가족의 특수한 상황에 대하여 단기간의 중재. 넷째, 정기적인 전문가의 평가나 중재가 필요한 다양하고 복잡한 문제에 대하여 지속적인 접촉을 통해 자문을 시행하는 경우이다.

이론적으로 완화의료 전문가의 자문은 병기에 상관없이 암 환자와 비암성환자 모두에게 제공될 수 있다. 하지만 국내에는 아직 호스피스·완화의료 전문의가 없으며 말기 암 환자 외의 의학적 문제에 대하여 호스피스·완화의료를 담당하는 의사에게 자문을 구하는 일은 드문 편이다. 따라서, 전문성이 있는 자문은 호스피스·완화의료팀이 다른 전문과와 조화를 이룰 수 있는 기회이다. 대부분의 말기환자는 집에서 시간을 보내고 싶어하지만 병의 점진적 악화로 인해 지속적인 입퇴원을 반복하게 된다. 자문형 호스피스·완화의료팀은 말기 암 환자와 가족의 요구와 우선순위를 평가하고 치료의 목표와 돌봄의 계획을 세우는데 있어 결정적인 역할을 제공한다. 자문형 호스피스·완화의료팀은 외부 또는 지역사회와의 연계 등 모든 연관된 서비스를 분석해야 하며 이를 통해 의료서비스의 형태의 전환을 용이하게 해 주어야 한다. 많은 경우 팀원들은 병원 외에서 지역사회와 연계하여 일하고 있으며 협력서비스를 서비스의 축으로 만들고 있다.

5. 입원형 호스피스·완화의료팀

입원형 호스피스·완화의료 서비스는 국내에서 가장 보편화된 호스피스·완화의료 서비스 형태로 2018년 3월 현재 총 80개 기관 1,326병상(2018.03.02 기준)의 호스피스·완화의료 전문기관을 운영하고 있다. 입원형 호스피스·완화의료 서비스는 입원이 필요한 다양한 상황에서 호스피스·완화의료팀 고유의 학제간 서비스를 제공하고 있다. 일반적으로 호스피스·완화의료 병동에서는 양질의 돌봄을 위해 환자 대비 인력의 비율이 중요하다. 근무 인원수는 병동의 상황에 영향을 받을 수 있는데 예를 들어 환자가 젊거나 어린이가 있는 가족은 종종 더 많은 정서적 지지가 요구되기도 한다. 병원의 입원환자 수와 병상 회전율에 따라서 요구되는 인력의 차이를 보이기도 하며 그 외 병원이 다인실 또는 1인실로 이루어져 있는지 간병인을 두고 있는지 가족이 직접 간병을 하고 있는지와 같은 문화적인 요소도 관련성이 있다.

나라마다 호스피스·완화의료에 종사하는 인원 중 실무자의 수는 다르다. **표 11-1**은 호주의 Palliative care Australia Planning Guide에 따른 최소한의 실무자 수를 나타내며 호스피스·완화의료 병동의 핵심멤버의 경우 간호사는 환자 한 명당 등록된 간호사 1.4명, 의사는 8~10병상당 1.2명, 사회복지사, 정신건강의학과 의사, 물리치료사 등이 추천되었다. 또한 물리치료사, 요법치료사와 자원봉사자들은 가능하면 환자 한 명당 주 6시간은 치료와 봉사를 제공하도록 권고하고 있다.

표 11-1. Palliative care Australia Planning Guide에 따른 다학제 완화의료팀을 구성하기 위한 최소한의 인원 정도

인원 분류	지역사회 서비스(인구 10만 명당)	급성치료병동 의뢰서비스(125병상당)	완화의료병동(6.7병상당)
완화의료 전문의	1.5	1.5	1.5
사무원	1.0	1.0	1.0
보건의	0	0	0.25
정신과의사	0.25	0.25	0.25
의료상담 간호사	1.0	0.75	0
간호사	0	0	6.5h per patient per day
퇴원연락책	0	0.25	0
심리사	0.25	0.1	0.1
사회사업가	0.5	0.25	0.25
사별담당자	0.25	0.1	0.1
성직자	0.25	0.25	0.25
언어병리	0.2	0.2	0.2
영양사	0.2	0.2	0.2
물리치료사	0.4	0.2	0.2
작업치료사	0.4	0.2	0.2
약사	0	0.25	0.1
그 밖의 치료사	0.5	0	0.25

(1) 국내호스피스·완화의료기관 지정 기준

국내호스피스·완화의료 서비스의 경우 암관리법 시행규칙 제13조제1항 [별표]에 따라 완화의료전문기관은 인력 기준, 시설 기준, 장비 기준을 갖춰야 하며 지정 세부 기준은 표 4-5 표 4-6 표 4-7와 같다.

6. 지역사회 호스피스·완화의료팀(Community team) 또는 가정형 호스피스

지역사회 호스피스·완화의료팀은 병원이나 지역사회를 기반으로 가정형 호스피스는 환자의 가정에서 제공되는 완화의료 서비스로 입원형 호스피스 서비스와 밀접하게 연계되어 돌봄의 연속성을 유지하는 것을 목적으로 하고 있다. 진료의 형태는 일차진료의 형태와 비슷하게 일반적인 의료서비스를 제공함과 동시에 완화전문간호사, 의사, 사회복지사 등 완화의료팀의 재가환자 방문을 통해 전문적인 호스피스·완화의료 서비스도 제

공할 수 있다. 가정형 호스피스의 경우 일반적인 가정간호서비스와는 다르게 다학제 팀을 구성하여 운영하는 것을 원칙으로 하며 팀원은 일정 자격을 갖춘 의사, 간호사, 사회복지사이다.

7. 호스피스·완화의료팀의 계획

팀원의 열정만큼이나 팀의 계획을 잘 세우는 것도 중요하다. 이전 팀으로부터 새로운 팀 또는 새로운 멤버를 형성할 때 중요한 점은 의사의 경우 전문가이면서 다양한 임상 경험이 있는 전문의가 있어야 한다는 점이다. 그리고 팀에서는 팀 내 역할에 적합하고 팀원들과 조화를 이룰 수 있는 것이 중요하다. 팀의 고유한 능력은 팀을 이루지 않고는 발휘하기 어려우며 서로 존중 및 지지하고 친하게 지내는 것이 팀원들의 기본 소양이다.

1) 팀의 평가

팀의 활동과 결과를 평가하는 것은 역시 다학제 팀의 목표이다. 서비스를 평가하는데 우선적으로 요구되는 건 기록과 통계를 모으는 일이다. 호스피스·완화의료팀은 정기적으로 다음의 세 영역에서 목표가 이루어져야 한다.

- 구조: 역할, 시스템, 다른 조직적인 요소
- 과정: 구조적인 요소가 사용되며 팀 협동이 이루어지는 과정
- 실적: 의료행위의 영향, 결과물

2) 팀원의 교육

팀원들 모두 배울 수 있고 발전할 수 있는 환경을 제공하여야 한다. 따라서 일선에서 일하는 모든 전문가들은 선생님이 되어야 하며 모범이 되어야 한다. 호스피스·완화의료팀은 호스피스·완화의료에 대한 지식, 기술, 자세와 팀 협동의 태도와 기술을 가져야 한다. 궁극적으로 위 두 가지는 상통한다.

(1) 공식 교육

전문성을 가지기 위해 팀원은 공식적인 교육프로그램에 참여해야 한다. 이는 전문가들이 서로를 교육하는 프로그램이 반드시 포함 되어야 하는 것을 뜻한다. 주제와 상황에 따라서 세미나, 집담회, 강의, 강연, 워크숍, 저널발표, 소그룹 토의 등의 다양한 프로그램을 이용할 수 있다. 다학제 완화의료 교육은 전문가 그룹이 함께 일하며 서로 지식을 나누기 쉬운 시스템이다. 각 분야에 대한 개별적 교육도 중요하지만 다학제 완화의료팀은 케이스 발표처럼 여러 멤버가 필요한 교육이 더욱 강조되어야 한다. 병원과 지역사회 교육을 시행할 때 그들의 업무와 연관된 교육을 하며 이를 위해 적합한 목적과 과제가 각 세션마다 주어져야 하며 케이스나 임상증례, 토론, 피드백 등의 시간을 가져야 한다. 효과적인 팀을 경험하는 것이 팀의 노하우를 배우는 가장 효율적인 방법이다.

(2) 비공식적인 교육과 지원

호스피스·완화의료팀은 경험하는 임상이 스스로 교육의 기회가 된다. 환자 평가를 위한 첫 방문은 의사소통 기술을 익힐 수 있는 상황을 제공할 뿐만 아니라 의사와 간호사가 평가와 치료에 있어 서로 토의할 수 있도록 해준다. 증례에 대하여 토의하고 회진을 같이 돌며 회의를 하는 것은 역시 같은 이치이다. 약을 바꾸거나 치료를 바꾸는 것은 담당 스텝들과 항상 논의하여야 하며 술기를 하는 것도 스텝들에 의하여 이루어져야 한다. 이는 병원 안팎에서 팀이 접촉하여 기본 완화의료 서비스를 제공하는 매우 중요한 일이다. 호스피스·완화의료를 시작하려 하는 동료들을 지원해주는 것은 팀의 중요한 역할 중 하나이다. 말기 암 환자와 그 가족들과 함께하는 것은 매우 많은 것을 요구한다. 호스피스·완화의료팀은 이러한 의사들이 스트레스 상황이나 환자와 가족들의 요구에 갈등이 있을 때 좋은 자원이 된다. 때로 갑작스런 의학적 또는 윤리적 어려운 상황이 닥쳤을 때 모든 병동 팀이 도와줘야 할 때가 있다. 이런 경우 사회사업가, 심리사, 성직자들의 지원이 필요하다.

IV 요약

호스피스·완화의료팀원들은 '말기 암 환자, 가족, 보호자를 위해 협력하는 팀 목표를 가지는 하나 된 공동체'로 표현되며 이들은 계획수립, 문제해결, 의사결정, 팀과 연관된 업무를 평가하고 수행하는데 서로 의존하며 일한다. 호스피스·완화의료팀은 가이드라인에서는 의사, 간호사, 사회복지사, 성직자, 치료사들을 핵심 전담 팀으로 하며, 광범위팀은 심리치료사, 사회복지사, 성직자, 통증전문의, 물리치료사, 작업치료사, 영양사

도 포함된다. 호스피스·완화의료팀은 높은 수준의 협력과 의견 교환을 특징으로 하며 서로 연관된 모든 것들에 대하여 이야기한다. 호스피스·완화의료팀은 환자, 가족의 변화된 요구를 반영하는 돌봄 계획을 확인, 수정, 기록한다. 팀 구성원은 결정된 중재를 실시한다. 호스피스·완화의료팀 구성원은 전문성과 관련된 표준과 원칙에 의해 조화된 돌봄을 제공한다.

4부

📑 참고문헌

1. 호스피스·완화의료 의사 상급교육 교재, 국립암센터.
2. Oxford Textbool of Palliative Medicine, 4th edition.
3. Oxford Textbool of Palliative Medicine, 5th edition.
4. Textbook of Palliative Medicine and Supportive Care 2nd edition.

12장
호스피스·완화의료 서비스 제공 체계

| 이현우 |

I 호스피스·완화의료 돌봄의 모델

수십 년간 호스피스·완화의료는 많은 변화가 있었다. 말기 암 환자는 집에서보다 병원에서 임종을 맞이하기를 원하고 있으며 의료기술은 주로 생명 연장과 죽음을 피하는 것에 중점을 두어 왔다. 이 장에서는 호스피스·완화의료돌봄의 다른 유형에 대해 논의해 보고자 한다.

1. 환자와 가족의 요구
호스피스·완화의료돌봄은 완치를 위한 치료단계뿐만 아니라 치료의 모든 단계에서 이루어져야 한다. 질병의 진행 상태에 따라 환자와 가족을 도울 수 있는 돌봄의 목표를 설정해야 하고, 환자 돌봄에서 환자와 가족의 요구와 기대에 대한 이해도가 매우 중요하다.

말기 환자는 수많은 신체적, 정신적 증상을 가지며 다학제적 호스피스·완화의료서비스는 이런 신체 증상을 조절하고, 정신적, 영적 지지를 제공한다. 환자의 삶의 질 개선을 위해 증상 조절은 반드시 필요하다. 말기 증상들 중 피로, 통증, 우울, 불안은 환자들에게 가장 흔한 스트레스 요소이다. 또한, 환자와 가족은 의료진이 존엄과 존경을 가지고 치료해 주기를 원한다. 그들의 개인적인 걱정과 느낌을 표현하는 것을 들어 주는 의료진에게 고마워한다. 대부분의 환자는 두 가지 이상의 치료법이 있을 경우 의사결정에 참여하기 원하며, 적절한 시기에 의료진이 친절하게 검사 결과나 의학정보를 설명해 주기를 기대한다.

가족은 질병의 정보, 돌봄의 실행 방법, 스트레스, 우울 등 다양한 상황에 대해 알기를 원한다. 또한, 증상을 설명하고 보고하는 방법에 대한 교육, 영양공급, 환자 돌봄의 협력, 경제적인 문제 등에 도움이 필요하다.

이런 환자와 가족들의 복잡하고 다양한 요구들은 다학제 접근을 통해 환자와 가족, 의료진 사이에 의견 충돌과 소진을 피하고, 환자 돌봄을 개선할 수 있다. 효과적인 소통은 소진을 방지하고, 파트너십에 신뢰를 준다.

2. 다학제 돌봄

호스피스·완화의료돌봄은 말기질환의 비극적 상황에서 환자와 가족의 요구를 만족시키기 위해 의학외의 다른 영역의 지식과 방법들을 효과적으로 이용하였다. 환자의 신체적, 정신적 사회적, 영적 요구를 만족시키기 위해 환자의 전인적 평가와 중재를 시행하는 타 전문분야와 협업한다.

주로 호스피스·완화의료돌봄에 관련된 분야에는 작업치료, 재활치료, 음악치료, 언어치료, 영양, 약제, 임상 심리학, 사회사업, 종교 등이 있다. 일부 병원시스템(예; 급성 치료 병원)에서는 이러한 타 전문서비스를 쉽게 이용할 수 있다. 외래, 병동, 급성기 병원, 낮병원 등 다양한 형태의 호스피스·완화의료돌봄제공 기관은 이런 전문직종의 도움을 받아야 한다.

다학제 돌봄의 경우 모든 의료환경에서 제공하는 것이 쉽지 않으나 호스피스·완화의료돌봄의 경우 다학제 돌봄을 원칙으로 제공하고 있으며 환자와 가족의 요구사항을 충족하기 위해 여러 분야의 전문가들을 포함하는 것으로 구성해야 한다.

그림 12-1 은 호스피스·완화의료돌봄 서비스 체계를 정리하였다. 위 서비스 체계의 특이점은 가정형 호스피스를 중심으로 서로 다른 돌봄의 형태가 서로 연결되어 있는 것이다.

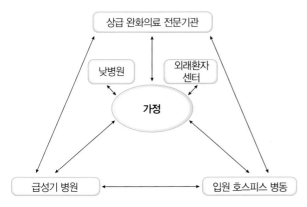

그림 12-1. 가정형 호스피스 중심의 호스피스·완화의료돌봄 체계

II 호스피스·완화의료돌봄의 모델

1. 가정형 호스피스

대부분의 말기환자가 병원 또는 요양원에서 사망하지만 설문 조사에 따르면 70% 이상의 사람들이 집에서 죽는 것을 선호한다. 가정형 호스피스 서비스는 환자에게 선호하는 임종장소인 가정에서의 삶의 질을 향상시킬 수 있는 기회를 제공한다. 가정형 호스피스는 본연의 장점과 한계가 있으나 환자와 가족에게 의미를 부여할 뿐만 아니라 새로운 시도이기도 하다.

대부분의 환자는 집에서 더 많은 사생활의 존중 및 자유로움을 가지며 집을 가장 편안하게 느낀다. 가족은 죽음이 삶의 정상적인 과정이라는 것을 배우면서 앞으로의 헤어짐을 예상하여 더 좋은 사별을 하며 죽음이라는 상황에 익숙해 질 수 있다. 집에서 돌보는 것은 불필요한 치료 비용을 절감 할 수 있다. 가정형 호스피스 의료진과의 접촉을 통해 불필요한 입원을 예방하고 응급실에 불필요하게 내원하는 것을 방지한다. 만약 환자가 가정형 호스피스를 원하지 않거나, 원거리에 거주하거나, 경제적 어려움이 있거나, 환자의 가족이 간병이 어려운 상황이거나, 집에서 해결되지 않는 증상이 있거나, 가정이 최소한의 편안함을 충족시키지 못하는 경우 집에서 돌보는 것이 어렵거나 불가능할 수 있다.

가정형 호스피스 서비스를 제공할 때 의료진은 가급적 신속히 환자를 방문하고, 환자를 위한 약품 및 가정용 장비를 제공하고, 증상을 평가하고 조절할 수 있어야 하며, 방문기록지를 작성하고, 입원이 필요할 경우 호스피스 병동를 이용할 수 있어야한다.

주요 돌봄자는 가정에서의 간병을 충분히 잘 수행할 수 있는 가족 구성원이다. 주요 돌봄자의 교육은 약물을 투여하는 방법, 증상, 식이, 물공급, 위생, 가족 업무 확인, 죽음을 인정하는 것에 대한 교육이 점진적으로 이루어져야 한다.

불필요한 입원을 방지하기 위해 주요 돌봄자는 기본적 증상 조절, 환자 상태파악, 의료진과의 지속적인 의사소통을 효과적으로 수행하여야 한다.

가정형 호스피스 돌봄은 의사 방문, 전문간호사 방문, 사회복지사의 방문 등을 포함한다. 환자의 상태에 따라 방문의 간격을 조정할 수 있다.

가정형 호스피스 서비스에서 자원봉사자의 협력은 다학제팀의 활동력을 증가시킨다. 자원봉사자들은 전화 또는 방문을 통해 환자를 평가하고, 주요돌봄자를 교육하고, 실제적인 도움(마사지, 미용서비스)을 제공하며, 환자와 가족을 위한 동반자 역할을 수행한다.

가정형 호스피스는 환자를 집에서 삶의 마지막 날까지 생활하게 할 수 있다. 이러한 서비스의 요구는 고령화 사회로 변화하는 현실을 고려할 때 점차 증가할 것으로 보인다.

가정형 호스피스 돌봄시 비전문적인 돌봄의 경우 환자의 효과적인 돌봄이 어렵기 때문에 초기에 가족의 돌봄의 어려움 확인, 역할 분담, 의료진과의 효과적인 의사소통이 요구되며 이를 통해 가족의 간병 부담을 줄일 수 있다.

2. 호스피스·완화의료 외래

말기 암 환자들이 겪는 신체적, 정신적, 영적 증상은 일반적인 의사/간호사 팀으로 적절하게 조절되기 어렵다. 그래서 환자와 그 가족이 만나고 모일 수 있고, 그들의 문제를 확인하고 돌봄계획을 세울 수 있는 다학제 완화진료가 필요하다. 국내에는 아직 활성화 되지 않았으나 미국의 경우 환자와 가족이 다학제팀의 진료를 통해 여러병원을 방문하는 수고를 줄일 수 있다.

호스피스·완화의료 외래의 특징은 다음과 같다.

1. 시간 내 접근: 기다리는 시간 없이 즉시 진료가 필요.
2. 진료 장소: 환자가 충분히 얘기하고 검사를 진행할 수 있는 공간 및 가족이 편안하게 있는 공간이 필요.

3. 적절한 팀원이 필요: 성공적인 외래 완화돌봄 프로그램은 각각의 다른 전문가의 빠른 접근이 필요하다. 초기 평가시 모든 전문가가 한꺼번에 접근하는 것이 이상적이다. 따라서, 모든 인력이 다 갖추어질 필요가 있다.

3. 입원형 호스피스

호스피스·완화의료의 목적은 환자와 가족의 감정적, 사회적, 육체적, 정신적 요구를 확인하고, 말기의 고통을 완화시키는 것이다. 입원형 호스피스는 호스피스·완화의료 서비스 중 가장 상위단계의 돌봄이다. 집에서 조절되지 않는 환자의 증상을 조절하기 위해 고안되었다. 입원형 호스피스·완화의료는 역시 다학제 팀을 이루어 근무하며 의사, 간호사, 사회복지사는 상근직이며 필수 직종이며 그외 요법치료사, 약사, 영양사, 성직자 등이 비상근직으로 근무한다.

한 연구에서 입원형 호스피스·완화의료 돌봄이 필요한 환자를 예측하는 5가지 요소를 분석하였는데 이는, 삶의 마지막 해의 통증, 변비, 유방암, 85세 미만의 나이, 사망 직전 1~6개월 사이에 일상생활에 도움이 필요한 사람의 유무이다. Hinton은 입원을 통해 호스피스·완화의료 돌봄을 원하는 사람들은 혼자 살거나, 친하지 않는 가족이 있거나, 유방암 환자라고 보고했다. 한 연구에서는 완화돌봄을 받는 사람들이 더 젊고, 진단부터 더 오래 산다고 보고했다.

미국에서는 2004년 1년 동안 입원형 호스피스의 경우 암 환자 46%가 이용하였고, 비암성질환이 64%가 이용하였다. 같은 기간 미국 입원형 호스피스의 평균 입원일은 4~5일이고, 평균 총이용기간은 22일이다. 영국은 13.5일이고, 캐나다는 44일이였다. 입원의 주요인은 식욕감소, 전신무력감, 의식저하이다.

4. 한국 호스피스·완화의료 기관의 특성

(1) 입원형 호스피스·완화의료

병원 내의 일부 병동에서 호스피스·완화의료 활동을 하는 것을 의미한다. 간혹 호스피스·완화의료 병동을 '죽음의 장소'로 보는 경우가 있어 바람직하지 못한 점도 있다. 그러나 기존 의료 자원 활용으로 응급 시 빠른 대처, 빈 병상, 의료 인력활용이 가능하여 말기 환자를 계속 관리할 수 있어 환자 상태파악이 용이하고 환자도 일반병동보다 더 많은 안정감을 갖게 된다.

(2) 자문형 호스피스·완화의료

병원 내 호스피스·완화의료팀이 구성되어 활동하는 유형이다. 환자들이 주로 내과 병동이나 암 병동에 입원하게 되나 병상이 남아 있을 경우, 빈 병상을 활용할 수 있다는 측면에서 편리한 점도 있다.

(3) 독립형 호스피스·완화의료

별도의 건물을 가지고 호스피스·완화의료만을 운영하는 것을 의미한다. 환자와 보호자의 요구 충족이 용이하고 병원 호스피스·완화의료에 비해 낮은 비용으로 환자를 돌볼 수 있고 병원의 부속 시설로서의 운영이 가능하다.

(4) 가정형 호스피스

많은 환자들이 가정에서 가족들과 함께 마지막 시기를 보내기를 소망하지만, 대부분의 환자들이 병원에서 최후를 맞이하게 된다. 가정형 호스피스는 환자가 편안해하는 가정에서 임종을 맞을 수 있도록 배려하고, 의료비를 절감할 수 있는 장점이 있다. 병원에 기반을 둔 가정형 호스피스는 병원 내에 사무실을 두고 모든 업무를 분담하고 지휘하게 되며 환자의 입원 후, 퇴원 시 추후 관리를 가정형 호스피스를 통해 할 수 있는 편리한 점이 있다. 또한 가정형 호스피스를 받다가 환자의 통증이나 증상 조절이 잘 안될 시 즉시 입원을 시킬 수 있는 장점이 있으며, 24시간 간병을 하여야 하는 가족에게도 도움과 안정감을 제공한다.

III 호스피스·완화의료 돌봄의 정의에 대한 오해

미국에서 호스피스라는 말은 네 가지 다른 개념으로 쓰인다. 호스피스는 독립적인 시설, 또는 전용 병동이 있는 병원이나 요양원과 같이 죽어 가는 사람을 돌보는 장소가 될 수도 있고, 또한 일반적으로 환자의 집이나 여러 곳에서 다양한 돌봄을 제공하는 조직을 의미하기도 한다.

그리고 호스피스는 필요하다면 중환자실까지도 포함한 모든 장소와 방법을 통합한 돌봄의 접근 방식을 정의하기도 한다. 이러한 측면에서는 완화의료와 같은 의미다. 마지막으로 호스피스는 미국 연방정부의 보건의료 재정국에 의해 공표된 규칙과 규정에 따라 대상이 되는 메디케어(medicare) 수혜자에게 주어지는 혜택을 의미하기도 한다. 하지만 불행이도 한 가지 용어를 네 가지 의미로 사용하면서 많은 혼동이 발생했고 많은 환자들은 호스피스를 죽기 위해 하는 것으로 생각한다. 대부분 의사는 호스피스라는 용어에 대해 예후가 6개월 미만으로 판정받은 환자가 이용하는 지역사회 프로그램 정도로 이해하는 등 이해 수준이 낮다. 호스피스 프로그램에 등록된 환자 대부분은 집에서 임종을 맞이하는데 이는 환자가 그렇게 하길 원하기 때문이다. 미국에서 일반인을 대상으로 실시한 조사에서 사람들은 자신에게 치명적인 질환이 있을 때 80% 이상이 집에서 임종하기를 원한다고 답했다고 한다. 환자가 최상의 돌봄을 받는 것은 의사가 이런 개념을 얼마만큼 이해하느냐에 달려 있다. 의사들은 지역 병원, 요양원, 또는 다른 의료 기관과 함께 일하는 것처럼, 가능한 최선의 돌봄을 제공하기 위해 지역의 호스피스 관계자와 함께 일할 필요가 있다.

IV 요약

현대 호스피스는 수십 년의 세월이 지났고 많은 종류의 임상돌봄을 시행하였다. 이중 가장 새로운 시도는 환자의 요구에 맞는 가장 적절한 시스템에 접근하기 위해 다양한 방법으로 환자를 돌보게 되었다는 점이다. 또 다른 중요한 시도는 환자의 요구에 가장 적절한 호스피스·완화의료돌봄을 통해 연속적인 돌봄을 제공한다는 점이다. 아직 국내 실정을 고려한 호스피스·완화의료 제도가 정착되지는 못했으나 향후 적절한 시스템이 갖추어 지길 고대한다.

📑 참고문헌

1.   호스피스 · 완화의료 개론
2.   Addington-Hall J, Altmann D, McCarthy M. Which terminally ill cancer patients receive hospice in-patient care? Soc Sci Med 1998;46:1011-6.
3.   Bruera E, Michaud M, Vigano A, Neumann CM, Watanabe S, HansonJ. Multidisciplinary symptom control clinic in a cancer center: A retrospective study. Support Care Cancer 2001;9(3):162-8.
4.   Bruera E, Neumann C, BrenneisC, Quan H. Frequency of symptom distress and poor prognostic indicators in palliative cancer patients admitted to a tertiary palliative care unit, hospices, and acute care hospitals. J Palliat Care 2000;16(3):16-21.
5.   Cantwell P, Turco S, Brenneis C, Hanson J, Neumann CM, Bruera E. Predictors of home death in palliative care cancer patients. J Palliat Care 2000;16(1):23-8.
6.   Doyle D, Hanks G, Cherny N, Caiman K, Oxford Textbook of PalliativeMedicine, 3rd ed. Oxford University Press, New York, NY, 2004 15, pp.1033-84.
7.   Farber SJ, Egnew TR, Herman-Bertsch JL, Taylor TR, Guldin GE. Issues in end-of-life care: Patient, caregiver, and clinician perceptions. J Palliat Med 2003;6(1):19-31.
8.   Fins JJ, Miller FG. A proposal to restructure hospital care for dying patients. N Engl J Med 1996;334:1740-2.
9.   Gatrell AC, Harman J, Francis BJ, Thomas C, Morris SM, MclllmurrayM. Place of death: Analysis of cancer deaths in part of North West England. J Public Health Med 2003;25:53-8.
10. Gray JD, Forster DP. Factors associated with the utilization of speciallist palliative care services: A population based study. J Public Health Med 1997;19:464-9.
11. Hinton J. Which patients with terminal cancer are admitted from home care? Palliat Med 1994;8:197-210.
12. Jenkins CA, Schulz M, Hanson J, Bruera E. Demographic, symptom,and medication profiles of cancer patients seen by a palliative care consult team in a tertiary referral hospital. J Pain Symptom Manage 2000;19(3):174-84.
13. Kuulasma A, Wahlberg KE, Kuusimaki ML Videoconferencing in family therapy: A review. J Telemed Telecare 2004;10(3):125-9.
14. Lattimer, EJ. Ethical decision-making in the care of the dying and its application to clinical practice. J Pain Symptom Manage 1991;6:329-36.
15. McMillan SC, Small BJ. Symptom distress and quality of life inpatients with cancer newly admitted to hospice home care. Oncol Nurs Forum 2002;29(10):1421-8.
16. Neuenschwander Hf Bruera E, Cavalli F. Matching the clinical function and symptom status with the expectations of patients with advanced cancer, their families, and health care workers. Support Care Cancer 1997;5(3):252-6.
17. Pesamaa L, Ebeling H, Kuusimaki ML, Winblad I, Isohanni M,Moilanen I. Videoconferencing in child and adolescent telepsychiatry: A systematic review of the literature. J Telemed Telecare 2004;10(4):187-92.
18. Solloway M, LaFrance S, Bakitas M, Gerken M. A chart review ofseven hundred eighty-two deaths in hospitals, nursing homes, and hospice/home care. J Palliat Med 2005;8(4):789-96.
19. Strasser F, Sweeney C, Willey J, Benisch-Tolley S, Palmer JL, Bruera E. Impact of a half-day multidisciplinary symptom control and palliative care outpatient clinic in a comprehensive cancer center on recommendations, symptom intensity, and patient satisfaction:A retrospective descriptive study. J Pain Symptom Manage 2004;27(6):481-91.
20. Textbook of palliative medicine. Eduardo bruera.
21. von Gunten CF, Martinez J. A program of hospice and palliative carein a private, nonprofit U.S. Teaching Hospital. J Palliat Med 1998;1(3):256-276.
22. Walsh D, Donnelly S, Rybicki L. The symptoms of advanced cancer: Relationship to age, gender, and performance status in 1,000 patients. Support Care Cancer 2000;8:175-9.
23. Wilkinson J. Ethical issues in palliative care. In: Doyle D, Hanks GWC,MacDonald C. (Ed.) Oxford Textbook of Palliative Medicine. New York:Oxford Medical Publications; 1993.

13장
호스피스·완화의료 기관 운영 및 관리

| 라정란, 오소연 |

I 기관 내 호스피스·완화의료의 도입

1. 기관 내 호스피스·완화의료의 도입

여러분이 어떤 의과대학병원의 교수이거나 종합병원의 과장이라고 가정해보자. 기관의 책임자가 당신에게 "우리 기관에서 호스피스·완화의료를 시작할 계획이니, 추진해 보세요" 또는 "우리 병원에 호스피스·완화의료 병동을 만들 계획이니, 선생님이 계획을 세워보세요"라고 한다면 어떻게 할 것인가? 누구와 함께 일하고, 무엇을 먼저 할 것인가? 이번 챕터의 목표는 위와 같은 상황에서 기본 골격을 세우고, 가능하면 짧은 시간 내에 호스피스·완화의료를 도입할 수 있도록 실질적인 도움을 주는 것이다. 뒷부분에서는 성공적으로 호스피스·완화의료를 도입한 기관의 실례를 살펴보고 앞으로 지속적으로 호스피스·완화의료의 도입이 확산되는데 도움이 되기를 바란다.

2. 기본적인 요소들

우리는 대부분 큰 조직의 구성원으로서 많은 시간을 보내지만, 조직이 어떻게 구성되고 역할을 하는지에 대해서는 그다지 많은 생각을 하지 않는다. 호스피스·완화의료를 도입하기 위해서는 조직의 변화가 필요한데, 그것이 의미하는 것에 대해 생각해 볼 필요가 있다.

조직의 변화와 미래상은 조직의 기계적인 체계, 조직 내에서 혁신의 확산, 조직의 변화를 위한 리더십의 세 가지 영역에 의해 결정될 수 있다.

각 요소별로 살펴보고, 마지막에 이러한 요소들을 모두 종합하여 실제 호스피스·완화의료의 도입에 어떻게 적용되었는지 실제 사례를 통해 살펴보도록 한다.

1) 기계적인 체계로서의 조직

오늘날 대부분의 직업 세계에서는 동시에 두 가지의 일을 해내야 한다. 조직을 이용하여 현재에 당면한 문제를 해결함과 동시에 미래의 일을 해낼 수 있도록 조직을 변화시키는 일이다. 조직은 밀접하게 연결된 부품들이 결합된 기계적인 체계와 비슷한 특성을 가지고, 각 부품들은 서로 영향을 미치며 작동하고 변화하며 변화시킨다. 한 전문가는 의료기관이라는 조직의 기능을 고객 또는 환자를 만족시키기 위한 끊임없는 연극과 같다고 보았다. 어떤 극단이 작품을 "로미오와 줄리엣"에서 "마이 페어 레이디"로 바꿔서 상연을 하는 경우에 비유해 보면, 변화에 대한 조직의 대응이 조금 더 쉽게 이해될 것이다. 조직의 변화는 공연 개시 전에 새 대본을 보고 외우는 것에서부터 최종 드레스 리허설까지 거치는 과정과 유사한 것이다. 연극에 비유한다면 조직의 네 가지 기본적인 구성 요건은 다음과 같다 **그림 13-1**.

(1) 비전(vision)-연극의 줄거리와 대본
(2) 업무 절차(work process)-연극의 역할
(3) 시설/장비/기구(plant/equipment/tools)-의상과 무대장치
(4) 업무수행에 대한 합의(performance agreements)-배우와의 계약

비전, 업무절차, 시설/장비/기구의 비유는 쉽게 이해되지만, '업무수행에 대한 합의'는 좀 더 깊이 생각해 볼 필요가 있다. 의료기관의 직원이 배우처럼 상황에 따라 어떠한 새로운 역할을 부여받고 수행해야 하면, 대부분의 경우 이 부분이 가장 변화하기 어려운 부분이다. 오해하지 말아야 할 가장 중요한 점은 어떠한 조직의 변화가 필요할 때 직원(배우)의 역할(배역)을 바꾸는 것이지 그 직원 자체를 교체하는 것은 아니다. 그리고 업무수행을 위해서는 수행할 직원(배우)과의 합의도 중요하지만 해당 직원(배우)은 그 역할을 수행할 자격이나 능력을 갖추어야만 한다.

어떠한 기관이 변화하기 위해서는 위 네 가지 요소가 모두 변화해야 하며 어느 한 요소가 변화하지 않으면 실질적인 변화는 제대로 일어나지 않는다.

이러한 기계적인 구성요소의 변화를 위해서는 정확한 기획과 엄정한 관리가 필요하며 다음과 같은 다섯

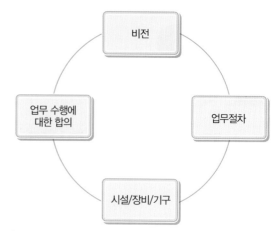

그림 13-1. 조직의 기계적인 구성요소

가지 정도의 필수요소가 필요하다. 덧붙여, 조직의 변화를 위해서 가장 핵심적인 필요 요건은 전혀 재미없고, 세세한 부분까지 꼼꼼하게 집중해야 하는 실로 따분하고 힘든 작업이 필요하다는 것이다.

변화를 위한 필수요소는 첫째, 비전의 변화에 대해 구체화하고 소통하는 것이다. 호스피스·완화의료를 도입하기로 결정한 조직은 호스피스·완화의료가 그 기관의 주요 서비스가 되었을 때를 미리 그려 보아야 한다. 즉 생애말기 돌봄의 형태가 중환자실이나 각 병동 처치실이 아닌 호스피스 병동이 되고, 환자나 가족이 그에 따라 편안한 돌봄을 받게 될지, 병원 경영수지면에서는 어떨지 미리 그려보는 것이다. 이러한 비전에 대해 조직의 모든 구성원과 이에 대해 의사소통을 여러 차례에 걸쳐, 여러 가지 매체를 통해 해야 한다. 단연코 가장 중요한 소통의 형태는 조직의 대표(CEO)가 조직의 지속적인 성공을 위해 왜 호스피스·완화의료가 중요하고 필요한지 설명하는 것이다.

둘째, 현재 조직이 가지고 있는 업무 절차, 시설이나 장비, 업무수행 합의에 대해 보유 목록을 작성하고, 셋째 각각의 항목-업무 절차(예; 호스피스·완화의료 병동 건강보험 수가 청구), 시설이나 장비(예; 호스피스·완화의료 전용병상), 업무수행 합의(예; 호스피스·완화의료 병동 업무 분담)-이 호스피스·완화의료 조직의

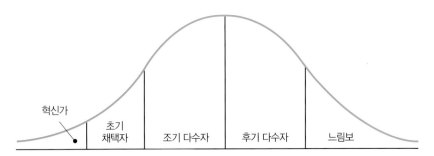

그림 13-2. 혁신을 받아들이는 방식에 따른 범주

미래 비전과 일치하는지 확인해야 하며, 넷째, 필수요소들은 다시 해체하여 재배치해야 할 수 있으며 완화의료 도입 후의 미래 조직과 맞지 않는 부분은 제외한다.

다섯 번째 필수 요소는, 변화의 실행을 위한 프로젝트 운영이다. 조직의 구성원이 모두 호스피스·완화의료 도입의 비전에 대해 명확히 이해했다고 하더라도, 구체적인 실행을 위해 월간 또는 주간, 일 단위의 활동 계획이 필요하다.

2) 조직 내에서 혁신의 확산

'혁신', '혁신의 확산'은 최근 사회과학 분야에서 시작되어, 수십 년간 사용되고 있는 개념으로, 새로운 아이디어나 일처리 방식이 어떤 조직이나 사회의 구성원에 받아들여져서 적용되기까지 사람과 사람들을 거치면서 상당히 오랜 시간에 서서히 진행된다는 것이다. 혁신과 그 확산에 대응하는 사람들의 유형을 몇 가지로 나눌 수 있다 **그림 13-2**.

- Innovators (혁신가)
- Early adopters (초기 채택자)
- Early majority (조기 다수자)
- Late majority (후기 다수자)
- Laggards (느림보)

변화를 주도하는 사람의 입장에서, 각각 다른 범주에 속하는 사람들과 일할 때 각각 다른 강도의 노력을 필요로 하며, 결과도 다를 수 있다.

- **첫 번째 1/3 (Innovators, early adoptors)**
  이들과 함께라면 간단하고 단순하게 일할 수 있으며 대개 긍정적인 결과가 나온다. 호스피스·완화의료 도입에 대해 논리적인 제안만으로도 받아들여질 가능성이 높으며 실제로 실행될 가능성도 높다.

- **두 번째 1/3 (Early majority)**
  첫 번째 그룹 보다는 쉽지 않고 불만스러울 수 있다. 이들은 새로운 계획에 대해 듣고, 노력하고 적극적으로 평가하기 보다는 지켜보다가 첫 번째 그룹의 성공(혹은 실패)을 보고 움직일 가능성이 높다.

- **세 번째 1/3 (Late majority, laggards)**
  이들과 일하게 되면 자주 시비를 걸고, 적대적이고, 완전히 불쾌한 경험을 하게 될 수 도 있다.

혁신의 확산을 연구하는 전문가들의 권고에 따르면, 전략적으로 첫 번째 1/3과 함께 일할 것, 이들로부터 완화의료 도입에 필요한 가능한 한 많은 성공적인 성취들을 이끌어 낼 것, 그리고 그다음은 자연스럽게 이들이 일을 추진하고 나머지 그룹에 영향을 미쳐서 확산되도록 하라는 것이다.

3) 조직의 변화를 위한 리더십의 역할

리더십 없이는 조직이 변화할 수 없음은 말할 나위도 없이 자명하다. 성공적인 호스피스·완화의료의 도입을 위해서는 최고경영자의 결단력 있는 리더십이 가장 중요하다. 리더십을 발휘해야 할 사람은, 대략 3단계정도로 볼 수 있는데 최고책임자, 중간 관리자, 의료인이다.

최고책임자는 호스피스·완화의료를 도입하고 바라는 기관의 미래상을 비전으로 표현하여 구성원들과 공유하여야 한다. 또 시간과 돈뿐만 아니라 해당 담당자가 호스피스·완화의료 도입에 전념할 수 있는 여건을 만들어 주어야 한다. 중간 관리자는 부서장에 해당되며 호스피스·완화의료 도입의 실무 책임자도 여기에 해당한다. 월간계획, 주간계획, 일일계획 등의 세부적인 추진계획에 대해 이끌고 점검할 책임이 있다. 호스피스·완화의료가 기관에 잘 정착하도록 직접적이고 개인적인 책임을 지는 사람도 중간 관리자이다. 의료인은 기존의 업무 형태에서 변화를 주로 이루어 내야 하는 사람들이다. 하지만 관련된 의료인의 임무는 호스피스·완화의료의 비전 안에서 그들 자신만의 영역에서의 역할과 기술의 변화에 집중해야 한다.

4) 호스피스·완화의료 도입의 성공 사례

성공적인 사례로 미국의 MD Anderson Cancer Center를 살펴보자. 최고 경영자가 호스피스·완화의료 부서 도입을 결정하고 호스피스·완화의료 책임자를 고용하였다. 새로 부임한 부서장은 견고한 저항에 부딪혔고 기관 내의 여러 가지 업무 흐름은 거의 극복이 불가능해 보이는 장애물로 작동하는 것으로 보였다. 첫 18개월 동안 호스피스·완화의료는 굉장히 느리게 받아들여졌고 세 번째 1/3 (laggards)에 해당하는 사람들은 격렬히 저항하였다. 호스피스·완화의료 부서장은 '낙하산을 메고 적진에 뛰어내린 것처럼 느껴졌다'고 할 만큼 불편하고 힘들었다. 이후 기관에서는 컨설턴트를 고용하여 호스피스·완화의료팀과 함께 일하도록 했고, 다음과 같은 단계로 진행하였다.

- (이 챕터의 앞쪽에서 기술된 것과 같은) 조직의 변화에 대해 컨설턴트가 호스피스·완화의료팀에 소개하고 교육하였다.
- 호스피스·완화의료팀은 '세 번째 1/3을 무시한다'

는 결정을 하고, '첫 번째 1/3을 찾아내서 같이 일하기로' 결정했다(상대적으로 호스피스·완화의료에 대해 긍정적이고 호스피스·완화의료를 말기 진료의 좋은 선택 중 하나로 받아들이는 사람들과만 같이 일한다).
- 자원하는 고위급 의사/교수로 호스피스·완화의료 운영위원회를 구성하였다(당연히 모두 첫 번째 1/3에 해당한다).
- 워크숍, 미팅을 열어 운영위원회 위원들이 최고경영자로부터 호스피스·완화의료를 도입하기로 결정한 이유, 호스피스·완화의료 부서장을 선택한 이유, 호스피스·완화의료에 대한 개인적인 비전 등에 대해 직접 듣도록 한다.
- 이 핵심적인 운영위원회 위원들이 비전과 미션을 정리하는데 중요한 조언을 해 줄 뿐만 아니라, 실행 전략에 필요한 핵심적이고 중요한 피드백을 제공하고, 이러한 만남 후에 그들 스스로도 이러한 가치들을 공유하게 될 가능성이 높다.
- 호스피스·완화의료팀과 운영위원회의 구성원들이 직접 기관의 관리직을 맡아 호스피스·완화의료 업무가 제대로 이루어지고 재정지원도 잘 받도록 한다.
- 원내뿐만 아니라 원외 교육 프로그램을 늘리고 원내와 원외의 자문 의뢰도 적극적으로 받는다.
- 여기까지 '첫 번째 1/3'에 해당하는 사람들이 긍정적으로 또는 적극적으로 호스피스·완화의료를 받아들이게 되었고, '두 번째 1/3'도 참가하기 시작한다. 오래지 않아 그들은 '세 번째 1/3'에 해당하는 사람들을 책망한다.
- 여기까지 진행된 후 호스피스·완화의료 프로그램에 의뢰가 급증하여 임상적으로도 재정적으로도 의미 있는 급성장이 이루어졌다. 호스피스·완화의료 의뢰는 점점 더 증가하고 일상적인 진료 형태의 하나로 자리 잡는다. 입원환자의 사망 수와 사망 시 비용은 지속적으로 감소한다.

요약하면, 호스피스·완화의료를 성공적이고 효과적으로 도입하기 위해서는 호스피스·완화의료 부서장과 기관의 간부그룹과 지속적인 파트너십을 형성하고 유지하는 것이다. 엄청난 양의 '피와 땀과 눈물'이 또 하나의 성공 스토리를 만들어낼지도 모른다.

2. 호스피스·완화의료 인적자원관리

호스피스·완화의료 프로그램의 발달 및 성공을 위해서는 예산 관리와 인력의 선택 및 교육이 중요하며 관리 책임의 할당을 확실하게 해야 한다. 이에 인적자원관리의 표준, 교육 원칙 및 표준 그리고 인력관리의 실제를 소개하고자 한다.

1) 인적자원(Human resources) 관리의 표준

인적자원의 관리를 위해서는 조직도표 상 권위를 명확히 하고 감독 체계가 명확하게 정해져야 하고 역할 분담이 이루어져야 한다. 또한 호스피스·완화의료 조직의 리더는 직원 및 자원봉사자의 수와 돌봄의 질을 유지해야 한다. 2000년 National Hospice & Palliative Care Organization (NHPCO)에서 발표한 호스피스·완화의료의 인적자원 관리 표준은 다음과 같다.

- 호스피스환자와 가족의 독특한 간호 요구를 충족시키기 위해 높은 다학제적 건강전문가와 자원봉사자의 적절한 숫자를 확인하고 유지한다.
- 호스피스·완화의료는 능력과 자격을 규정하고 개인면접을 통해 최상의 능력을 갖춘 직원을 채용하기 위해 계속적이고 공정한 과정을 유지한다.
- 호스피스·완화의료는 고용을 위한 다음의 인사정책을 미리 설정하여 실행한다: 채용, 채용 과정, 연금, 불평 처리 과정, 고용인의 책임, 스텝간의 갈등시 해결 절차, 업적 및 기대의 평가 원칙, 학제간의 활동, 직원 보유를 위한 노력, 직원 사직 또는 해고의 원칙과 절차
- 모든 직원은 오리엔테이션, 훈련, 발전 기회, 그리고 그들의 책임을 수행하기에 적절한 교육을 받는다.
- 호스피스·완화의료는 환자에게 돌봄을 제공하는 모든 직원과 자원봉사자를 위한 좋은 프로그램을 개발 하고 실시한다.
- 호스피스·완화의료는 면허가 없는 직원은 환자에게 직접적인 간호를 제공하기에 앞서 그들의 영역에서 유능한지를 검증한다.
- 호스피스·완화의료는 호스피스 안에서 보충할 수 있는 특별히 훈련된 자원봉사자를 이용하고 소중히 한다.
- 호스피스·완화의료는 기관에서 제공하는 다양성을 반영할 수 있는 직원과 자원봉사자를 채용한다.
- 자원봉사자와 직원은 훈련된 직원에 의한 적절한 감독 및 전문적 상담을 항상 활용할 수 있다.

2) 교육의 원칙과 표준

교육은 직원에 대한 인력관리 중 인력개발에 해당되며 이에 해당되는 교육으로는 오리엔테이션 교육, 직무 교육, 보수 교육, 직무 평가가 포함되며 이와 관련된 규정을 마련하는 것이다. 호스피스·완화의료에서 교육 원칙은 환자, 가족, 직원과 대중에 대한 지속적인 교육을 통하여 양질의 서비스를 제공하는 것으로 표준 규정은 다음과 같다.

- 서비스를 제공하는 호스피스·완화의료 전문 팀과 자원봉사자에 대한 교육 지침을 갖춘다.
- 서비스를 제공하는 호스피스·완화의료 전문 팀과 자원봉사자를 훈련시키고 능력을 향상시키기 위한 교육을 지속적으로 실시한다.
- 환자와 가족 및 환자를 돌보는 사람에게 호스피스·완화의료의 방향을 제시하고 교육 프로그램을 제공하는 프로세스를 갖춘다.
- 대중에게 호스피스·완화의료의 방향을 제시하고 교육하기 위한 프로그램을 갖춘다.

- 교육 지침은 표준 원칙에 의거하여 교육 계획과 교육 내용, 참가자 일정 등을 포함하여야 한다.
- 교육 과정은 신규 교육, 연수/재교육, 환자/가족 교육, 일반인 교육으로 구분하여 기본 교육과 재교육 등을 제공한다.
- 교육정보는 직원, 자원봉사자, 환자와 가족 및 일반 대중의 교육 활동을 지원하기에 적절한 정보 자원을 제공하여야 한다.

3) 인력관리의 실제

모든 팀원들의 업무 기술서에는 각 위치에 필요한 자격 기준, 의무, 책임 등이 기술되어야 하며 구체적인 인력관리는 다음과 같다.

- 근무시간: 호스피스·완화의료 업무의 특성이 스트레스가 높고, 직접간호제공자로서 근무시간이 일정하지 않을 수 있으므로 유동적인 관리가 필요하다.
- 직원 채용 및 선발: 스텝과 봉사자의 선발 기준, 자격 기준 및 특성이 명확하게 기술되어야 한다.
- 업무성과의 평가: 정규적인 인사 평가의 도구, 과정, 시기 등이 정해져야 한다.
- 직원과 봉사자의 교육 및 지지: 관리자는 적어도 오리엔테이션, 보수 교육, 직무 교육, 특별한 지지 프로그램 및 외부 교육을 계획하여야 한다.
- 오리엔테이션은 프로그램의 소개, 정책 및 과정, 호스피스·완화의료 개념의 소개를 포함한다.
- 새로운 분야에 대한 지속적인 보수 교육이 필요하며, 학습 자료로는 문헌, 잡지, 복사물, PC등 이 구비되어 연구 및 발표에 참여하도록 한다.
- 특별한 지지 프로그램은 모든 직접 간호 제공자, 봉사자, 관리직원들에게 제공하며, 특별 휴가, 스트레스관리, 팀 구축의 기회, 위기 시의 돌봄이 포함되어야 한다.
- 외부 교육은 정기적으로 필요한 과정, 특별 훈련 과정, 대학이나 호스피스단체에서 개최하는 호스피스와 관련된 학회 및 세미나로, 참석하도록 장려한다.

3. 좋은 호스피스·완화의료를 위한 질 관리

좋은 호스피스·완화의료 제공을 위해서 질 향상(quality improvement) 활동은 필수적이다. 질 향상 활동은 모든 대상자들을 위해 긍정적인 결과를 보장하기 위해 조직 내에서 수행하는 개선의 노력일 수도 있고, 어느 수준 이상의 질을 보장하기 위해 표준을 따르는 것이 될 수도 있다. 개선 활동에 대한 기법들은 일반적으로 다양하게 소개되었기에 여기서는 호스피스·완화의료 서비스 질 관리를 위한 몇 가지 원칙 및 표준(2000년 NHPCO)과 질 평가 요소를 소개하고자 한다.

1) 질 관리를 위한 원칙과 표준

(1) 리더십과 관리

호스피스·완화의료는 문제나 과정에 실질적으로 관여하면서 행동 지침에 대한 의사결정을 하고 이를 시행하는 조직적 관리를 받아야 한다.

- 호스피스·완화의료 조직에 대한 완전하고 최종적인 책임을 가진 운영위원회를 설치한다.
- 조직의 지도자는 모든 재정 담당자의 적극적인 참여와 투입을 포함하여 호스피스·완화의료의 사명, 목적, 전망, 정책을 살피고 실행하기 위한 과정을 진행시킨다.
- 운영위원회는 호스피스·완화의료 경영자를 선택하고 평가하는 과정과 지지를 제공하는 과정을 감독한다.
- 운영위원회 지도자는 효과적이고 전략적인 계획 자원이 안전하게 관리되도록 운영하고 호스피스·완화의료의 재정적 책임을 제시한다.
- 운영위원회 지도자들은 합법적으로 규정된 요구와 표준 및 행위에 철저하게 따르도록 하며, 그들의 행위를 사정하고 지속적으로 평가한다.

- 호스피스·완화의료 경영자는 호스피스·완화의료 프로그램의 매일 매일의 실질적 운영에 대해 완전한 책임을 진다.
- 경영정책은 운영위원회, 경영자, 다학제 팀의 책임과 역할로 정의된다.
- 운영위원회 지도자는 잘 조직된 행위를 증진, 향상시키는 과정이 호스피스·완화의료를 통해 수행되는지 확실히 확인하고 대상자에 맞는 서비스와 돌봄이 적절히 이루어지도록 확실히 한다.
- 운영위원회 지도자는 모든 지도자들이 계속적인 교육을 받을 수 있도록 한다.

(2) 관리와 정보

호스피스·완화의료를 효과적인 방법으로 운영하기 위해 필요한 정보를 수집하고 확인한다.

- 호스피스·완화의료 활동을 지지하기 위한 정보를 수집하고 관리하도록 절차를 설계한다.
- 수집된 정보는 적당한 시기에 맞게 개인에게 전달한다.
- 환자와 가족을 위한 모든 돌봄 체계에서 포괄적이고 정확한 서비스 자료를 적절한 시기에 확보한다.
- 정보는 분실, 절도, 파괴에 대비해서 보호한다.
- 정보 비밀이 유지되도록 노력한다.
- 팀원들은 정확하고 적절한 정보를 받아들이도록 한다.

(3) 수행성과 향상과 결과측정

호스피스·완화의료는 체계적이고 계획적으로 수행성과를 개선해 나가기위해 운영위원회와 지도자가 개선 활동에 필요한 접근성을 검증하고 지지한다.

- 호스피스·완화의료는 서비스 수행을 개선하기 위해 확인된 방법을 선택하고 활용한다.
- 개선 행위의 계획, 수행, 평가는 포괄적이고 협력적으로 한다.

- 프로그램 설계와 재설계는 호스피스·완화의료의 사명, 가치, 전략적 계획에 따라 한다.
- 환자 돌봄과 기능과 관련된 행위와 결과를 수집한다.
- 기준 자료의 개선과 수집에 참여한다.
- 수행 개선 활동의 결과나 과정에서 실제적인 개선 사항을 제시하고 기록한다.

(4) 안전과 감염관리

호스피스·완화의료는 모든 직원, 환자와 가족을 위한 안전한 환경으로 개선하고 유지, 증진하기 위한 다음의 활동을 해야 한다.

- 환경적 안정과 안전을 위한 계획을 개발, 수행, 평가한다.
- 위험한 물질과 쓰레기 관리를 위한 계획을 개발, 수행, 평가한다.
- 화재예방과 안전을 개발, 수행, 평가한다.
- 운영체계의 유용성과 관리를 위한 계획을 개발, 수행, 평가한다.
- 응급상황에 대한 계획을 개발, 수행, 평가한다.
- 의약품과 식료품을 적절히 저장하고 준비한다.
- 모든 사고의 내용을 기록하고 모니터하고 추후 조사를 위한 계획을 개발, 수행, 평가한다.
- 직원, 환자, 기족구성원의 운송, 배치, 유지 훈련을 실시하여 의학적 장치를 안전하고 효과적으로 사용하도록 한다.
- 직원, 환자, 가족들의 감염 위험을 확인하고, 감염률을 감소시키고 설계한 감염 상황을 모니터 하기 위해 설계한 감염 관리 프로그램을 개발하고 수행한다.
- 호스피스·완화의료의 감염 관리 프로그램은 전문적인 관련 법률과 규정, 운영위원회에 의해 설정된 지침을 따라 확인을 받는다.
- 감염관리 프로그램을 모니터 하고, 관찰, 평가, 개

선한다.

2) 의료의 질 평가 구조

의료의 질 평가 구조는 구조, 과정, 결과의 세 가지 측면으로 나누어 접근할 수 있으므로 이에 세 가지 측면에서 평가 요소를 간단히 살펴본다.

(1) 구조적 평가

구조적 요소는 의료 제공자의 자원, 작업의 여건이나 환경 즉 돌봄 서비스를 제공하는데 필요한 인적, 물적, 재정적 자원을 포함하고 있다. 즉 구조적 평가는 물리적 설비, 직원 배치 유형, 직원의 자질, 감독 방법, 기관의 철학과 목표, 정책, 서비스 지침 등을 통하여 이루어진다.

(2) 과정적 평가

과정적 평가는 의료제공자와 환자 간 혹은 이들 내부에서 일어나는 행위에 관한 것을 평가하는 것으로 의료 질 평가에 있어서 주된 관심사이다. 기술적 측면에서 환자에 대한 태도까지 포함하며 활동을 평가함으로써 이루어진다.

(3) 결과적 평가

결과적 평가는 선행된 행위에 의한 현재 혹은 미래의 건강 상태를 평가하는 것으로 건강을 구성하는 전반적인 요소로 신체적인 것 외에 사회적, 심리적인 요소와 환자의 만족도 등을 평가하는 것이다. 과거에는 주로 사망률, 합병증 사례 등을 평가 했으나 최근에는 질병에 대한 유무, 치료 계획의 순응 여부, 건강 유지 능력 정도까지 다양한 측면으로 확대되고 있으며 환자 기록, 환자가족들의 만족도를 통하여 이루어진다.

4. 다학제적 팀 활동 시 발생가능한 문제점과 대처방안

여러 직종의 전문가들이 모여서 활동을 하다보면 문제점들은 수없이 다양한 형태로 나타날 수 있다. 흔한 문제들에 대해 가능한 대처 방법과 신경 써야 할 문제들에 대해 소개한다.

1) 다른 팀원의 전문분야에 대한 무지

의사, 간호사, 사회복지사, 성직자는 각각 구분된 교육과 훈련을 받기 때문에 상대방이 교육 받은 영역에 대해 잘 알지 못한다. 이러한 이유로, 문제해결에 모든 팀원을 참여시키는 것에 거부감을 가지고 자신의 분야라고 생각하는 부분을 혼자 해결하려고 하거나 영역 다툼에 대비하여 지식을 다른 팀원과 공유하지 않으려고 하는 문제가 생길 수 있다. 해결을 위해서는 팀 리더가 서로의 지식과 영역을 존중하는 분위기를 조성하여야 하고 미팅 시 각각의 전문용어 사용을 피해야 한다. 주기적으로 또는 새로운 멤버가 참여하게 될 때, 각각의 팀원의 역할을 정하여 공표하는 것이 좋다. 또 일정 시간을 내어 다른 직역의 멤버가 일하는 동안 관찰하게 하는 방법도 있다.

2) 겹치거나 불분명한 업무 영역

직역 별 업무의 경계가 불분명한 영역에서 경쟁을 하게 되면, 결국 서비스의 질을 떨어뜨린다. 이런 문제가 발생하지 않도록 하기 위해서, 팀은 특정 상황에는 특정 멤버가 책임을 맡게 되도록 미리 매뉴얼로 정해 놓는 것이 좋다. 초기 환자 평가 도구에도 어떤 경우에 어느 멤버가 역할을 할지 정해놓는 것이다. 예를 들면, 초기 평가 시 통증이 NRS 4이상이면 의사에게, 영적 갈등이 있는 경우 성직자에게, 진료비 문제로 고통 받는다면 바로 사회복지사에게 연락하도록 정하는 것이다. 또 하나의 가능한 해결 방법은 팀 미팅 시 팀원 별로 강점을 고려하여 각각의 임무를 분담해서 맡아서 하나의 계획을 짜는 것이다.

3) 팀 내 권력 불균형

팀 내에서 좀 더 큰 영향력을 행사하는 사람의 관점에 따라 돌봄 계획의 방향이 영향을 받을 수 있다. 특정 직종(특히 의사)의 힘이 크게 작용하는 경우가 많기 때문에 간호사와 사회복지사의 업무는(독립적인 영역이 있음에도 불구하고) 의료적인 계획에 밀리는 경우가 많고 두 직종 간에도 서로 영역 다툼을 벌이게 되는 경우가 자주 생긴다. 이러한 문제의 해결을 위해서 리더와 팀원이 함께 서로 준수해야 할 규칙 목록을 만들고, 이를 함께 수정해 나가면서 합의안을 만들어 놓는 것도 좋은 방법이다. 또, 리더는 돌봄 계획은 공동 책임임을 강조하고 돌봄 계획에는 팀원 전원이 참여해야 한다는 것을 항상 상기 시키는 것이 좋다. 어떤 계획이 실패했을 경우, 개별 팀원을 비난해서는 안 되며 다음 계획은 실패를 반영하여 수정하도록 한다. 팀은 여러 직종이 맞물려 돌아가는 톱니바퀴이기 때문에 어느 한쪽이 위축되거나 의견이 반영되지 않으면 다방면에서 높은 수준의 서비스를 제공하는 것은 어려워진다.

5. 행정적 문제와 재정적 효과

1) 호스피스·완화의료 프로그램의 재정적 성과를 측정하는 원칙

대부분의 호스피스·완화의료 전문가들은 병원에서 호스피스·완화의료를 시작 하게 되는 것은 무조건적인 도덕률과 같은 지상명령에 의한 것이며, 그 동기로서 인도주의적, 도덕적, 윤리적, 임상적 효과 등 여러 가지 성과를 기대 하지만 경제적인 요인이 가장 적은 비중을 차지하기를 바랄 것이다. 1960~1970년대까지 초기의 호스피스·완화의료 전문가들은, 죽음이 임박한 환자들의 고통과 통증을 완화하고 '좋은 죽음'을 맞을 수 있도록 하는데 초점을 맞추었다. 그 다음은 환자에게 이득보다 부담을 안겨 줄 가능성이 높은 무익한 치료들을 중단하는 것이 중요했다. 그렇기는 하지만, 호스피스·완화의료 전문가들을 지속적으로 양성하고 교육시키고

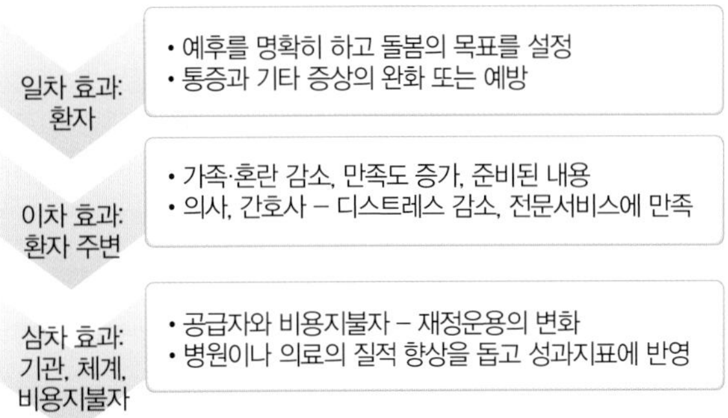

일차 효과: 환자	• 예후를 명확히 하고 돌봄의 목표를 설정 • 통증과 기타 증상의 완화 또는 예방
이차 효과: 환자 주변	• 가족·혼란 감소, 만족도 증가, 준비된 내용 • 의사, 간호사 – 디스트레스 감소, 전문서비스에 만족
삼차 효과: 기관, 체계, 비용지불자	• 공급자와 비용지불자 – 재정운용의 변화 • 병원이나 의료의 질적 향상을 돕고 성과지표에 반영

그림 13-3. 호스피스·완화의료 성과 측정

호스피스·완화의료 프로그램이 지속될 수 있도록 하기 위해서는 재정적 효과를 측정하는 것도 아주 중요하다.

아래에 재정적 성과를 측정함에 있어서 중요하게 고려해야 할 네 가지 원칙을 소개한다.

첫째, 재정적 성과는 환자중심 성과의 긍정적인 이차 효과이다.

호스피스·완화의료의 효과는 환자, 가족, 돌봄 제공자, 병원, 비용지불자, 사회 등 다양한 관점에서 해석될 수 있다. 하지만, 당연히, 환자의 생물학적, 심리사회적, 영적 경험의 향상이 호스피스·완화의료 개입의 가장 중요한 이유이므로 일차 성과 목표는 환자 측 지표이다. **그림 13-3**을 참고하자.

일차 효과인 환자 중심 성과를 측정하고 재정적 효과는 이차나 삼차 성과로 측정되어야 한다. 따라서 호스피스·완화의료팀 리더는 환자 중심 성과를 먼저 측정하고나서 사회적 성과를 측정해야 하며, 그 이후에 비용 절감이나 재원일수 단축, 중환자실 재원일 감소 등의 효과를 측정해야 한다.

둘째, 의료이용 패턴을 이해하고 전후 사정을 파악한다.

잠재적인 호스피스·완화의료 대상자의 대부분은 호스피스·완화의료 서비스를 받지 못하고 있다. 이것은 우리나라뿐만 아니라 세계적으로 공통의 현실이다. 대부분의 대상 환자들을 임상의료 담당자나 관리자가 알아채지 못하고 있다. 한 사람이 쓰는 의료비 지출의 대부분이 사망 직전에 임박해서 이루어지고 있는 현실을

대부분 알고 있지만, 이런 현상과 자기 환자를 연결해 상기시키는 의료 담당자는 많지 않다. 호스피스·완화의료가 이러한 경우 임상적으로 가장 다른 점은, 사망이 임박한 환자에서 의료진과 가족에게 책임을 분산시키지 않고 자연으로 책임을 돌리게 함으로써 비용을 절감하는 것이다. 특정 상황의 환자들(예, 사망이 임박한 환자들)에 대해 재정적인 분석을 하는 것 자체가 의료 관리자들에게 이러한 환자들에 대해 관심을 환기 시키는 교육적인 효과를 미칠 수 있다. 그렇게 되면 병원의 각 병동에 흩어져 있는 이러한 대상 환자들에 대해 전략적이고 포괄적인 접근을 할 수 있게 되어 결국 호스피스·완화의료 이용을 증진시키는 결과로 연결될 수도 있다.

셋째, 연구결과 호스피스·완화의료는 의료 이용과 의료 비용을 낮춘다.

호스피스·완화의료의 운영상의 결과, 재정적 효과에 대해서는 지난 이십여 년간 많은 연구들이 이루어졌고 비용, 재원 기간, 치료의 강도(예; 중환자실 재원일수), 수입, 재입원율이나 사망률과 같은 수행 지표의 질적문제에 대해 측정되었다. 대부분은 관찰연구이거나 설계가 불완전하지만, 최소 5개의 무작위배정연구에서 비용효과 분석이 이루어져 있다. 이에 대해 살펴보자.

- 만성폐쇄성 폐질환과 울혈성 심부전, 악성종양 등으로 가정형 호스피스·완화의료(n=145) 또는 일반적인 가정 진료(n=152)를 받도록 하고 비교하였다. 호스피스·완화의료를 받는 환자들이 만족도가 더 컸고, 집에서 사망할 가능성이 더 높았고, 응급실 방문과 입원이 적어서 의료 비용도 덜 들었다(환자당 차액 USD$ 7,552).
- 시한부 판정을 받은 입원환자들을 호스피스·완화의료(n=275) 또는 일반적인 진료(n=237)를 받도록 하고 퇴원 후 6개월간 추적 관찰하여 비교하였다. 호스피스·완화의료 환자들이 만족도가 더 컸고, 재입원율은 같았으나 중환자실 입원율이 낮았고, 퇴원 후 의료비용도 낮았다(환자당 차액 USD$ 6,766).
- 중증 다발성 경화증 환자들에게 조기 호스피스·완화의료(n=25) 또는 3개월 후 호스피스·완화의료(n=21)를 제공하고 12주 후 비교하였다. 호스피스·완화의료 환자들의 돌봄 제공자들이 좀 더 낮은 부담을 느꼈고 비용도 적게 들었다(환자당 차액 USD$ 1,789).
- 비소세포폐암 환자 151명을 무작위 배정하여 표준항암치료만 또는 표준항암치료와 다학제적 호스피스·완화의료서비스(한 달에 한번)를 받도록 하였다. 호스피스·완화의료를 추가한 군에서 우울, 불안이 감소하였을 뿐만 아니라 생존 기간 연장(약 2.7개월 더 길게 생존)도 보였다. 비용은 환자당 수천달러 감소하였다.
- 암 환자 461명을 표준치료 또는 표준 치료와 호스피스·완화의료를 동시 시행 받도록 무작위 배정 하였고 3~4개월 이후부터 삶의 질, 영적 안녕, 증상 척도, 돌봄에 대한 만족도 등 모든 지표들이 호스피스·완화의료를 받는 군에서 우월하였다. 입원율에는 차이가 없었으며, 의료 비용은 아직 발표되지 않았다.

넷째, 입원환자 대상 호스피스·완화의료서비스는 병원 측 비용을 낮춘다.

나라마다 다른 의료비 지불 제도를 운영하므로, 병원 측 비용이 낮아지는지에 대해서는 국가마다 상황에 따라 달라질 수 있을 것이다. 하지만 많은 외국 데이터들이 직접적 또는 간접적으로 의료비의 감소를 보고했다. 우리나라에서 최근 시행하고 있는 호스피스·완화의료 전문기관 지정제의 경우 정액 지불제이므로 병원 측의 비용 절감을 유도할 가능성이 크지만, 이에 대한 우리나라 데이터는 아직 발표된 바 없다.

II 요약

다시 한번, 호스피스·완화의료의 성과 측정 시 환자 중심 지표를 목표로 하고, 경제적인 성과는 이차 또는 삼차 목표라는 것을 상기하자. 그러나 현실적으로, 호스피스·완화의료의 필요성에는 모두 공감하지만, 아직까지 다수의 병원에서 호스피스·완화의료팀은 환영 받지 못하고 있다. 호스피스·완화의료 서비스는 환자와 가족의 만족도를 높이고 심리사회적, 영적인 문제들을 해결해 줌으로써 말기 환자 진료의 질을 높인다. 단기적으로 확연히 드러나는 수익 창출이나 비용 절감 효과가 없더라도 환자들의 보존적 치료 목적의 입원을 줄이고 진통제 사용량도 감소시킬 수 있으며 최종적으로 병상 회전율을 올리는 효과를 노릴 수도 있다. 호스피스·완화의료팀은 이러한 자료를 수집하고 분석하여 진료의 질 향상, 비용절감과 만족도 상승을 증명하고 알리려고 노력 할 필요가 있다.

4부

📑 참고문헌

1. 가톨릭대학교 호스피스 교육연구소. 호스피스완화간호. 서울: 군자출판사; 2006.
2. 국립암센터. 호스피스·완화의료 표준 및 규정. 경기: 국립암센터; 2003.
3. Bronstein LR. A model for interdisciplinary collaboration. Social work 2003;48:297-306.
4. Bruera E, Higginson I, von Gunten CF, Morita T. Textbook of Palliative Medicine. CRC press. pp. 237-56.
5. Brumley RD, Enguidanos S, Jamison P at al. Increased satisfaction with care and lower costs: Results of a randomized trial of in-home palliative care. J Am Geriatr Soc 2007;55:993-1000.
6. Davidson GW. The Hospice: Development and Administration. 2nd. New York: Hemisphere; 1985.
7. Gade G, Venohr I, Conner D et al. Impact on inpatient palliative care team: A randomized control trial. J Palliat Med 2008;11:180-90.
8. Higginson IJ, McCrone P, Hart SR et al. Is short-term palliative care cost-effective in multiple sclerosis? A randomized phase II trail. J Pain Symptom Manage 2009;38(6):816-26.
9. Meier DE, Beresford L. The palliative care team. J Palliat Med 2008;11:677-81.
10. National Hospice and Palliative Care Organization. Standard of practice for Hospice Program. 2000.
11. Reese DJ, Sontag M-A. Successful interprofessional collaboration on the hospice team. Health Soc Work 2001;26:167-75.
12. Rogers, Everett M. (1983). Diffusion of innovations (3rd ed.). New York: Free Press of Glencoe. ISBN 9780029266502.
13. Temel JS, Greer JA, Mujikansky A et al. Early palliative care for patients with metastatic non-small-cell lung cancer. NEJM 2010;363:733-42.
14. Zimmerman C, Swami N, Krzyzanowska M et al. Early palliative care for patients with advanced cancer: A cluster-randomized controlled trial. Lancet 2014;338(9930):1721-30.

14장
호스피스·완화의료 종사자의 스트레스 및 소진 관리

| 이기주 |

"이러한 활동에 참여하는 전문가로는 일반적으로 의사, 간호사, 사회복지사 및 성직자가 논의되고 있으며, 자원봉사자 또한 매우 중요한 인적 요소이다. 경우에 따라서는 물리치료사, 음악치료사, 미술치료사 등의 전문가와 협력할 수도 있다."

'모든 사람은 언젠가는 죽음을 맞이한다.'

만고불변의 진리인 이 명제는 존재하는 모든 이에게 공평하지만, 대부분의 사람들은 이를 매우 부담스러워하고 거북해 하면서 살고 있다. 익숙했던 모든 것들과의 이별, 완성하지 못한 삶의 단면들, 다른 이들과의 비교 의식, 남은 자들에 대한 근심과 걱정 등이 의식적이든 무의식적이든 우리를 일상생활 속에서 '죽음'이라는 주제에서 벗어나도록 하고 있다.

'죽음'에 대한 관점에는 의학적, 심리적, 사회적, 종교적, 철학적 관점 등이 있으며, 어느 관점에서 이를 고찰하든지 우리는 '죽음'이란 현상을 경험하지 못한 채 논의할 뿐이다.

체험하지 못한 삶의 영역이기에 명확한 결론을 낼 수 없는, 그러나 모든 사람에게 언젠가는 다가오는 이 '죽음'이라는 삶의 영역이 호스피스·완화의료 활동의 핵심이라고 할 수 있다.

대부분의 삶의 활동은 먼저 배우고 익힌 선배들이 어린 후배들을 안내하며 지도하는 과정이지만, 아이러니하게도, 호스피스·완화의료활동은 경험하지 못한 인생의 후배들이 먼저 경험하고 있는 선배들에게 서비스를 제공하는 활동이라고 할 수 있다. 때문에, 클라이언트들이 실제적으로 만족할 수 있는 호스피스·완화의료 서비스를 제공하기 위해서는 인생에 대한 깊은 통찰과 함께 사회적 연대 및 공감대를 형성하는 것이 매우 중요하다.

호스피스·완화의료 활동은, 위와 같이 죽음을 앞둔 말기 환자와 가족이 남은 삶의 시간을 인간으로서의 존엄성을 지키고 높은 수준의 삶의 질을 유지하면서 인생의 마지막 순간을 평안하게 맞이할 수 있도록 돕는 총체적 활동을 의미한다.

이러한 호스피스·완화의료활동이 효과적이고 효율적으로 수행되기 위해서는 각 분야의 전문가들이 잘 협력하는 것이 중요하다. 이러한 활동에 참여하는 전문가로는 일반적으로 의사, 간호사, 사회복지사 및 성직자가 논의되고 있으며, 자원봉사자 또한 매우 중요한 인적 요소이다. 경우에 따라서는 물리치료사, 음악치료사, 미술치료사 등의 전문가와 협력할 수도 있다. 각 구성원들은 각자의 전문 영역에서 훈련받은 것을 토대로 각자의 호스피스·완화의료 현장에서 주어진 사명을 구현하기 위하여 최선을 다하고 있다.

이처럼 호스피스·완화의료 종사자들은 생의 마지막 순간을 맞이하는 대상자들을 다양한 영역의 전문가와 함께 돌본다는 특수한 상황으로 인하여 보다 명확하고 극적인 삶의 보람을 느낄 수 있는 반면에 의료계 종사자들이 경험하는 일상적인 업무 스트레스 외에 '삶과 죽음에 대한 가치관'으로 인해 위협받을 수 있는 스트레스를 더욱 많이 경험할 수 있다.

따라서, 호스피스·완화의료 종사자가 죽음을 앞둔 한 개인이 삶을 잘 마무리할 수 있도록 안내할 수 있기 위해서는 자신의 삶을 잘 이해하고 죽음에 대한 명확한 가치관을 갖고 있으며, 자신만의 '삶의 철학'을 갖고 있어야 할 것이다.

이 절에서는 호스피스·완화의료 종사자들이 스트레스 및 소진에 대한 이해력을 증진하여 각자의 삶을 안정적으로 영위함은 물론, 이를 바탕으로 죽음을 맞이하는 환자와 가족에게도 긍정적인 영향을 미칠 수 있도록 안내함을 그 목적으로 한다.

I 용어 정의: 스트레스, 소진, 공감피로, 공감만족의 정의

1. 스트레스

'스트레스'라는 단어는 일상생활에서 다양한 형태로 사용되고 있다. 업무상 일이 예상대로 진행되지 않을 때,

학업 및 연구가 난제에 봉착했을 때, 다른 사람으로 인해 심리 정서적으로 불쾌함을 느낄 때, 이유 없이 감정에 기복이 생길 때 등등 우리가 '스트레스'를 느끼는 상황은 매우 다양하다.

라틴어 'strictus'에서 유래된 이 용어는 인간의 평형 상태를 깨뜨릴지도 모르는 내적, 외적 자극으로부터 '팽팽하게 죄다', '단단하게 끌어 당기다'라는 의미를 갖고 있다. 심리학 용어 사전에서는 '인간이 심리적 혹은 신체적으로 감당하기 어려운 상황에 처했을 때 느끼는 불안과 위협의 감정이라고 표현되며, 사전적 의미로 '생체에 가해지는 여러 상해(傷害) 및 자극에 대하여 체내에서 일어나는 비특이적인 생물 반응'으로, 자극 호르몬인 아드레날린이나 다른 호르몬이 혈중 내로 분비되어 우리 몸을 보호하려고 하며 위험에 대처해 싸우거나 그 상황을 피할 수 있는 힘과 에너지를 제공한다고 하였다.

1920년대 미국의 생리학자 캐논은 스트레스를 '항상성'이라는 개념과 연관하여 설명하였는데, 항상성을 파괴하는 상태를 스트레스의 위험 수준이라고 정의하였다.

1936년 '범적응 증후군'으로서의 스트레스에 대한 생물학적 개념을 저술한 Hans Selye는 스트레스를 '신체에 가해진 어떤 외부자극에 대하여 신체가 수행하는 일반적이고 비 특정적인 반응'이라고 하였다.

스트레스는 크게 두 가지 의미로 나누어서 이해할 수 있다. 첫 번째는 자극으로서의 스트레스이다. Selye는 이를 표현하기 위해서 스트레스원(stressor)이라는 용어를 사용하였다. 이것은 주로 외부에서 발생하는 어떤 사건, 사람이나 상황을 말하는 것으로써 사람들에게 스트레스를 일으킬 수 있는 잠재적인 자극을 의미한다. 두 번째는 반응으로서의 스트레스이다. 동일한 스트레스 자극이라 하더라도 모든 사람에게 항상 동일한 스트레스를 일으키는 것은 아니다. 특정한 자극이 어떠한 사람에게는 매우 심한 스트레스가 되지만 다른 사람들에게는 크게 스트레스가 되지 않거나 전혀 스트레스가

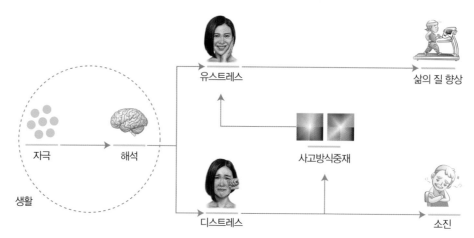

그림 14-1. 스트레스와 소진

되지 않을 수도 있다. 또한, 동일한 스트레스 자극이 동일한 개인에게 발생한다고 해도 개인이 처한 상황에 따라서 그 강도가 전혀 다를 수도 있다. 이처럼 스트레스는 자극만으로는 이루어지지 않으며, 어떤 스트레스 자극이 개인에게 스트레스 반응을 일으킬 때 비로소 온전한 스트레스 상황이 된다고 할 수 있다.

유럽산업안전보건청(The European Agency for Safety and Health at Work, EU-OSHA)에는 "근로자와 위험에 노출된 작업 환경 사이의 상호작용 관점에서, 스트레스를 업무와 연관된 스트레스로 정의하려는 공감대가 확산되고 있다. 이 모델에 따르면, "스트레스는 작업 환경에서 요구되어지는 어떤 요인이 이를 극복해야 하는 직원의 능력을 넘어설 때 경험되는 것이라고 할 수 있다."라고 기술되어 있다. 위의 학술적 정의에 따르면 스트레스 자체에는 선·악의 구분이 없다. 이는 생명체가 외부의 환경이나 내부의 변화에 즉각적이고 민감하게 반응할 수 있도록 유도하고, 외부 환경이나 내부 변화에 도전할지 혹은 회피할지에 대한 선택을 돕는 일종의 '생존 시스템'이라고 할 수 있다.

학계에서는 일상적으로 우리가 경험하는 불편하고 괴로운 스트레스를 '디스트레스(distress)'라고 하고, 좋은 일이지만 자율신경계가 스트레스 반응을 보이는 것

을 '유스트레스(eustress)'라고 부른다 **그림 14-1**. 큰 화재로 화상을 입은 사람이 이후에 불 가까이 가려고 하지 않는 행위나, 큰 시험에서 실패한 경험이 있는 사람이 시험을 볼 때마다 지나치게 긴장을 함으로써 실패를 반복하는 행위 등은 디스트레스의 예라고 할 수 있다. 반면, 국가대표로 첫 출전하는 운동선수가 느끼는 긴장, 결혼을 앞둔 신랑과 신부의 설레임, 업무 공로를 인정받아 시상을 앞두고 있는 직장인의 긴장감 등은 유스트레스의 예라고 할 수 있다.

유스트레스와 디스트레스를 포함하는 스트레스 상황은 일상적인 상황은 아니므로, 평소에 이 감정을 지속하며 생활할 수는 없다. 일반적인 생활 스트레스는 우리 삶에 큰 영향을 미치지는 않지만, 이런 일상의 작은 스트레스들이 해소되지 않고 쌓이게 되면 신체 기능을 포함한 일상 생활에 지장을 초래할 수도 있다. Hans Selye는 스트레스에 대해 반응하는 몸의 양식을 '일반적 응증후군'이란 개념으로 설명했다. 이에 의하면 우리의 몸은 스트레스에 대해 몇 단계의 반응을 차례로 내보인다 **표 14-1**.

우리 몸은 이러한 스트레스 상황이 되면 이전의 편안한 상태로 회복하려는 성향이 있으며, 이를 회복탄력성(resilience)이라고 한다. 이는 "늘어나 있거나 압축

표 14-1. 스트레스에 대한 3단계 반응

1단계 경고기	스트레스에 대해 우리 몸이 내분비계, 스테로이드, 교감신경계 등의 자원을 총동원하여 최선의 방어를 하기 위해 노력하는 단계.
2단계 저항기	"신경은 곤두서는데, 잠은 안 오고 집중은 도리어 잘 되지 않아요"라고 호소하듯이, 긴장되는 상황, 위험한 상황이 지속되면서 교감신경계가 활발히 활동을 하려고 힘을 쏟지만 전같이 몸이 민감하고 활달하게 반응하지 못하는 시기다. 소화 장애나 불면증 등 건강에 적신호가 오기도 한다.
3단계 소진기	'다 타버려 재만 남은'것처럼, 몸 안의 자원이 모두 사용되어서, 쉬어도 쉰 것 같지 않고 힘을 내려고 해도 도저히 몸의 긴장도가 올라가지 않는 지친 상태이다. 여러 질병 등 건강에 문제가 생길 수도 있는 단계이다.

된 상태에서 되 튕겨 오거나 복원하기 위한 능력 혹은 강점과 정신을 회복하는 능력"으로, 혹은 "질병, 변화 혹은 불행으로부터 신속하게 회복하기 위한 능력"으로 정의하고 있다. 스트레스 상황이 우리의 일상생활을 위협할 때 이 상황을 극복하고 안정적인 일상생활로 되돌아오는 힘을 '회복탄력성'이라고 정의할 때, 이는 우리의 삶에 있어 매우 중요한 요소일 것이다.

2. 소진

많은 학자들이 소진(burnout)의 개념을 다양하게 설명하고 있다 표 14-2 .

표 14-2 와 같이 소진의 원인 및 대처 방안은 다양하게 논의되고 있는데, 대부분의 경우 정서적 측면과 신체적 측면, 정신적 측면 그리고 사회적 측면 등에서의 고찰이 주를 이루고 있다.

때로는 조직적 요인, 사회적 요인, 개인적 요인으로 구분하기도 한다 표 14-3 .

조직적 요인은 업무량, 자율성, 협력 체계 등 생활환경의 객관적 요소들과 밀접한 관계가 있다. 따라서, 조직 내 의사결정을 통해 많은 부분이 조율될 수 있는 영역이기도 하다.

반면, 사회적 요인은 관계성과 관련된 요인이라고 볼

수 있다. 공적 혹은 사적 지지체계 속에서 소속감과 안정감을 느끼는 것이 중요하며, 삶의 주관적 요소들과 관계가 깊다.

개인적 요인은 타인과 구별될 수 있는 개인의 개성과 관련되어 있다. 자신의 가치와 철학 체계에 만족하며 주도적으로 삶을 영위할 수 있는가가 매우 중요한 요소이다. 조직적 혹은 사회적 요인에서 해결되지 못하는 소진의 상황을 최종적으로 방지할 수 있는 기제이기도 하는 바, 특히 호스피스·완화의료 전문가는 삶과 죽음, 사람의 가치 등에 대한 본인만의 가치와 철학 체계를 공고히 하는 것이 필요하다.

호스피스·완화의료 전문가가 조직적, 사회적 혹은 개인적 요인으로 인하여 업무 및 삶에 만족하지 못할 때 정신적 탈진을 경험할 수 있으며, 지속되어 신체적 탈진으로까지 이어지는 경우에는 경직된 업무 중심의 인간관계로 제한될 수 있다. 이는 결국 개인적 성취도의 저하와 자아효능감 감소를 초래함으로써 현재의 업무와 대인 관계에 부적응을 초래하게 된다. 이러한 부적응의 상황은 호스피스·완화의료 종사자 개인의 삶의 질 측면에서도 부정적 영향을 초래할 뿐만 아니라 팀의 활동과 성과에도 부정적 영향을 미치게 되어 본인뿐만 아니라 팀 전체의 소진을 초래하게 된다. 이를 그림으로 표현하면 다음과 같다 그림 14-2 .

3. 공감피로와 공감만족(Compassion fatigue and compassion satisfaction)

공감피로는 원조 전문가가 이차적인 외상으로 인해 힘들어 하는 이들을 위해 자신의 일을 포기하는 정신적 고통을 의미하는 '타인을 보살피는 비용'으로 정의할 수 있다.

반면, 공감만족은 '일을 잘 수행함으로써 얻을 수 있는 기쁨'으로 정의할 수 있다.

공감피로의 영향은 표 14-4 와 같다.

표 14-2. 학자들의 소진의 개념

Maslach & Jackson	소진은 3가지 하위요인으로 구성되는데 1) 탈진(Exhaustion): 대인서비스직에서 클라이언트의 요구에 반응하고 서비스를 제공하는 과정에서 서비스제공자가 지치게 되는 것. 이는 과도한 업무에 대처하는 방법으로, 일에 대해 감정적으로 그리고 인지적으로 거리를 두게 만든다. 2) 비인간화(Depersonalization): 서비스 제공자가 지쳤을 때 클라이언트와 거리두기를 하고, 클라이언트를 업무적으로 대하며 냉소적이고 무관심한 태도를 보이게 되는 것 3) 개인 성취감 감소(Reduced personal accomplishment; inefficacy): 탈진과 비인간화로 인해 업무의 효과성이 떨어지고 성취감을 느끼기 어려워지게 되는 것 등이 그것이다.
Freuden- berger	지역정신보건센터 근무자들이 이유 없이 의욕을 잃고 환자에게 냉담한 태도를 보이는 것을 목격하면서, 직업과 관련된 스트레스의 원인으로 정서적, 신체적 소진을 규정하며 이 용어를 처음 사용하였다. 즉, 소진을, 오랜 기간 동안 밀접한 관계인 사람들간의 반복적인 정서적 압박의 결과로 발생하는 일종의 고갈 상태라고 하였으며, 다음과 같이 소진 증후군의 5단계를 소개하였다.

소진 증후군의 5단계	
1단계(신혼기)	초기증세, 열성적이던 일에 재미와 흥미가 없어지고 의욕도 감퇴
2단계	소진 증상이 눈에 띄게 나타남.
3단계 (만성증상기)	• 각별한 관리를 하지 않으면 바로 5단계로 진행 가능. • 과로로 질병을 일으킬 위험이 높고 분노와 우울 등의 심리적 증세를 보임. • **증상**: 의욕 · 꿈 · 환상 · 기대 · 희망의 상실, 분노와 적대감, 좌절감, 상실감(자기만족감의 상실), 빈번한 질병, 자살, 방관자 등등 • **잘못된 출구**: 술, 도박, 담배, 약물, 성욕 …
4단계(위기)	• 급성 질병이 발생, 출근하기 힘든 상태로 자신을 의심. • 쉽게 비관적, 사소한 일에 강박적 집착을 보임.
5단계(절망기)	• 신체적인 문제가 발생할 가능성이 크고, 극도로 지친 육체에 우울병 등 정신 질환까지 더하여 정상 근무가 불가능함.

Cox, Kuk and Leiter	소진의 세 가지 증상으로 열정의 부족, 절망과 감정의 분리, 개인적 성취도의 감소와 무력감 그리고 자기효능감 저하를 언급한다. 이 외의 다른 증상들로는 피로나 불면증의 신체적 증상, 우울과 분노, 죄책감과 같은 정신적 증상, 장시간 근무를 피할 수 없는 행동 증상 등을 포함한다. 소진에 영향을 미치는 요인으로는 업무 부담, 통제(및 훈련), 전문직간 및 팀 이슈, 가치, 보상, 정서와 연관된 업무의 변수들 그리고 인성 요인 등을 들 수 있다. 또한, 소진의 증상과 사인으로는 개인적 증상과 팀의 증상으로 나누어 고찰할 수 있다. 개인적으로는 신체적이고 정서적으로 압도당하는 느낌, 직업에 대하여 냉소적이고 이탈된 느낌, 비효율성과 미 성취감, 정서적으로 힘든 임상 상황에서의 도피, 불안정하고 과민한 반응, 대인관계에서의 갈등, 완벽주의와 강경주의, 빈약한 판단력(전문가로서의 판단과 개인으로서의 판단 경계 침범), 사회적 위축, 마비 및 이탈, 집중력 부재, 삶의 의미에 대한 회의, 수면의 어려움이나 악몽들, 중독성 있는 행동들, 두통, 위장장애, 면역계통 장애 등 빈번한 질병의 발생 등을 들 수 있으며, 팀의 증상으로는 사기 저하, 빈번한 이직, 미흡한 업무 성과 등을 들 수 있다.
Nathan 등	소진을 완화시킬 수 있는 요인들로 태도와 가치, 구성원간의 좋은 팀워크, 회복성 및 일관성, 통제 및 훈련, wellness 전략의 사용, 영성 및 의미 부여하기 등을 제시
이유정	소진이란 타인과의 접촉이 잦은 조직 구성원들이 직장생활 중에 만성적인 스트레스에 의해 발생하는 신체적, 정서적, 정신적으로 탈진된 상태를 말하며, 이의 요소로는 **정서적 탈진**과 **신체적 피로감**, **비인격화**, **개인적 성취의 감소** 등 세 가지를 들 수 있다. 휴먼서비스 전문직 종사자들은 직업 특성상 강한 감적적 반응을 하게 되기 때문에 피로감과 더불어 더 이상 아무것도 줄 것이 남아 있지 않다고 느끼며 감정적으로 탈진된다. (Cordes, Dougherty and Blum). 이러한 소진의 경험은 '정서적 탈진'으로 개념화되었으며, 정서적 탈진은 신체적 피로감과 심리적 탈진의 두 요인으로 세분화될 수 있다(Densten). 정서적으로 탈진된 상태에서 휴먼서비스 전문직은 이런 감정적 요구에 저항하기 위해 심리적 거리를 유지하고자 자신과 상호작용을 하는 사람들 또는 상황을 다루는 과정에서 냉담하고 거리를 두는듯한 태도를 취한다. 그 결과 자신의 일과 일을 통해 만나는 사람들에 대한 비인간적인 태도를 취하게 되는 데, 이러한 측면의 소진현상은 '비인간화'라고 개념화되었다(Cordes). 이 상황의 개인은 정서적으로 탈진된 상태에서, 냉담하고 비인간적 태도를 취하는 가운데, 시간과 에너지를 긍정적인 상호작용에 적게 투여함에 따라 업무에서 개인적 성취의 감소를 경험하게 된다. 개인적 성취의 감소는 마침내 전문직으로서의 능력에 대한 신뢰의 상실로 이어진다(Friedman). 일에 대한 관여의 감소, 성취의 결여, 직무에 있어서의 비 효과성에 대한 인식으로 인해 경험하게 되는 이러한 소진 현상은 '개인적 성취의 감소'로 개념화되었다.

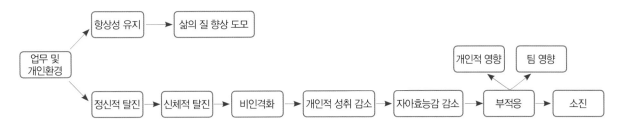

그림 14-2. 소진의 과정

표 14-3. 소진의 요인

조직적 요인	사회적 요인	개인적 요인
역할 모호성	상사지지 결여	낮은 자존감
역할 갈등	동료지지 결여	타인에 대한 민감성
업무 과다	적절하지 못한 보상	이타주의
자율성 결핍	문화적 결핍	연령 / 성별
휴식시간 부족	부족한 사회적 교류	교육수준 / 가치와 철학

표 14-4. 공감피로의 영향

	공감피로
심리적 측면	슬픔, 분노, 죄의식, 걱정 등의 강한 정서, 냉소적 감정, 환자와 가족 혹은 그 상황을 회피하기, 위통, 두통, 피로 등 신체적 불편, 불안과 동요, 음주 흡연 쇼핑 등 상습적 혹은 중독적 행동, 소외감, 초과근무, 의사결정 장애 등 해롭거나 부적응적인 행동을 유발하는 무력감 등
인지적 측면	가족, 환자, 타 직원 등 타인에 대한 불신, 안전에 대한 결여 혹은 개인적 취약성 증가, 타인은 문제에 적절히 대처할 능력이 없다는 신념, 권력 혹은 통제권의 증가 혹은 감소, 냉소주의 증가, 책임감 혹은 비난의 증가, 타인은 본인의 상황을 이해하지 못한다는(비합리적인) 신념의 증가 등
인간관계적 측면	거대 규모의 치료팀과의 단절, 개인적 관계의 단절(사람들이 '이해하지 못하기' 때문에), 개인적으로도 전문적으로도 타인을 신뢰하기 어려움, 관계 상 왜곡된 경계를 긋는 타인들에 대한 스트레스로 인한 지나친 자아 인식, 환자와 가족을 포함한 정서적 상황 혹은 경험으로부터의 분리, 타인에게 쉽게 짜증내기 등

4. 스트로크(Stroke)

스트로크란, 사람이 피부접촉, 표정, 감정, 태도, 언어 기타 여러 형태의 행동을 통해서 상대방에 대한 자신의 반응을 알리는 인간인식의 기본단위이다. 이 스트로크의 종류는 크게 세 가지로 분류할 수 있는데,

1) 언어적 스트로크 vs 비언어적 스트로크
2) 긍정적 스트로크 vs 부정적 스트로크
3) 조건적 스트로크 vs 무조건적 스트로크 등이 그것이다.

이러한 스트로크는 대부분의 경우 한가지만 사용하는 것이 아니라 복합적, 병합적으로 사용된다. "너는 수학을 정말 잘하는구나"와 같이 긍정과 조건이 복합적으로 사용되는 경우, "너와 함께 있으면 왠지 좋아"와 같은 긍정+무조건의 복합 경우, "옷차림이 그게 뭐냐?"와 같은 부정+조건형, "그 집은 그냥 싫어"와 같은 부정+무조건형 등이 그것이다. 스트레스 혹은 소진의 상태인 경우 대부분 부정의 스트로크가 많이 사용되는 바, 조건적 스트로크가 많이 사용될 때에는 조건의 해소를 위해, 무조건적 스트로크가 많이 사용될 때에는 객관적 분석을 통한 인지적 접근을 통해 긍정의 요인을 도출해 내는 것이 중요하다.

이를 위해서는 긍정적인 스트로크를 주기, 받기, 요구하기 등을 훈련하는 것이 좋다.

II 호스피스·완화의료 환경의 특성

1. 지속적으로 죽음을 경험하는 곳

지인의 죽음을 경험하는 것은 일상생활에서 스트레스

를 유발하는 중요 요인 중 하나이며, 호스피스·완화의료 환경은 이러한 죽음의 경험이 일상적으로 반복되는 장소이다. 더욱이 이 때에는 '치료 중심'에서 '돌봄 중심'으로 개입의 축이 전환되면서 의료적 접근보다는 심리 정서 사회적 접근이 강조되어 환자·가족과 치료진 사이에 감정적 교류가 많아지며, 이로 인해 종사자들은 타 의료영역의 환자·가족보다는 인간적인 유대감이 강하게 형성되곤 한다. 때문에, 호스피스·완화의료 대상자의 급박한 의료적 상황이나 임종 과정을 경험하는 것은 가족뿐만 아니라 의료 종사자들에게도 심리 정서적인 충격과 슬픔 등의 감정을 느끼게끔 한다.

2. 팀 접근이 이루어지는 곳

호스피스·완화의료 현장은 어느 의료영역보다도 팀 접근이 강조되는 곳이다. 법적으로는 의사, 간호사, 사회복지사의 팀 접근을 규정하고 있지만, 실제 현장에서는 이외에도 사목자, 영양사, 약사, 요법 담당자를 포함하는 다양한 봉사자까지 많은 이들의 관심과 참여로 호스피스·완화의료 활동이 이루어지고 있다.

특히, 호스피스·완화의료 활동은 의료적 시각 외에 복지적, 사회적, 문화적 시각이 통합적으로 영향을 미치므로 진단 및 개입 방향에 대하여 유사한 부분과 상이한 부분이 존재하며, 이러한 특성으로 인해 각 전문직들간의 상호 이해와 협력이 매우 중요하다.

3. 표준 지침이 적용되는 곳

1963년, 강릉의 갈바리 의원에서 시작된 호스피스 활동은 말기 환자의 의료적, 사회적 안녕에 사명을 가진 의사, 간호사, 사회복지사, 성직자 등의 헌신에 의지하는 자발적 활동이었다. 호스피스 활동에 대한 국가 지원 방안이 논의되던 중 2003년 암 관리법이 제정되면서 호스피스·완화의료에 대한 공적 지원 제도를 검토하기 시작하였으며, 이 체계 안에서 인력과 시설, 사업 등에 대한 표준화 작업이 진행되던 호스피스·완화의료 활

동은 2016년 2월 3일에 제정된 '호스피스·완화의료 및 임종과정에 있는 환자의 연명의료결정에 관한 법률(법률 제14013호)'이 공표된 후 이 법률에 의하여 감독되고 있다. 이 법률 안에는 인력과 조직, 활동 등에 대한 기준안이 포함되어 있으며, 정기적인 점검 과정을 통해 수행의 적정성 여부를 평가하고 질 관리를 하고 있다. 표준 지침의 의미는 사업 승인을 위한 최소한의 조건이라고 보아야 하기 때문에 실질적으로 각 기관에서는 운영 주체의 특성을 강화하면서 환자 및 가족의 만족도를 높이기 위해 추가적인 활동을 진행하므로, 현장에서의 실제 업무는 표준 지침상의 내용보다는 많다고 보는 것이 합당하다.

4. 지속적인 연구와 협력이 이루어지는 곳

호스피스·완화의료 종사자들은 팀 미팅, 사례 회의, 논문 연구 등의 활동을 통해 현상을 분석하고 발전적 대안을 모색하고 있다. 또한, 적절한 사례 관리를 위하여 3차 병원, 요양병원, 호스피스·완화의료 전문 시설 등이 긴밀한 협력 관계를 유지하고 있다.

또한, 호스피스·완화의료 활동은 지역사회와의 연계 활동도 매우 중요하므로 이를 위한 지역사회 기관들과의 공동 연구 및 협력 활동도 활발히 이루어지고 있다.

효율적인 호스피스·완화의료 활동을 위해서는 각 영역에서의 연구와 효율화 작업도 중요하지만, 각 영역별 소통과 교육을 통해 적절한 연계 체계를 구축하는 것 또한 매우 중요하다. 또한, 팀 접근이 활성화되어 있고 중요한 역할을 하고 있는 호스피스·완화의료 활동의 특성 상 지속적인 연구와 협력을 위한 업무 강도는 어느 의료영역보다도 많은 편이다.

5. 다양한 차원의 행정 업무가 존재하는 곳

호스피스·완화의료 활동은 해당 병원 내 행정 체계를 적용받음과 동시에 '호스피스·완화의료 및 임종 과정에 있는 환자의 연명의료결정에 관한 법률' 내 행정 체계

도 적용 받는다. 따라서, 호스피스·완화의료 종사자는 병원 내 부서행정, 병원 내 호스피스 팀 행정, 직종 간 교류에 따르는 행정, 각종 협회와 학회 내 교류를 위한 행정 및 법률 내에서 규정되는 다양한 행정 업무에 적용 받는다.

III 호스피스·완화의료 종사자의 스트레스 및 소진 관리

위에서 고찰한 바와 같이, 호스피스·완화의료 종사자는 신체적, 심리적, 사회적으로 스트레스 및 소진의 상황에 많이 노출되어 있다고 할 수 있다. 이런 상황에서 본인의 건강을 유지하고, 심리 정서적으로 안정된 상태를 유지한다는 것은 본인에게 유익할 뿐만 아니라 현장에서 만나는 호스피스·완화의료 대상자 및 그 가족에게도 매우 중요하다. 따라서, 실제적으로 호스피스·완화의료 종사자의 스트레스 및 소진 상황을 관리하는 것은 매우 중요한 활동이라고 할 수 있다. 이에, 이 장에서는 실제적인 스트레스 관리 방안을 고찰하고자 한다.

지금까지 많은 이들이 스트레스 및 소진을 예방하기 위한 다양한 의견을 제시하여 왔다 표 14-5.

스트레스에 대한 사고방식은 우리의 마음가짐뿐 아니라 행동 양식에도 영향을 미친다. 스트레스가 해롭다는 사고방식을 가진 사람들은 스트레스의 대처 방법이 회피라고 말하는 경향이 크며, 스트레스가 유용하기도 하다고 믿는 사람들은 스트레스에 주도적으로 대처한다고 말할 가능성이 크다는 것이다. 즉, 자극에 대한 해석을 긍정적으로 하는가 부정적으로 하는가에 따라 그 대처 방법에 변화가 생기며, 그로 인해 삶의 질에도 변화가 생긴다고 볼 수 있다.

사람들이 스트레스를 받을 때 나타나는 부정적인 반응으로는 크게 신체적 증상, 정신적 증상, 감정적 증상 및 행동적 증상을 들 수 있다 표 14-6.

일반적으로 우리는 스트레스나 소진의 문제에 직면할 때, 이를 유발하는 원인을 규명한 후 그 원인을 제거하거나 해소하는 훈련을 많이 해 왔다. 이에 우리는 표 14-6의 내용을 포함한 현실적으로 유익할 수 있는 스트레스 예방 및 소진 관리 방법을 준비하는 것이 필요하다고 판단되며, 다음의 방법을 역시 제안한다.

표 14-5. 스트레스 및 소진 예방 전략

강광순	1. 관계 유지 전략 사회적 지지를 위한 대인관계의 상호작용 능력을 증진시키는 것으로, 물질적 도움과 정서적 반응을 서로 교환하는 것이다. 상호작용능력의 결핍은 의사소통 기술, 감수성 및 잠재능력의 결핍에서 기인하는 것으로, 고립과 사회지원의 상실을 가져오므로 치료자와 함께 통찰력을 개발하고 상호관계를 이해시키며, 역할상호작용에 대한 연습을 통해 기술을 습득하게 한다. 2. 신체 유지 전략 스트레스 상황에 처한 당사자에게 상황에 대한 신체반응을 감지하고 통제할 수 있게 해 주는 것이다. 여기서 중요한 능력은 신체 자극을 깨닫는 능력이고, 스스로 관찰하고 이완시키는 능력이다. 3. 인지 전략 사건에 대한 해석을 바꾸어 주어 스트레스와 연관된 문제를 해결하는 것이다. 여기에는 두 가지 대처행동, 즉 평가하는 능력과 명료화하는 능력이 중요하다. 평가 능력이란 새로운 경험을 위협으로 느끼기보다는 탐색을 위한 도전으로 평가하는 능력을 말하며, 명료화 능력이란 가치 차원의 결정이나 선택을 명확하게 하는 능력이다. 가치는 행동을 유발하므로 가치관의 우선순위가 잘 정리되면 관심, 사고, 행동의 초점을 바꾸려는 결정을 명백하게 한다. 가치의 우선순위를 명백하게 함으로서 의사선택 및 결정이 가능해지며, 스트레스를 감소시키고 지지적 관계와 신체적 건강을 유지할 수 있다. 4. 예방 전략 원만한 가정, 직장, 학교생활을 유지하도록 노력하고, 사교 모임·종교생활·취미활동에 적극적으로 참여하여 자신을 위한 사회적 지지체계를 강화하며, 자신이 환경을 다스린다는 신념과 배짱을 가지고 규칙적으로 운동을 하며 시간관리에 힘쓰고, 현실적 목표를 설정하여 행동하며, 일의 우선순위를 설정하는 식으로 자신의 생활을 조직화하여 스트레스가 될 만한 사건을 미리 대비하는 것이다.

표 14-5. 스트레스 및 소진 예방 전략 〈계속〉

American hospice	**1. 작별 인사하기** 인생은 만남과 작별의 인사로 이루어져 있다. 희망으로 가득 찬 특별한 관계를 시작하며 만남의 인사를 하는 것은 쉽다. 하지만 반대로 작별 인사를 하는 것은 어렵다. 호스피스현장에서 제대로 작별 인사를 하는 것이 필수적이다. 실제로, 호스피스 업무 중 일부는 다른 사람에게 어떻게 영원히 작별 인사를 하는지를 가르치는 것이다. 그 방법의 하나는 장례식이나 제사 등을 통해 정서적, 영적 위안을 찾는 것이다. 사망한 이의 의미있는 사건을 함께 회상하거나 추모의 시를 공유하는 것 등이 그 예가 될 수 있다. 또 하나의 방법은 사진, 책, 기억, 선물 등 유·무형의 작은 선물을 교환하는 것이다. 죽음 앞에서 환자와 모든 관계자들이 작별을 이야기하는 것이 중요하다. **2. 슬픔을 허용하기** 호스피스·완화의료에서는 자신의 슬픔을 인정하고 감사하는 것이 특히 중요하다. 호스피스·완화의료 종사자는 종종 환자 가족의 일부처럼 인식되기에 그들의 슬픔은 가족이 슬퍼해야 하는 것처럼 될 수 있다. 일기를 쓰는 것은 환자와 가족에 대한 감정을 자유롭게 표현하되 외부에 알리지 않을 수 있기에 큰 도움이 될 수 있으며, 추후에 다른 사람들과 공유할 때의 기초 자료가 될 수도 있다. 이 활동은 조각, 회화, 드로잉, 음악 등 다양한 형태로 표현할 수 있다. **3. 기본적인 건강 지키기** 휴식, 운동과 적절한 영양 유지는 건강한 생활을 유지하기 위한 3대 중요 요소이다. 호스피스·완화의료 활동은 환자와 감정적으로 많은 시간을 필요로 하기 때문에 종사자들은 이 세 가지 삶의 영역을 충분히 확보하기에 어려울 수 있다. 일상생활 중에 이 세 가지를 확보하기 위한 개인적인 전략이 필요하다. **4. 가족들의 도움 받기** 대부분의 호스피스·완화의료 종사자들은 가족들의 지원을 받고 있을지라도 그 범위와 깊이가 충분하지 않을 수 있다. 이러한 상황에서 가족들이 호스피스·완화의료 활동의 일부가 될 수 있는 방법을 모색하는 것은 도움이 될 것이다. 스트레스 상황이 더 큰 문제가 되기 전에 가족과 함께 요구 혹은 불만 사항에 대하여 이야기하는 것은 도움이 될 수 있다. **5. 친구와 우정 나누기** 호스피스·완화의료 종사자는 직업과 상관없는 친구를 갖는 것이 중요하다. 직장 동료는 공통 관심사가 '그들의 일'이기 때문에 너무 자주 일에 대해서만 이야기한다. 때로는 일과 관련없는 경험을 공유하는 기회를 갖는 것도 좋다. **6. 휴식** 휴식은 매우 개인적인 활동이므로 이를 위한 수많은 제안이 있을 수 있다. 이 때 호스피스, 일, 죽음 등에 관한 책은 피하는 것이 중요하다. 명상, 취미, 스포츠 등 가족 및 친구들과 함께 하는 시간은 휴식을 위한 좋은 대안이 될 수 있다. **7. 팀 회의 참석하기** 정기적인 팀 회의에 참석하고 발표하는 일은 필수적이다. 팀 회의는 공통의 경험을 공유하는 사람들과 일과 관련된 문제를 이야기할 수 있는 기회를 제공한다. 매우 어려운 시기에 개인의 느낌을 공유할 수 있는 신뢰할 수 있는 동료가 있다는 것은 도움이 된다. **8. 개인의 스트레스 상황을 관리하기** 개인의 스트레스 상황을 관리하지 못하여 업무에 영향을 미치게 되면 스트레스는 배가될 수 있다. 예를 들어 자신의 어머니가 심각하게 아픈 상황이 적절하게 조정되지 않는다면 호스피스종사자와 호스피스·완화의료 활동 모두에게 과도한 스트레스가 될 수 있다. **9. 자신을 위해 좋은 일하기** 다른 사람을 돌보는 일에 너무 관대한 호스피스·완화의료 종사자들은 그 돌봄 목록에 자신의 이름을 추가하는 것이 좋다. 촛불 명상, 부드러운 음악 감상이나 마사지, 목욕, 차 한 잔 마시면서 독서를 하거나 자유롭게 여행하는 등 자신을 치유하는 것이 중요하다.
Self-Care in Palliative Care	**1. 개별적 수준에서의 자기 관리 전략** (1) 당신의 강점과 약점을 알아라. (2) 당신의 신념과 가치, 감정들이 당신의 사회사업 실천에 어떤 영향을 받는지 인식하라. (3) 사회사업실천과 자기관리간의 관계에 대해 이해하라. (4) 당신의 직업환경 안팎으로 개별적인 지원 시스템을 세워라. (5) 당신의 감정이 허용될 수 있도록 시간을 가져라. (6) 지지적인 동료 네트워크에 참여하라. (7) 심리사회적으로 성공한 저널을 이용하라. (8) 만약 필요하다면 타 전문가의 상담을 받아라. **2. 전문적 수준에서의 자기 관리 전략** (1) 호스피스·완화의료에서의 윤리적 딜레마와 가치 갈등을 인식한다. (2) 각 분야의 기여가치를 다학제간 팀워크의 효과성으로 확인한다. (3) 호스피스·완화의료와 죽음에 대한 지속적인 전문 교육을 권장한다. (4) 준비된 훈련과 수퍼비전을 통해서 당신의 수준을 향상시켜라. (5) 긍정적인 변화를 가져올 지역사회와 조직에 가입하라. (6) 현장에서의 여가시간을 가져라. (7) 현장의 슬픔에 대한 의식을 구축하라. (8) 희망과 신뢰를 통해 공동체를 유지하고 다른 영역에서의 개별적 차이를 인정하라. (9) 윤리적 실천과 자원을 옹호한다.

표 14-6. 스트레스의 부정적 반응

신체적 증상	피로, 두통, 불면증, 근육통이나 경직, 심계항진, 흉부통증, 복부통증, 구토, 전율, 사지 냉감, 안면홍조, 많은 땀의 분출 등
정신적 증상	집중력이나 기억력 감소, 우유부단, 공허한 느낌, 유머 감각이 줄어드는 것 등
감정적 증상	불안, 신경과민, 우울증, 분노, 좌절감, 근심, 걱정, 성급함, 인내부족 등
행동적 증상	안절부절 하는 것, 손톱 깨물기, 발 떨기, 과도한 음주나 흡연, 폭력적 행동의 증가 등

1. 인지하기

스트레스를 관리하기 위한 첫 단계는, '내가 스트레스를 받고 있는가? 이 스트레스가 나의 삶에 어떠한 영향을 주고 있는가?'를 인지하는 것이다. 사람들은 각자 다른 형태로 스트레스에 대처하고 영향을 받고 있는 바, 자신의 유형을 판단하는 것이 필요하다. 이를 위해 그림 14-3과 같은 자가체크항목을 사용할 수 있다. 이를 통해 위에서 언급한 네 가지 부정적 반응 중에 본인이 어떠한 유형인지를 점검하는 것이다. 각 반응별로 5개의 문항이 있으며, 각 문항마다 자신의 상태를 설명하는 정도에 따라 0~10점을 부과한다. 부정적 문항의 점수가 높을수록 스트레스 상황이 심각하다는 것을 의미한다.

2. 전략 수립하기

자기 기록지에 기재된 내용은 그림 14-4와 같이 시각화할 수 있으며, 각각의 문항은 개인의 기술 습관에 따라 큰 차이가 없게 보일 수도 있지만, 각 영역을 합산하면 스트레스를 받는 영역을 파악할 수 있다. 이 경우, 고득점 영역의 증상을 완화할 수 있는 방안을 모색하게 되는데, 일반적으로는 인지적, 정서적, 행동적 측면에서의 방안을 모색하게 된다.

또한, 이 전략은 개인 내적 영역의 변화, 가족 관계의 변화, 지인 혹은 직장 관계의 변화 등 특정 대상을 염두에 두고 수립될 수도 있으며, 개별 상담, 집단 상담,

가족 상담 등 다양한 방법론을 활용할 수도 있다. 위에서 언급된 다양한 내용들이 이 때에 활용될 수 있으며, 스스로 해결하기 힘든 경우에는 지인 혹은 타 전문가의 지원을 받는 것도 검토할 수 있다.

3. 프로그래밍 하기(선택 / 조정)

스트레스를 조절할 수 있다고 판단되는 다양한 전략을 수립했다면, 다음 단계는 실제로 활용 가능하고 우선적으로 필요한 내용들을 선별하여 적용의 우선순위를 정하는 것이다.

이때에는 본인의 삶의 환경까지도 고려하여 지속적인 실천이 가능하도록 조정하는 것이 중요하다.

4. 실천하기

인식하고 전략을 수립하고 프로그래밍을 하는 모든 과정은 실제적으로 삶의 현장에서 느끼는 스트레스를 해소하고 소진을 예방하기 위한 것이므로, 실천을 할 수 없다면 이론에 불과한 내용에 머물고 만다. 스트레스 및 소진의 예방 및 관리는 호스피스·완화의료 전문가 뿐만 아니라 환자 및 가족에게도 매우 중요함을 재 인식하고 반드시 실천하여야 한다.

IV 요약

일반적으로 초기의 작은 스트레스들은 업무량을 조절하거나 근무 환경에 변화를 주는 등 작은 변화와 개입으로도 해소할 수 있다. 책상 위를 정리한다거나 사무실 구조를 변경하는 것, 업무를 바꾸어 보는 것 등도 이에 해당할 수 있다.

반면, 이 부분이 무시되거나 소홀히 여겨져서 충분히 해소되지 않은 채 다른 스트레스 요인들이 추가되면 전체적인 스트레스 강도가 강화되며, 이 때에는 단순한

스트레스 자가진단 척도

"각 문항에 대한 나의 현재 상태를 0 ~ 10의 숫자를 사용하여 표현합니다.
나의 상태를 잘 설명할수록 10점에 가깝게, 잘 설명하지 못할수록 0점에 가깝게 표현합니다.
최근 1주일 내 자신의 언동을 생각하면서 기입해 주시되, 너무 깊이 생각하지 마시고, 가벼운 마음으로 해 주세요."

항목	세부항목(신체)	점수	합계
1	몸이 무겁거나 아프다.		
2	두통에 시달리고 있다.		
3	깊은 잠을 잘 수 없다.		
4	항상 긴장 상태로 생활하고 있다.		
5	가슴이 두근거려 진정할 수 없다.		

항목	세부항목(감정)	점수	합계
1	매일 불안한 마음으로 생활하고 있다.		
2	나의 삶은 우울하다.		
3	사소한 일에도 자주 화가 난다.		
4	예전보다 성급하게 판단한다.		
5	지금 걱정거리가 많다.		

항목	세부항목(정신)	점수	합계
1	일상생활에 집중할 수 없다.		
2	기억력이 떨어지는 것 같다.		
3	유머가 없이 건조한 삶을 사는 것 같다.		
4	우유부단하여 결단력이 부족하다.		
5	일상생활에 만족감이 없다.		

항목	세부항목(행동)	점수	합계
1	평소보다 안절부절 한다.		
2	평소보다 과식한다.		
3	평소보다 다툼/분쟁이 많고 과격하다.		
4	평소보다 음주/흡연이 늘었다.		
5	발 떨기, 손톱 깨물기 등 평소에 하지 않던 행동이 늘었다.		

그림 14-3. 암 환자용 스트레스 자가 진단지

환경 변화 도모만으로는 해소되지 않게 된다. 이때에는 사회문화적 변화를 도모하여 잠시 그 상황을 벗어나 있거나 새로운 상황으로 전환하여 긴장감을 해소하는 것이 중요하다. 오랜 직장 생활 중에 떠나는 달콤한 휴가나 근무 내용과 관련이 없이 자유롭게 즐기는 문화 활동 등이 이에 해당하며, '괴로우면 손 빼라'는 바둑 격언도 이에 해당한다고 볼 수 있다.

환경의 변화와 사회문화적 변화를 추구하였음에도

스트레스 자가진단 척도

이름	성별	Unit, No												검사일					

영역	신체 영역					감정 영역					정신 영역					행동 영역				
	1	2	3	4	5	6	7	8	9	10	11	12	13	14	15	16	17	18	19	20
영역	몸	두통	수면	긴장	심박	불안	우울	분노	조급	근심	산만	기억력	건조	결단	만족	안절부절	과식	분쟁	음주흡연	틱
점수	9	3	4	5	4	7	8	8	4	8	9	8	9	9	8	6	0	3	0	8
합계	25					35					42					17				

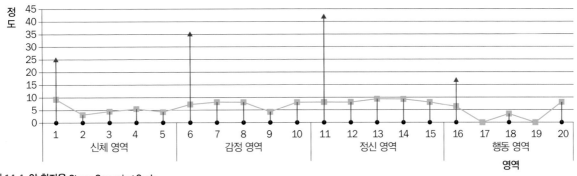

그림 14-4. 암 환자용 Stress Screening Scale

불구하고 해소되지 않는 스트레스 요인들은 대부분 개인의 가치·철학과 연관되어 있는 경우가 많다. 우리는, 박봉임에도 불구하고 창작과 공연에 헌신하는 예술인들, 사회적 인정을 받지 못함에도 불구하고 오랜 세월을 연구에 몰두하는 발명가들, 누군가의 복지 증진을 위해 아무 대가도 없이 헌신하는 많은 자원봉사자 등을 통해 가치와 철학이 삶의 만족과 연계되어 있는 것을 알 수 있다. 이는 외부 환경을 통해 조정될 수 있는 내용이 아니며, 각 개인이 삶에 대한 깊은 고찰을 통해서만이 얻을 수 있는 스트레스 대처 기제이다.

일반적으로 죽음의 경험은 일상생활에 많은 영향을 끼치는 스트레스 요인이라고 한다. 호스피스·완화의료 종사자들은 업무 환경의 특성상 일반적인 의료세팅 종사자들보다 환자 및 가족들과 정서적으로 강한 유대감을 형성하고 있으며, 이들의 죽음의 과정에 밀접하게 개입하고 있다. 또한, 죽음 상황의 경험 노출 빈도가 타 의료세팅 종사자들에 비해 월등히 높기에 호스피스·완화의료 종사자들은 일반 의료세팅 종사자들에 비해 스트레스 상황에 직접적으로 노출되어 있다고 할 수 있다.

반면, 호스피스·완화의료 종사자들은 본인의 정신적, 육체적 건강을 유지하면서 매일 죽어 가는 사람들을 돌보아야만 하는 과제가 있다. 이것이 단순한 근무가 아니고 삶의 의미를 부여하는 인생의 좌표로 삼고 있다면 단순한 유지가 아니라 그 활동을 성장, 발전시키는 사명감을 느낄 수도 있다. 호스피스·완화의료활동에 오랜 시간 근무할 사람들이라면 스스로 자신의 스트레스를 관리하는 방법을 알고 있는 것이 필요하며, 이러한 종사자는 환자와 가족들에게는 '선물'이라고 할 수 있다.

📑 **참고문헌**

1. 사회복지공무원의 소진 과정과 구조에 대한 질적 연구, 장은숙, 사회과학연구 24(4), 2013.
2. 암 환자를 위한 디스트레스 관리, 이기주, 강남세브란스병원 사회사업팀 교육자료, 2016.
3. 의료사회복지사의 소진에 관한 질적 연구: 소진위험요인을 중심으로, 한국사회복지행정학 8권 제1호(통권 제16호), 최명민, 현진희, 2006
4. 의료사회복지실천론, 나남, 윤현숙, 김연옥, 황숙연, 2011.
5. 지혜로운 삶을 위한 웰다잉, 건양대학교 웰다잉 융합연구회, 구름서재, 2016.
6. Burnout, compassion fatigue, and moral distress in palliative care, Oxford Textbook of Palliative Medicine, Nathan Icherny 등, 5th edition.
7. Managing Stress for Hospice Professionals, Helen Fitzgerald, American Hospice.
8. Rethinking Stress: The Role of Mindsets in Determining the Stress Response, Crum Alia, 2012, 예일대학교 박사학위논문.
9. Self-Care as Best Practice in Palliative Care, Oxford Textbook of Palliative Socialwork, Elizabeth J. Clark, 2011.
10. Staff stress and burnout in palliative care, Textbook of palliative medicine, MARY L.S. VACHON, LISE FILLION, 2nd edition.
11. THE UPSIDE OF STRESS, 2015, Kelly McGonegal (신예경 옮김, 21세기 북스, 2015).

5부

환자 평가와 돌봄계획

15장 포괄적 환자 평가
16장 돌봄의 목표 설정
17장 사전돌봄계획

15장

포괄적 환자 평가

| 고수진, 최선영 |

지지와 완화돌봄(supportive and palliative care)은 환자와 환자 가족의 고통스러운 육체적 고통과 함께 정신사회적 고통을 경감시키는 것이 목표이다.

지금까지 말기환자에 있어서 지지와 완화돌봄의 중요성에 대한 국제사회적 인식이 많이 개선되었고, 많은 학문적 발전이 있었다. 지지와 완화돌봄이 환자의 증상조절, 정서적 안정 등 전반적인 삶의 질 향상에 상당한 영향을 준다는 연구 결과도 보고되었다. 말기환자들은 단지 육체적인 고통뿐 아니라 재정적, 사회적, 가족 간의 영적인 고통을 겪고 있다. 이러한 고통들은 환자가 한 명의 독립된 인간으로서 유지해오던 통합성이 훼손되고 위협받게 되는 상황에서 발생하게 되지만, 대개 의료진들이 환자 자체보다 질병 자체에 집중하게 되면 간과되기 쉽다.

이러한 문제들은 질병자체보다 환자 및 환자 가족에 집중하는 다학제적인 접근으로 해결할 수 있다. 의사들은 간호사, 심리학자, 종교인, 직업치료사, 물리치료사, 영양사, 사회복지사, 약사 또는 자원봉사자에 이르기까지 많은 사람들과 같이 일하게 된다. 환자의 신체적, 정신사회적 특징을 파악하고, 관리하는 다면적 평가를 가능하게 한다. 이번 장에서는 다면적 평가에서 의학적 평가 외의 부분들을 중점적으로 다루려고 한다. 평가도구 및 평가강도는 환자군에 제공되고 있는 완화의료의 형태 등에 따라 매우 다양하게 나타난다.

Ⅰ 다면적 평가

다양한 증상을 가진 말기환자를 통증과 같은 한두 가지 증상에 따라 단편적으로만 평가하고 관리하는 것은 말기환자를 적절히 평가하는 방법이 되지 못한다. 그것은 환자의 증상이 외부로 표현되는 과정에는 수많은 요소들이 관련되어 있고 각 개인에 따라 다양한 개인차가 존재하기 때문이다. 이러한 문제를 줄이고 환자를 전인적으로 평가하기 위해서는 심도 깊은 다면적 평가(multidimensional assessment)를 수행하는 것이 무엇보다 중요하다. 동일한 원인에 의해서도 각 개인이 겪는 "증상" 자체는 각 개인에 따라 차이가 날 수도 있으며 또한 동일인에서조차 서로 다른 부위에서 다르게 나타날 수도 있다. 이것은 어떠한 자극을 뇌의 '피질에서 증상'으로 인지하는 "지각(perception)"이라는 기본적인 단계에서부터 개인적인 차이가 발생하기 때문이다. 예를 들어, 통증의 경우만 보아도, 동일한 자극임에도 불구하고 각 개인마다 엔돌핀 분비와 같은 하행억제로(descending inhibitory pathways)에 다양한 개인차가 있기 때문에, 지각되는 통증의 강도에는 유의한 차이가 생기게 된다. 하지만, 불행하게도 이러한 모든 차이들을 쉽고 정확하게 측정할 수 있는 방법은 아직까지 존재하지 않고 있다. 결국 환자의 전체 경험 중 극히 일부인 '표현된 고통'과 같은 것들이 '외적으로 측정할 수 있는 유일한 부분'이라는 이유로 종종 환자치료의 지표가 되기도 하지만, 치료 전략 자체는 환자의 정신적, 사회문화적 요인들까지 포괄하여 고려되어야 한다는 것은 분명한 사실이다.

종합적으로 말해서, 통증, 피로, 오심과 같은 외부로 드러나는 증상들의 강도를 측정하는 것도 중요하지만, 같은 강도로 표현된다고 해서 동일한 단면적인 가치를 지닌다고 생각해서는 안 된다. 예를 들어, 당뇨에서 혈당이나 고혈압에서 혈압처럼 말이다. 오히려, 표현된 증상을 다면적인 구조의 일부로 이해하여 '통증지수 10점 중 8점'에 더해 '신체화(somatization), 경도의 섬망'과 같은 개념을 더해서 다면적으로 평가하는 것이 더 중요하다. 이러한 다면적 평가는 환자의 표현된 증상과는 다른 면들의 기여를 인식하게 하여 환자를 전인적으로 파악하는 데에 도움을 줄 것이다. 다면적 평가를 위해 사용되는 다양한 차원의 접근들이 다음 표에 정리되어 있다 표 15-1.

II 평가도구

의사는 평가의 목적, 실용성, 접근성 등을 신중히 고려하여 말기환자를 평가하는 도구를 선택해야 한다. 말기환자들은 대개 심신이 병약하므로 시간이 많이 걸리는 복잡한 평가도구로 평가하기 어렵다. 평가도구는 증상의 강도를 평가하고 진단할 뿐 아니라 치료의 효율성이나 부작용 등을 감시할 수 있다. 그들은 말기환자의 증상관리를 방해하는 나쁜 예후인자들의 조기 발견에 큰 역할을 하고 있다. 이러한 결과들은 증상관찰의 정확성을 높이기 위하여 환자 의무기록에 기록되어야 한다. 비교적 효과적인 증상 평가도구들은 Edmonton Symptom Assessment System (ESAS), Memorial Symptom Assessment Scale (MSAS), Rotterdam Symptom Checklist (RSCL), Symptom Distress Scale (SDS) 등이 있다.

ESAS 평가도구 표 15-2는 암 또는 만성질환 환자들이 흔히 경험하는 10 가지의 항목(통증, 피로, 오심, 우울, 흥분, 졸음, 호흡곤란, 식욕부진, 수면장애, 호전감)에 대한 평가를 위해 고안된 것으로, 환자는 최근 24시간 동안에 있었던 증상에 대하여 '증상 없음 0'부터 '가능한 최악의 증상 10'까지의 숫자로 대답하게 된다. ESAS는 원래 완화의료서비스를 받고 있는 말기 암 환자에서 흔히 나타나는 신체적, 정신적 문제들의 강도를 평가하기 위해 1991년에 개발된 것인데, 이후 다수의 기관에서 받아들여지면서 빠르게 확산되었다. ESAS는 직접 적용하기 쉽기 때문에, 의료진들이 조절하고자 하는 증상의 변화를 추적할 수 있는 bed side tool로서 가치가 높아 현재 많은 완화의료연구에 사용되고 있다. 애초에 영어로 개발된 ESAS는 이탈리아어, 프랑스어, 독일어, 스페인어, 한국어, 태국어 등으로 번역되어 이미 타당도 검증이 완료되어 있다.

ESAS의 개정버전인 ESAS-r 표 15-3은 ESAS에 기반을 두고 있지만,

표 15-1. 말기질환자에서의 다면적인 평가

평가측면(Dimension assessment)	상세 내용
① 병력	• 암/질환의 병기(Stage) • 최근의 항암/방사선 치료 • 자가 증상 평가지(Self-rated symptoms scales) • 특징, 강도, 위치, 악화인자
② 수행지수	• Karnofsky 수행지수, ECOG 수행지수
③ 일상생활수행능력(Activity of daily living, ADL) 도구적 일상생활수행능력(Instrumental activities of daily living, IADL)	• ADL 평가 : 목욕, 옷입기/벗기, 식사, 침대에서 의자로 이동하거나 돌아가기, 대소변 가리기, 변기사용, 걷기 등 • IADL 평가 : 가벼운 가정활동 하기, 식사 준비하기, 약 먹기, 식료품가게나 옷 등을 쇼핑하기, 전화기 사용하기, 돈 관리하기 등.
④ 고통스러운 증상(통증, 피로, 식욕부진, 오심, 호흡곤란, 불면, 졸음, 변비)	• ESAS (Edmonton symptom assessment system) • 변비 또는 장폐색의 감별을 위한 복부 X-ray (복부 CT를 고려)
⑤ 정신사회적 증상(불안, 우울)	• 불안/우울(ESAS) • 인터뷰 동안 정동장애(Mood disorder)여부 확인
⑥ 가족/간병인	• 인터뷰 동안 가족/간병인의 애로사항 확인 • 사회문화적, 재정적 문제 파악
⑦ 섬망	• MDAS (Memorial Delirium Assessment Scale) • MMSE (Mini-Mental State Examination) • CAM (Confusion Assessment Method)
⑧ 영적 문제	• 영적평가 : SPIRITual History, FICA • 자가 기입식 영적 고통 평가지 • 인터뷰 동안 영적 문제 여부 확인
⑨ 화학적 대응(Chemical coping)	CAGE 설문지
⑩ 약제 상호작용	
⑪ 신체검진	

• 증상의 시점이 명확해짐: 최근 24시간이 아니라 "현재 now"의 상태에 대한 질문
• 용어 정리: "식욕 appetite"와 같은 항목이 "식욕부진 lack of appetite"처럼 명확히 기술됨
• 항목 순서 정리: 관련 있는 항목이 연이어서 기술되고, "well-being"이 9번째 항목이 됨
• 형식의 변화: 숫자 위에 있던 수평선이 삭제됨
등의 차이를 가지고 있다.

또한 ESAS는 말기환자에서 불안과 우울을 평가하는 도구로서도 의미가 있다는 것이 알려져 있는데, 말기환자에서 우울과 불안을 평가하는 도구로 잘 알려진 병원 불안 우울척도(Hospital Anxiety and Depression Scale, HADS) 표 15-4 과의 타당도 검증도 이미 완료된 상태이다. 완화적 돌봄환경일 때, ESAS의 우울 항목에서 2점 이상을 기록한 경우, HADS에서 '우울'로 평가될 민감도는 77%, 특이도는 55% 정도이고, HADS에서 '중등도 이상의 우울'로 평가될 민감도는 83%, 특이도는 47% 정도 된다. 또한 ESAS의 불안 항목에서 2점 이상을 기록한 경우, HADS에서 '불안'으로 평가될 민감도는 86%, 특이도는 56% 정도이고, HADS에서 '중등도 이상의 불안'으로 평가될 민감도는 97%, 특이도는 43% 정도 된다. 또 다른 도구로서 Memorial Symptom Assessment Scale (MSAS) 표 15-5 가 있는데, MSAS는 무려 32항목에 달하는 장황함 때문에 주로 연구목적으로 사용되고 있다.

표 15-2. 에드몬튼증상척도지

등록번호: _____ – _____ 이름: _____

평가 일시(년/월/일, 시): _____ / _____ / _____ , _____ : _____ 나이(성별): _____ (남, 녀)

지난 24시간 동안 당신이 느낀 증상을 가장 잘 나타낸 숫자에 동그라미 하세요.

0	1	2	3	4	5	6	7	8	9	10
통증이 없음										상상할 수 없을 정도로 심한 통증

0	1	2	3	4	5	6	7	8	9	10
피곤하지 않음										상상할 수 없을 정도로 심한 피로

0	1	2	3	4	5	6	7	8	9	10
메스껍지 않음										상상할 수 없을 정도로 심하게 메스꺼움

0	1	2	3	4	5	6	7	8	9	10
우울하지 않음										상상할 수 없을 정도로 심하게 우울함

0	1	2	3	4	5	6	7	8	9	10
불안하지 않음										상상할 수 없을 정도로 심하게 불안함

0	1	2	3	4	5	6	7	8	9	10
졸립지 않음										상상할 수 없을 정도로 심하게 졸림

0	1	2	3	4	5	6	7	8	9	10
숨차지 않음										상상할 수 없을 정도로 심하게 숨이 참

0	1	2	3	4	5	6	7	8	9	10
수면장애없음										상상할 수 없을 정도로 심한 수면장애

0	1	2	3	4	5	6	7	8	9	10
입맛이 좋음										상상할 수 없을 정도로 입맛이 나쁨

0	1	2	3	4	5	6	7	8	9	10
심신이 매우 건강하고 평안함										심신이 전혀 건강하고 평안하지 않음

출처 : Kwon JH, Nam SH, Koh S et al. Validation of Edmonton Symptom Assessment System in Korean patients with cancer. J Pain Symptom Manage 2013;46:947–956.

말기환자에서 섬망이나 치매 등으로 인지장애가 생긴 경우라면, 이러한 자가보고형 서식을 통해 평가하기는 어렵게 된다. 섬망은 환자 자신에게뿐 아니라 가족, 의료진 모두에게 많은 부담이 되는 증상이다. 환자 평가가 힘들어지고, 의료진과의 의사소통에도 장애가 생기지만, 증상은 대게 점점 더 악화되면서 더욱 관리하기 어려워지는 경과를 거친다. 말기환자에서 섬망의 빈도는 입원환자의 경우 28%에서 48%에 이른다. 임종기까지 포함하면 약 83%의 환자들이 결국 섬망 증상을 보인다. 10~30%는 완화적 진정이 필요할 정도로

표 15-3. 에드몬튼증상척도지(개정 버전)

Edmonton Symptom Assessment System:

(revised version) (ESAS–R)

Please circle the number that best describes how you feel NOW :

No Pain	0	1	2	3	4	5	6	7	8	9	10	Worst Possible Pain
No Tiredness (Tiredness = lack of energy)	0	1	2	3	4	5	6	7	8	9	10	Worst Possible Tiredness
No Drowsiness (Drowsiness = feeling sleepy)	0	1	2	3	4	5	6	7	8	9	10	Worst Possible Drowsiness
No Nausea	0	1	2	3	4	5	6	7	8	9	10	Worst Possible Nausea
No Lack of Appetite	0	1	2	3	4	5	6	7	8	9	10	Worst Possible Lack of Appetite
No Shortness of Breath	0	1	2	3	4	5	6	7	8	9	10	Worst Possible Shortness of Breath
No Depression (Depression = feeling sad)	0	1	2	3	4	5	6	7	8	9	10	Worst Possible Depression
No Anxiety (Anxiety = feeling nervous)	0	1	2	3	4	5	6	7	8	9	10	Worst Possible Anxiety
Best Wellbeing (Wellbeing = how you feel overall)	0	1	2	3	4	5	6	7	8	9	10	Worst Possible Wellbeing
No _____ Other Problem (for example constipation)	0	1	2	3	4	5	6	7	8	9	10	Worst Possible _____

Patient's Name _____

Date _____   Time _____

Completed by (check one):
□ Patient
□ Family caregiver
□ Health care professional caregiver
□ Caregiver–assisted

BODY DIAGRAM ON REVERSE SIDE

출처 : The Edmonton Zone Palliative Care Program (EZPCP), http://www.palliative.org/

심하게 나타난다. 하지만 22~55%의 섬망은 아예 진단 조차 되지 못하고 간과되기도 한다. 섬망의 진단은 급성 발현, 경과의 변동(fluctuation in course), 감소된 지각기능, 집중장애, 인지기능 장애등이 기저 원인과 관련되어 나타나는 것으로 진단된다. 섬망을 가진 암 환자의 인지기능을 평가하기 위해 Mini-Mental State Examination (MMSE)가 오랫동안 쓰여 왔지만, 단지 인지기능만을 평가하기 때문에 부족한 면이 있었다. 또한 MMSE는 상당히 높은 위음성률과 위양성률을 가지기 때문에 개개인의 결과에 대한 해석에는 상당한 주의가 필요했다. 예를 들어, MMSE 점수가 14점(30점 만점)으로 동일한 환자라고 해도 임상상태는 완전 혼수상태

표 15-4. 병원 불안 우울척도

HADS

성명 : _____ 나이 : _____ 세 성별 : 남 / 여 작성일 : _____ 년 _____ 월 _____ 일

> *감정 상태는 당신의 질환이나 상태에 영향을 많이 줄 수 있습니다.
> 다음 글을 읽고 당신의 상태를 가장 잘 나타낸다고 생각되는 문항을 골라 '○'를 하십시오.

1) 나는 긴장감 또는 정신적 고통을 느낀다.
   0. 전혀 아니다.
   1. 가끔 그렇다.
   2. 자주 그렇다.
   3. 거의 그렇다.

2) 나는 즐겨오던 것들을 현재도 즐기고 있다.
   0. 전혀 아니다.
   1. 많이 즐기지는 못한다.
   2. 단지 조금만 즐긴다.
   3. 거의 즐기지 못한다.

3) 나는 무언가 무서운 일이 일어날 것 같은 느낌이 든다.
   0. 전혀 아니다.
   1. 조금 있지만 그렇게 나쁘지는 않다.
   2. 있지만 그렇게 나쁘지는 않다.
   3. 매우 분명하고 기분이 나쁘다.

4) 나는 사물을 긍정적으로 보고 잘 웃는다.
   0. 나는 항상 그렇다.
   1. 현재는 그다지 그렇지 않다.
   2. 거의 그렇지 않다.
   3. 전혀 아니다.

5) 마음속에 걱정스러운 생각이 든다.
   0. 거의 그렇지 않다.
   1. 가끔 그렇다.
   2. 자주 그렇다.
   3. 항상 그렇다.

6) 나는 기분이 좋다.
   0. 항상 그렇다.
   1. 자주 그렇다.
   2. 가끔 그렇다.
   3. 전혀 그렇지 않다.

7) 나는 편하게 긴장을 풀 수 있다.
   0. 항상 그렇다.
   1. 대부분 그렇다.
   2. 대부분 그렇지 않다.
   3. 전혀 그렇지 않다.

8) 나는 기력이 떨어진 것 같다.
   0. 전혀 아니다.
   1. 가끔 그렇다.
   2. 자주 그렇다.
   3. 거의 항상 그렇다.

9) 나는 초조하고 두렵다.
   0. 전혀 아니다.
   1. 가끔 그렇다.
   2. 자주 그렇다.
   3. 매우 자주 그렇다.

10) 나는 나의 외모에 관심을 잃었다.
   0. 여전히 관심이 있다.
   1. 전과 같지는 않다.
   2. 이전보다 확실히 관심이 적다.
   3. 확실히 잃었다.

11) 나는 가만히 있지 못하고 안절부절한다.
   0. 전혀 그렇지 않다.
   1. 가끔 그렇다.
   2. 자주 그렇다.
   3. 매우 그렇다.

12) 나는 일들을 즐거운 마음으로 기대한다.
   0. 내가 전에 그랬던 것처럼 그렇다.
   1. 전보다 조금 덜 그렇다.
   2. 전보다 확실히 덜 그렇다.
   3. 전혀 그렇지 않다.

13) 나는 갑자기 당황스럽고 두려움을 느낀다.
   0. 전혀 그렇지 않다.
   1. 가끔 그렇다.
   2. 꽤 자주 그렇다.
   3. 거의 항상 그렇다.

14) 나는 좋은 책 또는 라디오 텔레비전을 즐길 수 있다.
   0. 자주 즐긴다.
   1. 가끔 즐긴다.
   2. 거의 못 즐긴다.
   3. 전혀 못 즐긴다.

출처: 오세만, 민경준. 병원 불안 우울척도에 관한 표준화 연구 : 정상, 불안, 우울 집단간의 비교, 신경정신의학회지. 1999:38(2).

에서부터 완전 흥분상태까지 다양할 수 있다는 것이다. 섬망을 평가하기 위한 또 다른 도구로는 Memorial Delirium Assessment Scale (MDAS), Delirium Rating Scale (DRS) 또는 Confusion Assessment Method (CAM) 등이 있다. MDAS는 의료진이 10가지 항목에 대하여 각각 0~3점을 부여하여 평가하는 도구로, 원래는 섬망의 정도를 평가하려고 만들어졌지만, 현재 진단도구로도 사용되고 있다. MDAS는 7점을 기준으로 하면 완화의료환경에서 약 97%의 민감도와 95%의 특이도를 보인다고 알려져 있다. 정신운동(psychomotor activity)

표 15-5. Memorial Symptom Assessment Scale

Memorial Symptom Assessment Scale		
Name		Date

Section 1

Instructions: We have listed 24 symptoms below. Read each one carefully. If you have had the symptom during this past week, let us know how OFTEN you had it, how SEVERE it was usually and how much it DISTRESSED or BOTHERED you by circling the appropriate number. If you DID NOT HAVE the symptom, make an "X" in the box marked "DID NOT HAVE."

DURING THE PAST WEEK — Did you have any of the following symptoms?	DID NOT HAVE	IF YES — How OFTEN did you have it?				IF YES — How SEVERE was it usually?				IF YES — How much did it DISTRESS or BOTHER you?				
		Rarely	Occasionally	Frequently	Almost Constantly	Slight	Moderate	Severe	Very Severe	Not at all	A Little Bit	Somewhat	Quite a Bit	Very Much
Difficulty concentrating		1	2	3	4	1	2	3	4	0	1	2	3	4
Pain		1	2	3	4	1	2	3	4	0	1	2	3	4
Lack of energy		1	2	3	4	1	2	3	4	0	1	2	3	4
Cough		1	2	3	4	1	2	3	4	0	1	2	3	4
Feeling nervous		1	2	3	4	1	2	3	4	0	1	2	3	4
Dry mouth		1	2	3	4	1	2	3	4	0	1	2	3	4
Nausea		1	2	3	4	1	2	3	4	0	1	2	3	4
Feeling drowsy		1	2	3	4	1	2	3	4	0	1	2	3	4
Numbness/tingling in hands/feet		1	2	3	4	1	2	3	4	0	1	2	3	4
Difficulty sleeping		1	2	3	4	1	2	3	4	0	1	2	3	4
Feeling bloated		1	2	3	4	1	2	3	4	0	1	2	3	4
Problems with urination		1	2	3	4	1	2	3	4	0	1	2	3	4
Vomiting		1	2	3	4	1	2	3	4	0	1	2	3	4
Shortness of breath		1	2	3	4	1	2	3	4	0	1	2	3	4
Diarrhea		1	2	3	4	1	2	3	4	0	1	2	3	4
Feeling sad		1	2	3	4	1	2	3	4	0	1	2	3	4
Sweats		1	2	3	4	1	2	3	4	0	1	2	3	4
Worrying		1	2	3	4	1	2	3	4	0	1	2	3	4
Problems with sexual interest or activity		1	2	3	4	1	2	3	4	0	1	2	3	4
Itching		1	2	3	4	1	2	3	4	0	1	2	3	4
Lack of appetite		1	2	3	4	1	2	3	4	0	1	2	3	4
Dizziness		1	2	3	4	1	2	3	4	0	1	2	3	4
Difficulty swallowing		1	2	3	4	1	2	3	4	0	1	2	3	4
Feeling irritable		1	2	3	4	1	2	3	4	0	1	2	3	4

표 15-5. Memorial symptom assessment scale 〈계속〉

Section 2

Instructions: We have listed 8 symptoms below. Read each one carefully. If you have had the symptom during this past week, let us know how SEVERE it was usually and how much it DISTRESSED or BOTHERED you by circling the appropriate number. If you DID NOT HAVE the symptom, make an "X" in the box marked "DID NOT HAVE."

DURING THE PAST WEEK Did you have any of the following symptoms?	DID NOT HAVE	IF YES How SEVERE was it usually?				IF YES How much did it DISTRESS or BOTHER you?				
		Slight	Moderate	Severe	Very Severe	Not at all	A Little Bit	Somewhat	Quite a Bit	Very Much
Mouth sores		1	2	3	4	0	1	2	3	4
Change in the way food tastes		1	2	3	4	0	1	2	3	4
Weight loss		1	2	3	4	0	1	2	3	4
Hair loss		1	2	3	4	0	1	2	3	4
Constipation		1	2	3	4	0	1	2	3	4
Swelling of arms or legs		1	2	3	4	0	1	2	3	4
"I don't look like myself"		1	2	3	4	0	1	2	3	4
Changes in skin		1	2	3	4	0	1	2	3	4
If you had any other symptoms during the past week, please list below and indicate how much the symptom has distressed or bothered you.										
Other:						0	1	2	3	4
Other:						0	1	2	3	4
Other:						0	1	2	3	4

출처 : The National Palliative Care Research Center (NPCRC) http://www.npcrc.org/

이라는 측면에서 보면, 섬망에는 hyperactive type, hypoactive type 그리고 mixed type 의 3가지 종류가 있다. Hypoactive type을 불안장애로 오인하는 경우가 적지 않다. Fainsinger 등은 "파괴적인 삼각형(destructive triangle)"에 관해서 기술하였는데, 이것은 조절되지 않은 환자의 섬망증상을 환자 가족들이 '환자가 통증에 시달리는 것'으로 오인하여 의료진들에게 계속 무언가를 해주도록 강력하게 요구하게 되어, 결국 의료진의 과도한 약물사용이 이루어지고, 다시 이것들이 조절되지 않는 섬망을 악화시키는 악순환의 삼각 고리를 말하는 것이다 그림 15-1 .

일단 섬망이 의학적으로 진단되면, 이 사실을 팀 내에서 공유하는 것이 매우 중요한데, 그것은 약물, 재활, 상담과 같은 일반적인 활동들이 섬망환자에게는 매우 부적절할 수 있기 때문이다. 섬망이나 인지기능 장애인 환자의 증상을 환자 가족들에게도 적절히 교육하는 것 또한 중요한 일이다. 이렇듯 다면적인 평가는 환자의 섬망을 좀 더 일찍 의료진이 인지할 수 있도록 하여, 적절한 치료를 가능케 한다.

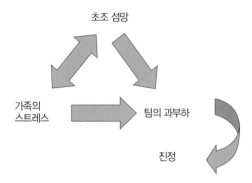

그림 15-1. 조절되지 않는 섬망의 결과로 발생하는 진정('파괴적인 삼각형')
출처 : Centeno C, Sanz A, Bruera E. Delirium in advanced cancer patients. Palliat Med. 2004 Apr;18(3):184-94.

III 정신학적 평가

통증, 피로와 같은 신체적 증상도 정서적 또는 정신적 원인들에 의해 악화될 수 있다. 정신적 고통은 환자의 기쁨, 의미를 이해하는 능력, 타인과 교감하고 있다는 느낌과 같은 것에 손상을 주게 된다. 결국 통증과 같은 부정적인 증상은 증폭시키고, 분리나 결별에 대한 감정적 회복은 늦어지게 되어 결국 삶의 질이 떨어지게 된다. 결과적으로, 우울증과 같은 정신적 고통은 환자가 안락사를 원하게 되거나 자살하는 경우의 중요 원인이다. 다른 한편으로는, 심한 신체적 고통이 잘 관리되지 못하면 정신적 고통으로 이어질 수도 있다. 잘 조절되지 못한 오심, 호흡곤란과 같은 신체적 고통들이 감정 상태와 수면을 극도로 혼란하게 할 수 있다.

정신적 평가는 주로 감정상태(mood)와 그에 대한 대처 방법(coping)을 위주로 평가해야 한다. 의료진들이 이러한 영역에 대해 우선 익숙해지는 것이 중요하고 이러한 접근이 필요한 상황이 발생하면 즉각적으로 인지하는 것이 중요하다. 의료진들은 흔히 환자들의 정신적 고통에 대해 간과하기 쉽고, 이러한 것은 곧 삶의 질에 부정적인 영향을 미치게 된다. 말기환자들은 다양한 방법으로 자신들에게 닥쳐오는 죽음에 대한 공포, 분노,

회피, 거부, 지식화, 심한 애도, 존재 자체에 대한 질문들에 대응하며 살아가고 있다. 피로, 식욕부진, 수면장애와 같은 증상들은 정신적 문제가 아니라 질병 자체에 의해서도 발생할 수도 있지만, 혹시 이러한 증상들이 정신적 고통을 암시하는 증상들은 아닌지 주의 깊게 지켜볼 필요가 있다. 환자에 대해서 잘 알고 있다고 생각하는 의료진 또는 환자 가족들도 신체화(somatization), 불안, 적응장애, 우울 등과 같은 병적 단계를 암시하는 단서들을 죽음이라는 절대적인 문제에 직면한 상황에서 나타나는 정상적인 스트레스 상태로 간주해버리는 경우가 흔히 발생하고 있다. 환자나 의료진들 중 이러한 정신적 평가를 꺼리는 경우가 있는데, 그것은 시간적인 제약과 이러한 평가가 환자에게 또 다른 고통을 줄 수 있다는 염려 때문이다. 의료진들은 진단 후 추가적인 약물치료로 부작용만 생기고 증상은 조절되지 않을까봐 두려워하는 경우도 있는데, 이런 것이야말로 우리가 죽어가는 환자를 돌보면서 우리 자신이 희망을 잃어버리고 무기력해지는 것이라고 말할 수 있겠다.

1. 기분장애(Mood disorders)

기분장애는 정신과 질환 중에 가장 흔한 질환이다. 말기환자에서 우울증은 다른 많은 증상들과 함께 나타나곤 한다. 유병률은 매우 다양하지만, 대략 말기환자의 25% 정도가 기분장애를 겪고 있는 것으로 생각된다. 최근의 메타 분석에 따르면 적응장애(adjustment disorder)의 유병률은 15.4%, 불안장애(anxiety disorders)의 유병률은 9.8% 정도지만, 우울증의 유병률은 여러 아군(subtype)을 모두 합치면 대략 24.7%에 이르며, 기분장애 전체의 유병률은 29.0%에 육박한다고 한다. 또 다른 연구에서는 Diagnostic and Statistical Manual of Mental Disorders (DSM) 또는 International Classification of Diseases (ICD) 기준에 따른 우울증의 유병률은 16.3% 정도이고 주요우울장애(major depression)로 보면 14.9%이고 minor depression은 19.2%, 적응장애는

19.4%, 불안장애는 10.3%, 기분부전장애(dysthymia)는 2.7% 정도의 유병률을 가진다고 한다. 우울증 전체는 20.7% 정도이고, 우울증과 적응장애를 모두 합치면 31.6%, 기분장애 전체는 38.2%에 달한다고 보고된 바 있다.

질병으로 고생하는 환자의 정동장애는 대개 진단 자체가 잘 안 되기 때문에 치료 역시 진행되지 못하는 경우가 많다. 우울증의 선별진단을 위해 몇 가지 자기기입식 설문지가 개발되어 있다. Lloyd-Williams 등은 말기 암 환자들을 위해 7항목으로 된 구두 평가지(a seven-item verbal rating scale)를 사용하여 우울증과 신체증상 사이의 관련성을 밝혔다. 우울증의 진단을 위해서는 환자면담이 무엇보다도 중요한데, Chochinov 등은 말기환자에게 "우울한 느낌이 드십니까?"라는 단순한 질문을 하는 것만으로도 상당한 민감도와 특이도를 가진다는 것을 보여주었다. 또 다른 유익한 질문으로는 "무언가를 할 때 즐겁지 않고 의욕이 없나요?" 등이 있다. 물론 질문 종류에 상관없이 특이사항이 있는 환자는 심도깊은 정신적 평가를 반드시 받아야 할 것이다.

HADS 표 15-4 은 일종의 자기 보고식 설문지로 환자의 정신적 고통을 평가하기 위해 널리 사용되는 도구이다. HADS는 환자의 정신적 상태 변화에 매우 민감하다고 알려져 있다. 각각 0~3의 4점 척도로 구성되어있는 14문항은 불안에 관한 문항(HADS-A; 홀수 7문항)과 우울에 관한 문항(HADS-D; 짝수 7문항)으로 구성되어 있으며, 각 아군마다 각각 21점 만점으로 따로 계산한다. Zigmond 와 Snaith(1983)등은 HADS-A, HADS-D 각각의 cut-off 값으로 8점을 제안하고 3군으로 나누었다. 0~7점은 불안과 우울이 없는 상태(noncases), 8~10점은 경증의 불안과 우울이 있는 상태(doubtful cases), 11~21점은 중등도 이상의 불안과 우울증상이 있는 상태(definite cases for anxiety and/or depression)로 구분하였다. 또 다른 연구에서는 14~15를 넘는 점수는 '심한 불안과 우울증상'을 의미한다고 보고하기도 하였

다. 정신적 합병증 발생 고위험군들은 대개 낮은 수행 지수, 특정 암치료를 받은 경우, 조절 안 되는 극심한 통증이 남아있는 경우, 기능적 제약이 있거나, 사회적 지지의 부재, 정신질환의 가족력, 자살이나 우울등의 가족력이 있는 경우이다.

2. 신체화(Somatization)

신체화는 '정신적 고통이 신체적으로 표현되는 현상'을 말하며, 우울, 불안, 인격 장애, 인지장애등과 매우 밀접하게 연결되어 있다. 대부분의 호스피스·완화의료 환자에서 신체화는 어느 정도 병리학적 근거가 있는 통증에 대해 증가된 표현을 하는 것으로 표현되는데, 이는 전혀 병리학적 근거가 없는 통증에 대해 강하게 표현하는 신체화장애(somatoform disorders)와는 다른 것이다. 뚜렷한 신체적인 이상 없이 수년간 복합적인 신체증상을 호소하게 되면 신체증상장애(somatic syndrome disorder)로 정의할 수 있으나 이는 호스피스·완화의료 환자에서는 극히 드문 진단이다. 신체화가 나타날 때, 환자는 증가된 강도의 통증을 호소하는 경향이 있지만, 그에 부합하는 뚜렷한 원인을 적절한 검사에서도 찾기 어려운 경우가 많고 약물치료에도 거의 반응하지 않는다. 정동장애(affective disorder)에 더해서 기능성신체증후군(functional somatic syndrome)의 증상들(만성 골반통, 과민성대장증후군, 섬유근육통. 긴장성 두통, 만성피로증후군)이 ESAS의 여러 항목에서 높은 점수로 나타난다면 신체화를 강하게 암시하는 것일 수 있으니 주의해야 한다. 더 많은 진통제를 끝없이 사용한다고 해서 해결되는 것이 아니기 때문이다. 표준적인 진단 기준이 없기 때문에, 신체화의 진단은 반복적인 관찰에 근거하여 환자 및 환자 가족과 충분한 협의를 거친 후에 진단하는 것이 필요하다. 이러한 상태에 있는 많은 환자들의 대부분이 자신들이 그러한 방식으로 정신적 스트레스에 대응하고 있다는 것을 전혀 모르는 경우가 많기 때문에 더욱 그러하다.

IV 영적인 평가

영성(spirituality)은 많은 사람들에서 건강에 기여하는 요소이면서 암이나 심부전과 같은 생명을 위협하는 질환을 가진 사람들을 돌보는 데에 매우 중요한 요소이다. 영적 또는 종교적 믿음은 개인이 자신이 처한 질병이나 상황에 대처하는 데에 영향을 줄 수 있다. 영성은 "개인들이 의미와 목적을 찾고 표현하는 방식과 그들이 자기 자신 또는 타인이나 자연등과 교감하는 방식에 관한 인간성의 한 측면"이라고 정의할 수 있다. 영성은 우리 존재의 부분이며 내면세계의 차원이다. 종교는 영성의 표현으로 인간이 개념화, 체계화시킨 것이라고 할 수 있다. 지지와 완화돌봄의 주요한 목표는 환자의 고통을 경감시키는 것이다. 이러한 고통에는 정신사회적인 것부터 신체적, 감정적인 것뿐 아니라 영적인 고통을 포함하는 것이다. 말기환자에서 영적인 영역을 고려하는 것은 매우 중요한 일인데, 그것은 이러한 부분이 환자가 자신의 상황에 대응하는 것과 삶의 질에 영향을 미칠 수 있기 때문이다. 영적 요구는 개인에 따라 개별화된 과정을 통해 충족되어야 한다.

환자들은 "당신은 어떤 원칙으로 살아갑니까?", "당신은 개인적인 신앙이 있습니까?", "당신은 당신의 상황에 대하여 기도해 본 적이 있습니까?"와 같은 단순한 질문으로부터 그들의 이야기를 시작한다. 환자의 영적 요구를 충족시키는 것이 환자의 만족감과 비례관계에 있다는 연구도 있고, 환자의 영적 욕구를 충족시키는 것이 삶의 질을 향상시키고 임종기의 불필요한 치료를 줄인다는 것을 보고한 연구도 있었다. 영적 평가는 그들의 영적 이야기를 말하도록 격려하는 것으로부터 시작한다. 영적인 선별검사라고 한다면, 환자의 영적 이야기를 청취할 때에 우선 환자 중심적인 접근을 통해 환자가 자신의 이야기를 할지 또는 하지 말지를 선택할 수 있도록 해야 한다.

일단 환자와의 대화가 열리면, 환자의 영적 경력을 청취하는 도구를 사용하여 좀 더 자세히 환자를 평가할 수 있다. 환자의 영적 상태를 평가하는 도구로서 많이 사용되는 것들로는, Systems of belief inventory-15R (SBI-15R), Brief measure of religious coping, Functional assessment of chronic illness therapy-spiritual well-being, SPIRITual History, HOPE, FICA 등이 있다. 이런 도구 중의 몇몇은 주로 연구적 목적에서 개발되었고, 몇몇은 종교를 가지고 있지 않은 의료진들을 위해 개발되었다. 약자로 SPRIT 라고 쓰는 SPIRITual History tool (SPRIT)은 모두 6개의 도메인을 가지고 있으며 S는 spiritual belief system, P는 personal spirituality, R은 ritualized practices, I는 implications for medical care, 그리고 T는 terminal events planning을 의미하고 대략 10~15분이면 충분하게 검사할 수 있다. FICA표 15-6 도구는 조지 워싱턴 영성 건강 기구(the George Washington Institute for Spirituality and Health)에서 개발한 것으로 믿음(faith), 중요성(importance), 공동체(community), 돌봄중 언급여부(address in care) 등과 같은 4가지 항목을 가지고 있다.

영적인 부분을 청취하면서 의료진은 자신의 믿음이나 신념을 환자에게 암시하는 행동을 하면 안된다. 또한 이러한 영적 병력청취는 강제적인 과정이 아니라는 것을 분명히 하고 진행해야 하며, 만일 필요하다면 전문적인 종교인의 도움을 받는 것이 중요하다. 적극적인 경청을 통해 일단 환자와 전문적인 종교인 사이에 어느 정도 관계 형성이 되면, 환자의 내면적인 문제들이 좀 더 수월하게 이끌려 나오게 된다. 이런 주제들은 삶의 의미, 보호자로서의 신, 심판자로서의 신, 슬픔, 절망, 용서 등이 될 수 있다. 이러한 영적 평가를 거치고 난 후 영적 돌봄계획을 세울 때에는 담당 의료진, 환자 가족들과의 충분한 협의를 거쳐 통합된 돌봄 계획을 세워야 한다.

표 15-6. FICA spiritual history

F	믿음(Faith), 신념(Belief), 의미(Meaning)	당신은 당신이 영적이거나 종교적이라고 생각하십니까? 당신은 스트레스에 대응하는 영적 믿음을 가지고 있습니까?
I	중요성(Importance), 영향력(Influence)	당신의 믿음이나 신념이 당신의 인생에서 어떤 중요성을 가지고 있습니까? (전혀 중요하지 않다 0점~매우 중요하다 5점) 당신의 믿음이나 신념은 당신 인생에서 몇 번째로 중요한 것입니까? 당신의 믿음이나 신념이 당신이 스트레스에 대응하는 데에 영향을 주어 왔습니까? 당신의 믿음이나 신념이 당신이 건강에 대한 계획을 세우는 데에 있어 어떤 역할을 하고 있습니까?
C	공동체(Community)	당신은 영적인 또는 종교적인 공동체의 일원입니까? 그런 사실이 당신에게 도움이 됩니까? 어떻게 도움이 됩니까? 당신에게 중요하다고 생각되는 사람이나 당신이 진정으로 사랑하는 사람들이 그 공동체 내에 있습니까?
A	돌봄 중 언급 여부 (Address in care)	당신의 의료진들이 당신을 돌볼 때 이러한 영적인 정보를 활용하는 것에 대해서는 어떻게 생각하십니까?

V 가족, 돌봄제공자 평가

말기환자가 만성적으로 병적 상태에 있는 것은 환자 가족 모두에게 큰 영향과 변화를 주게 된다. 환자의 삶이 제한되어 있다는 명확한 사실뿐 아니라, 환자와 가족 또는 타인과의 관계에서 고통스러운 변화가 진행된다는 것도 주변 가족들을 힘들게 한다. 가족 내에서 제공자, 돌봄제공자, 부모, 배우자였던 환자의 역할은 변화하게 되어, 가족 모두가 새로운 상황에 놓이게 되는 것이다. 전통적으로 가족은 혈연관계로 이루어진 개인들의 연합체이지만, 사실 말기환자에게 있어서의 가족이란 환자 자신이 가족으로 받아들인 사람들이라고 정의 하는 것이 좀 더 유연한 정의일 것이다. 가족, 돌봄제공자에 대한 평가는 재택 서비스를 받고 있는 환자의 경우에는 특히 중요하다. 가족들이 가정에서 돌보는 것에 적극적이고 잘 준비되어 있어야만 환자가 집에서 임종하시는 것도 고려해 볼 수 있을 것이다. 재택환자의 가족들은 환자의 자세를 바꾸어주는 단순한 것에서 시작하여 환자와 관련된 모든 것들에 실제로 관여하고 있는 경우가 많다. 더 나아가, 돌봄이 가정에서 이루어지는 경우, 가족 구성원 모두는 환자의 진단, 치료, 병의 자연 경과 등에 따른 돌봄에 대해 충분히 교육받아야 한다. 가계도를 조사하는 것은 특정 가족의 구조와 역동을 파악하는 데에 필수적인 부분이다. 가족 간 의사소통의 형태, 가족 구성원 각자의 역할, 스트레스에 대한 대응 방법과 같은 것들이 암이라는 질환으로 인해 변화할 수 있다. 예를 들어 가족들이 서로를 보호하기 위해 걱정되는 문제에 대해 서로 언급하는 것을 꺼리는 경우도 있을 수 있다.

암 환자를 돌본다는 것은 상당히 많은 요구에 지칠 수도 있는 일이며, 돌봄제공자를 육체적 정신적으로 소모시킬 수 있는 일이다. 예를 들어 24시간 돌봄을 제공하는 돌봄제공자의 경우 종종 수면장애나 피로 등을 호소하는 경우가 흔하다. 또한 통증 있는 암 환자를 돌보는 돌봄제공자들이 통증 없는 환자를 돌보는 돌봄제공자들보다 더 많은 우울감, 기분장애 등을 호소한다고 한다. 그런 이유로, 이러한 환자들은 사회복지사나 심리학자등과 함께 돌봐야 하며, 돌봄제공자의 정신적 부담을 덜어주는 것이 중요하다. 환자 또는 가족이 치료 선택, 돌봄의 목표, 사전연명의료의향서, 경제적인 부분들에 대해 힘든 결정을 해야만 하기 때문에 연명의료계획은 가급적 조기에 계획을 세우고 반복적으로 재확인해야 한다. 진단과 그 예상되는 예후 및 발생가능한 일들에 대하여 조기에 상의하는 것이 필요하다. 궁극적으로, 환자 가족이 어느 선까지 환자를 돌볼 수 있는가 하는 것이 환자를 지역공동체로 복귀시킬 수 있는지를 결정하는 중요한 요소가 된다. 퇴원한 환자라 할지라도 호스피스·완화의료팀과 지속적인 교류가 유지되는 것이 중요하다.

가족이 돌봄제공자인 경우는 임종기에 가까워질수록 가족이 아닌 돌봄제공자들보다 그 역할이 더 크지만, 반면에 가족이기 때문에 예기치 않은 문제가 생길 수도 있다. 가족이 간병하는 경우에, 중독이나 호흡곤란과 같은 부작용에 대한 우려 때문에 환자에게 진통제를 처방된 것보다 적게 먹이는 경우가 가끔 있다. 가족, 돌봄제공자에 대한 평가는 Zarit Burden Interview (ZBI) 표 15-7 나 Brief Symptom Inventory (BSI) 표 15-8 등으로 시행할 수 있다. ZBI에서 말하는 "돌봄제공자 부담(caregiver burden)"이란 돌봄제공을 위해 부담해야 하는 신체적, 감정적, 재정적 부담과 같은 모든 부담을 포괄하는 용어이다. 이 지표는 여러 연구자들 사이에서 널리 사용되는 지표이며, 높은 내적 일치도(Cronbach's 계수=0.94)를 가진 지표이다. 또 다른 검사인 BSI는 일정 시점에서의 대상자가 겪는 18항목의 증상과 그 강도를 자기 기입식 설문지를 통해 평가하는 것으로, 정신심리학적 증상의 형태를 반영할 수 있도록 고안되었다. 각 항목은 "전혀 아니다 0점"에서 "극도로 그렇다 4점"까지의 5점 척도로 점수를 부여한다. 내적일치도는 우울의 경우 0.85, 불안의 경우 0.81 정도이다. 대략 5분 정도면 다 작성할 수 있다.

VI   사회적, 경제적, 문화적 평가

수많은 사회 경제적인 요소들이 증상 발현이나 정신 사회적 고통, 가족 내 역동과 같은 것들에 영향을 줄 수 있다. 사회 문화적인 요구를 적절히 평가하는 것은 더 나은 상담과 강화된 의사소통 그리고 더 나아가 더 나

은 돌봄을 실현하는 데에 도움이 된다. 문화적으로 수용 가능한 의사소통 기술들이 필요하며, 이러한 돌봄의 질 향상을 통해 환자의 고통을 최소화시킬 수 있다. 사회경제적 상태는 재택임종의 주요 예측 요소이며, 이부분은 미국처럼 전국민 의료보험 체계가 미흡한 국가에서는 매우 중요한 문제가 된다. 범위가 제한된 민간보험만을 가지고 있는 환자라면 비싼 마약성 진통제 비용을 지불하기 어려워 좀 더 싼 약물을 처방받는 것을 선호하게 될 수도 있고, 적절한 보험을 가진 환자라 해도, 이식이나 재택서비스와 같은 비보험 서비스를 필요로 하게되면 실질적인 부담을 지게 되므로 곤란해지게 된다. 자주 언급되지는 않지만 암의 부정적인 효과 중 하나는 개인의 재정 상태에 미치는 영향이다. 암 진단은 개인에게 재정과 관련된 부담을 초래하고 결국 삶의 질을 떨어뜨린다. 암으로 인한 재정적 문제는 지역암센터에서 두 번째로 자주 접수되는 내용이다. 암 진단과 관련된 많은 검사들이 개인 부담인 경우가 많고, 또 암 투병으로 인해 경제활동이 감소하여 상당수의 환자 및 가족들이 재정적인 부담을 암진단 초기부터 느끼게 된다. 경제적 문제들이 삶의 질에 미치는 영향을 적절히 평가하고 지원 가능한 부분을 찾아주는 것은 매우 중요한 일이다.

VII   요약

환자 입장에서 보면, 자신이 겪고 있는 다양한 증상과 문제들은 질병의 일부로 연관되어 있다. 임상에서 보면, 환자들은 평가와 동시에 관리해 주어야 하는 다양하고 복합적인 많은 증상들을 표현하게 된다. 의료진의 우선적인 목표는 말기환자 자신뿐 아니라 그 가족 또는 돌봄제공자들까지 포함하여 삶의 질을 향상시키는 것이다. 의료진은 단순히 증상을 완화시키는 치료를 권할

표 15-7. The Zarit Burden Interview (ZBI)

0: NEVER 1: RARELY 2: SOMETIMES 3: QUITE FREQUENTLY 4: NEARLY ALWAYS

Please circle the response the best describes how you feel.

Question	Score
1. Do you feel that your relative asks for more help than he/she needs?	0 1 2 3 4
2. Do you feel that because of the time you spend with your relative that you don't have enough time for your-self?	0 1 2 3 4
3. Do you feel stressed between caring for your relative and trying to meet other responsibilities for your family or work?	0 1 2 3 4
4. Do you feel embarrassed over your relative's behaviour?	0 1 2 3 4
5. Do you feel angry when you are around your relative?	0 1 2 3 4
6. Do you feel that your relative currently affects your relationships with other family members or friends in a negative way?	0 1 2 3 4
7. Are you afraid what the future holds for your relative?	0 1 2 3 4
8. Do you feel your relative is dependent on you?	0 1 2 3 4
9. Do you feel strained when you are around your relative?	0 1 2 3 4
10. Do you feel your health has suffered because of your involvement with your relative?	0 1 2 3 4
11. Do you feel that you don't have as much privacy as you would like because of your relative?	0 1 2 3 4
12. Do you feel that your social life has suffered because you are caring for your relative?	0 1 2 3 4
13. Do you feel uncomfortable about having friends over because of your relative?	0 1 2 3 4
14. Do you feel that your relative seems to expect you to take care of him/her as if you were the only one he/she could depend on?	0 1 2 3 4
15. Do you feel that you don't have enough money to take care of your relative in addition to the rest of your expenses?	0 1 2 3 4
16. Do you feel that you will be unable to take care of your relative much longer?	0 1 2 3 4
17. Do you feel you have lost control of your life since your relative's illness?	0 1 2 3 4
18. Do you wish you could leave the care of your relative to someone else?	0 1 2 3 4
19. Do you feel uncertain about what to do about your relative?	0 1 2 3 4
20. Do you feel you should be doing more for your relative?	0 1 2 3 4
21. Do you feel you could do a better job in caring for your relative?	0 1 2 3 4
22. Overall, how burdened do you feel in caring for your relative?	0 1 2 3 4
Interpretation of Score: 0 – 21 little or no burden 21 – 40 mild to moderate burden 41 – 60 moderate to severe burden 61 – 88 severe burden	

출처: American psychological association (http://www.apa.org)

표 15-8. Brief Symptom Inventory (BSI ver. A)

Date Entered _____
Staff Initials _____

Center   Participant #   Participant Initials   Week   Sequence

| 0 | 1 |

Date   Staff ID

/   /

mo.   da.   yr.

Instructions : Below is a list of problems that people sometimes have. Please read each one carefully. Then circle the number that best describes how much that problem has distressed or bothered you during the past 7 days including today. The numbers refer to the following descriptive phrases:

0 = Not at all   1 = A little bit   2 = Moderately   3 = Quite a bit   4 = Extremely

1. Nervousness or shakiness inside ··· 0 1 2 3 4

2. Faintness or dizziness ·· 0 1 2 3 4

3. The idea that someone else can control your thoughts ··············· 0 1 2 3 4

4. Feeling others are to blame for most of your troubles ··············· 0 1 2 3 4

5. Trouble remembering things ·· 0 1 2 3 4

6. Feeling easily annoyed or irritated··· 0 1 2 3 4

7. Pains in heart or chest·· 0 1 2 3 4

8. Feeling afraid in open spaces or on the streets ························· 0 1 2 3 4

9. Thoughts of ending your life ·· 0 1 2 3 4

10. Feeling that most people cannot be trusted ····························· 0 1 2 3 4

11. Poor appetite ··· 0 1 2 3 4

12. Suddenly scared for no reason ·· 0 1 2 3 4

13. Temper outbursts that you could not control ···························· 0 1 2 3 4

14. Feeling lonely even when you are with people ·························· 0 1 2 3 4

15. Feeling blocked in getting things done ····································· 0 1 2 3 4

16. Feeling lonely ··· 0 1 2 3 4

BSI_1 (10/10/100)   Page 1 of 3

수도 있지만, 그 이면의 복합적인 원인들을 충분히 이해할 수 있어야 한다. 의료진이 환자 또는 돌봄제공자들과 충분히 교감하는 것만으로도 상당한 호전이 있을 수 있기 때문에 수준 높은 돌봄이 전체 재원기간 동안 유지되도록 해야 한다. 특정 환자에 대한 다면적인 평가를 충분히 반영하는 세부적인 전략을 잘 수행하여 환자가 원하는 바를 이루고, 치료의 목적도 달성할 수 있도록 해야 한다.

참고문헌

1. Balboni TA, Paulk ME, Balboni MJ, Phelps AC, Loggers ET, Wright AA, et al. Provision of spiritual care to patients with advanced cancer: Associations with medical care and quality of life near death. J Clin Oncol 2010;28(3):445-52.
2. Borneman T, Ferrell B, Puchalski C. Evaluation of the FICA tool for spiritual assessment. J Pain Symptom Manage 2010;20(2):163-73.
3. Carvajal A, Centeno C, Watson R, Bruera E. A comprehensive study of psychometric properties of the Edmonton Symptom Assessment System (ESAS) in Spanish advanced cancer patients. Eur J Cancer 2011;47:1863-72.
4. Delgado-Guay MO, Hui D, Parsons HA, Govan K, De la Cruz M, Thorney S, et al. Spirituality, religiosity, and spiritual pain in advanced cancer patients. J Pain Symptom Manage 2011; 41(6):986-94.
5. El-Jawahri A, Greer JA, Temel JS. Does palliative care improve outcomes for patients with incurable illness? A review of the evidence. J Support Oncol 2011;9(3):87-94.
6. Fitchett G, Canada AL. The role of religion/spirituality in coping with cancer: Evidence, assessment, and intervention. In: Holland JC, ed. Psycho-Oncology, 2nd edn. New York: Oxford University Press, 2010, pp.440-6.
7. Handzo, G. Spiritual care for palliative patients. Curr Probl Cancer 2011;35(6):365-71.
8. Higginson IJ, Evans CJ. What is the evidence that palliative care teams improve outcomes for cancer patients and their families? Cancer J 2010; 16(5):423-35.
9. Hui D, Elsayem A, De la Cruz M et al. Availability and integration of palliative care at U.S. cancer centers. JAMA 2010;303(11)1054-61.
10. Lorenz KA, Lynn J, Dy SM et al. Evidence for improving palliative care at the end of life: A systematic review. Ann Intern Med 2008;148(2):147-59.
11. Mitchell AJ, Chan M, Bhatti H, Halton M, Grassi L, er Johansen C, et al. Prevalence of depression, anxiety, and adjustment disorder in oncological, haematological, and palliative-care settings: A meta-analysis of 94 interview-based studies. Lancet Oncol 2011;12:160-74.
12. Puchalski C, Ferrel B, Virani R et al. Improving the quality of spiritual care as a dimension of palliative care: The report of the consensus conference. J Palliat Med 2009;10:885-904.
13. Richardson L, Jones W. A review of the reliability and validity of the edmonton symptom assessment system. Curr Oncol 2009;16:53-64.
14. Stiel S, Matthes ME, Bertram L et al. Validation of the new version of the minimal documentation system (MIDOS) for patients in palliative care: The German version of the Edmonton Symptom Assessment Scale (ESAS). Schmerz 2010;24:596-604.
15. Temel JS, Greer JA, Muzikansky A et al. Early palliative care for patients with metastatic non-small-cell lung cancer. N Eng J Med 2010; 363(8):733-42.
16. Watanabe S, Nekolaichuk C, Beaumont C, Mawani A. The Edmonton symptom assessment system-What do patients think? Support Care Cancer 2009;17:675-83.
17. Watanabe SM, Nekolaichuk C, Beaumont C, Johnson L, Myers J, Strasser F. A multi-centre validation study of two numerical versions of the Edmonton Symptom Assessment System in palliative care patients. J Pain Symptom Manage 2011;41:456-68.
18. Watanabe SM, Nekolaichuk CL, Beaumont C. The Edmonton Symptom Assessment System, a proposed tool for distress screening in cancer patients: Development and refinement. Psychooncology 2012;21:977-85.
19. Williams JA, Meltzer D, Arora V, Chung G, Curlin FA. Attention to inpatients' religious and spiritual concerns: Predictors and association with patient satisfaction. J Gen Intern Med 2011;26(11)1265-71.
20. Yennurajalingam S, Atkinson B, Masterson J, Hui D, Urbauer D, Tu SM, et al. The impact of an outpatient palliative care consultation on symptom burden in advanced prostate cancer patients. J Palliat Med 2012;15:20-3.

16장
돌봄의 목표 설정

| 김민정, 최성은 |

호스피스·완화의료에서는 인간을 전인적인 관점에서 파악하고 생의 말기라는 위기 가운데 있는 사람이 경험하는 총체적 고통을 돌보기 위해 다학제간 팀의 접근이 제공된다. 따라서 돌봄의 목표를 설정할 때도 신체적인 영역에 국한하여 의학적인 치료에만 초점을 두는 것이 아니라 총체적 고통을 해결하기 위한 팀 접근을 염두에 두고 돌봄의 목표를 설정하여야 한다. 이 장에서는 우리나라 보건의료체계 안에서 호스피스·완화의료 실무를 수행함에 있어 돌봄의 목표를 설정할 때 도움이 되는 가이드라인을 제공하고자 한다.

I 돌봄의 목표

돌봄의 목표는 환자의 상태나 질병의 진행시기에 따라 변화 가능하다. 의료진은 환자 및 가족과 수시로 의사소통하여 환자 상태에 맞는 적합한 돌봄의 목표로 변경할 수 있다. 일반적으로는 크게 다음 세 가지로 구분된다.
1) 생명 연장
2) 고통 완화
3) 기능의 최대화

이 목표들의 상대적인 우선순위가 치료적 결정을 내리는 데 중요하며, 목표들의 우선순위는 시간의 흐름과 질병이 질행됨에 따라 역동적으로 변한다. 어떤 환자에게는 편안함, 기능의 최대화, 생명연장이 똑같은 우선순위일 수 있고, 어떤 환자에게는 편안함이 가장 중요한 우선순위를 가질 수 있다. 돌봄의 목표를 명확하게 하는 것은 환자와 가족의 삶의 질을 위해 중요하다. 환자가 편안함과 기능의 최대화를 똑같이 우선순위로 생각하면 의료진은 치료의 방향을 환자의 인지나 신체적 기능은 손상시키지 않고 적절하게 고통을 경감하는 것으로 진행하지만, 말기 환자의 임종기 상황에서 편안함이 최우선이 되면 말기진정과 같은 고통의 해소가 최우선 목표가 된다.

따라서 돌봄의 목표를 정할 때는 정확한 환자 상태를 근거로 의료진과 환자 및 가족의 원활한 의사소통을 통해 환자의 삶에 대한 개인적인 목표와 희망을 치료 방향과 일치시켜 환자와 가족들의 삶의 질을 향상시키고, 통증이나 다른 문제들을 조기 발견하여 평가하고, 치료를 통해 고통을 예방하고 경감하도록 노력하여야 한다. 질병의 원인 치료와 동시에 신체 및 정신적 증상을 평가하여 즉각적으로 조절하여 완화시키고, 환자의 상태 변화와 함께 신속하게 돌봄의 목표를 정하고 개인의 선호도와 치료방향이 일치하여 호스피스·완화의료를 조기에 제공하였을 때 오히려 환자의 생존기간이 늘어나고 삶의 질 향상과 우울감이 감소한다는 연구 결과가 있다. 그러나 대부분의 경우 말기 돌봄에 대한 대화는 지연되어 환자의 상태가 악화되었을 때에야 비로소 이루어져 호스피스·완화의료 이용률은 17% 미만으로 저조한 실정이다.

1. 돌봄 목표의 특성

1) 돌봄 목표의 연속성과 다양성

의학적인 측면에서의 돌봄 목표는 크게 두 가지로 나눌 수 있다. 질병의 원인을 치료하는 것과 질병의 원인으로 인해 나타나는 증상을 치료하는 것이다. 물론 이 두 개의 전형적인 목표의 연속성 사이에는 각 환자가 처한 상황 및 질병의 정도에 따라 목표의 내용과 기간이 다른 여러 가지 다양한 목표들이 존재할 수 있다.

일반적으로 말기를 진단받은 시점에서는 질병의 원인에 대한 근본적인 치료가 불가능한 상태지만 나쁜 소식을 받아들이기 어려운 가족들은 생명연장을 위해 무리한 치료를 원할 수 있다. 말기 진단 시점에서 의사는 환자에게 환자의 말기 상태에 적합한 호스피스·완화의료에 대해 이해하기 쉽게 설명해 준다. 선택은 환자와 가족의 몫이지만, 호스피스·완화의료를 제공하지 않는 의료기관에서도 말기 환자에게 정보를 제공한 후 환자

나 가족이 호스피스·완화의료를 원한다면 이용할 수 있도록 연계한다.

2. 돌봄 목표의 역사적 변화

역사적으로 현대 의학이 발달하기 전에 치료의 주요 목표는 질병의 완치가 아니라 환자의 안위와 편안함이었다. 급성 전염병으로 집단적인 죽음을 맞이하는 경우에도 사망이라는 결과를 피할 수 없었기 때문에 증상의 완화와 안위에 초점을 맞출 수밖에 없었다. 그러나 과학과 의학이 발전하면서 질병의 조기발견과 완치가 가능해지고 죽음이 예측되는 환자를 돌보거나 증상완화에 초점을 맞추는 치료 계획이 점차 감소하여 의료진들은 말기환자를 대하는 데 오히려 서툴게 되었다.

1960년대에 와서 시실리 손더스 여사에 의해 현대호스피스 운동이 전개되면서, 질병의 완치와 사망 사이에 양분되었던 돌봄의 목표는 총체적 고통을 해소하기 위해 원인 치료와 함께 증상완화를 병행하게 되었다. 질병이 발생하게 되면 일반적인 돌봄의 우선순위는 질병의 원인을 제거하는 완치를 목표로 결정하지만 원인 치료가 효과적이지 않고 환자에게 유해한 결과만 초래하는 경우 질병으로 인해 환자가 겪게 되는 불편한 증상들을 치료하는 방향으로 목표를 전환하게 된다. 그러나 질병의 원인 치료에 집중하는 동안에도 환자는 증상을 겪게 되므로 조기에 증상완화를 병행하여야 한다. 질병의 완치와 증상완화는 보는 관점에 따라 상반된 두 가지 목표가 아니라 환자의 최우선 이익이라는 윤리적 원칙에 의해 동시에 추구해야 할 목표이다. 질병에만 초점을 두고 완치와 사망을 질병의 연속선상에서 양극단으로 보게 되면 증상완화로의 돌봄 목표의 전환은 말기에나 가능하지만, 질병을 경험하는 사람에게 초점을 맞추게 되면 질병의 원인은 물론 질병으로 인한 불편한 증상 때문에 고통스러운 환자에게 초점을 맞추게 되므로 두 가지 목표는 공존할 수 있게 된다. 증상 완화는 모든 질병, 모든 병기에 적용 가능한 목표이다.

회복 ←	원인치료				악화 →
질병의 완치	**발병**			**사망**	
완치, 정상적인 기능 회복, 증상의 예방, 완화, 해소 건강 증진, 삶의 질 향상	조기치료, 질병의 원인 제거, 증상완화, 삶의 질 향상	조기발견 VS 발견지연 (만성화)	질병의 완치, 악화 예방, 증상완화, 삶의 질 향상	조기사망 예방, 기능유지 및 개선	생명연장 VS 삶의 질 향상, 증상완화	좋은 죽음 VS 연명치료/ 죽음지연

그림 16-1. 돌봄 목표의 연속성과 다양성

3. 질병 단계에 따른 돌봄 목표의 변화 및 적용

일반적으로 의학적인 측면에서의 돌봄목표는 질병단계의 변화에 따른 연속선상에서 보는 바와 같이 **그림 16-1** 발병된 시점을 기준으로 다르게 설정된다. 조기 발견 시 조기 치료로 질병의 원인을 비교적 쉽게 제거하고 완치에 이를 수 있으며, 이와 동시에 치료보다 더 포괄적인 의미의 돌봄의 목표로 증상의 완화와 삶의 질 향상을 동시에 추구할 수 있다. 반면에 질병의 발견이 지연되어 만성화되고 결국 질병이 진행된 다음에 발견되었을 때 그만큼 원인 치료가 힘들어지고, 완치보다는 생명연장이나 질병의 진행속도를 늦추거나 악화를 예방하는 방향으로 돌봄 목표가 설정되며 고통 및 증상완화에 초점을 맞추게 된다. 질병의 진행단계에 따라 완치, 조기 사망의 예방, 질병의 악화 예방, 기능 유지 또는 개선을 돌봄 목표로 설정할 수 있으며, 질병의 악화로 사망에 이르더라도 고통의 완화에 초점을 맞출 수 있다. 의학적인 치료 목표와 다른 차원에서 증상의 완화와 삶의 질을 향상하기 위한 목표는 모든 병기에서 질병의 치료와 함께 고려되어야 하며 병행될 수 있다. 말기로 진행될수록 질병으로 인한 증상과 환자가 경험하는 고통에 초점을 맞추고 집중하게 되므로 삶의 질을 높이는 것이 돌봄 목표의 우선순위가 된다.

4. 다학제간 팀접근에 의한 돌봄 목표

호스피스·완화의료에서는 말기에 경험하는 총체적 고통을 해결하기 위해 여러 전문직종과 자원봉사자가 팀을 이루어 전문적인 돌봄과 봉사적 돌봄이 함께 어우러져 제공된다. 신체적, 정신적, 사회적, 영적인 측면의 돌봄을 제공하기 위해 의사, 간호사, 사회복지사, 성직자 및 자원봉사자가 한 팀이 되어 유기적으로 움직인다. 말기 질환을 가진 환자와 가족을 돌봄의 한 단위로 보고 의학적인 치료 목표는 기본적으로 제공되어야 하며, 이외에도 정서심리적인 돌봄과 사회경제적인 돌봄, 영적인 돌봄이 이루어져야 한다. 환자의 의학적인 상태 변화에 기반을 둔 신체적 돌봄의 목표에는 의학적인 치료 목표뿐만 아니라 환자의 위생(청결, 배변 등), 말기 영양, 능동적, 수동적인 운동을 포함하여 신체적 돌봄을 고려한다. 정신적인 측면에서는 환자의 정서 심리적 상태에 기반을 두고 혼돈, 지남력 상실, 혼수상태, 불안, 반응 저하, 우울, 불면 등의 정신증상의 완화를 위한 돌봄의 목표를 고려한다. 사회경제적인 측면에서는 환자의 의료보험 상태를 비롯하며 가족의 경제적 상태와 사회적 지지체계를 평가하고 이에 근거한 사회 및 경제적 돌봄의 목표를 고려한다. 영적인 측면에서는 환자와 가족이 가진 영적 체계와 신념, 영적 갈등, 영적 침체 등 영적 상태를 파악하여 영적 고통을 해소하기 위한 돌봄의 목표를 포함시키도록 한다.

II 돌봄의 목표 설정을 위한 7단계 모델

말기 돌봄은 신체적, 정신적, 사회적, 영적 부분과 생의 단계(life course), 죽음에 대한 준비 부분을 아우른다. 효과적인 말기 돌봄을 위해서는 환자와 가족, 의료진 간의 솔직하고 열린 대화가 필수이다. 대화를 통해 환자와 의료진 간의 정보 교환이 가능하고 환자가 자신의 상태, 예후, 치료적 선택에 대해서 이해할 수 있다. 말기 돌봄을 계획하고 환자의 상태에 적합한 최상의 돌봄 목표를 설정하는 것은 환자와 의료진 간의 의사소통을 통해 이루어진다. 말기 돌봄을 논의하고자 한다면 돌봄의 목표 설정을 위한 7단계 모델이 도움이 될 것이다.

1. 대화를 준비한다.
시간과 장소, 참석할 사람에 대해 상의한다.

2. 환자와 가족들이 질병에 대해 얼마나 아는지 확인한다.
환자의 기대에 대해 파악하고 환자와 가족들이 자신들의 상황에 대해 어떻게 알고 있고 얼마나 더 자세히 알기 원하는지는 정확하게 파악한다.

"당신의 질병에 대해 이해하고 있는 것은 무엇이며 무슨 일이 일어날 것이라고 생각합니까?"

3. 환자와 가족들이 원하는 수준의 정보를 제공한다.
명확하고 이해하기 쉬운 단어를 사용하고 예후에 대한 정보는 부정확하고 제한적일 수 있음을 설명한다. 또한, 어떤 환자는 질병에 관련된 모든 정보를 알고 싶어 하는 반면 다른 환자는 나쁜 소식을 듣기 두려워할 수 있기 때문에 환자에게 정보를 줄 때에는 환자의 선호도에 따라 정보를 적절하게 제공할 필요가 있다. 가족들이 환자와 다른 정보 선호도를 가지고 있는 경우에는 별도로 만나서 설명해 줄 필요가 있다.

4. 공감하고 반응을 보인다.
환자와 가족들의 두려움과 걱정에 대해 공감하고 대화 시 보이는 감정적인 반응에 적절한 대응을 해준다.

5. 현실적인 목표를 제시한다.
환자와 가족들은 돌봄의 목표에 대한 대화를 할 때 진실을 듣기 원하며, 현실적인 정보이면서 희망을 주는 것을 원한다. 하지만 거짓 희망을 주는 것은 환자가 희망을 유지하는 데 도움이 되지 않으므로, 솔직하게 이야기하되 환자가 원하는 정보 이상 자세히 이야기할 필요는 없으며, 환자가 가지는 희망에 긍정적인 영향을 주기 위해 인위적으로 잘못된 정보를 주지 말아야 한다.

통증이나 다른 증상들을 조절하기 위한 치료나 도움이 제공되는 것에 대해 설명해서 안심시키고, 현실적인 목표에 대해 제안하고 그것을 가능하게 하는 방법에 대해 이야기한다.

환자의 가치관, 목표, 우선순위뿐 아니라 환자의 미래에 대한 두려움과 원하는 바를 파악하고 가족 중 누가 환자의 가치를 반영해 결정할 수 있는지 알아두어야 한다.

6. 향후 계획을 세운다
지금까지 토의한 것들을 이해하고 있는지와 환자와 가족이 알고 싶어 하는 수준까지 정보가 제공되었는지 확인하고 추후에 다시 논의되어야 할 주제에 대해서는 다시 토의할 수 있는 여지를 둔다.

7. 기록한다.
돌봄의 목표 설정 후에는 향후 의료진이 내용을 잘 알 수 있도록 문서화하는 것이 바람직하므로, 의사는 진료 시 경과기록지에, 간호사는 간호기록지, 사회복지사는 서비스기록지에 각각 돌봄의 목표를 기록하고 다학제간 팀 활동을 통해 환자와 가족의 안위와 고통완화를 위해 협업하면서 동시에 팀 전체가 공유할 수 있는 장기목표, 단기목표, 입원 시 퇴원계획, 가정형 호스피스 이용 시 종료 계획 등을 한눈에 볼 수 있도록 정리한다. 이렇게 작성된 돌봄의 목표는 환자의 상태 변화에 따라 즉각적으로 반영되어야 하며, 수시로 점검되고 환

5부

호스피스·완화의료 돌봄의 목표

환자와 가족이 원하는 돌봄		
장기목표		
단기목표	☐ 적극적인 증상조절	
	☐ 정서적인 안정	
	☐ 가족 간의 관계 회복	
	☐ 영적인 안녕	
	☐ 환자나 가족의 소원 성취	
	☐ 가족의 소진 예방(Respite)	
퇴원계획	퇴원 예정일	
	퇴원 유형	☐ 사망　☐ 가정형 호스피스 ☐ 타 호스피스 전문기관　☐ 요양병원　☐ 요양원

가정형 호스피스 돌봄의 목표

환자와 가족이 원하는 돌봄		
장기목표		
단기목표	☐ 적극적인 증상조절	
	☐ 정서적인 안정	
	☐ 가족 간의 관계 회복	
	☐ 영적인 안녕	
	☐ 환자나 가족의 소원 성취	가족여행, 가족만의 시간 보내기
	☐ 가족의 소진 예방(Respite)	
	☐ 가정에서의 임종	
종료계획	종료 예정일	
	종료 유형	☐ 사망　☐ 호스피스·완화의료 병동 입원 ☐ 타 호스피스·완화의료 전문기관 ☐ 요양병원　☐ 요양원

그림 16-2. **호스피스·완화의료 돌봄의 목표·가정 호스피스·완화의료 돌봄의 목표 서식**

자나 가족의 요청이나 의료진의 요청에 의해 다시 논의된 후 목표 내용이 바뀔 수 있다 그림 16-2 .

III 돌봄 계획

돌봄의 목표 설정은 돌봄 계획을 통해 이루어진다. 모든

의료서비스의 제공에 앞서 환자 치료가 체계적이고 효율적으로 이루어지기 위해 구체적인 계획을 수립한다.

1. 돌봄계획 수립 절차

돌봄계획 수립 절차는 호스피스·완화의료 대상자인 환자의 임상 상태 및 환자와 가족의 총체적 요구를 고려하여 돌봄의 방향을 설정하고 최적의 치료를 결정하는 과정을 의미한다. 호스피스·완화의료에서 돌봄 계획

은 말기 진단 이후 변화된 돌봄의 목표를 수립하기 위해 수행된다. 새로운 법령의 적용으로 사전연명의료의향서를 미리 작성한 환자라면 호스피스·완화의료에 이용여부를 확인할 수는 있으나 단순히 이용 의사를 밝힌 것으로 다음과 같은 실제 진행과정은 모든 말기 환자에게 적용할 수 있다.

1) 호스피스·완화의료 의뢰

말기환자를 진료한 담당의는 말기 진단 후 호스피스·완화의료가 필요하다고 판단되는 경우 환자 상태를 고려하여 환자 또는 가족과 상의하고 협의진료 기록지를 작성하여 환자를 호스피스·완화의료전문기관이나 호스피스·완화의료 전담의에게 의뢰한다.

2) 의뢰 시 환자 상태 평가

돌봄의 목표설정은 환자의 상태에 적합하여야 하므로, 목표 설정을 위해서는 환자를 평가하고, 환자와 가족과 대화하는 것이 필요하다. 환자를 평가할 때는 질병의 단계, 예상되는 질병의 진행, 현재 기능 정도, 증상들, 현재 치료, 향후 일어날 문제와 환자의 가치관, 선호도가 포함되어야 한다. 또한 환자 가족이 질병에 대해 어느 정도 이해하고 있는지와 치료와 결과에 대한 기대 정도에 대해 아는 것이 중요한데 이 과정에서 의사는 때때로 편안함과 기능의 최적화와 생존기간의 연장과 같은 상충되는 돌봄 목표에 대한 환자의 우선순위를 파악해야 한다. 하지만, 우리나라를 포함한 아시아 문화권에서는 환자에게 직접 예후를 알리는 것이 부정적인 영향을 미친다고 생각하여 예후와 관련된 정보를 환자에게는 알리지 않고 가족들만 알기를·원하는 경우가 많다. 특히, 환자가 고령일 때는 의사와 환자가 돌봄의 목표, 특히 말기 의료적 돌봄에 대해 논의하는 경우가 많지 않고, 종종 가족들이 의료적 결정을 내리게 되는데, 자신의 예후를 정확히 알지 못하는 환자는 자신의 예후에 대해 낙관하게 되고 편안함을 우선시하는 치료보다 침습적인 치료를 원할 가능성이 높다. 자신의 상태를 정확하게 알지 못한 채 이루어진 환자의 선택은 환자에게 오히려 위해를 가할 수 있으므로 환자의 신체 상태에 대해 정확히 사정할 뿐만 아니라 다음의 질문을 활용하여 환자를 더 깊이 파악하도록 한다.

- 지금 당신에게 가장 중요한 것은 무엇입니까? 삶의 어떤 부분에 가장 가치를 두고 있습니까?
- 당신의 건강이 더 나빠지는 경우 의료적 치료에 대해 어떤 결정을 내리길 원하십니까?
- 당신이 결정을 내리기 어려운 상황에서는 의료진이 누구와 논의를 하기 원하십니까?
- 당신에 대한 최선의 치료를 제공하기 위해 의료진이 알아야 당신의 가치관이나 우선순위가 무엇입니까?

3) 호스피스·완화의료에 대한 설명 및 정보 제공

돌봄의 목표를 설정하기 위해 돌봄 계획을 세울 때는 환자 및 가족에게 진단명, 치료 계획, 치료에 따른 예상 효과 및 위험에 대한 정보를 이해하기 쉽게 설명하여야 한다. 담당의는 환자 및 가족에게 호스피스·완화의료에 대한 근거 법령, 호스피스·완화의료 대상자의 정의, 제도화 및 보험수가 적용, 호스피스·완화의료에 대한 설명 및 정보를 제공한다. 의사가 호스피스·완화의료에 대해 설명할 때 주의할 점은 말기 환자에게 충격으로 받아들여지는 죽음을 강조하기보다는 호스피스·완화의료가 말기 동안의 삶을 잘 영위할 수 있도록 도우려는 것임을 강조하여야 한다. 질병의 원인을 치료할 수 없다 하더라도 질병으로 인한 증상을 계속 치료할 수 있으며 환자가 경험하는 통증을 비롯한 여러 가지 증상을 완화시켜 삶의 질을 높일 수 있음으로 말기에 가장 적합한 의료는 호스피스·완화의료임을 설명하고 죽음보다는 삶에 초점을 맞추도록 한다. 말기 동안 살아가야 하는 환자와 가족의 삶의 질을 높이고 영적 돌봄을 통해 내세까지도 고려하는 돌봄임을 설명하여야 한다. 환자와 가족에게 호스피스·완화의료의 목적은 삶의 질을 향상시키려는 것임을 아무리 강조해도 지나치지 않다.

4) 호스피스·완화의료 동의서 작성

의료진의 설명을 통해 환자와 가족이 호스피스·완화의료를 이용하기 원하는 경우 자발적인 의사로 완화의료 이용 동의서에 환자 본인의 서명이나 환자의 법정대리인의 서명 후 서비스를 제공받게 된다. 환자와 가족들은 말기진단의 충격 속에서 호스피스·완화의료에 대한 선택이 마치 삶을 포기하는 것으로 오해할 소지가 있으므로 호스피스·완화의료의 목적이 삶의 질 향상임을 반복하여 강조하고, 삶을 포기하는 것에 대한 동의가 아님을 명확하게 설명하여야 한다. 환자가 의사결정능력이 없을 경우 법에 따라 환자가 미리 지정한 법정대리인이나 배우자, 민법상 성인인 직계비속, 직계존속, 형제자매 순으로 가족이 대리하여 동의서에 서명함으로써 신청할 수 있다.

5) 사전연명의료의향서의 확인

환자와 가족이 호스피스·완화의료를 선택하여 동의한 후 의료진은 보다 자세하게 돌봄 계획과 목표들을 논의하여야 한다. 말기에 이루어져야 할 의료적인 치료와 다학제적 돌봄에 대해 구체적인 논의가 체계적으로 진행되어야 한다. 이를 위해 환자가 미리 작성한 '사전연명의료의향서(참조 17장)'를 정확히 확인하고 아직 쓰지 않았다면 지금이라도 작성하는 것이 바람직하다. 2016년 2월 제정된 '호스피스·완화의료 및 임종 과정에 있는 환자의 연명의료결정에 관한 법률(제14013호)에 의해 환자의 최우선이익원칙을 적용하여 환자의 자기결정을 존중하고 인간으로서 존엄과 가치를 보호하기 위해 '사전연명의료의향서'를 작성할 수 있다. 사전연명의료의향서는 환자가 말기와 임종기에 자신이 받게 될 의료와 돌봄을 미리 생각해 보고 자신의 의사를 미리 밝혀두는 문서이다. 법적인 용어의 의미는 19세 이상인 사람이 자신의 연명의료중단 등 결정 및 호스피스·완화의료에 관한 이용의사를 직접 문서로 작성한 것을 말한다. '연명의료'란 임종과정에 있는 환자에게 시행하는 심폐소생술, 혈액투석, 항암제 투여, 인공호흡기 착용의 의학적 시술로서 치료효과 없이 임종과정의 기간만을 연장시키는 처치를 말한다. 연명의료중단을 결정하는 것은 신체적인 회복이 불가능한 상태로 임종과정에 있는 환자에 국한하여 연명의료를 시행하지 않거나 중단하기로 결정하는 것을 의미한다. 하지만 이 문서는 환자가 이전에 건강한 상태에서 미리 작성한 것일 수도 있고, 질병의 발병 당시나 질병이 악화되었을 때 미리 작성한 것일 수도 있으므로 질병의 진행과정에 따라 환자의 선택이 달라질 수 있음을 고려해 정확하게 확인할 필요가 있다. 환자가 질병이 이미 상당히 진행된 이후 작성하였다면 이 문서에 근거하여 의사가 작성한 연명의료계획서(참조 17장)가 있는지 확인하여야 한다. 환자의 상태 변화에 따라 변경할 것이 있는지 살펴보고 검토할 내용이 있다면 환자와 논의하여 결과를 반영한 후 진행하도록 한다. 말기를 보낸 후 예측된 임종과정을 맞이한 환자는 불가역적인 상태로 심폐소생술과 같은 연명의료를 시행할 경우 환자에게 손상만 가하게 되므로 환자의 이익에 반하는 불필요한 처치가 된다. 미리 예측하고 사전에 동의가 이루어진다면 환자에게 해로운 처치를 하지 않을 수 있다. 그러므로 호스피스·완화의료에 대한 동의가 이루어졌다면 그 다음으로 챙겨야 할 것은 바로 임종과정에서의 심폐소생술에 대한 사전돌봄계획이다. 의료진은 이에 대해 환자와 가족에게 이해하기 쉽고 명확하게 설명하여 환자가 그러한 치료의 결과에 대해 잘 이해하고 있는지를 확인한 후 진행하는 것이 필요하며 환자에게 심폐소생술과 같은 치료가 의학적으로 큰 의미가 없다고 생각할 때는, 환자의 임종 과정 시 도와줄 수 있는 다른 방법들에 대해 설명함으로써 환자와 가족들의 불안을 감소시키고 환자의 편안함을 최대화하기 위해 의료진이 최선을 다할 것이라는 것을 다시 확인시켜 주는 것이 필요하다.

6) 다학제간 팀에 의한 초기 상담

호스피스·완화의료팀은 의사, 간호사, 사회복지사, 성직자로 구성된 전문직 다학제간 팀접근을 제공하기 위해 신체적, 심리사회적, 영적 돌봄에 대한 목표를 설정하기 위해 초기 상담을 제공한다. 초기 상담의 결과는 다학제간 팀원들 사이에 공유하여 확인되어야 하며 환자나 가족에게 반복적인 질문으로 번거롭게 하지 않도록 주의하여야 한다.

7) 돌봄 회의(Care conference)

다학제 전문직으로 구성된 호스피스·완화의료팀은 최소한 매주 1회 정기적으로 돌봄 회의를 개최하며 이를 통해 신규 환자에 대한 초기돌봄계획의 타당성을 검토하고 보다 효과적인 다학제간 팀 접근을 위해 토의한다. 돌봄 회의에 참석하는 인원은 기관마다 다를 수 있으나, 팀을 구성하는 필수 5종 인력은 간호사, 의사, 사회복지사, 성직자, 자원봉사자이다. 서비스의 질을 강화하기 위해 추가적으로 약사, 영양사, 치료사, 상담사, 완화의료도우미 등을 보강할 수 있다.

8) 임종기 돌봄 계획

임종이 임박한 경우 말기 섬망이나 조절되지 않는 통증의 경우 말기 진정치료가 고통완화를 위한 대안이 될 수 있다. 임종과정이 시작되어 증상이 나타나는 경우 담당의는 환자와 가족에게 환자 상태를 설명하고 임종실로 환자를 옮길 수 있으며, 팀원들은 임종 전 돌봄, 임종 돌봄, 임종 후 돌봄 및 예견된 슬픔에 대한 가족 돌봄을 계획한다.

9) 퇴원 계획

호스피스·완화의료병동에서는 환자의 상태에 따라 퇴원 계획을 수립하고 이를 기록하여야 한다. 의료진은 말기라 하더라도 환자의 증상이 호전되고 기력을 되찾으면 가능한 한 집으로 퇴원하여 환자가 가족들과 시간을 보낼 수 있도록 계획하고, 가족들과의 마지막 여행이나 외출 계획 등 소중한 추억을 만들 수 있도록 환자의 가족을 포함하여 다학제 팀원들과 논의하여 계획하도록 한다.

2. 돌봄 계획의 재수립 및 목표의 변경

돌봄의 목표는 환자의 주요한 상태 변화에 따라 달라질 수 있다. 의사는 환자의 주요 상태의 변화에 따라 적시에 적합한 치료 계획을 즉시 재수립하여야 한다. 의료진은 환자와 가족에게 주요한 상태변화를 즉각적으로 설명하고 돌봄 계획에 대해 상의한다. 돌봄 계획은 팀원들 모두에게 공유되어야 하며, 서비스를 제공하는 도중 변화가 발생할 경우 즉시 공유하여야 한다.

의사는 질병의 경과와 환자 상태의 변화의 내용을 기록하고, 간호사는 환자의 주요상태 변화에 따라 간호과정을 제공하고 기록하여야 한다. 간호과정(nursing process)이란 환자에게 제공되는 간호가 체계적이고 효율적으로 이루어질 수 있도록 간호문제를 해결하는 방법으로, 환자의 건강문제를 해결해 주는 일련의 체계적인 과정을 의미한다. 사회복지사는 사회경제적 측면과 가족에 대한 평가와 개입에 대해 보다 자세한 기록을 남긴다. 호스피스·완화의료는 팀 접근을 통해 제공하여야 하므로 환자 진료와 관련 있는 팀원들은 필요 시 환자의 치료계획을 기관이 규정한 의무기록 접근 권한 안에서 공유한다.

IV 요약

- 호스피스·완화의료에서 다학제간 팀 접근을 통해 제공되는 돌봄의 목표는 의학적인 치료 목표는 물

론 신체적, 정신적, 사회적, 영적 측면을 포함한다.

- 환자는 예후와 관련되어 진실을 듣기를 원하며, 말기 돌봄에 대해서 이야기하는 것은 궁극적으로 환자와 가족에게 유익하다.
- 돌봄의 목표는 환자의 특성과 질병 시기에 따라 동시에 여러 가지 목표들이 병행되거나 우선순위를 가질 수 있으며, 환자의 상태가 변함에 따라 돌봄의 목표와 우선순위는 변할 수 있다.
- 환자의 상태변화에 따른 돌봄의 목표를 명확하게 이해하고 환자최우선이익의 원칙에 입각하여 말기 동안 살아가야 하는 환자와 가족을 위해 삶의 질을 향상시키고 안위를 도모할 수 있는 목표를 설정한다.

참고문헌

1. 노인호스피스완화돌봄 교육자매뉴얼. 김현숙 외 역. City of Hope , Ameriacan Association of College, 군자출판사, 서울. 359-435, 491-532.
2. 완화의료팀원을 위한 호스피스·완화의료 개론. 보건 복지부, 국립암센터. 2012.
3. 암관리법, 암관리 시행령, 시행규칙. 법제처, http://www.moleg.go.kr.국가법령정보센터, http://www.law.go.kr 2016.
4. 완화의료전문기관 서비스 제공원칙. 보건복지부(국립암센터), 2016.
5. des Ordons ALR, Sharma N, Heyland DK, et al. Strategies for effective goals of care discussions and decision-making: perspectives from a multi-centre survey of Canadian hospital-based healthcare providers. BMC Palliat Care 2015;14:38.
6. Bruera E and Hui D. Integrating Supportive and Palliative Care in the Trajectory of Cancer: Establishing Goals and Models of Care. J Clin Oncol 2010;28(25):4013-7.
7. Bruera E, Higginson I, von Gunten CF, et al. Text book of Palliative Medicine and Supportive Care. 2nd ed. CRC press; 2014.
8. Temel JS, Greer JA, Muzikansky A, et al. Early palliative care for patients with metastatic non-small-cell lung cancer. N Engl J Med 2010;363:733-42.
9. Mack JW, Cronin A, Taback N, et al. End of life discussions among patients with advanced cancer: A cohort study. Ann Intern Med 2012;156(3):204-10.
10. You JJ, Downar, Fowler RA, et al. Barreirs to goals of care discussions with seriously ill hospitalized patients and their families. JAMA Inter Med 2015;175(4):549-56.
11. Hanson LC and Winzelberg G. Research Priorities for Geriatric Palliative Care: Goals, Values, and Preferences. J Palliat Med 2013; 16(10):1175-9.
12. Pimentel LE, Yennurajalingam S, Brown ED, et al. Challenges of managing advanced cancer patients through phone triaging at an outpatient supportive care clinic: A case series of palliative care. Palliat Care Soc Pract 2012;6:9-14.
13. Mack JW, Weeks JC, Wright AA, et al. End-of-life discussions, goal attainment, and distress at the end of life: predictors and outcomes of receipt of care consistent with preferences. J Clin Oncol. 2010;28(7):1203 – 8.
14. Cherny NI, et al. Oxford Textbook of Palliative Medicine. 5th ed. Oxford: Oxford University Press; 2015.
15. Kumar P and Temel JS. End-of-life care discussions in patients with advanced cancer, J Clin Oncol 2013;31(27):3315-9.
16. Bernacki RE and Block SD. Communication about serious illness care goals: A review and synthesis of best practice. JAMA Intern Med 2014;174(12):1994-2003.
17. Norton SA, Metzger M, DeLuca J, et al. Palliative Care Communication: Linking Patients' Prognoses, Values, and Goals of Care. Res Nurs Health 2013;36:582-90.
18. Baidoobonso S. Patient care planning discussions for patients at the end of life: an evidence based analysis. Ont Health Technol Assess Ser 2014;14(19):1-72.
19. Tang ST, Liu WT, Liu LN, et al. Physician-patient end-of-life care discussions: Correlates and associations with end-of-life care preferences of cancer patients- a cross-sectional survey study. Palliat Med 2014;28(10):1222-30.

17장

사전돌봄계획

| 김훈교, 안호정 |

현대 의학의 눈부신 발전으로 과거 치료가 불가능했던 병의 완치 혹은 조절이 가능해지고 심폐소생술(cardiopulmonary resuscitation, CPR)의 도입으로 꺼져가는 생명의 소생이 가능해짐으로 인해 인류의 수명이 비약적으로 연장되는 결과를 가져왔다. 하지만 이면에는 의학적 기술의 인위적인 개입이 무의미한 생명연장 및 삶의 질 저하를 초래하는 문제점이 지적되어왔다. 특히 고령화사회로 급속히 접어들면서 질병의 만성화가 초래되고 자연적인 죽음의 과정이 의료의 개입으로 더욱 복잡해지고 있으며 나아가 사회적 비용의 증가도 야기하고 있다.

2009년 장기간 식물상태에 놓인 환자에게 대법원이 환자의 의견을 추정하여 연명의료중단 결정을 내린 사례를 계기로 무의미한 연명치료의 중단에 대한 사회적 관심이 촉발되었으며 각계 각층의 논의 끝에 '호스피스·완화의료 및 임종과정에 있는 환자의 연명의료결정에 관한 법률'이 2016년 2월 제정되었으며 2018년 2월부터 시행되고 있다. 이 법에 따르면 말기환자는 담당

의사와 상의하여 연명의료계획서 작성을 요청할 수 있으며, 임종기에 도달했을 때 환자의 의사를 확인할 수 있는 연명의료계획서나 사전연명의료의향서를 바탕으로 연명의료를 적용하지 않거나 중단할 수 있다. 여기서 언급되는 연명의료계획서나 사전연명의료의향서는 사전돌봄계획이라는 큰 개념 안에 포함되는 양식이다. 말기환자를 돌보는 호스피스·완화의료와 사전돌봄계획은 아주 밀접하게 관련되어 있으며 본 장에서 자세히 다루고자 한다.

I 사전돌봄계획의 개념과 목적

1. 사전돌봄계획의 개념

의사결정을 할 수 없는 상황에 직면할 경우를 대비하여 본인의 가치와 소망을 반영하여 의료돌봄에 대한 의견을 가족, 친구 등을 포함한 주변인들과 나누는 과정

을 포괄적으로 일컫는다. 이 과정에는 원하는 혹은 원치 않는 의료행위 및 돌봄을 모두 논의할 수 있으며 대리인을 지정하는 것도 포함된다. 특히 특정 의료 행위에 대한 선호 혹은 거부를 법적 효력이 있는 문서화하는 것을 advance directives (사전연명의료의향서로 번역) 혹은 living will (생전유언)이라고 부르기도 하며 전통적인 사전돌봄계획의 주요한 부분을 차지하였다. 그러나 점차 개인이 원하는 의료적 돌봄, 가족 관계의 증진, 경제적인 이슈 등을 포함하여 개인의 가치와 신념에 따른 소망을 논의하고 미래에 대해 정서적으로 준비하는 환자/가족 중심의 공동의사결정 과정으로 진화하고 있

그림 17-1. 사전돌봄계획의 범주

다. 각 용어의 정의는 다음과 같다 그림 17-1, 표 17-1.

- **사전돌봄계획**(Advance Care Planning, ACP)

의사결정을 할 수 없는 상황에 직면할 경우를 대비하여 본인의 가치와 소망을 반영하여 의학적 돌봄에 대한 의견을 가족, 친구 등을 포함한 주변인들과 나누는 공동의사결정 과정, 생전유언 등을 포함한 포괄적인 개념. 대리인 지정 포함.

- **사전연명의료의향서**(Advance directives, AD)

의사결정을 할 수 없는 상황에 직면할 경우를 대비하여 의학적 돌봄 대한 선호 혹은 거부를 법적 효력이 있는 문서로 작성하는 것. 대리인 지정 포함.

- **연명의료계획서**(Physician Orders for Life-Sustaining Treatment, POLST 혹은 Medical Orders for Life-Sustaining Treatment, MOLST)

위급상황에서 환자나 대리인의 의사를 반영하여 특정 의학적 치료에 범위를 결정하고 이를 의사의 지시로 의무기록으로 작성하는 것.

2. 사전돌봄계획의 목적

의학적 돌봄의 의사결정과정에 개인이 적극 참여함으로써 자기결정권을 보장하고 삶의 질을 향상하는 데 그 목적이 있다.

표 17-1. 사전연명의료의향서와 연명의료계획서의 차이점

	사전연명의료의향서(Advance directives)	연명의료계획서(POLST/MOLST)
문서 종류	법적 문서	의사의 처방 및 의무기록
작성 주체	모든 성인(18세 이상 건강인 포함)	의사
작성 대상	개인	질환의 중증 상태나 말기 상태의 환자
활용 시점	미래	현재 혹은 가까운 미래
내용	치료 방향에 대한 전반적인 소망, 지시, 대리인 지정	특정 의료 행위에 대한 지시
대리 작성	허용되지 않음	환자가 자기의사 결정능력이 없는 경우 지정된 대리인이 가능

국내외 현실은 말기, 임종기 돌봄에 대한 논의가 불충분하고 갑작스럽게 이루어질 뿐만 아니라 환자는 의사결정과정에서 배제되어 개인의 선호도를 반영하기가 어렵다. 이에 환자와 그 가족들이 미래에 대비하여 사전돌봄계획을 함께 논의함으로써 환자의 가치관, 소망, 선호도를 파악하여 반영할 수 있고, 가족의 역할을 지지함으로써 가족 관계를 더욱 공고히 할 수 있으며, 연명치료의 대안이나 경제적인 부분까지 미리 논의할 수 있고, 나아가 환자와 가족이 삶의 희망과 의미를 찾는 데 도움을 주는 데 그 목적이 있다.

II 배경 및 현황

1. 배경 및 국외 현황

죽음이라는 주제와 개인의 자기결정권에 대한 사회적 관심이 확대됨과 동시에 과도한 의료비용에 대한 우려를 바탕으로 사전돌봄이라는 개념이 도입되고 점차 확산되게 되었다. 이는 서양 문화권 특히 미국에서 시작되었는데 1960년대 후반 생전유언이라는 문건이 미국에서 처음 작성되었다. 이후 1970년대와 80년대 지속적 식물상태의 환자에 대하여 연명치료를 중단하는 법원의 결정을 계기로 1991년 Patient Self Determination Act (PSDA)가 미의회에서 통과되었다. 이 법률은 의료기관이 환자에게 치료 거부권과 사전연명의료의향서에 대한 고지 및 교육을 해야 한다는 내용을 담고 있다. 비슷한 사회적 움직임이 1990년 이후 서유럽, 캐나다, 호주, 북유럽에서도 시작되었으나 사전돌봄에 대한 논의가 실제로 이루어지고 적용되는 경우는 극히 드물었다. 2010년을 전후로 사전돌봄의 개념이 환자와 가족이 죽음을 준비하고 공동의 가치와 목표를 함께 나눔으로써 가족관계를 강화시키는 방향으로 확대되고 있으며 실제 현실에 적용하기 위한 노력이 지속되고 있다.

1) 미국

1960년대 초 중반까지는 Do Not Resuscitation (DNR) 등의 단순한 서식만 사용되었으나 1969년 생전유언이라는 개념이 처음 등장했다. 1975년과 1983년 지속적 식물상태환자의 연명치료 중단 여부를 놓고 일어난 Karen Quinlan 사건과 Nancy Cruzan 사건을 계기로 1980년대 존엄사에 대한 사회적 움직임이 시작되었으며 각 주마다 사전연명의료의향서, 대리인 지정에 대한 입법화를 추진하였다. 1991년 의료인의 사전연명의료의향서의 고지 및 교육 의무를 명시한 PSDA가 미의회에서 통과되었다. 하지만 실제로 사전연명의료의향서의 작성률은 5~25%에 불과하였고 인종별, 윤리적 그룹별로도 차이를 보였다. 이러한 현실적 제약을 바탕으로 사전돌봄계획이라는 포괄적이고 과정 중심적인 방법이 도입되었다. 1990년대 후반에는 연명치료 중단에 관한 논쟁에서 죽음을 돕는 의사조력자살 형태로 논의가 옮겨 갔고 1997년 오레건 주에서는 의사조력자살을 허용하는 존엄사법이 통과되기도 하였다. 현재 미국의 모든 주는 저마다의 사전연명의료의향서를 채택하고 있으며 공통적으로 포함하는 항목으로는 말기질환을 대상으로 환자의 의료지시, 연명수단을 채택하고 있다.

2) 영국

2005년 Mental Capacity Act이 제정되면서 사전연명의료의향서를 작성하거나 대리인을 지정하는 움직임이 시작되었다. 2008년 7월 Department of Health End of Life Care Strategy를 제정하여 존엄한 죽음을 위한 가이드라인을 발표하였다. 연명치료 거부에 대한 내용은 포함되나 기본적인 영양 및 수액 공급 등의 처치는 보장하도록 하고 있고, 의사가 환자의 사전연명의료의향서를 거부할 수 있는 권한 또한 인정하고 있다.

3) 오스트리아

2006년 Living Will Act를 공표하고 시행하였다. 사전유언이 구속력을 가지기 위해서는 엄격한 조건을 충족시켜야 하며 실제 구속력을 가지는 경우는 0.1%, 임상에 적용되는 비율은 10% 미만으로 보급률 및 적용률이 상당히 낮다.

4) 프랑스
2005년 사전연명의료의향서가 법적인 효력을 가지게 되었다.

5) 덴마크
1998년부터 사전연명의료의향서가 법적 효력을 가지게 되었다. 상대적으로 많은 비율에서 실제로 작성하고 등록하고 있으며 의사들이 의무적으로 조회하도록 하였다.

6) 일본
2006년부터 사회적으로 논의되었고 2007년 연명치료 중단과 관련된 가이드라인을 제시하였다.

7) 싱가폴
1996년에 Advance Medical Directives Act가 제정되어 1997년부터 효력을 가졌다.

8) 대만
1994년부터 사회적 논의가 시작되면서 2000년 Natural death act(자연사법)가 통과되었다. 아시아/태평양국가 중 최초이며, 자연사법 내에 호스피스·완화의료와 의료 의사결정 대리인 지정, 사전연명의료의향서, DNR 관련 내용을 포괄함으로써 말기 의료에 대한 포괄적인 법 체계를 정립하였다.

2. 국내 현황
1998년 부인의 요구로 환자를 퇴원조치하고 생명유지장치를 제거하여 환자가 사망한 사례에 대하여 의료진

에게 살인방조죄를 적용한 일명 보라매병원 사건이 발생, 연명치료 중단, 존엄사 등의 문제가 사회적 관심으로 떠오르게 되고 학술 단체 주도로 지침 등의 건의되었으나 사회적 합의를 도출하지는 못하였다. 이후 2008년 지속적 식물상태에 있는 환자의 연명치료중단을 결정한 대법원 판결 이후 연명의료 중단에 대한 사회적 합의를 통한 법제화 노력이 본격적으로 시도되었다. 그 결과 '호스피스·완화의료 및 임종과정에 있는 환자의 연명의료결정에 관한 법률'이 2016년 2월 제정되었다. 이 법안에 따르면 말기환자는 담당의사와 상의하여 연명의료계획서 작성을 요청할 수 있으며 임종기에 이를 바탕으로 연명의료의 보류나 중단을 결정할 수 있다고 명시함으로써 환자의 의사에 근거한 연명의료의 결정을 허용하였다.

사전연명의료의향서나 연명의료 중단에 대한 국민적 인식과 태도에 대한 조사는 2000년대 초반부터 시행되었는데 건강한 일반인을 대상으로 한 조사에서는 60~80%가 필요성에 대하여 동의하였고 80% 이상에서 법 제정에 긍정적인 태도를 보였다. 또한 암을 진단받은 환자나 그 가족, 중환자의 가족, 호스피스 환자들 대상으로 한 조사에서도 대다수가 연명치료의 중단에 동의하였다. 그러나 실제 사전연명의료의향서의 작성은 60세 이상의 노인의 5.2%만이 실제로 작성해 본 경험이 있는 것으로 나타났다. 의료현장에서도 말기 암 환자를 대상으로 하였을 때 실제 환자가 직접 DNR 동의서에 서명한 경우는 거의 없고 대부분 가족이 작성한 것으로 보고되었다. 그 원인으로는 개인의 자기결정권을 중시하는 서양과는 달리 동양문화권에서는 가족 중심의 전통 안에서 대다수의 의사결정과정에 있어 환자는 배제되고 가족이 중심이 되는 경우가 많은 점을 들 수 있다. 또한 대부분의 연명의료에 관한 논의가 임종직전에 이루어지기 때문에 충분한 논의가 이루어지기 어렵다. 그리고 환자, 가족, 의료진 간에 말기 돌봄의 선호도 및 사전연명의료의향서의 적절한 시기 및 방

법에 대해서도 이견이 존재하는 것으로 나타났다. 현재 국내에서 민간단체 주도로 사전연명의료의향서 작성 및 등록이 이루어지고는 있지만 법적, 의료적으로 효력이 있는 양식은 아니다. 2018년 2월부터 연명의료법이 시행되고 있으며 권고서식은 다음과 같다 **그림 17-2, 3**.

III 사전돌봄계획의 절차

1. 사전돌봄계획의 시기
사전돌봄계획은 완치가 되지 않는 질병의 임상경과 중 언제든 실시할 수 있지만 질환의 발현 이전 건강할 때부터 조기에 논의하길 권장한다. 작성되는 시기는 주로 중증 질환이 진단(생존기간이 제한)되었을 때, 상태가 악화되어 불량한 예후가 예상될 때, 병원에 반복하여 입원할 때, 요양원이나 호스피스·완화의료 병동에 입원할 때나 환자나 가족이 원할 때 등 모두 가능하며 한 번에 그치는 것이 아니라 반복적으로 실시할 수 있다. 또한 삶의 과정 중 배우자 혹은 가까운 친구나 친척이 사망할 때, 퇴직, 결혼 상태의 변화 등 주요 사건이 발생하는 시점에도 실시할 수 있다.

2. 작성 대상
악성 종양뿐 아니라 만성심부전, 신부전, 간경화, 후천성면역결핍증, 루게릭병 등 완치가 되지 않는 질병을 가진 환자가 모두 대상이 될 수 있고 건강한 사람도 가능하다. 특히 다음과 같은 경우 권고한다.
- 의학적 상태와 미래에 발생할 수 있는 합병증에 대해 이해할 수 있는 경우
- 향후에 미래의 의학적 치료에 대한 선택을 해야 하는 것을 이해할 수 있는 경우
- 그들의 인생의 목적과 가치, 개인적 믿음에 대해 이야기할 수 있는 경우

- 현재와 미래 치료의 장점과 부담에 대해 고려해야 하는 경우
- 이러한 선택에 대해 가족, 중요한 관계된 사람, 의료진과 의견을 나누어야 하는 경우

3. 사전돌봄계획의 내용
원하는 돌봄과 원하지 않는 돌봄의 내용이 모두 포함될 수 있으며, 다양한 서식이 사용되고 있으나 공통적으로 다음과 같은 내용을 포함하고 있다.

1) 인적사항
- 당사자의 이름, 생년월일, 주소, 연락처
- 참가자, 대리인의 이름, 관계, 연락처, 주소

2) 가치관이나 소망
- 정신적 신체적인 면에서 가장 가치를 두는 사항
  예시 독립적인 삶, 주변지인을 알아보고 대화하는 것, 가족에게 짐이 되고 싶지 않은 것 등등
- 죽음을 생각할 때 가장 두려운 것은 무엇인가요?
  예시 고통스러운 것, 혼자 남겨지는 것, 존엄성을 잃는 것
- 죽음이 다가왔을 때 원하는 것
  예시 가족과 함께 있기, 자택에서 임종을 맞기, 종교적인 의식을 갖기

3) 원하는 혹은 원하지 않는 의학적 처치 및 돌봄
예시 심폐소생술, 인공기관삽입, 인공호흡, 중환자 돌봄, 투석, 항생제, 항암제, 방사선치료, 수술, 경장영양 공급

4) 생의 말기에서의 결정(End-of-life decisions)
치료의 시작과 중단, 완화진정으로 증상조절, 호스피스·완화의료로의 전환

■ 호스피스·완화의료 및 임종과정에 있는 환자의 연명의료결정에 관한 법률 시행규칙 [별지 제6호서식]

<개정 2019. 3. 26.>   (앞쪽)

사전연명의료의향서

※ 색상이 어두운 부분은 작성하지 않으며, [ ]에는 해당되는 곳에 √표시를 합니다.

등록번호		
	※ 등록번호는 등록기관에서 부여합니다.	

	성 명	주민등록번호
작성자	주 소	
	전화번호	

호스피스 이용	[ ] 이용 의향이 있음 [ ] 이용 의향이 없음

사전연명의료 의향서 등록기관의 설명사항 확인	**설명 사항**	[ ] 연명의료의 시행방법 및 연명의료중단등결정에 대한 사항
		[ ] 호스피스의 선택 및 이용에 관한 사항
		[ ] 사전연명의료의향서의 효력 및 효력 상실에 관한 사항
		[ ] 사전연명의료의향서의 작성·등록·보관 및 통보에 관한 사항
		[ ] 사전연명의료의향서의 변경·철회 및 그에 따른 조치에 관한 사항
		[ ] 등록기관의 폐업·휴업 및 지정 취소에 따른 기록의 이관에 관한 사항
	확인	위의 사항을 설명 받고 이해했음을 확인합니다. 년 월 일 성명 (서명 또는 인)

환자 사망 전 열람허용 여부	[ ] 열람 가능 [ ] 열람 거부 [ ] 그 밖의 의견

사전연명의료 의향서 등록기관 및 상담자	기관 명칭 소재지
	상담자 성명 전화번호

본인은 「호스피스·완화의료 및 임종과정에 있는 환자의 연명의료결정에 관한 법률」 제12조 및 같은 법 시행규칙 제8조에 따라 위와 같은 내용을 직접 작성했으며, 임종과정에 있다는 의학적 판단을 받은 경우 연명의료를 시행하지 않거나 중단하는 것에 동의합니다.

작성일   년   월   일

작성자

(서명 또는 인)

등록일   년   월   일

등록자

(서명 또는 인)

210㎜×297㎜[백상지(80g/㎡) 또는 중질지(80g/㎡)]

그림 17-2. **사전연명의료의향서**

■ 호스피스・완화의료 및 임종과정에 있는 환자의 연명의료결정에 관한 법률 시행규칙 [별지 제1호서식]

<개정 2019. 3. 26.>   (앞쪽)

연명의료계획서

※ 색상이 어두운 부분은 작성하지 않으며, [ ]에는 해당되는 곳에 √표를 합니다

등록번호	※ 등록번호는 의료기관에서 부여합니다.	

	성 명	주민등록번호
환자	주 소	
	전화번호	
	환자 상태　　　[ ] 말기환자	[ ] 임종과정에 있는 환자

	성 명	면허번호
담당의사	소속 의료기관	

호스피스 이용	[ ] 이용 의향이 있음	[ ] 이용 의향이 없음

담당의사 설명 사항 확인	설명 사항	[ ] 환자의 질병 상태와 치료방법에 관한 사항 [ ] 연명의료의 시행방법 및 연명의료중단등결정에 관한 사항 [ ] 호스피스의 선택 및 이용에 관한 사항 [ ] 연명의료계획서의 작성・등록・보관 및 통보에 관한 사항 [ ] 연명의료계획서의 변경・철회 및 그에 따른 조치에 관한 사항 [ ] 의료기관윤리위원회의 이용에 관한 사항	
	확인 방법	위의 사항을 설명 받고 이해했음을 확인하며, 임종과정에 있다는 의학적 판단을 받은 경우 연명의료를 시행하지 않거나 중단하는 것에 동의합니다. [ ] 서명 또는 기명날인　　　년　월　일 성명　　(서명 또는 인) [ ] 녹화 [ ] 녹취 ※ 법정대리인　　　　　　　년　월　일 성명　　(서명 또는 인) (환자가 미성년자인 경우에만 해당합니다)

환자 사망 전 열람허용 여부	[ ] 열람 가능　　　　[ ] 열람 거부　　　　[ ] 그 밖의 의견

「호스피스・완화의료 및 임종과정에 있는 환자의 연명의료결정에 관한 법률」 제10조 및 같은 법 시행규칙 제3조에 따라 위와 같이 연명의료계획서를 작성합니다.

년　월　일

담당의사

(서명 또는 인)

210mm×297mm[백상지(80g/㎡) 또는 중질지(80g/㎡)]

그림 17-3. 연명의료계획서

5) 대리인의 결정

환자가 미성년자인 경우에만 해당된다.

6) 시행 장소, 날짜, 본인, 대리인, 참석자, 의료진 서명

4. 사전돌봄계획의 절차

우선적으로 전제가 되어야 할 사항은 개인이 명확한 판단력이 있고 현 상황이나 예후에 대한 이해가 뒷받침되어야 사전돌봄계획을 논의할 수 있다. 사전의료돌봄을 논의하는 데 있어 우선 시작해보는 것이 중요하며 한번에 너무 많은 내용을 다루려 하지 말고 단계적으로 접근하는 것이 필요하다. 내용은 심폐소생술 등의 의학적 처치에 치우치지 말고 의미있는 삶 혹은 죽음 등에 대한 포괄적인 논의에 좀 더 비중을 두는 것이 필요하다. 실질적으로 나타날 수 있는 상황을 가정하여 논의해보는 것도 효과적이며 환자, 가족으로부터 피드백을 받아서 다음 논의에 반영해본다. 응급상황 등이 발생시 기존의 논의를 점검하고 다시 상의하는 등 지속적인 노력이 필요하다. 성공적인 사전돌봄계획을 위해 여러 기관에서 다양한 가이드 라인을 제시하고 있다.

1) Royal College of Physicians (RCP) 가이드라인

- 단계적으로 시행한다.
- 한 번에 완성되는 것이 아닌 수일, 수주, 수개월에 걸쳐 여러 번 논의한다.
- 강압이 아닌 자발적으로 참여해야 한다.
- 다양한 상황이 존재할 수 있다. 환자는 특정 주제를 거부하거나 미루거나, 검토만 하거나, 구두논의만 원하거나 혹은 다른 주제를 논의하고 싶을 수 있다.
- 시간과 노력이 필요하다. 편안하고 여유로운 환경에서 시행, 체크리스트는 피한다.
- 최상의 상태에서 시행할 수 있도록 의학적 도움을 병행한다.

- 진정성과 공감을 가지고 시행한다.
- 여러 가이드라인을 참고한다.
- 환자가 이해 가능한 용어를 사용한다.
- 환자에게 현 상황, 예후, 가능한 치료 선택, 적용되는 상황 등에 대한 충분한 정보를 전달하고 이해시킨다.
- 내용을 확인하고 환자에게 다시 상기시킨다. 환자가 원하면 문서화한다.

2) European Society of Medical Oncology (ESMO) 가이드라인

(1) 적절한 환경을 조성한다. 편안하고 사적인 공간, 여유로운 시간이 중요하다. 환자가 동의하면 가족이나 대리인이 참석하도록 한다. 환자나 보호자가 알고 있는 것과 병과 치료에 관련하여 기대하는 것이 무엇인지 파악한다.

(2) 사전돌봄계획에 대하여 논의한다. 다양한 주제가 논의될 수 있고 다양한 반응이 나올 수 있음을 대비하라. 다음과 같은 질문으로 논의를 시작해볼 수 있다.
- 암이 진행 중인 상황입니다. 아직 치료법이 남아 있기는 하지만 만약 더 이상 효과가 없는 상황이 된다면 어떻게 할지 생각해보신 적 있으세요?
- 만약 응급상황에 처한다면 어떻게 하고 싶은지 생각해보신 적 있으세요?

(3) 환자나 가족이 표현하는 여러 감정에 대응하고 공감한다.

(4) 계획을 작성하고 실행한다.

3) Education for Physicians on End-of-life Care (EPEC) 가이드 라인

(1) 대화를 시작한다

환자들은 자기가 선호하는 것에 대하여 의사와 대화하기를 원하며 의사가 먼저 대화를 시작해 주기를 바란다. 대부분 환자가 안정상태에 있을 때 대화를 시작하지만 특히 환자의 건강상태에 심각한 변화가 있을 때는 더욱 필요하다. 의사들에게는 대화를 시작하는 것에 대하여 여러모로 어려움을 느낄 수 있지만, 알고 보면 대부분의 환자들은 이러한 논의를 환영한다. 대화를 시작할때 환자가 사전돌봄계획에 대하여 얼마나 알고 있는지 묻는다. 시작하기 전 목표와 과정에 대해서 검토하고 특정 서식이 있다면 전한다. 참여 가족, 대리인, 의료진에게 미리 과정을 설명하는 것도 좋다. 과정 동안 환자의 안위를 살피고 불편해하는 감정을 나타낼 시 지지적 대화를 이어가며 강요하지 않는다.

(2) 체계적인 대화과정을 준비한다

사전돌봄계획을 잘 시행하는 데 중요한 것은 체계적인 논의과정이다. 불필요한 오해를 방지하기 위해 사전돌봄계획의 목적은 미래에 의사결정을 하지 못할 경우를 대비한 것임을 정확히 전달하고 환자의 의사를 존중하여 의료진이 충실이 이행할 것임을 상기시킨다.

대리인을 참석시켜 대화와 계획논의 과정에 참여시켜 환자가 무엇을 원하는지 이해하게 하고 환자의 입장을 대변하게 한다. 환자와 대리인에게는 여러 임상상황의 의미를 알고 의학적 용어를 이해할 수 있게 적절한 교육이 필요하다. 다양한 치료법의 장단점을 설명하고 어떤 치료도 거절되고 중지될 수 있음을 상기시킨다. 적절한 돌봄 희망 지침서를 사용할 수 있다. 환자가 미래에 대해 뭘 걱정하는지 혹은 원하는지, 환자로 하여금 어떤 의학정보가 필요한지, 무엇을 선호하는지에 대하여 말하게 하는 것이 중요하고 건강과 질병에 관련된 환자의 가치와 돌봄 목표를 이끌어 낸다.

환자의 돌봄 목표를 이끌어 내는 데 도움을 줄 수 있는 질문들은 다음과 같다.

- 당신이 기대하고 있는 것은 무엇입니까?
- 당신이 가장 성취하고자 하는 것은 무엇입니까?
- 당신의 삶에서 지금 당장 가장 중요한 것은 무엇입니까?
- 당신이 희망하는 것은 무엇입니까?
- 당신이 피하길 희망하는 것은 무엇입니까?
- 당신은 무슨 일이 일어날 것이라고 생각합니까?
- 일어날 일들 중 당신이 두려워하고 있는 것은 무엇입니까?

(3) 환자의 선택을 기록한 문서를 작성한다

환자와 대화를 마치면 의사는 환자와 대리인에게 기록을 보여 주어 틀림이 없음을 확인하게 한다. 의무기록으로 남기고, 관련 의료진도 알게 한다. 기록을 잘 보관한다.

(4) 지시 사항을 검토하고 갱신한다

주기적으로, 특히 건강상태에 큰 변화가 있을 때, 환자의 새로운 희망 사항에 대하여 논의하고 검토하고 갱신한다.

(5) 실제상황에서 적용한다

환자가 의학적인 결정을 할 수 없을 때 사전돌봄계획서의 효력이 발생한다. 환자의 상태가 악화되면 의사는 환자가 의사결정을 할 수 있는지 없는지를 판단해야 한다. 의무기록을 숙지하지 않고 사전의료의향을 추측하여서는 안 된다. 적용가능성을 판단한다. 중요한 판단이 필요하면 대리인과 상의하여야 하고, 의견 일치가 안 되는 경우 윤리자문을 구해야 한다.

IV 사전돌봄계획의 장점과 단점

1. 장점

사전돌봄계획의 가장 큰 장점은 환자의 자기결정권이 존중된다는 점이다. 환자가 직접 참여하는 과정에서 본인이 인생의 주인이며 결정권자라는 자신감을 갖게 된다. 미래에 대해 미리 토의함으로써 대비할 수 있게 된다. 가족과 의료진의 연명의료 결정에 대한 부담을 경감할 수 있고 소통을 통하여 관계를 돈독히 할 수 있으며 이를 통하여 환자와 가족의 만족감을 증진시킬 수 있다. 의사는 환자의 소망을 반영하여 적절한 치료를 더 잘 제공할 수 있는 기회가 된다.

2. 단점

사전돌봄계획의 가장 큰 단점은 환자 본인의 참된 의사인지 혹은 주위의 여러 가지 상황에 의한 비자발적인 결정인지 구분이 어렵다는 점을 들 수 있겠다. 예민하고 어려운 주제를 다루기 때문에 대화를 시작하기가 어렵고 정확한 개념을 이해하기 어려울 수 있다. 미래에 대한 예측과 그에 대한 반응은 한 시점에 결정하기에는 복잡하며 내용이 모호하여 실제 임상현장에서 적용하는데 어려움이 있을 수 있다. 문서로 작성되어 관리해야 하고 갱신하여야 하는 불편함도 있다.

3. 현실에서 장애요인

1) 환자 요인

- 죽음이라는 주제를 표면적으로 드러내서 논의하는데 대한 불편감, 걱정
- 환자 본인이 필요성을 느끼지 못함
- 사전돌봄계획, 연명의료계획서, 사전연명의료의향서 등에 대한 지식 부족
- 문화적, 인종적, 종교적인 영향

2) 가족 요인

- 환자에게 병과 예후에 대해 알리기를 원치 않음
- 대리인이 환자 의사를 왜곡하거나 잘못 전달할 수 있음

3) 의료인 요인

- 바쁜 업무로 인하여 시간의 부족
- 의사소통기술과 경험의 부재
- 필요성을 느끼지 못함, 무지, 무관심
- 의료진이 쉽게 치료를 포기할 가능성

4) 제도 요인

- 복잡하고 생소한 개념, 변경의 여지도 크고 의료진에 의해서 지켜지지 않을 가능성
- 체크리스트가 환자와 소망이나 가치에 부합하지 않음
- 보관과 갱신, 관리의 어려움
- 환자, 가족, 의료진 간의 의사소통의 어려움
- 법적 효력을 지니기 어려움

V   요약

사전돌봄계획은 의사결정을 할 수 없는 상황에 대비하여 본인의 가치와 소망에 근거하여 의료 돌봄에 대한 의견을 가족, 친구 등을 포함한 주변인들과 나누는 과정을 포괄적으로 일컫는다. 원하는 혹은 원치 않는 의료행위 및 돌봄을 모두 논의할 수 있으며 대리인을 지정하는 것도 포함된다. 사전돌봄계획이라는 큰 틀 안에 사전연명의료의향서, 연명의료계획서 등이 포함될 수 있다. 이의 근본적인 목적은 의사결정과정에 본인이 적극 참여함으로써 자기결정권을 보장하고 이를 통하여 삶의 질을 향상하는 데 있다. 1990년대 후반부터 죽음과 자기결정권에 대한 논의가 시작된 서양과는 달리, 가족중심적인 동양사회 특히 한국에서는 의료 돌봄의 의사결정과정에서 환자가 배제되는 경우가 많고 연명의료에 대한 논의가 임종 직전에 갑작스럽게 불충분하게 이루어지는 경우가 대다수이다. 이를 개선하고자

2018년 2월부터 연명의료결정법이 시행되고 있다. 사전돌봄계획은 의식이 명료하고 판단능력이 있는 성인은 누구나 참여할 수 있으나 현실적으로는 완치가 되지 않는 중증질환을 가진 환자와 그 가족이 주 대상이며 가능한 조기부터 논의를 권유한다. 사전돌봄계획을 논의하는 데 다양한 장애요인이 존재하지만 대부분의 가이드라인에서 공통적으로 제시하는 것은 적절한 환경에서 의료진이 대화를 먼저 시작하며 이때 사전에 철저한 준비와 체계적인 논의과정을 강조하고 있다. 또한 이를 기록으로 남기고 보존하고 갱신하고 추후 올바르게 적용하려는 노력이 필요하다. 말기 질환의 진단과 돌봄 논의를 환자와 직접 상의할 수 있는 사회적 분위기가 선행되어 할 것이며, 사전돌봄계획이 법의 테두리 안에서 의무적으로 논의되기보다는 사회적 합의 속에서 자연스럽게 이루어질 수 있도록 성숙한 시민 의식이 바탕이 되어야 할 것으로 생각된다.

📑 참고문헌

1. 권복규, 고윤석, 윤영호, 허대석, 서상연, 김현철 외. 우리나라 일부 병원에서 환자, 보호자, 의료진의 연명치료 중지 관련 의사결정에 관한 태도. 한국의료윤리학회지. 2010;13:1-16.
2. 심병용, 홍석인, 박진민, 조홍주, 옥종선, 김선영 외. 호스피스 병동에서 시행되는 말기 암 환자의 DNR (Do-Not-Resuscitate) 동의. 한국호스피스·완화의료학회지. 2004;7:232-7.
3. 연세대학교 의료법윤리학연구원. 사전의사결정서(Advance Directives) 국제적 기준 및 원칙 제정 방향 연구 최종보고서. 서울: 보건복지부; 2009.
4. 윤호민, 최윤선, 현종진. 일개 대학병원의 연명치료 선택 및 사전연명의료의향서 작성 현황. 한국호스피스·완화의료학회지 2011;14:91-100.
5. 임종기 환자의 연명의료여부, 83.1%에서 사망 1주일 전에 결정. 서울대학교병원; 2013.
6. 정승윤, 이해정, 이성화. 임종기 연명치료 중단관련 특성과 사전연명의료의향서에 대한 노인환자의 태도. 동서간호학연구지. 2014;20:103-11.
7. 편해준. 지역사회 노인의 건강상태와 사전의료지시에 관한 연구. 이화여자대학교 석사학위논문. 2012.
8. 호스피스·완화의료 및 임종과정에 있는 환자의 연명의료결정에 관한 법률, 법률 제14013호, 2016.2.3. 제정(시행 2018.2.4.).
9. [cited 2016 28 Nov]; Available from: http://www.advancecareplanning.ca/what-is-advance-care-planning/
10. Act on hospice/palliative care and end-of-life decision making for lifesustaining-treatment, (2016).
11. Advance Care Planning-Concise Guideline to Good practice no 12 Royal College of Physicians Feb 2009. Available from: https://www.rcplondon.ac.uk/guidelines-policy/advance-care-planning.
12. Available from: http://polst.org/advance-care-planning/polst-and-advance-directives
13. Charles F. von Gunten, Frank D. Ferris. EPEC Participant's Handbook, Chicago: EPEC Project; 1999.
14. Keam B, Yun YH, Heo DS, Park BW, Cho CH, Kim S, et al. The attitudes of Korean cancer patients, family caregivers, oncologists, and members of the general public toward advance directives. Support Care Cancer 2013;21:1437-44.
15. Keri Thomas, Ben Lobo. Advance Care Planning in End of Life Care. New York: Oxford University Press; 2011.
16. Kong BH, An HJ, Kim HS, Ha SY, Kim IK, Lee JE, et al. Experience of advance directives in a hospice center. J Korean Med Sci 2015;30:151-4.
17. Korean Supreme Court Ruling: Murder (assisted murder) 2004.
18. Korean Supreme Court Ruling: Withdrawing futile life-sustaining treatment, 2009.
19. Oh DY, Kim JH, Kim DW, Im SA, Kim TY, Heo DS, et al. CPR or DNR? End-of-life decision in Korean cancer patients: a single center's experience. Support Care Cancer. 2006;14:103-8.
20. Schrijvers D, Cherny NI, ESMO Guidelines Working Group. ESMO Clinical Practice Guidelines on palliative care: advanced care planning. Ann Oncol. 2014;25 Supple 3:iii138-42.

6부

호 스 피 스 · 완 화 의 료
TEXTBOOK OF HOSPICE AND PALLIATIVE CARE

통증관리

18장 통증의 병태생리

19장 통증 평가

20장 신경병증성 통증

21장 돌발성 통증

22장 마약성 진통제

23장 비마약성 진통제와 보조진통제

24장 비약물 요법

18장

통증의 병태생리

| 윤덕미, 이창걸 |

암 환자에서 삶의 질은 통증에 의해 크게 영향을 받으며 따라서 암 환자의 통증조절은 중요한 치료목표가 된다. 암 환자에서 통증은 질환이 발병하거나 재발 등에 의한 조직손상이 진행함으로서 발생하며 진단적 시술에 의해서도 발생한다. 이런 통증은 암이 적절하게 치료되어 제거되면 대부분 소실되지만 제거되지 않는 경우 통증이 지속되고 있으며 적절하게 치료되지 못하는 경우가 많다. 부적절한 통증치료는 환자를 힘들고 고통스럽게 하지만 아직도 통증은 과소 평가되고 잘 관리되지 못하고 있는 실정이다.

암 환자에서의 통증은 암자체에 의해 초래되거나 암에 부수적인 결과에 의해서도 초래된다. 또한 치료의 부작용이나 합병증에 의한 것도 있으며 그 외에 다른 동반질환에 의해 초래되기도 한다.

암성 통증은 말초의 통각수용체가 활성화되어 나타나는 체성통증(somatic nociceptive pain)과 내장통증(visceral nociceptive pain), 그리고 말초 및 중추신경의 직접 손상에 의해 나타나는 신경병성 통증(neuropathic pain)과 구심로차단 통증(deafferentation pain)으로 발생할 수 있다. 또한 침해수용성 통증(nociceptive pain)과 신경병증 통증은 교감신경계에 의해 변화될 수 있으며 그 결과로 교감신경유지 통증(sympathetically maintained pain, SMP) 이나 복합부위통증(complex regional pain syndrome type, CRPS)을 초래하기도 한다.

이런 통증은 다소 독특한 임상적 특징을 가지고 있으며 그에 따라 진단 및 치료가 이루어져야 한다. 적절한 통증치료를 위해서는 암 환자에서 통증의 평가 및 병태생리를 이해하는 것이 중요하다.

1979년 국제 통증연구학회(International Association for the Study of Pain, IASP)에서는 통증을 "실질적인 또는 잠재적인 조직손상이나, 이러한 손상에 관련하여 표현되는 감각적이고 정서적인 불유쾌한 경험이다"라고 정의하였다.

통증은 유해자극에 대한 위험을 알려 주는 경고장치로서 손상을 예방하고 자연치유를 돕기 위한 통증행동을 유발할 수 있게 하는 신체방어 기제로서, 개체의 생존을 가능케 하는 것을 생리적 통증이라고 하고 대부분의 급성통증이 여기에 속한다. 반면 유해자극에 대한 신체방어기제로서의 기능이 소실되었음에도 불구하고 통증이 지속되는 것은 병적 통증이라고 하며 대부분의 만성통증이 여기에 속한다. 만성통증은 유해자극에 대한 경고의 의미나 방어적 기능은 없으므로 통증 자체를 질병으로 간주하고 대처해야 하며 암 환자에서의 통증은 경고의 의미는 없는 경우가 많다.

통증의 발생기전은 아직도 많은 부분이 해부학적 또는 생리학적으로 완전히 설명되고 있지는 않지만 통증 발생기전에 따라 침해수용성 통증과 신경병증 통증, 또는 혼합 통증으로 분류된다.

암성 통증은 조직손상에 의해 발생하는 침해성 통증과 신경손상에 의한 신경병증 통증이 함께 있는 혼합통증의 경우가 많으며 각각의 원인에 따른 치료적 접근이 필요하다.

여기서는 통증 전달경로의 해부학적 구조, 전달경로 및 통증의 상행 및 하행조절에 대해 간략하게 설명한다.

통증은 통각(nociception), 통증(pain), 고통(suffering) 통증행동(pain behavior)의 범주로 나누어 볼 수 있다.

I 통증 전달경로의 해부학적 구조

통증전달에 대한 과학적 근거는 17세기 데카르트가 침해수용성자극에 의해 발생한 통증신호가 어떤 신호체계, 즉 신경을 따라 척수를 통해 중추로 전달됨을 시사한 데서 시작되었다. 이런 통증 즉 유해자극에 의한 유해정보가 말초에서 중추신경까지 전달되어 통증으로 인지 되는데는 변환(transduction), 전달(transmission), 조정(modulation) 인지(perception)의 4단계를 거친다.

조직손상에 의한 침해수용성 자극에 의해 침해수용체가 활성화되어 신경말단에서 전기적 자극으로 바뀌는 것을 변환이라고 하며, 이 자극이 말초에서 일차구심성 신경섬유를 통해 척수뒤뿔(후각, dorsal horn) 신경세포까지, 또한 척수에서 척수, 시상, 대뇌까지 도달하는 것이 전달이다 그림 18-1. 이 과정에서 여러가지 신경전달물질이나 내인적 기전에 의해 변화되는 과정, 즉 조정이 일어나고 이런 감각의 전달이 뇌에서 감성적 경험으로 종합되는 과정을 인지라고 한다.

1. 일차 구심성 신경섬유

일차 구심성 신경섬유는 굵기와 수초화 유무, 전달속도, 자극의 양에 따라 분류된다 표 18-1. 피부의 대표적인 침해수용체는 A-δ 섬유와 C 섬유이며 특히 A-δ섬유는 전달속도가 빠르고 낮거나 높은 역치의 기계적 자극 및 열자극에 반응하고 통증의 정확한 위치정보를 제공한다.

C 섬유는 전달속도가 느리고 높은 역치의 다양한 기계적, 화학적 및 열자극에 반응한다. C 섬유는 다형성 침해수용기(polymodal nociceptor)라고도 하며 감수야가 넓어 정확한 위치정보를 알기 어렵다. 이들 구심성신경은 말초에서의 어떤 물질이나 그 물질에 의해 일어난 화학적 변화에 의해 흥분된다. 침해수용체는 강한 물리적 자극에 의해 반응하는 고역치 기계적 침해수용체(high threshold mechanoreceptor), 물리적 자극 및 열자극에 반응하는 열성 침해수용체(thermal nociceptor), 화학적 유해자극에 반응하는 화학적 침해수용체(chemical nociceptor), 및 물리적, 열성, 및 화학적 자극에 반응하는 다양성 침해수용체로 분류된다. 그 외에도 정상에서는 반응하지 않지만 염증과 같은 지속적인 자극이 있을 때만 침해수용자극에 반응하는 잠복침해수용체(silent nociceptor)가 있다. 이런 잠복침해수용체가 활성화되는 것으로 말초감작이나 중추감작, 통각과민 등을 이질통으로 설명할 수 있다.

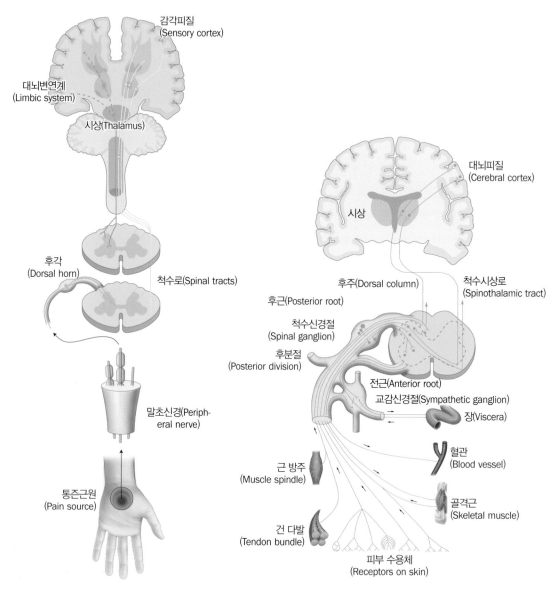

그림 18-1. **통증의 전달경로**

표 18-1. 신경섬유의 분류

신경섬유의 종류	수용체 및 지배영역	직경(μm)	전도속도(m/s)
A–α	근육의 원심성섬유 골격근운동	12~20	70~120
A–β	피부접촉과 압박	6~12	30~70
A–δ	근육의 원심성 섬유	2~10	10~50
A–γ	침해수용체, 냉감수용체, 기계적 자극 수용체	1~5	5~30
B	자율신경 절전섬유	1~3	3~15
C	침해수용체, 기계적 자극수용체, 온감수용체, 자율신경 절후섬유, 내장신경섬유	0.5~1.5	0.5~2

2. 척수후각

일차 통증 감각신경을 통해 전달된 통증신호는 척수후
근 신경절을 통해 척수후각에 도달한다. 척수후근 신
경절에는 통증의 일차 전달 신경세포(first order pain
transmitting neuron)인 일차 통증감각신경의 세포체가
존재한다. 감각신경이 척수에 진입하는 부위를 척수 후
근 도입부(dorsal root entry zone, DREZ)라고 하며 일반
적으로 굵은 유수신경은 척수후근 도입부의 안쪽, 가는
무수신경은 바깥쪽으로 들어간다.

일차 구심성 신경섬유는 척수 뒤뿔내의 2차 신경세
포에서 끝나고 2차신경 세포는 척수를 따라 올라가 뇌
의 3차 신경세포에서 연접(synapse)한다. 척수의 단면은
몇 개의 층으로 나뉘어지며 **표 18-2**, **그림 18-2** A-δ 섬유
는 주로 lamina I (가장자리층, marginal layer)과 V(고유
핵, nucleus proprius)에서 끝나며 C 섬유는 주로 lamina
II(아교질, substantia gelatinosa) A-β 섬유는 lamina III와
V (고유핵)에서 끝난다. 척수뒤뿔에서 통증에 관여하
는 부위는 가장자리층, 아교질, 고유핵, 중심관(central
canal)이다. 고유핵은 A-β, A-δ, C 섬유에 모두 반응하
여 wide dynamic range (WDR)신경세포라고 불린다.

척수에도 말초의 침해수용체처럼 4종류의 침해수용
성 신경세포가 있다. 피부 또는 내장자극에만 흥분하
는 고역치 기계적 침해수용체, 피부나 장관의 화학적
자극에 반응하는 화학적 침해수용체, 열성 침해성 자
극에 반응하는 열성 침해수용체, 다양한 침해자극에
반응을 보이며 자극 강도가 증가함에 따라 반응이 증
가하고 비침해 자극에도 반응을 보이는 다양성 침해수
용체가 있다.

침해수용성 신경세포는 유해자극에 대해 반응하며
다양성 침해수용체는 유해자극의 특성과 관련된 정보
를 제공한다. 일반적으로 C 섬유는 substance P 같은 신
경펩타드를 분비하며 A-δ 섬유는 글루타메이트를 분비
한다.

표 18-2. 척수의 단면

해부학적위치	Rexed층	구심성 섬유종말	침해수용 성세포
가장자리층(Marginal layer)	I	A-δ/C	marginal
아교질(Substantia gelatinosa)	II	A-β/A-δ/C	SG
교유액(Nucleus proprius)	IV/V/VI	A-β/A-δ	WDR
중심관(Central canal)	X	A-δ/C	SG-type
운동뿔(Motor horn)	VII/VIII/IX	A-β	

SG:substantia gelatinosa, WDR: wide dynamic range

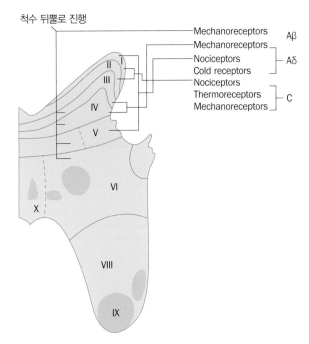

그림 18-2. Rexed 에 의한 척수의 분류

3. 상행척수로

척수로 전달된 통각정보는 척수시상로(spinothalamic
tract), 척수망상체로(spinoreticular tract), 척수중뇌로
(spinomesencephalic tract)를 통해 뇌로 전달된다 **그림 18-3**.

척수에서 통증의 전달경로로 가장 중요한 것은 척수
시상로(spinothalamic tract)이다. 척수시상로는 통증과
온도와 관련된 정보뿐 아니라 무해자극(touch)에 대한
정보도 전달한다.

척수에서 뇌로의 상행경로는 크게 신척수시상로

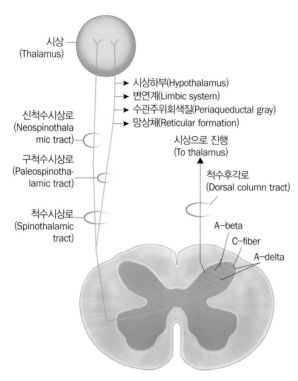

시상
(Thalamus)

시상하부(Hypothalamus)
변연계(Limbic system)
수관주위회색질(Periaqueductal gray)
망상체(Reticular formation)

신척수시상로
(Neospinothala
mic tract)

구척수시상로
(Paleospinotha-
lamic tract)

척수시상로
(Spinothalamic
tract)

시상으로 진행
(To thalamus)

척수후각로
(Dorsal column tract)

A-beta
C-fiber
A-delta

그림 18-3. 척수후각에서 상행하는 통증경로

(neospinothalamic tract), 구척수시상로(paleospinotha-lamic tract), 원척수시상로(archispinothalamic tract)의 3가지 경로로 이루어진다. 신척수시상로는 계통 발생학적으로 가장 최근에 발생한 경로로 시상으로 직접 투사되며 흔히 외측 척수시상로(lateral spinothalamic tract)라고 한다.

구척수시상로는 뇌간을 통해 시상에 투사되며 척수중뇌로(spinomesencephalic tract)와 척수 망상체로(spinoreticular tract)로 구성된다.

원척수시상로는 다시냅스 고유척수로(multi-synaptic proprio-spinal pathway)를 통해 척수의 위, 아래로 진행하고 척수와 뇌에 광범위한 시냅스를 이룬다.

1) 척수시상로

가장 중요하며 lamina I과 lamina VII에서 시작하여 하나에서 수개의 위쪽분절에서 백색질맞교차(anterior commisure)를 통해 정중선에서 교차하여 반대쪽 앞옆

다발(anterolateral fascicle)을 통해 시상에 도달하며 내측계와 외측계로 나뉘어진다.

(1) 외측계

신척수시상로(neospinothalamic tract) 라고 부르며 시상으로 직접 연결되어 있으며 상처를 입은 초기의 A-δ 신경 섬유를 통한 날카로운 통증을 전달하는 빠른 전도계통(fast pain tract)로 통증의 분별감각(discriminative sensory aspect)에 관여한다.

(2) 내측계

구척수시상로(paleospinothalamic tract)라고 하며 시상에 도달하기 전에 망상체형성, 뇌수도관주위 회백질, 변연계, 시상하부와 같은 뇌간과 중뇌구조를 연결하고 있어서 C섬유를 통한 상처 후의 둔하고 지속적인 통증을 전달하는 느린 전도계통(slow pain tract)이다. 통증의 정동과 인지 평가(affective-motivation/cognitive evaluative aspect)에 관여한다.

2) 척수망상체(그물)로

척수 망상체로의 신경세포는 유해자극에 반응하여 뇌간의 자율중추에서 항상성이 유지되도록 하는 lamina VII 와 VIII에서 시작하여 대부분 반대쪽으로 교차하지만 일부는 교차하지 않은채 다리뇌(pons)의 망상체에서 연접한 후 시상에 도달한다.

3) 척수중뇌로

lamina I과 V에서 중뇌망상체형성과 중뇌수도관 주위 회백질로 투사된다.

4) 상척수(Supraspinal)에서 통증신호 전달

통증은 체성 감각, 변연계 및 연합 영역 구조물 등 다양한 뇌부위를 활성화시키며 단일 부위의 통증 센타가 존재한다기보다 네트워크를 이루며 다양한 경로를 통

해 활성화되는 뇌영역에 따라 특정한 역할을 하고 정보를 서로 주고 받는다.

예를 들면 통증은 이차 체성 감각피질(secondary somatosensory cortex, S2)와 섬피질(insula cortex, IC)를 조기에 활성화시키는데 이들 부위는 분별감각(sensory-discriminative)의 역할을 한다. 반면 통증에 의해 활성화되는 대상회(cingulate gyrus)는 통증의 정서적(affective-motivational) 면을 담당한다. 이런 기능적 분리는 통증시스템의 네트워크를 통해 각각의 뇌부위로 피드백된다.

이렇게 통증에 의해 활성화되는 특정한 뇌부위들이 모여 통증시스템을 이루게 되며 이런 뇌영역을 한 단위로 통증 매트릭스라고 부른다. 통증 매트릭스를 이루는 중요한 뇌구조물은 일차 감각피질(primary somatosensory cortex, S1), 이차 감각피질(secondary somatosensory cortex, S2), 시상(thalamus), 대상피질(cingulate cortex), 대뇌섬(insula), 전전두피질(prefrontal cortex, PFC), 후두정피질(posterior parietal cortex, PPC), 보조운동피질(supplementary motor area, SMA), 해마(hippocampus), 편도체(amygdala), 중뇌수도주위회백질(periaqueductal grey, PAG), 기저핵(basal ganglia), 소뇌피질(cerebella cortex) 등이 있다.

통증매트릭스에서 통증의 강도나 정서적인 면 같은 통증 정보의 해석은 단순히 뇌로 전달되는 상행성 침해수용성 입력(ascending nociceptive inputs)에 의해서가 아니라 상행성 침해수용성 입력과 항침해수용성 조절 (antinociceptive controls) 사이의 상호작용의 결과로 나타난다.

II 통증의 병태생리

1. 말초 감작(말초 민감화)

기계적자극, 화학적자극, 열자극, 냉자극과 같은 유해자극이 인체에 가해지면 통각수용기가 전기신호로 전환하고, 일차구심신경섬유를 통해 통각신호가 중추신경계로 전달된다. 조직의 손상은 직접적으로 통증 침해수용체를 활성화할 뿐 아니라 파괴된 세포나 손상된 세포막과 염증세포들에서 substance P, calcitonin gene related peptide (CGRP), 히스타민 등의 염증매개물질을 유발한다 표 18-3 .

염증매개물질에 의한 염증반응은 혈관의 확장과 혈관의 투과성을 증가시켜 더욱 많은 염증세포를 동원하고 이로 인해 염증반응은 더욱 커지게 된다. 궁극적으로 이들 물질은 통증을 매개하는 A-δ, C 신경섬유를 더욱 흥분시키게 된다. 이들 발통물질들 [5-hydroxytryptamine (serotonin, 5-HT), bradykinin, histamine, cytokines, (PGs), norepinephrine (NE), H+, K+, (sP), nerve gowth factor (NGF), brain-derived neurotrophic factor (BDNF), ciliaryneurotrophic factor (CNTF), TNF)]은 단독으로는

표 18-3. 침해수용체를 활성화시키거나 감작시키는 물질

매개물질	기원	합성에 관여하는 효소	일차 구심섬유에 미치는 영향
Potassium	Damaged cells		Activation
Serotonin	Platelets	Tryptophan hydroxylase	Activation
Bradykinin	Plasma kininogen	Kallikrein	Activation
Histamine	Mast cells		Activation
Prostaglandins	Arachidonic acid−damaged cells	Cyclooxygenase	Sensitization
Leukotrienes	Arachidonic acid−damaged cells	5−lipoxygenase	Sensitization
Substance −P	Primary afferent		Sensitization

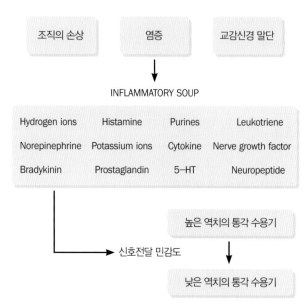

그림 18-4. 말초민감화

통각수용기의 높은 역치를 낮추기에는 부족하지만, 동시에 대량 형성되면 상승작용을 일으키고 통각수용기의 유해자극에 대한 역치를 낮아지게 한다. 그렇게 되면 비교적 작은 유해자극에도 쉽게 통증을 일으키고 통상적인 생리적 통각보다 강하고 오래 지속되는 통증(통각과민, hyperalgesia)을 유발한다. 역치가 상당히 낮아지면 무해성 자극에도 통증(이질통, allodynia)이 나타날 수 있다. 이런 염증반응과 통증유발물질에 의해 일차 구심섬유 말단의 역치가 낮아지는 통증기전을 말초 민감화라고 한다 그림 18-4.

2. 말초민감화에 관여하는 신경전달물질

- Bradykinin: 염증성 통증과 통각과민을 유발하며, phospolipase C, PKC, TRPV1(transient receptor potential vanilloid 1) 통로의 활성화를 통하여 열성 통각과민을 유발한다.
- Histamine: substance P에 의해 비만세포로부터 유리되며 혈관확장 부종을 이르키고 polymodal visceral nociceptor를 자극하여 bradykinin에 의한 통증을 증강시킨다.

- Serotonin: 비만세포가 파괴되면서 유리된 혈소판 자극에 의해 분비되며 bradykinin에 의한 통증을 증강시킨다.
- Nerve growth factor: 직접 또는 간접적인 방법으로 염증성 통증 조절하며 비만세포를 자극하여 histamine과 serotonin을 분비시키고 일차구심성 종말에서 열성 통각과민을 유발한다.
- Cytokines: interleukin-1, TNF-alpha, interleukin-6 등으로 세포 염증 반응을 조절하고 통증전달을 촉진한다.
- Eicosanoids: arachidonic acid 대사물로 prostaglandine, thromboxane, leukotrienes
- Low pH: 염증조직에서 기계적 자극에 대한 통증과 통각과민에 관여하며 후근신경절의 acid-sensing ion channel (ASIC-3)을 통하여 통증에 관여한다.
- Excitatory amino acids: 후근신경절, 일차 구심 섬유의 presynaptic에서 통증전달을 조절한다.

말초에서 발생한 염증에 의해 분비된 화학적 매개체들은 침해수용체를 직접 자극하지만 일부는 이차 전달자(secondary messenger)를 통하여 감각뉴런의 변화를 유도한다. 이런 변화는 통각수용기 단백질의 변형으로서 주로 early posttranslational change 를 이르켜 TRPV1 수용체와 voltage gates ion channel 의 인산화를 초래한다. 그 결과 이온통로의 개방역치가 낮아지게 되고 동시에 더 오랜 기간 열리도록 바뀐다. 또한 postganglionic에서 전사적 변화(transcriptional change)에 의한 유전자 변화를 유발하여 단백질 변화를 일으킨다. 통각수용기를 변화시켰던 신호 가운데 일부가 손상받은 부위에서만 작용하지 않고 축삭을 타고 후근신경절(dorsal root ganglion)에 위치하는 신경세포체까지 전달된다. 이로 인해 특별한 유전자의 발현이 증가되기도 하고 전령 RNA로부터 더 많은 단백질이 생성되기도 한다. 이렇게 추가로 생성된 단백질은 말초로 전달되어서 자극에 대하여 증가된 반응을 보이게 한다.

또한 말초에서 통증전달을 억제하는 물질로는 내인성 오피오이드, acetylcholine, somatostatin 등이 있다.

3. 중추감작(Central sensitization)

유해자극유입이 누적되면 대량의 흥분성 신경전달물질이 분비되어 시냅스 후막의 α-amino-3-hydroxy-5-methyl-4-isoxazole propionate (AMPA) 수용체 활성이 커지고 시냅스후막 탈분극이 증가하면, 정상상태에서는 Mg^{2+}차단마개에 의해 활성화되기 어려운 N-methyl-D-aspartate (NMDA)수용체에서 Mg^{2+} 차단마개가 제거되어 NMDA 수용체가 활성화된다. 다른 한편으로 AMPA 수용체가 시냅스후막에 대량 발현되는 현상이 일어난 상태에서는 작은 양의 흥분성 신경전달물질이 시냅스후막에 작용해도 쉽게 탈분극이 커지고 NMDA 수용체의 활성을 일으킬 수 있다. 신경세포 밖의 Ca^{2+}이 활성화된 NMDA 수용체를 통하여 유입되어 세포내 Ca^{2+} 농도가 증가하면 세포 내 kinase의 다단계 활성화를 촉진시킨다. 세포내칼슘은 Ca^{2+}/calmodulin을 통하여 nitric oxide synthase를 활성화시켜 nitric oxide (NO)를 생성하는 한편, phospholipase A2에 영향을주어 arachidonic acid로부터 PG을 만들게하여 통증을 강화시키게 된다. 이때 형성되는 NO, PG은 되먹임반응으로 다시 전시냅스막에서 흥분성 신경전달물질 분비를 증가시키고 immediate early gene을 복제 전사시키는 악순환을 일으켜 장기간의 활동성 통증을 유지하게 만든다. 이런 NMDA 수용체 활성으로 이루어지는 중추신경내의 통증악순환을 중추감작이라한다.

4. 중추감작에 관여하는 물질

1) 흥분성 신경전달물질

Glutamate aspartate가 중요한 작용을 하며 척수신경의 여러 신경연접부위에서 통증전달을 조절한다. 체성 감각신경계에는 glutamate와 aspartate에 대하여 NMDA glutamate 수용체, kainate 수용체, AMPA 수용체, metabotropic 수용체와 같은 4개의 수용체가 있다.

- NMDA 수용체: 감각신경 감작에 의한 결과로 활성화된 calcium 이온 운반체와 연결되어 있고 강하고 지속되는 자극에 관여하여 세포막의 지속적인 탈분극현상을 일으키는 현상에 관여한다.
- AMPA 와 kainate 수용체: sodium channel과 연결되어있으며 연접부위를 통하여 빠르게 전달되는 자극을 조절한다.
- metabotropic glutamate 수용체(mGluR): G protein에 연결되며 PKC, cyclic AMP, calcium을 조절하며 통증과 관련된 많은 채널, 수용체 kinase, 전사인자 등의 작용에 관여한다.
- ATP (adenosine triphosphate): 흥분성 신경전달물질로 P1과 P2 수용체를 활성화시켜 척수후각(lamina II, V)에서 glutamate를 분비하여 통증전달을 증가시킨다.

2) 억제성 신경전달물질

체성 감각신경계에서 glycine과 GABA는 중요한 억제성 신경전달물질이다 표 18-4. Glycine은 척수에서 중요한 억제작용을 하며 GABA는 보다 높은 레벨에서 작용한다. Glycine은 NMDA, glutamate 수용체에서 chloride-linked strychnine inhibitory receptor와 strychinine-insensitive modulatory site가 있다. GABA는 척수 후각의 lamina I, II, V 의 local circuit neuron에서 억제작용을 한다. GABAa 수용체는 chloride 채널과 연결되며 barbiturate, benzodiazepine, alcohol에 의해 조절되고 작용제는 mucinol, 길항제는 gabazine이다. GABAb 수용체는 potassium ionophore, G-protein linked complex와 연관되면 작용제는 baclofen, 길항제는 phaclofen이다. 억제성 신경전달물질의 기능적 변화는 통각과민이나 신경병증 통증 발생에 중요한 역할을 한다.

그 외에 노르에피네프린, 세로토닌, 아데노신, 아세

표 18-4. 통증을 매개 또는 조절하는 신경전달물질

신경전달물질	수용체	통각에 대한 영향
Substance P	NK-1	excitatory
CGRP		excitatory
Glutamate	NMDA, AMPA, Kainate, quisqualate	excitatory
Aspartate	NMDA, AMPA, Kainate, quisqualate	excitatory
ATP	P1, P2	excitatory
Somatostatin		inhibitory
Acetylcholine	Muscarinic	inhibitory
Enkephaline	μ,δ,κ	inhibitory
β-endorphin	μ,δ,κ	inhibitory
Norepinephrine	α2	inhibitory
Adenosine	A1	inhibitory
Serotonin	5-HT1(5-HT3)	inhibitory
GABA	A, B	inhibitory
Glycine		inhibitory

칠콜린 등도 억제성 신경전달물질로 작용한다.

3) Bulbospinal systems

뇌간(brain stem) 연수(medulla)의 노르에피네프린, 세로토닌을 포함하는 세포는 척수 후각으로 descending inhibitory projection을 보내며 bulbospinal projection이라고 한다. 이 연결통로는 보통은 noradrenergic system 에 의한 효과이며 세로토닌은 descending inhibitory system 을 통한 억제작용을 하는 것으로 알려져 있으나 일부 아형에서는 흥분작용을 나타내기도 한다.

4) Lipid mediators

신경세포내 칼슘 증가는 prostaglandin을 방출하는 cascade의 활성화를 초래한다. Prostaglandin은 일차 구심섬유의 시냅스 전 후의 수용체에 작용하여 통증관련 신경물질 분비를 촉진하며 척수후각의 postsynaptic neuron을 활성화한다. Cyclooxygenase-2 (COX-2)를 억제하는 COX-2 억제제는 척수에서 prostaglandin과 관련된 물질의 분비를 억제하여 통증자극에 의한 통각과민을 차단하는 것으로 생각된다.

5) Nitric oxide (NO)

NO는 척수의 NO synthases 증가에 의해 발생하며 척수에서 통증관련 신경전달물질 분비를 촉진함으로써 중추 감작에 관여하는 것으로 알려져 있다.

6) 인산화효소(Phosphorylating enzyme)

신경세포에는 다양한 수용체 이온통로등을 인산화할수 있는 인산화 효소가 존재하며 척수신경세포내에서 구심성 통증자극 전달에 의해 몇 가지 protein kinase가 활성화되는 것으로 알려져 있다.

7) 신경펩티드(Neuropeptide)

신경펩티드는 빠르게 작용하고 사라지는 신경전달물질과 달리 서서히 작용이 나타나며 오랫동안 영향력이 지속된다. 흥분성 신경펩티드에는 substance P, neurokinin A가 있으며 일차구심섬유와 척수 시상의 intrinsic neuron 신경세포에 집중되어 있다. 한번 유리되면 한부위에 작용하는 것이 아니라 척수후각을 통하여 여러 연접부위에 작용한다.

C 섬유를 자극하는 통증자극에 의해 분비되며 inositol phosphate를 분비시켜 세포내 칼슘을 증가시키며 척추에서의 중추감작에 중요한 역할을 한다.

억제성 신경펩티드에는 somatostatin, enkephalin, dynorphine 등이 있으며 척수 후각의 intrinsic neuron, 하행성 억제성 경로(descending inhibitory pathway), 시상 등에 위치한다.

그 외에 calcitonin gene related peptide (CGRP), vasoactive intestinal peptide (VIP), Neuropeptide Y (NPY), cholecystokinin (CCK) 등이 체성 감각신경계에서 다양한 역할을 하고 있는 것으로 알려져 있다.

5. 비 신경세포(Non neuronal cells)

척수에는 많은 별아교세포(astrocytes)와 미세아교세포(microglia)가 있다. 이 세포들은 신경계통의 모양을 형성하는 데 중요하지만 최근에는 국소적 신경작용의 흥분성을 조절하는 데 중요한 역할을 하는 것으로 확인되었다. 이 세포들은 ATP, lipid mediator, cytokines과 같은 물질을 방출하기도 한다. 별아교세포는 glutamate의 능동적 흡수, 분비를 통하여 세포외 glutamate 농도를 조절할 수 있다. 이 세포들은 gap junction에 위치하고 있으므로 한 세포의 흥분은 세포 주위의 더 많은 세포를 활성화시킬 수 있다. 미세아교세포는 일차 감각신경에서 분비되는 여러 물질들에 의해서도 활성화되는 것으로 밝혀지고 있다. 별아교 세포와 미세아교세포의 활성을 막는 물질들(flurocitrate, minocycline)은 빠르고 효과적으로 말초손상과 조직손상으로 하여 감작된 상태를 억제하는 것으로 알려져 있다. 국소적 신경활동에 의한 것 외에도 손상과 염증에 의해 방출된 cytokines (IL-1b, TNF-α)가 혈관 주위 별아교세포/미세아교세포를 활성화시켜 신경세포의 흥분에 영향을 끼칠 수 있음이 보고되었다.

6. 통증억제상실(Disinhibition)

통증억제상실(disinhibition)은 척수내에서 내림조절 경로를 통하여 통증을 억제하는 기능이 상실되는 결과이다. 내림조절 경로는 척수내에서 수도관주위회백질(periaqueductal grey)과 후방복내측숨뇌(rostral ventromedial medulla)와 연결된 신경연결조직이다. 내림조절경로는 부분적으로 통증을 전달하는 오름경로, 대뇌, 시상하부 등과 부분적 병립으로 연결되어 통증을 조절한다. 만성 통증으로 통증이 증가된 경우에는 이런 억제작용이 감소하거나 통증을 전달하는 부분이 증가되어 있는 상태를 관찰할 수 있다. 섬유근육통 환자의 경우에 이러한 내부 통증 조절 현상이 정상인에 비하여 결여되어 있다.

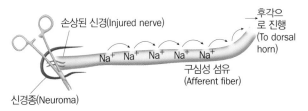

그림 18-5. 이소성 방전

7. 이소성 방전(Ectopic discharge)

신경병증 통증은 비정상적인 중추신경계통의 변형 상태를 보이며 통각과민과 이질통증을 나타내는 대표적인 질환이다. 중추신경계통의 변형과정은 비정상적인 말초입력에서 시작되며 축삭이 절단된 구심성 섬유에서의 이소성 방전이 중요한 원인의 하나이다. 말초신경 손상후 축삭이 절단된 구심성 섬유뿐 아니라 후근 신경절과 정상통각수용기에서 자동 방전이 일어난다. 이런 비정상활동 전위는 척수로 들어가 중추 감작을 일으키는 원인의 하나이다. 특히 신경병증 통증 기전에서 비정상 활동 전위를 일으키는 중요한 요인은 Na 통로의 변화에 있다 **그림 18-5**. 신경전도를 차단하지 못하는 저농도의 리도카인이나 Na 통로 차단제로 이런 자동 방전을 차단할 수 있으며 신경근 절제술로 통증 행동을 감소시킬 수 있다는 결과로 입증되었다.

8. 척수 후각 시냅스의 재구성(Reorganization)

정상상태에서 직경이 작은 A-δ 및 C 섬유는 표층(laminar II)에 분포하여 역치가 높고 통각수용자극에 반응하고 직경이 큰 A-β 섬유는 역치가 낮아 통증을 유발하지 않는 자극에 반응하고 척후 심층(lamina III-IV)에 분포한다. 말초신경 손상 후 직경이 작은 신경은 퇴행변화를 보이며 직경이 큰 A-β 신경의 싹자람을 유도하여 척수 후각 심층에서 표층으로 분포하게 하고 구심로 차단 세포와 직접 접촉하게 만든다. 이러한 척수 후각내 신경세포의 재구성은 C 섬유의 소실로 정상 통증 신호 전달이 이루어지지 않게 되고 직경이 큰 A-β 신

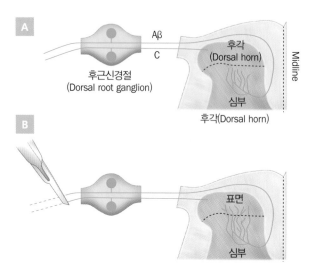

그림 18-6. 척수 후각 시냅스의 재구성. A) 정상, B) 말초신경 손상 후

경을 따라 비통각수용 자극이 직접 척수 신경세포에 전달된다. 이러한 동적 기계적 이질통(dynamic mechanical allodynia) 기전으로 말초신경 손상 후 통각과민이 없는 피부 부위에서 이질통이 나타나는 이유를 설명할수 있다 **그림 18-6**.

9. 대뇌의 재구성(Cerebral reorganization)

지속적인 통증은 말초와 척수 신경 감작뿐 아니라 대뇌의 재구성(cerebral reorganization)을 초래할 수 있다. 구심성 입경의 변화가 대뇌피질과 시상의 신경가소성(neuroplasty), 감각표현의 재구성을 일으킬 수 있다는 사실은 뇌자도(magnetoencephalography, MEG), 정량적 뇌파검사(quantitative electroencephalogram) 기능적 자기공명영상(functional MRI, fMRI), 양전자 방출 단층촬영(positron emission tomography, PET)을 이용한 최근의 연구들에서 밝혀지고 있다.

대뇌의 재구성은 질환에 따라 통증뿐 아니라 임상증상도 차이를 보이므로 질환마다 다른 패턴을 보이는 것 같다. 그러나 아직 특정 질환에 따라 어떤 특징적인 형태학적 재구성을 보이는지에 대한 것은 잘 밝혀지지 않았다.

만성 통증은 통증의 지각뿐 아니라 뇌의 공간적 시간적 특성을 왜곡시키고 기억과 인지 기능에도 영향을 미친다. 또한 만성 통증은 뇌의 보상/동기기전도 왜곡시키는 것 같다.

최근 연구에서는 만성통증에서 뇌의 형태학적 차이는 이환된 기간과 통증의 강도와 연관을 보였으며 이런 결과는 뇌의 형태학적 변화가 본질적으로는 가역적이고 통증인지(pain perception)의 결과임을 가정할 수 있게 한다.

III 통증의 종류에 따른 통증 경로

1. 체성 통증

체성통증은 표재성 및 심부통증으로 구별된다. 표재성 통증은 피부나 근육 또는 말초신경에서 발생한다. 일반적으로 표재성 통증은 침해수용 자극에 대해 날카로운 통증으로 나타나는 초기반응(initial pain)과 화끈거리며 몹시 아리거나 욱신욱신한 기분 나쁜 통증을 특징으로 하는 후기반응(late response)으로 나타탄다. 초기반응은 A-δ 섬유를 통해 δ신척수시상로와 시상의 복측후외측핵(VPL), 복측후내측핵(VPM)을 거켜 체성감각피질로 전달되고 후기반응은 C 섬유를 통해 구척수시상로와 원척수시상로를 경유하여 brain stem nuclei와 다발옆핵-중심정중핵복합체(PF-CM complex)를 통해 전달된다.

관절이나 인대 근막 등 깊은 구조물에 의한 심부통증은 둔하고 쑤시는 듯한 또는 화끈거리는 통증을 특징으로 하며 식은땀 구역, 혈압이나 맥박의 변화 같은 자율신경 반응을 동반하는 경우도 많으며 수척수시상로와 원척수시상로를 경유한다.

2. 내장통증

내장통증은 장관평활근의 수축에 의한 장관의 경련, 폐색, 장관점막의 화학적 손상, 허혈성 변화들에 의해 초래되는 다양한 침해수용 자극에 의한 자유신경종말(free nerve ending)이 자극되어 나타난다.

체성통증과 달리 절단이나 압박에 의해서는 침해수용체가 활성화되지 않으며 내장기관의 장관내 압력이 증가하거나 팽창(distension), 견인(streching)이 발생할 때 나타난다. 내장성 통증은 통증부위가 비교적 없고 정확한 위치를 알 수 없는 경우가 많으며 '쑤시는 듯한, 타는 듯한, 쥐어짜는 듯한'으로 표현된다. 또한 식은땀, 혈압이나 맥박의 저하, 구역, 구토 등의 자율신경계 반응을 동반하는 경우가 많다.

내장통증을 전달하는 말초신경종말은 장관의 장막층(serosal layer), 근육층(mucular layer) 점막층(mucosal layer)에 존재하지만 체성통증을 담당하는 신경에 비해 그 수가 적고 단위신경이 지배하는 영역이 넓고 모호하여 그 위치를 정확하게 알기 어렵다. 체성통증과 마찬가지로 A-δ 및 C 섬유에 의해 전달되고 후근신경절에 세포체가 존재하지만, 통증 전달경로의 많은 부위에서 교감신경섬유와 부교감신경 섬유의 주행과 동반된다.

교감신경과 경로를 같이하는 경우 침해수용체는 말초에서 교감신경절을 거쳐 교통지를 통해 세포체가 있는 후근 신경절로 주행하고 이후 척수후각으로 진입한다.

부교감신경과 경로를 같이하는 경우는 말초에서 뇌신경을 통하거나 골반내장신경을 통해 후근 신경절로 주행하고 척수로 진입한다. 그 후는 체성 침해수용체와 마찬가지로 척수 후각을 통해 중추로 전달된다.

3. 연관통증

연관통은 침해성 자극이 발생한 부위가 아닌 다른 부위에서 통증이 나타나는 것을 말하며 고관절병변이 있을 때 무릎 통증이 나타나거나 심근경색에서 왼쪽 어깨나 팔의 통증이 나타는 경우가 대표적이며 내장성 통증이나 심부 체성 통증에서 나타난다.

내장성 통증이나 심부 체성 통증을 담당하는 신경섬유가 피부통증을 담당하는 신경섬유와 척수에서 같은 침해수용 뉴런에 종지하기 때문에 통증신호가 이들 침해수용 뉴런에 폭주하여 침해성 자극이 발생한 부위가 아닌 먼 부위의 피부 통증이 유발된다는 폭주이론(convergence and facilitation theory)으로 설명한다 그림 18-7. 또 다른 기전으로는 발생학적으로 같은 분절에서 분화되었으나 성장과정에서 여러 부위로 나뉜 경우 이중 한 부위에 침해성 자극이 나타나면 다른 부위에 통증이 나타날 수 있다고(common dermatome hypothesis) 설명

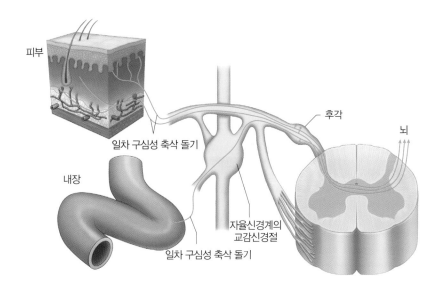

그림 18-7. 연관통

하기도 한다.

암성통증은 질병의 특징 및 진행 상태, 전이된 장소에 따라 다양하게 나타난다. 암에 의한 통증은 침해성 통증과 신경병증 통증으로 분류되며 침해통증은 체성 통증과 내장통증으로 분류되고 각각 특징적인 증상으로 나타난다. 임상에서 통증치료를 적절히 하기 위해서는 통증평가가 중요하며 통증기전을 이해해야 하는 것은 두말할 나위가 없다. 정확한 통증 평가가 적절한 통증치료로 연결되기 때문이다.

📖 참고문헌

1. 대한 당뇨병학회 신경병증 연구회. 당뇨병성 신경병증. 서울 골드기획 2014. 2nd ed. pp.29-37.
2. 대한 마취과학회. 마취통증의학. 3판 서울 여문각 2014. pp.713-27.
3. 대한 통증학회. 통증의학. 4판 서울 신원의학서적 2012. pp.9-38.
4. 연세대학교 의과대학 마취과학교실. 마취통증 중환자의학 길잡이. 서울 여문각 2002. pp.201-5.
5. Benzon HT, Raja SN, Molloy RE, et al. Essentials of pain medicine and regional anesthesia 3rd ed. Philadelphia.
6. Gordon-Williams RM, Dickenson AH. Pathophysiology of pain in cancer and other terminal illness. In: Cherry NI, Fallon MT, Kaasa S. Oxford textbook of palliative medicine. 5th ed. Oxford university press.
7. Mercadante S. Pathophysiology of chronic pain. In: Bruerra ED, Higginson I, Gunten CF, et al. eds Textbook of Palliative Medicine. CRC press.
8. Vidal M, Reddy SK. Causes and mechanisms of pain in palliative care patients. In: Bruerra ED, Higginson I, Gunten CF, et al. eds Textbook of Palliative Medicine. CRC press.
9. Waldman SD. Pain Managemeent. Philadelphia, Saunders 2007. pp.21-32.
10. Woolf CJ, Mannion RJ. Neuropathic pain; etiology, symptoms, mechnisms, and management. Lancet 1999;353:1959-64.

19장

통증 평가

| 권정혜, 신상원 |

통증은 암 환자에서 가장 흔한 증상으로 치료 이후에도 약 40%의 환자가 통증을 호소하며, 진행성 말기 환자에서는 약 70%의 환자가 통증을 호소한다. 통증이 조절되지 않는 환자는 입맛의 감소로 인한 식욕 부진, 수면의 질 저하, 우울한 감정, 절망감 등을 느끼게 되며 이는 결국 삶의 질 저하로 연결된다. 암성 통증은 적절한 평가와 치료를 통하여 대부분의 환자에서 조절될 수 있다. 암성 통증은 환자의 치료에서 중요하게 관리되어야 하는 증상이지만, 의료진 및 환자와 가족에 의해 암에 대한 직접적인 치료에 비해 낮게 평가되는 경향이 있다. 이러한 이유 이외에도 의학적, 사회 문화적, 제도 요인으로 인해 많은 암 환자가 적절한 통증에 대한 평가와 치료를 받지 못하고 있다.

국내에서는 1985년 경구용 모르핀의 도입 이후 2016년의 타펜타돌에 이르기까지 대부분의 마약성 진통제가 사용 가능한 상황이다. 또한 국내에서는 여러 가지 통증조절 평가 도구가 개발되고 사용되고 있다. 그러나 2001년, 2006년, 2010년에 전국의 암 환자들을 대상으로 한 설문조사 결과를 살펴 보면 전체 조사 대상자의 약 38~67%의 환자가 중등도 이상의 통증을 호소하고 있어, 많은 환자에서 적절한 통증조절이 이루어지지 않음을 알 수 있다. 국내의 의료 현실에서는 통증조절의 다양한 또는 충분한 수단이 부족한 의료취약국과는 달리 통증조절에 대한 관심과 적절한 평가를 통해 통증조절의 향상을 기할 수 있을 것으로 생각된다. 적절한 통증 조절은 통증의 특성, 통증 유발 기전, 통증에 영향을 주는 요소, 각 환자 개인의 통증 만족목표, 그리고 반복적인 재평가에 의해서 이루어질 수 있다. 따라서 이 장에서는 진료 현장에서 필요한 통증의 평가에 대해 살펴보고자 한다.

I 통증의 특성

환자가 호소하는 통증에는 원인, 병태생리, 해부학적,

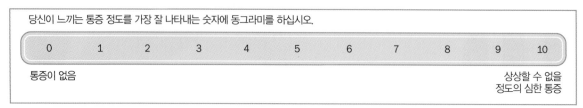

당신이 느끼는 통증 정도를 가장 잘 나타내는 숫자에 동그라미를 하십시오.

| 0 | 1 | 2 | 3 | 4 | 5 | 6 | 7 | 8 | 9 | 10 |

통증이 없음　　　　　　　　　　　　　　　　　　　　상상할 수 없을
　　　　　　　　　　　　　　　　　　　　　　　　정도의 심한 통증

그림 19-1. 숫자통증등급 [Numeric rating scale, NRS]

암 또는 암 치료와 관련되어 있는 신체적인 특징뿐만 아니라 환자가 겪고 있는 심리 사회적인 문제 등 환자 개인의 요소도 영향을 미치게 된다. 적절한 통증조절을 위해서는 환자가 호소하는 통증뿐만 아니라 이와 관련된 다른 신체증상 및 사회심리학적 인자를 함께 평가하여야 만족할 만한 통증조절에 도달하게 된다. 따라서 호스피스·완화의료 환자에서의 통증의 평가에 있어서 이 모든 요소를 고려한 다면적인 통증 평가가 필요하며, 이때 통증의 평가에 있어서 환자와 의사뿐만 아니라, 돌봄제공자에 의한 정보도 환자의 통증을 평가하는데 많은 도움을 주게 된다. 또한 통증은 일회성의 초기 평가뿐만 아니라 지속적인 평가를 통하여 적절한 조절이 되고 있는지 모니터링이 필요한 증상이다.

　호스피스·완화의료팀은 적절한 병력청취와 신체검진, 그리고 필요에 따른 영상검사 또는 검사실 검사를 통하여 통증의 원인을 찾고 평가하게 되며 이를 통하여 가장 적절한 치료를 선택하게 된다. 세심하고 면밀한 병력청취와 신체검진을 시행하지 못하는 것은 잘 조절되지 않는 통증조절의 원인이기도 한다.

　통증의 강도(severity)와 위치(location), 통증조절약제의 여부와 그에 대한 반응(medication), 통증의 빈도(number of episode), 이외의 증상(other symptoms), 완화요인과 악화요인(palliation/provocation), 통증의 성격(quality), 방사통(radiation), 통증의 시작시기와 지속시간(timing) 등 통증의 특성을 자세히 파악하게 되면, 환자가 느끼는 주관적인 증상을 비교적 객관화하여 평가가 가능하고 이러한 평가를 바탕으로 통증을 조절할 수 있게 된다(각 항목은 LMNOPQRST로 외울 수도 있다). 환자의 통증을 적절하게 평가하는 것은 통증 조절의 첫 걸음이라 할 수 있다.

1. 통증의 강도

통증의 강도의 평가에는 숫자통증등급 **그림 19-1**, 언어통증등급, 시각상사척도 등이 흔히 사용된다. 숫자통증등급은 0(통증이 없음)으로 시작해서 10(상상할 수 있는 가장 심한 통증)의 11단계를 주로 사용하며, 암성통증을 평가하는 연구에서 지표로 가장 많이 사용되고 있다. 언어통증등급은 4단계에서 7단계로 통증의 정도를 구분하는 척도로 4단계의 통증이 없음, 경도, 중등도 및 심함으로 나누어 사용하는 경우가 가장 흔하며, 임상에서 사용하는 경우 환자들이 쉽게 이해하는 장점이 있다. 언어통증등급은 숫자통증등급과 비교적 상관관계가 좋은 것으로 알려져 있으며, 통증이 없음은 숫자통증등급의 0, 경도는 1-3, 중등도는 4-6, 심함은 7-10에 해당된다. 언어통증등급과 유사한 얼굴통증등급 **그림 19-2**은 0-10까지의 통증의 강도가 6단계로 나누어져 있으며, 이는 통증을 직접 표현하기 어려운 어린이나 의식이 불분명한 환자에서 유용하게 사용될 수 있다. 시각상사척도의 경우에는 한쪽 끝에는 통증이 없음 그리고 반대쪽 끝에는 상상할 수 있는 가장 심한 통증이 표시되어 있는 100밀리미터의 선에 환자가 통증의 정도를 표시하면, 자로 그 길이를 측정하여 통증의 강도를 측정하게 된다.

　통증의 강도 평가는 한 시점의 통증을 평가하는 것보다는 지난 일주일 또는 하루 동안의 평균 통증, 가장

| 0 | 2 | 4 | 6 | 8 | 10 |

그림 19-2. **얼굴통증등급 [Facial pain scale, FPS]**
출처: Copyright® 2001 International Association for the Study of Pain (IASP)

심했던 통증, 가장 약한 통증, 그리고 투약 중인 진통제에 대한 반응(통증 감소 정도) 등을 평가하는 것이 환자의 통증조절에 중요하다.

2. 통증의 병태생리(위치와 성격)

통증은 그 원인 및 기전에 따라 치료의 접근과 약제의 선택에 차이가 있다. 암 환자에서의 통증의 원인으로는 크게 암에 의한 직접적인 통증, 암의 치료로 인한 통증, 그리고 암과 직접적인 연관이 없는 통증이 있을 수 있다. 또한 암 환자는 급성 통증과 만성 통증을 모두 겪을 수 있다. 때로는 통증은 응급처치를 요하는 상황의 초기 증상인 경우도 있기 때문에 통증의 강도뿐만 아니라 병태생리를 추측할 수 있는 통증의 위치와 성격을 파악하는 것 또한 매우 중요하다. 예를 들면 처음 진단받은 폐암 환자에서 한쪽 다리의 뻗치는 듯한 통증을 호소하면서 등의 통증을 동시에 호소하게 되면, 척추뼈전이와 동반된 척수압박을 의심하게 되며 이에 대한 응급검사 및 처치를 고려하게 된다. 다른 예로는 항암화학요법을 시행하는 환자에서 사지말단의 화끈거린다, 찌릿찌릿하다, 또는 장갑을 낀 것처럼 감각이 둔하다는 등의 통증에 대한 표현을 하게 되면 화학요법에 의한 말초신경병증을 의심하게 되며, 이러한 경우는 항암화학요법 약제의 조정에 대한 고려와 함께 증상 조절을 위하여 신경병증에 사용하는 보조진통제(비마약성 진통제와 보조진통제 편 참조)를 사용하게 된다.

환자들은 종종 여러 곳의 통증을 호소하기도 하며 다양한 언어로 통증을 표현한다. 통증을 기록할 때는 위치와 방사되는 부위를 신체의 이미지 그림에 표시하고 환자의 언어로 통증을 기술하는 것이 비교적 좋은 방법이다 그림 19-3. 통증의 종류에 따른 특징과 통증 표현 어휘는 표 19-1에 기술되어 있다. 통증은 그 성격에 따라서 체성 통증, 내장성 통증, 신경병증성 통증 및 복합통증으로 구분하게 된다. 체성 통증이나 내장성 통증의 경우는 직접적인 통증수용체의 침윤에 의해 발생하는 경우가 대부분이지만, 신경병증성 통증의 경우는 통증을 느끼는 부위의 직접적인 손상이 없이 신경손상에 의해 발생하게 된다. 연관통의 경우에는 같은 신경이 분포하는 부위에 통증을 느끼기도 한다. 예를 들어 횡격막의 암침윤이 있는 환자가 같은 신경이 분포하는 어깨부위의 통증을 호소하기도 한다.

3. 통증의 다면평가도구들

통증은 통각신경의 자극 이외에도 많은 복합적인 요소가 작용하는 증상이므로 통증의 강도만을 측정하는 단면평가로는 환자의 통증을 적절하게 조절하는 데에는 어려움이 있다. 따라서 통증의 병태 생리 및 통증이외의 다른 증상을 함께 평가하는 다양한 다면평가 도구를 사용하게 되면, 통증과 동반된 증상이외에 통증에 영향을 미치는 다른 요인도 함께 평가가 가능하게 되어 임상과 연구에서 널리 사용되고 있다.

다면형통증평가지로는 외국에서 개발된 도구를 한글화 한 간이통증조사지 그림 19-3와 맥길통증평가도구 그

표 19-1. 병태생리에 따른 통증의 분류

통증의 종류	통증의 위치와 양상	통증 표현 어휘
체성통(Somatic pain) • 뼈전이 • 상처 • 점막염	피부, 근육, 뼈의 통증으로 찌른 듯한, 박동성, 혹은 압박감으로 표현	쑤시다, 결리다, 뼈개지는 듯 아프다, 찢어지는 듯하다, 찌르다, 묵지근하다.
내장통(Visceral pain) • 간전이 • 장폐쇄 • 관상동맥허혈 • 요정체	내부장기의 통증으로 위치가 애매하며 갉아 먹는 듯한 경련성 혹은 체성통과 유사한 양상	뻐근하다, 쑤시다, 쓰리다. 뒤틀리다, 쥐어짜는 듯하다, 묵직하다.
신경병증성 통증(Neuropathic pain) • 척수압박 • 신경근병증 • 말초신경병증 • 유방절제술 후 통증/개흉술 후 통증 • 환지통	신경의 손상에 의한 통증으로 화끈거리거나 저린 듯한, 쑤시는 듯한, 혹은 욱신거리는 양상	저리다, 찌릿찌릿하다, 화끈거린다, 뻗치다, 피부가 닿기만 해도 아프다

Adapted and modified from Bouhassira, D et al., Hui, D. and Bruera, E., Choi, Y.S. et al.

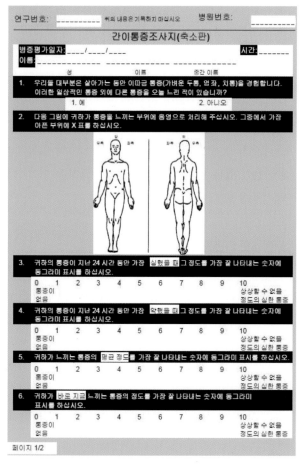

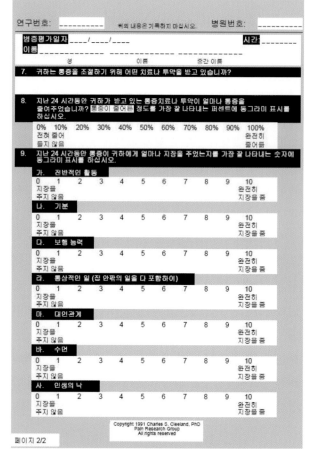

그림 19-3. 간이통증조사지(축소판)

"통증에 관한 맥길(McGill) 질문서" 약식
(SF–MPQ)
Form X

A. 지난 한 주 동안 겪었던 통증을 나타내 주십시오.
(각 줄마다 한 칸에 ✓ 표시를 해주시기 바랍니다.

	전혀 없음	가벼운 정도	중간 정도	심함
1. 욱신거리는 통증	0 ☐	1 ☐	2 ☐	3 ☐
2. 찌릿찌릿한 통증	0 ☐	1 ☐	2 ☐	3 ☐
3. 찌르는 듯한 통증	0 ☐	1 ☐	2 ☐	3 ☐
4. 날카롭게 찢어지듯이 아픈 통증	0 ☐	1 ☐	2 ☐	3 ☐
5. 경련 같은 통증	0 ☐	1 ☐	2 ☐	3 ☐
6. 갉아 내는 듯한 통증	0 ☐	1 ☐	2 ☐	3 ☐
7. 화끈화끈 타는 듯한 통증	0 ☐	1 ☐	2 ☐	3 ☐
8. 계속해서 묵직하게 아픔	0 ☐	1 ☐	2 ☐	3 ☐
9. 묵직하게 누르는 듯한 통증	0 ☐	1 ☐	2 ☐	3 ☐
10. 건드리면 아픈 통증	0 ☐	1 ☐	2 ☐	3 ☐
11. 쪼개지는 듯한 통증	0 ☐	1 ☐	2 ☐	3 ☐
12. 피로하고 기진맥진하게 아픔	0 ☐	1 ☐	2 ☐	3 ☐
13. 메스껍게 만드는 통증	0 ☐	1 ☐	2 ☐	3 ☐
14. 두려울 정도의 통증	0 ☐	1 ☐	2 ☐	3 ☐
15. 가혹한 고문을 받는 듯한 통증	0 ☐	1 ☐	2 ☐	3 ☐

B. 지난 한 주 동안 겪은 통증을 평가해 주십시오.
아래의 선은 "통증 없음"부터 "상상할 수 없을 정도의 최악의 통증"까지 통증이 증가하는 강도를 나타냅니다. 아래 선 위에서 어느 위치든지 지난 한 주 동안 겪은 통증을 가장 잘 나타낸다고 생각되는 자리에 세로선(|)을 표시해 주시기 바랍니다.

통증 없음   상상할 수 없을
                              정도의 최악의 통증
                              Score in mm
                              (Investigator's use only)

C. 현재 느끼는 통증의 강도 평가
0 ☐ 통증 없음
1 ☐ 통증 없음
2 ☐ 통증 없음
3 ☐ 통증 없음
4 ☐ 통증 없음
5 ☐ 통증 없음

질문지 개발자: 로날드 멜작(Ronald Metzack)
Copyright R. Metzack, 1970, 1987

SF–MPQ–Korea/Korean–Version of 15 Jan 14–Mapl.

그림 19-4. 맥길통증평가도구

그림 19-4, 에드몬튼증상평가지 표 15-2, 3 참조 등이 있고, 국내에서 개발된 표준형성인암성통증평가도구(K-CPAT, 그림 19-6) 등이 국내에서 널리 쓰이고 있으며, 각 측정도구의 특징은 아래와 같다.

간이통증조사지는 통증의 위치를 신체그림에 표시하고, 이후 시간에 따른 통증의 변화 양상, 이전 통증조절 약물에 대한 반응 및 통증이 전반적인 활동, 기분, 보행능력, 통상적인 일, 대인관계, 수면, 인생의 낙 등 일상생활에 미치는 영향을 함께 평가하도록 만들어진 도구이며, 2004년에 윤 등에 의해 한글화되었다. 통증

의 위치, 강도의 입체적인 양상, 약물치료에 대한 순응도 및 치료 반응과 일상생활에 미치는 영향을 평가하는데에는 좋은 도구이나, 돌발통 및 사회심리학적 요인을 평가하는데에는 한계가 있다. 맥길통증평가도구는 2007년 김 등에 의해 한글화된 도구로 통증의 병태생리를 추측할 수 있는 통증의 양상과 통증의 강도를 주로 평가하는 도구로 통증과 연관된 삶의 질 등은 측정하고 있지 않다. 2013년 권 등에 의해 한글화된 에드몬튼증상평가지의 경우에는 통증과 연관된 증상인 피곤함, 메스꺼움, 우울함, 불안함, 졸림, 숨참, 수면장애, 입맛, 심신의 건강(well-being)등을 함께 평가하여 통증 이외의 다각적인 증상의 강도를 동시에 평가하도록 구성되어 있다. 에드몬튼증상평가지를 통한 통증의 평가는 통증에 영향을 미치는 심리사회적 요인과 통증에 동반된 증상 또는 진통제의 부작용으로 나타나는 일부 증상을 함께 평가할 수 있도록 되어 있다. 최근에 MD Anderson Cancer Center에서는 기존의 10개 증상 이외에 경제적인 고통을 함께 측정하도록 개정하였다. 국내에서 개발된 표준형성인암성통증평가도구는 통증의 위치와 병태생리, 통증의 강도, 통증에 영향을 미치는 신체 증상 및 심리사회적 증상을 통합적으로 평가하기 위하여 개발되었고, 호스피스·완화의료 분야에서도 널리 사용되고 있다.

4. 통증의 다면적 평가

환자가 호소하는 통증은 강도, 위치와 병태생리, 치료에 대한 반응 및 부작용 등의 통증과 연관된 신체증상 이외에 우울, 불안 등의 심리요인, 영적스트레스, 화학적 중독, 인지기능장애, 동반신체 증상 등과도 상호작용을 한다 그림 19-5. 따라서 통증은 단순히 고통을 느낀다는 차원의 아프다는 것보다는 앞서 언급한 여러가지 요인들이 상호작용하는 총제적인 고통이다.

진행성 암 환자에서의 정동장애는 비교적 흔하여 10~50%의 환자가 우울증을 겪고 있으며, 때로는 조사

6부

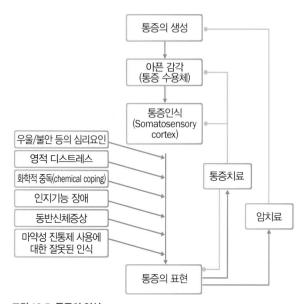

그림 19-5. 통증의 인식
출처: Adapted and modified from Bruera E, Kim HN (2003), and Hui D, Bruera E (2014).

환자의 약 1/3의 우울증과 불안을 동시에 경험하고 있다고 보고되기도 한다. 이러한 정신과적 증상과 신체증상은 상호작용이 있어, 우울증이 있는 진행성 암 환자에서 통증과 기타 다른 신체증상의 호소가 더 높았으며, 만성통증은 신체적, 심리적인 문제에 영향을 미치고 일상생활에 지장을 준다고 보고되고 있다. 따라서 통증의 평가에 있어서 우울, 불안 등의 심리요인을 함께 평가하며, 통증과 함께 다각도로 접근하는 것이 환자의 증상조절 및 삶의 질 향상에 도움이 된다. 이와 더불어 신체화 증상 또한 통증과 동반되어 나타나는 증상으로 함께 평가가 필요하다.

환자의 영적고통도 심리증상과 신체증상에 영향을 미치는 것으로 알려져 있다. 미국의 보고이기는 하지만 완화병동에 입원하는 환자의 44%에서 영적고통을 호소하고 있었으며, 영적고통을 호소하는 환자에서 통증

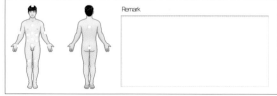

2.통증의 성격

통증의 성격	통증 표현 어휘	1 아주 약간	2 약간	3 보통	4 심함	5 아주 심함
가. 체성 통증	① 쑤시다	◯1	◯2	◯3	◯4	◯5
	② 결리다	◯1	◯2	◯3	◯4	◯5
위치: 피부, 근육, 뼈의 통증	③ 뻐개지는 듯하다	◯1	◯2	◯3	◯4	◯5
	④ 찢어지는 듯하다	◯1	◯2	◯3	◯4	◯5
	⑤ 찌르다	◯1	◯2	◯3	◯4	◯5
	⑥ 묵지근하다	◯1	◯2	◯3	◯4	◯5
나. 내장성 통증	① 뻐근하다	◯1	◯2	◯3	◯4	◯5
	② 쑤시다	◯1	◯2	◯3	◯4	◯5
위치: 장기나 내장의 통증	③ 쓰리다	◯1	◯2	◯3	◯4	◯5
	④ 뒤틀리다	◯1	◯2	◯3	◯4	◯5
	⑤ 쥐어짜는 듯하다	◯1	◯2	◯3	◯4	◯5
	⑥ 묵직하다	◯1	◯2	◯3	◯4	◯5
다. 신경병성 통증	① 저리다	◯1	◯2	◯3	◯4	◯5
	② 찌릿찌릿하다	◯1	◯2	◯3	◯4	◯5
위치: 신경의 통증	③ 화끈거리다	◯1	◯2	◯3	◯4	◯5
	④ 뻗치다	◯1	◯2	◯3	◯4	◯5
	⑤ 피부에 닿기만 해도 아프다	◯1	◯2	◯3	◯4	◯5
라. 기타 통증어휘 표현		◯1	◯2	◯3	◯4	◯5

그림 19-6. 표준형 성인 암성 통증 평가도구

3. 현재의 통증강도 (점)
: 현재의 통증 정도를 환자가 직접 손으로 가리키도록 한 후 평가자가 왼쪽(0 cm)을 기준으로 VAS 아래 10 cm 자를 이용하여 소수점 아래 1자리까지 적는다.

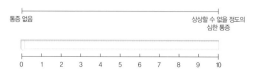

시각통증등급(Visual Analogue Scale)

통증 없음   상상할 수 없을 정도의 심한 통증

0   1   2   3   4   5   6   7   8   9   10

4. 통증에 영향을 미치는 동반 증상들   현재 다음의 증상들이 있다면 표시하세요.

① 식욕부진	② 무기력	③ 수면장애
④ 입마름	⑤ 체중감소	⑥ 변비
⑦ 집중력 감소	⑧ 어지러움	⑨ 졸림
⑩ 가려움증	⑪ 메스꺼움	⑫ 기침

5. 심리사회적 항목

① 가족의 지지	가족들의 정서적, 경제적인 지원이 지속적으로 있다고 느끼십니까?	◯ 예	◯ 아니오
② 진통제 복용 순응도	과거에 의사가 처방하는 진통제를 규칙적으로 복용하셨습니까?	◯ 예	◯ 아니오
③ 스트레스 대처 유형	암 진단 이전에 스트레스를 느끼는 경우 적극적으로 해결하는 편이었습니까?	◯ 예	◯ 아니오
④ 환자의 불안, 우울 등 최근 감정상태	최근 들어 불안하거나 우울하십니까?	◯ 예	◯ 아니오
⑤ 현재 처한 환자 자신의 영적 고뇌	삶의 가치, 존재 의미, 현재상황에 대한 혼란, 좌책감, 괴로움 등이 있으십니까?	◯ 예	◯ 아니오
⑥ 자기조절능력 소실 유무	자신의 감정이나 행동을 조절하기 어렵다고 느끼십니까?	◯ 예	◯ 아니오
⑦ 약물 남용 및 의존	술, 항불안제(진정제, 수면제), 마약 등을 남용하거나 의존한 적이 있으십니까?	◯ 예	◯ 아니오
⑧ 정신과적 기왕력	과거에 우울증, 신경증, 정신병 등으로 치료를 받은 적이 있으십니까?	◯ 예	◯ 아니오

표 19-2. 화학적 중독과 거짓 중독의 비교

	화학적 중독(chemical coping)	거짓 중독(pseudoaddiction)
구분되는 특징	신체적, 정신적인 디스트레스를 피하기 위해서 약제를 구하고 복용함. 아픈 감각이 완전히 사라진다고 해도 약제 관련 이상행동은 호전되지 않음	조절되지 않는 아픈감각 때문에 약제를 얻으려고 함
약제관련 이상행동	존재함	존재함
중재	다학제팀이 개입한 정신치료가 필요함. 약제 중심 사고에서 벗어나도록 도와주어야 함	마약성 진통제의 용량을 증량하거나 보조진통제를 추가하여 통증을 적극적으로 조절하는 것이 필요함

이나 정신과적 증상이 심했다는 보고를 보면, 통증의 평가 및 조절에 있어서 영적 고통 또한 간과할 수 없는 상황이다.

진통제의 복용과 관련된 사항으로 약물복용이상행동(aberrant drug related behavior)에 대한 평가 및 이에 대한 위험도에 대한 평가도 필요하다. 일부 환자에서 통증조절을 위해서가 아닌 정서적 고통을 극복하기 위하여 마약성 진통제를 부적절하게 과용하는 경우가 있고, 이를 화학적 중독이라고 칭한다. 마약성 진통제의 사용에 있어서 통증과 무관한 부적절한 복용은 환자에서의 통증 조절이 어렵게 하고, 또한 불필요한 마약성 진통제의 과다복용으로 인하여 환자를 위험에 빠뜨릴 수 있게 하는 요소이다. 화학적 중독은 젊은 환자, 알코올 병력, 흡연력이 있었던 환자에서 높게 보고되고 있어 이러한 위험인자에 대한 평가 또한 필요하다. 그러나 통증이 부적절하게 조절되는 경우에도 약제 복용과 관련하여 부적절한 행동을 보일 수 있으므로 화학적 중독과 거짓 중독을 구분하는 것은 매우 중요하다표 19-2.

환자의 인지기능장애도 통증조절에 있어 장애요인이다. 섬망의 경우 암의 말기 또는 임종에 가까워지면 흔히 발생하는 증상으로 섬망이 발생하는 환자의 경우는 외부의 자극에 과다하게 반응하게 되며, 통증의 표현을 과다하게 할 수도 있고, 또한 통증조절 약제에 의해 섬망이 악화될 수도 있다. 따라서 통증조절에 있어서도 환자의 섬망이 동반되어 있는지를 살피는 것이 통증조절에 도움이 된다. 통증조절약제가 섬망의 원인으로 의

심되는 경우에는 일시적인 약제의 중단 또는 경감을 고려해야 한다.

통증조절에 있어서 또 다른 장애는 환자의 통증과 치료에 대한 장벽이다. 치료에 대한 장벽이 높은 환자의 경우는 통증의 호소와 조절에 있어서 소극적이며, 이후 처방받은 약제를 처방 받은 대로 복용하지 않을 가능성이 높다. 따라서 환자의 평가에 있어서 마약성 진통제 등의 진통제에 대한 두려움이나 오해가 있지는 않은 지 확인하고 이에 대한 적절한 교육도 필요하다.

II 통증 조절의 목표 및 지속적 평가

통증은 환자의 주관적인 증상이며, 삶의 질과 밀접한 연관을 가지고 있다. 따라서 통증 조절의 목표를 단순히 통증의 강도가 몇 점으로 조절되었는가에 두기보다는 환자가 얼마나 통증 조절에 만족하며, 통증으로 인한 삶의 방해가 해결되었는가에 있다고 할 수 있다. 통증조절에 있어 숫자통증등급으로 평가하였을 경우 2점이 감소하거나 또는 초기통증 점수에 비하여 33% 이상이 감소하는 경우 효과적인 통증조절이라고 정의되어져 왔다. 그러나 이는 통증조절 치료의 효과를 평가하기 위한 도구로 주로 사용되어 왔으며, 환자의 주관적인 목표와 일치한다는 것에 대한 보고는 없었다. 미국의 엠디엔더슨 암센터의 환자들을 대상으로 조사한 결과 환자들이 원

6부

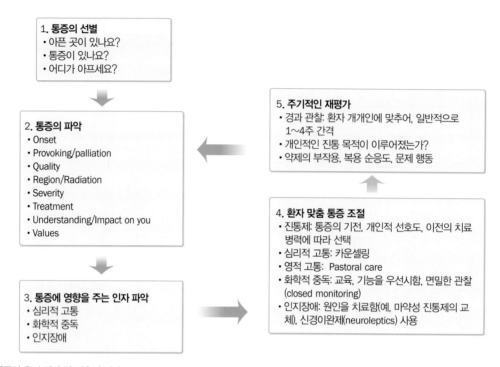

1. 통증의 선별
- 아픈 곳이 있나요?
- 통증이 있나요?
- 어디가 아프세요?

2. 통증의 파악
- Onset
- Provoking/palliation
- Quality
- Region/Radiation
- Severity
- Treatment
- Understanding/Impact on you
- Values

3. 통증에 영향을 주는 인자 파악
- 심리적 고통
- 화학적 중독
- 인지장애

5. 주기적인 재평가
- 경과 관찰: 환자 개개인에 맞추어, 일반적으로 1~4주 간격
- 개인적인 진통 목적이 이루어졌는가?
- 약제의 부작용, 복용 순응도, 문제 행동

4. 환자 맞춤 통증 조절
- 진통제: 통증의 기전, 개인적 선호도, 이전의 치료 병력에 따라 선택
- 심리적 고통: 카운셀링
- 영적 고통: Pastoral care
- 화학적 중독: 교육, 기능을 우선시함, 면밀한 관찰 (closed monitoring)
- 인지장애: 원인을 치료함(예; 마약성 진통제의 교체), 신경이완제(neuroleptics) 사용

그림 19-7. 통증의 초기 평가 및 지속적 평가
출처: Modified from D Hui and E Bruera J Clin Oncol 32:1640–1646; 2014 and NCCN guideline v2.2017 Pain

하는 통증목표를 조사하였는데, 환자들은 통증조절을 시작할 때 통증 점수가 3점 정도로 조절되기를 희망하였으며 약 2주 후에도 이 목표에는 변함이 없었다는 점에서 3점 이하로 통증을 조절하는 것이 적절한 통증조절의 목표라고 주장되었다. 3점 미만의 통증조절을 적절한 치료 목표로 볼것인가에 대해서 캐나다에서 시행된 전향적 연구에서도 67%의 환자에서 통증 조절의 목표를 3점 이하라고 제시하였으며 이는 초기 통증의 강도와 연관이 없었다는 점에서 현재는 3점 이하의 조절이 통증조절의 목표로 받아들여지고 있다.

통증이 일단 조절되었어도 이후 질환의 진행 또는 약제에 대한 내성이 발생하는 등의 문제로 통증이 다시 조절되지 않거나 새로운 양상의 통증이 발생할 수 있다. 또한 통증조절을 위해 투약하는 약제에 의한 부작용 등이 발생하거나 질환의 경과에 따른 다른 문제(예; 섬망 등 인지기능의변화) 등으로 인하여 환자의 통증조절은 새로운 국면을 맞이할 수 있다. 따라서 일단 통증

이 잘 조절되고 부작용이 없는 환자라 하여도 주기적인 관찰과 재평가는 꼭 시행되어야 한다 그림 19-7.

III 요약

통증은 환자의 주관적 증상이고, 여러가지 신체, 심리적 증상 또는 사회적 상황과 상호작용을 하는 증상이다. 또한 환자에 따라서는 통증의 호소가 통증을 대변하는 것이 우울증이나 섬망 또는 화학적 중독의 다른 표현일 수도 있다. 따라서 통증을 조절하는 데 있어서는 통증의 강도를 평가하는 숫자 또는 척도뿐만 아니라 환자의 신체 기능에 대한 평가도 동시에 하는 것이 필요하다. 또한 일단 통증이 조절된 환자로 이후 통증 및 전신상태의 변화 그리고 약제의 부작용 등에 대한 주기적인 재평가가 필요하다. 암성통증에 대한 적절한 대처

는 항암치료, 방사선, 수술 등의 적극적인 치료만큼이나 환자의 치료에 있어서 중요하다. 진행성 암 환자에서 단순히 생명의 연장만을 위해 노력하기보다는 적절한 증상조절 특히 통증의 조절을 통해 삶의 질이 보장된 수명의 연장이 더 중요하다 할 수 있을 것이다.

적극적인 통증조절을 위해서는 의료인의 관심과 교육, 인식의 변화를 위한 노력이 필요하다고 할 수 있다.

참고문헌

1. Bieri, D., et al., The Faces Pain Scale for the self-assessment of the severity of pain experienced by children: development, initial validation, and preliminary investigation for ratio scale properties. Pain, 1990;41(2):139-50.

2. Bouhassira, D., Luporsi E., and Krakowski I., Prevalence and incidence of chronic pain with or without neuropathic characteristics in patients with cancer. Pain, 2017.

3. Brown, L.F., et al., The association of depression and anxiety with health-related quality of life in cancer patients with depression and/or pain. Psychooncology, 2010;19(7):734-41.

4. Choi, S.A., et al., Confirmatory factor analysis of the Korean version of the short-form McGill pain questionnaire with chronic pain patients: a comparison of alternative models. Health Qual Life Outcomes, 2015;13:15.

5. Choi, Y.S., et al., Reliability and Validity of the Evaluation of Korean Cancer Pain Assessment Tool (K-CPAT). Korean J Hosp Palliat Care, 2003;6(2):152-63.

6. Clark, D., 'Total pain', disciplinary power and the body in the work of Cicely Saunders, 1958-1967. Soc Sci Med, 1999;49(6):727-36.

7. Dalal, S., et al., Achievement of personalized pain goal in cancer patients referred to a supportive care clinic at a comprehensive cancer center. Cancer, 2012;118(15):3869-77.

8. Delgado-Guay, M., et al., Symptom distress in advanced cancer patients with anxiety and depression in the palliative care setting. Support Care Cancer, 2009;17(5):573-9.

9. Delgado-Guay, M.O., et al., Frequency, intensity, and correlates of spiritual pain in advanced cancer patients assessed in a supportive/palliative care clinic. Palliat Support Care, 2016;14(4):341-8.

10. Delgado-Guay, M.O., Yennurajalingam S. and Bruera E., Delirium with severe symptom expression related to hypercalcemia in a patient with advanced cancer: an interdisciplinary approach to treatment. J Pain Symptom Manage, 2008;36(4):442-9.

11. Fainsinger, R., et al., What is stable pain control? A prospective longitudinal study to assess the clinical value of a personalized pain goal. Palliat Med, 2017: p. 269216317701891.

12. Grassi, L., Caruso R., and Nanni M.G., Somatization and somatic symptom presentation in cancer: a neglected area. Int Rev Psychiatry, 2013;25(1): 41-51.

13. Hjermstad, M.J., et al., Studies comparing Numerical Rating Scales, Verbal Rating Scales, and Visual Analogue Scales for assessment of pain intensity in adults: a systematic literature review. J Pain Symptom Manage, 2011;41(6):1073-93.

14. Hong, S.H., et al., Change in cancer pain management in Korea between 2001 and 2006: results of two nationwide surveys. J Pain Symptom Manage, 2011;41(1):93-103.

15. Hui, D. and Bruera E., A personalized approach to assessing and managing pain in patients with cancer. J Clin Oncol, 2014;32(16):1640-6.

16. Hui, D., et al., The frequency and correlates of spiritual distress among patients with advanced cancer admitted to an acute palliative care unit. Am J Hosp Palliat Care, 2011;28(4):264-70.

17. Hyun Kim, S., et al., Validation study of the Korean version of the McGill Quality of Life Questionnaire. Palliat Med, 2007;21(5):441-7.

18. Jadoon, N.A., et al., Assessment of depression and anxiety in adult cancer outpatients: a cross-sectional study. BMC Cancer, 2010;10:594.

19. Jensen, M.P., The validity and reliability of pain measures in adults with cancer. J Pain, 2003;4(1):2-21.

20. Katz, J. and Melzack R., Referred sensations in chronic pain patients. Pain, 1987;28(1):51-9.

21. Kawai, K., et al., Adverse impacts of chronic pain on health-related quality of life, work productivity, depression and anxiety in a community-based study. Fam Pract, 2017.

22. Kim, D.Y., et al., A nationwide survey of knowledge of and compliance with cancer pain management guidelines by korean physicians. Cancer Res Treat, 2014;46(2):131-40.

23. Kim, Y.J., et al., Association Between Tobacco Use, Symptom Expression, and Alcohol and Illicit Drug Use in Advanced Cancer Patients. J Pain Symptom Manage, 2016;51(4):762-8.

24. Kwon, J.H., Hui D., and Bruera E., A Pilot Study To Define Chemical Coping in Cancer Patients Using the Delphi Method. J Palliat Med, 2015;18(8): 703-6.

25. Kwon, J.H., et al., Chemical coping versus pseudoaddiction in patients with cancer pain. Palliat Support Care, 2014. 12(5): p. 413-7.

26. Kwon, J.H., et al., Frequency, Predictors, and Medical Record Documentation of Chemical Coping Among Advanced Cancer Patients. Oncologist, 2015;20(6):692-7.

6부

📑 참고문헌 <계속>

27. Kwon, J.H., et al., Predictors of high score patient-reported barriers to controlling cancer pain: a preliminary report. Support Care Cancer, 2013;21(4):1175-83.

28. Kwon, J.H., et al., Validation of the Edmonton Symptom Assessment System in Korean patients with cancer. J Pain Symptom Manage, 2013;46(6): 947-56.

29. Kwon, J.H., Overcoming barriers in cancer pain management. J Clin Oncol, 2014;32(16):1727-33.

30. Lawlor, P.G. and Bruera E., Delirium in patients with advanced cancer. Hematol Oncol Clin North Am, 2002;16(3):701-14.

31. Lin, S., et al., Pain, fatigue, disturbed sleep and distress comprised a symptom cluster that related to quality of life and functional status of lung cancer surgery patients. J Clin Nurs, 2013;22(9-10):1281-90.

32. Mikan, F., et al., The Association Between Pain and Quality of Life for Patients With Cancer in an Outpatient Clinic, an Inpatient Oncology Ward, and Inpatient Palliative Care Units. Am J Hosp Palliat Care, 2016;33(8):782-90.

33. Modesto-Lowe, V., Girard L., and Chaplin M., Cancer pain in the opioid-addicted patient: can we treat it right? J Opioid Manag, 2012;8(3):167-75.

34. Nagaro, T., et al., Reference of pain following percutaneous cervical cordotomy. Pain, 1993;53(2):205-11.

35. Perez, J., et al., The McGill University Health Centre Cancer Pain Clinic: A Retrospective Analysis of an Interdisciplinary Approach to Cancer Pain Management. Pain Res Manag, 2016. 2016:2157950.

36. Pirl, W.F., Evidence report on the occurrence, assessment, and treatment of depression in cancer patients. J Natl Cancer Inst Monogr, 2004(32): p. 32-9.

37. Thomason, T.E., et al., Cancer pain survey: patient-centered issues in control. J Pain Symptom Manage, 1998;15(5):275-84.

38. van den Beuken-van Everdingen, M.H., et al., Update on Prevalence of Pain in Patients With Cancer: Systematic Review and Meta-Analysis. J Pain Symptom Manage, 2016;51(6):1070-90 e9.

39. Von Roenn, J.H., et al., Physician attitudes and practice in cancer pain management. A survey from the Eastern Cooperative Oncology Group. Ann Intern Med, 1993;119(2):121-6.

40. Yun, Y.H., et al., Development of a cancer pain assessment tool in Korea: a validation study of a Korean version of the brief pain inventory. Oncology, 2004;66(6):439-44.

41. Zhang, Q., et al., Physicians' Practice, Attitudes Toward, and Knowledge of Cancer Pain Management in China. Pain Med, 2015;16(11):2195-203.

20장
신경병증성 통증

| 황인철, 김준석 |

암 환자에서 통증은 말기로 갈수록 그 유병률이 증가하며, 진행암 환자의 약 64~75%에서 통증을 호소하는 것으로 알려져 있다. 통증의 기전에 따른 분류에서, 신경병증성 통증(neuropathic pain)은 '신경계에 영향을 미치는 병변이나 질환에 의해 야기되는 통증'으로 정의되는데, 암 환자의 약 40%에서 호소하는 것으로 보고되고 있으며, 병기가 진행할수록 그 강도는 더 심해진다. 신경병증성 통증은 급성 악화를 반복하며 만성 상태로 진행한다. 이는 인지기능과 신체 및 사회적 기능을 저하시켜 일상생활을 제약함으로써 결국 환자의 삶의 질을 떨어뜨리는데 결정적 역할을 하게 되며, 심지어 생존과 관련이 있다는 보고도 있다.

암 환자에서 신경병증성 통증의 치료는 다른 종류의 암성통증에 비해 어려운데, 가장 큰 이유는 매우 이질적인 특성으로 인해 정확히 사정하고 감별하기 어렵기 때문이다. 환자는 지속적이거나 발작적인 자발성 통증을 호소하기도 하고, 감각의 둔화나 이질통과 같이 비유해(non-noxious) 자극에 의해 유발되는 통증을 호소하기도

하는데, 이러한 증상을 정확히 묘사하기 어려워하며 의사가 물어보기 전까지 간과되는 경향이 있다. 또한, 암성통증은 대표적인 혼합통증이며, 척수압박과 같이 명확한 병변에 의해 암성 신경병증성 통증이 조금씩 진행하는 경우보다는, 뼈 전이 등에 의해 복합적인 양상을 보이는 경우가 훨씬 더 많아, 다른 종류의 암성통증과 감별하기 어렵다.

I 원인 및 분류

매우 다양한 원인에 의해 야기되고 그보다 더 다양한 임상 양상을 보이기 때문에, 암 환자에서의 신경병증성 통증을 증후군(syndrome)이라 일컫는다. 초기에는 암종에 의해 신경줄기(nerve trunk), 신경얼기(nerve plexus), 또는 신경뿌리(nerve root)등이 압박되면서 통증이 발생하는데, 이는 주로 통각수용기(nociceptor)의 자극에 의

한 것이기 때문에 고식적 진통제에 반응을 보인다. 하지만, 암종에 의한 압박과 침습이 지속되면, 중추 및 말초신경의 축삭막(axonal membrane)이 손상되어 고식적 진통제에 반응을 보이지 않는 전형적인 신경병증성 통증이 발생하게 된다. 일반적으로는 손상된 말초신경에서 병적 변화가 시작되고, 이것이 척수나 중추신경 수준에서 신경적응(neural plasticity)을 거쳐 통증이 발생한다. 말초신경이나 척수 수준에서의 과흥분성에 대해서는 잘 알려져 있지만, 중추신경 수준에서의 기전은 잘 알려져 있지 않다.

암성 신경병증성 통증은 당뇨와 같은 기존 질환에 의한 것이나 대상포진후 신경통과 같이 비암성 원인을 제외하면, 크게 암 자체에 의한 것과 암 치료에 의한 것으로 분류할 수 있으며, 이 두 가지 중 어느 것이 더 큰 영향을 미치는지에 대한 전향적 연구는 아직까지 없다. 일반적으로 암 치료에 의한 통증은 순수한 신경병증성 통증인 반면, 암 자체에 의한 통증은 혼합 통증의 양상을 보이는데, 항암제에 의한 암성 신경병증성 통증은 특징적으로 용량 의존성을 보이며 그 양상이 장갑이나 스타킹을 신은 것과 같은 분포를 보인다. 암 환자 전체에서 다른 종류의 암성통증과 비교했을 때, 암 자체보다는 암 치료에 의한 암성 신경병증성 통증이 더 흔한 것으로 보고되지만, 호스피스 영역에서는 혼합 통증에 가려진 암성 신경병증성 통증이 더 흔할 것으로 여겨진다. 최근 암성 신경병증성 통증에 대한 표준화된 등급 체계에 대한 제언이 있었지만, 아직까지 실제 임상에서 널리 활용되고 있지는 않다.

II 진단

효과적이고 정확한 사정이 적절한 치료 선택에 있어 핵심요소이며, 자세한 병력청취와 가능성 있는 기전을

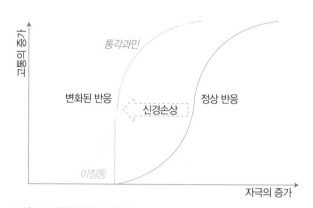

그림 20-1. 통각과민과 이질통
Hyperalgesia = increased response to a stimulus which is normally painful; Allodynia = pain due to a stimulus which does not normally provoke pain.

생각하는 것이 중요하다. 말기 암 환자에서 발생하는 통증을 말기 질환에 의한 것이라 치부하지 않는 것부터가 치료의 시작이며, 통증의 양상을 감별하고 그 원인과 기전을 면밀히 찾는 것이 매우 중요하다. 신경병증성 통증은 대표적인 만성통증이며, 여기에 심리사회적 요인이 밀접한 관련을 보이고 아울러 치료 반응에도 중요한 역할을 하기 때문에, 포괄적 심리평가가 일상적으로 시행되어야 한다.

타는 듯하고, 찌르는 듯한 통증이 자발적이고 간헐적으로 발생하며, 특징적으로 통각과민(hyperalgesia)과 이질통(allodynia)의 양상을 보인다 그림 20-1. 또 다른 증상군으로 이상감각이 있다. 암에 의한 침윤은 종종 신경 주변의 염증을 야기하고 신경전도를 방해하는데, 이를 통해 해당 신경이 관장하는 부위의 감각소실이 일어나게 된다. 교감신경절의 손상에 의해, 혈관확장, 체온상승, 비정상적인 발한 등이 나타나기도 한다.

지금까지 신경병증성 통증을 진단하는 최적표준은 없다. 체성감각계(somatosensory system)의 병변이나 질환의 증거를 가지고, 병력 및 신체진찰을 통해 임상적으로 진단한다. 방사선학적 검사, 전기생리학적 검사, 혈액 검사, 그리고 경우에 따라서는 피부나 신경의 조직검사 등이 도움이 될 수 있지만, 호스피스 영역에서는 신중히 결정해야 하며, 최근 몇 개의 설문지가 제시되었지만 아

직까지 암 환자에서 특이하게 검증되지는 않았다.

III 치료

1. 일반원칙

치료 초기에 암성 신경병증성 통증의 특징이나 경과에 대해 상세히 설명해 주는 것이 도움이 된다. 특히, 현재 발생한 암성 신경병증성 통증의 원인이, 수술, 항암 및 방사선 치료에 의한 의인성(iatrogenic)인지 암의 진행에 의한 것인지를 알려주는 것은 환자나 보호자의 불안을 줄이고 바람직한 치료적 소통관계(rapport)를 맺기 위해 필요하다. 약물치료에서 가장 중요한 것은, 부작용의 가능성, 동반질환, 그리고 동반증상을 고려한 약제의 선택이다. 암성 신경병증성 통증으로 인한 우울, 수면장애, 그 외 심리사회적 문제를 간과해서는 안 된다. 현재로서는 특정 약제가 더 효과적이라는 근거는 없으니, 개별치료 및 반응을 유심히 살피는 것이 좋다.

2013년 신경병증성 통증에 대한 국제 통증위원회의 권고에 의하면, 비암성 신경병증성 통증에서 신경차단술, 척수자극술, 경막내 투여, 그리고 다양한 신경외과적 중재술 등을 고려할 수 있지만, 아직까지 근거가 미약하다. 마사지, 침구요법, 그리고 정신-신체 기법 등의 보완요법은 약물이나 중재술에 비해 안전하고 저렴하다는 장점이 있으며, 여러 연구가 진행되고 있다.

2. 약물 요법

암성 신경병증성 통증은 비암성 신경병증성 통증과 병태생리학적으로 다소 차이가 있지만, 어느 정도는 공통적인 측면이 있고, 약제의 효능을 평가한 많은 연구들이 비암성 신경병증성 통증(주로, 당뇨병성 신경병증이나 대상포진후 신경통)을 대상으로 하였기 때문에 암성 신경병증성 통증에 사용되는 약제에 대한 지침은 비암

성 신경병증성 통증에 대한 지침을 따른다.

비암성 신경병증성 통증 환자에 비해 암성 신경병증성 통증 환자는 몇 가지 차이를 보이는데, 첫째, 신경병증성 통증을 호소하는 암 환자의 절반가량에서 다른 종류의 암성통증을 동반한다. 둘째, 암이라는 생명을 위협하는 기저질환으로 인해 신체적 정신적으로 더욱 취약하다. 셋째, 대부분 마약성 진통제(opioids)와 병합하여 사용하기 때문에, 항경련제나 항우울제의 치료효과가 비암 환자에 비해 상대적으로 낮고 부작용은 더 흔하다. 하지만, 일반적으로 신경병증성 통증에서는 효과 및 부작용을 세심히 관찰하면서 천천히 용량을 적정하지만, 호스피스에서는 통증완화가 최우선이어야 하므로 진정과 같은 부작용은 어느 정도 감수하면서 비교적 빠른 용량 적정이 바람직해 보인다. 최근 체계적 고찰에 의하면, 암성 신경병증성 통증에서도 치료약제들의 효과가 부작용을 능가하므로 보다 적극적인 치료를 권유하였다.

일반적으로 진행된 신경병증성 통증은 고식적 진통제(파라세타몰, 비스테로이드소염제, 그리고 마약성 진통제)에 잘 반응을 보이지 않기 때문에, 여러 진료지침에서 보조진통제를 일차 약제로 선택하거나 혼합 통증에서 마약성 진통제와 병합치료를 하도록 권고하고 있다. 한 약제로 충분한 효과를 볼 수 없을 때에는 다른 약제를 추가할 수 있으나, 효과뿐 아니라 부작용 또한 유의하게 증가하기 때문에 주의해야 하며, 한 약제씩 순차적으로 추가하도록 권고되고 있다. 약제치료로 조절되지 않는 경우에는 중재술까지 고려할 수 있는 통증전문의에게 의뢰하는 것이 좋다.

1) 항간질제(Antiepileptic drug)

간질과 신경병증성 통증은 병태생리학적으로 신경의 과흥분상태를 공유하기 때문에, 다양한 항간질제가 오랜기간동안 신경병증성 통증에 사용되어져 왔다. Carbamazepine과 그 유사체인 oxcarbazepine, valproic acid나 lamotrigine 등은, 일반적으로 암성 신경병증성 통증에서는 근거가 없고, 부작용 및 약제 상호작용으로 인해 일차 약제로는 권고되지 않는다.

Gabapentinoids는 척수의 후각에서 흥분성 신경전달물질의 유리를 감소시킴으로써 전압작동 칼슘통로의 알파 2-δ의 기능을 조절한다. Gabapentin은 가장 확고한 근거를 갖는 약제로, 중추성 및 말초성 감작을 줄이는 작용을 하고 항 이질통 효과도 나타낸다. 하루 3,600 mg까지 증량할 수 있고, 통증 외에도 수면장애, 기분장애, 삶의 질을 호전시킨다는 보고가 있다. Pregabalin은 gabapentin에 비해 알파 2-δ에 높은 친화력을 보이며, 추가적으로 항불안효과를 가진다. 두 약제 중 어느 것이 더 우월한지에 대한 자료는 없으며, 임상적으로 한 약제에 대한 치료반응이 부진할 때 다른 약제로의 전환을 시도해 보는 것이 좋다. 두 약제는 전반적으로 내약성이 좋으며, 부작용은 시간이 갈수록 또는 용량을 줄일수록 호전된다. 흔한 부작용으로는 졸림과 어지러움이며, 이 외에 말초부종, 무력증, 체중증가, 오심, 현기증, 입마름, 그리고 보행실조 등이 있다. 두 약제 모두 신장으로 배설되기 때문에, 신기능 저하 환자에서는 용량을 줄여야 한다.

2) 항우울제(Antidepressant drug)

신경병증성 통증에 효과가 입증된 항우울제는 serotonin norepinephrine reuptake inhibitor (SNRI)와 삼환계 항우울제(tricyclic antidepressant, TCA)이다. 항우울제는 항우울효과와 별개로 통증에 효과적이어서, 우울증을 동반한 신경병증성 통증 환자에게 일차 약제로 추천된다. 암성 신경병증성 통증에 선택세로토닌재흡수 억제제(selective serotonin reuptake inhibitor, SSRI)의 효과는 불분명하다.

(1) 세로토닌-노르에피네프린 재흡수 억제제

일반적으로 venlafaxine이 효과적인 것으로 알려져 있었으나, 최근 무작위 대조시험에 의하면 약제에 의한 신경병증성 통증의 경우, duloxetine이 더 효과적이라고 하였다. Duloxetine의 효과는 사용 1주일부터 시작되며, 하루 60 mg 일 때가 부작용을 최소화하면서 가장 효과적인 용량으로 알려져 있다. SNRI의 장점중의 하나는, 다른 항우울제보다 내약성이 우수하고, 지속적으로 사용할 경우 부작용이 줄어든다는 점이다. 흔한 부작용으로는 오심이며, 그 외에 졸림, 다한증, 어지러움, 변비, 입마름, 성기능 저하 등이 있다. Venlafaxine은 혈압이 상승할 수 있으나, duloxetine은 혈압과 체중에 영향이 없고, 성기능장애도 적은 것으로 알려져 있다. Duloxetine은 간부전 환자에게는 투여하지 않는 것이 바람직하며, venlafaxine은 간부전 신부전 환자에게 용량을 감량해야 한다.

(2) 삼환계 항우울제

TCA는 매우 다양한 기전을 갖는 약제로, 최근 연구에서 암성 신경병증성 통증에서의 효과가 보고되었다. 부작용으로는 항콜린성 부작용(변비, 입마름, 요저류, 발한, 그리고 흐려보임), 노인에서 졸림, 혼동, 기립성 저혈압, 보행장애, 배뇨지연, 진정, 그 밖에 심장전도 이상을 유발할 수 있기 때문에, 심장병력이 있는 환자에서는 주의해서 사용해야 한다. 또한, 녹내장, 요저류, 자율신경계 신경병증 환자에서는 금기이며, 약물상호작용으로 인해 Class Ic의 항부정맥제나 SSRI와 병용시 주의해야 한다. 2차 아민계는 3차 아민계보다 내약성이 우수하고 안전하다. Amitriptyline의 경우 대개 초기용량 하루 25 mg(노인에서는 10 mg)로 시작해서 50~150 mg까지 증량할 수 있으나, 대규모 후향적 연구에서 하루 100 mg 이상의 사용은 급성 심장사와 관련 있다는 보고가 있다.

(3) Tramadol/tapentadol

Tramadol은 기전상으로 SNRI에 속하며, TCA처럼 모노아민 작용을 보이고, 약한 마약성 진통효과를 나타낸다. 신경병증성 통증에서는 하루 400 mg까지 증량함으로써 통증 감소뿐 아니라, 이질통 감소 및 삶의 질 향상 효과가 보고되었으며, 암성 신경병증성 통증에서도 좋은 선택약제 중 하나로 추천된다. 일반적으로 남용의 가능성은 낮고, 내성이나 의존성은 드물다. 흔한 부작용으로는, 어지러움, 오심, 변비, 졸림, 그리고 기립성 저혈압 등이며, 주로 너무 빨리 증량할 때 발생하며 비슷한 부작용을 갖는 다른 약제와 병용 시 더 많이 발생한다. 노인에서 인지기능 저하를 야기하기도 한다. 최근 출시된 tapentadol은 tramadol과 작용기전은 비슷하며, 다양한 기전의 만성통증에 효과를 보이는 것으로 알려져 있고, 특히 혼합 통증이 흔한 암 환자에서의 암성 신경병증성 통증 치료에 주목받고 있는 약제이다.

(4) 마약성 진통제

과거 암성 신경병증성 통증은 '마약성 진통제에 반응을 보이지 않는 통증'으로 간주되었으나, 최근 긍정적인 연구 결과들이 발표되었다. 비암성 특정질환에서 gabapentinoids와 동등한 효과를 보이며, 암 환자에서는 순수 신경병증성 통증보다는 마약성 진통제가 필요한 다른 종류의 통증과 혼합된 통증이 많고, 실제 임상에서도 보조약제보다 오히려 반응을 잘 보이는 경우도 많다. 마약성 진통제의 약제 간 효과의 차이는 없는 것으로 알려져 있다.

지침마다 차이가 있긴 하지만, 말기 암 환자는 대부분 상당량의 마약성 진통제를 사용하고 있는 경우가 많기 때문에, 새로 발생한 암성 신경병증성 통증이라면 마약성 진통제를 증량하기에 앞서, 부작용이 생기지 않는 선에서 보조약제를 먼저 사용하는 것이 바람직하다.

(5) 국소 약제

국소약제는 전신부작용이 거의 없어 안전하다는 장점이 있다. 캡사이신 8% 부착포는 효과는 미약하고 아파서, 국소 마취가 필요할 수 있다는 단점이 있다. 리도카인 5% 부착포는 상대적으로 저렴하고 피부자극 외에 부작용이 거의 없다는 장점이 있으며, 특히 이질통이 있는 암성 신경병증성 통증에서 국소 적용할 수 있다. 흡수는 거의 되지 않지만, 부정맥제제를 복용 중인 환자에서는 사용하지 않는 것이 좋다.

(6) 그 외 약제들

신경압박이 의심될 때 스테로이드가 도움이 될 수 있다. 덱사메타손이 전해질 변화에 영향이 가장 적고 작용 시간이 길어서 선호된다. 근위부 근력약화가 치료 4~6주부터 나타날 수 있고, 기분장애, 불면, 그리고 과다활동 등 정신과적 부작용이 나타날 수 있으니 유념해야 한다.

골전이가 반드시 신경손상을 의미하지는 않지만, 특정부위의 골전이가 있고 해당 신경학적 진찰에서 감지되는 통증이 있다면, 암성 신경병증성 통증을 의심하고 접근하여야 한다. 골통증은 주로 파골세포(osteoclast)의 활성과 관련이 있기 때문에, 비스포스포네이트 등이 이론적으로 도움이 될 수 있지만, 아직까지 근거는 불충분하다.

NMDA 수용체 길항제(N-methyl-D-aspartate receptor antagonists)는 이론적으로 모든 종류의 암성통증에 효과가 있어서 암성 신경병증성 통증에서도 매력적인 약제이긴 하지만, 아직까지 근거는 빈약하다. 케타민의 경우, 준마취 농도에서 척수의 과민성을 감소시키는 것으로 알려져 있으나, 환각이나 해리반응 등의 부작용이 있어, 임상사용에 제한이 있다.

대마초제제(cannabinoid)는 비암성 신경병증성 통증에서 효과적이라는 몇몇 연구가 있었고, 항구토효과와 식욕증진효과가 있다는 것이 매력적이며, 부작용은 대부분 심각하지 않다. 하지만, 아직은 법적인 문제와 중독의 위험 때문에 임상적용은 이르다.

6부

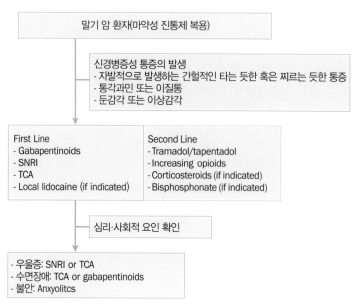

그림 20-2. 말기 암 환자에서 신경병증성 통증에 대한 약제 선택

Ⅳ 요약

암성 신경병증성 통증은 암성통증 중에서도 조절이 잘 되지 않아 삶의 질을 떨어뜨리는 주요 원인이며, 불행히도 말기로 갈수록 그 강도가 더 심해진다. 다양한 암성통증에 혼재되어 있는 암성 신경병증성 통증 요인을 임상적으로 찾고 관리하는 것은 결코 쉬운 일이 아니며, 따라서 일률적인 치료 알고리즘을 제시하기 어렵다. 말기 암 환자에서의 암성 신경병증성 통증 진단은, 특정 검사에 의존하기보다는 자세한 병력청취와 면밀한 신체검사에 기반을 두는 것이 바람직하며, 암성 신경병증성 통증 요인이 있다고 판단된다면 바로 약물요법을 시행하는 것이 바람직하다 그림 20-2. 지금까지 다양한 비약물적 치료법이 제시되고 있지만, 아직까지 그 근거는 미약하다.

참고문헌

1. Baron R, Binder A, Wasner G. Neuropathic pain: diagnosis, pathophysiological mechanisms, and treatment. Lancet Neurol 2010;9:807-19.
2. Bennett MI, Rayment C, Hjermstad M, et al. Prevalence and aetiology of neuropathic pain in cancer patients: a systematic review. Pain 2012;153:359-65.
3. Cassileth BR, Keefe FJ. Integrative and behavioral approaches to the treatment of cancer-related neuropathic pain. Oncologist 2010;15:19-23.
4. Dworkin RH, O'Connor AB, Kent J, et al; International Association for the Study of Pain Neuropathic Pain Special Interest Group. Interventional management of neuropathic pain: NeuPSIG recommendations. Pain 2013;154:2249-61.
5. Fallon MT. Neuropathic pain in cancer. Br J Anaesth 2013;111:105-11.
6. Haanpää M, Attal N, Backonja M, et al. NeuPSIG guidelines on neuropathic pain assessment. Pain 2011;152:14-27.
7. Jongen JL, Huijsman ML, Jessurun J, et al. The evidence for pharmacologic treatment of neuropathic cancer pain: beneficial and adverse effects. J Pain Symptom Manage 2013;46:581-90.
8. Lema MJ, Foley KM, Hausheer FH. Types and epidemiology of cancer-related neuropathic pain: the intersection of cancer pain and neuropathic pain. Oncologist 2010;15:3-8.
9. Marchettini P, Formaglio F, Lacerenza M. Neuropathihc pain. Text book of palliative medicine. Boca Raton: Taylor & Francis Group; 2016.
10. Mishra S, Bhatnagar S, Goyal GN, et al. A comparative efficacy of amitriptyline, gabapentin, and pregabalin in neuropathic cancer pain: a prospective randomized double-blind placebo-controlled study. Am J Hosp Palliat Care 2012;29:177-82.
11. Portenoy RK. Treatment of cancer pain. Lancet 2011;377:2236-47.
12. Smith EM, Bridges CM, Kanzawa G, et al. Cancer treatment-related neuropathic pain syndromes-epidemiology and treatment: an update. Curr Pain Headache Rep 2014;18:459.
13. Vadalouca A, Raptis E, Moka E, et al. Pharmacological treatment of neuropathic cancer pain: a comprehensive review of the current literature. Pain Pract 2012;12:219-51.

6부

21장

돌발성 통증

| 송홍석, 신진영 |

돌발성 통증은 암 환자의 일상 기능을 저하시키고, 고통을 증가시켜 삶의 질을 악화시키는 요인으로 알려져 있다. 하지만, 아직까지 전세계적으로 합의된 정의가 없고, 한글 번역된 용어로도 '돌발성 통증', '돌발통', '돌발 통증' 등 다양하게 사용되고 있다. 본 장에서는 '돌발성 통증'이라는 용어로 사용하고자 한다.

I 돌발성 통증의 정의

돌발성 통증이란, 기저 통증이 조절됨에도 불구하고 평상시의 통증을 넘어서 일시적으로 급격히 악화된 통증을 말한다. 1990년 Portenoy와 Hagen에 의해 처음 정의된 이후에 보완된 내용이 2009년 Association for Palliative Medicine에 의해 인정된 이후 이러한 정의가 사용되고 있다.

II 돌발성 통증의 원인 및 역학

암 환자의 돌발성 통증은 하나의 원인이라기보다는 암 자체, 암 치료 혹은 암과 무관한 다양한 원인으로부터 나타나며, 급성 혹은 만성 통증의 어떠한 상태에서도 발생이 가능하다. 돌발성 통증도 암성 통증과 다르지 않게 체성 통증, 내장 통증, 신경병증성 통증 및 이들이 동시에 나타나는 혼합된 통증으로 병리기전을 구분한다. 돌발성 통증 유병률은 59.2% (39.9~80.5%) 정도로 많은 환자들이 돌발성 통증으로 고통받고 있다. 돌발성 통증이 있는 암 환자는 일상생활에서 기능적 저하와 고통뿐만 아니라, 돌발성 통증이 없는 환자에 비해 입원 기간이 길고, 치료비용이 증가하는 것으로 나타났다. 돌발성 통증이 적절히 조절되지 못하는 원인으로, 의료인들의 돌발성 통증의 인식 부족, 적절한 평가 도구 및 치료적 대안의 부재가 문제로 지적되었다.

III 돌발성 통증의 임상 양상

돌발성 통증은 크게 세 가지로 구분할 수 있다. 첫째, 유발요인이 있는 경우(incident pain or precipitated pain)로 이는 걷기, 식사와 같이 의도하여 예측 가능한 활동에 의해 유발되는 경우(volitional incident pain)와 기침과 같이 의도치 않아 예측할 수 없는 유발요인에 의한 경우(non-volitional incident pain), 혹은 드레싱과 같이 치료적 접근을 통해 악화될 수 있는 통증(procedural pain)이다. 둘째, 유발요인 없이 저절로, 혹은 원인 모르게 나타나는 경우(spontaneous or idiopathic pain)이다. 마지막으로, 진통제의 작용이 감소하면서 악화되는 통증(end-of-dose failure)으로, 앞서 소개한 두 가지 통증 양상보다 다소 점진적으로 악화되며 보다 길게 지속되는 특징이 있다. 돌발성 통증은 개인에 따라 차이가 크다. 대체로 하루 4회 정도(중위수) 발생하며, 3분 이내 짧은 시간 동안 중등도 이상의 강도로 악화되며 30분 정도(1~240분) 지속되는 양상이다.

IV 돌발성 통증의 진단 및 평가

돌발성 통증은 그림 21-1에 의해 진단한다. 효과적으로 돌발성 통증을 조절하기 위해서는 적절한 평가 도구를 활용하고 치료하고 다시 재평가하는 것이 필요하다. 기존 암성 통증 평가 도구는 돌발성 통증의 빈도, 간격, 유발 요인을 평가할 수 없으므로 제한적이다. Portenoy와 Hagen에 의해 Breakthrough Pain Questionnaire (BPQ)가 개발되었으나, 타당성을 검증받지는 못하였으며, Hagen에 의해 고안된 Alberta Breakthrough Pain Assessment Tool (ABPAT)은 델파이 기법으로 고안하고 타당도를 확인한 22문항의 도구로, 연구목적으로 개발되어 임상에 적용하기에는 한계가 있다. 캐나다 Katherine Webber에 의해 2014년 개발된 Breakthrough Pain Assessment Tool (BAT)은 14문항으로, 돌발성 통증의 빈도, 지속 시간, 강도, 유발 요인 및 완화 요인, 심리적 영향, 정상 생활에의 영향 정도, 진통제 복용 여부, 진통제 효과 정도 및 효과 발현되기까지의 시간,

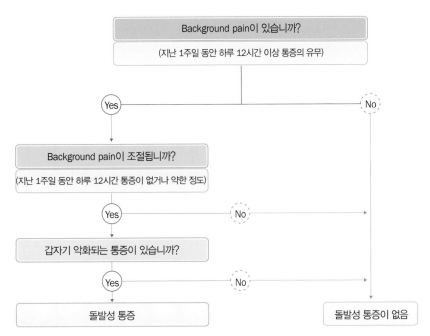

그림 21-1. 돌발성 통증 진단 알고리즘(adapted from Portenoy et al.)

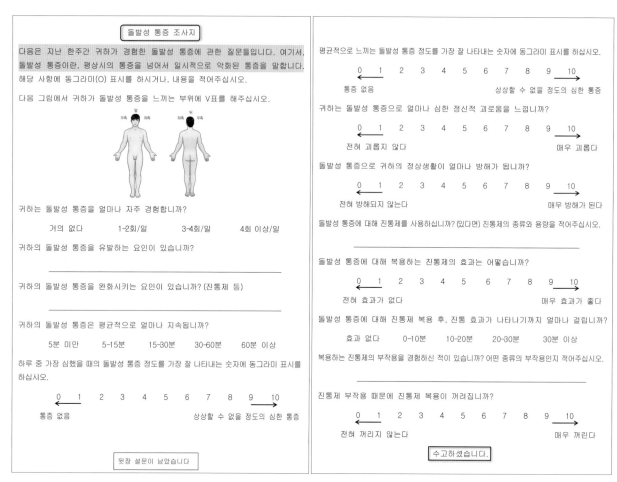

그림 21-2. 한국형 돌발성 통증 조사지

부작용, 부작용으로 인한 영향을 파악할 수 있다. 이를 번역하고 타당도를 검증한 한국형 돌발성 통증 조사지를 임상에서 활용 가능하다 그림 21-2 .

V 돌발성 통증의 치료

돌발성 통증은 다양한 임상적 특성을 보이기 때문에 통증의 특성에 맞춘 개별화된 치료가 필요하다. 돌발성 통증의 치료 약물은 정해진 시간에 규칙적으로(around-the-clock) 복용하는 것이 아니라, 필요할 때마다 복용하는데, 돌발성 통증이 자발적(특발성)으로 발생하거나 예측할 수 없는, 불수의적인 행동에 수반되는 통증(non-volitional incident pain)의 경우에는 증상이 발현할 때 즉시 약물을 복용하고, 통증을 유발할 수 있는 행동이나 시술로 인해 예측이 가능한 수위적인 통증인 경우(volitional or procedural incident pain)에는 통증이 발생하기 전에 미리 약물을 복용하도록 권고되고 있다.

돌발성 통증에 사용하는 진통제의 조건으로는 효과가 빠르고, 강력하며, 지속 시간이 적절하고, 사용이 쉽고 편리하며, 안전성이 보장되어야 한다. 통증 지속 시간이 짧아서 약물치료 이외에도 심호흡이나 기다리면서 통증이 지나가도록 하는 경우도 있지만, 대부분

적절한 진통제를 복용하는 방법을 선호한다.

진통제의 용량은 24시간 투여되는 지속형 진통제 용량의 10~20%를 처방하는 것을 권고하고 있으나 점막 흡수형 속효성 펜타닐 제제의 경우 가장 낮은 용량으로 시작하여 반응에 따라 적정하도록 한다.

1. 경구 속효성 마약성 진통제

일반적인 경구 속효성 마약성 진통제는 복용 후 20~30분이 지난 후 진통 효과가 시작되어 60~90분이 지나서 최대효과를 나타내고 4시간 정도 효과가 지속되기 때문에 대개의 돌발성 통증이 최고도에 이르는 데 걸리는 시간 및 지속 시간을 고려할 때 제한적이다. 또한 연하장애가 있는 경우에는 사용이 어렵다. 따라서 개인의 돌발성 통증 양상을 고려하여 속효성 마약성 진통제를 적절히 선택하여 사용하는 것이 중요하다.

1) Short-acting oxycodone (IR codon®)

Short-acting oxycodone은 수년간 사용되어 효과 및 안전성이 잘 알려진 약제이며 마약성 진통제를 사용한 적이 없는 환자에서 초기 사용 시 적정용량 산정을 위한 목적으로 사용이 가능하다. 15분 이내의 빠른 진통효과로 돌발성 통증에 유효하며, 5 mg, 10 mg의 두 가지 용량으로 되어 있으며, 고용량으로 용량 증가가 용이하며 또한 용량에 대한 급여 제한이 없다.

2) Hydromorphone (Jurnista IR®)

Hydromorphone (Jurnista IR®)은 암 환자뿐만 아니라 수술 후, 화상, 담석산통 등에서도 사용된다. 과량 복용한 경우 두개내압 상승, 호흡억제 등의 부작용이 있어 두개내압의 상승과 관련된 두부의 기질적 손상이 있는 환자, 중증 호흡억제제 환자, 만성폐질환에 속발한 심부전 환자, 천식발작 지속상태의 환자에서는 금기사항이며, 2 mg의 제제가 있다.

2. 점막 흡수형 속효성 펜타닐 제제

펜타닐은 1960년에 합성되어 1963년에 유럽에서 임상에 처음 도입되었다. 저분자 구조로 친유성(high lipophilicity)이 높아 경구점막, 설하(sublingual), 비강분무 등 여러 경로로 신속히 흡수된다. 경구복용을 하였을 때 생체이용률은 30~40%로, 소장에서 흡수되어 간문맥을 경유하지만, 경점막 펜타닐은 흡수 후 간 초회통과(first pass)없이 중추신경계에 분포하므로 신속한 효과를 보인다. 점막 흡수형 펜타닐은 비침습적 투여로도 정맥주사와 유사한 효과를 보인다. 일반적으로 기저 통증과 돌발성 통증에 같은 성분의 마약성 진통제를 사용하였으나, 통증 관리에 대한 메타 분석에 따르면 점막 흡수형 진통제는 돌발성 통증의 조절에 효과적이며, 모르핀, 옥시코돈, 히드로모르폰 등의 다른 성분의 지속성 마약성 진통제를 복용하고 있더라도 돌발성 통증을 조절하기 위해 점막 흡수형 펜타닐 제제를 사용할 수 있다고 보고하고 있다.

최근 연구 결과에서 점막 흡수형 펜타닐이 속효성 경구 모르핀과 비교하여 효과가 빠른 것으로 보고되었다 **표 21-1**. 따라서 빠른 효과와 짧은 지속시간이 필요한 경우에 사용한다. 하지만, 경구 모르핀 1일 60 mg(혹은 피부경유 fentanyl 25 mcg/시간, 경구 oxycodone 30 mg/일, 경구 hydromorphone 8 mg/일, 경구 oxymophone 25 mg/일) 이상의 용량으로 1주일 이상 투여하여 마약내약성이 있는 환자의 돌발성 통증 조절을 위해 투여해야 하며, 마약성 진통제를 처음 사용하는 환자에게는 사용하지 않는다. 많은 경로의 펜타닐제제들은 서로 간의 직접적인 비교연구가 없어 어떠한 약제를 사용할 것인지는 현재로서는 치료 경험과 사용 용이성, 비용, 환자의 선택 등을 고려하여 결정하여야 한다. 현재까지의 연구결과로는 다른 마약성 진통제 또는 서로 다른 펜타닐 제형 간의 동등진통용량을 알 수 없으므로 가장 낮은 용량부터 시작하여 충분한 효과가 있을 때까지 적절히 증량하여 사용하도록 권고되고 있다.

표 21-1. 속효성 진통제

속효성 진통제	진통 시작 시간(분)	흡수정도(%)	흡수시간(분)	지속시간(시간)
Oral morphine	30~40	30	NA	4
Oral oxycodone	30	40~50	NA	4
Oral hydromorphone	30			4
Oral transmucosal fentanyl citrate	15	50	15	1~2
Fentanyl buccal tablets	10~15	65	15	1~2
Sublingual fentanyl	10~15	54	2	2~4
Intranasal fentanyl spray	5~10	70	2~5	1

1) Oral transmucosal fentanyl citrate (OTFC, Actiq®)

액틱구강정은 1993년에 첫 번째로 개발된 transmucosal immediate-release fentanyl formulation (TIRF)으로 2008년 11월에 국내에 출시되었다. 아편양 제제 약물 치료를 받으며 이에 대한 내약성을 가진 암 환자의 돌발성 통증에 유효하다. 구강점막을 통해 25% 정도 흡수되고 75%는 소화기관을 통과하는 것으로 알려져 있다. 투여 도중이라도 언제든지 환자 스스로 복용을 중단할 수 있으므로 환자가 투여량을 조절할 수 있어 과량 투여에 의한 호흡 저하 등의 이상 발현을 최소화할 수 있고, 삼킬 수 없거나 구역 구토가 심한 경우에도 사용할 수 있는 장점이 있다. 200 mcg, 400 mcg, 600 mcg, 800 mcg, 1,200 mcg, 1,600 mcg의 제형이 있다. 약이 녹는데 시간이 걸리며, 구강건조증이나 구내점막염이 있는 경우에는 사용하기가 어려우며, 흡수율이 개인마다 다르고, 당분이 있어 장기간 반복 사용 시 치아 부식을 유발할 수 있는 단점이 있다.

2) Transbuccal (fentanyl buccal tablets, FBT, Fentora®; fentanyl buccal soluble film, Onsolis®)

정제는 48%, 필름은 51% 정도가 구강점막으로 흡수되며 간 초회 대사가 없으므로 신속히 효과 발현이 가능하다. 같은 펜타닐 성분이지만 제형에 따라 서로 다른 생체이용률을 보이는데, 구강점막제제보다 생체 이용률이 높으며, 경구로 삼킬 수 없거나 구역 구토가 심한

경우에도 사용할 수 있다. 펜토라박칼정은 2014년에 국내에 출시되었으며 100 mcg, 200 mcg, 400 mcg, 600 mcg, 800 mcg 제제가 있다. 설하제보다는 투과성이 낮으며 구강건조증이 있거나 점막염이 있는 경우에는 다소 사용하기 어렵다.

3) Sublingual (sublingual fentanyl tablets, FST, Abstral®; sublingual fentanyl spray, Subsys®)

점막 부착능력이 높아 점막으로의 흡수율이 증대되어 간 초회 대사가 없이 신속히 진통효과가 나타난다. 약을 혀 밑에 적용하고 씹거나, 빨거나, 삼키지 않아야 하며 정제가 완전히 녹을 때까지 음식물을 먹거나 음료를 마시지 않도록 한다. 다른 펜타닐 제제를 투여받던 환자라도 초기 용량은 100 µg으로 시작하여 충분한 진통효과를 얻지 못할 경우 30분후 재투여하여, 100 µg 단위로 400 µg까지 증량 후, 이로써도 충분하지 않으면 600 µg, 800 µg로 증량한다. 앱스트랄설하정은 2014년에 국내에 출시되었으며 100 µg, 200 µg, 300 µg, 400 µg 제제가 있으며 이상의 용량은 동일한 함량으로 2제, 3제 동시 투약할 수 있다. 경구로 삼킬 수 없거나 구역 구토가 심한 경우에 사용할 수 있으나 구강건조증이 있거나 점막염이 있는 경우에는 다소 사용이 제한적이다.

4) Intranasal (intranasal fentanyl spray, Instanyl®; Fentanyl pectin nasal spray, Lazanda®)

흡수되어 간 초회 대사가 없어 효과가 빠르며, 투여가

쉽고 편리하며 환자의 선호도가 높다. 경구로 삼킬 수 없거나 구역 구토가 심한 경우에 사용할 수 있으며, 보호자에 의해서도 사용될 수 있다. 인스타닐은 2014년에 국내에 출시되었으며 50 mcg, 100 mcg, 200 mcg 제제가 있으며, 1일 4회까지 투여할 수 있으며 각 1회에 최초 투여 이후 10분 간격으로 2회를 초과하여서는 안 된다. 단점으로는 정확한 사용방법을 위한 교육이 필요하며, 비강 자극을 초래할 수 있으며, 감기 등 염증이 있는 경우에는 적절치 못하며, 흡수되는 용량이 다양할 수 있고 고용량 제제는 없다.

VI 요약

효과적인 돌발성 통증 조절을 위해서는 돌발성 통증의 유무, 강도, 빈도, 지속시간, 최대 진통 때까지 걸리는 시간, 마약성 진통제 사용병력 이외에도 돌발성 통증을 악화하거나 완화시키는 요인을 파악하여, 예측 가능한 통증이나, 통증이 유발될 수 있는 시술을 할 경우에는 속효성 진통제를 20~30분 전에 미리 사용하도록 하며, 특발성으로 발생하거나 예측할 수 없는 유발요인에 의한 돌발성 통증 발생 시 속효성 약제를 즉시 사용하도록 한다. 따라서, 마약성 진통제는 '서방형'과 '속효성' 제형을 동시에 처방해야 하고, 복용시기와 방법을 자세히 설명해야 한다. 또한 빠른 시간에 중추신경계에 약제가 분포하게 되므로 조심스럽게 부작용을 모니터하여야 하며, 심리적 고통이 있거나 알코올중독, 섬망 등의 증상을 보이는 경우에는 추가적인 치료계획을 세워야 한다.

참고문헌

1. Davies AN, Dickman A, Reid C, Stevens AM, Zeppetella G; Science Committee of the Association for Palliative Medicine of Great Britain and Ireland. The management of cancer-related breakthrough pain: recommendations of a task group of the Science Committee of the Association for Palliative Medicine of Great Britain and Ireland. Eur J Pain 2009;13:331-8.

2. Breuer B, Fleishman SB, Cruciani RA, Portenoy RK. Medical oncologists' attitudes and practice in cancer pain management: a national survey. J Clin Oncol 2011;29:4769-75.

3. Caraceni A, Martini C, Zecca E, et al. Breakthrough pain characteristics and syndromes in patients with cancer pain. An international survey. Palliat Med 2004;18:177-83.

4. Deandrea S, Corli O, Consonni D, Villani W, Greco MT, Apolone G. Prevalence of breakthrough cancer pain: a systematic review and a pooled analysis of published literature. J Pain Symptom Manage 2014;47:57-76.

5. Fortner BV, Okon TA, Portenoy RK. A survey of pain-related hospitalizations, emergency department visits, and physician office visits reported by cancer patients with and without history of breakthrough pain. J Pain 2002;3:38-44.

6. Hagen NA, Stiles C, Nekolaichuk C, Biondo P, Carlson LE, Fisher K, Fainsinger R. The Alberta Breakthrough Pain Assessment Tool for cancer patients: a validation study using a delphi process and patient think-aloud interviews. J Pain Symptom Manage 2008;35:136-52.

7. Haugen DF, Hjermstad MJ, Hagen N, Caraceni A, Kaasa S; European Palliative Care Research Collaborative (EPCRC) assessment and classification of cancer breakthrough pain: a systematic literature review. Pain. 2010;149:476-82.

8. Mercadante S, Villari P, Casuccio A. An Italian survey on the attitudes in treating breakthrough cancer pain in hospice. Support Care Cancer 2011;19:979-83.

9. Mercadante S. Pharmacotherapy for breakthrough cancer pain. Drugs 2012;72:181-90.

10. Pasero, C, McCaffery M. Assessment of breakthrough pain, In: Pain assessment and pharmacologic management. Mosby Press; 2011; p.101.

11. Portenoy RK, Hagen NA. Breakthrough pain: definition, prevalence and characteristics. Pain 1990;41:273-81.

12. Portenoy RK, Payne D, Jacobsen P. Breakthrough pain: characteristics and impact in patients with cancer pain. Pain 1999;81:129-34.

13. Shin JY, Cho SJ, Choi YS, Lee JK. Validation of the Korean version of the breakthrough pain assessment tool in cancer patients. J Pain Symptom Manage 2017;54:361-7.

14. Smith HS. Considerations in selecting rapid-onset opioids for the management of breakthrough pain. J Pain Res 2013;6:189-200.

15. Stanley TH. The fentanyl story. J Pain 2014;15:1215-26.

16. Webber K, Davies AN, Zeppetella G, Cowie MR. Development and validation of the breakthrough pain assessment tool (BAT) in cancer patients. J Pain Symptom Manage 2014;48:619-31.

17. Zeppetella G, Davies AN. Opioids for the management of breakthrough pain in cancer patients. Cochrane Database Syst Rev 2013;10CD004311.

6부

22장
마약성 진통제

| 강정훈, 김시영 |

아편은 양귀비(Papver somniferum)의 덜 자란 씨 표면을 절개했을 때 나오는 진액을 건조한 것으로 기원전 15세기 전부터 의학적, 종교적 목적으로 사용되어 왔다. 이 진액 속에는 morphine, thebaine, codeine과 같은 다양한 성분의 알칼로이드가 포함되어 있다. 마약성 진통제는 아편과 같이 중추 신경계나 말초 신경계에 존재하는 아편 수용체에 결합하여 효과를 나타내는 약물로 정의된다. 암성 통증의 조절에 사용되는 마약성 진통제로는 oxycodone, fentanyl, methadone, buprenorphine, nalbuphine, tramadol, tapentadol과 같은 약제가 있다. 이 중 morphine은 암성 통증의 치료에 가장 오랫동안, 그리고 널리 사용되며 다른 마약성 진통제로 전환하거나 그 효과를 알아보고자 할 때 기준 약제로 통용된다.

암성 통증을 조절할 때 마약성 진통제와 같은 약제 특성을 아는 것도 중요하지만, 무엇보다도 통증의 정확한 원인과 기전을 이해해야 한다. 이때 진단을 위해서 통증 조절을 늦추는 것보다는 통증 조절을 함께 하면서 그 원인을 알아보는 것이 중요하다. 연구에 의하면 환자들이 복통을 호소할 때 morphine을 사용하는 것이 원인을 찾는 데 별다른 장애 요인으로 작용하지 않았다.

I 마약성 진통제의 사용

1. 사용 원칙

전통적으로 암성 통증 조절은 국제보건기구에서 제시한 3단계 접근 방법이 사용되어 왔지만 **그림 22-1**, 최근 연구에서 240명의 중등도 암성 통증 환자 중 의미 있게 통증이 감소한 비율이 강한 마약성 진통제가 88%로, 약한 마약성 진통제의 58%에 비해 더 우월한 효과를 보였다. 국내 암성통증 관리지침 권고안에서도 중등도 이상의 암성 통증에서는 일차 약제로 강한 마약성 진통제를 추천하고 있다 **그림 22-2**.

하지만 어떠한 단일 성분의 마약성 진통제도 암성 통증 환자 모두에게 잘 듣는 약제는 없다. 따라서 임상의

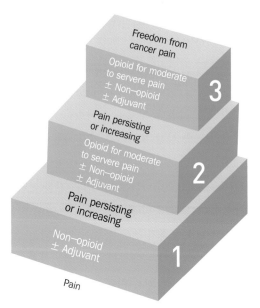

그림 22-1. WHO 방식의 3단계 진통제 사다리

는 선택한 약제가 환자에게 효과가 있는지, 그리고 환자마다 나타나는 반응과 부작용이 다르므로, 적정화(titration) 과정을 통해서 환자에게 진통 조절에 필요한 용량을 찾아야 한다. 여기서 적정 용량은 환자의 통증을 없애주면서도, 조절되지 않는 심한 부작용이 없는 용량을 일컫는다. 부작용은 환자 개인 간의 차이가 많기 때문에 항상 자세히 관찰하여야 하며, 예상되는 부작용에 대해서는 예방적으로 치료하여야 한다.

적정화 과정에도 불구하고 통증이 조절이 되지 않을 때나 부작용이 심할 때는 다른 종류의 마약성 진통제로 전환(opioid rotation)을 고려해야 한다. 다른 약제로 바꿀 때 용량은 동등용량 진통표를 참조해서 그 적정 용량을 계산한다 **표 22-1**. 환자의 통증이 심하지 않을 경우

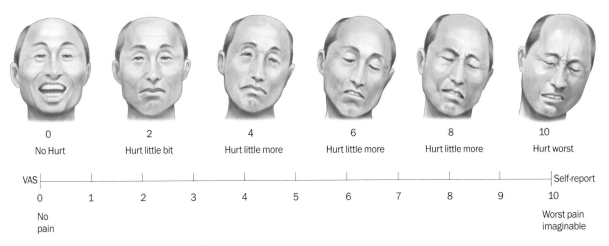

그림 22-2. 중증도의 통증, 마약성 진통제 사용의 적응증

표 22-1. 동등용량 진통표

	동등용량	발현시간	최고농도 도달시간	지속시간
Morphine 정맥	10 mg	5~10분	30분	3~4시간
Morphine 경구	30 mg	1~2시간	2~4시간	3~4시간
Oxycodone 정맥	10 mg	2~3분	30분	3~4시간
Oxycodone 경구	20 mg	30분~1시간	2~3시간	12시간
Hydromorphone	1.5 mg	5~15분	8~20분	24시간
Fentanyl patch	12 ug/h	8~12시간	12~24시간	24~72시간
Codeine	200 mg	1~1.5시간	2~3시간	2~4시간

에는 불완전 교차 내성으로 인해 부작용이 생길 수 있기 때문에, 전환할 약제의 계산된 용량에서 50~75%로 줄여서 투여하고, 심한 통증일 경우에는 100%로 시작을 한다. 이때 주의할 점은 동등용량 진통표는 어디까지나 참고 수치이며, 가이드라인마다 권고치가 다르고, 또 개인마다 반응의 차이가 있기 때문에 효과와 부작용을 보면서 적절하게 증감이 필요하다. 암성 통증 환자 3명 중 1명 정도는 약제 전환이 필요하고, 약제 전환을 했을 경우 약 50~80%의 환자에서 효과가 있다고 보고되고 있다.

2. 투여 경로

마약성 진통제는 가장 덜 침습적이며 쉽게, 그리고 안전하면서도 진통 효과를 충분히 나타낼 수 있는 경로로 투여해야 한다. 경구 섭취가 가능한 환자는 가능한 경구 투여가 권고되지만, 환자가 연하 곤란이나, 섬망, 장 폐색과 같은 상황에서는 정맥, 혹은 피하 주입 경로를 고려할 수 있다. 패취 제형은 간편하기는 하지만, 용량 적정에 시간이 오래 걸린다. 따라서 통증이 조절이 안되는 상황에서 초기 약제로 패취 제형만으로 시도하는 것은 적절하지 않으며, 통증이 일정한 강도로 유지가 될 때 사용하는 것이 가장 적합하다. 점막 투여는 흡수가 빠르기 때문에 경구에 비해 효과가 빨리 나타나서 돌발통의 치료에 적합하다. 점막 투여가 가능하려면 흡수가 잘 되는 지용성 제재여야 하기 때문에 주로 fentanyl 성분의 약제들이 개발되었다. 현재 국내에서는 구강, 비강 및 설하로 투여가 가능한 약제들이 있다. 효과는 통상적으로 정맥 주사는 15분, 점막 및 피하 주사는 30분, 그리고 경구는 60분 후에 최고의 진통 효과를 나타내게 된다.

3. 약제 투여 주기

암성 통증은 시간에 따라서 강도에 차이가 나기 때문에 마약성 진통제를 처방할 때는 서방형과 속효성 제형을 함께 처방한다. 서방형 제제는 배경통증(background pain)을 조절하기 위함이며, 통증 평가에서 평균 강도가 배경통증의 정도를 의미한다. 약물의 혈중 농도를 일정하게 유지시키는 것이 중요하므로 통증이 없어도 일정 시간마다 서방형 제제를 투여한다. 하지만 개인마다 약제의 지속 시간은 차이가 있기 때문에 진통제의 약효 지속 시간이 끝나기 전에 통증이 악화되는 현상(end-of-dose failure)이 나타날 수 있다. 강한 마약성 진통제를 복용하는 국내 암 환자들 중 48%에서 다음 서방형 진통제를 복용하기 전에 통증이 악화되는 현상을 경험하였고, 37%에서는 예정된 시간보다 일찍 진통제를 복용한다고 보고하였다. 이런 현상은 통증이 갑자기 심해진다는 점에는 돌발통과 동일하지만, 약제 농도가 감소함으로 생기는 현상이기 때문에 임상 현장에서 감별을 요한다.

속효성 제형은 돌발통(breakthrough pain) 조절을 목적으로 사용되며, 일반적으로 최대 통증 강도가 그 정도를 반영한다. 돌발통은 특성상 10분 이내에 최고 강도의 통증에 다다르고, 60분 이내에 소실되는 특징을 보인다. 따라서 돌발통을 조절하는 마약성 진통제는 약효의 신속성도 약제 선택의 고려 요소에 포함된다.

II 작용 기전과 분류

1. 작용 기전

20세기 중반에 들어서 마약성 진통제가 감각 신경 내의 수용체들과 결합함으로써 효과를 나타낸다는 기전이 알려진 이후로 작용 기전과 수용체에 대해 많은 것이 알려졌다. 마약성 진통제의 수용체는 크게 μ (mu), δ (delta), κ (kappa) 수용체 등 세 종류가 있으며, 이 중 대부분의 마약성 진통제는 mu 수용체에 주로 결합하여 진통 효과를 나타낸다 **표 22-2** . 각 수용체는 μ1과 μ2, δ

표 22-2. 아편 수용체의 종류에 따른 작용 부위와 기능

	수용체의 종류		
	mu	delta	kappa
작용 부위			
척추 상위 신경	+++	−	−
척수 신경	++	++	+
말초 신경	++	−	++
부작용			
호흡 억제	+++	++	−
동공 축소	++	−	+
위장관 운동 감소	++	++	+
이상행복감	+++	−	−
불쾌감	−	−	+++
진정 효과	++		++
신체적 의존	+++	−	+

표 22-3. 마약성 진통제의 분류 및 종류

순수 작용제
- Codeine
- Fentanyl
- Hydromorphone
- Meperidine
- Morphine
- Methadone
- Oxycodone

부분 작용제
- Buprenorphine

혼합 작용제-대항제
- Butorphanol
- Nalbuphine
- Pentazocine

순수 대항제
- Naloxone
- Naltrexone

복합 기전
- Tramadol
- Tapentadol

1과 δ2, κ1-3으로 세분할 수 있다. 이러한 수용체는 말초 신경부터 척추 신경 및 뇌의 여러 부위에 걸쳐서 다양하게 분포하고 있으면서, 신체 내에 분비된 아편 펩티드 혹은 마약성 진통제와 결합해서 통각 자극이 생겼을 때 감각 신경의 전달의 억제하고, 통증을 억제하는 뇌-척수 내림 억제경로 및 중추 신경계의 통증 억제 체계가 활성화한다.

아편 수용체에 결합하는 것으로 마약성 진통제와 같은 외부 약물뿐만 아니라, 신체 내에서 분비되는 endor-phin, enkephalin, dynorphin과 같은 펩티드 등도 있다. 이 중 endorphin은 mu나 delta 수용체에, dynorphin은 kappa 수용체에 주로 결합하여서 통증이나 스트레스 상황 등에서 생리적 기능을 담당한다.

마약성 진통제는 똑같은 용량을 사용하더라도 여러 요인들로 인해서 환자들마다 효과와 부작용은 다르게 나타난다.

그 첫 번째 원인으로 약제를 위장관에서 흡수하는 전달체 및 약제를 체내에서 활성화시키는 대사자(metabolizer)의 기능의 개인 차이를 들 수 있다. 두 번째 원인으로 세포막에 아편 수용체를 발현하는 유전자가 개인마다 다양하다. 연구에 의하면 mu 수용체를 발현하는 유전자만도 100가지 이상의 형태가 존재를 하고, 이는 마약성 진통제를 투여했을 때, 약제에 대한 수용체의 결합력과 분포의 차이를 만들어 낸다. 이 외에도 마약성 진통제와 수용체가 결합한 뒤 세포 내 신호 전달경로를 통해 효과가 나타나는데 이 전달 체계의 개인 편차 등도 효과의 다양성에 영향을 미친다.

2. 약제별 분류 및 특성

마약성 진통제가 수용체와 결합하여 나타나는 반응을 기준으로 순수 작용제(pure agonist), 부분 작용제(partial agonist), 길항제(antagonist), 혼합 작용제-길항제(mixed agonist-antagonist) 그리고 시냅스에서 monoamine의 재흡수를 억제하면서 약한 마약성 진통제의 효능을 나타내는 혼합 작용 기전을 보이는 제제로 나눌 수 있다 표 22-3.

1) 순수 작용제

작용제 기능을 하는 마약성 진통제는 진통제의 용량을 증가해도 최고 효과가 나타나지 않는다. 즉 용량을 증량하면 할수록, 이에 비례해서 효과는 계속 증가하게 되므로, 진통이 충분히 되거나 부작용으로 제한 투여량에 도달할 때까지 투여할 수 있다. 암성 통증 조절에 주로 사용되는 약제와 특성은 다음과 같다.

(1) Codeine

Codeine은 진통제, 기침 완화제 및 설사약의 용도로 사용된다. Codeine은 체내에 흡수가 되면 간 내의 cytochrome P450 enzyme의 일종인 CYP2D6 (sparteine oxygenase)를 통하여 morphine으로 변환되어 효과를 나타낸다. 하지만 백인 인구는 10%, 동북 아시아인의 5% 가량은 CYP2D6를 발현시키는 유전자가 없기 때문에 morphine으로의 전환이 불가능하므로 이 경우는 codeine을 투여해도 진통 효과가 거의 없다. 반대로 아시아인의 1%에서는 CYP2D6를 발현시키는 대립유전자가 최소 3개 이상 있어서 morphine의 변환이 빠르게 이루어지면서 약물 과다에 의한 호흡 곤란 등의 나타날 수도 있다.

또한 codeine은 위장간에서 비교적 잘 흡수되지만, 생체 이용률이 12~84%로 개인 간의 차이가 크다. 이러한 이유로 암 환자에서는 codeine은 기존에 이 약제에 좋은 반응을 보인 경우를 제외하고는 권장되지 않는다.

(2) Morphine

Morphine은 임상에서 가장 널리, 그리고 200년 가까이 오랫동안 사용되어 온 약제이다. 투여 경로도 경구, 직장, 정맥, 근주, 피하, 척수 등 다양한 경로로 투여할 수 있다.

흡수는 경구로 섭취 시 상부 소장에서 주로 흡수가 되며, 간 대사를 거치면서 30% 내외의 생체 이용률을 보이지만 이 또한 사람마다 차이가 상당히 있다. 서방정을 복용했을 때 2.3~3.3시간 사이에 혈중 최대치에 도달하며, 반감기는 1.6~3.4시간이다. 약물은 간에서 글루쿠론산 포합 과정을 통하여서 수용체로 바뀌어서 소변으로 배출이 된다. 따라서 간이나 신장 기능이 떨어진 환자에서는 주의해서 사용해야 한다.

흡수된 morphine은 90%가 대사 산물로 전환이 된다. 이 중 절반 정도는 morphine-3-glucuronide (M3G)로, 10%는 morphine-6-glucuronide (M6G)로 바뀌게 된다. 이 두 가지 대사 산물 중 M6G는 진통 효과를 보이지만, M3G는 아편 수용체에 결합을 하지 않고 오히려 신경 독성 등의 부작용만 유발한다. Morphine을 지속적으로 투여하면 축적된 M3G는 통각과민이나 무해자극통증과 신경 독성을 보일 수 있다. Morphine으로 통증이 비교적 잘 조절되던 환자가 불특정 부위에 가벼운 자극이나 손만 대어도 아픈 증상을 호소할 때는 이런 신경 독성을 의심할 수 있다. 이때는 구조적으로 비슷하지 않은 마약성 진통제인 oxycodone 이나 fentanyl 등으로 교환을 고려해 볼 수 있다.

(3) Hydromorphone

Hydromorphone은 morphine의 유도체로 그 효과와 부작용도 morphine과 비슷하다. Morphine의 5~7.5배 정도의 역가를 지닌다. 대사산물로 발생하는 hydromorphone-3-glucoronide은 M3G보다 신경독성이 더 강한 것으로 알려져 있다.

(4) Oxycodone

Oxycodone은 양귀비 진액 성분 중 thebaine 성분에서 추출한 반합성 마약성 진통제로, 임상에서는 약 100년 전부터 사용되었다. 경구로 복용할 때 생체이용률은 60% 정도이다. 흡수된 약제는 oxycodone 성분 자체가 대부분의 진통 효과를 유발한 뒤, 간에서 70%는 noroxycodone으로, 약 10%에서는 oxymorphone 등의 대사 산물로 바뀐다. Oxycodone 과 대사 산물은 주로 신장을 통하여 배설이 되므로 신기능이 감소한 사람에서는 주의해야 한다. 국내에서는 경구 및 주사제로 이용 가능하다.

암성 통증에서 oxycodone을 morphine과 비교할 때 그 효과나 부작용 측면에서 큰 차이가 나지 않는 것으로 알려져 있다. Oxycodone에 의한 변비를 줄이기 위해, 위장관 내 아편 수용체에 대항제로 작용하는 naloxone을 결합한 복합 제제가 국내에서 널리 사용되고 있다. 이 약제는 oxycodone 단독에 비해 변비 등의 부작용 측면에서는 우월하지만, 기존에 마약성 진통제를 복용하고 있는 환자에서 드물게 경구로 섭취한 naloxone에 의해 금단 증상인 식은땀, 무력감, 오한 등이 발생할 수 있기 때문에 유의해야 한다.

(5) Fentanyl

Fentanyl은 meperidine 약물을 바탕으로 한 합성 마약성 진통제로, 진통 효과를 더 빨리 나타나기 위한 목적으로 1950년 후반에 개발되었다. 다른 마약성 진통제에 비해서 진정 효과가 강하기 때문에 개발 초기에는 마취 목적으로 널리 사용되었고, 반감기는 짧은 편으로 정맥이나 점막 투여 시 약제는 2~4시간 정도 지속된다.

Morphine과 비교할 때 100배 정도의 강도를 가지며, 정맥, 피하, 점막, 척수 등의 경로로 투여 가능하다. 정맥 주입 시 1~2분, 점막투과 제형을 했을 때는 5~15분 만에 진통 효과가 시작된다. 이는 약제 특성이 강한 지용성을 띠기 때문에 혈액 뇌 관문을 잘 통과하기 때문으로 추정된다.

Fentanyl은 분자량이 작고, 지용성이기 때문에 패취나 다양한 점막투과 제형 등이 가능하며, 생체 이용률은 패취 제형은 90% 내외, 점막투과 제형은 50~75%이다. Fentanyl 패취 제형은 부착 후 피하에 약물이 축적되면서 전신 순환을 하기 때문에, 약물이 안정 상태의 농도에 도달하기 위해서는 12~24시간이 필요하며, 반대로 부작용 때문에 제거를 하여도 17시간 가량 지속된다. 따라서 빠른 조절이 필요한 심한 암성 통증에서

는 패취 제형은 적합하지 않다. Morphine에 비해서 변비의 부작용은 적다.

돌발성 통증 특성이 최대 통증 강도에 다다르는 시간이 10분 내외로 짧기 때문에 경구 약제에 비해 효과가 빨리 나타나는 fentanyl 성분의 구강, 설하 혹은 비강 내로 투여하는 제형이 적합하다. 돌발통 조절에 fentanyl 성분 제형을 사용할 때 유의할 것은 경구 마약성 진통제는 하루 통증 조절 필요량의 5~10%를 첫 시작 용량으로 한다. 하지만 fentanyl은 연구 결과를 바탕으로 배경 통증에 필요한 마약성 진통제의 용량에 상관없이 제일 낮은 용량부터 시작하여 적절한 용량을 찾아가야 한다.

2) 부분 작용제

부분 작용제는 mu 수용체에 대해서 순수 작용제와 같은 강한 결합력을 나타내지만, 이로 인한 세포 내 신호 활성도는 낮다. 이러한 원리로 순수 작용제와는 달리 약물은 일정량 이상에서는 약이 최고 효과에 도달하고, 그 이상의 용량에서는 부작용만 증가하게 된다.

(1) Buprenorphine

Buprenorphine은 thebaine 성분에서 추출한 반합성 마약성 진통제로 구조적으로는 morphine과 유사하며, mu 수용체에 강하게 결합한다. Fentanyl처럼 분자량이 작고, 지용성을 띠어서 패취 제형으로 이용 가능하며, 지속 기간은 7일 가량 효과를 유지한다. 간에서 주로 대사가 되어 신장 기능 손상에도 대사 산물의 축적이 없기 때문에 신부전에 감량은 필요하지 않다. 심전도에서 QT 연장의 가능성이 있기 때문에 20 μg/h 내에서 주로 사용한다.

약제 특성상 buprenorphine은 최고 효과를 보이기 때문에 완화 의료에서 일차 약제로서 사용하기 보다는 morphine, oxycodone, fentanyl 등에 반응하지 않을 때 4차 약제로 고려해 볼 수 있다. 한편 buprenorphine은 다른 마약성 진통제 신체적 의존 또는 중독된 환자를

이 약제로 전환한 뒤 끊는 치료 목적으로 이용할 수 있고, 이에 대한 미국 식약청의 허가를 받았다.

3) 혼합 작용제-대항제

혼합 작용제-길항제는 이름 그대로 일부 수용체에는 작용제로, 일부 수용체에는 길항제로 작용하는 약제를 일컫는다. 가령 pentazocine은 kappa 수용체에서는 작용제의 효과를 나타내지만, mu 수용체에서는 길항제로 작용한다. Pentazocine은 morphine의 1/3~1/6, nalbuphine은 morphine과 동등한 진통 효과가 있다. 기존에 morphine과 같은 약제를 투여하는 환자에게 혼합 작용제-길항제를 투여 시에는 금단 증상이 생길 수 있기 때문에 암성 통증에서는 사용이 권고되지 않는다.

4) 순수 길항제

Naloxone과 같은 약제는 mu, delta, kappa 수용체를 모두 같이 차단을 한다. 보통 마약성 진통제의 과량 투여 등의 의한 호흡 억제 등의 부작용을 해소할 때 사용된다. 이때 수용체 차단에 따른 금단 현상까지 함께 동반이 되므로 유의해야 한다.

5) 혼합 작용 기전을 보이는 제제

Tramadol과 같은 약제는 mu 수용체와 결합하여 약한 마약성 진통제 기능을 나타내면서 통증 억제 경로 중 신경전달물질인 세로토닌과 노르에피네프린이 시냅스에서 재흡수되는 것을 저해한다. 따라서 암 환자의 우울증에 사용되는 유사한 기전을 가지는 세로토닌 선택적 재흡수 억제제나 삼환계 항우울증과 함께 사용할 때는 세로토닌 증후군이 발생할 수 있기 때문에 복합 사용을 피해야만 한다.

(1) Tramadol

Tramadol은 앞서 언급한 것과 같이 항우울제와 함께 복용했을 때 시냅스에 세로토닌 과다 축적으로 인한 세로토닌 증후군이 발생할 위험이 있고, 아편 수용체에 결합해서 부분 작용제로 작용하기 때문에, 암성 통증 치료에서는 사용이 권고되지 않는다. 동등 용량의 morphine에 비해서 1/10 정도의 효과를 지닌다. 몸 안에서 효과를 나타내기 위해서는 codeine 활성에도 필요한 CYP2D6 효소를 통해 활성 대사산물인 O-desmethyltramadol으로 전환이 필요하다.

통증 조절 기전이 단순 아편수용체에 결합해서 효과를 보이는 것이 아니라, 복합적 기전에 의한 것이기 때문에 naloxone을 투여하더라도 진통 효과가 완전히 상쇄되지는 않는다. 신장 및 간 기능이 정상인 환자에서 최대 400 mg까지 가능하지만, 고령에서는 발작의 위험 때문에 감량 사용이 권고된다.

(2) Tapentadol

Tapentadol은 비교적 최근에 개발된 약제이며 tramadol과 비슷한 이중 기전으로 진통 효과를 나타내지만, tramadol에 비해서 세로토닌 재흡수를 억제가 약하며, 활성대사 산물로의 전환이 없이 그대로 효과를 나타낸다. 생체이용률은 32% 정도이며, 반감기는 5~6시간이다. 진통 효과는 morphine보다는 떨어지며, tramadol보다는 우수하다.

III 마약성 진통제의 부작용

1. 초기 부작용

마약성 진통제는 약제의 종류, 용량, 투여 경로 및 환자의 상태에 따라서 다양한 초기 및 장기 사용에 따른 부작용이 나타날 수 있다. 암성 통증을 조절하는 데 있어서 마약성 진통제의 부작용의 기전을 이해하고 예방, 조절하는 것은 필수적이다. 이 부작용은 환자가 가지고 있는 질병 자체에 의한 증상과 함께 나타나기 때문에 주의가 필요하다. 예를 들자면 뇌 전이가 있는 폐암 환자에서 뇌압 및 진통 조절을 위한 약제 투여를 하는데, 입 마름과 졸림을 호소할 때 이것이 마약성 진통제의 부작용인지, 탈수, 고혈당, 고칼슘혈증, 전해질 이상, 병변의 진행 모두 가능성이 있기 때문에 감별 진단이 필수적이다.

1) 변비

모든 마약성 진통제는 변비를 유발하고, 다른 부작용과는 달리 시간이 지나도 내성이 생기지 않기 때문에 예방적 완하제의 사용이 권고된다. 변비의 정도는 마약성 진통제의 용량 상관 관계를 보이지는 않는다. 완하제의 종류로 장 근육층 신경 얼기를 자극하는 제재인 sennosides, bisacodyl이 있고, 삼투압성 제재는 lactulose, magnesium sulfate 등이 있다. 이 두 종류의 완하제 중 어느 것이 더 효과가 우월하다는 것은 없지만, 부피 형성 완화제인 차전자피, methylcellulose, psyllium 등은 오히려 변비를 악화시킬 수 있기 때문에 사용하지 않는다. 호스피스 환자에서 변비를 호소하는 환자에게 이 약제를 사용하기 전에 장 폐색, 특히 대변 막힘은 없는지를 감별해야 한다.

마약성 진통제의 길항제를 경구로 복용하는 것을 고려할 수 있다. 국내에서는 oxycodone과 naloxone을 2:1 비율로 만든 복합제로만 이용 가능하다. 이 약제는 장관 내에 아편 수용체에 oxycodone 보다는 naloxone이 더 강한 결합력을 가지는 성질에 기초한다. 장관 내에서 흡수되는 naloxone은 간의 대사 과정을 거치며 대부분 분해가 된다. 무작위 3상 연구에서 oxycodone 단독에 비해 naloxone 복합제가 더 우수한 위장관 부작용 효과를 보였다. 하지만 앞서 언급한 것처럼 마약성 진통제를 복용하던 환자에서는 드물게 naloxone에 의한 금단 현상이 생길 수 있기 때문에 유의해야 한다.

2) 오심/구토

오심/구토는 마약성 진통제의 흔한 부작용 중 하나이지만, 이전에 심한 오심/구토를 경험한 환자를 제외하고는 예방적 약제까지 투여하지는 않는다. 변비와는 달리 지속적인 투여를 할 때 내성을 보이기 때문에 일반적으로 일주일 이상 오심을 경험하지는 않는다. 일주일 이상 환자들이 오심/구토를 호소할 때는 다른 오심/구토를 일으키는 원인들, 장 폐색, 고칼슘혈증, 그리고 무엇보다도 변비가 있지는 않는지 확인해야 한다.

마약성 진통제가 오심/구토를 유발시키는 기전은 연수 내의 화학수용체와 위장관 운동을 감소시킴으로 발생한다. 환자들에게는 마약성 진통제를 처음 사용하기 전에 오심/구토가 생길 수 있음을 알려 준다. 치료는 항도파민 약제인 metoclopramide, haloperidol 등이 사용할 수 있으며, 증상이 지속될 때는 이 약제의 용량을 올리는 것보다는 다른 기전의 약제들, 가령 항세로토닌 제재, olanzapine, glucocorticoid 등을 투여한다. 오심/구토는 용량 의존적이며, 심할 경우에 다른 종류의 마약성 진통제로 바꾸어 주면 증상이 사라지는 경우가 많다.

3) 중추 신경계 부작용 - 진정 및 섬망

중추신경계 부작용은 대체적으로 용량 의존적이다. 진정 작용은 마약성 진통제를 처음 투여받을 때 두드러지게 나타나고, 지속적으로 사용하면 내성이 생겨서 수일 이내에 증상이 감소한다. 일부 환자에서 투여 후에 나타나는 과도한 수면은 진통으로 인해 수면 부족에 시달리던 환자가 통증 조절이 되면서 자연스레 나타나는 증상일 가능성이 있으므로 자세한 문진이 필요하다. 또한 일부 임종기 환자의 불응성 증상 조절을 위해, 마약성 진통제를 증량하여 인위적인 진정을 유도하는 목적으로 사용하여도 안되며, 이때는 완화적 진정 등을 고려해야 한다.

마약성 진통제는 섬망을 유발할 수 있으며, 증상은 단기 기억력 감소 및 수면 주기의 변화를 특징으로 환각 및 망상까지 나타날 수 있다. 유의할 것은 섬망은 전신 상태를 악화시키는 모든 신체 변화, 가령 질병의 악화, 변비, 감염, 전해질 불균형, 통증 등과 같은 것이 유발 원인이 될 수 있기 때문에 약제에 의한 것으로 단정하기 이전에 주의 깊은 병력 청취와 검사가 필요하다.

4) 소변 정체

마약성 진통제는 간혹 방광에서 요 정체 유발해서 환자가 배뇨 곤란을 호소하게 한다. 요 정체를 유발하는 기전은 정확하게 알려져 있지 않지만, 배뇨근의 긴장도와 수축력을 감소시키며, 방광에 소변 충만감에 대한 감각이 떨어지는 것과 연관이 있다. 하지만 방광 경부 괄약근의 긴장도 증가는 시키지 않는다. 이 증상은 naloxone으로 호전 가능하며, 내성이 빠르게 생겨서 좋아지기도 한다.

5) 가려움증

경구로 마약성 진통제를 복용한 환자의 2~10%, 패취 제형은 3~15%, 정맥 주사는 10~50% 그리고 척수강 내로 투여한 환자의 대부분에서 가려움증을 호소한다. 유발 기전은 잘 알려져 있지 않지만, 말초성과 중추성 경로 모두 관여하는 것으로 추정된다. 말초성 경로는 마약성 진통제가 비만 세포에서 히스타민 분비를 자극해서 발생한다. 이에 비해서 중추성 경로는 뇌 안의 mu 아편 수용체를 자극함으로써 세로토닌, 도파민 수용체와 프로스타글란딘 모두 가려움증을 유발하는 데 관여한다.

증상 조절은 항히스타민만으로는 불충분하며, 이때는 중추신경계에 작용하는 항세로토닌 제재, haloperidol, propofol, NSAID, gabapentin 등의 사용을 고려할 수 있다.

6) 간대성 근경련

모든 마약성 진통제는 근육경련을 일으킬 수 있지만, 반복적으로 meperidine을 사용하는 경우에 가장 흔히 발생한다. 신경독성의 일환으로 갑작스런, 그리고 일시적, 불수의적인 근육 수축이 일어난다. 용량 증가와 상관 관계를 보이며 독성 대사물이 축적되어 발생하는 것으로 추정한다. 환자가 잠들 때 많이 경험하며, 진행하면 발작으로 이어질 수 있다.

치료는 마약성 진통제를 끊거나 다른 성분의 약제로 전환을 고려한다. 만일 환자가 임종이 가까워서 진통제를 끊기가 곤란한 경우에는 midazolam과 같은 benzodiazepine 계통의 약물 투여를 고려한다.

7) 호흡 억제

호흡 억제는 의료진들이 마약성 진통제를 사용할 때 우려하는 것에 비해서, 신 기능과 간 기능이 안정적인 상태에서는 매우 드물게 생기는 부작용이다. 마약성 진통제가 중추 신경계 전반을 억제함으로 생기는 증상이기 때문에 의식 저하와 함께 느린 호흡을 동반한다. 만일 환자가 숨을 가쁘게 몰아 쉬거나 흥분된 모습을 보일 경우는 다른 원인을 찾아보도록 한다.

만일 느린 호흡과 함께 의식 저하가 있는 환자가 올 때는 naloxone을 바로 투여하지 말고 환자의 상태를 잘 살핀다. 환자의 의식 상태가 깨웠을 때 바로 일어나면 naloxone을 보류하고, 진통제 투여를 중지한 채 주의 깊게 관찰한다.

하지만 만일 환자의 저하와 함께 깨워도 일어나지 않을 때는 naloxone을 고려하도록 한다. 이때 그대로 투여하면 환자는 금단 증상에 의한 극심한 고통으로 깨어나기 때문에, 1:10으로 희석 투여를 하면서 경과를 본다.

2. 오랜 사용에 따른 부작용

마약성 진통제는 환자가 오랜 시간을 사용했을 때에 신체적 의존, 중독 및 약제 유발성 통각 과민 등의 부작용이 발생할 수 있다.

1) 신체적 의존

마약성 진통제에 대한 신체적 의존의 유병률은 암성 통증 환자의 0~8%에 이르는 것으로 보고되며, 약제가 몸에 빠르게 효과가 나타날수록 의존 위험도는 증가하게 된다. 이런 신체적 의존성은 정신적인 의존을 뜻하는 중독과는 구분을 해야 한다.

신체적 의존이 생기는 기전은 각성을 담당하는 신경전달물질인 노르아드레날린의 분비를 주로 하는 청반핵이 마약성 진통제에 지속적으로 노출되면서 기능의 변형이 생겼기 때문이다. 마약성 진통제가 오랜 시간 노출되면 졸림, 호흡 억제 등의 부작용을 이겨내기 위해서 청반핵에서 노르아드레날린 분비를 많이 하는데, 이렇게 지속적으로 공급되던 약제가 갑자기 끊어지면 이 호르몬의 분비 과다로 인해서 위와 같은 금단 증상이 생기는 것이다.

마약성 진통제에 신체적 의존성이 생긴 환자가 이 약제를 복용하지 않았을 때는 초조, 불안, 무기력, 발열, 식은땀, 관절통, 눈물, 콧물 등이 나며 심한 경우에는 복통, 오심, 구토 등의 증상이 발생하게 된다. 증상들의 정도는 치명적이지는 않지만, 환자가 약제의 도움 없이 그대로 참고 견디기는 힘든 정도다. 마약성 진통제를 3일 정도만 사용해도 신체적 의존이 발생할 수 있다. 따라서 이를 예방하기 위해서는 통증의 원인이 없어지면 금단 증상이 생기지 않게 25%씩 단계적으로 감량하여 완전히 끊도록 한다. 단계적 감량만으로 치료가 힘들 때는 buprenorphine 등으로 전환해서 끊거나, clonidine과 같은 중추성 교감신경 억제 약물을 사용하기도 한다.

2) 내성

마약성 진통제를 장기간 사용하게 되면 약제의 효과가 점차 감소하는 내성이 발생할 수 있다. 내성이 발생하는 기전은 잘 알려져 있지 않지만, 아편 수용체의 탈감작화나 약제에 의해 비활성화된 수용체가 재생되는 과정에서 세포 내로의 섭취가 잘 되지 않는 것이 그 원인으로 제기되고 있다. 진통 조절이 잘되던 암 환자가 통증을 호소할 때에는 약제의 내성 또는 다른 원인에 의한 통증 악화를 의심하여야 한다. 이때는 다른 종류로 약제를 전환하거나 증량한다.

3) 중독

중독은 신체적 의존이나 내성과는 구별되는 증상이다. 마약성 진통제에 의한 중독은 다양한 기전을 통해 중변연계 도파민 시스템에서 도파민 분비를 증가시켜 보상체계를 교란시키는 것으로 알려져 있다.

중독은 통증이 조절됨에도 불구하고 부작용을 감수하면서 지속적이고 강박적으로 마약성 진통제, 특히 속효성 제재를 갈구하는 부적응 행동을 일컫는다. 중독은 신체적 의존에 비해 유전적, 심리적, 사회, 문화적 원인이 복합적으로 어우러져서 생기는 복잡한 현상이다. 중독과 통증이 잘 조절되지 않아서 진통제를 계속 찾게 되는 가성중독(pseudoaddiction)과는 다르며, 이 경우는 통증이 조절되면 더 이상 마약성 진통제를 찾지 않게 된다.

4) 마약성 진통제 유발성 통각과민

마약성 진통제에 의한 통각과민 현상은 약제에 지속적으로 노출되어 통각수용체가 민감해지면서 나타나는 것으로 정의한다. 즉 진통제가 통증을 유발하는 역설적인 상황이 발생한다. 마약성 진통제로 통증이 오랫동안 잘 조절되던 환자가 갑자기 특정 부위가 아니라 몸 전체에 걸쳐, 표현하기 힘든 불편함, 특히 손만 대어도 아프다고 할 때 의심을 한다. 약제 내성이나 암의 진행 혹은 감염 등으로 인한 통증과 감별이 필요하며, 마약성 진통제 용량을 증가하여서 통증이 감소하면 내성일 가능성이 높고, 반대로 50% 정도 용량을 줄여 호전이 된다면 약제에 의해 유발된 통각과민 가능성이 있다. 발생 기전은 잘 알려져 있지 않지만, NMDA 수용체가 관여하는 것으로 알려져 있다.

치료는 진통제 용량을 줄이면서 NMDA 수용체에 대

한 강력한 길항제인 ketamine이나, NSAIDs 등을 함께
사용한다.

참고문헌

1. Allouche S, Noble F, Marie N. Opioid receptor desensitization: mechanisms and its link to tolerance. Front Pharmacol 2015;5:280.
2. Bandieri E, Romero M, Ripamonti CI, et al. Randomized Trial of Low-Dose Morphine Versus Weak Opioids in Moderate Cancer Pain. J Clin Oncol 2016;34(5):436-42.
3. Benyamin R, Trescot AM, Datta S, et al. Opioid complications and side effects. Pain Physician 2008;11:S105-20.
4. Davies A, Buchanan A, Zeppetella G, Porta-Sales J, Likar R, Weismayr W, et al. Breakthrough cancer pain: an observational study of 1000 European oncology patients. J Pain Symptom Manage 2013;46(5):619-28.
5. Davies AN, Dickman A, Reid C, Stevens AM, Zeppetella G. The management of cancer-related breakthrough pain: recommendations of a task group of the Science Committee of the Association for Palliative Medicine of Great Britain and Ireland. Eur J Pain 2009;13(4):331-8.
6. Gasche Y, Daali Y, Fathi M, Chiappe A, Cottini S, Dayer P, et al. Codeine intoxication associated with ultrarapid CYP2D6 metabolism. N Engl J Med 2004 Dec 30;351(27):2827-31.
7. Juba KM, Wahler RG, Daron SM. Morphine and hydromorphone-induced hyperalgesia in a hospice patient. J Palliat Med;16(7):809-12.
8. Kang JH, Lee GW, Shin SH, Bruera E. Opioid withdrawal syndrome after treatment with low-dose extended-release oxycodone and naloxone in a gastric cancer patient with portal vein thrombosis. J Pain Symptom Manage 2013;46(2):e15-7.
9. Kim DY, Song HS, Ahn JS, Ryoo BY, Shin DB, Yim CY, et al. The dosing frequency of sustained-release opioids and the prevalence of end-of-dose failure in cancer pain control: a Korean multicenter study. Support Care Cancer 2010;19(2):297-301.
10. King SJ, Reid C, Forbes K, et al. A systematic review of oxycodone in the management of cancer pain. Palliat Med 2011;25(5):454-70.
11. Kleeberg UR, Filbet M, Zeppetella G. Fentanyl buccal tablet for breakthrough cancer pain: why titrate? Pain Pract 2011;11(2):185(1)-90.
12. Mercadante S, Bruera E. Opioid switching in cancer pain: From the beginning to nowadays. Crit Rev Oncol Hematol 2016;99:241-8.
13. National Cancer Control Institute, Ministry of Health & Welfare. Cancer pain management guideline. 6th ed. Goyang Ministry of Health & Welfare, National Cancer Center 2015.
14. National Comprehensive Cancer Network. Adult Cancer Pain 2016 (accessed 2016 21/Dec); Available from: www.nccn.org/professionals/physician_gls/PDF/pain.pdf.
15. Reddy A, Yennurajalingam S, Desai H, Reddy S, de la Cruz M, Wu J, et al. The opioid rotation ratio of hydrocodone to strong opioids in cancer patients. Oncologist 2014;19(11):1186-93.
16. Schmidt-Hansen M, Bromham N, Taubert M, et al. Buprenorphine for treating cancer pain. Cochrane Database Syst Rev 2015; 31(3):CD009596.
17. Smith HS. Variations in opioid responsiveness. Pain Physician 2008;11:237-48.
18. Waldhoer M, Bartlett SE, Whistler JL. Opioid receptors. Annu Rev Biochem 2004;73:953-90.
19. Weschules DJ, Bain KT. A systematic review of opioid conversion ratios used with methadone for the treatment of pain. Pain Med 2008;9(5):595-612.

23장

비마약성 진통제와 보조진통제

| 신성훈, 이국진 |

I 비마약성 진통제

비마약성 진통제는 마약성 진통제가 아닌 진통제를 말한다. 비스테로이드성 소염진통제(non-steroidal anti-inflammatory drugs, NSAIDs), 아세틸살리실산(acetylsalicylic acid), 아세트아미노펜(acetaminophen) 등이 이에 포함되는 약제들이다.

1. 서론

비마약성 진통제는 전 세계에서 경증에서 중등도 통증 치료에 사용되고 있다. 암성 통증의 치료에서 경증 통증의 경우에는 비마약성 진통제 단독 또는 병용 투여로 시작하는 것을 진통 조절 사다리의 첫 번째 단계로 규정하고 있으며, 통증이 심화될 때는 마약성 진통제의 보조치료로 비마약성 진통제를 사용하도록 하고 있다. 비마약성 진통제의 장점으로는 약제의 접근 용이성, 환자들에게 친숙함, 복약의 편리성, 다른 진통제와 병용하였을 때의 상승 효과, 상대적으로 저렴한 비용 등이 있다. 하지만, 비마약성 진통제를 사용함으로써 발생하는 부작용도 상당히 발생할 수 있기 때문에 주의가 필요하다.

2. 비스테로이드성 소염진통제(NSAIDs) 및 아세틸살리실산(Acetylsalicylic acid)

1) 작용기전

NSAIDs는 프로스타글란딘(prostaglandin)의 생성을 억제하는 것이 작용의 주요기전이다.

프로스타글란딘은 세포막 인지질로부터 자체적으로 생성된 arachidonic acid의 효소분해를 통해 생성된 지질 용해 물질이다. 프로스타글란딘은 체내에 저장되지 않으며, 많은 조직에서 생리효과의 매개체로 작동하고, 다양한 유해자극에 대한 염증 연쇄반응을 유발한다.

Cyclooxygenase (COX)라는 효소가 arachidonic acid를 프로스타글란딘 G2 (PGG2)로 바꾸는 작용을 하며, NSAIDs는 COX의 억제를 통해 프로스타글란딘의 생성

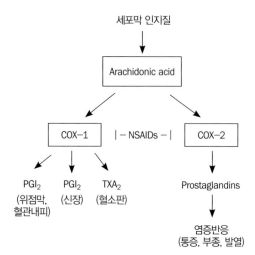

세포막 인지질

↓

Arachidonic acid

COX-1 | − NSAIDs − | COX-2

PGI₂   PGI₂   TXA₂   Prostaglandins
(위점막,   (신장)   (혈소판)
혈관내피)

염증반응
(통증, 부종, 발열)

그림 23-1. COX에 대한 NSAIDs의 작용

표 23-1. 경구 NSAIDs

	약동학		용량
비선택적 NSAIDs			
이부프로펜 (Ibuprofen)	최대 혈중농도	15~30분	400~800 mg을 하루 3~4회
	단백질 결합율	99%	
	반감기	2~4시간	
디클로페낙 (Diclofenac)	최대 혈중농도	2~3시간	50~75 mg을 하루 3회
	단백질 결합율	99%	
	반감기	1~2시간	
나프록센 (Naproxen)	최대 혈중농도	1시간	500 mg을 하루 2회
	단백질 결합율	99%	
	반감기	14시간	
인도메타신 (Indomethacin)	최대 혈중농도	1~2시간	25 mg을 하루 2~3회
	단백질 결합율	90%	
	반감기	2.5시간	
멜록시캄 (Meloxicam)	최대 혈중농도	5~10시간	7.5~15 mg을 하루 1회
	단백질 결합율	99%	
	반감기	24시간	
COX-2 억제제			
셀레콕시브 (Celecoxib)	최대 혈중농도	2~4시간	200~400 mg을 하루 2회
	단백질 결합율	97%	
	반감기	6~12시간	

을 억제하는 것이 작용의 주요기전이다.

COX에는 COX-1과 COX-2라는 두 가지의 아형이 있다. COX-1은 많은 조직에서 프로스타글란딘을 형성하는데, 위점막을 보호하고 신장기능을 유지하며 혈소판 응집을 촉진하는 기능을 하게 된다. COX-2는 대부분 복합과정을 통해 염증, 발열, 통증을 일으키게 된다 **그림 23-1**.

모든 NSAIDs는 COX-1과 COX-2를 둘 다 억제하지만, 두 가지 아형에서 어느 쪽을 더 억제하는지는 약제마다 차이가 있다. COX-1/COX-2를 비선택적으로 억제하는 기존의 NSAIDs와 달리, COX-2를 훨씬 더 많이 억제하는 약제를 COX-2 선택적 억제제(coxib)라고 한다.

2) 약리작용 **표 23-1**

대부분의 NSAIDs는 경구로 흡수되며, 흡수는 주로 상부위장관인 위점막에서 일어나게 된다. 경구로 섭취할 경우 각 NSAIDs 약제의 반감기에 따라 다르지만, 주로 30분 내에 효과가 나타나기 시작하며 최대혈중농도에 다다를 때 나타나는 절정효과는 보통 120분 내에 발생한다.

NSAIDs 중 ketorolac과 ibuprofen 같은 약제들은 주사형 제제로 투약이 가능하며, 경정맥 또는 근육주사로 투약할 수 있다. 주사형 제제와 경구형 제제의 장, 단점에 대해서 비교한 연구는 아직 별로 없는 상태이다.

모든 전신적으로 작용하는 NSAIDs들은 매우 친화적으로 단백질 결합이 된다. 혈장 단백질 결합의 비율은 90~99%에 이른다. NSAIDs들은 주로 간에서 대사되는데, cytochrome P450 체계에 따라 이루어지며 개인별 차이 및 유전적 인자, 다른 약제의 영향 등에 따라 복합적인 영향을 받게 된다.

NSAIDs는 대부분 체내의 모든 조직에 빠르게 분포된다. 지질에 용해가 잘되는 NSAIDs일수록 중추신경으로 분포가 더 잘되지만, 혈장에서는 대부분 단백질에 결합되어 있어 대부분의 약제성분은 혈장 내에 남아 있게 된다.

NSAIDs는 자유형 또는 결합형 형태로 주로 소변에서 배출된다. 소변 pH에 따라 자유형 또는 결합형의 상대적인 양이 결정되게 된다.

3) 효과 및 역할

(1) 경도 또는 중등도의 병발성 통증 조절

완화의료를 시행받는 암 환자에서 암과 관련이 없는 여러 가지 통증이 같이 발생할 수 있다. 이러한 병발성 통증이 경도 또는 중등도인 경우 NSAIDs를 사용하여 통증을 효과적으로 조절할 수 있다.

(2) 암성 통증의 규칙적인 조절

WHO의 3단계 진통제 사다리에서 경한 암성 통증에 사용하는 진통제로 NSAIDs를 권하고 있다. 이들은 마약성 진통제와 달리 내성이 발생하거나 신체적 의존성을 보이지 않는 장점이 있는 반면, 천정효과(ceiling effect)가 있어서 권장용량보다 더 많이 사용하는 경우 진통효과는 사용량에 비례하여 늘어나지 않고 부작용이 더 심해지는 특징이 있다. 중등도 또는 심한 암성통증에는 마약성 진통제를 사용하면서 비마약성 진통제를 같이 사용함으로써 마약성 진통제의 효과를 높이고 사용량을 줄여 부작용을 감소시킬 수 있다.

(3) 암의 뼈전이에 의한 통증의 조절

악성종양의 뼈전이에 의한 통증조절에 NSAIDs가 방사선치료와 더불어 중요한 역할을 한다. 주된 작용기전은 프로스타글란딘 합성의 억제를 통한 통증 민감도의 감소 및 부종 감소이다. 또한 통상적으로 사용되는 진통용량에서 악성세포의 뼈용해 작용이 억제되는 것이 여

러 연구에서 보고되었다. 이외에도 척수에서 통증신호의 전달과정에 영향을 미쳐 직접적인 진통효과를 보이기도 한다.

4) 부작용 표 23-2

(1) 위장관 부작용

경구 NSAIDs의 가장 흔한 부작용은 위장관에서 일어난다. 증상은 다양하게 나타나는데, 표적장기 손상이 없이 오심, 통증, 소화불량 등의 비특이적인 증상에서부터 궤양과 동반된 위/소장의 미란같이 심각한 부작용까지 나타날 수 있다. 미란 또는 궤양은 NSAIDs 사용자의 30%까지 나타날 수 있고, 심한 정도에 따라 증상이 다양하게 나타난다. 이로 인한 출혈도 경미한 수준에서부터 생명을 위협하는 정도까지 다양하게 일어

표 23-2. NSAIDs의 흔한 부작용

부작용이 발생하는 기관	증상
위장관	통증 오심 위미란, 궤양 출혈 천공
신장	수분과 염분 저류 부종 고칼륨혈증 약제효과의 감소 – 고혈압약 – 이뇨제
심혈관	가슴통증 호흡곤란 하지부종
중추신경계	어지럼증 현훈 두통 혼돈 우울감
혈소판	활성화 억제 출혈위험도 증가
과민반응	비염 기관지 천식 두드러기 안면홍조 저혈압 쇼크

날 수 있다. 비선택적 COX-1/COX-2 억제 NSAIDs를 복용하는 환자는 복용하지 않는 환자에 비해 소화궤양질환의 위험도가 약 5배 높아지고, 상부위장관 출혈의 위험도는 4배 정도 상승하는 것으로 알려져 있다.

COX-2 억제제를 복용하는 환자들은 비선택적 COX 억제제를 복용하는 환자들보다 유의하게 위장관 부작용의 위험이 낮다. 비록 COX-1 억제가 NSAIDs 유발 위장관 부작용의 유일한 기전은 아니지만, 무작위 대조군 연구에서 COX-2 선택적 억제제는 비선택적 NSAIDs와 비교하여 통계적으로 유의하게 적은 수의 위십이지장 궤양이 나타났고, 임상적으로 중요한 궤양 합병증의 발생도 감소시켰다. Coxib를 투여한 환자에서 출혈 사건, 증상이 동반된 궤양 등의 위장관 합병증은 비선택적 NSAIDs를 투여한 환자의 절반 수준이었다. 하지만, 저용량 아스피린을 같이 복용하는 경우는 COX-2 억제제나 비선택적 NSAIDs에서 궤양합병증의 발생 차이가 별로 나타나지 않는 것으로 일부 연구에서 보고되었다. 따라서, 저용량 아스피린을 병용하여 복용하는 환자에서는 COX-2 억제제의 위장관 합병증 보호 효과가 감소하는 것으로 보인다.

비선택적 COX 억제제에서 위장관 부작용의 위험도는 약제마다 다양한데, 이 중에서 ibuprofen이 상부위장관 출혈의 위험도는 가장 낮은 약제이다. NSAIDs를 사용하지 않는 군과 비교하여, coxib를 사용하는 군이 가장 위장관 출혈의 위험도가 낮았고 그 다음으로 ibuprofen, diclofenac 순이다. Flurbiprofen, indomethacin, naproxen은 중등도의 위험을 보였고, aspirin과 ketorolac은 상대적으로 높은 위험도를 보였다.

위장관 합병증의 위험도는 다른 여러 인자에 따라 다르게 나타날 수 있다. NSAIDs의 사용기간은 위장관출혈의 위험도와 약간의 관계가 있는 것으로 되어있는 반면에, NSAIDs의 고용량 투여가 위장관출혈의 빈도를 확연히 높이는 것으로 되어 있다. 특정한 임상특성과 동반질환이 위장관 부작용의 가능성을 매우 높인다. 65세 이상의 고령, 헬리코박터 파일로리(*Helicobacter pylori*) 감염, 최근 1년 내의 소화궤양, 스테로이드/저용량 아스피린/항응고제 중 하나 이상의 약제와 병용투여, 진행성 질환, 심혈관 질환, 신장 및 간 기능 저하, 당뇨, 흡연, 과도한 알콜 섭취 등이 위험인자로 알려져 있다.

취약한 환자들에게 기존의 NSAIDs를 투여할 때 위장관 부작용의 위험이 높아지므로, 예방적 위보호제의 사용이 고려되어 왔다. 양성자 펌프억제제(proton pump inhibitors, PPIs)와 misoprostol 이 두 약제는 위와 십이지장 궤양의 빈도를 줄이는 것으로 보고되었다. 비록 misoprostol이 위궤양을 예방하는 데는 조금 더 효과적이지만, 설사 부작용이 종종 있어 대부분은 PPIs가 약물순응도가 더 좋다. 위장관 합병증의 위험도가 높은 환자들은 비선택적 NSAIDs와 적합한 위보호제인 PPIs를 같이 사용하거나, COX-2 선택적 억제제를 단독으로 사용하는 것이 추천된다. 이 두 가지 치료는 287명의 관절염 환자를 대상으로 한 무작위 이중맹검 연구에서 사용되었는데, diclofenac과 omeprazole을 같이 투여하는 그룹과 celecoxib 단독을 투여하는 그룹으로 나누어 6개월 동안 관찰하였다. 재발성 궤양의 위험도는 양군에서 유의하게 차이가 나지 않았다. 최근에는 고위험군 환자에서 COX-2 선택적 억제제와 PPIs를 병용하여 재발성 궤양출혈을 예방할 수 있는지가 연구되었다. 이 무작위 이중맹검 연구에서는 441명의 상부위장관 출혈 병력이 있는 환자를 celecoxib 200 mg 하루2회 단독으로 투여한 군과 celecoxib 같은 용량과 esomeprazole 20 mg 하루 2회로 병용하여 투여한 군으로 나누어 12개월 동안 관찰하였다. 12개월 내에 출혈 재발의 빈도는 PPIs 병용군에서 celecoxib 단독군과 비교하여 유의하게 낮았으며, 양군에서 치료 중단의 확률이나 다른 부작용의 발생은 유의한 차이가 없었다.

(2) 신장 부작용 및 고혈압
비선택적 NSAIDs는 COX-1과 COX-2 양쪽을 억제하는데, 이들은 prostaglandin과 thromboxane을 생성하는 속도 조절 효소들이다. 염증과 통증에서의 역할 외에도 prostaglandin은 혈관 긴장, 염분 및 수분 균형, 레닌(renin) 방출에 중요한 매개체 역할을 한다. PGE2는 원위 신세뇨관에서 나트륨 재흡수의 매개역할을 하고, 나트륨 재흡수가 증가된 상황에서는 염분과 수분의 재흡수를 억제하여 길항조절작용을 하게 된다. PGI2와 PGE2는 renin의 분비를 촉진시킴으로써 칼륨배설을 증가시키고, renin-angiotensin 체계를 활성화시켜 aldosterone 분비를 증가시킨다. 이러한 혈관확장 작용을 하는 prostaglandin들은 또한 유효 혈류량이 감소된 상황에서 신혈류와 사구체 여과율을 증가시키고 칼륨 배설을 증가시키게 된다. 정상적인 체액 상태의 환자에서는, 신장의 prostaglandin은 나트륨과 수분의 항상성을 유지하는데 주 역할을 하지 않는다. 하지만 탈수, 출혈, 울혈성 심부전, 간경화, 이뇨제 사용, 염분섭취의 제한 등과 같이 신장으로의 혈류가 감소되는 상황에서는 신장의 prostaglandin들이 중요한 보상기전의 매개체로서 작용하게 된다. 이러한 상황에서 비선택적 NSAIDs는 사구체여과율을 감소시키는 것과 같은 부작용을 일으킬 수 있다. 반대로, 염분섭취가 과다하거나 체액이 증가된 상황에서는, 비선택적 NSAIDs 사용이 염분저류를 일으켜, 혈압을 상승시키거나 기존의 고혈압을 더 악화시키는 부작용을 나타나게 할 수 있다.

이렇게 비선택적 COX-1/COX-2 억제제에 의해 발생되는 부작용은 선택적 COX-2 억제제에 의해서도 나타날 수 있다. 두 종류의 NSAIDs 모두 단기간 또는 장기간 투여 후에 급성 신부전과 고혈압을 일으킬 수 있다. 이 약제들은 모두 기존의 신기능 저하가 동반된 환자에서 신부전을 악화시킨다. 만성 신부전을 가지고 있는 환자들은 심부전, 간경화, 탈수와 같이 교감-아드레날린 그리고/또는 renin-angiotensin 체계가 활성화 되는 질환이 동반된 상황에서 적합한 신기능의 유지를 위해서 정상적인 prostaglandin 상태에 의존하게 된다. 대부분의 PGE2와 PGI2의 생성이 COX-2의 활성화에 의해 영향을 받기 때문에, 비선택적 COX 억제제와 COX-2 선택적 억제제 사이의 신독성 위험은 차이가 없다. NSAIDs의 긴 반감기 때문에 장기간의 비선택적 또는 선택적 NSAIDs의 투여는 신부전의 발생과 악화를 증가시킬 수 있다.

(3) 심혈관 부작용

울혈성 심부전은 NSAIDs 투여로부터 발생할 수 있는데, 특히 취약하거나 고령의 환자에서 발생할 가능성이 높다. 다른 심질환의 병력이 있는 경우 심부전의 위험도는 높아지게 된다. Thromboxane (TXA2)은 강력한 혈관수축인자이고 혈소판응집을 촉진한다. TXA2는 COX-1의 활성화에 의해 유도되고, 결국은 혈전을 잘 형성하게 하는 작용을 하게 된다. 반면에 PGI2는 혈관확장을 일으키고 혈소판의 응집을 억제하게 된다. COX-2의 선택적 억제는 TXA2의 상대적인 활성도를 증가시켜 결국 혈전형성을 촉진하게 된다. 문헌들에 의하면 모든 NSAIDs는 심근경색, 뇌졸중과 같은 혈전합병증의 위험도를 높이는 것으로 되어 있다.

하지만 NSAIDs의 종류에 따라 심혈관 부작용의 위험도에 대한 보고가 다소 다르다. 관상동맥질환을 가진 환자를 대상으로 한 연구들에서는, 선택적 COX-2 억제제를 투여하여 COX-2의 활성도가 감소한 경우에 급성 심혈관 부작용의 위험도가 커진 것을 확인하였다. 그러나, 어떤 연구에서는 고용량의 naproxen을 사용한 경우에는 이렇게 심혈관 부작용의 위험도가 상승한 결과를 보이지 않음을 보고하였다. 한 메타분석에서는 coxib와 비선택적 NSAIDs를 4주 이상 투여한 무작위배정 연구들을 분석하였고, 결과는 coxib와 고용량의 ibuprofen/diclofenac을 투여한 경우는 혈관 부작용의 위험도가 중등도로 상승한다는 것이었다.

결론적으로 모든 NSAIDs는 (비선택적 COX-1/COX-2 억제제이거나 COX-2 선택적 억제제이든) 약제마다 정도의 차이는 있지만, COX-2에 대한 억제 작용을 통해 혈전형성을 유발하여 혈관합병증의 위험도를 높일 수 있다.

5) 투여금기와 약물상호작용

(1) 투여금기

NSAIDs의 부작용들을 고려해 볼 때, 완화치료에서 NSAIDs의 사용에는 많은 상대적인 금기가 있다. 위장관 출혈의 위험이 높은 환자에서는 NSAIDs 투여를 신중히 해야 한다. 1년 이내에 위장관 출혈이 있었거나, 소화궤양질환의 병력이 있거나, 또는 과거에 NSAIDs 유발 위십이지장 질환이 있거나, 고령, 심각한 기저질환, 스테로이드와의 병용투여 등이 위험인자가 위험인자이다.

임상적으로 유의한 신기능저하가 있는 경우 NSAIDs 투여하기에는 매우 위험한 환자들이 되겠으며, 간질환이 있거나 심혈 관계의 병력이 있는 경우도 NSAIDs 투여의 상대적인 금기 대상이다.

NSAIDs 유발 천식이나 확인된 NSAIDs 관련 알려지 반응이 있는 환자들은 일반적으로 모든 NSAIDs 투여의 금기대상이다.

(2) 약물상호작용

NSAIDs는 또한 여러 다른 약제와의 상호작용이 알려져 있는데, 특히 진행성 질환이 있는 환자에서 주의가 필요하다. 예를 들어, NSAIDs를 lithium, methotrexate, amino-glycoside와 같이 투여하는 경우에는 신기능저하로 인해 이들 병용약제들의 혈중농도를 높일 수 있다. NSAIDs의 높은 혈장 단백질 결합은 phenytoin과 같은 병용약제의 활성도를 높여서 부작용을 일으킬 수 있다. NSAIDs는 warfarin의 대사를 약화시켜 약제효과를 상승시키는 등의 상호작용이 있기 때문에, 항응고제를 투여하고 있는 환자에서의 NSAIDs 사용은 강한 상대적 금기로 되어 있다.

6) 투여 시 권고사항

고령의 취약한 환자들에게 약제를 사용할 경우의 일반 원칙은 가능한 약제의 수를 줄이고, 약제의 가능한 부작용 대비 효과를 평가하여 신중하게 투여를 결정하는 것이다. 진행된 암 환자에서 NSAIDs의 사용은 알려진 연구결과에 비해 실제 부작용이 더 많을 가능성이 높으므로, 면밀한 검토를 거쳐 투약을 결정해야 할 것이다.

3. 아세트아미노펜(Acetaminophen)

아세트아미노펜은 전 세계에서 가장 흔하게 사용되는 진통제, 해열제 중 하나이고, 처방약 및 일반의약품으로 쉽게 구할 수 있다. 소아에서는 aspirin과 Reye 증후군의 연관성 등이 보고되고 있어, 아세트아미노펜이 해열제 중에서 안전성과 효과를 고려할 때 가장 추천되는 약제이다.

1) 작용기전

아세트아미노펜의 작용부위는 뇌일 것으로 생각되나, 아직도 정확한 작용기전은 알려져 있지 않다.

비록 아세트아미노펜이 NSAIDs나 aspirin과 유사한 작용을 나타내지만, 실험연구에서 아세트아미노펜은 COX-1과 COX-2쪽은 강력하게 억제하지 않는 것으로 나타났다. 따라서, 아세트아미노펜의 치료효과를 설명할 수 있는 기전은 더욱 연구가 필요한 상태이다.

아세트아미노펜은 해열 작용이 있으며, 이것은 뇌의 체온조절 중추에 작용하는 것으로 설명된다.

2) 약리작용 및 효과

(1) 약리작용

아세트아미노펜은 매우 다양한 약제형태로 사용 가능하며, 약제 단독 또는 다른 진통제와 병용하여 투약할 수 있다. 전적으로 위장관을 통해 빠르게 흡수되고, 위배출(gastric emptying)이 아세트아미토펜의 흡수에서 속도 결정 단계가 된다. 따라서, 위배출 시간을 바꾸는 약제, 질환, 상황 등이 아세트아미노펜의 흡수에 영향을 미치게 된다. 위장관으로 흡수된 약제는 간에서 cytochrome P450 체계를 통해 산화 반응 및 일차 대사를 거친 후에 전신순환에 들어가서 작용하게 된다. 경구복용을 한 후에 약 30~60분 후에 혈중농도가 정점에 다다르고, 혈장에서의 반감기는 약 2시간이다. 치료용량 투여 후에 90~100%의 약제는 하루 내에 소변에서 검출되는데, 주로 간에서 glucornic acid (약 60%), sulphuric acid (약 35%)와 결합된 후 나오게 된다.

(2) 효과
연구들에서 암 환자의 경증 통증에서 비마약성 진통제로 아세트아미토펜의 투여는 위약 대조군보다 통증조절에서 우월한 효과를 보였다.

암성 통증 환자에서 아세트아미노펜을 NSAIDs와 비교하거나 병용하여 투여한 연구결과는 아직 충분히 보고되지 않았지만, 한 무작위배정, 이중맹검, 위약비교 연구에서는 암성 통증 환자에서 아세트아미노펜을 경구 마약성 진통제에 추가한 경우 통증 경감과 전반적인 만족감을 향상시키는 효과를 보였다.

(3) 부작용
아세트아미노펜의 통상적인 치료용량에서는 부작용이 드물며, 장기간 투여에서도 NSAIDs와 비교하여 부작용이 적다는 점이 임상적인 측면에서 약제의 장점이 되겠다.

아세트아미노펜의 심각한 부작용은 사고 또는 고의로 인해 약물을 과다복용함으로써 발생한다. 과용량을 투여하는 경우(대개 간질환이 없는 경우 단일약제로 10 g/day 이상) 글루쿠로니드(glucuronide) 및 황산염(sulphate)와의 결합에 의한 대사가 포화가 되므로, 반응성 중간 대사산물이 과량 생성되고 이것은 간 내의 글루타티온(glutathione)을 고갈시키고 간세포괴사를 일으킬 수 있다. 과량복용에 의한 간세포괴사는 응급상황으로 지체없이 N-acetyl-L-cysteine을 투여하여야 한다.

II 보조진통제

보조진통제는 암성 통증의 일차 적응증은 아니지만, 특정한 상황에서 통증 완화에 도움을 주는 약제들이다. 보조진통제는 암이나 다른 진행성 질환이 아닌 만성 통증에서 단독으로 사용되기도 하지만, 암 환자에서는 마약성 진통제로 잘 조절되지 않는 암성 통증이 있을 경우에 함께 사용된다. 또한, 마약성 진통제로 인한 부작용이 심할 때 진통제의 용량을 줄이고 진통 효과를 유지하기 위하여 사용되기도 한다.

보조진통제는 다양한 종류의 약제들이 있다. 목적에 따라 약제들을 크게 분류하면, 다목적 보조진통제, 신경병성 통증의 보조진통제, 골 통증의 보조진통제, 기타 보조진통제가 있다 표 23-3, 4.

보조진통제에 대한 충분한 이해를 통해, 마약성 진통제와 적절하게 병용하여 사용한다면 좋은 진통효과를

표 23-3. 보조진통제의 분류

다목적 보조진통제	신경병성 통증 보조진통제
스테로이드 항우울제 알파-2 아드레날린 작용제	다목적 보조진통제(좌측약제 포함) 항경련제 나트륨통로 차단제 NMDA 수용체 길항제 GABA 수용체 작용제
골 통증 보조진통제	**장폐쇄 통증 보조진통제**
스테로이드 비스테로이드성 소염진통제 뼈파괴세포 억제제 RANKL 표적약제 방사성의약품	항콜린제 소마토스타틴 유사물질 스테로이드
국소 진통제	**기타**
캡사이신 국소 마취제 국소 비스테로이드성 소염진통제 국소 삼환계 항우울제	카나비노이드

표 23-4. 흔히 사용되는 보조진통제의 분류와 용량 범위

분류	약제종류	하위 분류	약제명	초기용량	상용용량
다목적 진통제	스테로이드		Dexamethasone	다양	1~2 mg BID
			Prednisone	다양	5~10 mg BID
	항우울제	TCA	Nortriptyline	10~25 mg qHS	50~150 mg qHS
		SSRIs	Citalopram	10~20 mg qD	20~40 mg qD
		SNRIs	Duloxetine	20~30 mg qD	60~120 mg qD
		기타	Bupropion	50~75 mg BID	300~450 mg qD
	아드레날린 작용제		Tizanidine	1~2 mg qHS	2~8 m BID
	국소진통제		Lidocaine 5% patch	1~3 patches 12 h/day	
신경병성 통증 보조진통제	항경련제		Gabapentin	100~300 mg BID	300~1,200 mg TID
			Pregabalin	25~75 mg BID	150~300 mg BID
	나트륨통로 차단제		Lidocaine IV	1~2 mg/kg, 30~60분	2~4 mg/kg
	NMDA 차단제		Ketamine	0.05~1.5 mg/kg/h	다양
	GABA 작용제		Clonazepam	0.5 mg qHS	0.5~3.0 mg qD
골 통증 보조진통제	골파괴세포 억제제	Bisphosphonate	Pamindronate	–	60~90 mg, 매달 IV
	RANKL 표적치료제		Denosumab	–	120 mg, 매달 SC
장폐쇄 통증 보조진통제	항콜린제		Glycopyrrolate	0.1 mg qD	0.1~0.2 mg TID
	소마토-스타틴 유사체		Octreotide	다양	0.1~0.3 mg BID

기대할 수 있다.

1. 다목적 보조진통제

만성통증의 다양한 경우에 도움을 주는 것으로 연구되어 있는 약제들이 이에 해당된다.

1) 스테로이드

(1) 적응증 및 효과

① 다양한 종류의 통증에 효과: 골 통증, 신경병성 통증, 장폐색으로 인한 통증 또는 장기의 피막 팽창으로 인한 통증, 림프부종으로 인한 통증, 뇌압 상승으로 인한 두통 등

② 통증 외에도 오심, 피로, 식욕부진 등의 증상에도 효과

③ 기전은 항염증효과와 통각 신경계에 대한 효과 등으로 설명

(2) 덱사메타손(Dexamethasone)

① 장점: 긴 반감기와 적은 광물코르티코이드(mineralocorticoid) 효과

② 초기 부하용량: 다양함

③ 상용 용량

- 저용량의 경우: 10~20 mg의 덱사메타손을 부하 후, 1~2 mg을 경구 또는 주사로 하루 1~2회 투여

- 고용량의 경우: 매우 심한 통증이나 마약성 진통제에 반응하지 않을 경우 고려, 척수압박증후군의 경우 50~100 mg의 덱사메타손을 부하 후, 부하용량의 50~100%를 하루에 나누어서 투여하고, 몇 주 안에 빠르게 감량하는 것을 원칙으로 함

- 부작용: 신경정신증상(섬망, 기분장애), 고혈당, 고혈압, 근병증, 쿠싱증후군, 당뇨, 골다공증, 장기적인 부신억제

(3) Prednisone

① 초기 부하용량: 다양함

② 상용 용량: 보통 5~10 mg 하루 2회로 시작

③ 부작용: 덱사메타손과 유사

2) 항우울제

(1) 적응증 및 효과

① 기분을 좋게 함

② 마약성 진통제의 효과를 상승시킴

③ 화끈거리는 지속적 신경병성 통증에 효과적임

④ 통증과 우울증이 있는 수면 장애에도 유용

⑤ 항우울제의 진통 작용기전은 중추신경계의 통증 조절 신경경로내의 모노아민(monoamine) 이용을 향상시키는 것과 연관되는 것으로 설명되고 있음

(2) 삼환계 항우울제(Tricyclic antidepressant)

① 종류: 3차 아민합성물(amitriptyline, imipramine, doxepine), 2차 아민합성물(nortriptyline, desipramine)

② 특성 및 부작용

  • 2차 아민합성물이 3차보다 진정작용이 덜하며, 항콜린작용도 적어 독성이 덜한 장점이 있음

  • 삼환계 항우울제의 진통작용은 항우울작용과 상호작용이 있으나, 항우울작용에 의해서만 진통이 이루어지는 것은 아님(통상적으로 진통제로서의 용량은 항우울제로서의 용량보다 낮으며, 진통효과도 항우울효과보다는 빠르게 나타남)

(3) 세로토닌-노르에피네프린 재흡수 억제제(Serotonin-norepinephrine reuptake inhibitor, SNRI)

① 종류: duloxetine, milnacipran, venlafaxine, desvenlafaxine

② 특성

  • Duloxetine의 진통작용이 가장 연구가 많이 되어

있으며, 항암제로 인한 신경병성 통증에서 일차 치료제로 적합함

  • Venlafaxine은 비암성 신경병증과 유방암 환자에서 유방절제술 후 통증에 효과가 보고됨

  • 부작용: 오심, 성기능장애, 졸림 등이 있을 수 있으나 삼환계 항우울제보다는 상대적으로 덜함

(4) 선택적 세로토닌 재흡수 억제제(Selective serotonin reuptake inhibitor, SSRI) 및 기타 항우울제

① 종류: SSRI로 paroxetine, citalopram, escitalopram 등, 기타 약제로 bupropion

② 특성

  • SSRI는 암성 통증에 일부약제의 제한된 연구결과만 보고되어 있음

  • Bupropion은 노르아드레날린과 도파민 양측에 작용하는 약제로, 신경병성 통증 완화에 효과적이다. SSRI와 유사한 정도의 효과가 있으며 성기능장애가 덜한 것으로 되어 있으나 더 많은 연구가 필요함

3) 알파-2 아드레날린 작용제

(1) 적응증 및 효과

마약성 진통제로 조절되지 않고 다른 항우울제의 시도에도 효과가 없는 취약한 환자

(2) 특성

① 알파-2 아드레날린 작용제의 진통기전은 중추신경계에서 모노아민(monoamine) 의존적인 내인통증조절 경로의 활성화와 연관된 것으로 추정

② Clonidine은 다양한 통증증후에 효과가 있으며, 경막 외 투여는 심한 암성 통증에서 통증경감에 효과를 보임

③ Tizanidine은 항경련제로 승인되어, 근막통증과 만성두통에서 효과를 보임

(3) 부작용

졸림, 저혈압 등으로 인해 사용이 제한됨. Tizanidine이 저혈압 부작용이 clonidine보다 덜하기 때문에, 더 안전하게 투약을 시도할 수 있다.

2. 신경병성 통증 보조진통제

보조진통제는 신경병성 통증의 조절에서 중요한 역할을 한다. 비록 마약성 진통제가 중등도 또는 중증의 통증을 가진 암 환자에서는 처음에 사용되나, 진통효과와 부작용사이의 바람직한 균형이 이루어지지 않을 때는 보조진통제를 보통 고려할 수 있다.

마약성 진통제가 듣지 않는 신경병성 통증을 가진 환자에서는 모든 다목적 진통제가 사용될 수 있다. 스테로이드, 항우울제, 국소약제 등이 이러한 상황에서 고려된다. 그 외에 신경병성 통증에서 효과가 있는 보조진통제를 아래에 소개한다.

1) 항경련제

(1) 적응증 및 효과

① 여러 종류의 신경병성 통증에서 효과가 확인: gabapentin과 pregabalin이 대표적이다.
② 마약성 진통제에 불응하는 암 환자의 신경병성 통증에서 효과가 증명된다.
③ 기전: Gabapentinoid가 N-type, voltage-gated calcium channel에 결합하여, 칼슘의 세포내 유입을 감소시키고 세포의 탈분극을 감소시킨다.

(2) Gabapentin

① 초기 용량: 자기 전에 100~300 mg으로 시작, 신체적으로 취약하거나 신기능저하가 있을 경우 더 낮은 용량으로 감량해야 한다.
② 상용 용량: 필요 시 수일마다 증량, 천정효과가 나타나거나 조절하기 어려운 부작용이 나타날 때까지 증량하여 하루 총 2,700~3,600 mg (2~3회 분할)까지 투약 가능하다.
③ 주의점 및 부작용: 약물 간 상호작용은 적으며, 신장으로 배설되어 신기능저하 환자에서 감량이 필요함. 흔한 부작용은 어지러움, 졸림, 하지부종임.

(3) Pregabalin

① 초기용량: 하루 50~75 mg으로 시작, 취약하거나 신기능저하가 있는 환자는 하루 25 mg으로 감량하여 시작한다.
② 상용 용량: Gabapentin과 같은 방법으로 증량하며, 하루 300~600 mg (2회 분할)까지 사용 가능하다.
③ 주의점 및 부작용: Gabapentin과 유사하다.

(4) Carbamazepine

상용 용량은 200~400 mg이며, 삼차신경통(trigeminal neuralgia)의 일차치료제이다.

2) 나트륨통로 차단제

(1) Lidocaine

① 정맥으로 1~4 mg/kg를 30분에서 1시간 동안 투여한다.
② 심한 신경병성 통증에서 효과가 보고되어 왔으나, 부정맥 등의 부작용이 우려된다.

(2) Lacosamide

나트륨통로를 조정하는 특유의 기전을 가진 새로운 약제로 보고된 부작용이 적어 기대됨. 아직 암 환자의 신경병성 통증에서의 연구가 더 필요한 상태이다.

3) NMDA 수용체 길항제(N-methyl-D-aspartate receptor antagonist)

NMDA 수용체는 중추신경의 감작과 마약수용체의 기능에 관여한다.

(1) Ketamine

① 마약성 진통제의 보조치료로 여러 연구들이 보고된다.

② 단기간 또는 장기간으로 피하 또는 주사 또는 경구로 투약 가능하다.

③ 초기 용량: 하루에 150 mg을 피하로 투여한다.

④ 부작용 및 주의점: 고혈압, 빈맥, 심각한 정신병 유사증상(예: 분열증상)이 발생 가능. 투약 후 부작용 감시가 필요하며, 벤조디아제핀 또는 신경이완제를 같이 사용하여 정신병 유사증상 발생의 위험을 낮출 수 있다.

4) GABA 수용체 작용제(Gamma-aminobutyric acid receptor agonist)

GABA 수용체는 통증의 발생 과정에 관여한다.

(1) Clonazepam

① GABA type A 수용체 억제작용을 통해 신경병성 통증에서 효과적이다.

② 진통제로서의 근거는 충분하지 않으며, 심한 불안과 동반된 통증에서 사용이 추천된다.

(2) Baclofen

① 항경련제로서 삼차신경통에서 효과가 입증된다.

② GABA type B 수용체를 억제한다.

③ 척수강내 투여(intrathecal baclofen)는 강직성 통증 완화에 유용하다.

④ 다른 진통제에 반응하지 않는 신경병성 통증에서 시도해 볼 수 있다.

3. 골 통증 보조진통제

골 통증은 암성 통증 중에서 가장 흔한 통증 중 하나이다. 국소적인 골전이로 인한 통증은 방사선치료로 조절될 수 있으며, 특히 골절의 위험도가 높은 경우에는 방사선치료를 적극적으로 고려해야 된다. 척추 쪽의 시술과 수술이 특정한 상황에서는 도움이 될 수 있다.

다발성 골 통증을 가진 환자는 마약성 진통제로 조절하거나, 스테로이드와 NSAID, 기타 보조진통제를 같이 써볼 수 있다. 골 통증의 보조진통제로 투약할 수 있는 기타 보조진통제들은 다음과 같다.

1) 뼈파괴세포 억제제(Osteoclast inhibitor)

(1) 비스포스포네이트계(Bisphosphonate)

① 기전: 뼈파괴세포를 억제하여 골흡수를 감소한다.

② 골통증을 포함한 골관련 증상의 위험을 감소시킨다.

③ 종류: 주사제(pamidronate, zoledronic acid, ibandronate, clodronate), 경구제(ibandronate, clodronate)

④ 부작용: 인플루엔자유사 증상, 저칼슘혈증으로 인한 증상, 신기능저하 등이다.

⑤ 주의점

• 투약 전에 신기능을 확인하여 저하 시에는 감량하여 투약이 필요하다.

• 반복적인 투약은 턱의 골괴사 또는 대퇴골 골절과 같은 심각한 부작용을 야기할 수 있음을 주의한다.

• 불량한 치아 상태, 국소 감염 또는 최근의 발치 등은 턱의 골괴사를 호발시키는 요인이 될 수 있으므로 이러한 경우에는 다른 치료방법을 고려한다.

(2) 칼시토닌

비강분무제(intranasal formulation) 또는 매일 피하 투여 방법을 사용하였으나 현재는 피하 투여 방법만 인정. 비강분문제는 사용하기는 편리하나 통증 완화의 정도가 낮고 암발생 증가시킨다는 보고 있어 현재는 사용중단. 칼시토닌 피하 투여는 다른 약제의 투여가 어렵거나 효과가 없을 경우 고려한다.

2) RANKL 표적치료제

- Denosumab은 골파괴를 형성하고 활성화하는 데 중요인자인 RANKL를 표적으로 하는 단클론 항체이다.
- 고형암의 골전이 환자에서 zolendronic acid와 비교한 연구에서 골관련 증상을 예방하는 효과가 유사한 것으로 확인된다.
- 비스포스포네이트계 약제보다 진통효과가 크다는 근거는 없다.

3) 방사선의약품

- 뼈에 대한 선택적 방사선핵종(strontium 89, rhenium-186, samarium-153)은 전이로 인한 다발성 골통증에서 단일치료 또는 일반방사선치료의 보조치료로 효과적일 수 있다.
- 골수기능억제의 부작용이 발생할 수 있어, 다른 치료법에 통증이 반응하지 않거나 골수억제 가능성이 있는 항암치료가 계획되어 있지 않은 환자에게 고려한다.

4. 장폐쇄 통증 보조진통제

복강 내 또는 골반의 종괴로 인해 장폐색이 발생할 경우, 완화적 수술이나 스텐트 시술이 어려운 상황이면 완화치료가 필요하다. 비위관 삽입을 통해 감압을 시도할 수 있고, 약물치료로는 적절한 수액공급 및 마약성 진통제로 통증조절을 하는 것이 기본이다. 보조진통제로는 스테로이드, 항콜린제, 소마토스타틴 유사체 등을 투약해 볼 수 있다.

1) 항콜린제

(1) 항콜린제는 위장운동을 감소시키고 장내분비물을 감소시킴

(2) Hyoscine (scopolamine), glycopyrrolate

① 수술을 할 수 없는 장폐색에서 통증 및 증상의 완화 효과가 있다.

② 경피 패치나 피하 지속 주입한다.

③ 부작용: 혈뇌장벽(blood-brain barrier)을 통과하여 중추신경 부작용(졸림, 혼돈 등)을 일으킬 수 있다.

2) 소마토스타틴 유사체

(1) 위, 췌장, 장의 분비물을 억제하고 위장운동을 감소시킴

(2) Octreotide

① 장폐색으로 인한 통증 및 오심/구토에 효과적이다.

② 악성 장폐색 환자에서 항콜린제 투여와 비교하였을 때 빠르고 우월한 효과를 보인다.

③ 투여 방법: 반복적인 피하주사 또는 지속주입. 100 mcg을 하루 2회 투여로 시작하여 효과를 볼 때까지 증량한다.

④ 특별한 부작용이 없음, 비용이 고가여서 사용에 제한이 있다.

5. 국소진통제

1) 적응증 및 효과

환자의 전신상태가 취약하거나 복합적인 약제 투여로 인해 약제 부작용이 우려될 경우 국소진통제는 전신작용이 덜해 대안으로 고려될 수 있다.

2) 특성

- 국소마취제로 lidocaine 5% 패치는 대상포진 신경통 치료에 허가를 받았으며, 모든 국소적인 통증에 효과를 볼 수 있음. 하루에 12시간 동안 3개의 패치까지는 전신부작용이 없이 안전하게 투여할 수 있다.
- 캡사이신(Capsaicin) 저용량(0.075~0.1%) 연고는

신경병성 통증 또는 관절통에 효과를 입증함. 투여 시작 후 국소적인 작열감을 호소하나, 대부분 일시적이다.

- 국소 NSAID는 연고 또는 패치(diclofenac, aspirin)가 허가되어, 주로 근골격계 통증에서 효과적이다.
- 국소 삼환계 항우울제 연고는 국소적인 신경병성 통증에 유용하다.
- 복합제 연고: 아미트립틸린, 케타민, 바클로펜을 함유한 복합 연고는 항암제 유발 말초신경염(chemotherapy-induced peripheral neuropathy)에 전신부작용이 거의 없으면서 효과적이다.

6. 기타

1) 카나비노이드(Cannabinoids)

(1) 기존의 마약성 진통제를 사용해도 경감되지 않는 통증에 사용 고려

(2) 특성

- 구강점막스프레이제제 카나비노이드인 nabiximol은 다발성 경화증의 통증이나 마약성 진통제 내성 암성 통증에 사용 고려한다.
- 경구 합성 카나비노이드인 nabilone은 섬유근통증증후군(fibromyalgia)과 강직성 통증(spasticity-related pain) 완화에 도움이 된다.
- 흔한 부작용으로 어지러움, 졸림, 구강건조증이 알려져 있다.

6부

참고문헌

1. 이경식, 완화의학, 서울: 군자출판사: 2005.
2. Barton D.L., Wos E.J., Qin R., A double-blind, placebo-controlled trial of a topical treatment for chemotherapy-induced peripheral neuropathy: NCCTG trial N06CA. Support Care Cancer 2011;19(6):833-41.
3. Chan F.K., Hung L.C., Suen B.Y., et al. Celecoxib versus diclofenac and omeprazole in reducing the risk of recurrent ulcer bleeding in patients with arthritis. N Engl J Med 2002;347(26):2104-10.
4. Chan F.K., Wong V.V., Suen, B.Y., et al. Combination of a cyclooxygenase-2 inhibitor and a proton-pump inhibitor for prevention of recurrent ulcer bleeding in patients at very high risk: a double-blind, randomised trial. Lancet 2007;369(9573):1621-6.
5. Eduardo B., Irene H., Charles F.V., et al. Textbook of Palliative Medicine.: CRC Press; 2009.
6. Fromm G.H., Terrence C.F., Chattha A.S., et al., Baclofen in the treatment of trigeminal neuralgia: double-blind study and long-term follow-up. Ann Neurol 1984;15(3):240-4.
7. Kearney, P.M., Baigent, C., Godwin, J., et al. Do selective cyclo-oxygenase-2 inhibitors and traditional non-steroidal anti-inflammatory drugs increase the risk of atherothrombosis? Meta-analysis of randomised trials. BMJ 2006;332(7553):1302-8.
8. McNicol, E., Strassels, S.A., Goudas, L., et al. NSAIDS or paracetamol, alone or combined with opioids, for cancer pain∘ Cochrane Database Syst Rev 2005;(1):CD005180.
9. Mercadante S., Ripamonti C., Casuccio A., et al., Comparison of octreotide and hyoscine butylbromide in controlling gastrointestinal symptoms due to malignant inoperable bowel obstruction. Support Care Cancer 2000;8(3):188-91.
10. Nathan I.C., Marie T.F., Kaasa S., et al., Oxford Textbook of Palliative Medicine. Fifth Edition: Oxford University Press; 2015.
11. Rostom, A., Muir, K., Dubë, C., et al. Gastrointestinal safety of cyclooxygenase-2 inhibitors: a Cochrane Collaboration systemic review. Clin Gastroenterol Hepatol, 2007;5(7):818-28.
12. Semenchuk MR., Sherman S., Davis B., Double-blind, randomized trial of bupropion SR for the treatment of neuropathic pain. Neurology 2011;57(9):1583-8.
13. Singh, G., Fort, J.G., Goldstein, J.L., et al. Celecoxib versus naproxen and diclofenac in osteoarthritis patients: SUCCESS-1 study. Am J Med 2006;119(3):255-66.
14. Sriram Y., Eduardo N., Oxford American Handbook of Hospice and Palliative Medicine and Supportive Care. second edition: Oxford University Press: 2016.
15. Stockler, M., Vardy, J., Pillai, A. et al, Acetaminophen (paracetamol) improves pain and well-being in people with advanced cancer already receiving a strong opioid regimens: a randomized double-blind, placebo-controlled cross-over trial. J Clin Oncol 2004;22(16):3389-94.
16. World Health Organization. Cancer Pain Relief: With a Guide to Opioid Availability. Geneva: WHO; 1996.

24장

통증의 비약물 요법

| 김대현, 전미선 |

Ⅰ 통증의 중재적 시술

암 통증의 치료에서 WHO 진통제 사다리를 비롯한 가이드라인에 따르면 마약성 진통제를 포함한 약물치료가 가장 중심적인 치료 방법이다. 그러나 이러한 약물치료를 적극적으로 시행하더라도 10~20%의 환자들에 있어서는 통증 조절이 어려움이 있다는 것 또한 분명한 사실이다. 이러한 약물치료에 불응성 통증의 경우 약물치료 이외의 다른 통증 치료 방법을 모색하여야 하며, 중재적 시술을 통한 통증치료를 고려하게 된다.

중재적(침습적) 통증 치료를 의뢰할 수 있는 일반적인 적응증은 크게 두 가지이다. 첫째는 약물치료를 비롯한 비침습적 치료로 적절한 통증 조절이 이루어지지 않는 경우이며, 두번째는 마약성 진통제와 관련한 감내할 수 없는 부작용으로 더 이상 마약성 진통제를 증량할 수 없는 경우이다.

현재의 가이드라인에 따르면 통증이 적절히 조절되지 못할 경우 심한 부작용이 없다면 마약성 진통제 용량을 제한 없이 증량할 것이기 때문에 약물치료로 통증을 조절하지 못한다는 것과 부작용으로 인해 마약성 진통제를 증량하지 못하는 경우라고 위에 언급한 두 가지 적응증은 실제 임상에서는 같은 의미라고 볼 수 있다.

한편 NCCN 성인 암성 통증 권고안에서는 상기한 적응증 이외에 다른 적응증을 한 가지 더 제시하고 있다. 즉 약물치료로 통증 조절에 실패한 경우 이외에도 중재적 시술을 적용하였을 때 통증이 쉽게 조절될 가능성이 높은 경우를 제시하고 있다. 이러한 견해는 중재적 시술의 시행이 위험도가 낮고 효과가 좋을 것으로 예상된다면 약물치료가 한계에 부딪히기 이전이라 하더라도 조기에 시도할 수 있다는 보다 적극적인 관점이다.

예를 들면 신경병증 통증과 같이 약물치료에 반응이 낮을 것으로 예상되는 고위험군 환자(표 24-1)에 대해서는 약물치료를 포함한 모든 비침습적 방법들이 소진되기 이전에 중재적 시술을 시행할 수 있다는 것이다. 중재적 시술을 포함한 다학제적 치료를 더욱 적극적으로 고

표 24-1. 통증 조절이 어려울 것으로 예상되는 고위험 환자군

고위험 요소의 양상	임상례
신경병증성 통증	Pancoast tumor에 의한 상완 신경총 병증
병적골절이나 창상 치료와 같은 극심한 체성 통증	병적 골절 또는 괴사조직 제거술
통증 강도의 변화가 매우 심한 통증	체중 부하나 움직임에 의한 통증 악화
진통제 부작용에 특이적으로 민감한 환자	심한 통증을 호소하면서도 초기 용량의 진통제 사용에도 심한 부작용을 보이는 경우

려하여 비약물적 치료를 보다 적절한 시점에 시행될 수 있도록 하자는 것이다.

중재적이라는 용어는 사전적인 포괄적 의미로 사용되는 경우 어떠한 통증 치료에도 사용될 수 있는 용어이다. 예를 들어 통증을 중재하기 위한 진통제 치료와 같이 사용될 수 있다. 그러나 이 장에서 다루고 있는 중재적 치료는 약물치료를 비롯한 비침습적 치료에 대비되는 침습적 치료를 통한 통증 조절 방법의 의미로 사용하였다.

본 장에서는 진료 현장에서 흔히 볼 수 있는 통증의 중재적 치료에 대한 부적절한 견해 및 태도에 대해 먼저 언급하고, 통증의 중재적 시술에 대한 개념 및 분류, 흔히 사용되는 시술(교감 신경 파괴술, 체성 신경 파괴술, 척수 진통제 주입법, 경피적 척추체 성형술)의 구체적인 적응증과 적용 시기, 이익과 위험도, 국내 상황 및 중재적 통증 치료의 장애 요인에 대해 언급하고자 한다. 비약물적 요법 중 보완대체요법에 관련된 내용은 34장에서 다룰 예정이다.

1. 흔히 볼 수 있는 통증의 중재적 치료에 대한 부적절한 견해

통증의 중재적 시술에 대해 흔히 접하는 부적절한 견해는 신경 차단술을 비롯한 중재적 시술을 다학제적 포괄적 치료의 한 구성 요소로 생각하지 않고 극단적으로보는 경향이다.

첫째는 통증 치료를 위한 중재적 시술을 모든 수단이다 소진되었을 때 적용하는 통증 치료를 위한 최후의 수단으로 여기는 것으로, 이러한 견해는 전통적으로 많

이 형성된 오해로 통증 치료의 방법들을 개별화하여 지나치게 순차적으로 적용하는 관점이다. 이것은 올바른 관점과 거리가 있으며 특히 장기간 고용량의 마약성 진통제를 사용할 때 발생하는 많은 부작용과 문제점을 고려할 때 더욱 그러하다. 중재적 통증 치료는 임종 직전의 마지막 시도가 아니라 완화치료적 관점에서 적절한 시기에 환자 개개인에 대한 포괄적인 평가를 바탕으로 최선의 위험 대비 이익을 고려하여 선택적으로 이루어지는 것이 올바르다고 할 수 있다.

둘째는 중재적 통증 치료를 통해 암성 통증을 완전히 제거할 수 있다는 과도한 효과를 기대하는 것이다. 완화치료 환자의 통증에는 여러 가지 요인이 복합적으로 작용하기 때문에 어떤 한 가지 치료에 과도한 효과를 기대하는 것보다 약물치료를 근간으로 하는 다학제적 치료의 한 부분으로 이해하는 것이 옳은 견해이다. 이러한 오해로 인해 임상에서 흔히 중재적 시술 이후 모든 진통제에 의한 약물치료를 중단하는 사례가 흔히 일어나며 이로 인한 통증 조절 실패로 의료진과 환자 양자에게 많은 혼란을 가져오기도 한다.

이러한 부적절한 견해를 극복하기 위해서는 다학제적 포괄적인 통증 치료의 관점에서 중재적, 침습적 통증치료가 차지하는 위치와 역할을 이해해야 한다. 여기에서 말하는 다학제적 포괄적 통증 치료(multidisciplinary comprehensive pain management)란 완화치료 환자의 통증 조절을 위해 약물치료, 정신의학, 재활의학, 마취과학, 신경외과적 방법과 방사선 치료, 항암제 치료를 통합적으로 적용하는 방법을 의미한다.

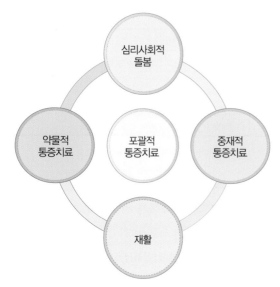

그림 24-1. 포괄적 통증치료

결론적으로 그림 24-1과 같이 중재적 통증 치료는 다학제적 포괄적 통증 치료의 한 구성 부분(특히 약물치료를 근간으로 하는)으로서 환자에게 가장 적절하고 효과적인 통증 치료를 제공하는 관점에서 보아야 한다.

2. 중재적 통증 시술의 분류와 종류

중재적 통증 치료를 단일한 분류법을 통해 분류하기는 어렵다. 이는 중재적 통증 시술이 통증을 조절하기 위한 목적으로 시행되는 다양하고 이질적인 방법들로 구성되며 환자 개개인에 대한 포괄적인 평가를 바탕으로 구체적으로 적용되기 때문이다. 여기서는 먼저 개념적 분류를 시도하여 보고 다음으로 흔히 사용되는 시술의 종류의 순서로 기술하였다.

1) 중재적 통증 시술의 개념적 분류 표 24-2

여러 가지 방법으로 개념적으로 중재적 통증 시술을 분류할 수 있겠으나 개념적으로 상반되는 성격의 ablative modality (제거적, 차단적 수단)와 augmentative modality (증강적 수단)의 두 가지 범주로 분류하여 볼 수 있다.

그림 24-2의 모식도와 같이 통증이 특정한 신경 경로를 통하여 대뇌에 전달된다고 한다면 ablative modality는 이러한 신경 경로를 파괴하여 침해성 자극의 전도를 차단함으로써 통증 조절을 시도하는 범주의 방법을 말합니다. 이러한 신경 경로의 차단은 신경파괴제의 주입이나 수술적 방법을 통해 신경계에 병소를 형성함으로써 이루어진다. 일반적으로 신경파괴제를 사용한 신경차단술(neurolytic neuronal blockade)이 이 범주에 속한다.

신경차단 요법에 사용되는 사용되는 신경 파괴제는 크게 화학적, 물리적, 수술적 방법이 있다 표 24-2. 화학적 신경파괴제는 알코올이 가장 흔히 사용되며 현재는 시판되고 있는 무수알코올을 사용한다. 교감신경, 지주막하, 말초신경블록을 하기 위해 50~100%의 알코올을 사용하며 알코올은 신경의 지방을 추출하고 단백을 침전시켜 신경차단 효과를 나타낸다. 알코올은 농도를 달리 하여도 신경 굵기에 따른 선택적 차단은 되지 않는 것으로 알려져 있다. 또 다른 약제는 페놀로서 4~10%를 사용하며 지주막하에서는 glycerin에 희석하여, 말초신경에는 조영제나 식염수를 희석하여 사용한다. 페놀

표 24-2. 중재적 통증 시술의 개념적 분류

차단적 수단	증강적 수단
• 신경용해성 주사나 수술적 방법에 의한 통각전달차단 • 신경파괴술 방법 　– 화학적 　　알콜 　　페놀 　– 고주파 열 응고술 　– 냉동 신경파괴술 　– 절개	• 약물주입법 　– 암성 통증 치료의 주요수단 　– 연속적인 주입 기술 발전 • 전기적 자극술 　– 암성 통증치료의 보조적 수단

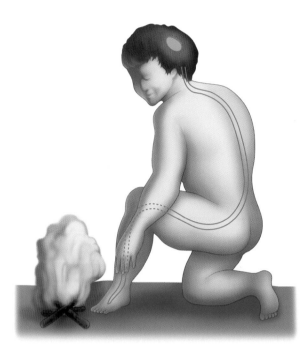

그림 24-2. Ablative modalities의 개념도
출처: Descartes'(1664) concept of pain pathway

은 국소마취제 효과를 가지고 있어 주입 시 거의 통증이 없으나 전신 흡수 시 중추신경 억제와 심혈관계 허탈과 같은 독성이 심한 반면 알코올은 심각한 전신적 독성은 없으나 주입 시 심한 통증을 일으킨다.

물리적 방법으로 가장 흔히 사용되는 방법은 고주파 열응고법(radiofrequency thermocoagulation)과 냉동파괴술(cryoneurolysis)이다. 수술적 방법은 말 그대로 외과적 수술을 통해 신경을 절단하는 방법이다.

통증 전달 경로를 파괴하여 통증을 감소시키려는 ablative modality와 달리 augmentative modality는 통증을 전달하는 신경계에 직접 약물을 주입하거나 신경계에 전기 자극을 가하여 신경계가 갖고 있는 통증 억제 기능을 증강시킴으로써 통증을 감소시키는 방법이다. 대표적으로 척추 약물주입법과 척수전기자극술을 들 수 있다. 이 중 척추 약물 주입법이 암성 통증 조절에 중요한 비중을 차지하는 방법이며 후자는 암성 통증보다는 비암성 만성 통증(척추 수술후 통증 증후군 등)에 주로 사용된

다. 최근 약물 주입 장치의 기술적 발전에 힘입어 적용 범위가 넓어졌으나 우리나라에서는 가장 진보된 형태인 프로그램형 완전 이식형 약물 주입기(programmable implantable drug delivery device)의 경우 50% 본인 부담으로 보험 급여되어 비용적 부담이 큰 편이다.

2) 임상에서 흔히 사용되는 방법들의 분류

통증 치료를 위한 중재적 방법들이 모두 앞에서 살펴본 개념적 분류에 포괄되지 않는 측면과 개념적으로는 가능하지만 임상에서 흔히 사용되지 않는 방법들도 있다는 점을 고려하여 흔히 사용되는 방법을 열거하여 보면 **표 24-3**과 같이 요약할 수 있다.

표 24-3에 포함되지 않은 방법을 포함하여 열거하면 다음과 같다.

- 근육내 통증 유발점 주사 또는 관절강내주사요법(myofascial pain syndrome과 관절통 환자에서 국소마취제+/−스테로이드 주사요법)
- 신경에 대한 국소마취제+/−스테로이드주사요법(소위 nerve block이라 하며, 특히 radiculopathy에 대한 척추 신경근 주사, 요통에 대한 척추신경 후지 내측지 차단술(medial branch block) 등이 흔히 사용됨)
- 부위마취(plexus를 비롯한 말초 또는 중추신경에 지속적으로 국소마취제를 투여하여 신경전도를 차단하는 방법: 상완 신경총차단술, 요천추 신경총차단술, 경추신경총(cervical plexus) 차단술)
- 교감신경 차단술(복강 신경총, 상하복 신경총, 요추 교감신경절, 외톨이 신경절)
- 말초신경 차단술(늑간 신경, 삼차신경. 음부신경, 등)
- 지주막하 신경파괴술(지주막하 알코올 신경 파괴술이라고도 하며 특히 체간, 항문 회음부 꼬리뼈 통증에 유용)
- 고주파열응고법(radiofrequency thermocoagulation: 말초신경이나 척추 신경근 파괴술 cordotomy 등에

표 24-3. 흔히 사용되는 중재적 시술

중재적 시술	적응증	주요 부작용	특기 사항
척수강내 진통제 투여법 (IT therapy)	• 약물치료에 반응하지 않는 두경부 이외의 통증 • 약물치료의 감내할 수 없는 부작용	감염, 경막천자후 통증(postdural puncture headache). 그러나 척수 손상은 드물다.	경과에 여러 가지 방법으로 약을 투여할 수 있다. 특별한 부작용이 없다면, 기계 이식 비용은 수개월간 전통적인 방법으로 진통제를 투여하는 것과 크게 다르지 않다.
복강 신경총 파괴	내장성 통증(상복부와 거기서 시작되는 통증). 위 하부에서 횡행결장을 침범한 질환에서 시작되는 통증; 췌장암성 통증이 가장 대표적인 적응증	일시적인 저혈압, 설사 매우 드문 경우이지만 척수 손상이 있을 수 있다.	효과가 90% 이상인 안전하고 좋은 시술이다.
하복 신경총 파괴	골반내 장기에서 시작되는 내장성 통증	심각한 부작용은 거의 없다.	
척추 신경 파괴	다른 방법의 치료에 반응하지 않는 통증, 척수강내 진통제 투여법의 부적응증이거나 효과가 없을 때	파괴하는 신경에 따라 다르다. 경추나 요추 신경파괴는 사지의 근력 약화를 초래할 수 있다. 천추(엉치) 신경 파괴는 일시적인 장이나 방광의 기능 저하를 초래할 수 있다. 차단성 동통(통증이 지속적으로 느껴지는 것)은 어느 신경에서나 존재할 수 있다.	알코올이나 페놀이 주로 사용된다.
척수 성형술과 척추 후굴 풍선 복원술	척추관을 침범하지 않는 척추의 압박골절로 인한 통증	시멘트가 척추관으로 퍼져서 생기는 신경손상; 시멘트 알레르기; 폐색전	골절이 6개월이 되기 전에 시행하는 것이 좀 더 효과가 있다.
영상하 종양 박리술 (Tumor ablation)	뼈전이에서 오는 통증	뼈가 불안정해지거나 부러질 수 있다.	아직까지는 널리 퍼진 치료법은 아니지만 예비 연구가 곧 진행 될 것이다.

이용된다)

• 자가통증치료법(IV PCA:patient controlled analgesia :opioids 용량 적정과 반응성을 보기에 유용)

• 척추약물 주입법(척수강내 또는 경막외강으로 진통제와 국소마취제를 비롯한 여러가지 약제 주입)

• Cordotomy(어깨 이하의 편측성 난치성 통증에 효과적, 국내에서는 활발하게 이용되지 않음)

• 척추체 성형술(통증이 심한 척추체의 압박 골절에 사용)

3. 교감신경 차단술(Sympathetic nerve block)

내장에서 유래하는 침해성 통증을 중추 신경으로 전달하는 신경 섬유들은 교감신경과 함께 주행한다. 따라서 교감신경의 신경 전도를 차단하면 내장성 침해성 통증을 조절할 수 있다. 교감신경 차단술은 이러한 해부학적 근거에서 교감신경절에 신경 파괴제를 주입함으로써 내장에서 기인한 통증을 조절하는 방법이다. 교감신경은 체성신경과 달리 운동신경과 감각신경을 포함하지 않으므로 신경파괴술을 시행하더라도 감각 소실이나 운동 기능의 저하 또는 운동 마비의 위험성이 거의 없다. 일반적으로 침습적인 통증 치료를 적용하는 기준은 환자가 얻게 될 이득과 위험을 저울질하는(risk benefit ration) 것이다. 이 기준에 비추어 볼 때 교감신경 차단술은 운동신경 장애나 감각신경 장애와 같은 합병증를 초래하지 않으므로 위험도가 매우 낮은 방법이기 때문에 쉽게 적용이 가능한 신경 파괴술이다.

우리 몸에 분포하는 교감신경절과 신경총의 종류와 해당 신경총이 지배하는 내장의 신경 지배 범위는 **그림 24-3**에서 보는 바와 같다. 임상에서 흔히 사용되는 교감신경 차단술 시행 부위는 빈도순으로 나열하면 복강 신경총, 상하복 신경총, 외톨이 신경절이다.

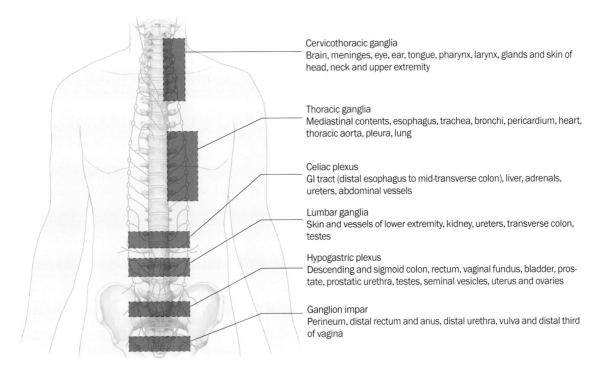

Cervicothoracic ganglia
Brain, meninges, eye, ear, tongue, pharynx, larynx, glands and skin of head, neck and upper extremity

Thoracic ganglia
Mediastinal contents, esophagus, trachea, bronchi, pericardium, heart, thoracic aorta, pleura, lung

Celiac plexus
GI tract (distal esophagus to mid-transverse colon), liver, adrenals, ureters, abdominal vessels

Lumbar ganglia
Skin and vessels of lower extremity, kidney, ureters, transverse colon, testes

Hypogastric plexus
Descending and sigmoid colon, rectum, vaginal fundus, bladder, prostate, prostatic urethra, testes, seminal vesicles, uterus and ovaries

Ganglion impar
Perineum, distal rectum and anus, distal urethra, vulva and distal third of vagina

그림 24-3. 자율신경 신경총과 신경절

1) 복강신경총 차단술(Celiac plexus neurolysis or neurolytic celiac plexus block)

암 환자의 통증 조절을 위한 중재적 시술 가운데 가장 많이 사용하는 방법으로 상복부의 내장에서 기인하는 통증을 조절할 수 있는 효과적인 방법이다.

(1) 적응증

적응증은 상복부의 내장에서 기인한 암성 통증(cancer related visceral pain)이다. 상복부 통증이라 하더라도 복벽(abdominal wall)에서 기인한 통증은 체성 신경(somatic nerve)을 통해 전달되므로 복강신경총 차단술로 통증이 조절되지 않는다. 따라서 시술전 평가에서 통증의 기전이 체성 통증인지 내장성 통증인지 감별 진단하는 것이 중요하다. 복강 신경총이 지배하는 내부 장기의 범위는 췌장과 담낭, 간을 포함하여 하부 식도로부터 횡행 대장의 중간부위까지를 포괄한다 그림 24-3 . 실제 임상에서 흔히 접하는 대표적인

두 가지 적응증(typical indication)은 췌장암과 담도암(cholangiocarcinoma)에 의한 통증과 대동맥 주위 임파절 전이(paraaortic lymph node metastasis)에 의한 통증이다. 이 통증은 상복부 혹은 복부 통증과 배부로 방사통이 흔히 있으며 몸을 신전시켜 똑바로 누우면 통증을 유발하기 때문에 웅크리고 앉아 있는 자세를 취하는 환자가 많다. 이러한 통증의 양상을 나타내며 영상 검사상 췌담도암의 종양이 있거나 대동맥 주위 임파선 전이로 인한 종괴가 있는 경우가 가장 전형적인 적응증이며 흔히 볼 수 있는 사례들이다. 그러나 이런 전형적인 적응증 외에도 복강신경총의 신경 지배하의 내장에서 기인한 것으로 진단된 모든 통증은 적용 가능하다. 복강신경총 차단술은 위험도가 매우 낮고 효과가 비교적 우수하기 때문에 적용 시기를 임종 직전까지 미루는 것보다는 상기한 적응증에 부합한다면 비교적 조기에 시행하는 것이 더욱 환자에게 혜택이 많을 것으로 보인다.

(2) 일반적 고려 사항

시술 전에 기대 효과와 부작용, 시술 방법에 대해 환자에게 설명하여야 하며 만일 환자가 항응고제를 사용하고 있으면 충분한 기간 중단하여야 하며 수술을 위한 정맥로가 필요하다. 복강신경총 차단술에 의해 교감신경이 차단되면 내장 혈관이 확장되어 내장으로 혈류량이 증가함에 따라 일시적인 저혈압이 발생할 수 있기 때문에(특히 보통 암 환자는 평소 상대적으로 저혈량 상태인 경우가 많으므로) 신속한 수액의 공급을 위해 정맥로가 필요하다. 또 한 가지 고려 사항은 시술에 필요한 복와위를 취할 수 있는지 검토해 보아야 한다. 심한 복수와 통증 등으로 복와위가 불가능한 경우는 측와위에서 시행할 수 있으며, 앙아위에서 전방 접근법을 사용하는 경우도 있다.

종양의 위치가 췌장의 두부에 있는 경우가 미부에 있는 경우보다 효과가 좋다는 보고가 있으며, 신경파괴제를 주입하여야 할 부위에 종양의 침윤이 심해 해부학적 구조의 변형이 심한 경우 효과가 떨어진다는 보고가 있다.

(3) 부작용

앞에서 언급한 바와 같이 신경파괴제에 의한 복강신경총 차단술은 매우 안전하며 시술에 대해 대부분의 환자가 잘 감내할 수 있다. 심각한 부작용으로는 신경파괴제가 척수 신경으로 잘못 퍼져나가거나, Adamkiewicz artery(척수에 혈류를 공급하는 혈관)와 같은 혈관 손상을 주는 경우 척수 신경 손상을 일으켜 하반신 마비가 일어날 수 있다고 문헌상에는 보고되어 있다. 그러나 현재는 영상 가이드하에 안전하게 시술되며 국내외의 대부분의 보고에서는 이러한 심각한 신경학적 합병증은 발생하지 않는 것으로 보고되고 있다.

일반적 부작용으로는 설사, 저혈압이 나타날 수 있다. 복강신경총 차단술에 의해 교감신경이 약해지고 따라서 상대적으로 부교감신경 항진 상태가 이루어지므로 장 운동의 항진이 일어나 설사를 야기할 수 있다. 약 40~50%의 환자에서 일어나며 설사는 일시적이어서 수일 내 소실된다. 오히려 대부분의 환자들이 고용량의 마약성 진통제를 복용함으로 인해 변비가 있는 상태이므로 장운동의 항진은 오히려 긍정적인 효과를 나타내기도 한다. 교감신경 기능의 소실로 내장 혈관벽의 장력이 떨어지고 혈관 확장이 일어나 혈관내 용적 부족으로 저혈압이 30~40%의 환자에서 나타난다. 장운동의 항진과 더불어 저혈압은 예상 가능한 합병증으로 시술전 적절한 수액의 공급과 승압제(예; ephedrine)의 사용으로 예방 또는 치료가 가능하다.

(4) 해부학 및 수기

그림 24-4 에 보는 바와 같이 복강신경총은 복강동맥(celiac artery) 기시부의 직하방에 대동맥의 전외측으로 분포된 1~5개의 신경절을 포함한 교감신경의 그물망(신경총)이다. 이 위치는 보통 요추 1번 높이이지만 T12/L1 disc에서 L2 척추체까지 어디에나 위치할 수 있다. 복강신경총은 절전 신경(preganglionic fiber)인 greater, lesser, least splancnic nerve로 이어진다. Splancnic nerve의 척추 분절은 각각 greater가 T5-T10, lesser가 T10-T11, least가 T12이며 구심성 신경섬유와 원심성 신경 섬유를 모두 포함하고 있다.

신경파괴제에 의한 복강신경총 차단술은 여러 가지 방법으로 시행할 수 있다. 가장 대표적인 방법은 후방 접근법으로 환자를 앙와위로 하고 보통 C자형 방사선 영상의 유도하에 천자침을 L1 척추체 전측방(anterolateral aspect of L1 vertebral body)에 위치시키는 것이다 그림 24-5 . 이 위치에 바늘을 위치한 후 조영제를 주입하여 측면상에서 조영제가 척추체의 전방으로 전후상에서 척추체의 중앙으로 조영제가 확산됨을 관찰하여 천자침의 위치가 적정함을 판단한다 그림 24-6 . 바늘의 위치를 적정함을 확정하고 난 뒤 국소마취제를 주입하여 환자의 평소 통증이 완화되며, 하지의 운동

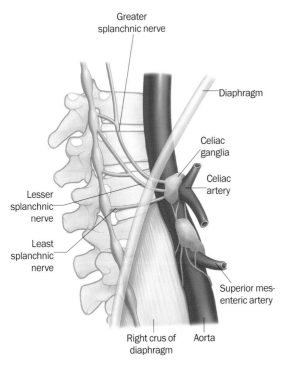

그림 24-4. 복강신경총 해부학
- The target of abdominal visceral nociceptive innervation
- Pancreas, liver, stomach, intestine prox. to T-colon, renal pelvis, prox. ureter

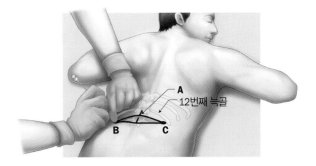
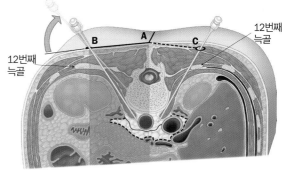

그림 24-5. 복강신경총 신경파괴술
- 방사선 영상 유도하
- 바늘은 L1 척추체 앞 후복막강내 위치
- 조영제 확산

및 감각 신경의 소실이 없음을 확인하고 신경파괴제로 60∼100%의 에탄올을 8∼12 ml 정도 주입한다.

상기한 방법을 후방 접근법 중 retrocrural technique이라고 하며 이외에도 antecrural technique, 전방 접근법 등 다양한 술식이 있으며 유도 영상 장비도 초음파, CT, 내시경 초음파 등으로 다양하다. 그러나 현재까지 한 가지 방법이 다른 방법보다 우수함을 보여 준 연구는 없다.

(5) 유효성 연구 결과(Outcome study or efficacy)

1995년 2개의 무작위배정 연구와 1개의 전향적 연구, 22개의 후향적 연구를 메타분석한 결과에 따르면 총 1145 환자에서 시술 2주 동안 효과적인 통증 조절을 보인 비율은 89% 였으며 이 중 90%가 3개월까지 지속되었고, 70∼80%가 사망 시까지 통증 조절 효과가 지속된다고 보고하였다.

최근의 이중 맹검 무작위 배정 연구(Wong, et al)에

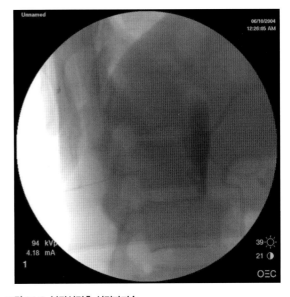

그림 24-6. 복강신경총 신경파괴술
- 국소마취제로 예측적 차단
- 신경파괴제를 주의 깊게 주입
- 시술 후 절대 안정

서 절제 불가능한 췌장암 환자를 대상으로 약물치료군과 약물치료+복강신경총차단술군 간의 통증 강도, 삶의 질, 생존율을 비교 연구하였다(N=100). 무작위 배정 후 1주 이내에 양쪽 군 모두 통증 척도와 삶의 질 척도는 유의하게 호전되었으며 통증 강도는 복강신경총 차단술군에서 보다 더 유의하게 감소하였다. 그러나 양쪽 군 간 진통제 사용량, 마약성 진통제 부작용 빈도, 삶의 질 척도의 차이는 없었으며 첫 6주간 복강신경총 차단술군에서 VAS 5 이상의 심한 통증의 빈도가 유의하게 낮았다(14% vs 40%, P = 0.005). 1년 시점의 생존율은 16% vs 6%로 복강신경총 차단술군이 높았으나 통계적으로 유의하지는 않았다.

이와 달리 수술 중 내장신경 차단술을 신경파괴제와 위약(생리 식염수)을 비교하여 시행한 무작위 배정 연구와 추적 연구(Lilemoe, et al과 Staats, et al의 후속 연구)에 의하면 감정 척도와 일상생활의 장애 척도에서 호전과 더불어 생존기간의 연장을 보고하였다(life expectancy: 9.15+/−9.04 vs 6.75+/−4.63 months, P < 0.05).

2) 상하복신경총 차단술(Superior hypogastric plexus block)

복강신경총이 상복부의 장기에 분포한다면 상하복신경총은 골반내 장기에 분포하는 교감신경총이다. 따라서 상하복신경총 차단술의 적응증은 적절한 약물치료에도 조절되지 않는 골반내 장기에서 유래한 내장성 통증이다. 이러한 통증은 진행된 자궁경부암, 방광암, 직장암과 전립선암 환자에서 흔히 볼 수 있다.

상하복신경총은 L5/S1 척추체 앞쪽에 있으며 후방 접근법에 의한 술기의 원칙은 복강신경총 차단술과 동일하다. 다만 환자의 해부학적 특성에 따라 X-선 영상에서 장골능(iliac crest)에 의해 목표 지점이 가려지는 경우 약간의 조정이 필요하다. 상하복신경총 차단술에 대한 무작위 배정 연구는 없으며 다수의 전향적 사례군 연구(prospective case series)에서 보통 70%의 환자에서

통증의 감소 효과가 있었고 마약성 진통제 사용량의 감소를 보고하였으며 심각한 합병증은 없는 것으로 보고하고 있다. 그러나 해부학적으로 복강신경총 차단술에 비해 상하복 신경총은 하지의 감각 운동신경인 L5, S1 척추신경에 보다 가깝게 위치하여 신경 손상의 위험도는 좀 더 높을 것으로 보인다.

2. 체성 신경 차단술(Somatic nerve block)

교감신경과 달리 체성신경은 감각 및 운동 신경으로 이루어져 있으므로 신경 파괴제를 사용한 체성신경 차단술은 감각 소실, 운동 마비의 위험도 및 합병증이 보다 심각하기 때문에 더욱 신중하게 사용하여야 한다. 해당 신경의 파괴로 효과적인 통증 조절이 예상되는 경우 신경 파괴제를 사용한 체성 신경 차단술은 크게 다음 두 가지 조건을 고려하여 시행할 수 있다.

첫째, 해당 신경의 파괴로 인한 신경 기능의 소실이 환자의 이익에 비해 문제가 되지 않는 경우이다. 예를 들면 몇 개 분절에 국한하여 늑간신경이 파괴된다고 하더라도 해당 분절의 감각 소실에 의한 먹먹함(numbness)이외에 늑간 신경 파괴에 따른 늑간 신경 기능 소실로 인한 환자의 불편함은 거의 없다. 그리고 대부분의 환자들은 기존의 통증보다는 먹먹함을 더 잘 감내한다. 이와 같이 체성 신경이라 하더라도 신경 차단 후 발생하는 문제가 미미한 경우는 적절한 통증 조절이 예상된다면 신경 파괴제에 의한 신경 차단술을 시행할 수 있다.

둘째, 선택적 신경 차단이다. 즉 체성 신경의 감각 신경과 운동 신경중 운동 신경을 보존하면서 감각 신경만 선택적으로 차단할 수 있다면 운동 신경의 마비 없이 통증을 조절할 수 있다. 척추신경에서 해부학적으로 감각 신경에 대한 선택적 차단이 가능한 부위는 두 군데이다. 지주막하에서 척추 신경근(spinal nerve rootlets)이 운동 신경은 전방에 감각 신경은 후방에 배열되어 공간적으로 분리되어 있다. 그리고 이러한 전후로 위치한

공간적 배열은 경막외의 추간공에 위치한 척추 후근 신경절에서도 유지된다. 따라서 이론적으로는 이 두 부위에서 선택적 신경 차단술이 가능하다.

또한 체성 신경 특히 척추신경 차단술은 한 분절씩 이루어지기 때문에 광범위한 통증보다는 몇 개의 척추분절에 국한된 심한 통증이 일반적인 적응증이다. 광범위한 통증이나 다발성 통증은 전신적인 약물치료나 척추 약물 주입법 등을 우선적으로 고려한다.

요약하면 체성신경 차단술은 운동 신경이 함께 소실되어도 환자의 기능적인 면에서 손상이 미미한 경우와 운동 신경 기능을 보존하며 감각 신경만 선택적으로 차단 가능한 경우에 신중히 시행할 수 있다

1) 지주막하 신경파괴술(Subarchnoid spinal neurolysis)

지주막하 신경파괴술은 에탄올이나 페놀과 같은 신경 파괴제를 이용하여 지주막하에서 척추 신경의 후근(spinal nerve posterior rootlets) 즉 감각신경을 선택적으로 차단하는 것으로, 신경파괴제의 뇌척수액에 대한 상대적 비중의 차이를 이용한다. 예를 들어 에탄올의 경우 뇌척수액과 비교하여 비중이 매우 작으므로(hypobaric) 지주막하강에 에탄올이 주입되면 상층부로 에탄올이 올라가게(뜨게) 된다. 이를 이용하여 파괴하고자 하는 목표가 되는 척추 후근을 가장 높은 위치에 오도록 환자의 체위(측와위에서 45도 정도 앞으로 기울인 자세)를 취한 다음 척추 천자를 하고 에탄올을 소량씩 주입하면 후근신경만 선택적으로 파괴된다. 페놀의 경우 뇌척수액보다 무거운 비중을 갖고 있어 정확히 반대의 체위로 시행한다. 심한 통증을 가진 환자의 경우 통증이 있는 쪽을 하방으로 한 체위를 취하기 어려운 경우가 많아 에탄올을 많이 사용하게 된다.

감각 신경에 대한 선택적 파괴이지만 운동신경 마비, 배뇨 장애, 항문 괄약근 마비와 같은 심각한 합병증에 대한 잠재적 위험성이 있다. 그러나 이 방법은 신경 차단 효과가 뛰어난 편이어서 적절하게 시행하면 한 번의 시술로 장기간 매우 뛰어난 통증 조절을 이룰 수 있는 유용한 방법이다. 그러므로 비교적 합병증의 위험이 적은 체간(body trunk)의 통증이나 항문, 꼬리뼈 통증의 경우 적극적으로 고려하여야 한다.

최근 약물치료, 특히 이식형 펌프를 이용한 척수강내 진통제 주입법(intrathecal pump)의 발전으로 서구에서는 점차 선호되지 않고 있으나(소위 '잊혀진 방법'이라고 한다) 우리나라와 같이 척수강내 주입법에 제한이 많은 지역에서는 유용한 방법이다.

적응증은 약물치료에 반응하지 않는 국소적인 통증으로 통증의 범위가 너무 넓은 척추분절에 걸쳐 있거나 여러 부위에 다발성 통증인 경우는 실질적으로 시행하기 어렵다.

2) 척추 후근 신경절 파괴술(Spinal dorsal root ganglion neurolysis, dorsal root ganglionotomy)

지주막하와 달리 추간공은 경막외강이므로 신경 파괴제를 뇌척수액에 흘려서 척추 신경을 파괴할 수 없고 척추 후근 신경절(spinal dorsal root ganglion)에 대해 국소적인 병소를 만들어 신경 차단을 일으킬 수 있다. 후근 신경절에 병소를 만들기 위해 사용하는 방법은 고주파를 이용한 열응고법이다(radiofrequency thermocoagulation).

척추후근 신경절에 천자침을 위치한 다음 고주파 발생기에 연결된 전극을 통해 고주파를 조직을 통해 흘려보내면 조직 내에 열이 발생하여 열응고가 일어난다. 온도 조절을 통해 신경병소의 크기를 조절할 수 있으며 전기 자극으로 신경을 직접 자극할 수 있으므로 천자침의 정확한 위치와 통증 부위가 일치하는지를 확인할 수 있는 장점이 있다. 적응증은 지주막하 신경파괴술과 비슷하며 특히 합병증의 위험이 적은 체간(body trunk)의 통증이나 항문, 꼬리뼈 통증의 경우 적극적으로 고려하여야 한다.

6부

3) 말초신경 차단

신경파괴제에 의한 말초신경 차단은 통증의 소실과 함께 운동신경이나 감각 신경의 마비가 초래될 수 있다. 일반적으로 국소마취제를 이용한 시험적 차단(prognostic block)을 통해 해당 말초 신경의 파괴로 통증을 조절할 수 있는지 부작용을 감내할 수 있는지 여부를 확인한 후 시행되어야 하며, 최소량의 신경 파괴제로 최대한의 효과를 얻기 위하여 0.1 ml 단위로 주입량의 조절이 필요하다. 신경 차단의 효과는 6개월 이상 지속된다. 신경 파괴를 위해 고주파 열응고법을 사용할 수 있다.

상악암과 설암 등에 의한 편측 안면 통증에 삼차신경 차단술, 인후통에 설인신경 차단술, 혀 및 구강 통증에 접형구개 신경절 차단술 등을 시행한 보고가 있으며, 흉 복벽의 체성통증에는 늑간신경 차단술이나 척추주위신경 차단술이, 어깨 통증에는 견갑상신경 차단술이 보고되었다.

3. 척추 약물 주입법(Spinal infusion technique)

척추 진통법(spinal analgesia)또는 척수강내 진통제 투여법(intrathecal drug delivery)이라고도 하며 가느다란 도관을 통해 마약성 진통제 등을 직접 척수강내 또는 경막외강내로 주입하여 통증을 조절하는 방법이다. 1970년대 마약성 진통제의 수용체가 척수 후근에 풍부하게 존재한다는 사실이 알려지면서 마약성 진통제를 직접 척수강내로 주입하면 진통 효과가 증가하고 전신적 투여에 의한 부작용의 감소를 이룰 수 있을 것이라는 이론적 배경을 가지고 등장한 방법이다. 마약성 진통제를 사용할 경우 척수강내로 투여하는 경우 전신적 투여에 비해 100분의 1 정도의 소량으로 동등한 진통 효과를 얻을 수 있다. 마약성 진통제로 통증 조절이 어려운 불응성 통증인 경우 마약성 진통제 외에 다른 기전을 통해 통증을 조절할 수 있는 약제, 즉 국소마취제, 알파2 수용체 길항제(clonidine) 등을 함께 투여하여 통증 조절 효과를 높일 수 있다.

1) 적응증

척추 약물 주입법의 적응증은 적절하게 시행된 약물치료로 통증 조절이 불충분한 환자와 감내할 수 없는 부작용으로 인해 진통제 용량을 증량할 수 없는 환자이다. 비교적 국한된 부위의 통증에 적용되는 신경 차단술과 비교하여 광범위한 통증 또는 암 환자에서 흔한 여러 부위의 다발성 통증이 모두 적응증이 되며 두부를 제외한 모든 부위의 통증을 포함한다.

절대적 비적응증으로는 도관 삽입 부위의 피부 감염, 패혈증, 교정할 수 없는 혈액 응고 장애 등이다. 항응고제 치료가 필요한 환자에서는 저분자량 헤파린으로 대체하여 시술 24시간 전까지 사용하고 시술 후 12 시간에 투여를 재개한다. 척수강내 약물 주입을 위해 이식형 펌프나 약물 포트를 사용하는 경우는 피하에 펌프를 삽입할 부위가 확보되는지 여부도 고려해야 한다.

2) 척수 약물 전달 장치(Spinal drug delivery systems)

척수강내 또는 경막외강으로 약물을 투여하는 방식은 단순한 경피적 도관으로부터 정교한 이식형 기기까지 다양한 수준의 방법을 채택할 수 있으며 다음 네 가지 형태가 있다.

- 단순 경피적 카테터(Simple percutaneous catheter)
- 경피적 카테터와 피하터널(Percutaneous catheter with subcutaneous tunneling)
- 피하 포트(Subcutaneous port system)
- 이식형 약물 주입기(Implantable drug delivery system)

위에 열거한 순서대로 단순한 카테터로부터 점차 좀 더 복잡하고 정교한 방법이다. 장기간 카테터를 통해 약물을 척추로 주입하는 경우 가장 큰 문제점은 카테터와 관련한 감염과 의도하지 않게 카테터가 빠지는 것이다. 단순 경피적 카테터는 손쉽게 시술할 수 있으나 감염의 위험성이 가장 높아 수일 이상 사용을 추천하지

표 24-4. 척수강내 약물 주입 방식에 따른 비교(이식형 약물 주입기와 체외 약물 펌프 비교)

	이식형 약물 주입기 (Implantable drug deivery system, IDDS)	체외 약물 펌프 (Exteriorized IT delivery system)
비용	초기 비용은 비싸지만 3개월이 지나면 비용효율이 좋아진다 (미국 기준).	단기 사용 시에 더 저렴하다.
적응증	다른 약물치료에 효과가 없는 암성 통증이며 기대여명 3개월 이상.	다른 약물치료에 효과가 없는 암성 통증이며 기대여명 3개월 미만. 통증이 극심하여 빠른 조치가 필요할 때.
감염 위험	초기 감염 위험이 있으며 이후로는 가능성이 낮다.	좀 더 높다.
장점	환자의 일상 생활에 자유롭고 유지 용량이 적다.	주입약물을 교환하기 쉽다. 증상이 심해졌을 때 일시적인 추가용량(boluses) 용량을 주사하기 쉽다. 외래에서 제거할 수 있다.
단점	더 침습적이다. 3차 진료 기관에서 더 많은 전문가를 필요로 한다.	카테터가 고정한 곳에서 움직이거나 빠질 위험이 있다.

않는다. 배부에서 카테터를 삽입하고 일정 거리를 피하 터널을 통과하여 보통 복벽의 외측 부근에서 카테터가 피부를 빠져나가는 피하터널법이 있으며 피하로 터널된 카테터에 끝에 항암화학요법용 포트와 같이 포트를 연결하는 포트 이식술이 있다. 이상의 세 가지 방법은 외부의 약물 펌프를 사용한다. 이식형 약물 주입기는 프로그래밍이 가능한 완전 이식형 약물 주입 펌프로서 이식 수술을 통해 보통 하복부의 피하에 삽입한다. 수술을 통해 한번 삽입하면 카테터를 통한 감염의 위험성이 거의 없으며 외부 펌프를 사용하지 않으므로 일상 생활에 거의 지장이 없는 방법이다. 우리나라에는 수년 전 도입되었으나 비보험이어서 사용이 매우 제한적이었다가 최근 50% 환자 부담으로 보험 급여가 되고 있다. 외부 약물펌프에 의한 방법과 이식형 약물주입기의 비교는 **표 24-4**에 요약되어 있다.

3) 척수강내 투여와 경막외강 약물 투여법의 비교

척추 약물 투여법은 카테터 말단(catheter tip)이 지주막하에 위치하느냐 경막외강에 위치하느냐에 따라 척수강내(intrathecal) 투여와 경막외(epidural) 주입으로 나눈다. 척수강내로 투여된 약물은 뇌척수액을 타고 전척수로 확산되며 척수 후각(spinal dorsal horn)에 분포하는 opioid 수용체에 직접 도달한다. 반면 경막외강에 주입된 약물은 경막외강의 몇 개의 척추 분절에 한정하여 약제가 분포하며 경막을 통한 확산으로 척수 후각의 아편양 수용체에 도달한다. 이러한 특성에 따라 임상적으로는 동등한 진통 효과를 내기 위해 경막외강이 척수강내 투여에 비해 10배의 용량을 투여하여야 한다. 경막외강에 주입된 약물은 경막외강의 몇 개의 척추 분절에 한정하여 약제가 분포하므로 국소마취제를 높은 농도로 주입할 수 있고 따라서 국소 마취제만으로 강한 진통효과를 낼 수 있어 국소적인 부위(특히 체간)의 심한 통증을 치료할 수 있다. 이렇게 국소 마취제에 의한 신경 차단 효과를 극대화하기 위해서는 해당 척추 분절에 모두 약제가 분포되어야 하므로 많은 주입량이 필요하고 따라서 체외 펌프에 의한 주입만 가능하다(이식형 펌프 사용 불가).

4) 유효성 연구 결과(Outcome study or efficacy)

2002년 Smith 등은 202명의 환자를 대상으로 약물치료(comprehensive medical management, CMM)와 이식형 약물 주입기 치료(implantable drug delivery system, IDDS)를 비교한 무작위 배정 연구를 보고하였다. 모르핀 동등진통 용량 200 mg 이상의 진통제를 투여받음에도 시각통증등급(VAS) 5 이상의 환자 또는 200 mg 이하라도 부작용으로 용량 증가가 불가능한 환자를 대상

표 24-5. 암성 통증의 척수강내 투약에 이용되는 약제들

약제	수용체	적응증	부작용	특이사항
마약성 진통제 – Morphine sulphate – Hydromorphone – Fentanyl – Sufentanil	Mu opioid 수용체	침해성 통증과 혼합성 통증의 1차 약제, 신경병성 통증의 2차 약제	진정, 호흡억제, 요정체, 오심, 가려움, 인지장애	1차 약제 실패 시 펜타닐이나 수펜타닐 같은 친지질성 마약성 진통제가 추가된다.
국소마취제 – Bupivacaine	신경세포의 나트륨 채널	신경병성 통증과 혼합성 통증의 1차 약제 통각 수용체 통증에 2차 약제	근력 약화, 저혈압, 요정체	IT 부피바케인으로 인해 화학적 교감신경 차단 효과로 인하여 위장관 운동성이 촉진될 수 있다.
Clonidine	알파– 2 아드레날린 수용체	신경병성 통증의 1차 약제, 침해성 통증의 2차 약제	기립성 저혈압, 진정, 부종	
Baclofen	GABA	경직이 동반될 때 신경병성 통증의 3차 약제	운동실조, 진정, 청각장애	갑작스러운 투여 중단은 심각한 금단 증후군을 일으킬 수 있다.
Ketamine	NMDA	신경병성 통증의 4차 약제	불안, 초조, 안면 홍조, 섬망	케타민의 마취 이하 용량의 정맥 주사는 조절되지 않는 통증 증후군에서 사용되어 왔다. (특히 종말기 치료에서)
Droperidol	도파민 수용체	조절되지 않는 오심이 있는 통증의 4차 약제	추체외로 증후군	
Midazolam	GABA	신경병성 통증의 4차 약제	진정	
Ziconotide	N–type voltage sensitive calcium channels	4차 약제	인지, 심리상의 실조, 오심, 크레아틴 키나아제의 상승, 저혈압	아직 intrathecal agent로 널리 사용되고 있지는 않다.

으로 하였고, 일차적 연구 목표인 성공적 치료는 VAS 20% 이상의 감소 또는 VAS의 감소 없이 20% 이상의 부작용 감소로 정의하였다.

4주 후에 양쪽 군 모두 VAS와 부작용면에서 호전을 보였는데 성공적인 치료에 도달한 환자는 IDDS군 환자 71명중 60명(84.5%)와 CMM군 환자 72명 중 51명(70.8%, p = 0.05)이었다. VAS와 부작용 모두 20% 이상 호전된 환자는 CMM에 비해 IDDS군에서 더 많았다(57.7%[71명중 41명] vs 37.5%[72명중 27명] p = 0.02). VAS와 생존률은 IDDS군에서 좀 더 감소하는 경향을 보였으나 통계적으로 유의하지는 않았으며 부작용 중 피로와 의식저하에 있어서 유의한 차이가 있었다. 결론적으로 CMM에 비해 IDDS는 부작용의 감소를 통해 임상적으로 성공적인 치료 효과를 보이고 통증을 감소시키는 경향을 보이며, 생존율이 향상될 가능성을 보였다고 보고하였다.

5) 사용되는 약제(Pharmacology)

통증 조절을 위해 척수강내로 투여되는 약제는 매우 다양하지만 식약청의 승인을 받은 약제는 황몰핀(morphine sulfate)과 보존제가 첨가되지 않은 부피바케인(preservative free bupivacaine)과 근육 경직의 치료에 사용되는 바클로펜(baclofen)뿐이다. 일차 약제로서 모르핀을 사용하고 통증 조절이 어려운 경우 순차적으로 약제를 추가게 된다. 일반적으로 신경병증성 통증이 심한 경우 모르핀에 반응이 좋지 않은 경우가 드물지 않아 2차 약제로 국소마취제(부피바케인) 또는 클로니딘(clonidine)을 추가하게 되는 경우가 많다. 그러나 우리나라에서는 클로니딘이 현재 생산 중단된 상태이다.

척수강내로 투여할 수 있는 약제들에 대하여 **표 24-5** 에 정리하였다.

(1) 마약성 진통제(Opioids)

척수강내로 투여된 마약성 진통제는 척수 후각과 뇌간의 opioid 수용체에 직접 작용하여 진통 효과를 나타낸다. 황산 몰핀만이 식약청에 의해 허가되었으나 하이드로몰폰, 펜타닐, 수펜타닐 등 거의 모든 마약성 진통제를 이용할 수 있다고 보고되어 있다.

이론적으로 펜타닐과 수펜타닐 등 친지성의 약물은 약물 주입부위의 척수로 흡수가 빨라 좀 더 국소적인 효과를 내고 뇌척수액을 통한 뇌간으로의 확산이 적어 호흡억제와 같은 부작용이 적을 것으로 기대된다.

(2) 국소마취제(Local anesthetics)

척수강내로 국소마취제가 고농도로 주입되면 완전한 감각 신경 차단에 의해 통증을 전혀 느낄 수 없지만 운동신경 및 교감신경의 차단도 일어나게 되므로 하루 용량을 부피바케인의 경우 30~60 mg 이하로 제한한다. 운동신경 차단을 일으키지 않는 범위 내의 용량으로 사용하며 마약성 진통제로 통증 조절이 만족스럽지 못한 경우 2차 약제로 추가한다. 팔 다리가 아닌 부위의 경막외강으로 투여할 경우 비교적 고농도로 투여 가능하며 단독으로 진통 효과를 얻을 수 있다.

(3) 클로니딘(Clonidine)

국소마취제와 함께 2차 약제로 쓰이며 신경병증성 통증이 있는 경우 유용하며 알파-2 아드레날린 수용체에 작용한다. 부작용으로 진정과 저혈압이 있으며 부작용에 의해 용량 한계가 있다.

6) 부작용

부작용은 주입되는 약제의 부작용과 카테터나 약물 펌프와 관련된 부작용이 있다. 척수강내로 투여되는 마약성 진통제에 의한 부작용은 전신 투여 시 부작용과 같으며 일반적으로 대증치료 등으로 호전된다.

카테터와 관련된 부작용 중 감염은 뇌수막염이 가장 심각한 부작용이지만 드물며, 카테터 삽입부위의 피부 감염이 가장 흔하다. 이식형 펌프나 피하 포트를 삽입하는 경우 삽입 부위에 seroma의 합병증이 있을 수 있으며 보통 저절로 해결되지만 추가 감염에 유의하여야 한다.

카테터 삽입을 위한 경막천자(dural puncture)로 인한 경막천자 후 두통의 합병증이 일어날 수 있다. 보존적 치료에 반응하지 않는 경막천자 후 두통에 대해서는 epidural blood patch를 시행한다.

카테터와 관련한 다른 합병증은 카테터의 빠짐, 꺾임 등으로 약물 주입되지 않으면 환자가 심한 통증을 호소할 수 있다. 그리고 최근 카테터 말단의 염증성 종괴 형성(catheter tip inflammatory granuloma)이 보고되고 있는바 새로운 하지의 신경학적 증상이 있는 경우 의심하여야 하며, 특히 고농도의 마약성 진통제를 소량 주입하는 경우에 위험도가 높은 것으로 알려져 주의가 필요하다.

4. 경피적 척추체 성형술(Percutaneous vertebroplasty and kyphoplasty)

척추체 압박 골절을 일으키는 원인으로 골다공증에 의한 압박 골절과 척추체 전이암에 의한 압박 골절이 있다. 경피적 척추체 성형술은 비교적 최근에 발전된 최소 침습적인 척추 시술(minimally invasive pain procedure)의 하나로 적응증은 통증이 있는 척추체 압박 골절이다. 골절된 척추체에 뼈 시멘트(polymethyl methacylate, PMMA)를 주입하여 골절을 안정화시키고 통증을 감소시킨다. 보통 X-선 영상 유도(fluoroscopy guide)하에 시행하며 척추체 성형술용으로 고안된 굵은 천자침을 사용하여 pedicle을 통하여 척추체 내로 진입한 다음 액체 상태의 뼈 시멘트를 주입한다. 주입된 뼈 시멘트는 수 분 내에 화학적인 발열 반응을 일으켜 돌처럼 딱딱한 고체 상태로 굳어진다. 풍선 후굴 척추체 성형술(kyphoplasty)은 뼈 시멘트를 주입하기 전에 풍선을 골절된 척추체에 넣어 부풀림으로써 먼저 뼈 시멘트를 주입할 공간을 형성하고 시멘트를 주입하는 점이 척추체 성형술과의 차이점이다.

적응증은 통증이 있는 척추체 압박 골절인데 척추 압박 골절이 있다 하더라도 급성기나 아급성기를 지난 old fracture의 경우 통증이 없는 경우는(특히 골다공증에 의한 압박 골절) 척추체 성형술의 적응증이 되지 않는다. 척추 전이암에 의한 척추체의 압박골절은 골절뿐만 아니라 pedicle이나 posterior element의 전이 등이 동반되어 있거나 추간공을 침범하여 radiculopathy 등이 동반되는 경우가 많다. 이러한 경우 환자의 통증이 척추체의 골절에만 원인이 있는 것이 아니므로 추가적인 신경차단술 등의 치료가 필요한 경우가 흔하다. 유의할 점은 척추체 성형술의 적응증은 통증이 있는 척추체 압박 골절이므로 골절이 다발성으로 있는 경우 환자의 통증의 원인이 되는 척추 분절을 먼저 규명해야 한다. 이를 위해 때로는 C자형 X 선 영상하에 신체 검진을 시행하여야만 정확한 분절을 확인할 수 있는 경우도 있다.

척추체 성형술에 의한 통증 조절은 골다공증에 의한 골절이 전이암에 의한 골절보다 더 효과가 나은 편이다. 다발성 골수종(multiple myeloma) 환자의 골절의 경우 골다공증과 거의 비슷한 정도로 효과가 좋다. 부작용은 주입한 시멘트의 유출로 인해 일어나며 유출이 척수신경이나 척추후근 신경절(spinal nerve root)까지 미치면 신경 손상이나 통증을 유발할 수 있다. 일반적으로 추간판으로 유출은 합병증을 초래하지 않으며 혈관으로 유출되는 경우 색전증을 일으킬 수 있다. 척추 전이암 환자에서 골다공증 환자보다 부작용의 더 빈도가 높다.

5. 중재적 통증 치료의 장애 요인과 우리나라의 현황

완화의료에서 중재적 시술에 의한 통증 치료의 가장 먼저 언급되는 장애 요인은 시술을 시행할 전문인력과 장비 및 시설의 부재 또는 편재이다. 이는 우리나라만의

문제는 아니며 서구도 마찬가지라고 한다. 대부분의 3차 의료기관 또는 대학병원급의 의료 기관에서는 이 장에서 논의된 치료법들을 거의 시행할 수 있을 것으로 생각된다. 우리나라는 전문의가 상대적으로 많은 편이므로 완화의료팀에서 적극적으로 요구하고 협력하면 마취통증의학과 등에서 시행할 수 있는 기관이 많을 것이다. 필요한 시설 및 장비는 병원 경영진에 대한 적극적인 설득 및 이를 뒷받침할 의료 급여 수가 등을 현실화하는 것이 필요하다.

두 번째 장애요인은 일차적으로 환자를 돌보는 의료진의 중재적 통증 치료에 대한 불충분한 이해도이다. 중재적 통증 치료의 구체적인 내용까지 숙지할 필요는 없으나 전반적인 이해와 적응증, 합병증 및 부작용, 효과와 한계점 등에 대한 이해가 높아진다면 적절한 시점에 적절한 환자들을 의뢰할 수 있을 것이다. 최근 마약성 진통제를 비롯한 약물치료의 발전으로 중재적 통증 치료가 과거보다 덜 이용되는 추세이지만 중재적 통증 치료를 통해 작은 위험으로 많은 이득을 얻을 수 있는 환자군이나 약물치료에 반응하지 않는 경우에 선택 가능한 치료법으로 적극적으로 고려되어야 한다.

또한 우리나라의 의료 현실에서는 보험 급여와 수가의 문제점들이 장애 요인이 될 수 있다. 서구의 교과서에서는 척추 약물 주입법이 완화의료 영역의 난치성 통증의 효과적인 치료법으로 가장 중요한 위치를 점하고 있다. 그러나 카테터에 의한 감염의 문제를 해결할 수 있는 이식형 약물 주입펌프에 대해 국민건강보험 급여를 환자 본인 부담 50%로 책정하여 경제적 부담이 크다. 다른 예로는 복강 신경총 차단술시 신경파괴제로 사용되는 100% 에탄올의 경우 약제를 시술료에 포함된 것으로 하여 약제비를 인정해 주지 않고 있는데 약제비가 시술료에 거의 육박하는 실정이어서 현실적으로 많은 어려움이 있다.

마지막으로 국내에 도입되지 않거나 생산되지 않는 약제들이 있다. 척수강내 투여약제로 개발된 칼슘 통로

차단제인 ziconotide는 아직 국내에 도입되지 않았고, 척수강내 투여의 2차 약제인 클로니딘은 수년 전부터 국내 생산이 중단된 상태이다.

6. 요약

완화의료에서 약물치료로 통증 조절이 어려운 환자나 약물치료의 부작용이 심한 경우와 비교적 위험도가 낮은 중재적 시술을 통해 통증 조절 효과를 얻을 수 있는 경우 중재적 통증 치료가 필요하다. 적절한 환자에서 효과적으로 중재적 통증 치료가 이루어지기 위해서는 완화의료진의 중재적 통증 치료에 대한 이해가 반드시 필요하며, 중재적 통증치료를 현실적으로 시행할 수 있는 협진 체계를 개별 기관의 의료 환경을 감안하여 만들어 나가는 노력이 필요하다.

II 방사선치료의 역할

뢴트겐이 X선을 발견한 직후인 1895년부터 이미 암 환자에서 증상완화 목적으로 방사선치료가 활용되었다고 한다. 그만큼 방사선치료는 암 종괴로 인한 통증(뼈 전이 또는 신경을 누른 경우), 기관지 폐색, 출혈 등 여러 증상을 완화시키는 면에서 효과적이다. 완화 목적의 방사선치료는 환자들의 삶의 질 향상에 도움을 주기 위함이다. 그러나 말기 암 환자 중에서 통상분할(conventional fractionation) 요법의 방사선치료를 받고 치료 효과를 볼 수 없을 정도로 짧은 기간 내에 사망하는 경우가 적지 않음이 보고되었다. Patel 등은 2010년도 한 해에 치료한 환자들을 조사한 결과, 방사선치료를 받고 30일 이내에 사망한 환자가 6.3%였으며, 그 중 절반정도는 사망 전 1주 내에 치료를 받았다고 한다. 한편 Lutz 등에 의하면 호스피스 의료진들 중 방사선치료의 유용함에는 90% 이상이 동의하지만 실제로

방사선치료를 위해 협진을 의뢰하는 경우는 1%도 안 된다고 한다. 협진을 하지 않는 이유로는 비용과 환자가 통원하는 문제, 그리고 방사선종양학과 의사들의 단기간 치료의 효과에 대한 인식 부족을 꼽고 있다. 이에 Schuster 등은 호스피스 환자들에게 완화 목적의 방사선치료를 실행할 때 도움이 되는 시스템을 구축한 내용을 보고하였다. 방사선종양학과의 응급환자에게 적용되는 시스템으로 호스피스 병원 의료진이 방사선치료가 필요하다고 판단한 환자의 간략한 병력, 증상을 한 장의 팩스로 방사선종양학과에 의뢰하면 예약을 해서 같은 날에 의사의 진료, 모의 촬영 및 일회성 방사선치료까지 하는 것으로 만들었다. 시스템을 가동한 후 호스피스 관련자들에게 설문조사를 한 결과 75%의 대상자들이 일회성 방사선치료가 통상분할 요법 방사선치료만큼 효과가 있었다는 것을 몰랐다고 하였다. 캐나다에서도 RAPRP (the Rapid Access Palliative Radiotherapy Program)이라는 시스템을 만들었고 환자의 만족도는 100%에서, 증상호전이 75%에서 있었다고 한다.

1. 대상자

방사선치료는 뼈 전이에서 통증완화 효과가 약 80% 이상에서 있으며 출혈을 멈추게 하는 효과와 폐전이 중에서 종격동에 있는 림프절 전이 또는 원발성 암으로 기관지를 막은 경우에 호흡을 편하게 하는 효과, 그리고 종괴가 신경을 압박해서 생긴 통증 완화에서도 비슷한 효과를 보이고 있다.

2. 방사선 조사량

완화 목적의 방사선치료 선량으로는 30 Gy를 10회에 나누어 치료하는 것이 가장 흔한 방법이다. 그러나 호스피스 병동 환자들처럼 전신상태가 극히 나쁜 경우에 사망까지의 기간이 짧아서, 통원 또는 이동 자체가 힘들어서 그리고 경비 부담의 문제들을 해결하기 위해서 단기간의 방사선치료를 받은 군과 다른 치료일정의 치

료를 받은 군간의 효과를 비교한 연구들이 있었다.

2011년도에 미국 방사선종양학회는 뼈 전이에 대한 방사선종양학 전문가 패널의 의견을 정리하여 발표하였다. 처음으로 치료를 받는 뼈 전이 병변에 30 Gy/10회, 24 Gy/6회, 20 Gy/5회, 그리고 8 Gy/1회 치료 사이에 동일한 치료 효과가 있었고 일회성 치료 방법으로도 장기 부작용면에서 다른 방사선치료 방법과 차이가 없음을 확인하였다. 다만 30 Gy를 10회에 조사한 경우 1~5회 분할치료보다는 재치료를 요하는 경우가 적었다(6% 대 20%). ACR appropriateness Criteria에서도 뼈 전이에 대해 방사선치료의 적절성에 대한 논문을 발표하였다. 다양한 사례들에서 어떤 치료 일정이 적절한지, 방사선 조사량은 어떤 것이 적합한지를 점수화하였다. 특히 여러 곳으로 전이가 된 환자에서는 가장 심하게 통증이 있는 곳에 치료를 하는 것이 적절하며, 이전에 동일 부위에 방사선치료를 받았던 환자의 경우 방사선조사량에 따른 적절성은 8 Gy/1회, 20 Gy/5회, 24 Gy/6회 그리고 30 Gy/10회 모두 동일한 점수를 주었다. 도리어 35 Gy 또는 40 Gy를 조사한 경우는 낮은 점수를 주었다. 그 외에도 진행된 골반 내 종양을 대상으로 완화목적으로 단기간 가속분할 방사선치료를(short course accelerated radiotherapy) 시행한 1상 연구에 따르면 3.5 Gy씩 4회를 이틀에 걸쳐서 총 14 Gy를 조사한 결과 심각한 선량제한 부작용은(dose-limiting toxicity) 없었고 90% 정도에서 통증의 경감을 보고하였다. Boulware 등도 골반에 10 Gy/1회의 치료만으로 적절한 증상 완화 효과가 있음을 보여 주었다.

3. 방사선 부작용

기대여명이 짧은 호스피스 병동 환자의 경우 방사선치료에 의한 만성부작용이 고려 대상은 아니다. 따라서 예전에 치료했던 부위라도 심한 통증 때문이라면 재치료를 고려할 수 있다. 다만, 치료 중 생길 수 있는 급성 부작용은 예방하는 것이 이미 많은 고통에 시달리는 말기 암 환자의 삶의 질에 더 중요할 수도 있다. 급성 부작용은 방사선치료 부위에 따라 다르다. 치료 부위가 흉추 또는 상부 요추인 경우 치료 직후 오심 또는 구토가 있으므로 예방 차원의 항 구토제를 치료 직전에 투여하는 것이 도움이 된다. 복부 또는 골반의 경우 장염 증세가 있을 수 있으므로 증상에 따라 지사제를 고려할 수 있다.

4. 요약

완화 목적의 방사선치료를 결정하는 주요 요인으로는 환자가 방사선치료 효과를 볼 수 있는 기간만큼 살 수 있는가를 살펴보는 것이라고 한다. 방사선 치료 후 증상완화가 나타나는 시기는 증상별로 다르다. 출혈은 24~48시간 내에 조절이 되고 기관지 또는 식도가 막힌 증세는 6~12일 사이에 완화될 수 있다고 알려져 있다. 뼈 전이의 통증 감소효과는 대부분 1주일에서 2주일 사이에 나타난다.

기대여명이 짧은 말기 암 환자에서 오랜 기간의 통상 분할 방사선치료보다는 부작용면에서 큰 차이가 없고 환자가 여러 번 방문하는 불편함을 줄일 수 있으며 치료 효과가 비슷한 단기간의 치료방법을 선택하는 것이 더 효과적이며 이를 위해선 치료과정이 빠르게 진행될 수 있는 시스템이 필요하다. 단기간의 치료방법으로는 한 회에 6~10 Gy, 20 Gy를 5회에, 14 Gy를 4회에(2일 간, 하루에 2회씩) 하는 방법을 추천할 수 있다.

2사례를 예로 들고자 한다.

■ 70대 여성 환자

외부 병원에서 복부 림프절, 폐 전이가 확인된 4기 자궁내막암(papillary serous carcinoma)으로 진단받은 후 완화목적의 치료를 거부했던 환자였다. 진단받은 지 4개월 만에 다리가 당기고 등이 아픈 증세를 호소하여 면담 후 본원 호스피스 병동에 입원하였다. 이후 병동에서 아편성 진통제를 투여함에도 불구하고 지속적인 등

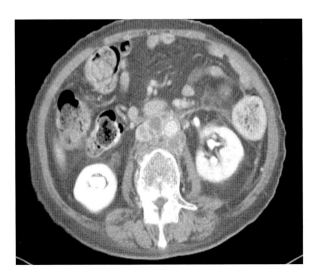

그림 24-7. 4기 자궁내막암 환자의 복부 CT

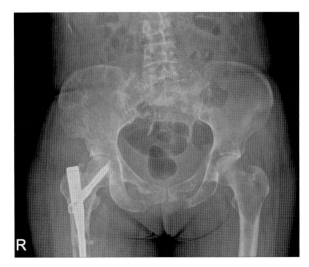

그림 24-8. 전이성 유방암 환자의 복부 사진

통증으로 방사선치료를 위해 의뢰되었다. 환자는 국소적인 요추의 통증을 호소하였고 영상검사를 검토한 결과 요추에 위치한 대동맥 주변의 림프절에 전이성 종양이 있었으며 환자가 호소하는 통증 부위와 일치하여 림프절의 전이성 종양이 이유라고 판단하였다 그림 24-7. 이에 복부 방사선치료를 권고하였고 환자가 완화병동에 있는 점을 고려하여 단기간의 치료인 3.5 Gy씩 4회를 2일에 실시하는 것을 처방하였다.

치료 시 항구토제를 치료 전에 복용하여서 급성 부작용은 없었으나 첫 회 치료 후 환자가 피로를 호소하여 하루에 2회 치료하는 대신 한 번씩 하는 것으로 변경하였고 이후 4회 더 치료해서 1,750 cGy를 조사하였다. 환자는 1주일 만에 통증이 가라앉아서 퇴원하였고 그 후 전신상태 악화로 재입원, 방사선치료 후 6주 만에 사망하였다. 그러나 사망 당시까지도 치료받은 곳의 통증은 호전된 상태를 유지하였다.

■ 40대 후반 유방암 환자

본 환자는 유방암 진단 후 2년 만에 림프절 전이가 발생했고 이후로도 병이 계속 진행되어 뼈로 전이되었고 외부 병원에서 척추 및 골반에 방사선치료를 수차

례 받았다. 전이가 발생한 지 7년 만에 뼈 전이가 빠르게 진행되어 거동이 불편해졌고 본원 완화병동에 입원하였다. 마약성 진통제 투여에도 불구하고 환자는 만지기만 해도 아픈 왼편 고관절의 통증(강도 10)을 호소하였고 보호자가 방사선치료 의뢰를 부탁하였다. 골반영상에서 골반뼈 전반에 걸친 전이성 병변을 확인할 수 있었고 다리를 움직일 수 없을 정도이며 만지기만 해도 아프다고 호소하는 위치는 왼편 큰돌기뼈(greater trochanter)의 병변과 일치하였다 그림 24-8. 환자의 전신상태 및 기대 여명을 고려해서 8 Gy/1회 치료를 처방하였고 환자의 움직임을 최소화하기 위해서 병동 침대 그대로 내려오도록 하였다. 환자는 작은 움직임으로도 아주 심한 고통을 호소하여서 모의치료를 위한 영상 검사 촬영이 불가능하였다. 따라서 환자에게 치료 동의를 구한 후 치료실에서 임상적으로 위치를 결정하고 병동 침대에 누운 상태에서 방사선치료를 실시하였다.

위 2사례는 암으로 생긴 통증을 단기간 치료로 증상이 완화되어서 퇴원이 가능하였고 가족과 같이 하는 시간을 가질 수 있었던 사례와 국소적이지만 약으로도 조절이 안 되는 부위를 환자의 전신 상태를 고려하여

치료 과정과 방법을 수정하여 실행한 것을 보여 주고
있다.

참고문헌

1. Boulware RJ, Caderao JB, Delclos L et al. Whole pelvis megavoltage irradiation with single doses of 1000 rad to palliate advanced gynecologic cancers. Int J Radiat Oncol Biol Phys. 1979;5:333-8.
2. Caravatta L, Padula GD, Macchia G et al Short-course accelerated radiotherapy in palliative treatment of advanced pelvic malignancies: a phase I study. Int J Radiat Oncol Biol Phys. 2012;83:e627-31.
3. Fairchild A, Pituskin E, Rose B et al. The rapid access palliative radiotherapy program: Blueprint for initiation of a one-stop multidisciplinary bone metastases clinic. Support Care Cancer 2009;17:163-70.
4. Johnstone C and Lutz ST. The role of hypofractionated radiation in the management of non-osseous metastatic or uncontrolled local cancer. Ann Palliat Med. 2014;3:291-303.
5. Kim EY, Chapman TR, Ryu S et al. ACR Appropriateness Criteria(®) non-spine bone metastases. J Palliat Med. 2015;18:11-7.
6. Lutz S and Chow E. Palliative radiotherapy: past, present and future-where do we go from here? Ann Palliat Med 2014;3:286-90.
7. Lutz S, Berk L, Chang E et al. American Society for Radiation Oncology (ASTRO). Palliative radiotherapy for bone metastases: an ASTRO evidence-based guideline. Int J Radiat Oncol Biol Phys. 2011;79:965-76.
8. Lutz S, Spence C, Chow E et al. Survey on use of palliative radiotherapy in hospice care. J Clin Oncol 2004;22:3581-6.
9. Patel A, Dunmore-Griffith J, Lutz S et al. Radiation therapy in the last month of life. Rep Pract Oncol Radiother. 2013;19:191-4.
10. Schuster JM, Smith TJ, Coyne PJ et al. Clinic offering affordable radiation therapy to increase access to care for patients enrolled in hospice. J Oncol Pract. 2014;10:e390-5.
11. Shane E. Brogan. Chapter 44. Interventional Pain Therapies In: Scott M. Fishman. Jane C. Ballantyne, James P. Rathmell editors Bonica's Management of Pain 4th ed. Lippincott Williams & Wilkins; 2010. pp.605-17.
12. Smith TJ, Staats PS, et al. Randomized clinical trial of an implantable drug delivery system compared with comprehensive medical management for refractory cancer pain: impact on pain, drug-related toxicity, and survival. J Clin Oncol 2002; 20(19):4040-9.
13. Swarm RA, Karanicolas M, Cousins MJ. Injections, neural blockade, and implant therapies for pain control In: Hanks G, Cherny NI, Christakis NA, et al editors Oxford textbook of Palliative medicine. 4th ed. New York: Oxford Universty Press Inc; 2010. pp.734-55.
14. Tanaka H, Hayashi S, Ohtakara K et al. Palliative radiotherapy for patients with tracheobronchial and esophageal compression due to intrathoracic malignant tumors. Asia Pac J Clin Oncol. 2012;8:e82-8.
15. Wong GY, Schroeder DR, et al. Effect of neurolytic celiac plexus block on pain relief, quality of life, and survival in patients with unresectable pancreatic cancer: a randomized controlled trial. JAMA 2004; 291(9):1092-9.

7부

증상관리

25장 호흡기증상
26장 소화기증상
27장 비뇨기증상
28장 림프부종
29장 기타 신체증상
30장 우울, 불안, 수면장애
31장 섬망
32장 응급상황
33장 임종기 돌봄
34장 보완대체요법

25장

호흡기증상

| 김선현, 전상훈 |

I 호흡곤란

호흡곤란은 진행된 비암성질환 및 말기 암 환자에서 매우 흔한 증상 중 하나로 미국의 경우 여명이 6개월 이내라고 진단된 988명의 환자 중 71%에서 호흡곤란이 있다고 하였고 암의 병기에 따라 호흡곤란의 유병률이 21~90%로 다양하게 나타나며 임종이 가까워 올수록 유병률이 증가하고 증상이 심해진다.

미국흉부학회는 호흡곤란의 정의를 숨을 쉴 때 느끼는 주관적인 불편한 경험으로 그 경험은 다양한 강도를 가진 질적으로 독특한 감각으로 구성되어 있다고 하였다. 그러한 경험은 생리적, 정신적, 사회적, 환경적인 요인들의 상호작용에서 유래되고 이러한 작용이 이차적인 생리적, 행동적 반응을 유발할 수 있다고 하였다.

이러한 정의는 호흡곤란의 개개인의 주관적인 특성을 강조하고 있으며 통증에서처럼(total pain) 호흡곤란의 정신적, 사회적, 영적인 문제들이 호흡곤란을 더 악화시킨다는 개념(total dyspnea)을 뒷받침해주고 있다.

호흡곤란은 환자의 신체적 불편을 유발할 뿐 아니라 불안, 공포, 우울감을 유발하고, 피로도를 상승시켜 일상생활의 기능적 제약을 유발하여 삶의 질이 떨어지게 되므로 환자뿐 아니라 돌봄제공자에게도 큰 스트레스가 되기 때문에 의료진들이 적극적으로 해결해 주어야 한다.

또한 호흡곤란은 생존율과의 상관성이 높아 말기 환자의 생존율을 예측하는 도구인 완화예후점수(Palliative Prognostic Score, PaP)의 한 구성요소가 되기도 한다.

완화의료영역에서의 호흡곤란은 각 환자의 돌봄의 목표에 따라 접근해야 하겠지만 호흡곤란의 원인을 제거할 수 없는 경우에는 대개 증상의 완화를 목표로 하게 된다.

1. 원인

호흡곤란의 원인은 매우 다양하며 암 관련 요인, 암 치료 관련 요인, 암과 무관한 요인으로 크게 분류할 수 있다 표 25-1. 각각의 원인들은 발생 시기에 따라 급성,

표 25-1. 호흡곤란의 원인

암 관련요인	• 폐실질 침범: 원발성 혹은 전이성 폐암 • 흉막 침윤: 원발성 흉막암, 흉막 전이, 흉수 • 심장: 심장 내 종양, 심장막 삼출 • 상기도 폐쇄: 기관폐쇄 • 혈관: 상대정맥증후군, 폐정맥 폐쇄, 폐색전증, 암종림프관염 • 흉벽 침윤, 횡격막 마비, 기흉 • 악액질, 호흡근육 약화 • 빈혈 • 과다점성증후군 • 복수, 간비대 • 대사성 산증, 신부전 • 피로 • 상태 악화
암 치료 관련 요인	• 항암제: 심독성, 폐독성 • 방사선 치료: 급성호흡곤란증후군, 급성간질성 폐렴, 방사선폐렴, 폐섬유화, 심낭염 • 수술: 폐전절제술, 폐엽절제술
암과 무관한 요인	• 심장질환: 협심증, 심근경색, 부정맥, 심부전, 심장막 삼출 • 폐혈관질환: 폐동정맥루, 폐색전증, 폐부종, 폐고혈압 • 흉곽변형, 근육약화: 신경근육질환, 종말증, 스테로이드근육병증, 횡격막신경마비 • 저산소증, 저탄소혈증, 대사성산혈증 • 흉벽제한, 폐탄성 저하, 기흉 • 비만 • 감염 • 복수 • 과호흡, 정신사회적, 영적 문제들

아급성, 만성 호흡곤란으로 분류되고, 생리적 기전에 따라 기관폐쇄 같은 기계적 폐쇄, 발열이나 빈혈 등으로 인한 환기 요구도 증가, 악액질이나 체력 약화로 인한 근력 약화로도 분류할 수 있다. 암의 위치에 따라서 호흡곤란의 빈도가 다를 수 있는데 원발성 폐암 또는 폐전이가 있을 때 호흡곤란의 빈도가 가장 높지만 심폐 침범이 없는 암 환자의 24%에서도 호흡곤란을 호소하였다는 연구가 있으며 만성폐쇄성 폐질환, 심부전 등의 동반 질환에 의해서도 영향을 받게 된다.

2. 기전

어떤 자극들이 뇌로 전달되어 호흡곤란을 유발하게 되는지 정확한 기전은 아직 자세히 알려져 있지 않으나 여러 말초로부터의 자극들이 원심성 경로를 거쳐 호흡

중추(뇌줄기: 숨뇌, 뇌교)와 관련 체성감각피질로 전달되면 구심성 경로를 거쳐 횡격막이나 흉벽의 근육에 수의적, 불수의적 수축을 유발하게 된다.

뇌에 전달되는 여러 자극은 다음과 같은 여러 종류가 있다. 중추(숨뇌)와 말초(목동맥과 대동맥궁)의 화학수용체는 산소와 이산화탄소의 농도를 인지하여 미주신경을 통해 중추로 신호를 전달하고, 목동맥과 대동맥궁의 기계적 수용체는 혈관이 늘어나는 것을 인지하여 미주신경을 통해 중추로 신호를 전달한다. 그 외 기계적 자극으로는 비인두강내의 차가운 공기나 기류 변화가 삼차 신경을 통해 중추로 전달되고, 기관지의 상피 세포나 근육 세포의 자극, 감염이나 폐색전 등이 폐 실질의 허파 꽈리벽에 있는 C 섬유를 자극하여 미주신경을 통해 뇌로 전달이 된다. 늑간 근육이나 횡격막 근육이 자극되면 척수, 혹은 척수상부반사에 의해 중추로 전달이 된다. 또한 감정적 변화나 스트레스 같은 자극도 호흡곤란을 유발하게 된다.

뇌기능 촬영 영상(positron emission tomography, functional magnetic resonance imaging)을 통해 연구된 결과, 중추로 전달된 자극들은 크게 두 가지 경로를 거치게 되는데 말초의 화학적, 기계적 수용체는 호흡곤란의 정도를 인식하여 뇌줄기, 체성감각피질로 전달이 되고 불유쾌한 감각이나 감정적 스트레스 같은 자극들은 뇌의 변연계(전방대뇌섬영역, 전방대상영역, 편도핵)로 전달이 된다. 이런 연구들을 통해 호흡곤란을 관장하는 중추는 통증 중추와 공통점이 있으며 특별히 변연계의 전방대뇌섬영역은 통증뿐 아니라 배고픔, 갈증의 중추이기도 하여 내인성 마약성 진통제가 이러한 증상들에 동시에 효과가 있을 수 있는 근거가 된다.

요약하면 호흡곤란은 중추의 호흡요구정도와 이에 부응하는 말초 호흡능력간의 불일치가 되는 의식적 표현으로 볼 수 있다.

3. 호흡곤란의 임상적 평가

호흡곤란의 평가는 원인이 무엇인지 확인하고 환자의 스트레스 정도 및 환자에게 미치는 영향을 평가하여 치료와 돌봄의 목표를 정하기 위해 중요하다.

가장 기본이 되는 평가 방법은 병력청취와 신체 진찰이며 호흡곤란의 다양한 원인적 특성으로 인해 평가 시 신체적, 정신적, 사회적, 영적인 부분까지 모두 종합적으로 평가해야 한다.

그러나 많은 검사들보다 가장 정확하고 중요한 호흡곤란의 진단 방법은 환자가 호소하는 자기 호소(self report)이다. 호흡곤란은 객관적 평가가 어려운 환자의 주관적인 증상이므로 산소포화도를 포함한 여러 객관적 징후를 환자의 호흡곤란과 연관시키기 어려울 수 있다. 호흡곤란의 중증도는 통증에서 사용되는 것과 같은 종류의 시각척도를 이용하여 측정할 수 있다. 의사소통이 힘든 경우 객관적 생체 징후 및 검사결과를 참고한다.

일차원적 시각척도(numeric rating scale, NRS; visual analogue scale, VAS)나 보그점수(modified Borg Scale)같은 환산점수는 환자가 0~10까지 호흡곤란의 강도를 표시하게 하여 호흡곤란을 정량적으로 나타내는데 유용하다. Cancer Dyspnea Scale (CDS), Medical Research Council (MRC) 등은 호흡곤란의 기능적 평가를 시행할 수 있고, Edmonton Symptom Assessment System (ESAS), Memorial Symptom Assessment Scale (MSAS)은 다른 증상도 같이 평가할 수 있다. 다차원적인 호흡곤란 평가도구인 CDS는 12개의 환산도구로 되어있고, 즉각적인 호흡곤란의 강도뿐만 아니라 불쾌함, 감각특성 및 감정적 반응까지 0에서 10까지의 점수로 정량적으로 측정할 수 있다.

기본적인 평가 항목들과 그 외 임상적 평가항목들은 **표 25-2**와 같다.

4. 치료

어느 질환이든지 가능하면 원인을 제거하는 치료가 가

표 25-2. 호흡곤란의 임상적 평가

병력청취

- 호흡곤란의 성격(발생시기, 특징, 강도, 동반 증상, 악화 및 완화 요인)
- 과거력(흡연력, 직업력, 방사선 또는 항암치료 경력)
- 정신사회적/영적 과거력

신체 진찰

- 시진(영양실조, 청색증, 곤봉지, 호흡양상)
- 생체징후
- 심장검사(리듬, 병적 청진음, 심잡음, 목정맥 확장, 모순맥박)
- 폐 진찰(과다팽창, 그렁거림, 병적 청진음)
- 복수 및 말초부종

검사실 검사

- 실험실 검사(전체혈구계산, 동맥혈가스, 뇌나트륨이뇨펩티드)
- 맥박산소측정
- 폐기능검사
- 심전도
- 심초음파
- 동맥조영술
- 영상검사(가슴단순사진, 컴퓨터단층촬영, 자기공명 영상, 양전자방출단층촬영, 환기확산스캔등)

호흡곤란의 정도 평가

- Numeric rating scale, Visual analogue scale
- Modified Borg scale

고통의 정도, 삶의 질 평가

- Cancer Dyspnea scale (CDS)
- Medical Research Council (MRC)
- Lung Cancer Sympton Scale (LCSS)
- Edmonton Symtom Assessment System (ESAS)
- Memorial Symptom Assessment Scale (MSAS)
- MD Anderson Symptom Assessment
- Rotterdam Symptom Check List (RSCL)
- Euro QoL 5D, FACT-L, EORTC

장 좋겠으나 완화의학 영역에서는 그렇지 못한 경우가 많으므로, 호흡곤란의 치료 목표는 신체 징후나 검사결과 등 임상지표의 호전이 아니라 환자의 주관적 증상의 완화이다. 동시에 가역적 원인이 있다면 같이 치료를 하고 환자뿐 아니라 가족들이나 돌봄제공자에게도 교육을 하여 불안 등이 호흡곤란을 악화시키지 않도록 한다. 치료는 약물요법, 비약물적 요법이 있으며 약물로는 마약성 진통제, benzodiazepine 등의 항불안제, 이뇨제, 항콜린성 약물, 스테로이드 등이 있으며 비약물적 요법으로는 산소치료, 재활치료, 인지치료, 수술 등이 있다.

1) 약물 요법

(1) 마약성 진통제

마약성 진통제는 호흡곤란의 증상 완화를 위한 일차약제이나, 약제의 작용기전은 아직 완전히 밝혀지지 않았다. 그러나 말초와 중추에서의 아편유사수용체와 결합함으로써 저산소증과 고탄산혈증 등에 대한 중추의 민감도를 완화시키며, 폐혈관 확장 효과, 흡기 시 기도 저항을 낮춰주는 효과, 휴식 시와 운동 시의 산소 소비량을 감소시키는 효과가 있을 것으로 생각되며 또한 통증 경감과 불안 감소로 호흡곤란의 증상을 완화시키는 것으로 생각되고 있다.

많은 연구들에서 경구 혹은 주사로 마약성 진통제를 투여한 경우 암 환자뿐 아니라, 만성폐쇄성 폐질환, 심부전, 특발성 폐섬유화증, 근위축측삭경화증 등에서도 비교적 안전하고 효과적으로 호흡곤란을 조절할 수 있다고 발표되고 있다. 그러나 마약성 진통제를 분무하여 흡입한 경우에는 효과가 없거나 확실치 않았다.

호흡곤란 시 마약성 진통제 사용지침은 다음과 같다. 마약성 진통제를 처음 써보는 환자들에서 5 mg의 피하주사는 위험성 없이 호흡곤란을 조절하는데 효과적으로 사용할 수 있으며 통증 조절 효과와 동일하게 효과가 4시간가량 지속된다. 혹은 경구로 2.5~5 mg의 마약성 진통제를 사용하고 나서 한 시간 후에도 증상이 지속되면 한 번 더 투여할 수 있으며 하루 사용되는 속효성 마약성 진통제를 종합하여 하루 총 용량을 결정한다. 돌발성 호흡곤란에는 하루 사용하는 마약성 진통제 총 용량의 5-15%정도를 필요시마다 사용하도록 한다. NCCN 가이드라인에서는 2.5~10 mg의 경구 마약성 진통제, 혹은 1~3 mg의 주사제를 두 시간 간격으로 필요시 사용하여 용량 조절할 수 있다고 하였다. Allard 등의 연구에서는 암성통증에 대해 기저 마약성 진통제 용량의 25%를 증량하면 4시간 이상 호흡곤란이 경감됨을 보였다.

호흡곤란에서의 마약성 진통제 사용은 통증조절에서의 방법과 유사하게 사용하며 지속적 호흡곤란을 조절하기 위한 서방형 제제와 돌발성 호흡곤란을 조절하기 위한 속효성 마약성 진통제를 병행하는 것이 권고된다 표 25-3. 적절한 용량을 사용 시 호흡저하의 위험성은 거의 없고, 속효성 마약성 진통제의 짧은 반감기 때문에 부작용도 짧게 나타난다. 심각한 마약성 진통제 부작용은 대개 없으나 생기는 경우 마약성 진통제 길항제로 효과적으로 대처할 수 있다.

(2) 항불안제

Benzodiazepine은 적절하게 마약성 진통제를 사용함에도 불구하고 호흡곤란이 있는 환자에서 동반된 불안을 치료하는데 처방되어 왔다.

코크란 리뷰나 메타 분석에서는 암 환자, 만성폐쇄성 폐질환 환자에서 호흡곤란에 대한 효과가 입증되지 않았고, diazepam이나 alprazolam을 사용한 만성폐쇄성 폐질환 환자와 건강한 피험자에 대한 이중맹검연구에서는 위약군보다 나은 효과를 보이지 않았다는 연구결과도 있으나 그 외 여러 임상연구에서 피하 혹은 경구 midazolam, lorazepam이 불안과 상관없이 암 환자에서의 호흡곤란을 호전시켰다는 결과를 보고하고 있다.

NCCN 가이드라인에서는 호흡곤란이 마약성 진통제로 조절되지 않고 불안이 동반된 경우 benzodiazepine을 써본 적이 없다면 lorazepam을 0.5~1 mg 경구로 4시간마다 필요시 복용할 수 있다고 하였다. 적절하게 마약성 진통제를 사용함에도 불구하고 불안이 있는 호흡곤란 환자에서 benzodiazepine은 안전하게 불안을 해소해

표 25-3. 호흡곤란 시 마약성 진통제 미경험 환자에서 용량 권고안

1. 경구용 모르핀 혹은 동등용량 2.5~5 mg으로 시작한다.
2. 최대혈중농도에 도달하는 반응시간(경구 1시간, 피하·근주 30분, 정맥주사 6분)에 기초하여, 용량을 반복하거나 증량한다(경도에서 중등도의 호흡곤란 지속시 25~50%증량, 중등도에서 중증 호흡곤란시 50~100%증량).
3. 24시간 마약성 진통제요구량을 계산하여 동등용량의 서방형제재로 변경한다.
4. 돌발성 호흡곤란을 조절하기 위해 24시간 마약성 진통제 요구량의 5~15%를 필요시마다 사용한다.

7부

줄 수 있을 것으로 생각된다.

Buspirone은 각 연구마다 상반된 결과를 보여 주고 있으며, 항정신병약물인 chlorpromazine을 25 mg 투여 시 진정효과가 증가되지 않으면서 호흡곤란을 감소시켰다는 연구가 있어 chlorpromazine의 호흡곤란에 대한 기전을 명확히 밝혀야 할 것으로 생각되나, 섬망이나 불안초조가 있는 호흡곤란환자에서는 합리적인 선택일 수 있다.

Promethazine과 levomepromazine도 만성폐쇄성 폐질환 환자의 호흡곤란을 호전시켰다는 연구 결과도 있긴 하나 일관성이 없는 결과를 보여 추후 연구가 더욱 필요할 것으로 보인다.

SSRI는 이론상 호흡중추에 직접적인 영향을 줄 수 있으나 아직 많은 연구가 이루어지지 않았다.

(3) 리도카인

실험적으로 유도된 기관지 수축 및 아데노신으로 유발된 호흡곤란에서 리도카인 흡입은 호흡곤란을 감소시켰으나 특발성폐섬유증환자와 암 환자에 대한 소규모 연구에서는 리도카인 흡입과 생리식염수 간에 차이가 없었다. 효과가 있었던 실험연구에서는 폐의 구심성 미주 신경을 억제했을 것으로 생각되나 리도카인 흡입이 어떤 호흡곤란에 효과적인지에 대해서는 추가적인 대규모연구가 필요하다.

(4) 이뇨제

고탄산혈증을 유발한 실험 연구에서 호흡곤란을 감소시키고 만성폐쇄성 폐질환 환자에서 운동 유발 호흡곤란을 감소시켰다는 연구 결과가 있지만, 암 환자를 대상으로 한 연구에서는 호흡곤란을 감소시키지 못했다. Furosemide의 호흡곤란에 대한 기전으로는 심부전, 폐부종 등이 있는 경우 이뇨효과가 영향을 주었을 수 있으며 기관지 수축이 있는 경우에는 기관지 확장효과를 유발할 수 있을 것으로 생각된다. 이러한 기전 외에도 미

주신경을 통하여 뇌로 전달되는 신전수용체를 민감하게 하여 공기가 부족하다고 느끼는 것에 대한 민감도를 낮추어 마치 폐가 확장된 것 같은 효과를 나타내게 되어 호흡곤란을 호전시킬 수 있다고 보여진다. Furosemide에 대한 임상결과들이 일관적이지 않으므로 추후 호흡곤란에 대한 추가적 연구가 필요할 것으로 생각된다.

(5) 스테로이드

무작위 임상시험연구에서는 아직 연구된 바가 없으나 암이나 상대정맥증후군 같은 기관지 폐쇄, 방사선치료나 약물로 유발된 폐렴, 림프관성 폐암종증 등에서 효과적일 수 있다.

(6) 항콜린성 약물

기도 분비물이 너무 많아서 호흡이 힘든 경우에는 스코폴라민 0.4 mg을 피하주사로 4시간 간격으로 필요시 투여하거나 1.5 mg 패치를 3일마다 사용할 수 있다. 그 외에도 1% 아트로핀 점안액을 설하로 한두 방울씩 4시간 간격으로 사용할 수 있으며 glycopyrrolate 0.2~0.4 mg 을 4시간 간격으로 필요시마다 피하 혹은 정맥주사를 사용할 수 있다.

2) 비약물적 치료

저산소증에는 산소 치료를 시행할 수 있고 호흡재활은 만성폐쇄성 폐질환 환자들과 더불어 암 환자에서도 호흡곤란을 호전시킨다는 근거가 많다. 휴대용 선풍기도 호흡곤란에 도움이 된다는 연구가 있으나 좀 더 많은 근거가 필요하고 침술, 이완요법, 음악요법, 명상, 상담, 심리치료 등도 더욱 많은 연구가 필요하다 표 25-4.

(1) 산소치료

저산소증은 말초화학수용체를 자극하여 호흡곤란을 유발하며 만성 저산소증이 있는 만성폐쇄성 폐질환 환자에서 산소치료가 생존율을 증가시킨다는 연구결과가

표 25-4. 비약물적 치료

산소

호흡재활
- 입술 모음호흡법: 호기말 압력을 증가시켜 폐포 허탈을 예방하여 산소 교환을 증가
- 횡격막 호흡법
- 포지셔닝: 의자에 기대어 몸을 앞으로 기울이기, 이환된 폐를 지면 쪽으로 향하게 하기
- 보측기술(Pacing technique)
- 신경근육전기 자극
- 흉곽 진동
- 운동

보행보조도구
- 대사 요구도 감소

휴대용 선풍기 및 지속적인 실내 환기
- 삼차 신경 제2분지 자극

통합의학
- 침술, 명상, 이완요법, 심리 치료, 상담, 음악치료, 등

환자와 돌봄 제공자에게 교육
- 호흡곤란의 원인, 호전시키기 위한 방법, 마약성 진통제, 기관지 확장제 등의 약물에 관한 교육 등

있으나 말기 암 환자에서는 그 외에도 여러 기전에 의해 호흡곤란이 생기므로 저산소증이 없는 말기 암 환자에서는 산소치료가 도움이 되지 않는다는 연구가 많다.

두 개의 무작위 배정, 이중맹검 임상연구에서 산소흡입과 공기 흡입을 비교했을 때 저산소증군에서 산소투여로 산소 분압이나 산소포화도 등의 임상지표가 호전되었음에도 호흡곤란의 호전은 두 군 사이에 유의한 차이가 없었고 저산소증이 없는 경우에도 산소와 공기 흡입의 증상 호전 차이는 보이지 않았다.

이러한 효과는 산소치료가 전통적 의학치료의 상징으로 위약효과를 나타냈을 수도 있고 한 연구에서는 얼굴에 선풍기를 쐬었을 때 호흡곤란의 호전이 있었다는 결과를 볼 때 바람에 의한 얼굴의 삼차 신경 자극이 호흡곤란을 호전시켰을 가능성도 고려해 볼 수 있다.

저산소증이 있는 호흡곤란 환자에게 산소를 투여하는 것은 합리적이나 산소를 투여했음에도 증상완화가 없다면 단순히 저산소증 때문에 투여를 지속할 필요는 없고, 오히려 산소를 투여하는 경우 환자의 행동반경에

제약을 줄 수 있고 기저질환으로 인해 이산화탄소의 저류가 유발될 위험 등을 따져보아 환자 개개인의 상황에 맞게 사용 여부를 결정하여야 한다.

(2) 호흡재활

다학제적 팀 접근을 통한 호흡재활은 만성폐쇄성 폐질환 환자와 암 환자에서 호흡곤란을 개선시키고, 운동 능력을 향상시키며 불안 같은 감정과 삶의 질을 호전시킬 수 있다.

입술 모음 호흡법, 횡격막 호흡, 자세 변경 등의 호흡재활법은 호흡 효율을 높여 주는 방법이며 보행 보조도구를 사용하여 호흡곤란이 적은 자세를 유지하게 하고 신경근 전기 자극이나 흉곽 진동으로 약해진 근육을 자극하게 하여 호흡곤란을 감소하게 되며 운동이 가능하다면 지속적인 운동으로 호흡능력을 향상시킬 수 있다. 이러한 방법들은 많은 연구에서 효과가 있다고 보고되고 있다.

(3) 통합의학

만성폐쇄성 폐질환 환자, 암 환자에게 침술을 사용하였을 때 일부 연구에서는 호흡곤란의 보행 시 산소 포화도, 폐기능검사 결과, 삶의 질이 호전되었다는 연구 결과가 있었으나 다른 연구에서는 상반된 결과를 보이고 객관적인 생리적 기전이 명확하지 않아 더 많은 연구가 필요할 것으로 생각된다. 그 외 명상, 이완요법, 음악요법은 호흡곤란을 개선시키지 못하였다.

(4) 완화적 비침습적환기(Palliative non-invasive ventilation, palliative NIV)

완화적 환기 보조도구로 비침습적 환기(palliative NIV)를 사용하기도 하는데 palliative NIV는 주로 진행된 신경근육질환, 심인성 폐부종, 면역이 취약한 사람의 저산소성 호흡부전에서 생존율을 높이거나 일시적으로 환자의 단기 목적을 위해 수명을 연장시키고 호흡곤란

7부

을 호전시키기 위한 목적으로 사용되었으며 기관삽관을 하지 않기로 결정한 환자들(do not intubate, DNI)에서 주로 사용하였다.

NIV는 운동뉴런질환에서 호흡부전이 있는 경우 제공하는 표준 치료 중의 하나로 권장되었지만 완화의료 영역의 다른 질환에서 범위를 넓혀 갈 경우 완화의료팀과 호흡관리전문팀의 협업이 필요할 수 있고, 환자와 돌봄 제공자의 부담이 늘어날 수 있는 것, 치료의 목적, NIV의 이득과 손실, 또한 호흡기를 떼는 경우까지 모두 고려하여 생의 말기에 적용하는 것이 필요하다. 추후 연구로 완화의학영역에서의 NIV의 올바른 이해와 역할에 대한 정립이 필요할 것으로 생각된다.

(5) 시술, 수술

흉수가 빠른 속도로 차거나 많은 양이 있는 경우 도관삽관을 하여 매일 일정량을 빼 주어 호흡곤란에 도움이 될 수 있으며 기계적, 화학적 흉막유착술을 시행하거나 흉막제거술을 시행할 수 있다. 중증의 만성폐쇄성 폐질환 환자에서 치료에도 불구하고 호전이 없는 경우 lung volume reduction을 시행할 수도 있다.

(6) Heliox

헬륨은 공기 중의 질소보다 밀도가 낮아서 산소와 섞어서(72% He, 28% O_2) 흡입하였을 때 기도의 저항을 덜 느끼게 하여 호흡을 수월하게 하는 기전으로 만성폐쇄성 폐질환 환자와 폐암 환자에서 사용하였을 때 증상의 호전이 있다는 연구 결과가 있다. 그러나 가격이 비싸고 특수 설비가 필요하며 아직 환자 선정에 대한 구체적 가이드라인이 없어 임상에서 사용하기에는 제한적이다.

(7) 완화진정(Palliative sedation)

완화진정은 적극적이고 증상 특이적인 완화치료에도 불구하고 호전되지 않는 심한 통증 혹은 임상증상을 가진 임종기의 환자에게 마지막 방법으로 비마약성약물을 투여하여 무의식으로 진정시키는 것이다. 완화진정을 시행하더라도 임종이 앞당겨지지는 않으며 환자나 가족의 사전동의를 얻어야 한다.

3. 요약

호흡곤란은 완화치료를 받는 환자들이 흔히 겪는 증상으로, 가장 좋은 평가 방법은 환자의 자기 호소이며 그 외에 정신적, 사회적, 영적인 부분도 평가하여 호흡곤란이 환자에게 어떤 영향을 주는지 종합적으로 평가하여야 한다.

원인은 매우 다양하며 원인 자체를 해결할 수 없는 상황이 많으므로 치료의 목표는 객관적 임상지표의 호전이 아닌 환자의 증상 완화이며 가역적 원인이 있는 경우 같이 치료하고 가족이나 돌봄 제공자에게도 적절한 교육을 시켜야 한다.

마약성 진통제가 가장 많이 연구된 안전하고 효과적인 약물이며 벤조다이아제핀 등의 항불안제도 도움이 되며, 저산소증이 동반된 경우 산소치료가 도움이 될 수 있다. 그 외에 이뇨제, 스테로이드, 리도카인 등에 대한 많은 연구가 필요하다.

비약물적 치료로 호흡재활이 도움이 되며 휴대용 선풍기, 시원한 바람도 도움이 된다는 연구결과가 있다.

그 외에 침술, 이완, 명상, 상담, 음악요법 등을 시행할 수 있으나 아직 근거가 미약하다.

어떠한 치료에도 반응하지 않는 여명이 얼마 남지 않은 임종기 환자에게는 완화진정이 도움이 될 수 있다.

II 기침

기침은 일반인뿐 아니라 암 환자나 만성폐쇄성 폐질환 환자에서도 흔한 증상 중 하나이다. 암 환자의 37%에서 기침을 호소한다고 보고되었으며 특히 폐암 환자의 65%에서 기침이 있으며 쉽게 잘 치료되지 않으며 질병의 진행 과정 동안 지속적으로 남아 있게 된다. 지속적이고 심한 기침은 근골격계 통증을 유발하고 갈비뼈 골절, 요실금, 피로, 불면 등을 유발하여 환자와 돌봄제공자의 삶의 질에 많은 영향을 끼친다.

1. 병태생리

기침은 정상적인 상황에서는 흡입물질이나 염증산물을 제거하기 위한 반사적 방어기전으로 작용한다. 기침은 크게 세 시기로 나눌 수 있다. 처음에 호기근육이 늘어나면서 흡기를 하며 이후에 성문이 닫히면서 흉강 내 압력이 올라가고 그 직후, 기도가 눌리는 동시에 빠른 속도로 공기를 내뱉는 호기에 기침의 특징적 소리가 나게 된다.

효과적인 기침으로 점액 혹은 가래가 제거되는 데에는 공기 흐름의 속도, 점액의 점도, 점막 섬모 운동시스템의 기능이 중요하다.

예를 들어 사지마비 환자, 다량의 복수, 스테로이드 근육병, 악액질, 간비대, 의식수준에 영향을 주는 신경학적 상태 등에서의 약한 호흡근육, 복근들은 높은 호기 압력을 만드는 능력이 감소하여, 공기흐름의 속도가 낮아지므로 기침을 효과적으로 할 수 없게 된다. 성대마비, 기도 내 스텐트, 종양 등이 기도를 누르고 있는 경우 완전한 성문폐쇄가 되지 않으므로 효과적인 기침을 만들어 낼 만한 충분한 흉곽 내 압력 생성에 장애가 생긴다. 탈수, 만성적인 폐의 염증, 감염 등이 있는 경우 점액의 점도가 증가하여 효과적인 점액 제거가 되지 않는다. 만성폐쇄성 폐질환, 낭성섬유증, 만성 흡연자 등에서는 점액섬모운동기관의 기능이 잘 유지되지 않아 점액이 말초에서 큰 기도로 점액이 잘 이동되지 않는다.

수용체 측면에서는 다양한 기침수용체 중 일차적으로 캡사이신수용체와 일시적수용체전하 바닐로이드-1 (transient receptor potential vanilloid-1, TRPV1) 같은 다양한 기침 수용체들이 상향 조절되어 있어 대부분의 만성기침의 형태에서 기침의 예민도를 높이는 것으로 생각된다.

2. 원인

폐와 기관지, 흉막, 심막, 종격동, 폐혈관을 침범하는 모든 종류의 암은 기침을 일으키는 염증성 또는 기계적 자극의 원인이 될 수 있다. 종양 자체뿐 아니라 기관지 폐쇄, 흡인, 기관식도루에 의한 무기폐 때문에도 발생할 수 있다.

특별히 삼킴에 장애가 있는 경우와 기타 여러 요인에 의한 흡인의 경우는 음식을 먹을 때, 밤에 기침이 많이 나타난다. 또한, 통증과 악액질은 기침의 효율을 떨어뜨리고 감염에 취약하게 한다. 기관지폐포암종 (bronchoalveolar carcinoma)같은 경우는 점액분비가 왕성하여 지속적으로 기침을 유발한다. 때때로, 방사선 치료에 의한 간질성 폐렴의 경우 호흡곤란이 증가되는 기침이 유발되기도 한다.

완화돌봄을 받는 환자에서도 비암성 원인에 의한 만성 기침이 흔하다. 성인에서는 담배가 주요한 원인으로 담배는 기관지염증을 유발하고, 가래분비를 증가시키며, 점액섬모운동을 손상시킨다. 담배나 지속적 감염에 의한 폐손상은 만성기관지염이나 기관지확장증을 유발한다. 또한 기저질환으로 폐질환이 있는 경우 기침의 원인이 될 수 있다. 또한 폐영상이 정상이고 면역력이 정상인 비흡연자가 angiotensin converting enzyme inhibitor (ACEI) 복용을 하지 않고 자극제에도 노출되지 않은 경우 흔한 기침의 원인은 크게 세 가지로 다양한 비인두상태로 인한 상기도기침증후군(과거 후비루 증후군), 천식, 위식도역류질환이다. 이 세 가지는 동시에 존재할 수도 있고 20%의 환자에서 세 가지 원인 중 한 가지 이상을 가지고 있다고 하였으며, 세 질환 모두에서 기침이 유일한 증상일 수 있으므로 원인이 명확하지 않은 경우 상기 원인을 꼭 확인해 보아야 한다.

7부

3. 평가

기침은 통증, 오심, 불면, 호흡곤란 같은 증상을 유발할 수 있어 가급적 기침에 대한 원인을 찾도록 평가해야 한다. 타당도가 검증된 완화의학에서 사용하는 기침 평가 도구는 없으나 일반적으로 병력청취, 신체진찰, 가슴 사진 등이 주요한 평가 도구이다.

또한 기침의 특성을 확인하여 기침의 횟수, 가래가 있는지, 가래 배출은 용이한지, 담배나 다른 자극, 약물, 음식물, 자세와 관련성이 있는지, 악화요인, 완화요인이 있는지, 호흡곤란, 불면, 피로, 통증, 소화불량, 후비루, 위산 역류 등의 다른 동반 증상이 있는지 확인하여야 한다.

암치료 병력, 흡연력, ACEI 사용 여부, 동반된 심폐질환 등이 있는지 확인하여야 한다. 시각척도검사로 강도를 평가할 수는 있으나 타당도가 연구되지는 않았다.

이미 타당도가 검증된 기침 특이적 삶의 질(EuroQol) 평가 도구로 기침이 삶에 미치는 영향을 평가할 수 있으며 그 외에도 Leicester Cough Questionnaire, Cough Quality of Life Questionnaire, Burden of Cough Questionnaire, Lung Cancer Cough Questionnaire 등을 사용할 수 있다.

폐기능 검사는 천식이나 만성폐쇄성 폐질환에서 유용하며 가래 배양 검사는 염증에 대한 항생제 선택에 도움을 줄 수 있다. 그 외 흉부 컴퓨터 촬영 등의 검사는 주요한 기관지폐쇄를 확인 할 수 있으나 추후 치료 목적에 따라 시행하여야 한다. 흡인이 의심되는 경우는 언어치료사에게 의뢰하여 포괄적인 평가를 시행하는 것을 고려해야 한다.

4. 치료

1) 일반원칙

치료의 목적이 기침의 원인을 치료하려는 것인지, 기침을 효율적으로 하게 하여 배출을 도우려는 것인지(protussive), 기침을 억제하는 것인지(antitussive) 결정하여 치료를 시작하여야 한다. 또한 환자의 여명을 고려하여 치료의 목표를 설정하여야 한다.

원인적 치료가 잘 되지 않는 경우에는 증상에 대한 완화적 치료를 제공하는 동시에 환자와 돌봄제공자에게 설명, 논의를 하여 안심을 시켜주는 것이 도움이 된다.

환자가 복용하는 약물을 확인하여 ACEI 같은 기침유발 약물을 확인하고 중지하는 것이 좋으며 ACEI를 중지하면 4주 이내에 기침이 호전될 수 있다.

2) 원인적 치료

1. 암과 관련된 원인을 치료하는 경우 항암제(특히 gemcitabine), 방사선이 종양에 의한 기침에 효과가 있으며 특히 비소세포암에서 방사선 치료가 기침을 절반 이상 완화시켰다는 연구가 있다. 그러나 방사선 치료는 환자의 여명, 일상생활 능력, 증상, 폐기능을 모두 고려하여 결정해야 한다.

   스테로이드는 종양으로 인한 폐부종, 기관지 폐쇄, 림프관성 폐암종증, 방사선/항암제 유발 폐렴에 효과적이다. 또한 천식과 호산구성 기관지염에도 효과적으로 쓰일 수 있다.

   기관지내 병변이 있어 막힌 경우 혹은 객혈이 있을 때에는 레이저치료, 전기소작술, 아르곤플라스마 응고술을 사용할 수 있으며 그 외에 기관지내 병변의 치료로 광역학치료, 냉동요법, 내강스텐트 삽입술등이 있다. 근접방사선치료는 기침의 완화에서 치료 효과를 입증한 유일한 기관지내 치료법이다.

2. 항생제는 염증이 있는 경우에 사용이 가능하나 임종기 환자에서는 많은 내성균과 환자의 체력이 약하여 약물이 효과적이지 못한 경우가 많다.

3. 상기도기침증후군의 경우에는 항히스타민제와 비충혈제거제가 도움이 되지만 효과는 서서히 나타나서 2주까지 걸릴 수 있다.

4. 기침변이천식 등 기관지 과민성이 있는 경우에는 베타 2 작용제 같은 기관지 확장제를 사용하

며 장기적으로는 비만세포 안정제인 네도크로밀염(nedocromil sodium), 항류코트리엔제제, 코르티코스테로이드를 사용할 수 있다. 기관지확장제인 이프라트로피움 브로마이드는 가래생산과 기침을 감소시켜 만성폐쇄성 폐질환 환자에서 기침억제제로 유용하게 사용될 수 있다.

5. 위식도 역류가 있어도 위장관 증상 없이 기침만 있을 수 있으며 이러한 경우에는 제산제, 프로톤 펌프 억제제가 도움이 된다.

3) 진해제(기침억제제)

진해제의 기침 억제 기전은 잘 알려져 있지 않지만 마약성 진통제처럼 중추에 작용하는 약물과 말초에 작용하는 약물들로 나눌 수 있다. 이들 약물에 대한 대규모 임상 연구는 많지 않다. 중추에 작용하는 약물들로는 서방형 모르핀(slow-release morphine), hydrocodone, codeine, dextromethorphan 등이 있고 말초에 작용하는 약물들로는 sodium cromoglycate, levodropropizine, benzonatate, moguisteine, gabapentin 등이 있다. 최근 연구가 되고 있는 약물로는 선택적 TRPV1 길항제가 있다.

(1) 가정 치료약/약국약

주로 가래가 없는 마른 기침에 대한 증상치료로 사용하게 되는데 약국에서 파는 대부분의 기침약에는 항히스타민제, 비충혈제거제 등이 혼합되어 있다. 이러한 약들은 진정, 오심, 변비 등을 유발할 수 있다.

걸쭉하고 달콤한 음료는 기침을 줄이는 데 도움이 되고, 처방전 없이 살 수 있는 많은 기침약과 생약들은 설탕과 아라비아검 같은 완화제를 포함하고 있어, 수분을 흡수하고 인두부를 진정시키는 막을 형성하여 구인두의 자극으로 인한 기침인 경우에는 효과적이다. 액상 구연산 부타미레이트 기침억제제는 폐암에서만 기침을 억제하는 것으로 나타났다.

(2) 마약성 진통제 및 연관약제들

마약성 진통제의 진해효과는 진통효과와는 좀 다르다. 몇몇 마약성진해제는 전혀 진통효과가 없는 것도 있다. 완화돌봄을 받는 환자들에서는 통증과 기침이 동반되면 강한 마약성 진통제를 쓰는 것이 도움이 되지만 이미 통증에 대한 강한 마약성 진통제를 쓰고 있다면 기침을 위해서 다른 마약성 진통제를 추가하는 것은 근거가 없다.

① 모르핀

뚜렷한 폐질환이 없고 다른 진해제에 반응이 없는 만성기침 환자를 대상으로 시행한 이중맹검 위약대조임상시험에서 하루 두 번 5 mg의 모르핀을 투여한 환자군에서 1일 기침 점수가 평균 40% 감소하는 결과를 보였고, 5 mg에 반응이 없던 사람들은 10 mg로 용량을 올렸을 때 효과가 있었다. 효과가 있던 군에서의 최대효과는 5일 이내에 나타났다.

② 코데인(codeine)

코데인은 간에서 모르핀, norcodeine, normorphine, hydrocodone으로 대사된다. 코데인의 기침억제효과는 진통작용보다 강력하여 임상적 또는 실험적으로 많이 연구되고 기침에 대한 표준 약제로 생각되어왔으나, 최근 결과들은 위약보다 나은 효과를 보이지 못했다. 다른 한 연구에서는 4시간 간격으로 30∼60 mg을 투여 시 기침에 대한 효과는 있었으나 마약성 진통제의 부작용인 오심, 의식저하, 변비가 발생하였다. 기침 횟수는 용량에 따라 상관관계를 보였다. 만성폐쇄성 폐질환 환자들을 대상으로 시행한 다른 연구에서는 기침에 대한 증상점수, 시각척도 등이 위약군과 차이가 없었다. 하루 10∼20 mg을 4시간마다 경구 투여할 수 있다.

③ Hydrocodone

Hydrocodone은 코데인의 대사산물로 기침 억제 및 진통작용이 있다. 하루 5∼10 mg을 4∼6시간마다 경구 투여할 수 있고 평균 10 mg에서 가장 좋은 효과(대부분 기침횟수가 50% 이상 감소함)를 보였다.

④ Methadone

Methadone의 포도당이성체는 코데인이나 모르핀보다 더 강력한 기침억제효과를 보인다. Methadone액상 기침약은 4~6시간마다 1~2 mg을 투여하고, 장기 사용 시는 하루 2번으로 감량한다. 긴 반감기와 축적효과 때문에 전문가의 추적관찰과 사용상 주의가 필요하나 아직 국내에서는 시판되지 않고 있다.

(3) 진통효과가 없는 마약성 진통제 연관 기침억제제

① Pholcodine

코데인과 구조적으로 연관이 있는 강력한 기침억제 제이나 진통효과는 없다. 부작용이 거의 없고 내성이나 의존성이 없다.

② Dextromethorphan

Dextromethorphan은 비마약성코데인유사체이고 많은 약국약의 성분으로 포함되어 있다. 미국에선 진해제로 가장 많이 사용된다. 코데인과 비교연구에서 20 mg 사용시 기침의 횟수를 줄이고 코데인보다 부작용이 적어서 환자들이 선호하였다. Dextromethorphan은 간에서 싸이토크롬 P450 이성체 CYP2D6에 의해 간에서 대사되어 약물 상호작용에 유의해야 한다. 또한, 우리나라에서는 환각 목적으로 사용되는 것을 막기 위해 엄격히 관리되고 있다.

③ Dimemorfan

일본에서 많이 사용되는 약물로 마약성 진해효과와 독립적으로 중추에 작용하여 진해효과를 내는 것으로 생각되고 있으며 20 mg을 하루 세 번 복용 시 50%이상에서 기침에 효과적으로 작용하였다. 의존이나 진통 효과는 없다.

(4) 비마약성 기침억제제

① Sodium cromoglycate

Sodium cromoglycate는 기침반사의 구심경로인 비수초화 C 섬유를 억제한다. 암 환자를 대상으로 하는 소규모연구에서 기존 치료로 조절되지 않는 자극성 기침이 sodium cromoglycate 하루 두 번 흡입 시 위약군에 비해 뚜렷한 감소를 보였다. 보통 약제의 효과는 36~48시간 후에 나타난다.

② Benzonatate

Benzonatate는 말초의 신전수용체를 마비시켜 작용하는 것으로 생각된다. 암 환자의 마약성 진통제 저항성 기침에서 100 mg를 하루 3번 사용 시 별다른 부작용 없이 효과가 있다는 증례 보고들이 있었다. 복용 시 알약을 씹어 먹으면 구강인두가 마취되므로 주의하여야 한다.

③ Levodropropizine

Levodropropizine은 폐를 침범한 암 환자에서 하루 3번 75 mg 사용 시 dihydrocodeine만큼 효과적이나 진정효과가 적었고, dextromethorphan과도 비슷한 기침억제효과를 보였으나 부작용들은 더 적었다.

④ Baclofen

바클로펜은 동물실험에서 기침억제효과를 보였고, 사람에서는 자극유발기침을 감소시키는 것으로 나타났으나, 병적기침에 대한 이중맹검이나 위약대조 임상시험이 시행되지 않았기 때문에 대체약제로 추천되지 않는다.

⑤ Moguisteine

100~200 mg을 하루 세 번 복용 시 코데인 15~30 mg과 비슷한 기침 억제 효과를 보였다는 연구 결과가 있다.

⑥ Glaucine

서유럽에서만 사용되는 중추에 작용하는 진해제로 30 mg 하루 세 번 투여 시 코데인보다 효과가 좋고 부작용이 적었다는 연구가 있다. 유럽에서 베타차단제(metripranolol)와 같은 상품명으로 판매되므로 주의하여야 한다.

⑦ Gabapentin

불응성 만성 기침에서 위약보다 기침에 대한 효과가 좋았다는 연구가 있으며 아마도 기침반사에 대한 중추감작에 영향을 미치는 것으로 생각된다.

⑧ 국소마취제

실험적으로, 국소마취제를 정맥이나 흡입 시 다양한 자극에 대한 기침을 억제하는 것으로 나타났으나 완화 환자의 지속적인 기침에 대한 부피바카인 흡입 증례보고만 있고 불쾌한 맛, 흡인이나 기도수축 위험성, 짧은 작용시간과 빠른 내성 때문에 사용에 제한이 있다.

⑨ 선택적세로토닌재흡수억제제

SSRI는 세로토닌수치가 증가되면 고양이의 기침반사가 억제되는 관찰연구를 기반으로 마약성 진통제 저항성 기침에 도움이 될 수 있을 것이라는 가설이 제기되었다. 한 증례연구에서 코데인에 효과가 없는 기침을 호소하는 암 환자에서 paroxetine이 효과가 있음을 보고하였다. 그러나 아직 대조연구는 없는 실정이다.

(5) 기침 효율을 높이는 약물(거담제)

① 거담제

거담제는 기도 내 수분이나 분비물의 양을 증가시켜 기침의 효율을 높인다. 단순수분공급은 기침을 호전시키지 못하며, 오히려 과다 공급 시 만성기침 환자에서 기도 청소율을 감소시킨다.

② 고장성 생리식염수(Hypertonic saline)

고장성 생리식염수분무(3%)는 점액섬모 청소율을 증가시키는 것으로 나타났다. 고장성 생리식염수가 점액섬모운반을 자극할 뿐 아니라 점액의 이온결합을 분해하여 점성과 탄성을 줄이는 것으로 생각된다. 효과는 농도에 비례하여 나타나므로 일반적으로 사용하는 일반 생리식염수보다 고장성 생리식염수 효과적이다.

③ Guaifenesin

약국에서 판매하는 약의 성분으로 많이 포함되어 있으나 근거는 명확하지 않다. 위약대조군 연구에서 가래의 양에 변화가 없다는 연구도 있고, 최근 연구에서는 상기도 감염 환자에서 기침반사에 대한 예민도를 감소시켜주었다는 연구도 있으나 또 다른 연구에서는 만성기관지염에서는 효과가 없다고 하였다.

④ 점액용해제

점액용해제는 뮤신이나 DNA-액틴중합체구조의 탈중합에 의해 점성을 낮추고 기침청소율을 늘려 가래배출을 증가시킨다.

아세틸시스테인(N-acetylcysteine)은 뮤신 용해, 항산화, 항염증 효과가 있는 약물로 만성폐질환 환자에서 많이 쓰인다. 하루에 400~1,200 mg을 사용할 수 있으나 적절한 용량이 정해지지 않은 상태이며 특별한 부작용 없이 사용될 수 있다. 만성폐쇄성 폐질환 환자에서 사용 시 폐기능이나 삶의 질에는 영향을 미치지 않았다는 연구가 있다.

Ambroxol 75 mg을 만성폐쇄성 폐질환 환자에서 사용 시 연구 기간 동안 악화가 되지 않았다고 보고하였다.

Carbocysteine은 만성폐쇄성 폐질환 환자에서 악화를 줄여주고 삶의 질을 향상시켰다는 중국 연구가 있으며, 베타수용체 작용제는 섬모 작용을 활성화시켜 점액 청소를 향상시켰다는 연구가 있으나 다른 연구들은 다양한 결과를 보여준다.

7부

Macrolide는 뮤신 유전자에 대한 면역조절제로 낭성 섬유증, 과다 기관지분비물이 있는 경우 효과적이었지만 만성폐쇄성 폐질환에서는 장기 사용에 대한 효과와 안정성이 제한적이다.

전통적 점액용해제는 가래안의 뮤신단량체에 붙은 이황결합을 수화시킨다. 만성기관지염 환자에서 사용 시 악화되는 횟수와 기간을 감축시키는 것으로 나타났으나 암 환자에서는 효과가 불분명하고 경구복용 시 위에 자극이 된다.

펩타이드 점액용해제는 가래안의 DNA분자 크기를 감소시켜, 가래의 점성을 줄이고 청소율을 늘리는 재조합 DNA효소로 dornase alpha는 낭성섬유증환자에서의 사용을 승인받았으나, 2006년 미국흉부의학회의 치료지침에서는 만성기침에의 사용을 권유하지 않았다. 비록 낭성섬유증환자에서 FEV1의 호전, 증상악화의 감소, 삶의 질의 증가를 보였으나 만성기관지염환자에서는 효과가 없어 낭성섬유증 이외의 질환에서는 일반적으로 잘 사용하지 않는다.

(6) 흉부 물리치료

기도 청소 요법(airway clearance therapy, ACTs)에는 호흡기법활성화(active cycle of breathing technique, ACBT), 자가배출(autogenic drainage), 강한 호기(forced expiration) 등이 있다. 그러나 ACT 방법을 만성폐쇄폐질환에서 사용 시 안전하긴 하나 장기적인 이득이나 질병의 악화에 도움이 되지 않았고 삶의 질도 호전시키지 못했다.

숨을 내뱉을 때 '허' 하면서 강하게 내쉬도록 하는 방법(huffing)은 질환이 광범위하여 체력이 약한 환자에서 사용 시 가래 배출에 도움이 된다.

만성폐쇄성 폐질환에 대한 수동적 흉부 물리치료는 대조군과 비교 시 큰 이득이 없었다.

기침보조도구를 사용할 수도 있는데 신경근육계 질환이 있는 환자에서 기도 청소율 호전에 도움이 되고 가정에서도 장기적으로 사용할 수 있다.

(7) 언어치료

언어치료가 만성기침의 정도를 감소시켜준다는 증거들이 있다.

언어치료의 종류에는 자발적인 기침 조절 능력에 대한 교육, 기침감소전략(기침이 나올 것 같으면 변형하여 삼킴, 입술오므림호흡, 이완된 인후호흡법), 후두자극감소법(수분 공급 증가, 자극에 대한 노출 감소), 정신교육상담(조절위치의 내면화, 치료가 힘듦에 대한 수용, 현실적 목표 설정)등이 포함된다.

5. 요약

불응성기침은 드물지만 환자와 가족들에게 심각한 고통의 원인임을 생각해야 한다.

환자의 예후가 매우 불량한 경우에는 기침만 억제하거나 아예 치료하지 않는 것도 고려한다. 병력청취, 신체 진찰, 그 외 적절한 검사 결과를 종합하여 원인이 치료 가능하고 그 치료가 적절하다면 원인에 대한 직접적 치료(항생제, 점액용해제, 방사선치료, 항암치료, 기관 내 치료 등)를 고려한다. ACEI 등의 약물 복용 여부를 확인하고 흡연자라면 금연 상담을 고려하며 액상 기침약, 달콤한 음료, 물 마시기 등의 단순하고 안전한 치료를 처음부터 시도한다.

시험적으로 비교적 안전한 염화크로몰린 흡입제를 처방해 볼 수 있으며 근거가 미약한 코데인보다는 dextromethorphan이나 모르핀(5 mg, q12hrs) 등의 아편 유도제를 사용할 수 있다.

비전형적으로 기침이 증상으로 나타나는 흔한 양성 질환에서는 미국흉부의학회에서 권장하는 단계별 경험적 치료를 고려해야 한다.

- 부비동염으로 인한 상기도기침증후군: 항히스타민제, 충혈제거제
- 천식: 기관지확장제, 코르티코스테로이드 흡입(필요 시 류코트리엔수용체 길항제, 단기 경구스테로이드)

- 위식도역류질환: 위장관운동촉진제, 위산억제제, 프로톤펌프 억제제/H2 억제제
- 천식과 구별이 어려운 비천식성 호산구기관지염: 코르티코스테로이드 흡입

III 딸꾹질

만성 딸꾹질은 흔하지 않지만 환자에게 힘든 증상 중 하나로 심각한 기저질환의 징후일 수 있으며 피로, 불면, 우울, 체중 감소를 유발할 수 있어 삶의 질에 심각한 영향을 줄 수 있다. 태아에서는 호흡근육의 조절 운동연습으로 생각되나 성인에서의 역할은 잘 알려져 있지 않다.

1. 원인

딸꾹질 반사궁은 미주신경, 횡격막 신경과 흉부 교감신경의 구심성 자극, 경추와 뇌간의 중추, 횡격막의 운동신경과 늑간 신경의 원심성 자극의 세 가지로 구성되어 있다. 만성 딸꾹질은 이 세 가지 중 한 가지의 지속적인 장애로 인한 것으로 생각되며 원인은 표 25-5와 같다.

2. 치료

원인적 치료가 가장 좋으나 원인을 알 수 없는 경우나 치료할 수 없는 경우가 많다.

다른 증상에서처럼 환자와 가족에게 미치는 증상의 정도와 영향을 평가하여 치료의 득실을 알려 주어야 한다. 딸꾹질처럼 흔하지도 않고 저절로 없어지기도 하는 증상들에 대한 연구는 많지 않으나 일반적으로 쓰이는 약물은 다음과 같다.

Gabapentin 100~300mg을 하루 3번으로 시작하여 증량하여 사용할 수 있고, pregabalin도 사용해볼 수 있다. Baclofen 5 mg을 하루 3번 경구복용하고 효과가 나타날 때까지 3일마다 5 mg씩 최대 용량까지 증량하여 사용할 수 있다. Metoclopramide는 진정 등의 부작용 없이 사용 가능하며 니페디핀 30~60 mg을 경구로 하루 한 번 투여하는 것도 효과가 있다. 경구 haloperidol은 호스피스·완화의료에서 흔히 쓰이고 있으며 클로르프로마진도 사용가능하나 저혈압에 주의하여야 한다.

비약물적 요법으로 횡격막신경자극법이나 횡격막신경차단술도 성공적으로 사용되어 왔고 GV26이나 P6의 압점에 대한 침술 또한 성공적이었다는 보고가 있다.

3. 요약

가능하면 기저질환에 대해 조사하고 치료하거나 제거하는 것이 중요하고, 혈액 전해질이나 질병 상태를 확인해야 한다 표 25-5.

위확장, 위식도역류에는 위장운동촉진제나 프로톤펌프억제제를 사용하고, metoclopramide 같은 약제는 악성

표 25-5. 난치성 딸꾹질과 연관된 상황들

말초신경계원인(횡격막/ 미주신경 침범)	중추신경계 원인	대사적/독성 원인
위염	뇌간경색(특히 측부뇌간경색)	코르티코스테로이드
위팽만	탈수초화: 다발성경화증	저나트륨혈증
장폐쇄	시신경척수염	요독증
위식도역류	종양	저칼슘혈증
횡격막하 또는 간질환	출혈	저탄산혈증
흉수	뇌수막염	알코올
측부심근경색	결핵종	Midazolam
종격종질환	사르코이드증	시스플라틴(Cisplatin)
흉부대동맥류	파킨슨병	
	창백핵절단술(Pallidotomy)	

장폐쇄 같은 경우에 경구약제흡수율이 저하되므로 가능하면 정맥 투여를 시도하도록 한다. 이전 치료가 실패한 경우 gabapentin은 불응성 딸꾹질의 이차약제로 권유되고 있으며, 약제치료가 실패하거나 환자가 견디지 못한다면 비약물적 접근을 시도해 볼 수 있다.

IV 가래

암이나 만성폐쇄성 폐질환, 염증 등에서 기관지 점액이 과다 분비되는 경우가 많은데 이러한 원인은 점막밑샘이나 술잔세포의 증식이나 비대, 섬모기능의 상실, 표면활성물질층(surfactant layer)의 파괴, 점액 성상의 변화 등이 있다. 호중구 유도 DNA, 실모양 액틴(F-actin), 사멸세포, 박테리아 등이 화농 정도에 기여한다. 기침에 의한 청소율은 점도가 높아야 효과적이지만 섬모청소율은 점도가 낮아야 효과적이다.

과도한 가래분비는 기침, 호흡곤란, 임종기에 거친 숨소리(death rattle)를 유발한다. 또한 1초 강제호기량(FEV1)의 급격한 감소를 가져와 만성폐쇄성 폐질환 환자의 입원율을 높이고 예후에 영향을 준다. 치료는 원인적 치료, 점액활성화약물, 비약물적 방법이 있다(기침 부분의 거담제 부분 참조). 완화의학에서 가래로 인한 특수한 상황으로는 임종기의 시끄러운 가래소리(death rattle)와 기관지루(bronchorrhea)가 있다.

1. 임종기의 시끄러운 가래 소리

사전천명(death rattle)은 너무 쇠약한 경우나 의식이 없는 환자에서 배출되지 못한 가래가 기도에 고여 진동으로 인해 소리가 생기게 된다. 임종기 환자의 23~44%에서 나타나며 임종의 강력한 예측인자로 한 연구에서는 시작된 지 48시간 이내에 76%의 환자가 사망하였다. 이러한 가래 소리는 평화롭게 임종을 맞고 싶어 하는 어떤 가족들에는 스트레스일 수 있으나 반면 이러한 증상이 곧 임종에 가깝다는 징후라는 것을 알고 받아들이는 가족들은 오히려 편안함을 느끼기도 하므로 의료진이 가족들에게 확신을 가지고 설명과 안심을 시켜주는 것이 좋다.

치료로는 항콜린성 약물을 사용할 수 있으며 표 25-6 이미 가래가 많이 찬 이후에는 효과가 없으므로 생기기 시작하자마자 바로 사용하는 것이 조금 더 효과적이다. 스코폴라민은 투여 1시간 후 40% 정도에서 효과를 보였고 하루 정도 경과 시 78%까지 잠잠하였다는 연구가 있다. 특히 노인에서는 구강건조, 요정체, 진정, 섬망, 초조 등의 항콜린성 약물의 부작용에 대해 유의하여야 한다. 또한 뇌종양에 의한 신경인성 폐부종에 의한 소리는 항콜린성 약물에 효과가 없다.

비약물적 치료로는 가래가 잘 나오도록 옆으로 누이도록 자세 변경을 하거나 입안에 가래가 고이면 흡인을 시행 할 수 있으나 흡인 자체로도 환자와 가족에게 스트레스를 유발할 수 있으므로 가족의 스트레스까지 고려하여 처치 방법을 개별화하는 것이 필요하다.

2. 기관지농루(Bronchorrhea)

기관지농루는 하루에 100 mL 이상의 객담이 생성되는 것을 의미한다. Bronchoalveolar carcinoma (BAC)의 경우 수 리터의 대량 객담이 나올 수 있으며 특징적으로 묽으며 위에 거품이 묻어 있다. 양이 많은 경우 호흡곤란, 저산소증, 흉통, 수분과 전해질 결핍이 생길 수 있다. BAC 이외에도 세기관지폐포 패턴으로 전이된 암의 경우에도 가능하다. 그 외 기관지확장증, 만성기관지염, 천식 등의 비암성질환에서도 기관지농루가 나올 수 있다.

BAC에는 주요 기도객담유전자인 MUC5AC가 대량 발현되어 있으며 표피성장인자(epidermal growth factor, EGF) 리간드 또한 점액분비를 자극한다. 따라서 표피성장인자 인산화효소(EGFR TK) 억제제인 erlotinib이

표 25-6. Death rattle에 사용하는 항콜린성 약물과 피하주사 용량

	뇌혈관장벽통과	시작 용량	24시간 용량	
Atropine	가능	300~600 mcg	1.2~2.4 mg	다른 대안이 없다면 사용 고려
Scopolamine	가능	400 mcg	1.2~2 mg	경피패치: 0.15~1.5 mg/24~72 hr 다수의 패치도 사용 가능
Buscopan	불가능	20 mg	400~1,200 mg	열등한 경구흡수율
Glycopyrrolate	불가능	400 mcg	1.2~2.4 mg	

나 gefitinib이 BAC와 관련된 기관지농루를 며칠 내로 빠르고 완전하게 제거할 수 있다. 이 효과는 종양의 치료반응이나 EGFR 돌연변이와는 별개로 기관지농루에 효과적이다.

그 외에도 완화적 방사선 치료, 마크로라이드 계 항생제, octreotide 피하주사, 스테로이드, indomethacin 2 mL (2.4 mcg)를 하루에 세 번 흡입할 수 있다.

3. 요약

임종 시 가래가 생기는 경우에는 가족들과 간병인에게 설명하고 재안심시키는 것이 중요하며 환자의 자세를 변경하는 것 같은 간단한 방법이 도움이 될 수 있다. 약물을 사용하는 경우 가급적 임종 시 가래가 생기자마자 항콜린성 약물을 피하주사 한다 표 25-6. 가래 흡인은 개개인에 따라 도움이 될 수도 있으나, 더 고통스러울 수 있다.

V 객혈

일반적으로 객혈의 원인은 종양, 감염, 낭성섬유증, 기관지확장증, 혈관염, 외상, 약물, 혈액질환, 진단 및 치료적 시술 등으로 다양하며 대개 기관지 동맥이 객혈의 소스가 된다. 대부분 객혈의 양에 따라 중증도를 평가하기는 하지만 대량 객혈에 대한 정의는 아직 제각각이다. 한 번에 300 mL 이상 혹은 하루에 500 mL 이상,

소생술이 필요한 경우, 기관지폐쇄를 유발한 경우로 보기도 하며 하루에 100~1,000 mL인 경우로 정의하기도 한다. 적절한 때에 치료하지 않으면 대량 객혈의 80%에서 환자가 사망하며 사망률은 심폐 기능, 출혈 속도, 환자의 기도 유지 능력과 관련이 있다. 주로 혈액에 의한 질식이 주요 사망 원인이 되므로 출혈이 되면 기도를 유지하고 적절한 환기가 되도록 하는 것이 중요하다. 객혈 처치의 주요목표는 흡인을 방지하고 출혈을 멈추거나 조절하고 원인 질환을 치료하는 것이지만 말기환자에서는 원인적 치료가 되지 않는 경우가 많으므로 보존적 치료를 하게 된다.

대부분의 객혈은 특별한 치료 없이 멎는 경우가 많으나 일단 출혈이 되면 환자를 출혈되는 쪽을 아래쪽으로 하여 옆으로 뉘여 기도를 확보하고 병력청취와 신체진찰을 통해 원인을 알아내고 코피, 구강이나 비인두에서 나오는 출혈과 감별하여야 한다.

출혈이 되면 항응고제, 스테로이드 등의 약물이 투여되는지 확인 후 중지하여야 하고, 산소, tranexamic acid, 바소프레신 에어로졸을 사용할 수 있고 기침억제제제를 사용하도록 한다. 대량 객혈의 경우 재조합 활성인자 VII를 사용할 수 있다.

가슴사진이나 기관지내시경이 출혈의 위치를 찾는 데에 도움이 될 수 있고 흉부 컴퓨터 촬영 등은 출혈의 원인을 찾는 데에 도움이 된다. 기관지내시경을 통해 찬 식염수, 에피네프린, tranexamic acid, terlipressin, ornipressin, 피브리노겐-트롬빈 조합약물, 응고인자 VIII, aprotonin을 직접 투여할 수 있으며 풍선, 스텐트

등을 삽입할 수 있다. 기존 치료로 실패한 경우나 대량 객혈, 재발되는 경우 기관지동맥 색전술을 시행할 수 있고 색전술을 시행할 수 없거나 색전술이 실패한 경우는 수술을 할 수 있다. 그러나 완화의학영역에서는 정밀 검사나 수술 등의 처치가 불가능한 경우가 많으므로 객혈이 예측되는 경우에 사전에 상태, 예후, 치료 등을 보호자와 상의하고 설명하여야 하고 환자의 상태에 따라 검사와 처치의 범위를 결정하여야 한다. 출혈이 대량이 아닌 경우는 대개 저절로 멈추게 되고 보존적 치료에 잘 반응하며 수혈 등은 필요 없는 경우가 많다. 출혈이 시작되면 midazolam으로 불안을 진정시키고 모르핀은 호흡곤란과 불안 모두에 도움이 된다. 어두운 색의 수건을 사용하도록 하고 뱉은 혈액은 즉시 치우도록 하는 것이 심리적 안정에 도움이 된다.

참고문헌

1. Abernethy AP, Currow DC, Frith P, et al. Randomised, double blind, placebo controlled crossover trial of sustained release morphine for the management of refractory dyspnoea. BMJ. 2003;327(7414):523-8.
2. Abernethy AP, McDonald CF, Frith PA, et al. Effect of palliative oxygen versus room air in relief of breathlessness in patients with refractory dyspnoea: a double-blind, randomised controlled trial. Lancet. 2010;376(9743):784-93.
3. Adams L, Chronos N, Lane R, et al. The measurement of breathlessness induced in normal subjects: validity of two scaling techniques. Clin Sci (Lond). 1985;69(1):7-16.
4. Allard P, Lamontagne C, Bernard P, et al. How effective are supplementary doses of opioids for dyspnea in terminally ill cancer patients? A randomized continuous sequential clinical trial. J Pain Symptom Manage. 1999;17(4):256-65.
5. Allen S, Raut S, Woollard J, et al. Low dose diamorphine reduces breathlessness without causing a fall in oxygen saturation in elderly patients with end-stage idiopathic pulmonary fibrosis. Palliat Med. 2005;19(2):128-30.
6. Argyropoulou P, Patakas D, Koukou A, et al.Buspirone effect on breathlessness and exercise performance in patients with chronic obstructive pulmonary disease. Respiration. 1993;60(4):216-20.
7. Azoulay E, Lemiale V, Mokart D et al. Acute respiratory distress syndrome in patients with malignancies. Ann Intensive Care. 2011;1(1):5. doi: 10.1186/2110-5820:1-5.
8. Balsamo R, Lanata L, Egan CG, et al. Mucoactive drugs. Eur Respir Rev. 2010;19(116):127-33.
9. Barnabè R, Berni F, Clini V, et al. The efficacy and safety of moguisteine in comparison with codeine phosphate in patients with chronic cough. Monaldi Arch Chest Dis. 1995;50(2):93-7.
10. Bausewein C, Booth S, Gysels M, et al. Non-pharmacological interventions for breathlessness in advanced stages of malignant and non-malignant diseases. Cochrane Database Syst Rev. 2008;(2):CD005623.
11. Bento J, Gonçalves M, Silva N. Indications and compliance of home mechanical insufflation-exsufflation in patients with neuromuscular diseases. Arch Bronconeumol. 2010;46(8):420-5.
12. Bolser DC, DeGennaro FC, O'Reilly S. Peripheral and central sites of action of GABA-B agonists to inhibit the cough reflex in the cat and guinea pig. Br J Pharmacol. 1994;113(4):1344-8.
13. Bolser DC. Cough suppressant and pharmacologic protussive therapy: ACCP evidence-based clinical practice guidelines. Chest. 2006;129(1 Suppl):238S-249S.
14. Bolser DC. Mechanisms of action of central and peripheral antitussive drugs. Pulm Pharmacol. 1996;9(5-6):357-64.
15. Borg GA. Psychophysical bases of perceived exertion. Med Sci Sports Exerc. 1982;14(5):377-81.
16. Bruera E, MacEachern T, Ripamonti C, et al. Subcutaneous morphine for dyspnea in cancer patients.Ann Intern Med. 1993;119(9):906-7.
17. Bruera E, Schmitz B, Pither J, et al. The frequency and correlates of dyspnea in patients with advanced cancer. J Pain Symptom Manage. 2000 May:19(5):357-62.
18. Catena E, Daffonchio L. Efficacy and tolerability of levodropropizine in adult patients with non-productive cough. Comparison with dextromethorphan. Pulm Pharmacol Ther. 1997;10(2):89-96.
19. Charpin J, Weibel MA. Comparative evaluation of the antitussive activity of butamirate citrate linctus versus clobutinol syrup. Respiration. 1990;57(4):275-9.
20. Clemens KE, Klaschik E. Effect of hydromorphone on ventilation in palliative care patients with dyspnea. Support Care Cancer. 2008;16(1):93-9.

21. Currow D, Johnson M, White P, et al. Evidence-based intervention for chronic refractory breathlessness: practical therapies that make a difference. Br J Gen Pract. 2013;63(616):609-10.

22. Currow DC, Agar M, Smith J, et al. Does palliative home oxygen improve dyspnoea? A consecutive cohort study. Palliat Med. 2009;23(4):309-16.

23. Currow DC, Higginson IJ, Johnson MJ.et al. Breathlessness-current and emerging mechanisms, measurement and management: a discussion from an European Association of Palliative Care workshop.Palliat Med. 2013;27(10):932-8.

24. Dicpinigaitis PV, Dobkin JB. Antitussive effect of the GABA-agonist baclofen. Chest. 1997;111(4):996-9.

25. Dicpinigaitis PV, Gayle YE. Effect of guaifenesin on cough reflex sensitivity. Chest. 2003;124(6):2178-81.

26. Dietzel J, Grundling M, Pavlovic D, et al. Acupuncture for persistent postoperative hiccup. Anaesthesia. 2008;63(9):1021-2.

27. Doona M, Walsh D. Benzonatate for opioid-resistant cough in advanced cancer. Palliat Med. 1998;12(1):55-8.

28. Galbraith S, Fagan P, Perkins P, et al. Does the use of a handheld fan improve chronic dyspnea? A randomized, controlled, crossover trial. J Pain Symptom Manage. 2010;39(5):831-8.

29. Gastpar H, Criscuolo D, Dieterich HA. Efficacy and tolerability of glaucine as an antitussive agent. Curr Med Res Opin. 1984;9(1):21-7.

30. Grace MS, Dubuis E, Birrell MA. et al. TRP channel antagonists as potential antitussives. Lung. 2012;190(1):11-5.

31. Grimbert D, Lubin O, de Monte M, et al. Dyspnea and morphine aerosols in the palliative care of lung cancer. Rev Mal Respir. 2004;21(6 Pt 1):1091-7.

32. Homsi J, Walsh D, Nelson KA, et al. A phase II study of hydrocodone for cough in advanced cancer. Am J Hosp Palliat Care. 2002;19(1):49-56.

33. Howard P, Cayton RM, Brennan SR. Lignocaine aerosol and persistent cough. Br J Dis Chest. 1977;71(1):19-24.

34. Jennings AL, Davies AN, Higgins JP. et al. A systematic review of the use of opioids in the management of dyspnoea. Thorax. 2002;57(11):939-44.

35. Jensen D, Amjadi K, Harris-McAllister V. et al. Mechanisms of dyspnoea relief and improved exercise endurance after furosemide inhalation in COPD. Thorax. 2008;63(7):606-13.

36. Johnson MJ, McDonagh TA, Harkness A. et al. Morphine for the relief of breathlessness in patients with chronic heart failure-a pilot study. Eur J Heart Fail. 2002;4(6):753-6.

37. Kamei J. Role of opioidergic and serotonergic mechanisms in cough and antitussives. Pulm Pharmacol. 1996;9(5-6):349-56.

38. Kepka L, Olszyna-Serementa M. Palliative thoracic radiotherapy for lung cancer. Expert Rev Anticancer Ther. 2010;10(4):559-69.

39. Kohara H, Ueoka H, Aoe K, et al. Effect of nebulized furosemide in terminally ill cancer patients with dyspnea. J Pain Symptom Manage. 2003;26(4):962-7.

40. Kuhn JJ, Hendley JO, Adams KF. Antitussive effect of guaifenesin in young adults with natural colds. Objective and subjective assessment. Chest. 1982;82(6):713-8.

41. Laude EA, Ahmedzai SH. Oxygen and helium gas mixtures for dyspnoea. Curr Opin Support Palliat Care. 2007;1(2):91-5.

42. Luporini G, Barni S, Marchi E. Efficacy and safety of levodropropizine and dihydrocodeine on nonproductive cough in primary and metastatic lung cancer. Eur Respir J. 1998;12(1):97-101.

43. Malerba M, Ponticiello A, Radaeli A. et al. Effect of twelve-months therapy with oral ambroxol in preventing exacerbations in patients with COPD. Double-blind, randomized, multicenter, placebo-controlled study (the AMETHIST Trial). Pulm Pharmacol Ther. 2004;17(1):27-34.

44. Matthys H, Bleicher B, Bleicher U. Dextromethorphan and codeine: objective assessment of antitussive activity in patients with chronic cough. J Int Med Res. 1983;11(2):92-100.

45. Meek PM, Banzett R, Parshall MB. et al. Reliability and validity of the multidimensional dyspnea profile. Chest. 2012;141(6):1546-53.

46. Miravitlles M. Cough and sputum production as risk factors for poor outcomes in patients with COPD. Respir Med. 2011;105(8):1118-28.

47. Molassiotis A, Bailey C, Caress A. et al. Interventions for cough in cancer. Cochrane Database Syst Rev. 2015;5:CD007881.

48. Morice AH, Menon MS, Mulrennan SA. et al. Opiate therapy in chronic cough. Am J Respir Crit Care Med. 2007;175(4):312-5.

49. Moroni M, Porta C, Gualtieri G. et al. Inhaled sodium cromoglycate to treat cough in advanced lung cancer patients. Br J Cancer. 1996;74(2):309-11.

50. Mularski RA, Munjas BA, Lorenz KA, et al. Randomized controlled trial of mindfulness-based therapy for dyspnea in chronic obstructive lung disease. J Altern Complement Med. 2009;15(10):1083-90.

51. National ethics committee and veterans health administration. The ethics of palliative sedation as a therapy of last resort. Am J Hosp Palliat Care. 2006;23(6):483-91.

52. Navigante AH, Castro MA, Cerchietti LC. Morphine versus midazolam as upfront therapy to control dyspnea perception in cancer patients while its underlying cause is sought or treated. J Pain Symptom Manage. 2010;39(5):820-30.

53. Navigante AH, Cerchietti LC, Castro MA, et al. Midazolam as adjunct therapy to morphine in the alleviation of severe dyspnea perception in patients with advanced cancer.J Pain Symptom Manage. 2006;31(1):38-47.

54. NCCN GUIDELINES FOR SUPPORTIVE CARE - palliative care. https://www.nccn.org/professionals/physician_gls/pdf/palliative.pdf.

55. O'Neill PA, Morton PB, Stark RD. National ethics committee and veterans health administration. The ethics of palliative sedation as a therapy of last resort.-a specific effect on breathlessness? Br J Clin Pharmacol. 1985;19(6):793-7.

7부

56. Ong KC, Kor AC, Chong WF. et al . Effects of inhaled furosemide on exertional dyspnea in chronic obstructive pulmonary disease. Am J Respir Crit Care Med. 2004;169(9):1028-33.

57. Oxberry SG, Torgerson DJ, Bland JM. et al. Short-term opioids for breathlessness in stable chronic heart failure: a randomized controlled trial. Eur J Heart Fail. 2011 Sep;13(9):1006-12.

58. Parshall MB, Schwartzstein RM, Adams L, et al. An official American Thoracic Society statement: update on the mechanisms, assessment, and management of dyspnea. Am J Respir Crit Care Med. 2012;185(4):435-5.

59. Parvez L, Vaidya M, Sakhardande A. Evaluation of antitussive agents in man. Pulm Pharmacol. 1996;9(5-6):299-308.

60. Pirovano M, Maltoni M, Nanni O. et al. A new palliative prognostic score: a first step for the staging of terminally ill cancer patients. Italian Multicenter and Study Group on Palliative Care. J Pain Symptom Manage. 1999;17(4):231-9.

61. Poole P1, Chong J, Cates CJ. Mucolytic agents versus placebo for chronic bronchitis or chronic obstructive pulmonary disease. Cochrane Database Syst Rev. 2015;(7):CD001287.

62. Poole PJ, Black PN. Oral mucolytic drugs for exacerbations of chronic obstructive pulmonary disease: systematic review. BMJ. 2001;322(7297):1271-4.

63. Reddy SK, Parsons HA, Elsayem A. et al. Characteristics and correlates of dyspnea in patients with advanced cancer. J Palliat Med. 2009;12(1):29-36.

64. Rogers DF. Mucociliary dysfunction in COPD: effect of current pharmacotherapeutic options. Pulm Pharmacol Ther. 2005;18(1):1-8.

65. Rogers DF. The role of airway secretions in COPD: pathophysiology, epidemiology and pharmacotherapeutic options. COPD. 2005;2(3):341-53.

66. Rubin BK. The pharmacologic approach to airway clearance: mucoactive agents. Respir Care. 2002;47(7):818-22.

67. Ryan NM, Birring SS, Gibson PG. Gabapentin for refractory chronic cough: a randomised, double-blind, placebo-controlled trial. Lancet. 2012;380(9853):1583-9.

68. Sakr L and Dutau H. Massive hemoptysis and update on the role of bronchoscopy in diagnosis and management. Respiration. 2010;80(1):38-58.

69. Sevelius H, McCoy JF, Colmore JP. Dose response to codeine in patients with chronic cough. Clin Pharmacol Ther. 1971;12(3):449-55.

70. Shimoyama N, Shimoyama M. Nebulized furosemide as a novel treatment for dyspnea in terminal cancer patients. J Pain Symptom Manage. 2002;23(1):73-6.

71. Sicherer SH, Muñoz-Furlong A, Sampson HA. Prevalence of seafood allergy in the United States determined by a random telephone survey. J Allergy Clin Immunol. 2004;114(1):159-65.

72. Simon ST, Higginson IJ, Booth S, et al. Benzodiazepines for the relief of breathlessness in advanced malignant and non-malignant diseases in adults. Cochrane Database Syst Rev. 2016;10:CD007354.

73. Singh NP, Despars JA, Stansbury DW. et al. Effects of buspirone on anxiety levels and exercise tolerance in patients with chronic airflow obstruction and mild anxiety. Chest. 1993;103(3):800-4.

74. Sirajuddin A and Mohammed TL. A 44-year-old man with hemoptysis: a review of pertinent imaging studies and radiographic interventions. Cleve Clin J Med. 2008;75(8):601-7.

75. Sudo T, Hayashi F, Nishino T. Responses of tracheobronchial receptors to inhaled furosemide in anesthetized rats. Am J Respir Crit Care Med. 2000;162(3 Pt 1):971-5.

76. Suzuki M, Muro S, Ando Y. et al. A randomized, placebo-controlled trial of acupuncture in patients with chronic obstructive pulmonary disease (COPD): the COPD-acupuncture trial (CAT). Arch Intern Med. 2012;172(11):878-86.

77. Thomson ML, Pavia D, McNicol MW. A preliminary study of the effect of guaiphenesin on mucociliary clearance from the human lung. Thorax. 1973;28(6):742-7.

78. Uronis HE, Currow DC, McCrory DC. et al. Oxygen for relief of dyspnoea in mildly- or non-hypoxaemic patients with cancer: a systematic review and meta-analysis. Br J Cancer. 2008;98(2):294-9.

79. Vertigan AE, Theodoros DG, Gibson PG, et al. Efficacy of speech pathology management for chronic cough: a randomised placebo controlled trial of treatment efficacy. Thorax. 2006;61(12):1065-9.

80. Viola R, Kiteley C, Lloyd NS, et al. The management of dyspnea in cancer patients: a systematic review. Support Care Cancer. 2008;16(4):329-37.

81. Wee BL, Coleman PG, Hillier R, et al. The sound of death rattle I: are relatives distressed by hearing this sound? Palliat Med. 2006;20(3):171-5.

82. Wee BL, Coleman PG, Hillier R, et al. The sound of death rattle II: how do relatives interpret the sound? Palliat Med. 2006;20(3):177-81.

83. Wilcock A, Corcoran R, Tattersfield AE. et al. Safety and efficacy of nebulized lignocaine in patients with cancer and breathlessness. Palliat Med. 1994;8(1):35-8.

84. Wildiers H, Dhaenekint C, Demeulenaere P. et al. Atropine, hyoscine butylbromide, or scopolamine are equally effective for the treatment of death rattle in terminal care. J Pain Symptom Manage. 2009;38(1):124-33.

85. Wildiers H, Menten J. Death rattle: prevalence, prevention and treatment. J Pain Symptom Manage. 2002;23(4):310-7.

86. Winning AJ, Hamilton RD, Guz A. et al. Ventilation and breathlessness on maximal exercise in patients with interstitial lung disease after local anaesthetic aerosol inhalation. Clin Sci (Lond). 1988;74(3):275-81.

87. Zheng JP, Kang J, Huang SG. et al. Effect of carbocisteine on acute exacerbation of chronic obstructive pulmonary disease (PEACE Study): a randomised placebo-controlled study. Lancet. 2008;371(9629):2013-8.

26장

소화기증상

| 황선욱, 최혜진, 오승택 |

I 구역, 구토

구역은 자율신경계 자극에 의한 불쾌한 느낌의 주관적 증상으로 타액분비가 증가하고, 어지럼증, 경미한 두통, 연하곤란, 빈맥 등이 동반된다.

구토는 위장관, 횡경막, 복부 근육의 조화된 운동의 복합 과정의 결과로 나타나며 구역과 동반되어 나타나는 경우가 많고 입을 통해 위 내용물과 독성 물질을 뱉어내는 자기 방어 기전이다. 이러한 구역, 구토는 말기 암 환자의 6~68%, AIDS 환자의 43~49%, 항암치료 환자의 70~80%가 경험하며 마약성 진통제를 사용하는 환자의 30% 이상이 급성 구역질을 경험한다. 만성적인 구역, 구토가 조절되지 않는다면 영양상태, 기능상태가 저하되어 삶의 질도 낮아지며 불량한 예후와 관계가 있다.

1. 원인 및 병태생리

구토는 뇌간에 위치한 구토 중추의 자극에 의해 조절되며 화학수용체 자극 지역(chemoreceptor trigger zone)과 자율신경, 전정기관, 대뇌 피질 등으로부터 자극을 받아 신경전달물질(아세틸콜린, 히스타민 등)이 분비되어 발생한다.

2. 진단

병력청취를 통해 언제 발생하였는지, 급성 혹은 만성으로 발생하고 있는지, 간헐적인지 혹은 지속적인지, 구토물의 냄새가 어떠한지, 먹은 직후 혹은 수 시간 후에 발생한 것인지, 수분 섭취의 정도가 어떠한지, 탈수, 마약성 진통제의 복용 여부도 알아본다. 신체검사를 통해 탈수, 장폐쇄, 변비, 간비대 등을 확인하고 두개압 상승 및 중추신경계 감염을 시사하는 소견, 복부팽만 여부도 확인한다. 전해질 검사, 혈당검사, 고칼슘혈증 등을 확인하고 필요 시 복부 단순촬영, 초음파, CT를 통해 원인 질환이 있는지 확인한다.

3. 치료 및 관리

1) 약물 치료

항구토제의 경험적 치료는 단독약물요법으로 시작하여 최대 용량을 사용하고 조절되지 않는다면 다른 약물을 병용하는 것이 필요하다.

(1) 위장관 운동 촉진제

Metoclopramide, domperidone은 만성 오심과 구토의 초기 약물로 많이 사용되며 중추성으로는 화학수용체 자극지역에서, 말초성으로는 위장관에 있는 도파민을 차단하여 위장관 운동을 항진시켜 위 배출을 증가시킨다.

그외에 장의 $5-HT_4$ 수용체에도 작용, 장운동을 정상화하는데 도움을 주지만 장의 완전 폐색에는 사용하지 않는다.

(2) 기타 도파민 길항제

Haloperidol, droperidol은 화학 수용체 자극지역에 작용하는 도파민 길항제로 마약성 진통제에 의한 구역에 효과가 있다. 장의 완전 폐색에도 사용할 수 있으며 부작용으로 진정 효과가 있어 주의를 요한다. 도파민 길항제 중에서 haloperidol의 효과가 가장 강력하다.

(3) 항히스타민 제제

전정기관에서 온 구토중추의 H1 수용체를 차단한다. scopolamine, cyclizine 등이 있으며 멀미로 인한 구역과 구토에 효과적이고 진정효과와 변비 유발 가능성 때문에 일차적으로 선택하지는 않는다. Cyclizine은 졸음 유발이 비교적으로 적은 것으로 알려져 있다.

(4) 항콜린 제제

전정기관에 작용하며 hyoscine butylbromide는 중추신경계에는 작용하지 않고 장에만 작용하여 장운동을 감소시키고 소화액 분비를 감소시켜 장폐쇄로 인한 구토와 통증을 감소시킨다.

(5) 세로토닌 길항제

Granisetron, ondansetron, tropisetron 등은 세로토닌 $5-HT_3$ 수용체를 차단하여 항 구역 효과를 나타내는데 $5-HT_3$ 수용체는 화학수용체 자극지역과 구토 중추에 존재할 뿐만 아니라 장관 내의 미주신경 말단에 위치하며 구토를 유발하는 항암제를 사용하거나 복부에 대한 직접적인 자극에 의해서 세로토닌이 분비되면 활성화된다.

항암화학요법 전과 복부 방사선 요법 전, 수술 후 구역질에 대한 예방적 투여에 세로토닌 길항제를 사용한다.

(6) 뉴로키닌길항제

Aprepitant 는 뉴로키닌 길항제로 지연성 구역과 구토의 가능성이 있는 고용량의 항암 화학 요법 시 추가하여, 5-HT receptor antagonist나 dexamethasone 단독 사용 보다 20~35%의 더 많은 환자가 효과가 있었지만 완화의료적 사용에 대해서는 연구가 더 필요하다.

(7) Corticosteroid

기전은 불확실하지만 GABA 신경전달 물질을 제거하여 강력한 효과를 나타내는 것으로 알려져 있다. 종양 주위 부종을 감소시켜 뇌압을 떨어뜨림으로 인한 오심에 효과적이며 다른 약물과 함께 사용하면 효과적이다. dexamethasone은 수술 후 구역질에 대해 ondansetron과 droperidol과 유사한 효과가 있다.

(8) Benzodiazepine 계열

Benzodiazepine 계통의 약물은 항암치료 중 다른 항구토제와 병행하여 구역 치료 및 예방에 사용하는데 항구토 효과는 적지만 불안감을 줄이며 예방에 도움을 준다. 하지만 수면유도와 때로는 기억력 저하를 유발할 수 있으므로 만성 구토에는 사용이 제한된다.

(9) Somatostatin 제제

Octreotide는 somatostatin 제제로 장관내 분비를 감소시켜 장관 팽창을 줄이고 장관 운동을 감소시켜 구토와 통증을 감소시킨다.

2) 상담 및 교육

이완요법, 바이오피드백 등과 같은 비약물적 치료도 도움이 되며 장폐색에 의한 구토의 경우 비위관 튜브를 감압 목적으로 삽입하는 것이 필요할 수 있어 환자와 보호자에게 교육을 해야 한다. 구토 후에는 구강 간호를 제공하고 수분의 섭취, 배설량을 측정하여 탈수 예방을 하여야 한다.

구토로 인한 허약과 정신상태변화로 인해 발생할 수 있는 낙상 등 위험성을 평가하고 환자와 가족들에게 주지 시킨다. 그리고 구역을 유발하는 장면, 소리, 냄새 등 주변 환경으로부터 구토를 유발하는 요인을 제거하고 개인이 선호하는 음식을 섭취하는 것도 도움이 된다.

II 연하곤란

입, 인두 또는 식도를 통해 음식이 내려갈 때 어려움이 있는 상태로 완화적 치료를 받고 있는 암 환자의 약 12%, 두경부 종양 환자의 40~80%에서 발생한다. 연하곤란이 있는 식도암 환자의 50%는 진행성 암인 경우가 많다. 구강에 이상이 있는 경우 음식물이 남아 있거나, 침을 흘리는 증상이 나타나고 인두에 이상이 있는 경우 음식물이 남아있거나 구역질, 목맴, 기침, 코를 통해 음식물이 나오는 증상이 생기고 식도에 이상이 있는 경우 흉골 후방으로의 거북함, 연하통 등이 생긴다.

1. 원인

종양에 의한 구강, 인두, 식도 등에 폐색이 발생한 경우가 많고 주위 조직으로 종양의 침윤, 수술 및 방사선 치료 후 섬유화 등으로 인해 비 폐색성 연하곤란, 신경 손상, 특히 뇌신경 5번, 9번, 상후두신경의 손상으로 인한 연하 장애 등이 있다. 이외에도 고칼슘혈증, 항암제 ,방사선치료, 감염 등에 의해 발생하는 점막염, 불안, 치아손상 등으로 인한 연하장애도 발생한다.

2. 진단

병력 청취 및 신체 검사를 통해 구강내와 인두를 관찰 하고 구강, 혀, 턱 등의 장애가 있는지 살피고 환자가 식사할 때 자세나 머리움직임의 변화, 음식에 대한 거부감 등이 있는지 살피고 영양상태를 파악한다. 신체 검사 및 뇌신경 신경학적 검사, fluroscopic barium swallow, X-ray, CT와 같은 방사선 검사와 내인성 병변과 외부적 압박을 감별하기 위한 내시경 검사 등이 필요할 수 있다.

3. 치료 및 관리

(1) 구인두의 문제

구강 건조증이나 위염, 인두염 등이 동반된 경우 해당 질환을 치료하고 폐색성 종양이 있는 경우 수술이나 레이저 절제, 방사선 치료를 고려한다. 종양의 외부 압박이나 신경근 이상이 있는 경우 스테로이드나 방사선 치료를 시도할 수 있다.

(2) 식도의 문제

식도염이 동반된 경우 약물 치료를 하고 식도 협착이 있는 경우 식도 확장술을, 신경근 이상의 경우 스테로이드, 식도 종양의 경우 수술이나 방사선 치료, 위 식도 관 삽입등을 고려한다. 수술은 만성적으로 진행되고 환자의 기대 여명이 길 때 시도한다. 이외에 외부 압박이 있는 경우 스테로이드나 방사선 치료를 사용할 수 있다.

7부

4. 상담 및 교육

치료 목표는 스스로 식사를 할 수 있도록 하고 적절한 영양섭취를 하도록 하는 것이다. 체계화된 영양 교육이 필요하며 흡인을 방지할 수 있도록 교육하고 식사 중에는 머리를 90도 올린 상태에서 삼키는데 이상이 없는 음식을 복용하며 천천히 한 숟가락씩 식사하도록 한다. 누워있는 경우 침상 머리 부분을 가능한 올린다. 안전하고 적절한 연하를 위해 적절한 점도를 조절하고 칼로리 보충을 위한 음식을 선택한다. 흡인의 위험이 높은 경우는 구강 위생이 중요하고 비경구적으로 수분 및 영양 공급을 하면서 코위 영양관이나 경피적 위 조루술을 시행할 수 있다고 환자와 보호자에게 설명한다.

III 변비

말기 암 환자에게 매우 흔한 증상 중 하나로 주 3회 이하의 배변과 단단한 변, 잔변감 등을 동반한다. 변비로 인해 장이 팽창되어서 생기는 통증은 환자가 경험하는 가장 심한 통증 중의 하나이며 마약성 진통제로도 잘 조절되지 않는다. 진행성 암 환자의 경우 50~60%, 특히 마약성 진통제를 복용할 경우 90%까지 변비가 발생한다. 암병동이나 완화 병동에서 변비는 적절히 치료되지 못하는 경우가 많아서 통증처럼 유병률이 높고 고통의 원인이 되고 있다.

1. 원인

대장의 전향성 연동운동은 크게 아침 기상과 식사와 관련하여 일어나는데 활동량이 감소하면 연동 빈도도 적어져 대장 전도 시간이 길어짐에 따라 수분 흡수의 증가로 변비의 원인이 될 수 있다.

말기 암 환자들의 음식 섭취 감소, 마약성 진통제, 장운동기능 손상 등이 3대 원인으로 알려져 있다.

마약성 진통제는 돌막창자(ileocecum)와 항문조임근을 긴장시키고, 소장과 대장에서 연동 운동을 감소시키며, 소장과 대장에서 전해질과 수분 흡수를 증가시키고, 배변반사를 억제하여 변비를 유발하기 때문에 약물 복용 여부를 반드시 확인한다.

그 외에도, 영양부족, 활동량 저하, 스트레스, 고령, 우울, 변비를 유발하는 약제(이뇨제, 항암제, 마약성 진통제, 진정제, 항콜린제, 소염진통제, 항히스타민제, 세로토닌 길항제 등), 대사성 장애(탈수, 고칼슘혈증, 저나트륨혈증, 요독증, 갑상선 기능저하증 등), 척수를 침범하는 암 등이 변비를 일으킬 수 있으며 고통, 구역, 구토, 복통, 섬망, 소변저류, 분변매복, 장폐쇄를 유발할 수 있다.

2. 진단

병력청취를 통해 대변의 양과 굳기, 횟수, 변비가 생긴 시기, 배변통, 장습관, 배변 시의 과도한 힘이 드는지의 여부, 불완전 배설감의 유무, 동반되는 위장관 증상을 파악하고 질병에 이환 전 혹은 약제 투여 전 환자의 정상적인 장운동 패턴과 투여하는 약제가 무엇인지 알아야 한다. 발열 및 오한이 있거나 복통이 심하거나 인지기능의 변화가 있는 경우에는 장폐쇄나 천공, 감염 등의 수술을 필요로 하는 질환이 동반되었는지 감별한다.

구역, 구토, 변비와 설사의 반복, 복통 등이 동반되는 경우 장 폐쇄를 의심해 볼 수 있다.

청진을 통해서 저음역이거나 운동 횟수가 적은 경우에 변비가 의심된다. 고음역이거나 타진상 공명음이 들리는 경우에는 장폐쇄를 의심한다. 장음이 정상이라고 변비를 배제할 수는 없기 때문에 회음부 진찰을 통해 항문 주위 치열, 누공, 농양, 직장 탈출 등 외상의 흔적을 살피고, 직장 수지 검사를 시행하여 분변매복, 항문관의 압력, 골반저연축, 종양 등을 확인한다. 혈액 검사를 통해 갑상선 기능저하증, 탈수, 당뇨, 고칼슘혈증, 전해질 이상 등 변비를 유발하는 질환이 있는지 확

표 26-1. 변비약 종류

분류	종류
팽창성 하제	Psyllium (Mutacil®)
대변 연화제	Docusate sodium, calcium docusate
자극성 하제	Senna aloe, bisacodyl (Dulcorax®), prune juice
삼투성 하제	MgO, sorbitol, lactulose (Duphalac)
위장관 운동 촉진제	Metoclopromide, domperidone
직장완화제	글리세린, bisacodyl 좌약, sorbitol, oil 관장

인하고 단순복부촬영을 통해 장폐쇄, 변의 덩어리 군집, 가스의 패턴 등 장내변에 관한 평가를 한다.

3. 치료 및 관리

1) 약물치료
말기 암 환자의 변비는 약물치료가 필요한 경우가 많다. 원인과 경험을 바탕으로 약물을 선택한다 **표 26-1**.

모든 마약성 진통제는 변비를 유발하며 마약성 진통제 사용 시 처음부터 예방적으로 변비 약물을 사용해야 한다. 흔히, 자극성 완화제와 대변 연화제를 동시에 처방하고 그래도 잘 반응하지 않으면 위장관 운동 촉진제나 삼투성 하제를 매일 투여하고 그 외에 마약 수용체 길항제이며 혈액 뇌장벽을 통과하지 않고 대장 수용체에만 작용하는 methylnaltrexone을 사용하기도 한다.

2) 상담 및 교육
적절한 음식과 충분한 수분섭취와 함께 식이섬유가 풍부한 음식 섭취와 신체활동을 권장하고 과일 등의 음식은 권장하고 치즈와 유제품 등의 변비 유발성 음식은 피하도록 한다. 그리고 변비를 유발할 수 있는 약물을 확인해야 하며 예방을 위한 완화제를 사용할 수 있도록 교육한다. 변기에 접근, 이용이 쉽게 이동경로를 안내하고 필요 시 휴대용 변기를 사용할 수 있도록 격려한다.

IV 설사

설사란 급박하게 무른 변이 자주 나오는 것을 말한다. 확실하게는 24시간 동안 3번 이상의 변이 나오거나 200 g 이상의 대변 무게를 보이는 경우로 정의된다. 호스피스 병동에 입원하는 7~10%의 환자들이 설사를 호소한다는 보고가 있다.

1. 병태생리
하루에 약 9 L의 수분이 장관으로 유입된다. 대부분 소장에서 흡수되고 1~2 L가 대장으로 유입된다. 대장에서는 하루 평균 800 mL가 흡수되나 4배까지도 흡수가 가능하다. 따라서 대장은 부분적으로 흡수와 분비장애를 보상할 수 있다.

설사는 크게 병태생리기전에 의해 분비성 설사와 삼투성 설사로 분류한다. 분비성 설사는 장 점막을 통과하는 수분과 전해질 운송의 장애로 기인한다. 임상적으로 다량의 설사를 보이며, 통증이 없고 금식을 하더라도 지속되는 특징이 있다. 삼투성 설사는 위장관에서 거의 흡수되지 않는 삼투성 물질의 섭취로 인해 이러한 물질이 저류되면서 수분의 흡수가 감소되어 발생하는 설사를 말한다. 배변으로 나오는 물의 배출 정도는 이와 같은 내용물의 부하량에 비례하게 되며, 굶거나 원인이 되는 내용물을 더 이상 섭취하지 않으면 설사가 멈춘다.

2. 원인 및 임상 양상
말기환자에서 설사의 가장 흔한 원인은 완하제(laxative) 치료의 불균형이다 **표 26-2**. 이것은 특히 변비로 인해 발생한 잔변을 제거하기 위해 완하제의 복용량을 증가시켰을 때 발생한다. 설사는 완하제를 일시적으로 중단하면 보통 24~48시간 내에 안정화되며, 그 후에는 완화제를 저용량으로 복용해야 한다.

7부

표 26-2. 말기환자에서의 설사의 원인

약물	Laxatives, antibiotics, antiretrovirals, antacids, chemotherapy, NSAID, metoclopramide, misoprostol, Iron preparations, disachharide-containing elixirs, theophyline
방사선	
이식편대숙주병	
폐색	Malignant bowel obstruction, fecal impaction, narcotic bowel syndrome
흡수 불량	Pancreatic carcinoma, gastrectomy, ileal resection, colostomy
종양	Colorectal cancer, pancreatic islet cell tumors, neuroendocrine tumors
동반질환	Hyperthyroidism, diabetes mellitus, inflammatory bowel disease, irritable bowel syndrome, gastrointestinal infection
식이	Fruit, hot spices, alcohol

기타 다양한 약물들이 설사를 유발할 수 있는데, 흔히 제산제와 항생제로 인해 유발되고, 특이하게 비스테로이드소염제 또는 철분제에 의해 발생하기도 한다. 일부 무설탕 엘릭시르제에 감미료로 사용되는 솔비톨(sorbitol)이 민감한 환자에게 설사를 일으키기도 한다. 장관영양을 받는 환자에서 특히 그런 경향이 나타나는데, 솔비톨은 복용 그 자체로 설사의 원인이 될 가능성이 2배 이상 높다. 악성 장폐색 및 분변박힘(fecal impaction)은 그 다음으로 흔한 설사의 원인이다. 완전 장폐색은 난치성 변비를 유발하는 반면, 부분 장폐색은 설사 또는 설사와 변비가 번갈아 생기는 증상을 보인다. 또한, 이러한 임상적 상황은 마약성 진통제에 의해 유발되는 심각한 변비에 기인할 수 있는데, 일명 '마약성 장증후군(narcotic bowel syndrome)'으로 불린다. 분변박힘은 가끔 항문실금(anal leakage or incontinence)과 동반되며, 대변이 직장에 고여있음으로 인해서 액체성분의 변이 흘러내리게 하는 것을 의미한다. 비악성 질환으로 입원한 고령환자에서 분변박힘은 설사 원인의 55%를 차지한다. 이는 상대적으로 거동할 수 없는 환자들에게 완화제 처방 시 세심한 주의가 필요하다는 것을 의미한다.

항암치료로 인해서 설사가 유발될 수 있다. 세포독성 항암제인 플루오로우라실(5-fluorouracil), 카페시타빈(capecitabine), 이리노테칸(irinotecan)은 상피괴사와 염증을 유발하여 장 흡수표면의 손실 및 흡수세포와 분비세포 사이의 불균형을 초래하여 심한 설사를 유발할 수 있다. 또한 거의 모든 표적치료제는 부작용으로 설사가 나타난다. Bortezomib, erlotinib, gefitinib, sorafenib, sunitinib, imatinib, M-TOR 저해제인 temsirolimus, everolimus를 처방받은 환자의 30~50%에서 심한 설사가 보고되었다. 표피성장인자수용체(EGFR)를 타깃으로 하는 단클론항체인 cetuximab과 panitumumab는 10~20%의 환자에서 설사를 유발하고, 소수의 환자에서는 심각한 설사를 일으킬 수 있다. 최근에 활발히 개발되고 있는 종양면역치료제도 설사를 유발할 수 있다.

다량의 설사는 동종이형줄기세포 또는 골수이식 후에 나타난 이식편대숙주병(GVHD)의 특징으로 나타날 수 있으며, 이는 매우 치명적이다. 설사는 만성 이식편대숙주병으로 지속될 수 있는데, 급성 이식편대숙주병에서 나타나는 극심한 점막염증이라기 보다는 감염, 운동성 장애, 또는 췌장기능부전으로 인한 흡수장애가 원인이 될 수 있다.

복부 또는 골반을 포함하는 방사선치료는 설사를 유발할 수 있고, 치료 개시 후 2주차 또는 3주차에 가장 많이 발생하고, 치료 중단 후에도 일정 기간 동안 지속된다. 방사선에 의한 내장점막 손상은 프로스타글란딘의 방출 및 담즙산염의 흡수장애를 초래한다. 프로스타글란딘과 담즙산염은 연동운동을 증가시킨다. 만성 방사선장염에서는 설사가 드물게 나타난다.

흔하지 않지만, 의인성 설사의 또 다른 원인으로 복강 신경총 차단이 있다. 내장의 신경분포에서의 해부학적 변이에 의해서 특정 환자에서는 복강 신경총 차단이 장활동에 과도한 영향을 미치게 되어 장기적이고 다량의 물설사가 나타날 수 있다.

설사를 유발하는 흡수장애가 췌장 두부 암에서나 위절제술 또는 회장절제술 시행 후에 발생할 수도 있다. 췌장의 분비기능 이상은 지방의 흡수를 감소시키고, 그 결과 지방변을 초래한다. 위절제술도 지방변을 유발하는데, 아마도 이것은 췌장 및 담즙 분비물과 음식물이 잘 섞이지 않은 결과로 발생한 것일 수 있다. 그러나, 일부 환자에서 미주신경절제술이 동반되면 담즙산이 배설물 분비를 증가시킴으로써 결과적으로 결장에서 수분 및 전해질의 분비를 증가시키고, 담즙생성 촉진성 설사(chologenic diarrhea)를 초래한다.

항생제로 치료받은 환자에서 클로스트리듐 디피실리균(clostridium difficile)과 같은 장관감염의 합병증으로서 나타날 수 있다. 흡수장애의 다른 형태는 장내세균총의 변화에 의한 유당불내증(lactose intolerance)이다. 이는 자연히 점진적으로 괜찮아지겠지만, 유당이 포함되지 않은 식이요법을 통해 설사를 즉각적으로 해결할 수 있다.

회장 절제는 장관에서의 담즙산 재흡수 능력을 감소시켜 담즙생성 촉진성 설사를 유발하며, 이는 양이 많은 물설사가 특정이다. 회장 말단부의 100 cm 미만이 제거된 경우는 간이 증가된 담즙손실을 보충할 수 있기 때문에 일반적으로 지방의 흡수장애가 발생하지 않는다. 100 cm 이상이 절제되면, 상대적인 담즙산 결핍으로 지방의 흡수장애가 일어남으로써 설사를 악화시킨다. 또한, 회장절제는 제거된 길이에 비례하여 이당류분해효소 결손증(disaccharidase deficiency)을 유발하여 탄수화물의 흡수장애로 인한 삼투성 설사(osmotic diarrhea)를 초래한다.

부분 결장절제는 지속적인 설사를 거의 유발하지 않는다. 그러나, 전체 또는 거의 전체 결장절제는 결장의 수분흡수능력의 손실을 소장이 완전히 보충할 수 없기 때문에, 수술 후 7~10일에 거쳐 신속히 감소되기는 하지만, 400~800 mL/일로 유지되는 다량의 액체유출물(liquid effluent)을 야기한다. 회장조루술(ilesostomy)을 한 환자들은 더운 날씨에는 특별한 치료로서 하루 평균 1리터의 여분의 물과 약 7 g의 여분의 염분을 보충할 필요가 있다. 철분과 비타민의 보충도 권고되고 있다. 유사한 증상들은 소장-대장 누공(enterocolic fistula)에 의해서도 발생할 수 있다. 또한, 수술로 인한 소화관의 해부학적 변이는 세균의 과다증식을 통한 설사를 촉진시킬 수 있다.

3. 진단

설사의 기간, 횟수, 양, 일관성, 냄새, 야간 설사, 혈성 또는 점액성인지, 기름변이 있는지 등에 대한 자세한 병력 청취가 필요하다. 많은 양의 수액성 설사는 주로 소장에서, 적게 자주 보는 설사는 주로 대장에서 유발된다. 밤이나 금식 기간에 나오는 설사는 주로 분비성 설사를 의미한다. 혈성 설사는 심한 염증을 의미한다. 과거력, 가족력, 복용약제, 여행력 등을 조사한다.

장폐색 및 분변박힘의 가능성을 배제하기 위해서 항문 진찰을 포함한 복부 진찰이 필요하다. 또한 발열이나 탈수 등에 대한 신체 검진을 시행해야 한다. 가볍고 빨리 회복되는 급성 설사는 진단적 검사가 필요하지 않다. 대변 배양 검사상 급성 설사에서는 1~5%에서만 양성 반응을 보인다. 그러나 심각한 증상이 동반된 설사의 경우 세균에 대한 검사가 필요하다.

지방변은 과거력과 대변 검사로 확인이 쉽게 된다. 지속적인 액체류 설사는 감염이 원인인 경우가 많으나 확진은 쉽지 않다. 의심이 된다면 대변의 삼투압, 나트륨, 칼륨을 측정해야 한다.

대변삼투압차 =
혈청 삼투압(대개 290 mosmol/kg) - 2x(대변 나트륨+
칼륨 농도)

대변삼투압이 50 mosmol/L 이상이면 대부분 삼투성 설사이다.

지속적인 설사를 보이면, 일반 혈액 검사와 화학검사, 전해질 검사를 해서 확인해야 한다. 입원환자에서 3일 이내에 설사가 발생한다면 지역사회 획득 세균성 감염(예, 살모넬라, 시겔라, 또는 캄필로박터) 또는 바이러스 감염을 의심한다. 병원내 감염으로 생각된다면 대부분의 대변 배양 검사는 진단적 가치가 없다. 클로스트리듐 디피실리균이 병원내 감염에서 제일 흔한 원인이며, 항생제 특히 퀴놀론계, 세팔로스포린계 사용과 관련된다.

4. 치료

설사에 대한 치료는 수분 및 전해질 보충, 증상에 대한 대증 요법, 그리고 원인에 대한 치료로 이루어진다. 특히 급성 설사에서 치료의 중심은 수액과 전해질 보충이다. 급성 설사의 경우 여행자 설사가 중증도 이상을 보이는 경우에는 경험적 항생제 사용이 권장된다. 열과 혈변, 점액이나 농이 동반되는 경우 장 침습적인 세균성 감염이 의심되며, 특히 면역저하자나 노인의 경우 항생제 사용이 병의 중증도나 기간을 줄일 수 있다. 그러나 항생제가 효과가 없거나 용혈요독증후군의 위험도를 높일 수 있다는 보고도 있다. 열이 동반되지 않고 복통을 동반한 혈변인 경우에는 용혈요독증후군이 의심된다. 합병증이 없는 salmonella 장염 환자에서 항생제 사용은 일반적으로 권장되지 않으며, 이는 항생제가 설사 증세를 완화시키지 못하고 오히려 지속적인 보균 상태나 재발을 유도할 수도 있다.

경증의 설사가 열이나, 혈변을 동반하지 않으면, 지사제를 경험적으로 사용할 수 있다.

급성 및 만성 설사의 원인을 찾기 위해서, 치료를 먼저 시행해 볼 수도 있다. 예를 들면, 감염성 설사에는 항생제를, 염증성 장질환에는 면역저하제를 췌장 부전에는 췌장보충제, 원인 약제의 중단 등이다.

증상의 완화를 위해서 loperamide가 주로 사용된다. 강력한 mu수용체 작용제로서 혈액뇌장벽을 통과하지 않아 부작용이 적으며, 설사에 동반되는 복통의 치료에는 효과가 있다. 주 작용 기준은 장운동을 감소시키고, 위장관에서 분비를 감소시키고, 수분의 흡수를 증가시킨다. 반감기가 11시간이며, 주로 처음에는 4 mg 투여 후 설사마다 2 mg씩 추가 복용하고 최대 하루에 16 mg까지 복용한다. 항암제 유발 설사의 경우에는 최대 하루 24 mg까지 복용한다. 만성 설사의 경우에는 하루에 두 번 복용으로 가능하며, 내성없이 수년간 사용 가능하다. 열이 나거나 혈성 설사를 보이는 환자, 위막성 대장염 환자에서는 병의 경과를 악화시킬 수 있으므로 가능하면 사용하지 않는다.

생균제(probiotics)는 염증성 질환, 감염성 질환, 과민성 장 증후군 등의 치료 및 예방에 대한 효과들이 보고된 바 있으며, 항생제 연관성 설사의 재발 방지에도 효과가 있다고 알려져 있다. 원위부 회장의 절제 등에 의한 담즙산 분비 장애에 의한 설사는 콜레스티라민(cholestyramine)이 효과가 있다. 클로스트리듐 디피실리균에 의한 설사에는 metronidazole 경구 투여가 원칙이며, 의심되는 경우에는 먼저 시도해 볼 수 있다.

Loperamide가 잘 듣지 않는 설사에는 octreotide가 사용될 수 있다. 이는 somatostatin 합성유도체로 소화기계에서 위산, 펩신, 췌장 및 담즙 분부를 억제하고 위혈류 및 장관 운동성을 감소시킨다. 또한 신경내분비종양, VIPoma, carcinoid, glucagonoma에서 serotonin, VIP, glucagon을 감소키기는 효과가 있다. 보통 100 mcg을 하루 세 번으로 시작해서 2,500 mcg을 하루 세 번으로 증량한다. 또한 항암제 유발 설사, 방사선치료 유발 설사, GVHD 설사, HIV 관련 설사에도 효과가 있다.

V 악성 장폐색(Malignant bowel obstruction)

장폐색은 장내용물의 이동을 방해하는 모든 과정으로 정의된다. 악성 장폐색은 다음의 기준에 따라 정의된다. 복강내 암이나 명백한 복강내 질병을 동반한 비복강내 원발성암을 진단받은 상황에서 장폐색의 임상적 근거(병력/신체검사/방사선검사)와 상부위장관과 하부위장관을 나누는 경계인 Treitz ligament 하부에 장폐색이 있는 경우로 정의된다.

장폐색은 복강내 및 골반의 악성종양 발현의 한 유형 또는 항암요법 이후의 암의 재발을 보여 주는 특징일 수 있다. 장폐색은 진행된 부인암 환자에서 잘 알려져 있다. 후향적 연구 및 부검연구에 따르면, 부인과 악성종양 환자에서 약 5.5~51%의 빈도로 장폐색이 발생하는 것으로 나타났다. 3기 및 4기의 난소암 환자 및 고등급 병변(high-grade lesion)이 있는 난소암 환자는 장폐색의 위험도가 더 높다.

직장암에서 장폐색의 빈도는 10~28%로 보고되었다.

장폐색은 일부 또는 전체, 한 개 또는 여러 개가 발생할 수 있다. 부인과 암 환자의 약 6% 및 직장암 환자의 거의 절반에서 양성 원인이 보고되어 있다. 장폐색은 대장(33%)보다 소장(66%)에서 좀 더 흔하게 발견되고, 20% 이상의 환자에서는 소장과 대장 모두에서 장폐색이 발견된다.

여러 병태생리학적 기전들이 장폐색의 발현에 관여할 수 있으며, 그 발병과 원인에는 가변성이 존재한다. 이동과정에서 장내용물의 추진을 제한하거나 막는 모든 기전은 장폐색을 유발한다. 장폐색은 최소 세 가지 요인에 의해 발생한다. (1) 장내 분비 촉진을 위한 강력

한 자극제인 위, 췌장, 담관 분비물의 축적, (2) 장내강으로부터 흡수되는 수분과 나트륨 양의 감소, (3) 내강의 팽창에 따라 내강으로 분비되는 수분과 나트륨 양의 증가. 폐색부위 상부에서 췌장, 담관, 위장관 분비물의 장내 축적과 분비물의 양은 장의 팽창에 따라 증가하고, 그 결과 표면적이 증가하는 경향이 있다. 따라서 분비-팽창-분비라는 악순환이 발생하게 된다. 내강에서 수분과 나트륨의 감소는 장폐색에서 가장 중요한 독성 요인으로 나타난다.

1. 증상 및 진단

암 환자에서 장내강의 압축은 천천히 발생하고, 가끔 부분적으로 발생한다. 최초 증상은 경련성 복통, 어지러움증, 메스꺼움, 구토, 복부팽만 등이 있고, 주기적으로 나타났다가 자연스럽게 해결된다. 이러한 증상들은 흔히 가스 또는 묽은 변에 뒤이어 나타난다. 폐색된 장의 팽창-분비-운동 활동의 과정에 의해 유발되는 위장관 증상들은 폐색부위에 따라 다른 증상들의 조합으로 나타날 수 있고, 악화되는 경향을 보인다 표 26-3. 구토는 횟수, 양, 전반적인 기간으로 평가될 수 있다. 기타 메스꺼움, 통증(급경련통 및 지속적인 통증), 구강건조증, 졸음, 호흡곤란, 배고픔 등의 증상들은 VAS, 수치척도, 언어척도로 평가될 수 있다. 장폐색으로 의심되는 환자에 대한 평가에 있어 (1) 메스꺼움, 구토, 변비 등을 일으키는 다른 원인, (2) 대사이상, (3) 약물의 종류 및 복용량, (4) 영양 및 수분 상태, (5) 장의 움직임과 설사가 새어 나오는 증상(overflow diarrhea)의 존재 여부, (6) 복부의 분변덩어리, 전체 복부의 팽만, 복수, 통증 부위의 존재 여부, (7) 직장팽대부의 대변의 존재 여부(직장검사)를 고려해야 한다.

대사적 관점에서 탈수, 전해질 손실, 산-염기 균형의 이상은 흔히 장폐색과 관련이 있다. 저혈량성 상태(hypovolemic state)는 신혈류량의 감소로 인한 기능성 신부전을 유발할 수 있다. 폐색의 위치에 따라 다른 호흡기

표 26-3. 장폐색 환자에서 나타나는 흔한 증상

구토	간헐적 또는 지속적	위, 십이지장, 소장폐색에서 초기에, 많이 발생하고, 나중에 대장폐색에서 발생한다.	담즙성 구토는 거의 무취이며, 상복부의 폐색을 의미한다. 악취 및 분변과 같은 토사물(fecaloid vomiting)의 존재는 회장 또는 결장 폐색의 최초 징후일 수 있다.
메스꺼움	간헐적 또는 지속적		
급경련통	폐색에 인접한 팽창으로 인한 다양한 증상 정도 및 위치; 대부분 소화관에서 발생되는 가스 및 체액의 축척에 부차적으로 발생	배꼽주위에서 짧은 간격으로 심한 통증이 있는 경우, 공장-회장 위치에서의 폐색을 의미할 수 있다. 대장 폐색의 경우, 통증은 더 약한 강도로, 더 낮은 위치에서, 더 긴 간격으로 발생하고, 통증은 결장벽 쪽으로 퍼진다.	극심하게 시작하여 점점 강도가 심해지는 급성통증 또는 특정 국소부위의 통증은 천공 또는 회장 및 결장의 교액(strangulation)의 증상일 수 있다. 촉진(palpation)에 따른 통증 증가는 복막자극 또는 천공의 시작으로 인해 발생한 것일 수 있다.
지속적인 통증	다양한 증상 정도 및 위치	복부팽만, 종양 덩어리, 장을 압박하는 종양 덩어리의 성장, 내장 팽창, 간종대에 의해 발생된다.	
구강건조증		심한 탈수, 대사성 장애에 의해 발생되지만, 무엇보다 항콜린성 특성을 가진 약물의 사용으로 발생된다.	
변비	간헐적 또는 지속적	완전 폐색의 경우, 대변 및 가스가 배설되지 않는다.	부분 폐색의 경우, 증상은 간헐적이다.
모순성설사 (Overflow diarrhea or paradoxical diarrhea)		S자 결장 또는 직장에서 폐색된 분변으로 인한 결과이다.	

전이 관찰될 수 있다. 위 분비물의 광범위한 손실로 인해서 대사성 알칼리증, 저염소혈증(hypochloremia), 저칼륨혈증(hypokalemia)을 통해 저환기(hypoventilation)로 나타난다. 폐색의 위치가 말단인 경우, 담관, 췌장, 내장, 위 분비물의 정체로 인한 염소, 나트륨, 칼륨, 중탄산산염 등의 2차적 결핍은 일반적이다. 탈수는 제3의 공간에서의 체액 및 전해질의 축척으로 인해 발생한다. 허혈성 또는 패혈성 합병증으로 인한 산증(acidosis)은 회장 또는 결장을 포함하는 폐색에서 흔히 발생한다.

장폐색은 임상적 근거로 진단되고, 포괄적으로는 공기액체층(air-fluid level)을 보여주는 복부 방사선으로 확인된다.

2. 치료

장폐색 환자의 관리는 암 환자를 치료하는 의사에게 있어 가장 큰 도전 과제 중의 하나이다. 이 관리는 질병의 단계, 진단, 추가적인 항종양 요법의 가능성, 환자의 선택 및 일반적인 상태에 따라 고도로 개인별 맞춤화 되어야 한다. 완치가 불가능한 상태에서 환자의 심각한 불편함 및 고통을 완화시키기 위해서는 짧은 생존 기간을 고려하여 환자의 간호를 균형을 맞추어 접근해야 한다. EAPC의 종합실무그룹(multidisciplinary working group)은 장폐색에 대한 문제를 검토하고, 말기 암 환자에서의 장폐색의 관리를 위한 임상진료 권고사항을 발표한 바 있다.

1) 외과적 시술

완화적 중재, 즉 개복이나, 복강경, 내시경 또는 형광투시경적 시술은 장폐색 환자에게 도움이 될 수 있으며, 일반적으로 24~48시간 동안 비위강 감압(nasogastric decompression) 후에 장폐색 증상이 해결되지 않을 때 고려된다. 각 환자는 침습적 중재가 적절

표 26-4. 장폐색 수술에 대한 낮은 임상적 효용 가능성을 나타내는 예후지표

1. 암에 뒤이어 발생한 폐색
2. *미만성 복강내 암종증으로 인한 장운동
3. +광범위한 종양
4. +악액질과 관련 있는 65세 이상의 환자
5. *빈번한 천자가 필요한 복수
6. +낮은 혈청 알부민 수치 및 낮은 혈청 전알부민 수치
7. +복부 또는 골반에 대한 사전 방사선 치료
8. +불량한 영양상태
9. *촉진 가능한 미만성 복강내 종괴
10. +간전이, 원격전이, 흉수 또는 호흡곤란을 유발하는 폐 전이
11. *방사선 검사상 긴 장기 통과 시간을 보인 다발성 부분 장폐색
12. +혈액요소질소 수치의 상승, 알칼리인산분해효소 수치의 상승, 진행된 종양 병기, 짧은 폐색 간격
13. +낮은 활동 상태
14. *추가적인 교정수술이 불가능하다고 입증된 최근의 개복술
15. *미만성 전이암을 보이는 이전의 복부수술
16. +관리하기 어려운 증상을 발생시키는 복부외 전이
17. +근위부 위를 침범하는 상태

출처: Ripamonti, C, 등, Support Care Cancer, 2001;9(4):223-33. 후향적 연구에서의 데이터 수술에 대한 절대적인(*) 및 상대적인(+) 금기사항

하고 실현 가능한지 결정하기 위해서 개별적으로 평가되어야 한다 **표 26-4**. 폐색의 위치 및 진단은 병력, 신체검사, 단순방사선 또는 조영방사선 촬영으로 알 수 있지만, 단면을 볼 수 있는 컴퓨터단층촬영(CT) 또는 MRI는 의사결정에 있어서 필수적으로 시행되어야 한다. 23%의 증례에서 초음파, 7%의 증례에서 단순방사선촬영을 통해 폐색의 부위 및 원인을 진단할 수 있었던 것에 비해, CT는 70~95%의 증례에서 진단할 수 있다. 또한, CT는 응급 치료가 필요한 closed-loop 폐색 및 장 허혈(intestinal ischemia)을 진단할 수 있다. 나선형(spiral) CT와 다절편(multidetector) CT와 같이 정맥조영술과 경구±직장 조영술이 결합된 CT 스캔의 최신 기술은 복부 및 골반에 대한 더 나은 평가를 제공하고, 다면상 재구성(multiplanar reconstruction) CT는 장폐색에서 transition point을 확인하는 데 도움이 되어 폐색의 부위, 원인, 심한 정도를 확인할 수 있다. MRI는 비슷한 정보를 제공하지만, CT 스캔만큼 널리 이용되고 있지 않다. MRI에 대한 기대결과는 CT 스캐닝과 유사해야 하지만, 민감도, 특이성, 정확성에 대한 데이터가

부족하다. 일단 폐색의 원인 및 부위를 알면, 관리방법을 결정할 수 있다. 적절한 이환률을 고려하여 가장 오랜 시간 동안 성공적으로 증상을 완화시킬 수 있는 시술을 선택해야 한다.

종양에 대한 외과적 완전절제가 가장 바람직하지만, 그 부위에서 전체 종양의 절제면이 음성인 경우에만 시행할 가치가 있다. 모든 암에 대해 종양감축술(debulking operation)을 시행한 후, 복강내 화학요법으로 잔류질환을 치료할 수 있는 난소암이나 일부 위장관암은 예외일 수 있다. 항암요법을 시행하지 않으면 종양은 다시 자랄 수 있기 때문에 종양의 감축술은 일반적으로 유용하지 않다.

종양을 절제할 수 없지만, 폐색 부위의 앞뒤에 폐색되지 않은 정상적인 장이 있는 경우, 우회술(side-to-side)을 시행할 수 있다. 이것은 장 연속성을 회복시키고, 환자의 식이와 영양상태를 유지할 수 있게 해준다. 말단 폐색의 경우, 손상되지 않은 가장 말단의 장 부위에 장루(stoma)를 만들 수 있다. 구강으로 영양을 유지하기 위해서는 장루의 앞부분에 최소 100 cm의 근위부의 장이 있어야 하기 때문에 장루를 만들기 전에 근위부의 장의 길이를 측정해야 한다. 또한, 근위부의 장루는 배출양이 높고, 체액균형에 있어 심각한 문제를 유발할 수 있다. 기타 다른 선택이 없을 때, 비위강 튜브의 필요성을 회피하기 위해 위루관(gastrostomy tube)을 삽입할 수 있다.

수술 후 폐색의 증상 완화의 가능성은 장폐색의 부위에 따라 달라지는데, 대장 폐색의 경우 80%의 증례에서 성공적으로 완화되었고, 소장과 대장 모두에 폐색이 발생한 경우에는 25%의 증례에서 완화된 것으로 나타났다. 폐색부위의 갯수도 성공 가능성에 영향을 미친다. 폐색부위가 한 군데일 경우, 여러 군데일 경우에 비해 성공 가능성이 높다. 일반적인 암종증에서 발생한 장폐색은 외과적 수술에 약간 반응하거나 전혀 반응하지 않는 별도의 원인으로, 이러한 환자들은 외과적 수

술의 대상이 아니라는 점이 강조되어야 한다.

2) 외과적 의사결정

앞에서 언급한 기술적 요인 이외에 외과적 의사결정은 개별 환자 및 그들의 질병을 고려해야 한다. 양호한 활동도(performance status)는 낮은 합병증 발생률 및 개선된 생존율에 대한 최상의 예후인자 중의 하나이다. 나쁜 예후 인자에는 연령증가(생리적 연령 및 생활 연령), 불량한 영양상태, 심리적 건강, 사회적 지원, 복수, 동반질환이 있다. 종양 타입, 등급, 정도, 1차 발현으로부터의 시간, 항암치료에 대한 반응 이력, 항암치료의 유효성 등과 같은 질병인자도 의사결정에 영향을 미친다. 저성장(slow-growing), 고분화(well-differentiated) 종양은 양호한 결과 및 긴 생존기간과 관련 있을 수 있다. 제일 중요한 예후 인자는 종양의 성질과 관련된 질병의 범위 및 항암 치료에 대한 반응이다. 부피가 큰 간전이가 동반되어 있거나, 전이성 폐질환이 있는 환자는 일반적으로 국소 골반질환 또는 복강 내 질환이 있는 환자보다 빨리 사망할 것이고, 따라서 수술로 얻을 수 있는 혜택도 더 적을 수 있다.

이러한 시술들로 혜택을 얻을 수 있는 환자를 선택하는 것은 매우 중요하다. 장폐색은 대부분 응급으로 관리되는 것이 아니기 때문에 환자 및 가족과 함께 적절한 개별 맞춤 치료계획을 세우기 위한 시간이 필요하다. 불치성 및 진행성 질병임에도 불구하고, 정직과 희망 및 낙관유지 사이에 균형을 유지하는 것은 어려울 수 있지만, 환자에게 해를 끼치지 말아야 하고 헛된 치료를 피해야 한다. 무언가를 하기 위해 치료를 제공하는 것이 더 쉬울 수 있다. 어떠한 도움도 줄 수 없을 때 아무것도 하지 않은 것은 더 어려운 결정일 수 있다. 환자의 목표와 가치 및 의사의 경험에 따라 헛된 치료라는 정의는 매우 달라질 수 있지만, 헛된 치료라고 고려되어야 하는 것에 대한 지침은 거의 없다.

의사결정 접근법에 대한 개요는 다음과 같다. 임상의는 먼저 그 치료법이 적절하고 실현 가능한지 여부를 결정한다. 이것은 수술 중에 갑작스런 일이나 응급상황을 피할 수 있도록 질병의 현재 상태를 평가하기 위한 영상촬영을 포함한 철저한 평가 후에만 가능하다. 환자는 자신이 질병경로상 어디에 있다고 알고 있는지, 자신의 기대, 목표 및 가치에 대한 질문을 받는다. 환자의 현재 질병상태 및 기대되는 예후를 논의한다. 수술, 내시경, 중재적 방사선, 공격적 의료관리 등을 포함하는 모든 치료법과 함께, 합병증 발생률 및 각 중재에 대한 기대되는 성공률을 논의해야 한다. 합리적인 치료 목표를 설정하고, 환자와 함께 지속적인 항암요법, 부적절한 치료의 철회, 확실한 고식적 치료 등 치료 계획을 수립한다. 이러한 목표는 고통 완화 및 삶의 개선에 기반을 두어야 한다. 환자가 자신의 질병을 받아들이는 데 시간이 걸릴 수 있다.

수술 전의 신중한 계획을 통해 수술 성공 가능성이 높은 대부분의 증례에서 수술 전에 의사결정을 할 수 있다. 그러나, 최종 결정은 수술실에서 할 수도 있다. 외과적 수술이 불가능할 수 있는 확률도 논의되어야 하는데, 환자와 가족은 그러한 선택에 대해 대비해야 한다. 마지막으로 수술 성과가 어떻든 명확한 치료 계획을 가지고 지속적인 치료에 전념해야 한다. 최근 대규모 암센터에서 발표한 여러 논문에서 장폐색 환자를 전향적으로 추적했다. 최소한의 사망률을 위해 수술과 스텐트 시술에 적합한 환자를 선택하여 치료함으로써 의미 있는 증상 완화의 결과를 얻을 수 있다.

3) 스텐트 시술

지난 20년간 근위부 소장 및 결장, 위출구에 나타난 장폐색의 치료에 자가팽창형 금속스텐트(SEMS)의 사용이 증가되었다. 자가팽창형 금속스텐트는 잠재적으로 절제할 수 있는 질병의 최초 발현과 관련하여 소장 또는 결장에서의 급성폐색 치료에 사용될 수 있고, 스텐트 시술의 목표는 긴급수술을 완치수술 전에 신보조 치료를 시행할 기회를 제공하거나, 치유력이 있는 더 안전하고 긴급하지 않은 수술로 전환하는 것이다. 재발성 또는 전이성 질환으로부터 장폐색을 보이는 환자의 경우, 근치적 치료(curative treatment)는 어려울 수 있기 때문에, 스텐트는 짧은 입원 기간을 통해서 증상을 완화할 수 있는 신속하고 안전한 시술을 제공한다. 이 접근법은 현재 고식적 수술에 대한 중요한 대안을 제공한다.

4) 약물 요법

진행암으로 인한 장폐색에 대한 약리학적 관리는 비위관을 사용하지 않는 메스꺼움, 구토, 통증, 기타 증상의 치료에 초점을 맞추고 있다. 중심정맥카테터를 이전에 삽입한 경우, 이는 증상관리를 위한 약물을 투여하는 데 사용될 수 있다. 휴대용 시린지 드라이버를 사용한 약물의 지속적인 피하주입은 다른 약물과의 병용을 위한 비경구 투약을 가능하게 하고, 환자에게 최소한의 불편을 유발하며, 가정에서 사용하기에 용이하다.

비위관을 사용하지 않는 진통제, 항분비성 약제, 항구토제를 포함하는 약물 요법은 Baines 등에 의해 최초로 제시되었다. 여러 저자들은 이 접근법의 유효성을 확인했다. 약물치료는 투약되는 약물, 투여량, 약물병용, 투여경로 등을 환자별로 맞추어야 한다. 대부분의 장폐색 환자의 경우, 경구투여가 적합하지 않아 다른 투여경로가 고려되어야 한다. 권고되는 약물의 대부분은 지속적인 비경구 주입을 통해 병용 투여될 수 있다.

대부분의 환자에서 계속되는 복부통증을 완화하기 위해 연속적인 피하 또는 정맥 주입을 통해 마약성 진통제를 투약할 필요가 있다. 투여량은 환자별로 통증이 완화될 때까지 적정한다. 항콜린제는 급경련통을 조절하기 위해 마약성진통제와 함께 투여할 수 있다.

구토는 두 가지 다른 약리학적 접근법을 사용하여 조절될 수 있으며, 환자가 받아들일 수 있는 수준으로 감소시킬 수 있다. (1) 위 분비물을 감소시키는 항콜린제(scopolamine hydrobromide, glycopyrrolate) 또는

octreotide, (2) 중추신경계에 작용하는 항구토제의 단독 사용 또는 위 분비물을 감소시키는 약물과 병용 사용한다.

최근의 메타분석은 장폐색 환자에서 위 분비물을 감소시키는 데 있어서 히스타민-2 수용체 길항제와 프로톤펌프 저해제(PPI)의 유효성을 비교하였다. 이 메타분석은 7건의 무작위 비교연구(RCT)를 바탕으로 실시되었다. 총 445명의 환자가 포함되었고, 223명의 환자는 라니티딘(ranitidine)을 받았고, 222명의 환자는 다른 PPI 제제(omeprazole, lansoprazole, pantoprazole, rabeprazole)를 처방받았다. 두 군에 투약된 약물 모두 위분비물을 감소시켰고, ranitidine이 가장 강력한 효과를 보였다. 이 보고서를 기반으로 최종 결론을 내릴 수는 없지만, 그 결과는 후속연구의 필요성을 제시하고 있다.

코르티코스테로이드는 종양부근의 염증성 수종을 감소시키고, 장 운동성을 개선시킬 수 있기 때문에 여러 저자들은 장폐색으로 인한 증상에 대해 코르티코스테로드의 사용을 권고하고 있다. 아직 명확한 근거를 제시할 수 있는 임상시험은 실시되지 않아 이 약물들의 투여경로 및 투여량이 표준화되지 않았다. 체계적 문헌고찰에서 위약과 비교하여 스테로이드군에서 유의한 증상감소를 보이지는 않았지만, 경향성은 보였다. 장폐색 치료에 있어 코르티코스테로이드의 역할은 아직 논란의 여지가 있다. 그러나, octreotide, 코르티코스테로이드, metoclopramide의 병용투여는 위장관 증상을 신속히 해결하고, 5일 이내에 장운동을 회복시킬 수 있다.

일부 완화센터에서 구토와 급경련통에 대해 scopolamine hydrobromide가 자주 사용된다. 이 약물은 낮은 지질용해도를 가지는 atropine과 다르다. Scopolamine hydrobromide는 혈액뇌관문(BBB)를 통과하지 않아 다른 약물과 달리 오피오이드와 병용 투약될 때 졸음 및 환각과 같은 부작용이 적게 일어난다. Scopolamine hydrobromide의 항콜린성 활성은 평활근의 긴장과 연동

7부

운동을 감소시키고, 위장관의 분비물을 감소시킨다. 구강건조는 가장 중대한 부작용으로 보고되어 있지만, 환자는 작은 얼음을 빨아먹거나 약간의 물을 섭취함으로써 견딜 수 있었다. 또한, scopolamine hydrobromide 및 glycopyrrolate와 같은 항콜린제는 급경련통과 위 분비물의 양을 감소시킨다. 미국에서 항분비성 약물로 사용되는 glycopyrrolate는 scopolamine hydrobromide보다 더 효과적이며, scopolamine에 반응하지 않는 일부 환자에서 효과적일 수 있다. 이것은 중추신경계를 거의 통과하지 않고, 3차 아민 항콜린제(tertiary amine anticholinergic)와 관련 있는 섬망을 유발할 가능성이 낮다.

더 강력한 생물활성과 더 긴 반감기를 갖는 soma-tostatin의 합성유사체인 octreotide도 장폐색의 증상관리에 사용된다. Somatostatin과 그 유사체는 위산분비의 감소, 장의 운동성 저하, 담즙흐름의 감소, 점액질 생성의 증가, 내장혈류의 감소를 통해 위장관 호르몬의 방출 및 활성을 억제시키고, 위장관의 기능을 조절하는 것으로 나타났다. 또, 그것은 위장관 내용물을 감소시키고, cAMP 및 칼슘조절을 통해 세포내의 수분 및 전해질의 흡수를 증가시킨다. Octreotide에 의해 활성화된 somatostatin을 포함한 점막하 뉴런은 주로 아세틸콜린 유출을 억제함으로써 흥분성 신경을 억제한다. 결과적으로, 근육이완을 유발하여 급경련통의 원인이 되는 경련성 활동을 개선시킨다. 이러한 효과는 장 내용물, 내장혈류, 연동운동에 나쁜 영향을 미치는 것으로 알려져 있고, 실험적 장폐색에서 증가하는 혈관활성 장내폴리펩티드(VIP)의 억제에 의한 것일 수 있다.

Octreotide의 연동운동 및 위장관 분비물 억제효과는 장관상피에 의한 수분과 나트륨의 분비 및 장 팽창을 감소시켜 구토 및 통증을 완화시킨다. 따라서, 분비, 팽창 수축의 과활동으로 나타나는 악순환을 중단시킬 수 있다. Octreotide는 강력한 anti-VIP 효과를 통해 장 분비 억제의 결과를 보여준다. 또한, 토끼의 회장(ileum)을 이용한 시험시험에서 somatostatin은 수분과

나트륨 흡수를 촉진시키고, HCO_3분비를 억제하며, 공장(jejunum)에서의 수분 흡수를 억제시키는 것으로 나타났다.

Octreotide는 단회 피하주입 또는 지속적인 피하주입 또는 정맥 내 주입에 의해 투약될 수 있다. Octreotide의 반감기는 정맥 내 또는 피하주입 이후 약 1.5시간이다. 개시 투여량으로 피하를 통한 1일 0.3 mg이 권고되고 있으며, 증상이 조절될 때까지 일반적으로 1일 0.6~0.9 mg까지 투여량을 증량할 수 있다. Octreotide는 비싼 약물로서, 특히 장기간 투여 시에는 비용-효과 면을 신중히 고려해야 한다. 그러나, 약물의 비용은 가능한 가장 넓은 의미에서 해석되어야 하는데, 즉 약물의 사용이 환자의 삶의 질의 개선뿐만 아니라, 입원기간을 제한할 가능성이 있는 위장관 증상을 더욱 신속하게 개선시킬 수 있는지를 고려해야 한다.

VI 위장관 출혈

위장관 출혈은 상부위장관 출혈과 하부위장관 출혈로 구분할 수 있는데, Treitz 인대를 중심으로 정의한다. 80% 정도가 상부 위장관 출혈이 차지한다.

1. 증상 및 진단

토혈은 육안적으로 식별이 가능할 정도의 혈액이 관찰되는 상태를 말하며 상부위장관 출혈 시 나타나는 증상이다. 객혈과 감별되어야 하며, 보통 객혈은 기침과 객담이 동반되고, 선홍색이고 거품이 있는 경우가 많으며, 호흡음이나 단순 흉부촬영에 이상이 보이는 경우가 많다.

흑색변은 60 ml 이상의 장관출혈이 있을 때 발생하는 검정색, 타르색의 심한 냄새가 나는 변이며, 흑색변이 나타나려면 헤모글로빈이 장내 세균에 의해 분해되는

데 14시간 정도의 시간이 걸린다. 주로 상부위장관 출혈 시에 나타나지만, 위장관 통과 시간이 지연되는 경우 하부 위장관에서도 나타날 수 있다.

선혈변은 붉은색 혈액이 항문을 통해 유출되는 것이며, 주로 하부위장관 출혈에 기인하지만, 상부위장관에서 대량 출혈 시에 나타날 수 있다.

혈압과 심박동 수의 변화가 나타나며, 순환 혈액양의 20% 정도가 소실되면 기립성 저혈압이 발생하며, 더 이상 소실 시에 쇼크가 나타난다. 혈액 소실로 인한 빈맥, 혈압 감소 등이 나타난다면 굵은 정맥관 2개 이상, 또는 중심 정맥관을 확보하고, 생리 식염수를 정주한다. 수혈이 필요한 경우가 대부분이며, 일반적으로 충전적혈구(packed RBC)를 사용하며, 대량 수혈이 필요한 경우나 응고장애가 동반된 경우는 신선동결혈장 및 혈소판감소증이 동반된 경우는 혈소판농축제제를 함께 사용한다. 혈색소의 변화는 수 시간 내지 최대 72시간까지의 시간이 나타나기 때문에 급성 출혈 시에는 정상이거나 약간 감소된 결과를 보이는 경우가 많아서 출혈 정도를 확인하는 지표로 사용해서는 안 된다.

2. 상부위장관 출혈

출혈로 인한 혈역학적 상태를 평가하고 이를 신속히 교정해야 하며, 내시경 등의 검사를 통해서 출혈 부위 및 원인을 확인하고, 지혈 및 원인이 된 질환을 치료하며, 출혈의 재발을 막도록 해야 한다. 상부위장관 출혈이 강력히 의심되는 환자에서는 경험적 약제를 사용할 수 있다. Proton pump inhibitor 정주는 소화성궤양에 의한 출혈이 의심되는 경우에 사용할 수 있으며, somatostatin analogue는 소화성궤양과 정맥류에 의한 출혈일 경우 사용될 수 있으며, 위장관으로 유입되는 혈류량을 줄일 수 있다.

상부위장관 출혈이 의심되는 경우 진단 및 치료에 있어서 가장 기본적인 검사는 상부위장관 내시경 검사이다. 출혈의 원인과 정확한 병소를 확인하고 내시경적

지혈술을 시행할 수 있다. 그러나 혈역학적으로 매우 불안정하거나, 금기증이 있는 경우에는 신중하게 고려해야 한다. 상부위장관내시경을 통한 진단과 치료가 실패한 경우에는 혈관조영술을 통한 색전술을 고려하거나 수술적 치료가 필요한 경우가 있다.

상부 위장관 출혈의 가장 흔한 원인은 50% 이상에서 소화성궤양이 차지하며, 그 외 식도정맥류 및 위정맥류 출혈, Mallory-Weiss열상, Dieulafoy병변, 아스피린이나 NSAIDs에 의한 위와 십이지장 미란, 상부위장관 암, 혈관 기형 등이 있다.

3. 하부위장관 출혈

하부위장관 출혈의 정도는 가볍게 나타나는 경우가 대부분이지만 생명을 위협하는 출혈이 발생할 수도 있다. 젊고 기저질환이 없고, 항문 출혈이 의심되는 경우는 외래에서 검사가 가능하지만, 혈역학적으로 불안정하고 수혈이 필요하며 복통이 동반된 경우는 응급 입원이 필요하다. 가장 먼저 시행되는 검사는 대장내시경 검사이며 진단과 치료에 필요하다. 내시경 시행 전에 환자는 혈역학적으로 안정이 되어야 하며, 급성 염증이 동반되거나 출혈이 심해서 시야 확보가 어려운 경우는 천공 위험이 높다. 혈관조영술은 장관 내로 조영제가 새어나오는 소견이 관찰되는 경우 진단 특이도가 100%이다. 출혈 병소가 확인이 되면 도관을 통해서 vasopressin을 정주하거나, 혈관색전술을 시행할 수 있다. 그러나 합병증으로 장 경색, 신부전, 동맥내 혈전증 등이 발생할 수 있어서 제한된 경우에 사용된다.

급성 하부위장관 출혈의 원인은 주로 게실증, 혈관이형성증, 허혈성대장염, 방사선대장염, 염증성 장질환, 종양이 차지한다. 40세 이하에서는 배변 시 선홍색 출혈은 주로 항문의 치핵에서 발생하는 경우가 가장 많지만, 고령일수록 게실 출혈, 혈관이형성증, 종양에 의한 출혈이 증가한다.

4. 진행성 암 환자에서의 출혈

진행성 암 환자의 6~10%에서 출혈이 발생한다. 대부분 국소 혈관 침범이나 파종혈관내응고(DIC)또는 혈소판 기능이상과 감소증에 의한 원인으로 발생한다. 간부전, 항응고제등의 약제, 항암제, 방사선 치료, 수술 또는 암 자체에 의해 발생한다.

치료는 각 원인에 따라서 개별화된 치료방식으로 접근해야 하며, 원인 질환이 교정 가능한지, 치료의 위험과 이익을 따지고, 환자의 암 진행 정도와 예상 생존 기간, 돌봄의 목표 등에 따라서 달라져야 한다. 만약 환자의 긴 생존 기간이 예상될 때, 급성 출혈에 대해서는 위에서 언급한 일반적인 치료 방법을 따라야 한다. 반면에, 환자가 말기 상태에 진입했다면, 환자를 편안하게 하는 방법 위주의 치료가 이루어져야 한다.

Rectal bleeding의 85%까지 방사선 치료로 지혈을 할 수 있다는 보고가 있다. 위장관 종양에 의한 출혈일 경우 환자의 전체적인 병의 부담과 수행 능력 등을 고려하여 방사선 치료는 신중히 고려되어야 한다.

식도 및 위암 환자에서 내시경적 지혈술은 70~90% 가까이 성공한다고 보고되었으며, 합병증은 출혈의 악화 또는 천공으로 5~15% 환자에서 발생한다.

Vitamin K는 factor II, VII, IX, X 등의 응고인자를 간에서 합성하는데 필수적인 요소이다. 그러나 간 질환자들이 야채를 충분히 섭취하지 못하거나, 소장의 질병이 있거나, 간내 또는 간외 담즙 배설 장애가 있을 때 이러한 응고 인자의 결핍이 일어날 수 있다. Vitamin K 치료는 이러한 응고 장애나 과다한 warfarin 복용 시에 도움이 될 수 있다. 2.5~10 mg을 투여하는 것이 권장된다. Vasopressin은 내장동맥을 수축시키고 문맥압을 감소시키는 호르몬으로 정맥류 출혈에 광범위하게 사용되고 있다. 종양에 의한 상부위장관 출혈이 발생한 환자에게 50% 정도에서 효과가 있다고 보고되고 있다. 대표적인 부작용은 심근, 뇌혈관, 장관막 혈관의 수축이다.

표 26-5. 진행성 암 환자에서 발생한 출혈에 대한 전신 요법

Vitamin K
Vasopressin/desmopressin
Somatostatin analogues
Antifibrinolytic agents 　– Tranexamic acid 　– Aminocaproic acid 　– Aprotinin
Blood products 　– Platelets 　– Fresh frozen plasma 　– Coagulation factors 　– Packed red blood cell

Tranexamic acid는 합성 항섬유소용해 약제로 plasminogen의 결합부위를 막아서 plasminogen이 plasmin으로 전환하는 것을 억제하여 fibrin clot의 용해를 감소시킨다. 이 약제는 발치, 위장관출혈 시 지혈 목적으로 사용되며, 암 환자에 대한 데이터는 부족한 상태이다 표 26-5.

말기 상태에서 출혈이 발생 시에 내시경 등의 침습적인 접근은 이득보다는 부담이 될 수 있다. 임종 전 대량 출혈이 발생한 경우에는 사망의 직접적인 원인이 될 수 있음으로 가족들에게 알리고 준비할 수 있게 하는 것이 필요하다. 피를 흡수하는 어두운 색깔의 타월을 사용하고, 환자를 측와위로 눕게한다. 빨리 작용할 수 있는 진정제를 사용한다. Midazolam 2.5~5 mg을 정맥내주사 또는 피하주사로 투여한다. 필요한 경우 10~15분 간격으로 반복될 수 있다.

VII 복수(Ascites)

만성 간질환 또는 악성종양의 합병증으로서 복수의 발생은 생존율에 있어 나쁜 예후의 전조일 뿐만 아니라, 복강내압이 증가하여 다양한 고통스러운 증상이 동반될 수 있다. 복수는 75%가 간경변(cirrhosis) 환자이며,

악성종양이 10%, 그 외 심부전과 결핵에 의한 복수가 각각 3%와 2%를 차지한다.

1. 악성 복수(Malignant ascites)

악성 복수는 일반적으로 관리가 불가능하고 효과적으로 해결되기 어렵다는 견해가 대부분이다. 그 이유는 이뇨제의 치료 효과 여부, 복수 천자 방법 등에 대해서 연구가 제대로 되지 않았다는 점이다. 그러나, 최근 복수 발생의 병태생리에 대한 연구가 진행됨으로 인해서 좀 더 개별 맞춤화되고 새로운 복수 관리방법을 기대하고 있다.

완화의료병동에 입원한 3.6~6%의 환자에서 악성 복수가 문제가 된다는 보고가 있다. 특히 난소암에서 제일 많이 호발하며, 그외 자궁내막암, 유방암, 대장암, 위암, 췌장암 등에서 나타난다. 대부분 복수의 발생은 진행성 암을 의미하지만, 일부 진단 초기부터 복수가 진단되는 경우도 있다. 난소암 환자는 다른 암종의 환자보다 생존 기간이 길다. 그 이유는 초기 난소암에서도 복수가 동반되며 또한 세포독성항암제에 잘 반응하기 때문이다. 복압 상승으로 인해 복벽의 불편감, 호흡곤란, 식욕 부진, 오심, 구토, 식도 역류, 거동 불편함, 불면증, 사타구니 주변의 통증 및 하지 부종 등의 증상이 동반된다.

2. 복수의 병태생리

간경변증에서 복수는 주로 문맥고혈압(portal hypertension)과 나트륨 및 체액저류, 장내 모세혈관 압력 및 투과성의 증가를 초래하는 내장 혈관확장(splanchnic vasodilatation)의 결과로 주로 발생한다. 반면에 악성종양 환자에서 복수의 주요 원인인 내장측 또는 벽측복막의 종양침습이다.

복막강으로부터 체액 유출입의 불균형의 결과로 복수가 차게 된다. 종양에 의해 횡경막 림프관의 말단이 막힘으로써 체액의 유출속도가 감소할 수 있으며 이는 동물 모델에서 확인되었다.

체액의 유출속도의 감소만으로 대량의 복수의 축척을 유발하기에 충분하지 않을 수 있다. 유출속도는 복수가 차고 복강내압이 증가함에 따라 80 mL/hour의 속도로 증가한다는 보고도 있다.

체액이 복막강으로 유입되는 속도는 두 가지 기전의 결과로서 악성종양에서 증가될 수 있다. 각각의 기전은 생화학적 특성이 다른 복수를 만들고, 다른 치료방법에 반응할 수 있다.

다수의 간 전이의 해부학적 결과 또는 버드-키아리 증후군(Budd-Chiari syndrome)을 유발하는 하나의 큰 종양에 의한 간정맥압의 상승. 정맥압의 증가는 굴맥관(sinusoid)에서 복막으로의 체액을 누출시키고, 혈장의 레닌 농도의 증가를 통해 신장이 소금과 수분을 유지할 수 있게 한다. 이 기전으로 기인된 복수는 간경변의 결과로 나타나는 것과 유사하고, 누출액(transudate)의 특성을 가진다.

상대적으로 단백질의 농도가 높은 삼출물(exudate)은 혈관투과성의 증가로 인해 생성될 수 있다. 복막종양 신생혈관은 체액의 혈관외 유출이 쉽게 일어난다. 그 외에 정상적인 벽측복막의 신생혈관 형성은 악성복수 환자와 난소암 환자에서 관찰되었다.

복막강의 혈관과 같은 정상 미세혈관의 투과성은 형질전환성장인자(TGF) 알파 및 베타, 표피생장인자(EGF), 혈관내피성장인자(VEGF)를 포함한 시토카인을 유발하는 염증세포 또는 다양한 종양에 의해 증가될 수 있다. 혈관내피성장인자(VEGF)도 혈관형성을 자극하고, 종양의 성장을 촉진하며, 정상 복막의 신행혈관의 형성을 촉진시킨다. 동물 실험에서 혈관내피성장인자(VEGF)의 종양세포의 발현 정도와 관찰된 혈관형성 및 복수생성의 정도 간에 유의한 상관 관계가 있음이 확인되었다. 혈관내피성장인자(VEGF)는 비악성 복수와 반대로 악성 복수에서는 높은 농도로 관찰되었고, 다양한 원발 부위로부터 전이와 연관되었다.

표 26-6. 혈청-복수간 알부민 농도차(SAAG)에 의한 복수의 분류

SAAG >1.1 g/dl	SAAG <1.1 g/dl
간경변증	복막 암종증
알코올성 간염	결핵성 복막염
심부전성 복수	췌장성 복수
제한성 심막염	장폐색
악성 종양의 간전이	담도성 복수
Budd-Chiari syndrome	수술 후 림프액 유출

개별환자에서 이 두 가지 복수생성의 주요 기전의 상대적 기여도는 혈청-복수간 알부민 농도차(SAAG, serum-ascites albumin gradient)의 계산으로 추정될 수 있다. 혈청-복수간 알부민 농도차(SAAG)는 같은 날 얻어진 혈청샘플에서 복수의 알부민 농도를 뺌으로써 산정된다. 이 농도차가 1.1 g/dL 이상인 경우 누출액(transudate)을 의미하며 문맥 고혈압 항진증의 존재를 나타낸다. 혈청-복수간 알부민 농도차를 통해서 이뇨제 효과를 예측할 수 있다 **표 26-6**.

유미성복수(chylous ascites)의 생성은 후복막종양의 확산 또는 그 치료제의 합병증이고, 림프관의 손상 또는 림프절이나 췌장을 통한 림프액 흐름의 장애로 인해 발생된다.

3. 진단

복수는 관련 임상병력과 검사에 의해 진단된다. 복부비만 환자 또는 장폐색의 가능성이 있는 환자에서 나타나는 전형적인 증상을 보인다면 의심해 볼 수 있지만, 초음파 검사를 통해 복막에서 100 mL 이하의 자유 체액(free fluid)을 관찰할 수 있다. 알려진 악성종양 환자에서 발견되는 복수는 반드시 복강내 종양의 부차적인 것이라고 볼 수는 없으며, 간경변, 울혈성 심부전, 신증후군, 결핵, 췌장염과 같은 기타 원인들은 제외되어야 한다.

4. 치료 및 관리

복수와 같은 문제를 관리하기 위한 지침 및 치료 알고리즘이 개발되어 도움이 되기는 하지만, 개인차를 고려하지 않고, 개별 위해성-유익성 분석(risk-benefit analysis)이 되지 않는 것이 한계이다. 또한, 일반적인 접근법을 뒷받침하는 근거는 미흡하다. 최근 악성복수에 대한 체계적 문헌고찰과 관련된 32건의 연구가 검색되었고, 이 연구들은 모두 무작위임상시험은 아니며, 이 중 26건이 연구는 case series와 같은 비분석적인 연구였다.

1) 항종양 요법

특히 알려진 난소암 또는 유방암을 앓고 있으면서 복수가 찬 환자에 대해서는 특정 항종양 요법이 반드시 고려되어야 한다. 전신 세포독성 항암요법으로 치료받은 난소암 환자의 46%에서 복수의 완전한 제거 또는 현저한 감소를 보여 주었다. 난소암에서의 유의한 반응은 2차 및 3차 화학요법에서도 관찰되었기 때문에 반드시 고려되어야 한다.

일부 세포독성 항암제는 1950년대 초부터 복강 내로 투약되고 있다. 높은 조직투과성(tissue penetration)을 보이고 약제내성(drug resistance) 정도를 낮추는 복강내 온열 항암화학요법(HIPEC, hyperthermic intraperitoneal chemotherapy)이 개발되었다. 복강경 복강내 온열 항암화학요법(laparoscopic HIPEC)으로 치료를 받은 52명의 환자의 결과에 대한 다기관 분석에서 평균입원기간이 2.3일이었으며 94%의 환자에서 복수가 해결된 것으로 나타났고, 경미한 상처감염과 심부정맥혈전증(deep venous thrombosis) 등이 합병증이었다. 그러나 비교 연구로 연구되어진 것이 아니며, 근거 수준이 낮아 제한적으로 사용되고 있다.

후복막 림프종(retroperitoneal lymphoma)와 이로 인한 정상적인 림프배액경로(lymphatic drainage pathway)의 중단과 관련된 유미성 복수(chylous ascites)는 항암화학

요법으로 치료의 반응을 기대할 수 있다.

　다양한 약물의 강내 점적주입(intracavitary instillation)이 성공적으로 악성 흉수를 치료함으로 인해 악성복수 치료를 위해 유사한 접근법이 시도되었다. 방사성 동위원소, 세포독성 항암제, 최근에는 복수 생성을 줄이기 위한 생물학적 약제(biological agent) 및 생체반응조절물질(biological response modifier)의 사용을 보고하는 다수의 소규모 연구와 case series가 있다. 어느 한 2상 연구에서 코르티코스테로이드(corticosteroid), 트리암시놀론 헥사세토나이드(triamcinolone hexacetonide)의 복강내 점적주입이 복수가 차는 것을 상당히 늦춰준다는 사실이 밝혀졌다. 그 효과는 혈청-복수 알부민 농도차(SAAG)가 1.1 g/dL 이하인 환자에서 특히 있었으며, 스테로이드에 의해 유도된 혈관내피세포성장인자(VEGF)의 감소를 통해 효과가 나타나는 것이라고 추측된다.

　Bevacizumab은 VEGF에 대한 단클론항체로 전신 반응뿐 아니라 복수를 감소시키는 효과를 증명한 바 있다. VEGF를 억제하는 또 다른 표적치료제인 afibercept는 복수 생성을 억제하는 효과를 보여주었으나 장 천공 등의 부작용이 보고되었다.

2) 이뇨제 요법

이뇨제 요법은 90%의 환자에서 치료반응이 기대되는 비악성 기원의 복수 관리의 중심이다. 악성복수의 관리에 있어서는 이뇨제의 역할은 논란의 여지가 있다. 복막암종, 심각한 간전이 또는 유미성 복수를 앓고 있는 환자에서 이뇨제 사용에 대한 소규모 연구가 진행되었고 간전이를 동반한 군에서만 복수의 양이 감소된 것을 보여 주었다. 간전이를 가지고 있는 환자는 혈장 레닌 수치가 상승하고, 혈청-복수 알부민 농도차가 높았으며, 항알도스테론제, spironolactone에 반응했다.

　악성복수를 보이면서 혈청-복수 알부민 농도차가 높은 환자에 대해 이뇨제 사용을 고려하는 것은 적절하다. Amiloride는 spironolactone보다 작용발현이 빠르고, 알도스테론의 활성을 방해하고 내피세포에서 spironolactone과 유사한 효과를 가진다. Spironolactone을 사용할 경우, loop diuretic를 추가해서 사용하면 효과가 빨리 나타나게 한다.

　노인에서 이뇨제 투여는 잠재 부작용을 고려해야 하며, 제한적인 잔여 간기능을 가진 환자에서 간성뇌증(hepatic encephalopathy)이 유발될 수 있음을 유의해야 한다.

3) 복수천자

복부천자는 비교적 짧은 예후를 가지는 환자에서 신속한 증상완화를 보일 수 있으나, 이뇨제가 효과가 있는 환자에서는 중대한 부작용을 유발할 수 있다.

　2010년에 발표된 Cochrane review에서 복수 천자와 관련하여 배액 유지시간, 정맥을 통한 체액 대체, 체액을 내보내는 관의 조임(drain clamping), 배액 시의 주요 vital sign 기록과 관련된 질문에 답할 수 있는 충분한 근거를 찾을 수 없다고 하였다.

　Stephenson과 Gilbert는 배액을 위한 표시 부위에 대한 초음파 사용, 평균 배액기간, 입원기간의 감소 등 악성 복수에 대한 지침을 보고하였다. 카테터는 5 L가 배액될 때까지 6시간 미만 동안 그대로 유지되고, 환자가 저혈압 또는 탈수, 심한 신장 손상이 있는 경우에만 정맥내 체액 주입을 고려하였다.

　비장관체액 요법(parenteral fluid)에 대해서는 많은 논쟁이 있다. 혈청-복수 알부민 농도차가 1.1 g/dL 이상이 아닐 때는, 복수천자의 합병증은 악성복수 환자에서 드물게 나타나고, 체액은 콜로이드나 알부민을 정맥 내 투여할 필요 없이 비교적 신속하게 배액될 수 있다. 말초 부종 환자 또는 이뇨제에 반응하지 않는 혈청-복수 알부민 농도차가 높은 환자는 저혈량증(hypovolemia)이 쉽게 나타날 수 있다. 저혈압이 발생할 때 혈관내 용적은 콜로이드나 혈장 단백질 용액의 정맥 내 주입으로 보충될 수 있다.

난소암으로 인해 복수가 동반된 35명의 환자를 대상으로 한 연구는 복강내압 측정치와 보고된 증상의 심각도 사이에 직접적 상관관계를 보여주었다. 복강내압은 최초의 체액 몇 리터를 제거함으로써 가장 많이 감소한다. 한 연구에서 24시간 동안 평균 5.3 L가 배액된 환자군이 배액 후 최초 2시간 이후에는 증상점수가 더 이상 개선되지 않은 것이 확인되었다. 짧은 기간 동안 비교적 적은 양의 복수를 제거하여도 증상이 완화될 수 있기 때문에 특히 제한적인 예후를 보이는 고령환자에서 캐뉼라 삽입법이 권고되고 있다. 플라스틱으로 된 정맥 캐뉼라를 통해 30분 동안 간단하게 1~2 L의 체액이 제거될 수 있다. 복막강 내로 캐뉼라를 삽입하는 것은 간단하고, 국소마취제를 함께 사용할 경우 비교적 편한 시술이다. 적정한 양의 복수 제거는 혈액량 감소를 덜 유발하고, 단시간 동안 작은 크기의 캐뉼라를 사용하면 국소 합병증을 유발할 가능성이 매우 낮다.

집에서 정기적인 복수 배액을 가능하게 하는 영구적 복막카테터의 삽입에 따른 안전성, 유효성, 내약성, 비용절감에 대한 근거들이 증가하고 있다. 2012년에 영국의 National Health Service (NHS)는 증상 완화를 위해 반복된 대용량 복수천자를 필요로 하는 악성복수를 앓고 있는 환자에게 이 방법을 사용하도록 권고하고 있다.

악성복수의 경우에 배액으로 나타날 수 있는 가장 흔한 합병증은 장천공, 복막염, 배액부위 주변의 국소 봉와직염 등이 있다. 100명의 환자를 대상으로 한 연구에서 127건의 복수천자를 실시하여 2건의 사망이 보고되었다(Parsons 등 1996). 감염은 영구 배액기기를 삽입한 환자의 초기증상 단계에서 문제가 되었으나 PleurX 카테터(Denver Biomedical, Denver, Colorado)로 치료받은 10명의 환자의 최근 보고에서는 평균 카테터 삽입기간이 70일로, 카테터로 인한 감염은 발생하지 않은 것으로 나타났다. 그러나 복수천자의 실시로 많은 환자들은 수일 동안 극도의 피로감을 느끼는 등 입증되지 않은 사례가 제시되었다. 또한 반복적인 복수천자의 실시

로 저나트륨혈증과 혈장 알부민 농도의 점진적 감소가 일부 보고에서 기록되었다. 또한 보상되지 않는 간기능장애가 있는 환자는 복수 배액 첫 24시간 동안 간부전 및 간성혼수의 위험이 증가한다.

4) 복강정맥션팅(Peritoneovenous shunting)

혈관내 혈액량 감소(hypovolemia), 저알부민혈증(hypoalbuminemia), 감염, 내장손상과 같은 반복적인 복수천자에 의한 합병증, 비용, 가벼운 통증, 입원 반복의 불편함으로 인해 배액술에 대한 대안 치료에 대한 개발이 이루어졌다. 복강정맥션팅은 1970년 중반에 확립된 이후에 외국에서는 흔하게 시행되는 시술이다.

레빈(현재 생산 중단됨)과 덴버 션트, 이 두 가지 션트가 가장 흔하게 사용되고 있다. 션트는 복수가 내경정맥 또는 대퇴정맥을 통해 중심정맥계로 배액되도록 설계되었다. 션트삽입술로서 외과적 방법, 복강경에 의한 방법, 경피적 방법을 직접적으로 비교한 한 연구에서 시행 및 합병증에 있어 이들 방법 간에 차이는 없는 것으로 보고되었다.

353건의 덴버 션트 삽입시행과 관련한 case series에서 약 75%의 증례에서 '효과적인 증상완화'가 보고되었다. 38%의 환자에서 션트 폐색(24%)과 파종성 혈관내 응고(9%)와 같은 합병증이 발생했다. 션트의 개통(shunt patency)은 평균 87 ± 57일간 유지되었고, 환자의74%는 션트가 기능하는 상태에서 사망하였다. 션트관의 폐색은 간경변성 복수 환자보다 악성복수 환자의 배액 시에 더 빈번하게 발생하는 것으로 나타났고, 일반적으로 션트 폐색은 션트의 복막 말단에 있는 파편 또는 정맥 말단의 혈전에 의해 발생한다.

기타 합병증에는 폐수종, 혈전색전증, 대정맥 혈전증, 간성혼수, 복막염, 전방복벽의 피하조직에 발생한 종양으로 수술한 후 발생한 체액과잉이 포함된다.

복강의 종양세포가 션트를 통해 순환계로 도입될 때 발생하는 잠재적 영향에 대해서는 소규모의 사후검시에

서 조사되었다. 일부 환자에서 션트 삽입의 직접적인 결과로 전이가 발생되었으나, 임상적으로 의미가 있는 것은 아니며 예후에 영향을 미치지 않았다고 결론내렸다.

복강정맥션트는 방형성(loculated) 복수 환자에게는 적합하지 않고, 출혈성 또는 유미성 복수 환자, 심장 또는 신장의 기능이 양호하지 않은 환자, 간성혼수 경향이 있는 환자에게는 권고되지 않는다. 문맥고혈압, 대량 흉수, 응고장애는 상대적 금기사항이다.

복수가 찬 비부인과 원발성 종양환자에 대한 증례보고에서 정상적인 신기능을 가지고 있는 비 소화기계 종양 환자에서 복강정맥션트가 최상의 결과를 보여 주었다. 어느 한 연구에서는 한 개의 질문과 VAS을 통해 '삶의 질'을 측정하였고, 복수천자 또는 션트 시행을 통해 개선되는 경향을 보였으나, 연속적인 복수천자로 치료받은 환자군에서 혈청 알부민 수치의 점진적인 감소를 보였음에도 불구하고, 두 시술 간에 차이는 없는 것으로 나타났다.

복수를 동반한 부인과 악성종양 환자의 상대적 장기 생존율과 복수천자를 위한 입원반복에 있어 비용 절감을 감안할 때, 복강정맥션팅 시술 여부를 반드시 고려해야 하나, 한국에서는 사용의 제한이 있다.

VIII 황달

선진국에서는 말기 질환 환자에서의 황달은 대부분 말기 악성종양에서 흔히 볼 수 있다. 이것은 일반적으로 담즙배액 장애, 전이에 의한 간침윤의 발생에 따른 광범위한 간세포 결핍, 또는 이 두 가지가 복합적으로 발생함에 따라 유발된다. 암관련 황달은 심한 황달의 가장 흔한 원인 중의 하나이다. 선진국에서는 그다지 흔하지 않지만, 개발도상국에서는 말기 만성 간질환에 의한 경우가 더 흔하게 나타난다 **표 26-7**.

표 26-7. 황달의 감별 진단

Preheaptic	Hepatic	Post-hepatic
길버트 증후군	종양 침윤	악성 종양
용혈	바이러스 감염	췌장암
혈종	약물(alcohol 포함)	바터팽대부암
	담즙 정체:	담도암
	약제	림프절 전이
	세균감염	양성 질환
	경정맥영양	총담관결석증
	이식편대반응	만성 췌장염
	정맥유출차단	담도 협착
	간부전	
	버드-키아리 증후군	

1. 일반적인 간기능 장애

황달은 일반적인 간기능 장애의 흔한 특징이다. 간 내 담즙정체는 소담관의 미만성 손상이나 간세포 및 세관 수준의 담즙분비기관의 신진대사 장애와 관련된다. 간 내 담즙정체는 일반적으로 담관 확장과 관련이 없고, 기계적 중재를 적용할 수 없다.

황달은 말기 만성 간질환 또는 전격성 급성 간질환에서 흔히 나타나는 증상이다. 만성 간질환은 수장홍반, 거미상모반, 여성형 유방, 문맥고혈압의 징후와 같은 기타 임상적 특징을 가진다.

원발성 간암 또는 간 내 전이를 보이는 광범위한 종양 침윤으로 인한 황달은 심한 간기능장애의 징후이며, 일반적으로 기타 간부전의 특징을 동반한다. 위장관 악성종양은 특히 간문맥의 정맥배액 때문에 간으로 전이되기 쉽다. 기관지암, 유방암, 악성 흑색종과 같은 복부외 종양은 혈액을 통해 전이된다. 종양의 기원부위에 상관없이 간의 광범위한 종양침윤과 관련된 황달은 상당히 진행된 암 질환의 징후이며, 상대적으로 짧은 기대 생존율을 보이는 나쁜 예후인자이다.

환자는 흔히 초기 뇌병증(encephalopathy) 및 복수 징후를 보이고, 저알부민혈증 및 응고병증의 검사소견을 보인다. 간 초음파 또는 CT 영상은 일반적으로 전이에 의한 간의 광범위한 침범을 보여준다.

7부

이러한 상황에서 항암요법의 시행 여부는 효과가 있을 가능성, 환자의 수행상태 및 치료 목표에 따라 다르다. 항암약물요법(화학요법, 호르몬 치료, 티로신키나아제 저해제 또는 면역요법)에 민감한 종양은 일부 환자에서는 암이 호전되면, 황달 역시 회복을 보일 것이다. 항암약물요법에 무반응성 질환이 있는 환자의 경우, 사망할 때까지 간부전이 진행된다. 간부전이 있는 상황에서는 대부분 용량 조절이 필요하고, 일부 약물은 금기이므로 항암요법의 처방은 많은 주의가 필요하다.

2. 담도폐쇄

1) 암관련 담즙정체

종양은 간실질 내, 간문에서, 또는 총담관의 전지점에서 담즙의 흐름을 막을 수 있다.

담관암, 담낭암, 담관내 전이, 다양한 암에 의한 림프절 전이에 의해 근위부 담도 폐색이 유발될 수 있다. 총담관 폐쇄는 췌장암, 바터팽대부암에 의해 가장 흔하게 유발되고, 담관암 또는 담낭암에 의해 드물게 발생하기도 한다. 간세포암 환자 중 담관 혈전증은 폐쇄성 황달의 주요 원인 중의 하나이며, 발병률은 1.2~9%로 보고되어 있다. 간 내 광범위한 종양전이는 간 내의 작은 관을 막음으로써 간 내 담즙정체를 유발할 수 있다. 특히 소세포폐암및 림프종에서 간세관(canaliculi)을 따라 침윤된 악성 세포에 의해서 담즙정체를 동반할 수 있다.

2) 에이즈 담관병증

에이즈는 몇 가지 담도 이상과 관련 있을 수 있다. 진행성 면역결핍이 있는 환자는 무결석 담낭염, 바터팽대부에서 국소성 말단부 담도협착 또는 원발성 담즙성 간경화증과 유사한 담도계의 다발성 협착이 발생할 수 있다. 에이즈 담관병증은 크립토스포리디아(cryptosporidia), 거대세포바이러스(cytomegalovirus) 또는 작은 포자충(microsporidia)이 있는 담즙의 집락 형성과 강하게 연관되어 있다. 환자들은 일반적으로 오른쪽 상부의 복통 및 설사를 호소하고, 비정상적인 간검사 결과치 및 특히 알칼리성 인산가수분해효소(alkaline phosphatase)의 상승을 보인다. 담낭의 초음파 검사에서 벽의 부종이 보이고, 내시경적 역행성 담관췌관 조영술(endoscopic retrograde cholangiopancreatography, ERCP)에서 협착 및 배출지연이 보일 때, 진단을 제안하고 병원균에 대한 담즙 채취를 허용할 수 있다. 이러한 증후군들은 에이즈의 말기 합병증으로 보통 치명적이지는 않지만, 예후가 좋지 않음을 나타낸다.

3) 만성 이식편대숙주질환

골수이식 후의 만성 이식편대숙주질환은 간 내 담즙정체 증후군과 연관 있을 수 있다. 간 침범(liver involvement)은 원발성 담즙성 간경화증에서 보이는 것과 유사하게 작은 담소관의 폐색을 동반한 문맥의 단핵세포의 침윤으로 특징지어 진다. 강력한 면역억제제는 이식편대숙주반응을 조절할 수 있고, 만약 이것이 실패할 경우 ursodeoxycholic acid가 담즙정체를 개선시킬 수 있다. 그러나 담즙정체는 종종 담즙성 간경화증으로 진행된다.

3. 증상

진행성 황달을 앓고 있는 환자는 일반적으로 불안, 무기력, 피로감, 메스꺼움, 식욕부진, 가려움증을 경험한다. 가려움증은 흔하지만, 모든 경우에 나타나는 것은 아니다. 폐색병변 위의 담즙에 박테리아가 유입되면 오름 담관염(ascending cholangitis), 담도계 및 간의 화농성 감염을 유발할 수 있다. 기여요인으로는 높은 담도압(biliary pressure)과 정체(stasis)가 있다. 그러나 감염이 동반되지 않는다면, 장기간 동안 담도정체를 견딜 수 있다. 담관염의 일반적인 증상은 발열, 우측 상복부의 통증, 혼란 또는 저혈압 등이 있다. 만성 담도폐쇄는 그 원인과 상관없이 합병증으로 간경화증을 초래한다. 담도압의 증가가 간경화증을 유발하는 기전은 아직 밝혀지지 않았지만, 간장 밖 또는 간장 내의 폐색으로 인

표 26-8. 원인별 황달의 임상 양상

	Hemolytic	Hepatoclluar	Intrahepatic cholestatic	Post-heaptic cholestatic
증상	무증상	구역, 구토, 식욕부진, 발열	심한 황달, 어두운 소변색, 소양증, 밝은색 대변	심한 황달, 어두운 소변색, 소양증, 밝은색 대변, 담관염, 쓸개급통증
신체적	비장종대	통증을 동반한 간종대	통증을 동반한 간종대	간종대 촉진되는 쓸개
Bilirubin	<100 umol/L	다양	다양 >500 umol/L	<500 umol/L
ALT	정상	5배 이상 상승	2~5배 상승	2~3배 이하 그러나 담관염 동반 시 3~5배 이상
ALP	정상	2~3배 상승	3~5배 이상 상승	3~5배 이상 상승
Prothrombin time	정상	연장	연장	연장
Vitamin K로 교정	–	아니요	다양	예
초음파에서 담도 확장 관찰	아니요	아니요	아니요	예

ALT, alanine aminotransferase; ALP, alkaline phosphatase.

해 발생할 수 있다 표 26-8.

4. 진단

임상적 평가는 종종 황달을 보이는 암 환자의 평가에서 중요한 정보를 산출한다. 우선 종양의 유형 및 현재까지의 병력을 확인하는 것이 중요하다. 연한 색의 변은 담즙정체를 강하게 암시한다. 간 비대, 복수, 문맥고혈압의 특징을 확인하기 위해 복부 검사를 한다. 환자들은 고정자세불능증(asterixis)과 파킨슨씨병과 같은 정신운동지연의 특징을 확인하기 위해 간단한 정신상태검사 및 신경학적 검사를 받아야 한다.

1) 혈액검사

황달은 고빌리루빈혈증(hyperbilirubinemia)의 소견으로 진단된다. 정상 성인에서 혈청 빌리루빈 농도는 1~1.5 mg/dL 이하이고, 빌리루빈 생산량에 따라 달라지고, 빌리루빈 간청소율에 반비례한다. 임상적으로 명백한 황달 또는 공막 황달을 진단하기 위해 혈청 빌리루빈 수치가 3 mg/dL이어야 한다. 기타 초기에는 ALP, ALT, AST, 알부민, 프로트롬빈 시간을 포함하는 간기

능 검사와 CBC 검사가 포함되어야 한다. 담즙정체증 환자에서 일반적으로 GGT와 ALP는 상승한다. ALP 상승과 GGT 정상이라는 결과는 ALP 상승이 뼈로부터 ALP의 방출에 기인한다는 것을 의미한다. 반대로, 간 질환을 앓고 있지 않은 경우에도 GGT만 상승되었다는 것은 특정 약물(예; phenytoin) 또는 알코올에 기인한 것이라 할 수 있다.

2) 영상학적 검사

(1) 복부 초음파

복부 초음파는 간내, 외 병소를 파악할 수 있을 뿐 아니라 간외 담도의 직경을 측정할 수 있어서 가장 먼저 일반적으로 시행하는 영상학적 검사 방법이다. 황달 환자에서 담도 폐쇄를 진단하는데 복부 초음파의 민감도는 55~91%이고 특이도는 82~95%이다. 비침습적이고, 이동이 가능하다는 것이 장점이나, 담도계 수술을 받아 경미한 담도 확장이 동반되어 있는 경우나 간경화 또는 원발성경화성 담관염과 같은 질환에 의한 담도 폐쇄가 발생할 때는 복부 초음파만으로는 진단이 어렵다.

(2) 복부 컴퓨터 전산화단층촬영
(Computerized tomography, CT)

정확한 해부학적 구조를 확인하고 담도 폐쇄의 위치를 확인할 때 가장 선호되는 방법이다. 컴퓨터 전산화단층 촬영은 5 mm 미만의 공간점유성 병변의 발견이 가능하고, 초음파처럼 검사자 의존적이지 않다는 것이 장점이다.

(3) 자기공명담도 조영술(Margnetic resonance cholangio-
pancreatography, MRCP)

MRCP는 정맥조영제의 사용 없이 빠르고 선명한 담도 단층 영상을 제공할 수 있는 표준적인 자기공명영상검사이다. MRCP는 간문부의 폐쇄성 황달의 해부학적 구조를 파악하고 원인을 분석하는 데 있어 ERCP보다 우월하다. 특히 ERCP 또는 PTC에서 합병증 발생 가능성이 높은 환자에게 사용할 수 있다. 그러나 비용이 비싸고 환자가 호흡을 참을 수 있어야 하며, 복수, 십이지장 액체 등에 의해 발생 가능한 영상 허상의 문제가 있다.

(4) 내시경적 역행성담췌관조영술(Endosoptic retrograde
cholangiopancreatography, ERCP)

ERCP는 초음파나 CT에 비해 침습적인 검사로 담췌관을 직접 관찰하는 것이 가능하다. 담도 폐쇄의 진단에 89~98%의 민감도와 89~100%의 특이도를 보인다. 또한 원위부 담도 및 팽대부 주위의 조직 검사 및 세포 검사가 가능하며, 담도 폐쇄의 원인이 국소적일 때는 진단과 동시에 치료가 가능하다. ERCP의 기술적 성공률은 90% 이상이지만, 위우회술이나 총담관공장연결술과 같은 복부 수술로 인하여 해부학적 구조가 변형되어 바터팽대부로의 관 삽입이 어려운 경우에는 검사가 불가능하다. 검사의 합병증은 0.5~2%가 발생하며, 호흡억제, 흡인, 출혈, 천공, 담도염 및 췌장염 등이 발생가능하다.

(5) 경피적 경간 담도조영술(Percutaneous transhepatic
cholangiography, PTC)

경피적으로 간실질을 통과하여 바늘을 넣고 근위 담도관까지 조영제를 사용하여 담도를 관찰하는 것이다. ERCP처럼 국소적 담도 폐쇄가 있을 시에 풍선 확장술이나 스텐트 삽입과 같은 중재적 시술이 가능하다. 근위부에 담도폐쇄가 존재하거나 ERCP의 접근이 어려운 경우에 PTC가 선호된다. 그러나 간내 확장이 없는 경우에는 기술적으로 시도하기 어렵다.

(6) 내시경 초음파(Endoscopic ultrasonogrphy, EUS)

내시경 초음파는 담도폐쇄의 진단에 MRCP와 비슷한 민감도와 특이도를 가진다. 악성이 의심되는 부분에 조직검사를 시행할 수 있다는 장점이 있다. 특히 바터 팽대부암의 진단에 유용하다.

5. 담도폐쇄 치료 및 관리

예상 생존 기간이 짧고 증상이 없는 담도 폐쇄는 시술이 필요하지 않다. 그러나 많은 환자는 가려움증, 피곤함, 식욕 부진 등 증상을 동반하다. 실제로 담도폐쇄가 호전된 뒤에 증상의 호전 및 삶의 질이 좋아졌다는 연구들이 있다.

1) 내시경적 담관스텐트(Endoscopic biliary stent)

담관 내 인공삽입물의 내시경적 시술은 담즙의 외부 유출의 부담 없이 효과적으로 담즙을 배액할 수 있다. 90%의 성공률을 보이며, 시술과 관련된 사망은 약 1% 정도이다. 담관염, 발열 또는 출혈 등 일시적인 합병증이 시술환자의 20%에서 발생한다. 스텐트 시술환자의 생존기간의 중앙값(median)은 4.9개월이었다. 내시경적 삽입을 실패한 환자에 대해 경피적 내시경 시술이 시행될 수 있다. 이 접근법에서는 가이드와이어 및 미세구멍을 통한 카테터는 경피적으로 도입되고, 담도계는 감압된다. 가이드와이어는 폐색부위를 지나 십이지장으로 들어간다. 내시경 검사자는 가이드와이어 위로 스텐트를 도입한다. 일단 적절한 내부배액이 이루어지면, 경피적으로 삽입된 가이드와이어와 카테터는 제거될 수 있다. 스텐트의 폐색은 테프론으로 된 카테터의 주요 문제점이다. 폐색은 스텐트 벽에 박테리아의 부착으로 인한 것으로, 파편을 포착하여 결국 내강을 막는 생물막(biofilm)을 형성하는 결과를 가져온다. 일반적으로 테프론 또는 플라스틱으로 된 관내인공삽입물의 폐색은 내시경 검사의 반복 실시 및 스텐트 교체로 관리된다. 적절한 내시경을 통해 십이지장 삽관이 가능하다면, 관내인공삽입물의 교체가 가능하지만, 두 번째 내시경 검사가 필요하다. 3~6개월 시점에 조기예방을 위한 스텐트의 교체가 권장되고 있지만, 최적의 시점이 정해져 있지는 않다. 내시경 치환술의 대상은 아니지만 스텐트가 폐색된 환자에서 경피적 스텐트 시술은 일시적인 처방이 될 수 있다. 자가확장 금속스텐트는 폐색 문제를 해결하기 위해 도입되었다. 가장 일반적으로 사용되는 장치인 wallstent는 9Fr인 전달스텐트에 장착되는 스테인레스 금속망으로 되어 있다. 금속 스텐트는 직경이 8~10 mm로 더 크고, 대부분 제거할 수 없으며, 플라스틱 스텐트보다 훨씬 비싸다. 금속 스텐트는 담관의 벽에 대해 팽창할 수 있도록 수축된 싸개로 둘러싸인 담관으로 도입된다. 폴리에틸렌 스텐트 및 금속스텐트 중 무작위로 스텐트 시술을 받은 담도폐쇄 환자를 대상으로 한 7건의 전향적 연구에 대한 메타분석에서 최소 9,596명의 환자가 스텐트 시술을 받았고, 스텐트 재료와는 관련 없다는 것이 밝혀졌다. 스텐트의 종류는 생존율에 영향을 미치지 않았지만, 금속 스텐트의 경우 개통기간이 더 길어 결과적으로 담관염의 발생도 줄어들고, 전체 입원 일수가 줄어든다.

피막형 금속스텐트는 종양 내성장의 비율이 낮고 이동가능성의 잠재적 이점이 있다. 이러한 장점은 겹쳐진 피막 때문에 주변조직을 삽입하는 데 스텐트의 제한된 능력으로 인해 스텐트의 위치이동의 비율이 높아지는 것과 균형을 이루어야 한다.

2) 경피경간 담관조영 배액술(Percutaneous transhepatic cholangiographic drainage)

경피적 배액술은 외부적으로 또는 폐색을 통과할 수 있다면 내부적으로 담즙을 배액할 수 있는 카테터로 시행된다. 담도가 완전히 폐쇄되었더라도 많은 경우에 방사선시술전문의는 형광투시경 유도하에서 가이드와이어와 카테터를 함께 사용하여 협착 부위를 통과할 수 있다. 경간 카테터(transhepatic catheter)는 담도계에서 폐색의 아래와 위 모두에 측면 홀을 가지도록 설계되었다. 카테터의 끝은 장내에 존재하기 때문에 담즙은 카테터를 통해 폐색을 통과하여 측면 홀 밖으로 빠져 나와 십이지장으로 배액된다.

경관 카테터는 폐색, 누출, 감염 등 합병증과 관련이 있다. 일반적으로 경간담도카테터는 폐색 가능성 때문에 매 2달마다 교체된다. 경피적 배액술 시행 후 금속스텐트를 삽입 가능하다.

3) 내시경적 초음파유도 담도배액술(Endoscopic ultrasound-guided biliary drainage)

전통적으로 내시경적 역행성 담췌관조영술(ERCP)을 실패한 환자는 경피적 담도관 삽입법(PTC) 또는 수술적 담도감압이 시행되고, 이 두 가지 방법은 이환률 증가와 연관이 있다. 내시경적 초음파유도 담도배액술은 담도배액술에 대한 덜 침습적인 대안으로 개발되었다. 단일시술에서 그것은 간내 담도 또는 총담관의 경위장관 구멍을 이용하는 담도배액술을 확립하는 것을 목표로 한다. 이 접근법은 십이지장 폐쇄로 인해 접근할 수 없는 돌기를 가지고 있거나, 담관암 또는 담낭암으로 인해 외과적으로 변형된 해부구조 및 폐문에 덩어리를 가지고 있는 환자에게 적용할 수 있다. 또한, 이 방법은 관을 피하기 위해 도플러를 사용하여 바늘을 담관에 접근하기 때문에 경피적 담도관 삽입법

(PTC)보다 더 안전하다. 가장 흔한 합병증은 담즙누출 및 기복증(pneumoperitoneum)이나 대부분 저절로 호전된다. 담즙누출은 대개 간외 도관의 구멍, 경관 배액(transluminal drainage), 큰 구멍으로 인해 발생할 수 있다. 시술은 기술적으로 복잡하고, 내시경적 역행성 담췌관조영술(ERCP)와 초음파내시경(EUS)에 능숙한 내시경전문의만 시행할 수 있다. 외과적 지원이 필요하고, 아직 널리 사용할 수 있는 것은 아니다.

4) 담즙성 소양증(Cholestatic pruritus)의 증상 관리

소양증은 폐쇄성 황달의 주요 증상이. 소양증은 모든 유형의 간질환에서 발생할 수 있지만, 주로 급성 또는 만성 담즙정체와 관련 있다. 황달환자의 20~50%에서 발생하는 것으로 추정된다. 가려움의 정도는 경증에서 중증까지 다양하다. 이것은 지속적이나 간헐적일 수 있고, 흔히 손바닥과 발바닥과 같은 신체의 특정 부위에 국한되기도 하고, 전신에 나타나기도 한다.

담즙성 소양증의 원인은 복잡하고 다양한 요인에 의해 발병된다. 간접적인 증거에 의하면 이것은 담즙산, 담즙산유도체 또는 기타 장간순환을 하는 물질들이 피부 가려움증에 관여하는 수용체를 자극함으로써 부분적으로 유발될 수 있다고 한다. 일반적인 보조요법과 함께 특정 항소양제를 이용한 치료법으로 관리하는 것이 필요하다.

(1) 음이온 교환수지(Anion exchange resins)

경구 투여되는 음이온 교환수지는 장내에서 담즙산과 다른 음이온 화합물과 결합함으로써 결합물질의 배설이 증가되었고, 이는 담즙산의 장간 순환을 감소시켰다. 담즙성 소양증에 가장 널리 처방되는 치료약은 염기성 음이온 교환수지인 콜레스티라민(cholestyramine)이지만, 이외에도 다른 수지(resin), 콜레스티폴(colestipol), 콜레세브이람(colesevelam)도 사용할 수 있다. 콜레스티라민의 최대권장용량은 24시간에 16 g이다. 수지(resin)는 흡수를 방해하지 않도록 다른 약물과 별도로 최소 2시간 간격으로 복용해야 한다. 콜레스티라민은 맛이 매우 좋지 않아 물에 희석하거나 주스와 함께 복용해야 한다. 수지(resin)의 가장 흔한 부작용은 부종과 변비이다. 이 약물들은 지용성 비타민의 흡수장애를 초래할 수 있어 장기투여 시에 프로트롬빈 시간을 신중히 모니터링해야 한다. 미국간학회에서는 원발성 담즙성 간경화증(primary biliary cirrhosis)에서 담즙성 가려움증에 대한 최초 치료법으로서 음이온 교환수지를 권장하고 있다.

(2) 리팜피신(Rifampicin)

리팜피신[이후에 언급되는 페노바비탈(phenobarbital)과 유사]은 프레그난X 수용체에 작용한다. 간의 마이크로솜 산화효소와 가려움증을 유발하는 잠재적인 내인성 물질의 분비 또는 대사를 촉진할 수 있는 생체내 변환 전달체(즉, CYP3A4, UGTlAl, MRPZ)를 강하게 유도한다. 또한, 그것은 간세포에 의한 담즙산 흡수와 경쟁하고, 위장관(항균효과를 통해)에서 이차적인 담즙산 합성을 조정한다. 다양한 소규모 임상과 2건의 메타분석에서 담즙성 소양증의 완화에서의 상당한 효과를 보여주었다. 효과적일 경우, 그 효과가 상대적으로 빨리 발현된다. 리팜피신은 일반적으로 하루에 300~600 mg을 나누어 경구 복용한다. 소양증에 대한 리팜피신의 장기투여는 종종 간독성(hepatotoxicity)과 관련 있고, 환자들은 혈청ALT 수치를 정기적으로 모니터링해야 한다.

(3) 오피오이드 길항제(Opioid antagonists)

날록손(naloxone) 정맥주사가 담즙성 가려움증을 감소시킬 수 있다는 보고 이후에 경구투여 길항제인 날메펜(nalmefene)과 날트렉손(naltrexone)을 사용한 치료에 대한 임상시험이 이루어졌다. 날메펜(nalmefene)에 대한 연구에서 긁는 행동의 현저한 감소와 가려움증 평가를 VAS로 측정했을 때 날메펜은 가려움증의 주관적 개선을 보여주었다. 대부분의 환자는 하루에 30~80 mg을 필요로 했지만, 상당히 가변적이었다. 2건의 위약-대조군 연구에서 날트렉손(naltrexone)은 하루에 50 mg 투약 후 주관적인 증상 개선을 보였다. 이러한 결과는 다른 증례 연구에서도 확인이 되었으며, 소규모 연구에서 일부 환자들은 부프레노르핀(buprenorphine)의 사용으로 개선을 보였다.

(4) 매우 제한된 근거를 보이는 치료방법

항히스타민제는 거의 효과가 없다. Phenobarbital이 일부 환자에서 소양증으로 호전시키나, 비교 연구로 증명된 바가 없다. 최근 5-HT3 길항제인 ondansetron과 propofol이 매우 소수의 연구에서 증상을 호전시킨다는 보고가 있다.

참고문헌

1. 노유자, 한성숙, 안성희, 김춘길: 호스피스와 죽음, 현문사;1997.
2. 완화의료팀원을 위한 호스피스·완화의료 개론. 보건복지부, 국립암센터;2012.
3. 이경식, 이혜리, 홍영선,염창환: 완화의학 암 환자의 증상조절,비타민 세상;2006.
4. 조주영, 정일권, 위장관 출혈, 대한내과학회지2007;73(2);S573-83.
5. 한국호스피스 완화간호사회: 호스피스 완화 간호,현문사;2015.
6. 호스피스·완화의료 의사 상급교육 교재, 한국호스피스·완화의료학회;2011.
7. iElisabeth A. Dolan , Malignant Bowel Obstruction : A Review of Current Treatment Strategiest. Am J Hosp Palliat Care 2011;28;576.
8. Oxford textbook of palliative medicine, fifth edition.
9. Robert E. Enck RE, More on the Management of Ascites. Am J Hosp Palliative Care, 2012;29;333-4.
10. SK Ang,shomaker LK, Davis MP. Nausea and Vomiting in Advanced Cancer. Am J Hosp Palliat Care, 2010;27(3):219-25.
11. Ayantunde AA, Parsons SL. Pattern and prognostic factors in patients with malignant ascites: a retrospective study. Ann Oncol 2007;18:945-9.
12. Benson AB, 3rd, Ajani JA, Catalano RB, et al. Recommended guidelines for the treatment of cancer treatment-induced diarrhea. J Clin Oncol 2004;22;2918-26.
13. Burroughs AK, McCormick PA, Hughes MD, Sprengers D, D'Heygere F, McIntyre N. Randomized, double-blind, placebo-controlled trial of somatostatin for variceal bleeding. Emergency control and prevention of early variceal rebleeding. Gastroenterology 1990;99;1388-95.
14. C Rizzo, Vitale C, Montagnini M. Management of Intractable Hiccups: An Illustrative Case and Review. Am J Hosp Palliative Care, 2014;31(2):220-4.
15. Dalal KM, Gollub MJ, Miner TJ, et al. Management of patients with malignant bowel obstruction and stage IV colorectal cancer. J Palliat Med 2011;14:822-8.
16. Emanuel LL, Ferris FD, Von Gunten CF, Von Roenn J. EPEC-O: Education in palliative and end-of-life care-oncology. The EPEC Project.
17. Monica L. Gabapentin for Intractable Hiccups in Palliative Care. Am J Hosp Palliative Care 2008;25;52;2005.
18. Fine KD, Schiller LR. AGA technical review on the evaluation and management of chronic diarrhea. Gastroenterology 1999;116:1464-86.
19. Keen A, Fitzgerald D, Bryant A, Dickinson HO. Management of drainage for malignant ascites in gynaecological cancer. Cochrane Database Syst Rev 2010:Cd007794.
20. Mercadante S, Avola G, Maddaloni S, Salamone G, Aragona F, Rodolico V. Octreotide prevents the pathological alterations of bowel obstruction in cancer patients. Support Care Cancer 1996;4;393-4.
21. Moss AC, Morris E, Leyden J, MacMathuna P. Malignant distal biliary obstruction: a systematic review and meta-analysis of endoscopic and surgical bypass results. Cancer Treat Rev 2007;33;213-21.
22. Pereira J, Phan T. Management of bleeding in patients with advanced cancer. Oncologist 2004;9;561-70.
23. Qin LX, Tang ZY. Hepatocellular carcinoma with obstructive jaundice: diagnosis, treatment and prognosis. World J Gastroenterol 2003;9;385-91.
24. Rangwala F,Zafar SY, Abemethyl AP. Gastrointestinal symptoms in cancer patients with advanced disease: new methodologies, insights,and a proposed approach. Curr Opin Support Palliat Care, 2012;6:69-76.
25. Ripamonti C, Twycross R, Baines M, et al. Clinical-practice recommendations for the management of bowel obstruction in patients with end-stage cancer. Support Care Cancer 2001;9:223-33.

7부

27장

비뇨기증상

| 이준용, 허정식 |

I 배뇨증상

비뇨기증상 중 배뇨증상은 연령의 증가로 인한 만성질환과 남성의 경우 전립선비대증과 같은 질환의 증가로 인해 흔히 발생되고 있다. 특히 말기 암 환자에서 자주 호소하는 흔한 증상으로 방광암을 비롯한 골반 부위의 암의 침범 혹은 방광자극 증상이나 배뇨근의 기능 이상을 유발하는 척수의 전이에 의한 배뇨근 기능부전, 혹은 암이나 출혈로 인한 혈액응고 덩어리에 의해 생성되는 기계적인 요폐색 증상이 동반되기도 한다. 말기 암 환자의 경우라도 전신 상태에 따라 치료 방법이 달라지며 원인을 정확하게 파악하고 이에 따라 치료를 하는 것이 원칙이지만 임종이 얼마 남지 않은 경우에는 요도를 통한 도뇨관 삽입을 하거나 상치골방광루설치술을 시행할 수 있고, 환자의 상태에 따라 다르지만 일반적으로 1달에 한번씩 도뇨관을 교환하여야 한다.

방광은 저장기능과 배출기능을 가지고 있으며, 이러한 기능은 배뇨근(detrusor muscle), 방광목(bladder neck), 바깥요도조임근(external urethral sphincter)의 조화가 잘 이루어져야 한다. 정상적으로 소변저장기에는 배뇨근이 이완하고 방광목 및 바깥요도조임근이 수축하며, 소변 배출기에는 배뇨근이 수축하고 방광목 및 바깥조임근이 이완한다. 이러한 협동기능은 엉치신경배뇨반사(sacral reflex arc)와 이를 조절하는 다리뇌(pons)와 대뇌의 기능 등 자율신경 및 몸신경(somatic nerve)의 복잡한 고난도의 조절에 따라 이루어진다 표 27-1. 즉 배뇨시기의 조절은 대뇌피질에서 배뇨협조조절은 다리뇌(교뇌)에서 신호의 증폭은 척수에서 신호전달은 말초신경계를 통해 방광이 재기능을 할 수 있게 조절이 된다.

방광의 기능을 조절하는 신경학적인 기능이 암의 침범 등으로 인해 상실될 경우 빈뇨, 야간빈뇨, 절박뇨, 배뇨통 등과 같은 방광 자극 증상과 세뇨, 말기요점적, 배뇨중단 등과 같은 방광폐쇄증상이 나타나기도 하며, 요축적이나 요실금 등의 증상이 나타나기도 한다. 방광

표 27-1. 배뇨의 정상적인 신경지배

신경지배	부교감신경계	교감신경계
척수부위	천수 2~4	흉수 10~12, 요수 1
신경	아랫배신경	골반신경
매개물질	Acetylcholine	Noradrenaline
배뇨근	수축	이완
조임근	이완	수축
억제	항콜린성 약물	Alpha blockades

표 27-2. 빈뇨의 원인

중요원인	관련질환
다뇨증	• 과다수분섭취, 이뇨제 사용, 당뇨, 요붕증, 고칼슘혈증
염증	• 감염: 방광염, 전립선염, 요도염 • 항암치료, 방사선치료 • 이물질: 스텐트, 결석
방광용적감소	• 종양–방광 내 종물 혹은 외부적인 압박 • 수술 • 방사선치료 후, 항암치료
배뇨근 과활동성 혹은 불안정	• 신경학적 이상: 중추신경계, 척수신경, 골반신경의 이상 • 감염 • 불안
하부요로폐색	• 종양, 요도협착, 전립선비대증, 심한 변비

에서 발생된 방광암이나 전이성 종양의 방광침윤이 자극증상을 나타내며, 방광외부로부터 방광에 직접 침윤이 되는 종양으로는 난소, 자궁경부, 직장, 전립선, 대장암 등이 있다. 빈뇨의 원인은 다양하며 대부분 소변양의 증가 또는 방광용적의 감소에 의해 발생하며 이것의 원인은 다음과 같다 표 27-2.

정상인의 경우 자의적으로 소변을 참거나 배뇨하는 것이 가능하지만, 어떠한 원인으로든 본인의 의지와 상관없이 소변이 배출되는 경우가 있어 이를 빈뇨로 오인하는 경우가 있다. 이러한 증상을 요실금이라고 하며 요실금의 종류는 지속요실금, 복압요실금, 절박요실금, 범람요실금 등으로 나눌 수 있다.

지속요실금은 시간과 신체의 자세와는 상관없이 불수의적으로 요출이 발생하는 것으로 가장 흔한 원인은 샛길(fistula)이다. 가장 흔한 원인으로는 부인과암 특히 자궁경부암의 수술이나 방사선 치료, 혹은 직장암의 치료나 암의 침윤에 의해 발생하는 경우가 많다.

복압요실금은 웃거나 기침, 재채기, 뜀뛰기와 같은 복압을 상승시킬 수 있는 경우에 발생하는 것으로 여성의 경우에는 출산과 많은 관련이 있으며 남성의 경우 전립선암의 근치적 수술 이후에 발생하는 경우가 흔하다.

절박요실금은 배뇨에 대한 강한 충동과 같이 화장실에 가기도 전에 황급하게 소변이 유출되는 것으로 주로 방광염이나 신경탓방광(neurogenic bladder), 방광 순응도가 감소된 경우가 많다. 결핵으로 인한 방광의 용적

감소나 방광암이 방광 전체에 번져 배뇨근까지 침범한 경우에도 나타난다.

범람요실금은 만성적인 요축적으로 인해 발생하며 배뇨근 수축으로는 완전한 배뇨가 불가능하고 소변이 이완된 방광의 용적을 넘쳐 흘러나오는 것이다. 말기암 환자의 경우 상당한 시간을 두고 점진적으로 발생하기 때문에 환자뿐만 아니라 가족들도 직접 불완전 배뇨를 인지하지 못하는 경우가 많다. 대부분의 이러한 환자는 기저귀를 하고 있어 소변이 흘러나와 기저귀가 소변으로 젖어 있는 것을 보고 보호자는 소변을 자발적으로 본다고 생각하는 경우가 많다.

1. 진단

다른 증상이 없이, 단순한 방광자극 증상인 경우 암의 침윤과 요로감염을 감별해야 하며, 이는 문진과 신체검사 및 요검사로 구분을 할 수 있다. 암의 침윤인 경우에는 혈뇨가 동반된 경우가 많지만 직장암이나 전립선암, 자궁경부암의 방사선치료와 cyclophosphomide를 포함한 항암제로 치료한 경우 출혈성 방광염이 발생하기도 한다. 방광자극 증상이 있는 모든 환자에게 요검사 및 요배양검사를 실시해야 하며 요로감염이 없는 경우에는 비감염원인인 방광결석, 이물질, 종양 등을 확

7부

인해야 한다. 이를 위해서 요세포검사가 필요하며, 초음파검사 혹은 컴퓨터단층촬영(computed tomography scan)을 실시하기도 하며 방광에 암이 침범이 되었는지 알기 위해 방광내시경검사를 실시하기도 한다. 원인을 정확하게 알지 못하지만 요축적이 의심되는 환자의 경우에는 방광스캔을 이용하거나 초음파를 통해 방광에 요가 가득 차 있는 것을 확인하거나 도뇨관을 이용하여 잔뇨를 측정하기도 한다.

2. 치료

배뇨증상이 있는 경우에는 치료 가능한 원인을 찾아내어 치료를 해야 한다. 기저귀를 하고 있는 환자의 경우에는 대소변으로 인해 옷이나 이부자리 등이 더러워지거나 기저귀에 용변이 있는 경우 즉시 교체를 해주어야 하며, 의사소통이 불가능한 환자의 경우 평소 소변을 보는 횟수나 대변을 보는 횟수와 간격을 파악하여 수시로 기저귀를 확인해 주는 것이 좋다.

1) 약제

(1) 요저기능을 향상시키는 약제; 항콜린제(항무스카린제), 베타3작용제

현재까지 무스카린수용체는 5가지(M1-M5)로 알려져 있으며 이 중 사람의 방광수축에는 주로 M3 수용체가 관여한다. 항무스카린 약물은 방광수축을 억제하여 방광 용적을 늘리고 수축력을 감소시켜 방광 자극 증상을 완화시킨다. 현재 널리 사용하고 있는 약제로는 표 27-3에서와 같이 5종이다. 이러한 약제의 부작용으로는 입마름이나 변비가 가장 문제이며, 요폐증상이 있거나 조절이 되지 않는 협우각 녹내장, 위정체 증상 등이 있는 환자에게는 금기로 되어 있다. 또 잔뇨가 350 ml 이상인 경우에는 이 약제는 금기로 되어 있다. 이와는 다른 기전으로 베타3작용제로 mirabegron을 사용할 수 있으며 배뇨근의 베타 수용체를 활성화하여 방광이 이완되게 하며 변비는 항콜린제에 비해 덜한 것으로 알려

표 27-3. 현재 시판중인 방광자극억제 약물

작용기전	약제	부작용
항콜린제 (항무스카린제)	Oxybutinin ER	입마름, 구토, 잔뇨량 증가, 두통, 시각장애
	Tolterodine IR/ER	
	Trospium	
	Darifenacin	
	Solifenacin	
베타3작용제	Mirabegron	구토, 위장관계부작용

져 있다 표 27-3. 대부분의 말기 환자의 경우 거동이 불편하여 움직임이 떨어진 상태가 많고 통증조절을 위해 마약성 진통제를 사용하는 경우가 많아 이러한 약제를 사용할 때 변비가 너무 심하거나 입마름으로 인해 환자가 괴로움을 호소할 때는 복용을 중단해야 한다. 항상 환자의 증상과 부작용을 잘 살펴서 환자에게 알맞은 처방이 가장 중요할 것이다.

(2) 알파차단제

방광경부에는 알파수용체가 많이 존재한다. 따라서 이를 차단할 경우 방광경부가 이완되어 소변 배출이 원활하게 일어나게 된다 현재 사용되고 있는 차단제로서 doxazosin, terazosin, alfuzosin이 있으며, α1A에 대한 선택적인 차단제로는 tamsulosin과 silodosin이 있다. Doxazosin은 초회량이 1 mg부터 1~2주간격으로 2, 4, 8, 16 mg으로 증량이 가능하다. Terazosin은 1 mg부터 시작하여 1~2주 간격으로 최대 하루에 20 mg까지 증량을 할 수 있다. Alfuzosin은 하루 1회 10 mg으로 투약이 가능하다. Tamsulosin은 0.2 mg을 하루에 1회 투여를 할 수 있으며 최대 0.8 mg까지 가능하다. Silodosin은 1회 4 mg부터 시작하여 8 mg까지 투약이 가능하다. 알파차단제의 경우에는 혈압강하, 어지럼증, 코막힘 등의 부작용이 발생할 수 있어 고혈압에 대한 약물치료나 처음으로 사용하는 경우 반드시 혈압강하, 어지럼증에 대하여 설명을 하여야 하며, 이러한 증상이 발생하면

투약을 중단하여야 한다.

(3) 콜린성 약제

당뇨나 뇌졸중 등의 원인에 의해 배뇨근의 기능이 떨어진 경우에 배뇨근의 장력을 증가시키는 목적으로 사용하고 있으며, 이러한 약제로는 bethanechol이 있으며 25 mg을 하루 3회로 투여할 수 있으나 위장관 혹은 요폐색이 있는 경우에는 금기시되고 있다.

(4) 기타 약물

삼환계 항우울제로 전신적 항무스카린 작용과 세로토닌 및 노르아드레날린 재흡수를 차단하는 작용이 있는 imipramine 25mg을 하루 2번 혹은 3번으로 투여할 수 있다.

2) 수술적 치료

방광 자극 증상이 약물치료에 반응을 보이지 않고 요로 증상이 참을 수 없을 정도로 아주 심하다면 요로 전환술을 고려할 수 있다.

3. 요약

가능한 치료 가능한 원인을 파악하고 그 원인에 대한 치료를 하여야 하며 알맞은 약제를 투여하여야 한다. 요로를 통한 도뇨관 삽입은 가능한 줄이는 것이 좋다. 이러한 환자에서는 증상 완화와 더불어 환자와 가족에게 충분한 면담을 함으로써 육체적 고통뿐 아니라 심리적 고통 역시 경감시킬 수 있도록 하는 총체적 돌봄이 필요할 것이다.

II 막힘 요로병증

막힘 요로병증은 진행성 암에서 발생하며, 이러한 막힘

현상을 치료하지 않을 경우 신부전을 유발하기도 한다. 막힘 요로병증은 요로계의 어느 부위에서든 소변의 흐름이 방해받을 때 발생하며, 막힌 부위에 따라 임상증상이 달라질 수 있다.

위요로막힘의 원인으로는 요관 혹은 신장 종양의 침범이나 압박, 수술이나 방사선 치료 이후 협착, 결석, 혈액 응고 덩어리, 약물에 의한 후복막 섬유화 등이 있으며, 아래요로막힘의 원인은 방광경부의 종양 침범이나 전립선 비대증, 방광결석, 방광내 혈액 응고 덩어리, 요도협착, 배뇨근 기능 부전, neurogenic bladder, 항콜린성 약제의 작용 등이 있다. 이러한 막힘이 진행 되면서 막힘 부위보다 위쪽에 있는 요로는 점차 확장되며 소변의 정체로 인해 수신증이 생기고 더욱 진행이 되면 콩팥의 기능이 손상되어 콩팥 위축이 되고 결국 기능이 상실된다. 특히 요관 양측이 모두 막힌 경우에는 콩팥 기능상실이 유발되며 빠른 조치가 되지 않으면 회복이 불가능한 경우도 발생할 수 있다.

1. 진단

병력청취 시에는 원발성 암의 위치와 치료방법, 그리고 재발부위의 치료방법을 조사해야 한다. 신장부위와 갈비척추각 부위에서의 압통 유무를 촉지하여야 하며, 치골상부의 방광의 팽창여부를 확인해야 한다. 남성의 경우 음경의 포경유무와 바깥요도구멍의 협착 및 요도구멍 위치의 이상여부를 확인해야 한다. 영상 진단으로는 비침습적인 검사인 초음파 검사가 유리하며, 특히 신장 기능이 떨어진 경우 조영제를 사용하는 전산단층촬영이나 배성요로조영술은 금해야 하고, 방광경하에 역방향 요로조영술을 실시할 수도 있다 **그림 27-1**.

2. 치료

요로막힘의 치료는 막힘의 원인이 되는 병을 먼저 제거하는 것이 무엇보다도 중요하다. 요독증이 있거나 수술을 받을 수 없는 경우에는 일시적 또는 영구적 요로

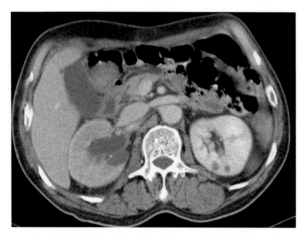

그림 27-1. 암에 의한 요관막힘증으로 인한 우측 수진증(신기능은 정상범위인 환자의 CT)

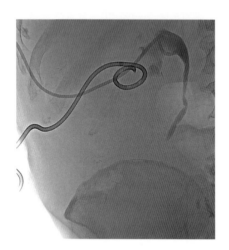

그림 27-2. 우측수신증을 치료하기 위한 우측 경피적신루설치술

전환술을 시행하여 신장의 지속적인 손상을 방지하는 것이 좋으며, 요로전환술의 위치는 가능한 막힌 부위의 바로 위에서 시행하는 것이 좋다 그림 27-2. 일회성으로는 도뇨관을 이용하며, 기간이 필요할 경우에는 폴리 도뇨관(Foley catheter)을 삽입하기도 하며 이러한 경우에는 도뇨관으로 인한 요로감염을 방지하기 위해 폐쇄형 요집계를 사용해야 한다. 도뇨관의 교환시기는 도뇨관의 재료에 따라 다르며 일반적으로 라텍스(latex)는 2주에 1회, 실리콘(silicone)인 경우 4주에 한 번 교환하도록 권하고 있다. 신루관이나 도뇨관 등은 이물질로 염증이 잘 발생할 수 있어 수분섭취를 충분하게 섭취하도록 권해야 하며, 오랜 기간 동안에 관을 삽입하는 경우는 결석이 발생할 수 있어 이에 대한 주기적인 검사도 필요하다.

3. 요약

막힘요로병증은 부위와 정도에 따라 증상이 나타날 수 있으며, 신장의 기능보전이 가장 중요하며, 말기환자의 경우 환자와 보호자가 원하는 것이 어떠한 것인가에 따라 충분한 상의를 하여 알맞은 치료방법을 정해야 할 것이다.

III 혈뇨

혈뇨란 임상적으로 접하는 흔한 증상이다. 비뇨기과 영역에서 혈뇨로 진단과 치료를 받는 경우가 약 3.9~13.6% 정도이며, 무증상 현미경적 혈뇨의 유병률은 1~13%로 보고되고 있고 연령에 따라 증가하며 흔히 건강 검진 시 요검사에 의해 발견된다. 말기 환자의 경우에는 비뇨기계통의 암이나 암의 침범에 의해 현미경적 혈뇨나 육안적 혈뇨가 발생하기도 한다. 혈뇨의 원인은 다음과 같다 표 27-4.

흔히 혈뇨의 원인으로 소아의 경우 감염, 40세 이하 청년의 경우는 요석이나 감염, 40세 이상의 경우는 종양 또는 전립선비대증이 많다고 알려져 있다.

1. 진단

혈뇨에 대한 진단 방법을 살펴보면, 첫 번째 환자의 병력청취와 신체검사, 소변 배양검사와 신장의 기능을 알 수 있는 혈액 내 혈액요소질소(BUN), 크레아티닌 등의 검사를 하여야 한다. 또한 출혈의 위치와 원인을 파악하는 것이 중요하다. 크레아티닌이 증가되어 있는 경우에는 비뇨기계통의 출혈에 의한 신장기능의 저하로 생

표 27-4. 혈뇨의 원인

원인	질환
감염	방광염, 전립선염, 요도염, 패혈증
종양	방광암, 신장암, 요관암, 전립선암, 요로계전이암
의인성	경피적신루, 요관스텐트, 방사선치료, 항암치료에 의한 방광염
출혈	항응고제복용, 응고장애, 혈소판저하증
신장병	신정맥 혈전증
요로결석	

각이 되어 초음파검사를 실시하여야 하며, 크레아티닌이 정상인 경우 경정맥요로조영술 혹은 CT검사를 시행할 수 있다.

혈뇨가 심하고 혈액응고덩어리에 의해 아래막힘병증이 있는 경우에는 방광내시경을 검사 및 치료를 위해 실시할 수도 있다.

2. 치료

1) 약제

혈뇨가 심하지 않고, 막힘 현상이 없고, 간헐적으로 발생하고, 자발적인 소변을 보는 경우에는 환자와 보호자에게 심리적인 위안이 가장 좋은 방법이며, 이러한 경우에는 별다른 치료가 필요하지 않는 경우가 많지만, 수분섭취를 증가시키고 활동량을 줄이는 경우도 있다. 트라넥사민산을 하루 총량이 2,000 mg까지 사용할 수 있지만 항응고제와 동시투여는 금기이며, 활동성 혈전색전증 환자에게도 금기시된다.

2) 처치 및 수술

응괴가 생기고 막힘증이 생기면, 첫 번째 18Fr 이상의 도뇨관을 이용하여 50 mL 생리식염수를 관장 주사기에 넣고 세척을 하며 혈액응고 덩어리를 제거하기도 하지만 너무 혈액 덩어리가 큰 경우에는 효과가 미흡할 수 있다. 신장암 혹은 전이성 신장암에서 출혈이 되는 경우에는 방광팽대가 같이 동반되므로 신적출술을 실시

표 27-5. 심한 혈뇨의 치료방법

3 way 카테터를 이용한 혈액응고를 막기 위한 지속적인 생리식염수 세척
Tranexamic acid 투약
1% 알룸용액(alum solution)을 이용한 방광세척
암에서의 지속적인 출혈 – 방광내시경을 통한 소작 혹은 방사선치료
방사선 혹은 항암치료에 의한 지속적 출혈 – 20~30분 동안 1~3% formalin 삽입 후 제거
Fibrinolysis –Aminocaproic acid 5 g 이후 1 g/h 경구 혹은 경정맥
신장암 혹은 방광암의 출혈 – 신장적출술 혹은 신동맥색전술, 방광동맥색전술, 혹은 방광적출술

하기도 하며 신동맥색전술을 실시하기도 한다 표 27-5. 방광암의 경우에도 자체 출혈로 인해 방광세척을 한 이후에도 출혈이 해결되지 않으면 방광동맥의 색전술 혹은 방광적출술을 시행하기도 한다 그림 27-3.

3. 요약

혈뇨는 환자 및 보호자에게 심리적으로 불안감을 조성하는 경우가 많으며, 많은 경우에는 일반혈액검사만 실시하고 빈혈 여부를 확인하는 경우가 대부분이지만 심한 출혈이 있는 경우 배뇨증상이 함께 발생하며, 이것으로 인해 환자와 가족들이 육체적 고통뿐만 아니라 심리적인 불안감이 더 생기게 된다. 혈뇨에 대한 치료는 환자에 따라 다양하게 접근할 수 있고 치료 이후에 혈뇨가 재발하는 경우가 많아 어떠한 치료방법이라도 환자 및 보호자와 상의를 하여 최상의 치료를 정해야 할 것이다.

IV 누공

요로계누공(urinary fistula)은 두 상피조직을 지닌 두 장

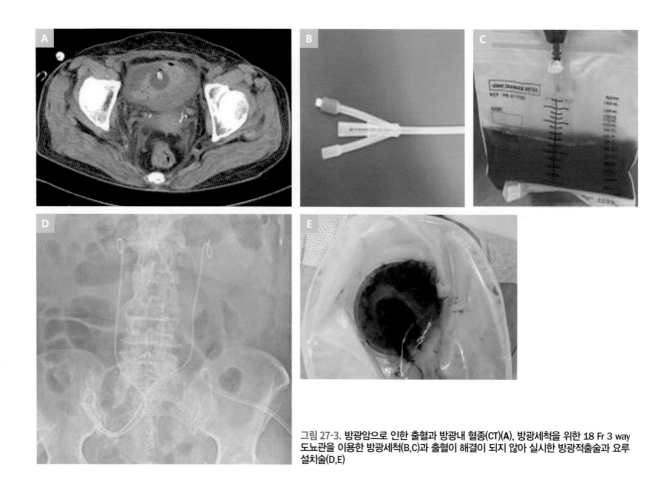

그림 27-3. 방광암으로 인한 출혈과 방광내 혈종(CT)(A), 방광세척을 위한 18 Fr 3 way 도뇨관을 이용한 방광세척(B,C)과 출혈이 해결이 되지 않아 실시한 방광적출술과 요루설치술(D,E)

기 간에 비해부학적 연결을 의미하며, 이는 염증 혹은 양성, 악성 종물과 연관이 되어 있다. 암과 관련되어 생성되는 비뇨기계통의 누공은 더욱 환자를 힘들게 한다. 정신적인 황폐와 이와 관련된 감정의 변화로 인해 환자와 가족, 의료진에게도 괴로움을 주고 희망이 없다는 감정을 지니게 한다. 요로계 누공 중 방광과 주위 장기와의 누공은 방광질누공(vesicovaginal fistula)과 방광창자누공(vesicoenteric fistula)이 주로 발생된다.

1. 누공의 종류

1) 방광질누공

방광질누공의 주된 원인은 의인성으로 자궁절제술과 관련된 경우가 많으며, 이외에 국소적인 손상과 자궁경부암 혹은 방광암 같은 악성종양의 침윤이나 직장암

이나 자궁경부암의 방사선 치료, 염증성 창자병(inflammatory bowel disease) 등에 의해서 발생하기도 한다. 가장 흔한 증상은 질을 통해 요 누출이 되는 것으로 흔히 질 음부 및 회음부 피부가 소변으로 인해 자극이 많이 되고 악취가 동반되며 기저귀를 하지 않으면 일상적인 생활이 불가능하게 된다.

2) 방광창자누공

방광창자누공은 매우 드물지만 어느 부위의 창자와도 생길 수 있으며, 곧창자(rectum), 돌창자(ileum), 막창자(cecum) 등과 샛길이 발생할 수 있다. 주로 결장암 혹은 게실염이나 소장의 염증성 질환으로 인해 발생된다. 드물게 방광의 질환으로 유발되는 경우도 있다. 이러한 질환의 증상은 대부분 배뇨통이며, 배뇨 시에 공기가

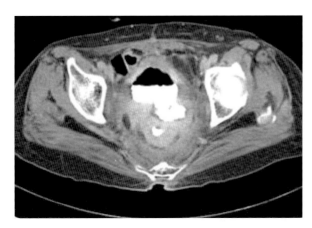

그림 27-4. 방광벽이 두꺼워져 있고 질과 방광 사이가 연결된 곳이 보이는 방광질샛길의 CT

요와 같이 배출되는 공기뇨가 발생하기도 하며, 오한, 발열, 설사 등은 드물다.

2. 진단

1) 방광질누공

진단에서 세심한 신체검사가 필요하다. 호발 부위는 질을 잘라낸 부근이며, 요검사, 요배설 후 배설성요로조영술, 방광 및 질내시경, 역행요로조영술을 시행한다. 또한 악성종양이 의심되면 조직검사를 동시에 시행한다. 누공의 존재와 위치를 아는 데는 배뇨방광요도조영술이, 주위 조직과 원인질환을 자세히 평가하는 방법으로는 전산단층촬영과 자기공명촬영이 도움이 된다 **그림 27-4**. 누공의 위치와 크기 등을 알기 위해 방광내시경검사를 할 수 있으며, 도뇨관을 통해 방광에 생리식염수를 주입한 후 질경을 통하여 요누출이 확인되면 진단한다.

2) 방광창자샛길

요검사에서 대장균 혹은 복합 세균감염이 있는 경우 의심해볼 수 있다. 방광조영술은 가장 유용한 영상검사이며, 방광내시경검사는 신뢰할 수 있는 시술이다. 전산단층촬영이나 자기공명영상, 바륨관장검사, 대장 및 직장경 검사로 원인 질환에 대한 평가를 할 수 있으며,

내시경검사 및 조직검사를 하면 원인 질환을 확진할 수 있다.

3. 치료

1) 치료의 목표

누공의 경우 환자와 가족들이 겪는 신체적, 정신적인 고통이 심하고, 완치 이후에도 재발하는 경우가 많기 때문에 시술이나 치료 전에 환자와 가족에게 충분히 설명하고 어떠한 방법으로 치료를 할 것인가에 대한 상의가 필요하다. 감염이 의심되는 경우에는 경구용 항생제를 배양된 균주에 알맞게 투여해야 한다.

2) 방광질샛길

매우 작은 누공일 때는 전기지짐술(electric cauterization) 같은 간단한 처치나 단순 도관(경요도 혹은 상치골)을 4~6주간 유치하면 자연 치유되는 경우가 있으나, 악성 질환의 침윤에 의한 경우에는 질을 통하거나 배를 통해 수술적인 치료가 필요하며, 재발을 잘 하는 경우가 많다. 수술은 환자의 특성에 따라 시행한다. 악성종양이나 방사선 치료와 관련이 있을 때에는 완치 가능성을 고려하여 요로전환술 혹은 양측신루설치술을 고려해야 한다.

3) 방광창자샛길

자연치유는 극히 힘들기 때문에 수술적 치료방법을 고려해야 하며, 영양 상태가 좋지 않은 말기 환자의 경우에는 대장창냄술(colostomy) 같은 위장관전환술을 하고 다음 단계로 원인질환 등 환자의 상태를 고려하여 교정수술을 하는 것이 좋다. 드물게 방광이 전체적으로 샛길이 형성된 경우에는 방광적출술과 요관전환술 혹은 양측경피적신루 설치술을 고려할 수 있다.

4. 요약

누공은 원인이 되는 질환의 위치에 따라 다양하게 생길

수 있으며, 우선 이러한 샛길이 발생할 수 있다는 것을 인지하는 것이 중요하며, 환자의 상태나 환자나 가족이 원하는 치료 등을 충분하게 고려하여 알맞은 치료 방법을 선택해야 할 것이다.

V 성기능장애

암 환자의 성기능 이상에 대한 많은 연구는 진행되지 않았으며 각 질환마다 차이는 있는 것으로 생각된다. 전체적인 유병률은 알려져 있지 않지만 전립선암의 근치적 적출술이후 남성기능저하는 약 25~90% 정도로 알려져 있으며 최근 개발된 약제와 수술 시에 신경을 보존하는 수술 수기의 개발에 따라 약 41% 정도가 정상적인 성생활이 회복되는 것으로 알려져 있다. 암과 그 치료는 성기능의 이상을 발생하는 원인의 주된 것이다. 심리적이거나 신체적인 문제가 수반되기 때문이다.

정상적인 성에 대한 반응은 첫 번째 욕망이 있으며 이것은 성적 욕구이며 두 번째는 흥분기로 성적자극이나 감각, 즉 시각, 청각, 촉각 등의 자극에 의해 성적인 자극이 생기는 단계, 세 번째는 성적흥분 절정기로 회음부 생식기 근육의 주기적인 수축과 남성에서 사정과 관련된 것이다. 심리적으로 안정된 상태로 가능하지만 신체적인 불안감이 많은 경우에는 성기능장애가 오는 경우가 많다. 즉 우울, 불안감, 본인의 신체에 대한 왜곡, 잘못된 자신의 평가, 환자의 상태에 대한 두려움, 암에 대한 접촉에 대한 불안, 이전에 존재하는 성적인 문제와 결혼 문제와 관련이 많다.

육체적인 문제는 일반적으로 만성질환 즉, 육체적인 허약감과 통증, 투약으로는 중추신경억제제, 항콜린제제, 암으로 인한 신체적인 변형, 수술, 방사선치료, 항암치료, 호르몬치료 등으로 인한 부작용 등이 있다.

여성에서의 성기능장애는 심리적인 문제로 인한 욕망의 감소와 여러 가지 원인의 성교통이 문제가 되며 흥분기에는 여성호르몬의 감소와 골반신경의 손상, 질점막의 위축과 성적흥분절정기에서 성교통이 문제시 된다.

남성의 성기능장애는 여성의 성기능장애와 많은 유사성이 있으며 성적욕구가 감소하는 것은 남성호르몬의 감소와 신체적, 정신적인 장애로 인한 경우가 많다. 발기부전은 성적욕구 감소, 남성호르몬 감소, 골반 방사선 치료, 척수 손상 등으로 인한 것이나 술이나 고혈압치료제, 항우울제 등이 있으며 사정장애는 호르몬 부족과 전립선수술, 방광적출술, 교감신경손상 등과 관련되어 있으며 성적흥분의 장애는 정신적인 문제가 많으며 성교통은 방사선치료와 감염으로 인한 요도염과 관련이 많다.

1. 치료

여성의 성기능장애에 대한 치료로는 원인에 대한 치료를 우선으로 하지만 수술과 방사선치료 등으로 인해 문제가 되는 경우에는 어려운 점이 많으며 난소의 기능저하의 경우에는 여성호르몬의 투여를 권하기도 한다. 여성호르몬으로 인한 암의 경우에는 국소적인 여성호르몬을 소량 질에 직접 도포하기도 한다. 질염이 많이 생기는 경우에는 질 세정제와 metronidazole을 사용하기도 한다.

남성의 성기능장애에 대한 치료로는 원인에 대한 치료가 우선이며 심리적인 요인과 신체적인 요인을 검사하여야 하며 호르몬이 부족할 경우 전립선암을 제외하고 보충요법을 시행할 수 있다.

최근 널리 사용되는 발기부전치료제인 PDE5I (phosphodiesterase-5 inhibitor)를 사용하기도 한다.

나이에 따라 약제의 용량을 조절해야 하며 전립선암 수술이후 sildenafil 의 경우 나이가 많거나 간이나 신장에 이상이 있는 경우에는 25 mg을 투여하기 시작하며 일반적으로 50 mg의 용량을 성생활 1시간 전에 복용을 권하고 있으며 부작용으로는 화끈거림, 두통, 소화불량과 시각적 장해증이 일시적으로 나타나기도 한다.

2. 요약

암 환자에서 성기능장애는 비교적 빈번하게 발생되고 있으며 이로 인해 삶이 질이 저하되는 경우가 많다. 암 환자의 경우 원인은 다양하게 나타날 수 있으며 환자의 암 자체뿐만 아니라 전신적, 사회문화적, 성관계자와의 관계 등을 충분하게 고려하여 상담을 하여야 하며 성기능장애에 대한 약제가 지속적으로 개발되고 있어 치료에 많은 도움이 될 수 있을 것이다.

참고문헌

1. Huh JS, Kim YJ, Kim HJ. Palliative care and clinical characteristics of end-of-life patient at urology in one hospital. Korean J Urol Oncol 2010;8:47-50.
2. 대한비뇨기과학회. 비뇨기과학 5판. 서울:일조각;2014.
3. Araki I, De Groat WC. Synaptic modulation associated with developmental reorganization of visceral reflex pathways. J Neurosci 1997;17:8402-7.
4. Barrington FJF. The component reflexes of micturition in the cat: I and II. Brain 1931;54:177.
5. Ginsberg D. The epidemiology and pathophysiology of neurogenic bladder. Am J Manag Care 2013;19 10 Suppl:s191-6.
6. Woodruff R. Palliative medicine. 4th ed. South Melbourone:Oxford university press;2004.
7. Lee JW, Cho KS, Han KS, Kim EK, Joung JY, Seo HK, et al. Epidermal Growth Factor Receptor as Predicting Factor on Biochemical Recurrence after Radical Prostatectomy: A Prospective Study. Korean J Urol 2008;49:974-80.
8. Ebiloglu T, Kaya E, Yilmaz S, Özgür G, Kibar Y. Treatment of Resistant Cyclophosphamide Induced Haemorrhagic Cystitis: Review of Literature and Three Case Reports. Urology. 2016;94:313.e7-313.e13. doi: 10.1016/j.urology.2016.05.029.
9. Maeng YH, Kang HW, Huh JS. The Expression and Clinical Significance of the Minichromosome Maintenance (MCM) 7 Proliferation Markers in Urothelial Carcinomas of the Bladder. Korean J Urol 2008;49:12-7.
10. Jeon SH, Lee SJ, Chang SG, Kim JI, Park YK, et al. The Significance of Nuclear Area in Localized Renal Cell Carcinoma. Korean J Urol 2000;41:1312-5.
11. Lee JW, Cho KS, Han KS, Kim EK, Joung JY, Seo HK, et al. Epidermal Growth Factor Receptor as Predicting Factor on Biochemical Recurrence after Radical Prostatectomy: A Prospective Study. Korean J Urol 2008;49:974-80.
12. Ma C, Lu B, Sun E.Giant bladder stone in a male patient: A case report.Medicine (Baltimore). 2016 Jul;95(30):e4323. doi: 10.1097.
13. Kim S, Kim SD, Park KK, Kim YJ, Kim HJ, Huh JS. Characteristics of Uropathogens in Patients with Bladder Stones. Korean J Urogenit Tract Infect Inflamm. 2013;8(2):109-13.
14. Osman NI, Aldamanhori R, Mangera A, Chapple CR.. Antimuscarinics, β-3 Agonists, and Phosphodiesterase Inhibitors in the Treatment of Male Lower Urinary Tract Symptoms: An Evolving Paradigm. Urol Clin North Am. 2016;43(3):337-49.
15. Perk S, Wielage RC, Campbell NL, Klein TM, Perkins A, Posta LM, et al. Estimated Budget Impact of Increased Use of Mirabegron, A Novel Treatment for Overactive Bladder. J Manag Care Spec Pharm. 2016;22(9):1076-90.
16. Masumori N, Tsukamoto T, Shibuya A, Miyao N, Kunishima Y, Iwasawa A.Three-year outcome analysis of alpha 1-blocker naftopidil for patients with benign prostatic hyperplasia in a prospective multicenter study in Japan. Patient Prefer Adherence. 2016;10:1309-16.
17. Kim SJ, Cho WY, Huh JS, Seo JT, Yang SK, Lee KS, et al. Efficacy and Safety of Propiverine Hydrochloride 40 mg in Treatment of Overactive Bladder : Prospective, Multicenter, Observational study. J Korean Continence Soc. 2008;12(2):114-20.
18. Neelakantan S, Reddy R, Swamy AK.Ovarian dermoid presenting as unilateral obstructive uropathy. BMJ Case Rep. 2016;2016. pii: bcr2016216878. doi: 10.1136/bcr-2016-216878.
19. Mason RJ, Alamri A, Gusenbauer K, Kapoor A.Intrinsic ureteral endometriosis as a cause of unilateral obstructive uropathy. Can Urol Assoc J. 2016;10(3-4):E119-21.
20. Kuppusamy S, Gillatt D. Management patients with acute urinary retention. Practitioner 2011;255:21-3.
21. Kamiyama Y, Matsuura S, Kato M, Abe Y, Takyu S, Yoshikawa K, et al. Stent failure in the management of malignant extrinsic ureteral obstruction:risk factors. Int J Urol 2011;18(5):379-82.

7부

22. Kamiyama Y, Matsuura S, Kato M, Abe Y, Takyu S, Yoshikawa K, et al. Stent failure in the management of malignant extrinsic ureteral obstruction:risk factors. Int J Urol 2011;18(5):379-82.

23. Froom P, Gross M, Ribak J, Barzilay J, Benbassat J. The effect of age on the prevalence of asymptomatic microscopic hematuria. Am J Clin Pathol 1987;86:656-7.

24. Mohr D, Offord K, Owen R, Melton L. Asymptomatic microhematuria and urologic diseases. JAMA 1986; 256:224-9.

25. Mariani AJ, Mariani MC, Macchioni C, et al. The significance of adult hematuria 1,000 Hematuria evaluations including a risk-benefit and cost-effectiveness analysis. J Urol 1989;141:350-5.

26. Geoffrey Hanks, Nathan I. Cherny and Nicholas A. Christakis, Marie Fallon, Stein Kaasa, Russell K. Portenoy. Oxford Textbook of Palliative Medicine. 4th ed. Oxford:Oxford University Press;2010.

27. Garthwaite M, Harris N. Vesicovaginal fistulae. Indian J Urol 2010;26:253-6.

28. Kirsh GM, Hampel N, Shuck JM, Resnick MI. Diagnosis and management of vesicoenteric fistulas. Surg Gynecol Obstet. 1991;173(2):91-7.

29. Garthwaite M, Harris N. Vesicovaginal fistulae. Indian J Urol 2010;26:253-6.

30. Okorie CO, Pisters LL.. Monti reconstruction in patients with complex vesicovaginal fistula. Can J Urol 2010;17:5124-6.

31. Kirsh GM, Hampel N, Shuck JM, Resnick MI. Diagnosis and management of vesicoenteric fistulas. Karamchandani MC, West CF Jr. Vesicoenteric fistulas. Am J Surg 1984;14:681-3.

32. Nosek MA, Howland CA, Young ME, et al. Wellness models and sexuality among women with physical disabilities. J Applied Rehabil Couns. 1994;25:50-8.

33. Sipski ML. Sexual function in women with neurologic disorders. Phys Med Rehabil Clin N Am 2001;12:79-90.

34. Mercadante S, Vitrano V, CAtania V. Sexual issue in early and late stage cancer; a review. Support Care Cancer 2010;18:659-65.

35. Miles CL, Candy B, Jones L, Williams R, Tookman A, King M. Interventions for sexual dysfunction following treatments for cancer. Cochrane Databases Syst Rev 2007;CD005540.

36. Liss MA, Skarecky D, Morales B, Osann K, Eichel L, Ahlering TE. Preventing perioperative complications of robotic-assisted radical prostatectomy. Urology. 2013;81(2):319-23.

37. Gallina A, Ferrari M, Suardi N, Capitanio U, Abdollah F, Tutolo M, et al. Erectile function outcome after bilateral nerve sparing radical prostatectomy: which patients may be left untreated? J Sex Med. 2012;9(3):903-8.

38. Miles CL, Candy B, Jones L, Williams R, Tookman A, King M. Interventions for sexual dysfunction following treatments for cancer. Cochrane Databases Syst Rev 2007;CD005540.

39. Dentoin AS, Maher EJ. Interventions for the physical aspects of sexual dysfunction in women following pelvic radiatherapy. Cochrane Databases Syst Rev 2003;CD003750.

40. Peltier A, van Velthoven R, Roumeguere T. Current management of erectile dysfunction after cancer treatment. Curr Opin Oncol 2009;21:303-9.

41. Fink HA, Sildenafil for male erctile dysfunction; a systematic review and meta-analysis. Arch Int Med 2002;162:1349-60.

28장
림프부종

| 심재용, 조성중 |

림프부종은 비가역적으로 진행하는 만성부종으로서 미국의 경우 적어도 300만 명, 전 세계적으로 1억 4천에서 2억 5천 명의 유병률을 보이는 질환이다. 일상생활, 사회활동 및 삶의 질에 부정적 영향을 끼치게 되며, 생명을 위협하는 감염이나 암의 위험성을 증가시킨다. 림프부종은 혈관에서 조직으로 빠져 나온 간질액 양과 림프관 이동 능력 사이의 불균형으로 인해 조직에 액체와 단백질 등이 축적되는 것이며, 주로 상지와 하지에서 발생하지만 얼굴, 목, 등, 성기에서도 발생할 수 있다.

I 림프부종의 분류

일차성 림프부종은 림프관의 선천적 이상으로 발생하며 100,000명당 1.15명으로 발생하게 되고 대개 20대 이전에 발병하게 된다. 이차성 림프부종은 림프관이나 림프절이 손상되어 림프액 이동 경로에 문제가 생기는 것으로서 0.13~2% 정도로 추정된다. 이차성 림

프부종의 원인으로는 사고, 반복적 감염, 종양 그리고 수술이나 방사선 등 치료를 받던 중에 발생할 수도 있다. 특히 유방암, 자궁경부암, 난소암의 20% 이상에서 림프부종의 발생이 보고되고 있으며, 전체 암 환자의 15.5%에서 림프부종이 발생한다고 알려지고 있으며 암 환자 증가와 함께 림프부종도 증가될 것으로 사료된다. 또한 림프부종 환자들은 팔과 다리의 부종 때문에 옷을 입거나 신발을 신는 등의 일상생활에 불편함을 겪게 되고, 변화된 외모에 의한 자존감 저하로 사회생활을 하지 못하게 되는 문제를 가지고 있어 림프부종 환자에 대한 관심과 치료가 필요하며, 호스피스·완화의료에서 반드시 다루어져야 할 신체증상 중 하나이다.

II 림프부종의 병태생리

림프부종은 모세혈관에서 여과되어 만들어져 일차 림프관으로 들어가는 간질액 양이 림프관 수송능력을 초

과하여 단백질이 풍부한 많은 양의 액체가 조직에 축적될 때 발생한다. 일차 림프관에는 림프액을 한 방향으로 진행하게 하는 밸브 이외에 근육세포가 없기 때문에 상지 및 하지 근육의 수축, 이완이나 피부의 압박 등 림프관 주변 조직이 변형되는 힘이 작용하여 림프액을 이차 림프관으로 보내는데, 이를 림프펌프 작용이라 한다. 림프펌프는 심장의 박동, 폐호흡, 장의 운동과 같이 미세한 작용에 의해서도 작동한다. 림프부종은 심부정맥 혈전증, 하지정맥류, 저알부민혈증, 심부전 등으로 인하여 간질액이 많아지는 경우와 선천적으로 림프관발달 문제, 수술이나 방사선 치료, 감염 및 외상으로 인한 림프절 손상, 장기간 부동 상태로 인한 림프펌프의 작용저하 등에 의해 림프관 수송능력이 떨어지는 경우 발생하게 된다. 림프부종이 장기화되면 조직에 섬유화가 진행되어 신체 외관의 변형이 일어난다. 환자는 부종의 정도가 심해짐에 따라 무겁고 뻣뻣한 느낌, 통증 등 주관적 증상을 느끼게 된다. 이 때문에 환자의 활동이 점차적으로 줄어들면서 림프의 펌프 작용이 저하되어 림프 수송능력 저하로 부종은 점차적으로 악화된다. 암 환자에서의 부종의 경우 치료과정이나 악성 림프절 비대에 따른 림프손상, 암이나 혈전에 의한 혈관내의 정맥폐쇄, 저알부민혈증, 스테로이드 같은 약물에 의한 액체 등에 의해 발생하게 되며, 부종, 거상이 치료에 도움을 주는지 여부, 함요, 섬유증, 극세포증 등의 여부에 따라 1단계에서 3단계까지 나뉘어진다.

III 임상 양상

1. 림프부종에서의 피부 변화

림프부종 초기에는 피부는 부드럽고 함요가 거의 없다가 림프부종에 진행될수록 피부는 딱딱해지고 각질층이 생기는 과각화증이 진행된다. 또한 확장한 림프관이 피부 표면에 보이는 림프관 확장증이 동반되고 림프관 확장이 손실될 경우 림프액이 유출되게 된다. 또한 림프관 확장과 비슷하나 섬유화된 조직을 가지고 있는 유두종을 보이는 경우도 있으며, 피부가 자갈 모양을 나타내는 경우도 있다. 또한 림프부종이 진행될수록 피부 주름과 만성염증이 증가한다.

2. 통증

사지의 경우 무겁거나 단단하다고 느끼는 경우가 많으며, 환자는 무거움이나 단단함, 가려움을 느끼면서 통증을 느끼는 경우가 있으며, 날카로운 양상의 통증을 호소하는 경우는 드문 것으로 알려지고 있다. 특히 다리의 림프부종의 종창이 심할 경우 통증은 악화된다.

팔의 림프부종의 경우 팔의 무게로 인해 어깨 통증을 호소하는 경우 알려지고 있다.

3. 사지의 움직임 및 사용 제한

종창으로 인한 무게로 인해 림프부종 환자들은 움직임에 제한을 받거나 관절의 부종으로 사용을 제한받게 된다. 발목관절의 부종으로 다리의 움직임 제한이 심해지며, 정맥 흐름 및 림프의 흐름을 관여하는 근육펌프에도 영향을 끼쳐 종창을 점차적으로 악화시키게 된다.

IV 진단

림프부종이 오래되어 피하조직의 섬유화가 진행되면 치료가 어려우므로 예방과 조기진단이 중요하다. 부종 환자가 오면, 병력청취나 신체진찰 및 기본 선별검사(일반혈액검사, 간기능검사, 신장기능검사, 전해질검사, 알부민검사, 갑상선기능검사, 공복혈당검사, 염증검사[erythrocyte sedimentation rates, C-reactive protein], brain natriuretic peptide, 간염검사, 소변검사, 흉부 방사선 촬영, 심전도 등)를 통해 부종의 원인이 되거나 악화시킬 수 있는 전신질환과 약물 등을 찾아야 한다. 림프부종의 원인이 모호한 경우 생체전기저항 검사, 도플러 초음파검사, 림프관섬광조영술, 컴퓨터단층촬영이나 자기공명영상, 유전자검사, 피부사상충감염검사 등을 실시하여 부종의 원인을 감별해야 한다 표 28-1, 2.

1. 병력 청취 및 신체진찰

병력청취 시 부종의 시작 시기, 초기 발병 부위, 부종의 발생 원인, 가족력, 약물력, 수술력, 현재 통증이나 감각 이상 등의 증상, 항암치료, 과거 수술력, 수술후 합병증, 방사선 치료 수술이나 방사선 이후 증상이 나타나기까지의 간격 등 치료력, 림프관염 발생빈도, 과거 및 현재 림프부종 치료력, 정신 사회적 상태 등을 확인해야 한다. 체액만 축적되어 피부가 부드럽고 손가락으로 누르면 쉽게 함요 현상이 생기며, 부종 부위를 심장보다 높이 올리기만 해도 부종이 호전되면 림프부종 1기, 이보다 진행되어 조직의 섬유화 때문에 부종이나 함요 부종이 쉽게 호전되지 않으면 림프부종 2기, 점차 만성염증 과정을 거쳐 피부가 더욱 섬유화되어 두껍고 딱딱해지며, 피하 지방조직이 축적되어 변형되면 림프부종 3기로 판단된다. 피하조직이 섬유화 되면 두 번째 발가락 근위부의 피부를 쉽게 집어 올릴 수 없게 되는 Stemmer 징후 양성 소견이 나타난다. 일반적으로 사지 양쪽의 둘레가 2 cm 차이가 나는 경우 8~9% 부피 차를 의심할 수 있다.

2. 기타검사

1) 림프관섬광조영술

림프관섬광조영술(lymphoscintigraphy)은 방사선 표지된 콜로이드(radio-labelled colloid)나 단백질을 피하(하지의 경우 보통 첫 번째 지간)에 주입하여 연속적으로 감마 카메라 촬영을 실시해 림프관 양상을 보는 방법으로, 부종의 원인이 불분명하거나, 지방부종과 림프부종

표 28-1. 림프부종의 원인과 악화인자

분류	예
과도한 림프액 부하	만성정맥고혈압
	울혈성심부전
	간부전
	신부전
	봉소염
	피부염
	약제 유발
림프액 수종 부전	일차성 림프 부종
	림프절 전이
	침윤암
	사상충증
	사지마비

표 28-2. 부종의 진단

검사		평가 목적
혈액 검사	Full blood count	빈혈
	Urea and electrolytes	신기능
	Liver function test	간질환
	Plasma proteins	저알부민혈증
	Brain natriuretics peptide	심부전
초음파 검사	Venous system	정맥질환, 혈전
	Abdomen	복강내 질환
	Axilla/breast	액와/유방암재발
컴퓨터단층촬영 자기공명영상		종양의 범위

을 감별 시, 림프관 수술 가능성을 파악하기 위해 실시하는 검사이다.

2) 생체전기저항 검사

생체전기저항 검사(bioimpedance)는 조직의 간질액 정도를 파악하는 데 도움을 주는 검사로, 부종 치료 결과의 호전 또는 악화를 쉽게 파악할 수 있다. 그러나 부종과 림프부종을 감별하는 데 도움이 되지 않는다고 알

려지고 있으며, 특히 섬유화된 림프부종 3기에서는 진단이 어렵다고 알려지고 있다.

3) 컴퓨터단층촬영과 자기 공명영상

피부의 두께나 지방부종과 감별, 림프부종의 특징적인 벌집모양, 암의 전이에 의한 림프관 폐쇄 유무, 부종의 정도, 혈관 협착이나 폐쇄 정도 등을 파악할 수 있다.

4) 초음파검사

피부의 및 피하조직의 두께, 피하조직의 에코발생 등으로 조직의 섬유화 정도를 파악하여 진단 및 치료에 도움을 줄 수 있다.

5) 도플러초음파검사

정맥계 이상이나 심부정맥 혈전증의 감별진단으로 도플러 초음파 검사를 시행할 수 있다.

6) 유전자 검사

일차성 림프부종의 경우 유전자 변이에 의해서도 림프부종이 발생한다고 알려지고 있다. 예를 들어 FLT4 (fms like tyrosine kinase 4) gene의 돌연변이로 인해 혈관내피 성장인자 수용체3 (vasculoendothelial growth factor receptor 3)이 손상되면 선천적으로 림프계 발달 이상으로 아동기에 지방변과 일측 사지의 부종이 발생하는 Milroy's disease가 발생하게 된다.

Ⅴ 치료

대부분의 만성질환처럼 부종관리는 환자 본인의 관리가 중요하므로 림프부종의 역학 및 관리의 기본을 교육하는 것은 치료에서 가장 중요한 부분이다. 환자에게 적절한 림프부종 마사지 방법을 교육시키는 것이 중요하며, 의료진은 림프부종을 치료하기 전 먼저 악화시킬 수 있는 요인을 찾아야 한다. 예를 들어 부종을 악화시키는 약물(스테로이드, 칼슘차단제, 비스테로이드성 소염제 등)을 복용하고 있었던 것은 아닌지, 피부감염의 위험이 높은 당뇨병이 있는지, 편마비 등으로 인하여 움직임이 제한되지는 않는지, 갑상선 기능저하증과 같은 내분비 질환, 심부전, 말기신부전, 폐성심 같은 말기 폐질환, 말기간질환 등의 질환이 있는지를 확인하여 악화 요인을 조절해야 한다. 림프부종 치료는 임상시기에 따라 달라진다. 림프부종 1기에는 거상만으로도 부종이 호전되며 향후 악화를 방지하기 위해 환자 교육이 필요하다. 림프부종 2기에는 집중치료를 통해 부종을 호전시키고, 피부관리, 림프운동 및 거상요법, 림프 마사지, 압박요법 등을 실시하여 지속적으로 림프계 기능을 강화시키며, 부종이 악화되지 않도록 유지하고 감염을 예방한다. 치료법으로 완전 울혈제거 요법(complete decongestive therapy, CDT), 약물치료, 수술적 방법 등이 있으나 체계적 문헌고찰에서 권고되는 치료법은 CDT이다. 일반적으로 림프마사지, 압박치료, 간헐적 공기압박은 심부정맥 혈전증, 신부전, 조절되지 않는 심부전, 급성 연조직염, 말초혈관 질환 등에는 금기이므로 주의해야 한다. 아울러 부종의 가역적인 원인이 있을 경우 이를 교정해 주어야 한다 표 28-3.

1. 피부관리

피부관리의 목적은 피부가 온전하도록 유지하는 것이 중요하고 감염 위험을 최소화시키는 데에 있다. 부종에 의해 피부 지방층이 두꺼워지면 진균이나 세균 감염이 쉽게 발생하고, 습진이나 피부 감염은 림프액의 양을 많게 하여 림프부종을 악화시킨다. 피부의 건강을 유지하기 위해 환자 교육이 필요한데, 첫째, 씻을 때 가급적 중성 비누 등을 사용하고 보습 성분이 포함된 피부연화제를 사용하여 피부를 부드럽게 하고 수분 손실을 막는다. 둘째, 매일 피부의 손상(벌레 물림, 열상, 찰

표 28-3. 부종의 가역적 원인과 교정방법

원인	교정법
빈혈	수혈
복수	복수천자
수분 저류 약물	가능하면 중단하고 이뇨제 고려
SVC 폐색	금속스텐트, 코르티코스테로이드, 방사선 치료
IVC 폐색	코르티코스테로이드, 스텐트 삽입
심부전	이뇨제, 디곡신, ACEi, β-blocker
림프절병증	코르티코스테로이드, 항암치료 고려

과상 등) 유무를 살펴본다. 셋째, 비타민이나 미네랄이 풍부한 과일과 야채를 섭취한다. 감염이 되었거나 감염의 위험이 높은 경우 신속히 치료를 해야 한다.

2. 림프부종 비약물적 치료

1) 림프운동

근육 활동은 림프나 정맥 배출을 개선해 준다. 그러나 병이 진행된 경우에는 운동의 기회는 제한되게 된다. 경도나 중등도의 유산소 운동(걷기, 수영, 자전거 타기 등)은 림프 및 정맥의 배출을 촉진시켜 부종을 완화한다. 격렬한 운동은 혈류량을 증가시켜 림프액을 증가시켜 부종을 악화시킬 수 있으므로 피해야 한다. 운동할 때 가능한 한 압박의류나 압박붕대를 착용하도록 한다.

2) 체중감량

비만은 암과 관련된 림프부종 악화의 위험인자이다. 따라서 체중 감량은 림프부종의 관리에서 추천되는 치료법의 하나이다. 환자 대조군 연구에서 유방암으로 유방절제술을 실시한 비만한 사람 중 체중감량을 실시한 경우 팔의 부종 부피를 의미 있게 감소시켰다.

3) 림프마사지요법

림프마사지요법은 정상적으로 작용하는 림프관의 기능을 향상시키고, 손상되거나 기능이 저하된 림프관을 우회하여 축적된 간질액을 순환시키는 방법이다. 림프마사지 단독으로 부종을 의미 있게 감소시키지는 못하지만 환자의 주관적 만족감을 증가시킬 수 있다.

(1) 도수림프배출

도수림프배출(manual lymph drainage, MLD)은 전문치료사를 통해 림프마사지를 받는 것으로서, 가벼운 피부층을 마사지 하여 림프배출을 유리하게 하는 것으로 써 다른 치료 특히 압박과 병행하는 것이 효과가 좋다. 도수림프 배출은 특히 압박요법을 시행하기 어려운 머리, 목, 몸통, 엉덩이, 유방, 생식기 등의 중앙 부위나 사지 근위부의 부종을 효과적으로 줄인다. 약 한 시간에 걸쳐 누운 자세에서 실시하며, 먼저 복식호흡을 하고 정상 부위 림프절을 자극시킨 후, 림프부종이 없는 부위부터 시작한다. 림프부종이 있는 사지의 경우 근위부에서 원위부 순서로 가볍게 압력을 주어 마사지를 한다. 압력을 많이 주면 피부가 자극되어 혈류가 증가하고, 오히려 부종이 악화될 수 있다.

(2) 단순림프배출

단순림프배출(simple lymphatic drainage)은 MLD를 환자나 보호자가 전문치료사로부터 배워 시행하는 것으로 10~20분에 걸쳐 환자나 보호자가 쉽게 할 수 있도록 만든 것으로 환자들은 도움이 된다고 생각하지만 효과가 있다는 근거는 부족하다.

4) 압박요법

(1) 여러 겹 붕대 술기요법

여러 겹 붕대 술기(multi-layer lymphedema bandaging, MLLB)는 부종이 있는 부위를 밴드로 감아 사지의 원위부에서 근위부로 압력을 감소시키는 방법이다. 림프부종을 줄이는 집중치료로 피부가 손상되거나 궤양이 있는 경우, 피부조직에 두껍게 섬유화가 있는 경우, 유두종증, 림프 유출, 피부 지방층이 증가된 경우에 적용한다. 붕대의 압력이 피부에 고루 전달되도록 하기 위해 손가락 붕대, 관상 붕대, 폴리에스테르나 솜, 비탄력 붕대 등이 필요하다. 붕대를 감을 때 원위부에서 근위부로 갈수록 점진적으로 압력이 줄어들도록 감으며, 부종의 위치와 임상 정도에 따라 압박붕대 종류, 겹치는 층, 붕대 폭 등을 다르게 하여 압박 압력을 조절한다. 말기암이나 림프유출이 있는 환자에서 변형된 낮은 압력의 완화적 붕대술기는 무게감과 림프액 유출의 증상을 조절하는 데 도움이 된다.

(2) 탄력적 압박의류

탄력적 압박의류는 림프부종의 만성 관리 및 만성 림프부종의 관리에서 이용한다. 궤양이나 림프유출이 생긴 경우 의류 탈착과 부착 시 피부손상 위험이 높아 주의해야 한다. 또 사지의 모양이 많이 변형되어 울퉁불퉁한 경우 압력이 골고루 전달되지 않기 때문에 이때는 압박의류보다 MLLB를 실시하는 것이 좋다. 압박의류의 크기를 선택 시 함요부종이 없고, 부종이 최소일 때를 기준으로 한다. 압박의류 착용 후 처음 4~6주, 그 이후 3~6개월 간격으로 평가하여 착용감, 압박 정도, 부종 호전 정도를 살펴보고 필요시 교체한다. 진행된 말기암에서 림프부종이 전신적으로 있거나 피부가 약한 경우에는 사용해서는 안된다.

(3) 간헐적 공기 압박

간헐적 공기 압박(intermittent pneumatic compression)은 전기적 공기압 펌프로 사지에 주기적으로 마사지를 하는 것으로서, 림프순환을 원활하게 하는 것보다 외부 압력을 통해 모세혈관 여과력을 감소시킴으로써 림프 형성을 줄여 부종을 줄이는 방법이다. 움직임이 적거나 정맥부전, 저알부민혈증 등 림프관이 막히지 않는 경우 효과적이다. 보통 30~60 mmHg의 압력으로 하루 30분에서 2시간 정도 시행하는데, 사지의 근위부나 몸통에 부종이 있는 경우는 추천되지 않는다. 간헐적 공기 압박 단독으로 하는 것은 효과가 없으며 도수림프 배출과 병행하였을 때 효과가 증가한다.

3. 림프부종의 약물적 치료

림프관이 막힌 림프부종에는 직접적 효과가 없으나 체액저류로 인해 악화된 림프부종에는 이뇨제를 사용해 볼 수 있으나 전해질 불균형 및 저혈압 위험성이 있어 선호되지는 않는다. 플라보노이드 계통의 benzopyrone이 효과가 있다고 보고되었으나, 장기적으로 사용 시 간독성을 유발하기 때문에 미국이나 국내에서는 사용되지 않는다. 만성정맥부전증에 의해 피부의 미세순환 장애로 발생하는 경미한 림프 부종에서는 Vitis vinifera와 같은 적포도의 씨(procyaidolic oligomers), 마로니에 열매(aescins), 소나무 껍질 추출물(pycnogenol) 등이 도움된다.

4. 림프부종의 수술적 치료

약물요법이나 비약물적 요법으로 림프부종이 호전되지 않는 경우 수술요법을 고려해 볼 수 있다. 수술요법은 림프 부종의 임상시기, 합병증 정도, 수술요법의 부작용 등을 고려하여 선택할 수 있다.

1) 수술적 교정

수술적 교정(surgical reduction)은 증상이 심한 경우 과도하게 축적된 피하조직을 피부와 함께 절제하는 수술 방법이다. 장기간 입원하여 항생제 치료를 받아야 하고, 상처 회복이 어려우며, 심한 신경손상이 발생할 수 있다. 또 수술 후 흉터가 심하게 남으며, 삶의 질이 떨어지는 등 부작용이 많다. 수술 후에는 반드시 압박의류를 착용하여 다시 부종이 생기지 않도록 한다.

2) 지방흡입술

만성림프부종인 경우 지방이 과도하게 축적되어 림프순환을 막을 수 있는데, 이 지방조직을 흡입하여 림프순환을 원활하게 하는 방법이다. 전신마취하에 여러 부위에 작게 절개창을 통해 축적된 지방 및 부종을 흡입하는 방법으로 수술 후에는 출혈을 막기 위해 압박해야 한다. 림프에 손상을 주기 때문에 수술 후 다시 부종이 발생할 수 있으므로 수술 후 장기간 압박 의류를 착용해야 한다. 그러나 장기간 압박의류를 착용하는 경우에는 남은 림프 시스템을 손상시키고 림프부종을 악화시킬 수 있으므로 주의하여야 한다. CDT만 한 경우보다 지방흡입술(liposuction)을 병행하는 경우 부종감소 효과가 높을 수 있으나, 출혈, 감염, 감각이상, 재발 등의 부작용이 발생할 수 있다.

3) 정맥–림프관 문합술

정맥–림프관 문합술(microsurgical lymphatic reconstruction)은 림프가 정체된 부위의 림프관과 림프절을 각각 정상적으로 작용하는 림프관과 정맥에 연결하는 방법이다.

장기간 연구결과에서 사지 림프 부종에 효과적이었지만, 질병 초기에만 효과가 있으며, 높은 수준의 미세수술기술이 필요하기 때문에 잘 시행되지 않는다.

5. 기타치료법

만성정맥고혈압에 의해 이차적으로 림프부종이 발생한 경우 정맥조영술에 특이 소견이 발견되지 않거나 림프관섬광조영술에 이상을 보인다면 림프관 수송 문제로 인한 림프부종으로 오인될 수 있다. 이런 경우 CDT로 부종이 호전되지 않는다면 혈관내 초음파 등으로 정맥협착 여부를 진단하여 엉덩이 정맥 스텐트 삽입술을 통해 치료 효과를 볼 수 있다. 그외 피하에 바늘을 삽입하여 직접 피부 밖으로 림프액을 배출시키는 바늘 흡인술, 새로운 림프관 형성을 위해 성장인자나 자가 성체줄기세포를 주입하는 줄기세포치료, 특정 파장을 이용하여 림프관 형성이나 조직 섬유화를 줄이는 레이저 치료 등이 시도되었으나 아직 근거가 부족하다.

6. 림프부종의 인지행동적 치료

림프부종 환자에서의 신체적 정신적 치료는 중요한 부분이다. 림프 부종의 인지 행동적 치료는 외모변형으로 인한 사회적 위축과 좌절, 장기치료에 대한 지속적 지원의 문제를 다루어야 한다. 환자의 감정 상태나, 가족이나 주변 사람들의 지지 정도, 경제적 능력 등을 파악하여 치료방법을 결정하고 환자, 가족과 긴밀한 관계를 통해 치료 순응도를 높일 수 있다.

VI 림프부종의 합병증

1. 연조직염 및 단독

림프부종 환자는 피부나 피하조직이 감염되어 연조직염이나 단독이 발생할 위험이 높다. 보통 베타용혈 A군 연쇄상구균에 의해 발생하며 일부에서 포도알구균이나 다른 세균에 의해 발생한다. 흔히 무좀, 습진, 정체피부염, 궤양, 감입발톱, 동물이나 곤충에 물려 발생하며, 편도선염과 같이 감염원이 원격에 있거나 전혀 원인을 찾지 못하는 경우도 있다. 초기 전신 증상은 경미하여 단순 감기로 오인하기 쉬우나 수 시간에서 수일 내에 악화될 수 있어 주의가 필요하다. 임상적으로 증상이 호전되기까지 amoxicillin이나 clindamycin 등을 최소 14일간 사용한다. 외래에서 치료할 경우 amoxicillin의 경우 500 mg으로 8시간 간격으로 치료하며, clindamycin의 경우 300 mg 으로 6시간 간격으로 투여한다. 입원하여 치료할 경우 clindamycin 600 mg 6시간 간격으로 정맥주사로 투여한다. 보통 완전히 치료하는데 1~2달이 소요된다. 염증이 있는 동안에는 림프 마사지요법이나 압박요법은 실시하지 않는다. 연조직염이 반복적으로 재발하면 습진, 무좀, 내향성발톱과 같은 원인을 찾아 철저히 치료해야 하고, 부종을 줄여주어야 한다. 그럼에도 불구하고 1년에 2회 이상 연조직염이 재발하는 경우에는 소량의 지속적인 예방적 항생제 사용을 고려해볼 수 있다.

2. 림프유출

림프유출(lymphorrhea)은 부종이 있는 사지의 피부에서 미세한 상처나 틈을 통해 림프액이 흘러나오는 것을 말한다. 원인으로는 창상이나 찰과상 같은 직접적으로 상처에서 유출되는 경우, 림프관 확장이나 유두종 등이 원인일 수 있다. 유출되는 림프액의 양이 많을 뿐 아니라 감염의 위험을 높이므로 신속히 치료되어야 한다. 흡수성이 높은 패드를 댄 압박붕대를 사용하는 것이 가장 좋은 치료이며 유출되는 림프액의 양에 따라 하루에도 수 차례 붕대를 교환해 주어야 한다. 심한 부종이나 피부손상이 있는 경우 림프액 누수의 경우는 지속되고 지속형 밴드를 사용해야 하는 경우도 있다.

VII 치료평가

1. 림프부종 부피 측정

두경부, 유방, 몸통, 생식기 등 둘레를 측정하기 어려운 부위에 부종이 발생한 경우 림프부종의 정도를 쉽게 측정하기에는 어렵다. 보통 얼굴이나 생식기 부위에 부종이 발생한 경우 치료 전후 사진을 비교해 호전 정도를 파악한다.

2. 사지둘레 측정

부종이 있는 부위와 정상 부위의 둘레를 측정하여 부종 부피를 계산하는 방법이다. 둘레를 측정할 때는 같은 사람이, 하루 중 같은 시간에 측정하도록 한다. 상지를 측정할 때는 겨드랑이 아래 2 cm부터 4 cm 간격으로 둘레를 측정하며, 하지를 측정할 때는 다리오금 아래 2 cm부터 4 cm 간격으로 종아리를 측정하고, 둔부 주름

2 cm 아래에서 무릎까지 4 cm 간격으로 허벅지를 측정한다. 사지의 둘레를 측정하면 사지의 부피를 측정할 수 있다.

$$Volume = 1/12\pi \sum_{i=1}^{n} 4(C_i^2 + C_i C_{i-1} + ... + C_n^2)$$

n : 둘레 측정한 수

$C_i C_{i-1}$: 둘레 측정값

3. 혈량측정법

혈량측정법(plethysmography)은 커다란 수조에 몸의 일부(부종이 있는 부위와 정상 부위)를 넣고 넘쳐 나오는 물의 양의 차이를 비교하여 측정하는 방법으로, 림프부종의 부피를 측정하는 최적표준(gold standard)이지만 실행하기 불편하여 일반적으로 사용되지는 않는다.

4. Perometry

특정 적외선으로 스캔하여 컴퓨터로 사지의 부피를 계산하는 방법으로 빠르고, 정확하며, 재측정이 가능하지만, 기계가 비싸다는 단점이 있다.

5. Dual energy X-ray absorptiometry

Dual energy X-ray absorptiometry를 이용하여 림프부종 부피를 계산하면 사지 둘레 측정법이나 혈량측정법과 비슷한 결과를 보일 수 있으며, 유방암 환자들에서 dual energy X-ray absorptiometry의 유용성에 대한 pilot study도 보고되고 있다.

VIII 요약

림프부종이 오래되어 피하조직의 섬유화가 진행되면 치료가 어려우므로 예방과 조기진단이 중요하다. 현재 림프부종을 완치시키는 단일한 치료는 없으며 피부관

리, 림프운동 및 거상요법, 림프마사지, 압박요법 등을 실시하는 CDT가 중요하다. 림프부종 치료는 장기치료이므로 환자에 대한 정신사회적 지지를 통해 긴밀한 관계를 유지하는 것이 중요하다. 완화치료에서의 부종관리는 다른 증상을 조절하는 것만큼 중요하고 삶의 질에 직접적인 영향을 끼치므로 의료진의 적극적인 관심과 개입이 요구된다.

참고문헌

1. Cohen SR, Payne DK, Tunkel Rs. Lymphedema : Strategies for management. Cancer 2001; 92(4 Suppl.):980-7.
2. Moffatt CJ, Franks PJ, Doherty DC, Williams AF, Badger C,Jeffs E, Bosanquet N, Mortimer PS. Lymphoedema: an underestimated health problem. QJM 2003;96:731-8.
3. Cormier JN, Askew RL, Mungovan KS, Xing Y, Ross MI, Armer JM. Lymphedema beyond breast cancer: a systematic review and meta-analysis of cancer-related secondary lymphedema. Cancer 2010;116:5138-49.
4. Lymphoedema Framework. Best practice for the management of lymphedema: an international consensus. London: Medical Education Partnership; 2006. pp.6-29.
5. Kissin MW, Querci della Rovere G, Easton D, Westbury G. Risk of lymphedema following the treatment of breast cancer. Br J Surg 1986;73:580-4.
6. Burnand KG, McGuinness CL, Lagattolla NR, Browse NL, El-Aradi A, Nunan T. Value of isotope lymphography in the diagnosis of lymphoedema of the leg. Br J Surg 2002;89:74-8.
7. Stout Gergich NL, Pfalzer LA, McGarvey C, Springer B, Gerber LH, Soballe P. Preoperative assessment enables the early diagnosis and successful treatment of lymphedema. Cancer 2008;112:2809-19.
8. Suehiro K, Morikage N, Murakami M, Yamashita O, SamuraM, Hamano K. Significance of ultrasound examination of skin and subcutaneous tissue in secondary lower extremity lymphedema. Ann Vasc Dis 2013;6:180-8.
9. Ferrell RE, Kimak MA, Lawrence EC, Finegold DN. Candidate gene analysis in primary lymphedema. Lymphat Res Biol 2008;6:69-76.
10. Nathan I. Cherny. Oxford Textbook of Palliative Medicine fifth edition : Oxford University Press ;744-5.
11. Cohen SR, Payne DK, Tunkel RS. Lymphedema: strategies for management. Cancer 2001;92(4 Suppl):980-7.
12. Andersen L, Hojris I, Erlandsen M, Andersen J. Treatment of breast-cancer-related lymphedema with or without manual lymphatic drainage: a randomized study. Acta Oncol 2000;39:399-405.
13. Oxford American Handbook of Hospice and Palliative Care and Supportive Care :204.
14. Roztocil K, Prerovsky I, Oliva I. The effect of hydroxyethylrutosides on capillary filtration rate in the lower limb of man. Eur J Clin Pharmacol 1977;11:435-8.
15. IIIouz YG. Body contouring by lipolysis: A 5- year experience with overr 3000 cases. Plast Reconstr Surg 1983;72:591-7.
16. Raju S, Furrh JB 4th, Neglen P. Diagnosis and treatment of venous lymphedema. J Vasc Surg 2012;55:141-9.
17. Omar MT, Shaheen AA, Zafar H. A systematic review of the effect of low-level laser therapy in the management of breast cancer-related lymphedema. Support Care Cancer 2012;20:2977-84.
18. Firas AN, Neil C. Cellulitis and lymphoedema: a vicious cycle. J Lymphoedema 2009;4:38-42.
19. Czerniec S, Ward CL, Meerkin JD, Kilbreath SL. Assessment of Segmental Arm Soft Tissue Composition in Breast Cancer-Related Lymphedema: A Pilot Study Using Dual Energy X-ray Absorptiometry and Bioimpedance Spectroscopy. Lymphat Res Biol 2015;13:33-9.
20. Yang GH, Shim JY. The diagnosis and treatment of lymphedema. J Korean Med Assoc 2013;56(12):1115-22.

7부

29장

기타 신체증상

| 맹치훈, 장혜정 |

I 구강 증상

1. 구강 문제

진행성 암 환자에게서 각종 구강증상은 매우 흔해서 대부분의 환자는 적어도 하나 이상의 구강 관련 증상을 호소하며, 특히 구강건조(xerostomia)는 가장 흔한 증상 중 하나이다. 구강증상은 다음과 같은 이유로 발생할 수 있다. 즉, 기존 질병이 직접 구강에 침범하여 영향을 주는 경우, 간접적으로 구강에 생리적 영향을 미치는 경우, 기존 질병의 치료 과정에서 발생하는 부작용에 의한 경우, 함께 병발한 동반질환에 의한 경우 등을 말하며, 이들 각 요인은 서로 함께 복합적으로 작용할 수 있다. 또한 환자들은 종종 정신적, 감정적 문제를 동반하여 적극적인 구강 관리를 하지 못하게 되어 구강 문제를 더욱 조장할 가능성이 있다.

구강 문제는 완화의료를 받는 환자들에게 특히 각종 증상을 유발시킬 수 있는 주요한 사안이다. 구강 문제로 인해 환자의 신체 상태가 전반적으로 악화될 수 있고 심리 상태 또한 영향을 받는다. 구강 문제를 잘 관리하기 위해서는 적절한 평가와 이를 토대로 적합한 치료 및 재평가가 이루어져야 하지만, 구강 상태를 적절히 평가하기 위한 평가도구들이 임상적으로 충분히 검증되지는 않은 상태이다. 따라서 구강 문제를 평가하는 것은 병력을 청취하고, 적절한 검사를 시행하는 것으로부터 시작하며, 타 의학적 문제점을 평가하는 것과 본질적으로 다르지 않다고 할 수 있겠다. 평가의 목적은 환자가 지닌 구강 문제가 어떠한 성질의 것인지를 파악하고, 치료 계획을 세우기 위해서다. 구강 증상의 치료에는 해당 문제를 직접적으로 해결하여 완치하거나, 대증치료, 문제를 발생한 원인을 제거하는 전략, 그리고 문제점으로부터 파생된 다양한 합병증 관리 등으로 나누어 볼 수 있다. 다만, 암 환자는 다른 건강한 사람과는 전신 상태나 신체 조건이 다를 수 있기 때문에 일반적인 관리법을 무조건 암 환자에게 적용하는 것은 신중해야 한다. 예를 들어, 틀니가 맞지 않아 고생하고 있는 경우, 보통의 경우라면 구강에 잘 들어맞는 새 틀니를 제작하는 것이 가장 확실한 방법이겠지만 전신상태가 매우 불량한 말기 환자라면 처음부터 새롭게 틀니를 맞추기 보다는, 기존의 틀니를 다시 조정하여 잘 교합시키고 우선 잘 사용할 수 있게 하는 것이 더 나은 선택이 될 수도 있는 것이다.

구강관리는 다학제적 접근이 적극 권장되어야 한다. 치과의사나 치위생사는 이 다학제팀의 중요한 구성원으로서, 이들 직종이 완화의료를 제공하는 타 의료진에게 필요한 지식을 제공하고, 빈발하는 특정 구강 문제(예를 들면 충치나 치주염 등)을 해결할 수 있도록 조력자가 되어야 한다. 언어치료사 등 구강의 기능과 관련된 또 다른 직종 역시 구강관리를 위한 다학제 팀원이 될 수 있다.

2. 구강 위생

1) 양치질

구강 위생을 유지하는 것은 암 환자의 삶의 질에 매우 중요한 문제다. 구강 위생을 위한 방법 중 가장 중요한 것은 양치질이며, 적어도 하루 두 번은 시행하도록 한다. 전동칫솔 등을 포함하여 다양한 칫솔을 사용 가능한데, 되도록 칫솔 머리부분이 작으면서 부드럽거나 중간 정도의 굵기를 지닌 칫솔모를 권장한다. 전동칫솔은 일반 칫솔에 비해 치석 제거 효과가 우수한 것으로 알려져 있다. 권장 사용주기는 약 3개월이지만 칫솔모의 상태에 따라 더 빨리 교환해야 할 수도 있다. 칫솔모가 지나치게 부드러워지거나 방향이 흐트러진 상태에서는 더 이상 치석을 제거하는 효과를 기대하기 어렵기 때문이다. 만일 환자가 면역억제치료를 받거나, 항암화학요법을 시행 중일 경우에는 더 빨리 교환할 필요가 있다. 또한 구강 감염이 발생한 경우에는 즉시 교체하도록 한다. 환자들은 불소가 최소한 1,000 ppm 이상 함유된 치약을 쓰도록 한다. 대부분의 치약에는 발포제가 들어있는데 이는 삼킴 곤란을 호소하는 환자에게는

흡인 등의 문제가 될 수 있으므로 조심해야 한다. 이런 경우에는 발포제가 함유되어 있지 않는 치약(이를 테면, chlorhexidine 젤)을 권장한다. 만일 환자가 구강의 통증 등의 이유로 치약을 사용하기 어렵다면 그냥 물로 칫솔질 하여도 좋다.

2) 치간 위생

치간 칫솔, 치실, 치간용 브러쉬 등 치간 위생을 돕는 도구들은 치아 사이에 있는 치석을 제거하기 위한 것이다. 치간 위생도 매일 실천하는 것이 가장 이상적이지만, 환자가 매일 이를 실행하기가 쉽지는 않다.

3) 화학적 치석 제거술

일부 환자의 경우 환자의 장애나 구강내 병변 등의 문제로 인해 일반적인 스케일링을 통해 물리적으로 치석을 제거하는 것이 매우 어렵다. 이런 경우에는 약품을 이용한 치석 제거를 고려해볼 수 있다. 현재까지 가장 흔히 사용되는 것은 chlorhexidine이다. 일반적으로 0.12~0.2% 농도의 구강세정제로서 흔히 쓰이는데, 10~15 ml씩 하루 두 번 양치한다. Chlorhexidine을 장기적으로 사용할 경우 치아가 착색될 수 있는데 치과 진료를 통해 쉽게 착색을 제거할 수 있다. 중요한 점은, chlorhexidine은 이미 생긴 치석을 제거해 줄 수는 없다는 사실이다. 치석이 한 번 자리잡고 나면 스케일링을 통해 물리적으로 제거하는 수밖에 없다.

4) 의치 관리

의치를 사용하는 사람은 일상적인 구강 관리에 더하여 정기적으로 의치를 세척하는 것이 필수이다. 최소한 하루 한 번 이상 시행해야 하며 구강에서 제거해낸 상태에서 세척하고, 의치를 제거한 후 구강내 청결 또한 꼭 유지하도록 한다. 의치는 먼저 구강 밖으로 빼낸 뒤 흐르는 물에 씻어서 찌꺼기 등을 제거하도록 하고, 의치용 브러쉬로 청소하도록 한다. 의치 세척을 위해 따로

7부

판매하는 별도의 제품을 이용할 수도 있으나 일반적으로 물과 비누로도 충분한 것으로 알려져 있고 흔히 쓰는 치약은 마모를 쉽게 일으키므로 사용이 권장되지 않는다. 틀니는 매 식사 후 분리하여 흐르는 물에 씻어야 한다. 틀니의 부드러운 면에는 오랫동안 침이 닿으면서 침 속의 칼슘 성분이 침착되는 경우가 있다. 침착된 칼슘은 구강내 점막을 자극하거나 손상시킬 수 있으므로, 관찰되면 곧바로 제거하도록 한다. 밤에는 의치는 입에서 빼내어 보관하도록 한다. 플라스틱 의치의 경우 희석된 sodium hypochlorite 액에 담가두면 감염을 방지할 수 있다. 금속 재질이 포함된 의치는 chlorhexidine (0.12~0.2%)에 담가두도록 한다.

5) 구강 점막 관리

구강 점막은 하루 3회 또는 4회, 매 식사 후 양치질을 한다. 환자가 물로 입안을 헹구는 것만으로도 입 속의 음식물 찌꺼기를 제거하기에 충분하다. 만일 이것도 어렵다면, 물로 적신 거즈 등을 이용하여 입안을 닦아내도록 한다.

3. 침샘 기능의 이상

입마름은 구강내 건조감에 대한 주관적 감각을 말한다. 한편, 타액선의 기능 저하는 개관적으로 입증할 수 있는 일부 혹은 전체 침샘의 침 분비 속도 저하를 일컫는다. 침샘의 이상은 침샘의 기능항진 또는 기능저하로 인해 일어나는 침의 정량적, 정성적 이상을 말한다. 일반적으로 침샘의 이상이라고 할 때는, 침샘 기능의 저하 또는 이와 동반된 입마름 증상을 의미한다.

1) 입마름

입마름은 전체 인구의 약 22~26%에서 존재하는데 반해, 진행성 암 환자의 경우에는 무려 78~82%의 환자에서 입마름을 호소하는 것으로 알려져 있다. 침샘의 기능저하 역시 진행성 암 환자의 약 82~83%에서 나타난다. 따라서 입마름은 말기질환자들이나 만성질환자들에게 매우 흔한 증상이라고 할 수 있다. 암 환자에서 발생하는 입마름에는 다양한 원인이 있을 수 있는데, 그중 가장 흔한 것은 약제(진통제나 항구토제 등)에 의한 부작용에 의한 것이다. 기타 원인으로 종양 침윤, 부종양증후군, 방사선치료나 이식편대숙주질환 등 암 치료관련 부작용, 탈수, 영양실조, 불안, 우울증 등을 포함한다. 입마름은 일반적으로 타액 분비가 감소한 결과이지만, 타액의 성분이 변함으로 인해 야기되는 경우도 있다.

2) 임상 양상

침샘 이상에 의한 증상은 매우 다양하며, 구강 자체의 문제뿐만 아니라 전신적인 문제와도 연관성이 있어 삶의 질에 지대한 영향을 미치게 된다. 침샘 기능의 이상은 흔히 다음과 같은 증상을 유발한다.

- 일반적 문제: 구강 내 불편감, 튼 입술
- 식이: 식욕 부진, 미각 저하, 씹기 곤란, 삼킴 곤란, 영양 섭취의 감소
- 말하기: 발성의 어려움
- 구강위생: 구취, 구강위생 불량
- 구강감염: 구강 칸디다증, 충치, 치주염, 침샘감염
- 전신감염: 구강감염에 의한 이차감염으로 폐렴이나 패혈증 발생
- 치아보철물: 치아미란, 구강점막 상처
- 심리적 문제: 당황, 불안, 우울, 사회적 격리
- 기타: 수면 장애

3) 침샘 기능 평가

침샘의 분비속도 측정 등 일반 인구를 대상으로 다양한 침샘의 분비능을 평가하는 방법이 제시된 바 있으나 암 환자를 대상으로 검증된 것은 아직 없는 실정이다. 따라서 병력을 청취하고, 구강 검진을 하는 등의 일반적인 수기에 근거한 평가 방법을 활용하도록 한다.

4) 치료

침샘 기능 이상의 관리는 결국 그 원인에 대한 치료, 침샘기능 저하로 인한 다양한 증상의 대증치료, 치료법으로 인해 야기되는 합병증의 대처 등으로 이루어진다. 침샘기능 저하는 매우 다양한 상황에 의해 생길 수 있어서, 그 원인이나 임상 양상, 환자의 전신 상태, 치아의 상태, 치료 방법의 선호도 등에 따라 개별적이고도 다양한 접근을 필요로 한다. 대증치료에는 침 대용으로 쓸 수 있는 침 대체제, 침샘 분비를 자극시키는 침샘 분비 자극제 등이 있다. 침 대체제는 단순히 입마름 증상의 완화를 위해 사용되는데 반해, 침샘 분비 자극제는 인공타액보다는 정상 침의 분비를 자극하므로 침 대체제보다는 더 나은 측면이 있다. 침샘 분비 자극제와 대체제를 비교한 한 연구에서 환자들은 대체로 침샘 분비 자극제를 대체제에 비해 더 선호했음을 보여 준 바 있다. 그러나 일부 환자는 침샘 분비 자극제를 사용하여도 침 분비가 이루어지지 않으며 이 경우 인공 타액 등 침대체제를 쓰게 된다.

5) 침샘분비자극제

(1) 껌 씹기

껌을 씹는 것은 침샘 분비를 증가시킨다. 침샘 분비 증가의 약 85%는 구강 내에 위치한 화학수용체의 자극(미각 등)에 의한 것이며, 나머지 15% 정도는 씹는 행위 자체가 구강 내에 위치한 기계수용체를 자극하기 때문이다. 껌 씹기는 입마름에 효과적인 것으로 알려져 있다. 진행성 암 환자를 포함한 다양한 환자군에서 껌은 유기물이나 인공 타액에 비해 효과가 더 우수한 것으로 나타났다. 껌은 일반적으로 쉽게 시행할 수 있는 방법이지만, 씹는 행위 중 턱이 불편하거나, 부적절하게 삼키게 될 경우 호흡장애나 소화장애를 일으킬 수 있고, 구강 불쾌감, 헛배 부름 등의 부작용이 있을 수 있다. 또한 알러지성 구내염 등을 유발할 수도 있다.

(2) 유기산(Organic acids)

아스코르빈산, 구연산 등 다양한 유기산이 침샘 분비 자극제로 사용되어 왔다. 유기산은 타액의 흐름을 증가시킨다. 그러나 아스코르빈산의 경우 효과가 거의 없는 것으로 보고된 바 있다. 구연산의 경우 증상의 일부 개선을 보여준 연구 결과가 있지만 방사선치료를 받은 환자에 대한 효과는 검증된 바가 없다.

(3) 부교감신경자극제

부교감신경자극제는 침샘 분비와 연관된 자율신경계를 자극한다. 여기에는 침샘에 직접 작용하는 콜린에스테르(pilocarpine, cevimeline)와 내인성 아세틸콜린의 대사를 저해하는 간접적 작용으로 효과를 나타내는 콜린에스터라제억제제(distigmine, pyridostigmine) 등이 있다. Pilocarpine은 약제, 방사선치료, 이식편대숙주질환 및 침샘 질환(예를들어 쇼그렌증후군) 등에 의한 침샘 분비 저하에 효과가 있다고 알려져 있다. 실제로 일부 연구 결과에 의하면, 약제 부작용이나 방사선치료 후 발생한 침샘 분비 저하에서 인공 타액보다 더 나은 효과가 있음을 보여 주었다. Pilocarpine의 부작용으로는 전신적인 부교감신경 항진작용과 연관된 것으로서, 땀, 두통, 빈뇨, 혈관확장 등이 있다. 부작용 발현은 투여 용량이 클수록 빈도가 높아진다. 방사선치료에 의한 침샘기능 저하 환자에서 pilocarpine 표준 용량인 5 mg 하루 3회 투여로 부작용 발현은 6% 미만이었다. 기타 임상에서 쓰이는 콜렌에스테르로는 bethanechol, carbacholine, cevimeline 등이 있다. Bethanechol은 약제 또는 방사선치료에 의한 침샘기능 저하에 효과가 있다고 알려져 있다. Cevimeline은 방사선치료 및 이식편대숙주질환에 의한 침샘기능 저하, 그리고 쇼그렌증후군에서 효과가 있다고 알려져 있다.

(4) 침술(Acupuncture)

침은 양성타액선질환이나 약제, 그리고 방사선치료에

의한 침샘기능 저하에 유용한 것으로 알려져 왔다. 그러나 최근 한 메타분석에서는 의하면 침술이 효과가 있다고 볼 만한 근거는 없는 것으로 결론지었다.

6) 침 대체제(Saliva substitutes)

(1) 물

입안의 건조감을 해소하기 위해 종종 물을 사용한다. 그러나 연구에 따르면, 환자들은 물이 인공 타액보다 덜 효과적이라고 보고했다. 또한 한 연구에서 환자들은 물에 의한 구강 건조감 개선의 지속 시간이 단 12분(범위 4~29분)에 불과했다고 한다. 그럼에도 불구하고 환자들은 사용하기 친숙하고, 별다른 부작용이 없어 물을 자주 사용하게 된다. 물은 그 자체로는 전혀 부작용이 없지만 많이 마시다보면 다뇨, 야간뇨 등을 야기할 수 있다. 찬물이나 얼음물을 머금고 있는 것은 과학적 근거가 희박하다.

(2) 인공타액

일반적으로 의료진이 흔히 처방하는 것이 인공타액이며 액상뿐 아니라 분무형, 젤형 등 다수의 상품이 시판되고 있다. 이상적인 인공타액은 사용하기 쉽고, 편리하며, 효과가 있으면서, 중성 pH를 보이고 불소를 함유하여야 한다. 일부 상품의 경우 산성을 띠고 있어 권장되지 않는다. 대부분의 판매용 인공타액은 모든 환자를 대상으로 효과가 증명되지는 않았지만, 진행성 암 환자를 대상으로 뮤신(mucin)을 함유한 인공타액이 효과가 있었음을 보여주는 연구가 일부 있다. 인공타액은 일반적으로 내약성이 우수하지만 일부에서는 구강자극 등 국소 문제를 일으킬 수 있으며 심한 경우 설사나 메스꺼움 등 전신 증상을 수반하는 경우도 있다. 대부분의 인공타액은 그 효과의 지속 시간이 짧기 때문에 반복적으로 자주 사용하게 되는 경향이 있는데 이를 해결하기 위하여 최근에는 구강내 유치하는 형태의 인공 타액이 개발되기도 하였다.

4. 타액의 과도한 분비(Sialorrhoea)

Sialorrhoea는 침샘의 과도한 분비를 말한다. 이는 침흘리기(drooling)와 동반되는 경우도 있지만 이 둘은 엄연히 다르며, 대처 방법은 아래의 drooling과 유사하다.

5. 침 흘리기(Drooling)

침 흘리기는 입안에서 입술, 뺨, 옷 등으로 타액이 비정상적으로 흘러내리는 현상을 말한다. 일반적으로 꼭 sialorrhoea와 연관되어 나타나지는 않으며, 구강 내에서 일정량의 고인 침을 제어하지 못하는 것과 관련이 있다. 실제로 침흘리기를 보이는 환자들 중 상당수가 오히려 침샘기능 저하를 가지는 경우가 많다. 대중치료로 항콜린제, 보툴리눔톡신 A, 부교감신경 차단, 침샘 관의 재배치 등을 시도해 볼 수 있다.

6. 미각 장애

미각 장애란, 미각을 느끼는 감각 기능의 저하(hypogeusia), 미각의 상실(ageusia), 혹은 왜곡된 미각(dysgeusia)를 의미한다. 진행성 암 환자의 44~50%에서 미각 장애가 있는 것으로 보고되었다. 두경부암 환자에서는 상대적으로 흔하며 특히 두경부 방사선치료를 조사받은 환자에게서는 매우 흔한 증상이다. 암 환자에게서 발생하는 미각 장애의 원인은 다음과 같이 다양하다; 미뢰를 침범하는 악성종양 자체의 효과, 암치료 관련 부작용, 구강 위생 문제, 신경학적 문제, 대사 이상 등. 때로 환자는 모든 맛에 대해 미각 상실을 보이기도 하고, 맛의 종류에 따라 미각 저하나 왜곡, 상실이 뒤섞여 나타나기도 한다. 미각의 왜곡을 보이는 경우, 음식의 맛을 느끼기는 하지만 거의 모든 음식에 대해 맛이 없다고 호소하기도 한다. 미각 장애는 식욕부진, 영양섭취 감소 등을 야기하여 결과적으로 체중 감소와 삶의 질 저하 등으로 이어진다. 미각 장애의 평가 병력 청취와 이학적 검진을 포함하며 특별한 객관적 검사를 필요로 하지는 않는다. 치료는 기저 질환의 관리, 식이요법 등을 시도해 볼 수 있다. 침샘기능 저하가 미각 이상을 유발하였다면, 침샘분비자극제나 인공 타액 등이 도움을 줄 수 있다.

7. 말기질환자의 구강 관리

구강 관리는 질병으로 인한 임종 단계에 이르렀을 때 특히 중요하다. 그러나 구강 관리법이 체계적으로 근거에 기반하여 제시된 바가 별로 없으며, 대부분 그 효용성에 대해서는 뚜렷하지 않은 경우가 많았다. 일부 연구자들은 매 1~2시간마다 구강 관리를 하는 것을 임종 관리에 포함할 것을 권고하고 있다. 그러나 보통 말기질환자에서 구강 관리는 의료진에 의해 행해지기 보다는 환자의 가족 등 보호자에 의해 이루어지는 경우가 많고, 이 작업은 시간이 많이 걸리고 쉽지 않으므로 제대로 수행되지 않는 경우도 많다. 상황에 따라 보호자들이 이런 작업을 수행할 수도 있겠으나 의료진은 구강 관리의 업무를 전적으로 환자의 가족에게 일임해서는 안되며, 가족들에게 시행하도록 하는 경우에라도 적절하고 올바른 방법을 제공해 주어야 한다. 일반적으로 의식이 없는 환자는 흔히 구강 점막이 건조하게 되며, 가족들은 이를 불쾌하게 여기는 경우가 많다. 일반적으로 구강관리를 위해서는 물을 주기적으로 사용하도록 권장하지만 물은 삼켜지거나 증발하여 금세 말라버리기 때문에 대부분 큰 효과는 없다. 보다 효과적인 방법으로는 상품화된 수성 보습 젤을 사용하는 방법이 있다. 말기질환자의 보살핌에는 환자의 편안함을 최우선으로 해야 한다. 구강 관리의 장점에도 불구하고 만일 환자가 힘들어 하거나, 특히 의사표현이 어려운 무의식 환자의 경우, 구강 관리 행위가 환자에게 불편감을 초래하거나 괴로움을 야기한다고 판단된다면 여러 원칙에도 불구하고 구강 관리 행위는 더 이상 지속하지 않는 것이 합당하겠다.

II 가려움증

가려움은 정상적인 피부가 가지는 생리 기능 중 하나다. 가려움은 피부와 점막에서 발생하는 감각이며, 물리적, 화학적, 생물학적으로 해가 될 수도 있는 잠재적 자극을 자각할 수 있도록 해준다. 긁기 반사는 가려움과 밀접하게 관련되어 있다. 그러나 가려움이 신체의 병적 상황에 의해 잘못 유발되어 고통을 야기할 수도 있다. 이런 감각 이상이나 생리적 작용은 꼭 병적인 현상만은 아니기 때문에 이로 인해 야기되는 증상을 조절하는 것은 쉽지 않다. 본 장에서는 정상적인 기능과 병리적 현상으로서의 가려움을 살펴보고, 다양한 치료 방법에 대해 알아보기로 한다.

1. 가려움증

가려움은 독립된 하나의 감각이라고 할 수 있으며, 표피의 감각수용체와 중추신경계로의 구심성 신경전달체계를 아우르는 복합적인 기전의 결과물이다. 가려움에 대한 여러 정의들에는 긁기 반사를 포함하는 경우가 많은데 긁기는 일종의 방어적 반사에 해당한다고 본다.

1) 진단

가려움에 대한 임상적 접근은 우선 일차성 가려움증과 피부 혹은 전신 질환에 의해 발생하는 이차성 가려움증으로 나누는 것에서부터 시작할 수 있다. 또한 국소 가려움증인지 전신 가려움증인지의 구분도 필요하다. 대부분의 경우 국소 가려움증은 피부 감염이나 부분적인 피부 질환에 의해 발생한다고 볼 수 있겠다 표 29-1.

전신 혹은 미만성 가려움증은 전신을 침범하는 피부 질환에 의하거나 혹은 기타 전신 질환에 의해 유발되는데, 전형적으로 보다 심한 증상을 유발하며, 치료하기는 더 어려운 경향이 있다. 그러나 전신 가려움증이라고 하더라도 그 강도가 모든 신체 부위에서 항상 동

표 29-1. 가려움증의 발생체계와 부위, 그리고 원인에 따른 분류

발생 체계	부위	병인
일차성 (Primary) • 특발성 (Idiopathic) • 본태성 (Essential)	국소 전신, 미만성	피부과적 문제 전신적 문제 신경학적 문제
이차성 (Secondary) • 피부과적 문제 • 전신적 원인		심인성 문제

표 29-2. 가려움을 유발하는 대표적인 피부 질환

- 수인성 가려움증
- 아토피 피부염(습진)
- 수포성유사천포창
- 접촉성피부염(알레르기성 또는 자극성)
- 피부T세포림프종(균상식육종, 세자리증후군)
- 포진형 피부염
- 약물성 피부염
- 모낭염
- 그로버병(국소 가시세포피부병)
- 벌레물림
- 편평태선
- 만성단순태선
- 비만세포증
- 땀띠
- 이기생증
- 장미색 비강진
- 양진
- 결절성 양진
- 항문소양증, 외음부소양증
- 건선
- 옴
- 일광화상
- 전신적 기생충 감염(회선사상충증, 모병, 포충증)
- 두드러기, 피부묘기증
- 피부건조증

일하다는 의미는 아니며, 특히 신체의 특정 부위가 더 심한 부분이 있을 수 있고, 해당 부위가 이동하는 수도 있다는 점을 유의할 필요가 있겠다.

(1) 일차성 가려움증

일차성 혹은 특발성 가려움증은 피부질환에 의한 이차성 가려움증을 배제하고 나면 거의 대부분(70%)을 차지한다. 면밀한 피부 관리와 국소 진정요법을 통해 어느 정도 조절이 가능하기도 하지만 일부 원인에 의한 일차성 가려움증은 상당히 광범위하고 심하며 만성적으로 나타날 수도 있다. 따라서 원인이 불명확한 경우 그 치료가 어렵고, 난치성인 경우가 많다. 심한 가려움증을 호소하는 경우 결과적으로 악성종양에 의한 경우로 밝혀지기도 한다. 이 경우에는 림프종이 가장 흔하다.

(2) 이차성 가려움증

이차성 가려움증은 다양한 피부질환이나 전신질환과 연관되어 있다. 예를 들면 접촉피부염은 가려움과 긁기가 주요 특징인 질환이다. 다음 표에서 가려움증을 유발하는 주요 피부질환들이 나열되어 있다 표 29-2.

또한 다양한 전신 질환 표 29-3 에 의해 가려움증이 유발될 수 있는데, 일부에서는 약물치료나 수술적 방법으로 치료가 가능하지만, 상당수에서는 만성적으로 지속되는 경우가 흔하다.

2) 치료

가려움을 완화하기 위해 다양한 국소도포제가 사용 가능하다. 다양한 종류의 로션, 크림 또는 젤 형태의 치료제가 표 29-4 에 제시되어 있다. 국소도포제는 전신의 피부에 적용하기에는 불편할 수 있으나 많은 환자들이 전신 가려움증이 있더라도 특히 더 심한 부위에 집중적으로 사용할 수도 있다.

III 암성 발한

발한은 혈관의 수축이나 확장 기능과 더불어서 인간 체내의 정교한 체온 조절에 핵심적인 역할을 하며, 피부의 진피층에 위치한 땀샘에서 분비된다. 진행성 질환을 앓고 있거나 완화치료를 받는 환자의 경우, 다한증(hyperhidrosis)의 유병률은 14~28%이며, 주로 밤에 발생하는 경향이 있고 강도는 중등도에서 극심한 정도까지 나타날 수 있다. 암성 발열은 암 세포에서 분비되는

표 29-3. 가려움을 유발하는 대표적인 전신 질환

간담췌 질환
- 담도폐쇄증
- 원발성 담즙성 간경변
- 경화성 담관염
- 간외담도 폐쇄
- 임신성 담즙정체
- 약물유발 담즙정체

만성신질환
- 요독증

약제
- Opioids
- Amphetamines
- Cocaine
- Acetylsalicylic acid
- Quinidine
- Niacinamide
- Etretinate, Acitretin
- Other medications
- Subclinical drug sensitivity

내분비질환
- 요붕증
- 당뇨병
- 부갑상선질환
- 갑상선질환(갑상선기능저하증, 갑상선중독증)

조혈계질환
- 호지킨과 비호지킨 림프종
- 피부T세포림프종(균상식육종, 세자리증후군)
- 전신비만세포증
- 다발성골수종
- 진성적혈구증가증
- 철분결핍성 빈혈

감염질환
- 매독
- 기생충
- HIV
- 진균

암
- 유방, 위, 폐 등
- 카르시노이드 증후군

신경성질환
- 원위부 가는 섬유신경병증
- 뇌졸중
- 다발성경화증
- 척수매독
- 뇌농양/종양
- 정신증/정신적 원인

감염이 되었다는 망상(기생형 감염)

표 29-4. 가려움증에 사용하는 국소 도포제

Preparation	Active ingredient
Dodd's lotion	Phenol, glycerine, zinc oxide
Lerner's lotion	Ethyl alcohol, glycerine, zinc oxide
Salol	Phenol, acetylsalicylic acid
Sarna®	Menthol, camphor, phenol
Schamberg's lotion	Menthol, phenol, zinc oxide
Topic gel	Benzyl alcohol, ethyl alcohol, menthol, phenol
Wibi lotion	Menthol
Crude coal tar 3~10% solution	Crude coal tar
Caladryl®	Diphenhydramine, calamine, camphor
Pramosone®, Prax®	Pramoxine
Quotane®	Dimethisoquin
EMLA™	Lignocaine, prilocaine
Lignocaine patch	Lignocaine
Zonalon®	Doxepin
Zostrix®	Capsaicin

interleukin-1 (IL-1), IL-6, tumor necrosis factor-α에 의하여 체온조절중추인 시상하부에 prostaglandin E의 과분비가 유도되면서 체온 설정이 상향 조정되어 열이 나게 되는데 암성 발한의 경우에는 암에서 분비되는 물질로 인하여 시상하부의 설정값이 정상 체온 값보다 낮게 설정되어 발생된다고 알려져 있다. 특히 암이 다발성 전이가 있거나 간에 전이가 된 경우에 많이 발생하는 것으로 보고되고 있다. 그 외의 원인으로는 암자체나 치료에 의한 호르몬 변화로 인하여 발생할 수 있고, 마약성 진통제, 정신 작용제의 갑작스러운 중단이 원인이 될 수 있다. 야간 발한은 환자가 침구를 갈아야 할 만큼 흠뻑 젖는 땀으로 정의된다. 야간 발한 관련된 일반적인 악성 종양에는 림프종, 백혈병, 신장암, 캐슬만병, 골암, 신경내분비암, 중피종이 알려져 있다. 조형결핵균복합체(Mycobacterium avium complex, MAC) 감염과 거대세포바이러스(CMV) 증후군을 포함해, AIDS 관련 감염도 야간 발한을 유발한다. 그 외에도 약물 및 자

가면역질환 등이 야간 발한을 발생시킬 수 있다.

암성 발한이 있는 환자는 기록 및 신체검사 등의 상세한 평가를 통해 다양한 감별 진단을 확인하여 범위를 좁히고 추가 치료를 안내하는 데 도움이 되도록 해야 한다. 발한이 암 환자들에게 어떠한 영향을 삶의 질에 미치는지 조사한 자료는 드물며 표준적인 치료 지침은 없는 상태이나 non-steroid anti-inflammatory drugs (NSAIDs), gabapentin, olanzapine, thioridazine, thalidomide 등이 도움이 될 수 있다.

IV 욕창 / 상처

1. 욕창의 발생 원인 및 단계

욕창은 압력(pressure), 또는 압력과 마찰력(friction)이 혼합되어 일반적으로 뼈의 돌출부 위의 피부와 그 밑의 조직에 생기는 국부적인 손상이다. 꼬리뼈, 엉치뼈 및 발뒤꿈치에 가장 많이 생긴다. 이 부위의 뼈와 피부 사이에는 신체의 다른 부위보다 부드러운 조직이 적기 때문에 욕창에 취약하다. 욕창이 발생하기 쉬운 부위는 똑바로 누운 자세에서는 두부 후면, 견갑골, 팔꿈치, 천골, 미골, 발꿈치에 주로 발생하며, 업드려 누운 자세에서는 뺨과 귀, 유방, 생식기, 무릎, 발가락에 발생하기 쉽고, 옆으로 누운 자세에서는 두부 옆면, 귀, 어깨, 좌골, 대전자, 무릎, 복사뼈에 주로 발생한다.

욕창은 여러 가지로 분류될 수 있으나 보통 다음과 같이 단계를 나눌 수 있다.

- 1 단계: 피부손상이 없는 비창백성 홍반
  발적, 부종, 창백함이 나타나며 피부가 빨갛거나 변색이 된다. 압박이 제거된 후 30분이 지나도 발적이 소실되지 않으며 압박을 제거하고 순환이 회복되면 몇 시간 내에 사라진다.
- 2 단계: 피부 일부 손상이 일어나거나 물집 발생

진피 조직 부분의 파괴로 수포가 새하얗고 삼출물이 나타난다.

- 3 단계: 지방조직이 보일 정도의 완전한 피부 손실
  표피, 진피, 피하조직이 괴사되어 이와 함께 삼출물, 감염이 발생하고 침식성 누관이 형성된다.
- 4 단계: 근육/뼈가 보일 정도의 완전 피부 손실
  뼈, 건, 근막을 포함한 조직까지 파괴된 경우로 골수염이 발생할 수 있다.
- 미분류 단계(unstageable): 깊이 측정이 불가
  전층 피부손상으로 상처 기저부가 딱지(노란색, 그을린색, 회색, 녹색, 또는 갈색)이나 가피(그을린색, 갈색 또는 흑색)으로 덮여 있어 이들을 제거할 때까지는 정확한 상처의 깊이를 알 수 없어 3단계인지 4단계인지 확정하기 어렵다. 발뒤꿈치에 발적없이 건조하게 잘 붙어 있는 가피는 신체 정상 방어막이 되므로 제거해서는 안된다.
- 심부조직 손상의심 단계: 깊이 측정 불가
  피부의 일부분이 보라색이나 적갈색으로 변색되어 있거나, 혈액이 찬 수포가 나타난 상태로 주위 조직에 비하여 단단하거나 물렁거리고 통증을 유발할 수 있다. 따뜻하거나 차갑게 느껴질 수 있으며 증상이 심해지면 확실한 심부조직 손상으로 진행 될 수 있다. 심부 조직손상 의심 욕창은 시간이 경과하면서 상처 가장자리의 경계가 분명해지면서 미분류 욕창에서 결국 3단계, 4단례 욕창으로 변화할 수 있다.

암 환자는 나이가 들면서 만성 질환이 동반될 수 있으므로 욕창의 발병 위험이 더 크다. 또한 불량한 영양 상태는 암 환자에게 공통적으로 보이는 소견이며 피부의 완전성을 유지하고 상처를 회복하는 힘을 더욱 약화시키며 상처가 감염이 되거나 환자가 실금(incontinence)이 있는 경우 악화될 가능성이 크다.

2. 평가와 진단

욕창이 악화되는 원인을 알아내기 위해 환자를 총체적으로 평가하는 것이 필요하다. 특히 암 환자의 경우에는 기저 암 질환의 현재 상태를 이해하고 이에 대한 치료를 적시에 하는 것이 필수적이다.

상처 평가 및 기록에는 다음 사항이 포함되어야 한다.

- 해부학적 위치
- 조직층 파괴 정도, 두께, 색
- 부종이나 조직의 부기
- 일관된 측정 단위를 사용하여 길이, 너비, 깊이, 분화구 측정
- 상처 바닥과 주위의 피부 모양
- 배수와 출혈 – 양, 색, 농도, 냄새 기록
- 상처와 주변 피부의 통증이나 압통
- 피부 주변 온도와 색

3. 예방

욕창의 발병을 예방하기 위한 총체적 접근이 필요하다. 발생요인을 파악하여 제거하여 과도한 간병 비용뿐만 아니라 상처의 드레싱, 치료 또는 특수 침대를 최소한으로 사용해서 금전적 비용을 감소시키려면 예방이 아주 중요하며, 쉽게 실천할 수 있는 방법이어야 한다.

필수적인 조치에는 다음을 포함시켜 위험도를 평가하고 욕창 발생을 줄인다.

- 적어도 매일 피부 검사
- 피부를 청결하고 물기 없게 유지
  - 중성 pH의 세안제 또는 비누로 피부를 깨끗하게 해서 피부의 산성막을 유지
  - 대소변 또는 땀으로부터 피부를 보호하기 위해 차단 연고 도포
  - 요실금 환자용 흡수 패드 사용
- 마찰 및 전단에 의한 부상 방지
  - 환자를 이송하거나 이동할 때 마찰력을 최소화할 수 있는 기구 사용
  - 윤활제 또는 보호제를 발뒤꿈치와 팔꿈치에 도포
- 병상 환자를 위해 허용되는 정도의 이동과 가능한 범위 내에서 운동 실시
- 조직에 부과되는 압력 완화
  - 적어도 2시간마다 체위 변경
  - 휠체어 이용 환자는 15분마다 체위 변경
  - 대퇴돌기(trochanter)가 바닥에 닿지 않도록 주의
  - 지지대 사용(베개, 뒤꿈치 지지대 등)
  - 발뒤꿈치가 바닥에 닿지 않도록 주의
  - 지지대를 사용하여 압력 감소
  - 뼈 돌출부 위의 피부 마사지 금지
  - 주위 조직에 압력의 강도를 집중시키는 고무 욕창 베개 사용을 피함
  - 양가죽은 압력을 완화하지 않으므로 피함
- 영양 상태 모니터링
  - 지속적인 체중을 측정
  - 의도하지 않은 체중 감소나 증가한 기록 검토
  - 영양 섭취에 대한 단백질, 열량, 체액 요구량을 측정
  - 식욕 측정
  - 치아 건강을 평가
  - 구강과 소화기 병력, 씹거나 삼키기의 어려움, 혼자 먹는 능력 평가
  - 약물/영양소의 상호 작용 평가
  - 영양소의 섭취 또는 흡수에 영향을 미치는 의학적/외과적 사전 치료에 대한 평가
    : 영양 상태에 대한 임상 지표 평가. 알부민, 트랜스페린(transferrin), 알부민전구체(prealbumin), 총 림프구 수 등 단백질 상태의 표준 측정법 평가

4. 치료

치료 계획의 궁극적인 목표는 압박이나 기타 원인에 의해 생긴 상처를 회복하는 것이다. 그러나 환자의 암 질

환, 치료 효과 또는 기타 의학적 상태를 통제할 수 없는 경우 회복이 불가능할 수 있다. 환자가 면역 억제, 영양실조 또는 감염이 있으면 회복이 지연될 수 있기에 지금 상태로 상처를 유지하면서 더 악화되는 것을 예방하는 일은 빨리 진행하는 말기 환자의 현실적인 목표가 될 것이다. 예를 들어, 통증, 냄새, 가려움 증상 완화와 삼출물과 출혈 관리는 적절한 목표가 될 수 있다. 상처가 있는 환자를 치료하는 데는 철저한 평가와 지속적인 관리를 해야 하며, 상처의 상태가 변할 수 있으며 환자의 상태와 생각이 변할 수도 있으므로 상처의 관리 목표와 치료 계획은 시간이 지남에 따라 다시 검토를 거치고 변경을 고려해야 한다.

마찰, 전단, 압력의 영향을 줄이기 위한 예방 전략을 평가해서 더 이상의 피부 이상을 막아야 한다. 환자는 요/변실금이 생길 수 있다. 오염된 부위에 pH가 적절한 부드러운 피부 세척제를 사용해야 하며 피부 보호막 물질(예; 크림, 연고, 필름)을 사용해서 피부를 보호하고 온전히 유지하도록 한다. 흡수성 있는 매트와 기저귀는 수분을 흡수하여 피부를 짓무르게 하지 않게 도울 수 있다. 또한 소변 주머니와 콘돔 도관은 병상에서 벗어나지 못하는 환자들에게 유용하다. 요/변실금이 욕창을 오염시키거나 감염을 일으킬 경우, 유치 장치를 사용하도록 한다.

상처 치료 관리는 환자에게 편안하고 간병인이 할 수 있도록 단순해야 한다.

국소적 상처 치료는 상처를 촉촉하고 청결하게 그리고 따뜻하게 유지하고 외상과 감염으로부터 보호되도록 진행되어야 한다.

만성 상처 치료에는 따뜻한 식염수나 물을 세척용 용액으로 사용할 수 있다. 특히 식염수는 상처 부위에 쉽게 사용할 수 있고 진정작용을 하며 저렴하고 독성이 없다. 세척 시에는 살아있는 조직을 손상하지 않고 상처를 부드럽게 닦아야 한다.

악취는 환자가 극복해야 하는 가장 고통스러운 증상 중 하나로서 다른 사람들이 냄새를 알아채지 못한다 하더라도 고려해야 할 점이다. 특히 괴사성 조직이나 감염된 조직 혹은 축축해진 드레싱이 냄새의 원인이 되므로 원인을 제거하기 위해서 이러한 조직을 제거하는 것이 악취 제거에 도움이 된다.

드레싱은 하루에 한 번 이상 바꾸면 간병인에게 부담이 될 수 있다. 드레싱 교체의 불편을 줄이기 위해 접촉층 드레싱, 비부착 거즈, 침윤 거즈 또는 반투과성 폼 드레싱을 사용할 수 있다. 알긴산염(alginate), 하이드로화이버(hydrofiber), 폼드레싱은 하이드로콜로이드(hydrocolloids)나 거즈보다 많은 양의 배농을 흡수할 수 있다. 삼출액이 아주 많은 상처인 경우는 배출 가능한 장루 주머니 등과 같은 도구를 사용할 수 있다.

과거에는 흔히 사용되었지만, 습포 드레싱은 제거 시 통증, 출혈, 조직 손상을 일으킬 수 있으므로 권장하지 않는다. 효소 제거술은 상처에 괴사조직을 분해하는 효소를 사용해서 조직을 녹이고, 국소 젤 및 용액을 바로 딱지에 바르거나 딱지에 칼로 금을 그은 뒤 발라서 조직에 침투가 되게 한다. 자가 분해 제거술은 습한 환경을 만들어서 상처와 배농에 존재하는 내성의 단백질 분해 효소와 탐식세포가 증식하여 상처 기저에서 죽은 조직이 제거되도록 하는 방법이다. 효소 제거술이나 자가 분해 제거술은 시간이 더 많이 걸리는 단점이 있으나 수술이나 절제술, 기계적인 방법보다 효과적이고 침습성이 적다. 발뒤꿈치가 부드럽지 않고, 변동이 심하지 않으며, 홍반이 없고, 비화농성일 때는 마르고 상태가 고정된 검은 딱지는 제거하지 않도록 한다.

상처가 보존적 치료에 반응하지 않으면 제3기 및 제4기 압박성 욕창의 외과적 봉합이 필요할 수 있다.

📑 참고문헌

1. Anoosha P. Pharmacological interventions for the management of paraneoplastic sweating in patients with advanced cancer: a systematic review of the literature: Poster No. 19. Palliat Med 2016;30(4):S24−S25.

2. Bjornstrom, M., Axell, T., and Birkhed, D. Comparison between saliva stimulants and saliva substitutes in patients with symptoms related to dry mouth. A multi-centre study. Swed Dent 1990;14:153-61.

3. Chaushu, G., Bercovici, M., Dori, S., et al. Salivary flow and its relation with oral symptoms in terminally ill patients. Cancer 2000; 88:984-7.

4. Davies, A.N., Broadley, K., and Beighton, D. Salivary gland hypofunction in patients with advanced cancer.Oral Oncol 2002;38:680-5.

5. Davies, A. (2010). Salivary gland dysfunction. In A.N. Davies and J.B. Epstein (eds.) Oral Complications of Cancer and its Management, pp.203-23. Oxford: Oxford University Press.

6. Davies, A.N. (2000). An Investigation into the Relationship Between Salivary Gland Hypofunction and Oral Health Problems in Patients with Advanced Cancer. [Dissertation]. London: Kings College, University of London.

7. Davies, A.N. and Epstein, J.B. (2010). Oral Complications of Cancer and its Management. Oxford: Oxford University Press.

8. Davies, A.N. and Kaur, K. Taste problems in patients with advanced cancer. Palliat Med 1998;12:482-3.

9. Davies, A.N. and Shorthose, K. Parasympathomimetic drugs for the treatment of salivary gland dysfunction due to radiotherapy. Cochrane Cochrane Database Syst Rev 2015;2015(10):CD003782.

10. Jedel, E. Acupuncture in xerostomia—a systematic review. J Oral Rehabil 2005;32:392-6.

11. Davies, A.N., Broadley, K., Beighton, D. Xerostomia in patients with advanced cancer. J Pain Symptom Manage 2001; 22: 820-5.

12. Hye Jung C. Haa-Na S. Jung Hun K. Korean J Hosp Palliat Care 2016; 19(4): 331-4.

13. Jones, C.G. Chlorhexidine: is it still the gold standard? Periodontol 1997; 15: 55-62.

14. Mandel, I.D. Oral infections: impact on human health, well-being,and health-care costs. Compend Contin Educ Dent 2004; 25(11): 881-2, 884, 888-890.

15. National Pressure Ulcer Advisory Panel. Pressure Ulcer Definition and Stages. Washington, DC: http://www.npuap.org.

16. Olsson, H. and Axell, T. Objective and subjective efficacy of saliva substitutes containing mucin and carboxymethylcellulose. Scand J Dent Res 1991;99:316-9.

17. Paul, R., Paul, R., and Jansen, C.T. Itch and malignancy prognosis in generalized pruritus: a 6-year-follow-up of 125 patients. J Am Acad Dermatol 1987;16:1179-82.

18. Pieper B. Pressure ulcers: Impact, etiology, and classification. In: Bryant RA, Nix DP, (eds). Acute & Chronic Wounds: Current Management Concepts, 4th edn. St. Louis, MO: Elsevier Mosby, 2012.

19. Quigley CS, Baines M. Descriptive epidemiology of sweating in a hospice population. J Palliat Care 1997;13:22-6.

20. Robinson, P.G., Deacon, S.A., Deery, C. et al. Manual versus powered toothbrushing for oral health. Cochrane Database Syst Rev 2005;(2):CD002281.

21. Rydholm, M. and Strang, P. Physical and psychosocial impact of xerostomia in palliative cancer care: a qualitative interview study. Int J Palliat Nurs 2002;8:318-23.

22. Shorthose, K. and Davies, A. Symptom prevalence in palliative care. Palliat Med 2003;17:723-4.

23. Sreebny, L.M. and Schwartz, S.S. A reference guide to drugs and dry mouth—2nd edition. Gerodontology 1997;14:33-47.

24. Stewart, C.M., Jones, A.C., Bates, R.E., Sandow, P., Pink, F., Stillwell, J. Comparison between saliva stimulants and a saliva substitute in patients with xerostomia and hyposalivation. Spec Care Dentist 1998; 18(4): 142-8.

25. Davies, A.N. A comparison of artificial saliva and chewing gum in the management of xerostomia in patients with advanced cancer. Palliat Med 2000;14:197-203.

26. Sweeney, P. and Davies, A. (2010). Oral hygiene. In A.N. Davies and J.B. Epstein (eds.) Oral Complications of Cancer and its Management, pp.43-51. Oxford: Oxford University Press.

27. Tranmer, J.E., Heyland, D., Dudgeon, D., Groll, D., Squires-Graham, M., Coulson, K. Measuring the symptom experience of seriously ill cancer and noncancer hospitalized patients near the end of life with the Memorial Symptom Assessment Scale. J Pain Symptom Manage 2003;25:420-9.

28. Twycross R. Sweating in advanced cancer. Indian J Palliat Care 2004;10:1-11.

29. Walls, A. (2005). Domiciliary dental care. In A. Davies, and I. Finlay (eds.) Oral Care in Advanced Disease, pp.37-45. Oxford: Oxford University Press.

30장
우울, 불안, 수면장애

| 서민석, 함봉진 |

I 완화의료에서의 정신장애

임종이 가까운 환자와 그 가족들은 정신적 고통을 경험하는 경우가 흔하다. 정신적 고통의 원인으로는 현재 겪고 있거나 앞으로 겪을 것으로 예상되는 상실에 대한 슬픔, 미래에 대한 불확실성과 공포, 과거에 해결되지 않았던 문제들, 사랑하는 사람들에 대한 걱정 등이 있다. 이러한 정신적 고통을 가중시킬 수 있는 인자로는 기존에 진단되었거나 완화의료 환경에서 새로 발병한 정신장애, 역기능적인 가족역동, 부적절한 사회적 지지, 개인적 취약성, 실존적 또는 영적 고민, 질환 및 처치로 인한 통증 등의 신체적 불편감, 의료진과의 어려움, 경제적 걱정과 실생활 문제 등이 있다.

완화의료 환경에서는 상당 비율의 환자들이 정신증상과 장애를 가지고 있고 그로 인해 정신적, 신체적, 사회적 고통을 겪고 있다. 데로가티스 등의 연구에 따르면 모든 종류와 병기의 암 환자들 중에서 한 가지 이상의 정신질환 진단 기준에 부합하는 환자가 47%였으며, 그중 68%가 우울감 또는 불안감이 동반된 적응장애, 13%가 주요우울장애, 8%가 기질적 정신장애인 것으로 나타났다.

말기 환자를 돌보는 의료진들은 환자와 가족들이 겪을 수 있는 정신증상과 장애를 평가하고 분류할 수 있어야 하며, 적절하게 치료하여 효과적으로 환자 및 가족들의 고통을 줄여줄 수 있어야 한다.

II 우울장애

말기환자에서 주요 우울장애의 유병률은 진단 기준이나 환자군에 따라 차이가 있지만 3~38%로 일반 인구에서의 평생 유병률인 16.6%보다 높고 경도우울장애까지 포함하면 58%에 이른다. 호스피스 완화돌봄을 받는 말기 암 환자를 대상으로 한 메타 분석에서 전체 우울장애 유병률은 38%였다.

우울증은 신체적, 사회적, 실존적 고통과 관련이 있으며 삶의 질을 떨어뜨리는 주요 요인이다. 우울증상을 적절히 관리해 주지 않을 경우 환자들이 치료에 소극적으로 되고 입원 기간이 늘어나며 자살에 대한 생각이 많아지고 생존율이 떨어진다. 우울증상이 심하면 정보를 통합하는 능력이 떨어지고 다른 증상을 참지 못하게 된다. 또한, 사회적으로 단절되거나 평소 소중히 여기던 것들로부터 멀어지고 결국 환자의 남은 삶을 무의미하게 만들기도 한다.

수면장애, 의욕저하로 인한 신체활동의 저하, 면역기능의 변화 등으로 인하여 치료 후 회복이 지연되고 감염 등 의학적 합병증이 증가할 수 있다.

1. 위험요소

호스피스 완화돌봄을 받는 말기 암 환자의 경우 아래와 같은 우울장애의 위험요소가 있는지 확인해야 한다. 위험요소를 가지고 있는 고위험군의 경우 주기적으로 정신상태를 평가하고 정신적 지지를 강화해 주어야 한다.

1. 우울증의 과거력 또는 가족력
2. 진단 당시 이미 말기 암으로 판정된 경우
3. 암 이외에 동반된 스트레스 요인(예; 최근의 사별경험)
4. 조절되지 않는 신체 증상이 있는 경우(예; 통증)
5. 신체장애가 심해지고 일상수행 능력이 저하되는 경우
6. 나이가 어리거나 가족의 지지가 약한 경우
7. 알코올 또는 약물 남용의 과거력
8. 약물사용: Steroid, interferon-alpha, interleukin-2, amphotericin-B, procarbazine, l-Asparaginase, paclitaxel

2. 평가 및 진단

1) 평가

호스피스 돌봄을 받는 환자들에서 우울장애는 간과되는 경우가 많기 때문에 선별검사를 통해 추가 평가가 필요한지 확인하는 것이 필요하다. 우울장애를 선별하기 위해서는 우울장애의 신체적인 증상보다는 죄책감, 무가치감, 무력감, 사회적 위축, 자살 생각과 같은 심리적 증상이 있는지 확인하는 것이 더 중요하다. 환자들이 자신의 감정을 표현하지 않을 수도 있기 때문에 가족이나 친구들의 관찰을 참고하는 것이 우울증상 평가에 도움이 된다. 간단한 자기보고식 검사는 구조화된 심리 검사와 비교할 때 위양성의 결과를 보일 가능성이 높지만 임상에서 쉽게 사용이 가능하다는 장점이 있다. 우울 장애를 선별하는 방법에는 다음과 같은 것들이 있다.

(1) "지난 2주간 하루 대부분 우울한 느낌이 들었습니까?"라고 간단히 물어보는 것은 우울 증상에 대한 추가적인 평가가 필요한 대부분의 환자를 선별하는 데 유용하다.

(2) Hospital Anxiety and Depression Scale (HADS): 우울장애의 신체증상들에 대한 문항이 빠져 있어 말기 암 환자에서 주요 우울장애를 선별하는 데 유용하게 사용될 수 있다. 82%의 민감도와 77%의 특이도를 나타낸다고 알려져 있다.

(3) Patient Health Questionnaire-9 (PHQ-9): 비교적 간단하게 우울증상에 대한 평가가 가능하다. 신뢰도가 높고 널리 사용되고 있는 평가 방법이다.

(4) Distress Thermometer (DT): 0~10점의 시각적 척도와 함께 고통의 원인을 신체적, 정서적, 가족적, 실생활, 영적 문제의 다섯 가지 영역으로 세분하여 표시하도록 만든 방법이다. 4점 이상으로 측정되면 중등도 이상의 고통으로 간주하고 정신건강 전문가에게 자문을 구하도록 권고하고 있다. 이 방법은 빠르고 직접적인 우울 증상 평가가 가능하나 단독 검사로서의 신뢰도가 떨어진다.

(5) 기타 검사
- Beck Depression Inventory (BDI)
- Center for Epidemiologic Studies Depression Scale

7부

(CES-D)

- Edinburgh Depression Scale
- Brief Symptom Inventory
- Zung Self-Rating Depression Scale

2) 진단

주요 우울장애를 진단하기 위해서는 다음의 9가지 증상 중 '우울한 기분' 또는 '흥미나 즐거움의 상실'을 포함하여 5가지 이상의 증상이 2주 이상 거의 매일, 하루종일 지속되어야 하며, 경도우울장애는 2~4가지 증상이 지속되는 경우 진단할 수 있다.

(1) 거의 하루 종일 지속되는 우울한 기분

(2) 거의 모든 활동에서 흥미와 즐거움의 상실

(3) 현저한 체중 변화 또는 식욕의 변화

(4) 수면 장애(불면 또는 수면 과다)

(5) 정신운동성 초조 또는 지체

(6) 에너지 상실 또는 피로

(7) 집중력 저하

(8) 과도하게 죄책감을 느끼거나 무가치하다고 느낌

(9) 죽음에 대한 생각 또는 자살사고, 자살기도

조절되지 않는 통증 또는 다른 신체증상, 과도한 신체적 집착, 환자의 의학적 상태와 맞지 않는 비특이적 증상, 절망감, 혐오감, 의료진에 관심 없는 모습, 치료에 소극적이거나 치료를 거부하는 행동 등은 우울증에 기인하는 경우가 많기 때문에 우울증 진단에 참고가 된다.

완화의료 환자의 우울장애 진단에서 주의해야 할 점은 무력감, 식욕부진, 집중력 장애, 수면 장애 등 우울장애의 주요 증상들이 말기 암 환자에서 신체질환 및 치료와 동반되어 흔히 나타날 수 있기 때문에 감별에 어려움이 있다는 것이다. 이로 인하여 우울장애가 과도하게 진단되거나 반대로 진단이 잘 이루어지지 않을 수 있다. 암 환자들의 15~50%에서 일상생활에 불편을 초래하는 우울 증상을 호소함에도 실제 주요 우울장애의 진단이 이루어지는 경우가 적다는 연구는 이러한 완화의료 환자의 특성과 관련이 있을 수 있다.

3) 치료

우울장애를 치료할 때는 우울증상의 정도와 지속기간, 기능에 영향을 미치는 정도, 환자의 의학적 상태 등을 고려해야 한다. 약물치료와 심리치료 모두 효과적인 것으로 알려져 있다. 중증의 주요우울장애는 약물치료와 정신치료를 병행하는 것이 더 효과적일 수 있어 정신건강의학과에 의뢰하는 것이 필요하다. 다음과 같은 경우에는 정신건강의학과의 협진이 필요하다.

- 심각한 우울증상을 보이거나(예; 자살 경향) 점진적인 악화를 보이는 경우
- 약물치료 진행에도 효과가 없는 경우
- 환자의 의학적 상태 또는 약물 부작용으로 우울증 치료에 어려움이 있는 경우

(1) 비약물 치료

말기 암 환자의 정신치료에는 정신교육, 존엄치료, 이완요법, 인지행동치료, 문제해결치료, 대인관계 정신치료, 지지적 정신치료, 집단정신치료 등이 있다. 존엄치료는 임종이 가까운 경우에 정신사회적 및 실존적 고통을 줄여주기 위해 개발된 치료이다. 존엄과 관련된 문제들과 실존적 고통에 대한 개별화된 정신치료를 통해 임종과정 동안에서 삶의 목적과 의미를 보존하도록 도와준다. 존엄감의 상승과 함께 우울증상과 가족들의 고통이 감소하는 효과가 있다. 인지행동치료는 부정적인 생각을 줄이고 심리적으로 적응할 수 있도록 문제 행동과 사고를 인지하고 변화시키도록 도와주는 심리치료이다. 진행암 환자를 대상으로 한 연구들에서는 인지행동치료가 효과적이라는 연구 결과가 많고, 경도에서 중등도의 우울 장애에서는 항우울제와 효과가 비슷한 것으로 나타났다. 문제해결치료는 환자가 직면한 문제에

대해 적절히 적응할 수 있도록 도와주는 간단한 심리치료이다. 환자와 의료진은 환자의 삶에 고통을 야기하는 문제를 함께 확인하고 가능한 해결방법에 대해 논의한 뒤, 전략을 선택하여 실행에 옮긴다. 문제해결치료에 대한 유효성은 연구 결과가 아직 부족하지만 여명이 길지 않은 말기 암 환자에서 간단하게 사용할 수 있는 방법이다. 심리적 치료 이외에도 음악치료, 마사지 요법 등의 보완대체요법도 우울 장애에 이용되고 있으나 실제 효과가 있는지는 추가적인 연구가 필요하다.

(2) 약물치료

만성 신체 질환을 가진 환자들에서 항우울제가 효과적이라는 연구결과는 있지만 암 환자들을 대상으로 한 약물 치료의 효과에 대한 연구는 많지 않다. 임상적으로 사용이 가능한 항 우울제는 삼환계 항우울제, 선택 세로토닌 재흡수 억제제, 비전형적 항우울제와 정신 자극제가 있다. 약물을 결정하기에 앞서 증상의 정도, 여명과 치료 효과를 보이기까지 걸리는 시간, 환자의 선호도, 약물 투여로 나타날 수 있는 부작용, 이미 복용 중인 약물과의 상호작용 등을 고려해야 한다. 저용량으로 시작하고 천천히 증량하면서 효과와 부작용을 세심하게 관찰해야 한다. 장기간 경구 약물을 유지하던 환자가 경구 투약을 할 수 없게 되면 금단 증상이 발생할 수 있다.

① 항우울제

삼환계 항우울제에는 nortriptyline, amitriptyline, doxepin, desiparmine 등이 있다. 항우울 효과는 선택 세로토닌 재흡수 억제제와 비슷하지만 치료 범위가 좁아 과복용 했을 때 치명적이고 변비, 입마름, 부정맥, 기립성 저혈압 등의 부작용을 유발하거나 섬망을 악화시킬 수 있기 때문에 호스피스 돌봄 상황에서 우울장애의 1차 치료제로 사용되지 않는다. 신경통증이 동반된 우울장애 환자에서 소량 사용을 고려해 볼 수 있다.

선택 세로토닌 재흡수 억제제에는 fluoxetine, paroxetine, sertraline, citalopram 등의 약물이 있다. 삼환계 항우울제와 비교하여 항콜린성 부작용이 적다는 장점이 있으나 두통, 오심, 불면증 등의 부작용이 나타날 수 있다. 말기 암 환자에서는 일반적으로 사용하는 용량의 절반으로 투여를 시작하는 것이 좋다. 선택 세로토닌 재흡수 억제제를 사용할 때는 기존에 사용하는 약물과의 상호작용을 고려해야 하는데 tramadol, 마약성 진통제, ondansetron과 같은 약물을 함께 복용하는 경우 드물지만 세로토닌 증후군이 발생할 수 있으므로 주의해야 한다. Paroxetine과 fluoxetine의 경우 oxycodone, codeine과 같은 마약성 진통제와 같이 사용 시 진통효과를 경감시킬 수 있다.

비전형적 항우울제에는 mirtazapine, bupropion, trazodone, venlafaxine 등의 약물이 있다. Trazodone은 수면장애가 동반된 경우 효과적으로 사용할 수 있다. Mirtazapine은 진정작용, 식욕증가, 항구토 효과가 있기 때문에 수면장애나 체중 감소가 동반된 환자에게 도움이 될 수 있다. 진정작용이 있기 때문에 취침 전에 사용하며, 간혹 진정효과가 과도하게 나타나는 경우가 있기 때문에 주의가 필요하다. Bupropion은 무기력, 피로 등의 증상에 도움이 되고 식욕을 줄여 주는 효과가 있다. 아침에 투여해야 하고, 경련의 역치를 낮추기 때문에 경련의 과거력이 있거나 경련의 가능성이 높은 경우, 특히 뇌의 악성 종양이 있는 경우에는 주의가 필요하다.

② 정신자극제

선택 세로토닌 재흡수 억제제, 비전형적 항우울제, 삼환계 항우울제 등의 약물들은 치료효과가 나타나는 데 수주 정도 시간이 필요하기 때문에 기대 여명이 짧은 말기 암 환자의 경우 효과가 나타나기까지 우울장애로 인한 고통이 지속된다. 그에 비해 정신자극제는 수일 내에 치료효과가 나타나기 때문에 여명이 수일에서 수주 정도 예상되는 환자에서 효과적으로 사용할 수 있

7부

다. 정신자극제에는 methylphenidate와 modafinil, pemo-line, dextroamphetamine 등이 있으며 methylphenidate가 흔히 사용된다. Methylpehnidate는 항우울 효과 이외에도 피로감 및 마약성 진통제로 인한 진정을 개선하고 식욕증진에도 도움이 된다고 알려져 있다. 다만 불안감, 빈맥, 섬망, 불면증, 입마름, 구토 등의 부작용이 나타날 수 있으니 주의해야 한다. Methylphenidate는 2.5~5 mg으로 시작하여 반응에 따라 증량할 수 있다. 아침, 정오에 2회 투여하거나 아침에 1회 투여하면 되고, 불면증을 유발할 수 있기 때문에 저녁에는 투여하지 않는다.

III 불안장애

불안은 신체적 질병, 특히 생명을 위협하는 질병과 같은 스트레스 자극에 대한 일반적인 반응이다. 이러한 불안을 적절히 수용하지 못할 경우 병적으로 진행하여 건강한 생활에 문제를 야기하게 된다. 암을 진단 받은 환자들에게서 불안은 미래에 대한 불확실성과 고통, 죽음의 공포에 대한 일반적인 반응으로 나타난다. 암 환자에서 불안은 고통스러운 항암치료를 견디어 내게 하는 긍정적인 측면도 있지만 과도한 불안이 지속되면 현실에 대한 판단력이 떨어지고, 비효율적인 의사결정을 하고, 증상 악화나 치료 중단 같은 부정적인 결과에 이를 수 있기 때문에 의료진들의 섬세한 관심이 필요하다.

1. 정의

불안장애는 임상적으로 병적인 수준의 과도한 불안과 걱정, 공포감이 나타나는 경우로 정의하고 범불안장애, 공황장애, 외상 후 스트레스 장애 등을 포함한다. 실제 암 환자의 다수가 불안장애를 가지고 있는 것으로 알려져 있지만 암 환자, 특히 여명이 길지 않은 말기 암 환자에게 수개월 동안 증상이 지속되어야 진단할 수 있는 기준은 적용하기가 쉽지 않다.

2. 유병률 및 삶에 미치는 영향

일반 인구의 약 5%가 범불안 장애를 가지고 있는 것에 비해 암 환자에서는 10~30% 정도가 불안장애를 가지고 있는 것으로 보고된다. 호스피스 돌봄을 받는 환자에서 두려움이라는 내적 감정을 말로 표현하기 어렵고 그로 인해 진단이 간과되기 쉽다는 점을 고려하면 실제 유병률은 그보다 높을 것으로 생각된다. 또한 검사 결과를 기다리거나, 좋지 않은 검사 결과를 통보받는 경우, 새로운 증상이 나타나는 등의 특수한 상황에 따라 일시적으로 나타나는 불안 반응은 실제 유병률에 포함되지 않을 가능성이 높기 때문에 더 많은 환자들이 불안으로 인한 어려움을 겪고 있다는 점을 염두에 두어야 한다. 불안장애가 동반된 암 환자의 경우 감정 기능과 수면에 장애가 발생한다고 보고된 바 있다.

3. 증상

불안에 기인하는 증상은 다양하게 나타날 수 있다. 신체적 증상으로는 자율신경계의 항진과 관련하여 몸이 떨리거나 식은땀이 나고 가슴이 두근거리거나 호흡이 가빠지고 안절부절 못하는 모습이 나타나게 된다. 심리적인 증상으로는 걱정, 공포감 등이 나타날 수가 있다.

4. 평가 및 진단

1) 선별 검사 및 평가

불안장애를 진단하고 치료하기 위해서는 먼저 이를 선별하고 평가하는 과정이 필요하다. 자기보고식 설문지를 통한 선별 도구들은 불안 등의 증상이 있는지와 증상의 정도를 간단히 확인할 수 있게 해주며 좀 더 심도 있는 평가를 위해 정신건강의학과 전문의에게 의뢰를 할지를 결정하는데 도움을 준다. 암 환자에서는 일반적인 공포감과 불확실성이 종종 심하게 나타날 수 있고,

정상적인 공포 반응과 불안 장애를 진단할 수 있을 정도의 심한 공포반응을 구분하기가 어렵기 때문에 주의가 필요하다. 호스피스 돌봄을 받는 말기 암 환자의 불안을 확인하기 위해 의료진들은 먼저 환자의 언어적인 또한 비언어적인 신호에 주의를 기울여야한다. "이번 주에 얼마나 많이 불안하다고 느끼셨나요?"라는 비교적 간단한 질문을 통해서도 불안을 신속하게 선별할 수 있다. 아래와 같은 자기보고식 설문지는 점수로 증상의 정도를 확인할 수 있어 심리기능 측정에 있어서 좀 더 효과적이며, 몇몇 도구들은 환자를 대상으로 한 연구 결과를 바탕으로 한 기준점이 정해져 있는 것들도 있다. 암 환자에서 무작위비교연구로 치료의 결과를 보고한 연구를 분석했을 때, Hospital Anxiety and Depression Scale이 심리기능 측정 및 불안의 치료효과를 확인하는데 있어서 가장 우수한 것으로 나타났다. 임상적으로 의미 있는 수준의 불안이 있는 것으로 선별된 환자는 구조화된 면담과 치료 계획을 세우기 위해 정신건강의학과에 의뢰하는 것이 좋다.

(1) Distress thermometer (DT)

미국 국립 종합 암 네트워크(the National Comprehensive Cancer Network, NCCN)에서 개발되었으며, 가장 널리 연구가 된 방법이다. 정신적 고통의 정도는 0~10점까지 평가한다. 4점 이상인 경우에는 추가적인 평가와 치료를 위해 의뢰하는 것을 권고하며, 그 미만인 경우에는 선택적으로 의뢰를 고려할 수 있다.

(2) Brief Symptom Inventory (BSI)

15장 표 15-8 참조

(3) Brief Symptom Inventory-18 (BSI-18)

(4) Hospital Anxiety and Depression Scale (HADS)

HADS는 모두 14개의 문항으로 이루어져 있으며 각각의 문항은 0~3점까지의 4점 척도로 되어 있다. 불안과 우울에 관한 각각의 가능한 점수 범위는 0~21점으로 점수가 높을수록 불안과 우울의 정도가 심한 것으로 간주한다. 8~10점인 경우는 경증의 불안이 있는 것으로 11~21점은 중등도 이상의 불안증상이 있는 것으로 구분할 수 있다.

2) 감별진단

불안장애는 다른 정신장애의 증상과 함께 나타날 수 있으며, 조절되지 않는 신체 증상이나 내과적인 질환에 의해 이차적으로 나타날 수 있기 때문에 불안장애를 진단하고 치료하기에 앞서 다음과 같은 원인에 의해 불안이 유발되지는 않는지 확인하는 것이 필요하다.

(1) 조절되지 않는 신체 증상: 통증, 호흡곤란, 빈맥, 오심
(2) 대사 불균형: 저산소증, 저혈당, 고칼슘혈증
(3) 약물: 항정신병 약물에 의한 정좌불능, 스테로이드, 기관지확장제, 정신자극제, 갑상선 호르몬, 항히스타민제, 벤조디아제핀의 역설반응(특히 노인), 약물 금단증상(알코올, 마약성 진통제, 진정 수면제)
(4) 정신질환: 섬망, 우울장애
(5) 내과적 질환: 폐색전증, 패혈증, 출혈, 심혈관질환, 심부전, 갈색세포종, 갑상선암, 부갑상선암, 부종양증후군

4. 치료

치료의 목적은 불안감과 이로 인한 불편함을 감소시키고 일상생활 능력을 개선하는 것이다. 불안장애의 치료에는 약물치료와 비약물적 치료를 병행하는 것이 효과적으로 알려져 있으며, 불안 증상이 효과적으로 개선되면 수면이 향상되고 가족 및 타인과의 대화가 원활해지고 자살의 위험이 감소된다.

7부

1) 비약물적 치료

먼저 불안 증상을 유발할 수 있는 상황에서 효과적으로 대처할 수 있는 방법을 환자에게 설명해 주는 것이 도움이 된다. 불안 증상이 임박한 죽음과 관련이 있다면 임종 과정에 대해 자세히 설명해 줌으로써 불확실성을 줄여주는 것이 도움이 된다. 앞으로의 여명과 예후에 대하여 환자와 논의하는 것은 불안 증상을 줄여준다. 진실한 태도와 공감하는 마음을 가지고 환자와 관계를 형성하면 돌봄 과정에서 어려운 결정을 내려야 할 때 도움이 된다. 퇴원 계획을 포함한 돌봄의 방향을 정할 때 의료진과 환자, 가족들이 함께 논의하는 것이 필수적이다. 그렇게 함으로써 환자가 불안함을 호소할 때 정서적으로 지지해주고 심리적 안녕을 제공할 수 있기 때문이다. 불안 장애에 대한 비약물적 치료로는 지지치료, 인지행동치료, 이완요법, 명상 등이 있다. 비약물적 치료 중 가장 많은 연구가 이루어져 있는 것은 인지행동 치료 및 지지표현 요법이다. 인지행동치료는 생각과 행동의 형태를 변화시키는 기술을 예행 연습하는데 중점을 두는 방법이며, 지지표현 심리치료는 환자에게 그들의 암과 관련된 경험을 올바르게 처리할 수 있도록 돕는 방법이다. 암 환자를 대상으로 한 심리사회적 치료의 효과에 대한 연구들에 따르면 불안을 감소시키는 효과는 미미한 것으로 보고되고 있다.

2) 약물적 치료

불안 장애에 사용하는 약물에는 벤조디아제핀 등의 항불안제, 항우울제, 항정신병 약물 등이 있다. 모든 약제는 가급적 단기간 사용하고, 주기적인 재평가를 통해 효과 및 부작용을 확인해야 한다. 또한 말기 암 환자의 특성을 고려하여 섬망 등의 부작용 발생 및 다른 약물과의 상호작용에 대한 주의가 필요하다. 불안장애가 동반된 말기 암 환자에 대한 약물치료의 효과에 대한 연구는 거의 없기 때문에 건강한 성인을 대상으로 한 연구결과를 바탕으로 각 약물의 특성에 대해 알아보고자 한다.

(1) Benzodiazepine계 약물

가장 널리 사용되고 있는 항불안제로 불안장애가 있을 때 처음 고려해 볼 수 있는 약물이다. 벤조디아제핀계 약물은 걱정 자체를 해소해주지는 않지만 근육 긴장을 풀어주고 과도한 경계심을 풀어줌으로써 불안을 경감시켜주는 효과가 있다. 또한 수면장애에도 효과적인 것으로 알려져 있으며 간혹 항구토제 효과를 위해 사용하는 경우도 있다. Diazepam, clonazapam과 같이 지속 시간이 긴 약물은 만성적인 불안 증상을 호소하는 경우에 사용해 볼 수 있으며, 급성 불안 증상 또는 공황 발작이 있어 빠른 증상 완화가 필요하거나 노인 환자 및 간질환이 있어서 혈중 농도가 높아질 위험이 있는 경우에는 alprazolam이나 lorazepam과 같이 효과가 빨리 나타나고 반감기가 짧은 약물이 적합하다. 벤조디아제핀 계통 약물을 사용할 때는 과도한 진정 작용과 호흡억제가 나타날 수 있다. 특히 마약성 진통제, 항경련제를 함께 복용하고 있는 경우에는 효과가 중첩되어 나타날 수 있기 때문에 주의해야 한다. 의식의 혼란이 있는 경우에는 오히려 섬망을 유발하거나 악화시킬 수 있기 때문에 가급적 사용하지 않는 것이 좋다. Lorazepam은 활성형 대사물질이 없고, 신장에서 배설이 되기 때문에 간 기능이 저하된 경우에 적합하며, 신기능의 저하가 있는 경우에는 lorazepam을 제외한 다른 벤조디아제핀 계통의 약물을 선택하는 것이 좋다.

(2) 항우울제

항우울제는 우울장애가 동반되어 있는 불안에 효과적이다. 삼환계 항우울제는 단기적으로는 벤조디아제핀계 약물과 효과가 비슷하며, 장기적으로는 더 우수한 효과를 보인다. 다만 항콜린성 증상으로 나타나는 졸음, 입마름, 요저류, 변비와 같은 부작용으로 인해 호스피스 완화돌봄을 받는 환자들의 불안 장애에 대한 1차 치료보다는 신경병성 통증 조절에 사용되는 경우가 많다. 선택 세로토닌 재흡수 억제제와 세로토닌 및 노르에피네프린 재흡수차단제는 불안 증상 조절을 위해 장기간 약물 사용이 필요한 경우에 1차 치료로 고려해 볼 수 있다. 항우울제는 효과가 나타나기까지 수 주간의 시간이 필요하기 때문에 충분한 효과가 나타나기까지 벤조디아제핀 계열의 약물을 함께 사용하는 것이 일반적이다. 약 20%의 환자에서 오심, 불면, 졸음 등의 부작용으로 인해 약물 복용을 어려워하는 경우가 있다. 선택 세로토닌 재흡수 억제제 계통의 약물로는 fluoxetine, sertraline, fluvoxamine, citalopram 등이 있으며 세로토닌 및 노르에피네프린 재흡수차단제 계통의 약물로는 venlafaxine, duloxetine 등이 있다. 비전형적 항우울제인 mirtazapine은 진정 작용과 식욕 증가의 효과가 있어 불면증과 식욕저하 증상이 동반된 경우 사용해 볼 수 있다.

(3) 항정신병 약물

항정신병 약물은 불응성 불안 장애가 있거나 특수한 임상적 상황에서 사용을 고려할 수 있다. 특히 벤조디아제핀 계통의 약물을 사용하고 있음에도 조절이 잘 되지 않는 불안 증상을 호소하거나, 뇌전이가 동반된 경우와 같이 벤조디아제핀 약물의 효과가 떨어질 것으로 예상되는 경우에 항정신병 약물의 사용이 도움이 된다. 또한 섬망, 치매나 다른 합병증의 위험성이 있는 경우 저용량으로 사용을 고려할 수 있다. 완화 돌봄을 받는 환자의 경우 일반적으로 quetiapine, risperidone, olanzapine과 같은 비전형적 항정신성 약물이 선호되며, 악액질이 동반되어 있는 경우에 체중 증가와 같은 부가적인 효과도 얻을 수 있다.

(4) 기타 약물

1차 치료에 반응이 없거나, 심각한 부작용 및 약물 상호 작용이 예상되는 경우 고려해 볼 수 있다. 수면 장애가 동반되어 있는 경우 항히스타민 또는 진정효과가 있는 수면제들이 효과가 있는 경우가 있다. Buspirone은 벤조디아제핀 계통의 약물을 이전에 사용했던 경우에는 효과가 떨어지고, 효과 발현에 2주 이상의 긴 시간이 걸리는 단점이 있으나 우울증이 동반되어 있는 경우나 약물 의존의 위험성이 높은 경우에 사용해 볼 수 있다.

IV 수면장애

수면은 기본적인 인간의 욕구 중 하나이다. 지난 수십 년 동안 수면에 관한 연구가 진행되어 왔으며 이에 대한 지식의 양이 늘어나고 이해는 깊어지게 되었다. 수면 문제는 암과 같은 만성 질환자에서 흔하지만 의료진들은 수면 장애를 만성 질환 또는 말기 질환에서 피할 수 없는 증상으로 생각하는 경향이 있었고, 환자들은 수면에 대해 고심해보지 않았거나 이전에 말기 질환에서 피할 수 없는 부분이라고 묵살당한 경험으로 인해 수면 문제를 의료진에게 알리지 않는 경향이 있었다.

수면장애가 완화의료 환자의 삶의 질에 미치는 영향이 크다는 것이 알려지면서 수면장애는 임상적으로 주목받게 되었고, 정기적인 선별과 적극적인 조절을 하도록 완화의료의 경향이 바뀌고 있다.

1. 수면 주기

수면은 생물학적 리듬에 따라 조절된다. 송과선에서 만들어지는 멜라토닌은 밤에 만들어져 수면 각성 주기에 영향을 준다. 수면은 급속안구운동(REM)과 비급속안구운동(NREM)으로 구성된다. REM 상태는 "몸은 마비되어 있으나 뇌는 고도로 활성화된 상태"로 설명되며, 꿈, 뇌파 활동, 근육의 무긴장, 자율신경의 다양성으로 구성된다. NREM 상태는 "몸은 자유롭게 움직일 수 있고, 상태적으로 뇌는 비활성화된 상태"로 설명되며 뇌파 활동이 느려지고, 수의근이 조절된다. REM과

NREM이 포함된 각각의 수면주기는 약 90분간 지속되고, 7~8시간 정도 수면을 취했을 때 4~6회의 수면 주기가 나타난다.

2. 수면장애의 정의와 분류

수면장애는 정상적인 수면을 방해하는 증상을 호소할 때 진단한다. 수면장애의 국제분류(International Classification of Sleep Disorder, ICSD)에 따르면, 수면 장애는 불면증, 수면 관련 호흡장애, 중추기원의 과다 수면증, 일주기 리듬 수면 장애, 사건 수면, 수면 관련 운동장애, 기타 수면 장애로 구분한다.

불면증은 진행암 환자에서 가장 흔한 유형으로 수면 장애의 약 35%를 차지한다. 잠들기 어렵거나 잠을 유지하기 어렵거나 아침에 일찍 깨서 다시 잠들기 어렵고 이로 인해 피곤함, 집중력 저하, 기억력 저하, 우울, 불안 등의 증상이 나타나서 주간 활동에 영향을 주는 경우 불면증으로 진단한다.

주간 졸음은 만성 질환을 가진 환자에서 특히 흔하게 나타나는 증상으로 질병이나 치료와 관련하여 발생할 수 있다. 특히 진행암 암 환자에서 뇌나 수막의 전이 또는 항암 및 방사선 치료의 결과로 발생할 수도 있다. 주간 졸음이 나타나는 경우 환자는 안정된 것처럼 보이기 때문에 보호자들이 문제로 인식하지 못할 수 있다. 주간 졸음은 경미한 경우 말기 암 환자에게 도움이 될 수는 있지만 과도한 경우 신체 기능을 저하시키거나 가족 및 환경에 대한 사회적 관계를 단절시킬 수 있기 때문에 유의하여 살펴봐야 한다. 주간 졸음은 또한 불면증, 수면 무호흡, 수면 관련 운동 장애와 같은 다른 수면 장애와 관련하여 나타날 수 있기 때문에 가능성이 있는 원인도 함께 평가해야 한다.

밤낮이 뒤바뀌는 현상은 수면 각성 주기의 변화에 따른 현상으로 새벽에 늦게 잠이 들고 오전 늦게 일어나는 경우와 초저녁에 일찍 잠이 들어 새벽에 잠이 깨는 경우로 구분할 수 있다.

하지불안증후군과 주기적 사지운동장애는 대표적인 수면관련운동장애로 하지불안증후군은 다리를 움직이지 않고 가만히 있을 때 불쾌한 느낌, 저린감, 벌레가 기어가는 느낌이 들면서 움직이지 않을 수 없고 그로 인해 쉽게 잠을 이루지 못하는 경우를 말하며, 주기적인 사지운동장애는 수면 중에 급작스럽고 반복적인 사지 운동이 특히 다리에서 나타나는 경우를 말한다. 이로 인해 주간 졸음 또는 피곤함을 호소하게 된다. 하지불안증후군 환자의 약 80% 정도는 주기적 사지운동장애가 동반되어 있다.

사건 수면의 한 형태인 REM 수면행동장애는 REM 수면 기간 동안 꿈과 관련된 이상행동을 보이는 것으로 사지를 흔들거나, 소리를 내고, 침대에서 떨어지는 등의 과격한 행동이 나타나기도 한다.

3. 수면장애의 유병률과 영향

수면장애는 암 환자에서 매우 흔한 증상으로 24~90% 정도의 유병률을 보인다. 말기 암 환자의 경우 수면 장애가 간과되는 경향이 있기 때문에 실제 수면장애 환자는 더 많을 것으로 추정된다.

수면은 인간의 기본적 욕구이면서 또한 면역과 내분비 대사기능에도 중요한 역할을 담당하기 때문에 질적 또는 양적인 수면 부족은 환자의 신체적, 정신적, 인지 사회적 영역에 중대한 영향을 끼치며 삶의 질을 크게 저하시킨다. 실제로 수면 부족은 자극에 대한 대응 능력을 떨어뜨리고, 통증을 악화시키며, 질병을 실제보다 더 심각하게 느끼도록 한다. 데이비슨 등의 연구에 따르면 982명의 암 환자 중에서 31%가 불면증을 호소했다. 불면증이 있는 환자의 89%는 수면 장애가 신체적으로 영향을 주고, 76.3%의 환자는 스트레스에 대처하는 능력에 영향을 준다고 하였다. 72.3%의 환자는 감정적 영향이 있었고, 65%의 환자는 일상생활에 지장을 주었으며 64.7%는 집중하기 어렵다고 하였다. 수면장애는 환자뿐 아니라 돌봄 제공자와 가족에게도 영향을 준다. 특히 오랫동안 말기 상태인 환자를 돌보는 돌봄 제공자는 돌봄의 부담뿐 아니라 환자의 수면 문제로 인해 적절한 돌봄을 제공하지 못하거나 소진될 위험성이 높다. 아직 환자의 수면 장애가 가족 및 돌봄 제공자들의 수면 및 삶의 질에 어떤 관련이 있는지에 대해서는 연구가 부족하다.

4. 수면장애의 위험요소 및 원인

수면장애는 여러 요인의 영향으로 나타난다. 요인들 중에는 가역적인 것도 있고 그렇지 않은 것도 있다. 수면에 영향을 주는 신체적, 심리적, 생활양식의 요소들은 다음과 같다.

1) 신체적 요소

통증, 오심/구토, 호흡곤란, 빈뇨 등의 조절되지 않은 신체 증상은 수면장애를 유발할 수 있다. 신체 증상을 완화시켜 주면 수면의 질을 개선할 수 있다. 휴겔 등의 연구에 따르면 완화 돌봄을 받는 74명의 환자에서 불면증을 호소하는 환자들의 60%는 조절되지 않는 신체증상에 의한 것이었다.

2) 정신적 요소

불안, 우울과 같은 정신 증상은 수면의 질에 영향을 주지만 또한 수면 장애의 결과로 나타날 수 있다. 그러므로 이러한 정신 증상을 평가하기 위해 자세한 과거력 조사가 중요하다. 완화병동에 입원한 123명의 진행암 환자를 대상으로 한 연구에서 불안하고 우울하다고 느끼는 환자들은 수면 후에도 회복이 잘 안되고 악몽을 좀 더 자주 경험한다고 보고하였다.

3) 행동적 요소

입원한 환자들은 낮에 활동이 적고 낮잠을 자주 자기 때문에 수면각성주기에 지장이 생기는 경향이 있다.

4) 인지적 요소

개인 건강에 대한 고민이나 가족 또는 친구에 대한 고민 또한 수면 장애에 영향을 끼친다. 데이비슨 등의 연구에 따르면 52%의 환자는 그들의 생각이 수면 장애에 영향을 주는 것 같다고 보고하였다.

5) 약물

스테로이드, 정신자극제와 같이 수면을 방해하는 자극적인 효과를 가진 약들이 완화병동에서 흔히 사용되고 있다. 데이비슨 등은 수술, 항암, 방사선 치료와 같은 암 치료를 6개월 내에 받은 경우 수면장애가 나타난다고 보고하였다.

6) 감정적 요소

공포와 분노와 같은 부정적인 감정을 가지고 잠자리에 들면 수면이 불량해진다. 불안과 우울과 같은 정신과적 문제들은 수면 장애로 나타날 수도 있다.

7) 환경적 요소

전형적인 급성기 병동 환경은 환자의 수면각성 주기에 지장을 초래한다. 전자 기기에서 나는 소음과 빛 그리고 야간 투약과 혈압 측정 등 기본 처치들 또한 수면의 양과 질에 영향을 줄 수 있다.

5. 평가 및 진단

수면장애의 높은 유병률과 삶의 질에 미치는 영향을 고려하면 완화 돌봄을 받는 모든 환자에서 수면 문제가 있는지를 확인하는 것은 필수적이다.

1) 수면력 확인

수면장애를 진단하기 위해서는 포괄적인 평가가 필요하다. 수면 주기를 파악하고 수면장애와 관련된 증상의 유무를 확인해야 한다.

   (1) 수면과 관련된 증상 평가: 수면을 시작하거나 유

지하는 것이 어려운지, 이른 시간에 잠에서 깨는지, 자고 나도 회복되는 느낌이 없는지, 주간 활동에 미치는 영향은 어떤지를 확인

(2) 수면 장애의 시작, 빈도, 변화, 지속 기간 평가

(3) 수면 장애를 유발할 만한 유발인자, 지속 요인, 원인, 악화요인(약물, 알코올, 카페인, 니코틴 등) 파악

(4) 내과적, 정신과적 과거력을 확인하여 다른 요인들이 수면 문제와 관련 있는지 파악

(5) 이전에 수면 장애를 치료받은 적이 있는지와 치료 반응이 어떠했는지 확인

2) 수면 평가 도구

다른 암성 증상과 마찬가지로 수면장애가 있는지를 먼저 인식하는 것이 중요하다. "잠은 잘 주무셨어요?"라는 단순한 질문으로 수면에 대한 평가를 진행하고 환자를 선별한다. 수면장애의 여러 요소들을 고려하여 다음이 같이 평가한다.

(1) 주관적 평가 도구

수면 잠복기(sleep latency), 수면의 질, 수면에 대한 만족도 등에 대한 자기보고식 평가 방법으로 수면 질 설문지, 수면력 설문지, 수면 일지, 주간 수면 설문지들을 이용하여 평가할 수 있다. 피츠버그 수면의 질 지수(Pittsburgh Sleep Quality Index, PSQI)는 자기보고식 평가 방법으로 임상 연구에서 가장 흔히 사용되는 방법이다. PSQI는 주관적인 수면의 질, 수면잠복기, 수면지속시간, 수면효율, 수면약물의 사용이나 주간 기능저하 등에 대해 측정함으로서 수면의 질과 패턴을 구분하는 방법이다. 에드몬튼증상척도지(the Edmonton Symptom Assessment System, ESAS)는 암 환자가 24시간 동안 흔히 경험하는 수면 장애를 포함하여 통증, 피곤함 등의 10가지 증상에 대해 평가하는 방법으로 10점 중에서 3점 이상인 경우 수면 장애가 있는 것으로 평가

할 수 있다(민감도 86%, 특이도 53%). 이외에도 수면장애의 여부 및 치료에 대한 효과를 평가하는 데 사용되는 수면 일지와 같은 방법도 있다.

(2) 객관적 평가 도구

수면장애를 평가하는 데 사용되는 객관적인 도구에는 수면다원검사와 액티그라피가 있다. 수면다원검사는 뇌파, 심박수, 호흡수, 상기도 기류, 근전도 등을 기록하는 방법으로 특정한 수면장애를 확진하고 감별하는 데 필수적이기는 하나 호스피스 돌봄을 받는 말기 암 환자에서는 복합한 검사 방법과 비용 문제로 인해 사용하기 어렵다. 팔목에 착용하는 액티그라피는 몸의 움직임을 측정하여 수면 및 각성 시간을 확인하는 방법이다.

(3) 감별진단

수면장애는 많은 심리사회적 상황과 정신과적 질환과 동반되어 나타난다. 그러므로 우울증, 불안장애, 정신병적 증상, 스트레스 등의 문제가 있는지 확인이 필요하다. 정신과적 질환과 수면장애의 관계는 복잡하기는 하지만 정신과적 질환으로 인한 이차적인 증상으로 수면장애가 나타난 것이라면 정신질환에 대한 치료가 수면장애를 개선하는 데 도움이 된다. 특히 우울증은 암환자의 25~50% 발생하는 흔한 정신 질환으로 90% 이상의 우울증 환자가 수면장애를 경험한다. 불안증 또한 수면장애와 흔히 동반되며 특히 임종기의 환자에서 죽음에 대한 불안증상이 수면장애를 유발할 수 있다. 통증은 말기 암 환자에서 수면장애를 진단하기 전에 꼭 평가해야 할 주요한 증상이다. 통증은 수면장애를 유발할 수도 있지만 수면장애로 인해 통증이 악화될 수 있다. 수면의 질을 통해 다음날 통증의 정도를 예측할 수도 있다는 연구 결과도 있고, 통증이 심하고 수면장애가 나타나는 경우 자살의 위험이 급증한다는 보고도 있어 통증은 수면장애를 진단하기에 앞서 꼭 평가해야 할

문제이다. 이외에도 말기 암 환자에서 동반된 만성질환이 있는 경우 수면장애가 흔히 나타나고 때로는 증상을 악화시키는 것으로 알려져 있어 수면장애를 유발할 수 있는 질환을 확인하고 치료하는 것이 선행되어야 한다.

6. 치료

수면장애의 치료는 수면위생과 인지, 행동의 조절을 포함하는 비약물적 치료와 정신과 약물을 사용한 약물치료로 나눌 수 있다. 이차적인 원인이 동반되어 있는 경우 이에 대한 치료가 이루어져야 수면장애가 개선될 수 있다.

1) 비약물적 치료

인지행동치료는 인지와 행동의 교정을 통해 수면장애에 대한 교정을 시도하는 기법이다. 인지치료로는 수면에 대한 잘못된 주관적 인식의 교정, 수면에 대한 그릇된 인지의 교정, 수면위생에 대한 교육이 있다. 행동치료로는 환자의 수면 관련 행동을 변화시킴으로써 수면장애를 호전시키는 기법으로 인지치료에서 배운 수면위생을 실천하도록 하며, 수면 시 TV 등의 자극을 감소시키고, 침대에 누워 있는 총 시간을 줄이는 수면제한, 이완훈련 등이 있다. 인지행동 치료는 부작용과 내성이 없어 지속적인 사용이 가능하다는 것이 장점이나, 주기적인 연습과 노력이 필요하여 의욕, 신체적 에너지가 부족한 환자들의 경우에는 실행에 어려움이 있다. 수면장애가 발생한 암 환자들을 대상으로 인지행동치료를 시행하였을 때 효과적으로 증상이 호전되었다는 연구가 있다.

2) 약물적 치료

수면장애가 있는 말기 암 환자에서 약물치료가 효과가 있는지에 대한 연구는 매우 적다. 불면증이 있는 일반인들을 대상으로 한 약물 치료의 효과에 대한 최근 연구들을 바탕으로 호스피스 돌봄을 받는 말기 암 환자에서 수면장애 증상 개선을 위한 약물 치료가 흔히 이루어지고 있다. 약물 선택에 있어서는 수면장애의 양상 및 내과적 또는 심리적 상태, 나이와 이전 약물 치료 효과에 대한 고려가 필요하다. 일단 약물 치료를 시작했다고 하더라도 주기적인 재평가를 통해 효과와 부작용에 대한 확인이 필요하며, 경우에 따라 약물 용량 조절 및 약물 교체도 염두에 두어야 한다. 약물을 처방하기에 앞서 불면으로 인한 고통이나 삶의 질 저하가 심할 경우에만 사용을 고려해야 하고, 지속적으로 약물을 사용하기보다는 필요할 때마다 사용하는 것이 권장된다.

(1) Benzodiazepine계 약물

Benzodiazepine 계통의 약물은 진정 효과로 인해 수면까지 걸리는 시간을 줄여 주고, 수면의 효율을 높여 주기 때문에 수면 장애에 흔히 사용된다. 약리학적 특성에 따라 benzodiazepine계 약물은 지속형과 속효성으로 나눌 수 있으며, 지속형은 복용 후 효과 발현까지의 시간이 길기는 하나 효과가 오래 지속되어 수면 유지가 어렵거나 새벽에 일찍 깨는 경우에 효과적이다. 반면에 속효성 약물의 경우 복용 후 효과가 빨리 나타나며 지속시간이 짧아 잠이 쉽게 들기 어려운 경우에 적합하다.

- Short acting benzodiazepine: triazolam, alprazolam, zolpidem (non-benzodiazepine)
- Intermediate acting benzodiazepine: lorazepam
- Long acting benzodiazepine: clonazepam, diazepam

Benzodiazepine은 불면증에 단기적 효과는 좋지만 내성이 빨리 생기고 장기간 사용할 경우 오히려 수면장애를 유발할 수도 있고 약물에 대한 의존이 생길 가능성이 높기 때문에 주의해야 한다. 또한 반감기가 긴 약물의 경우 낮 시간의 졸림으로 인한 인지장애와 운동장애가 발생할 수 있다. 섬망, 피로감을 유발하거나 마약성 진통제와 함께 사용 시 호흡 억제를 악화시킬 수 있기 때문에 주의가 필요하다.

7부

Zolpidem은 가장 흔히 사용되는 수면 약물로 벤조디아제핀 약물과 비교하여 남용, 의존, 내성, 금단이 적은 것으로 알려져 있다. 일반적으로는 안전하게 사용할 수 있는 약물로 알려져 있으나 말기암과 같은 만성 질환을 앓고 있는 노인 환자들의 경우 대사율이 떨어지거나 약물의 체내 축적이 증가되면서 과도한 주간 졸림을 유발할 수 있고 낙상이나 인지기능 저하 등의 부작용을 나타낼 수 있기 때문에 주의해야 한다.

(2) 진정 효과가 있는 항우울제
수면장애가 우울장애에 동반되어 발생하는 경우 항우울제의 사용을 고려해볼 수 있다. 진정효과가 있는 항우울제로는 삼환계 항우울제 중 amitriptyline과 doxepin, 새로 개발된 항우울제 중에는 mirtazapine이 있다. Mirtazapine은 오심 및 구토의 감소, 식욕 증가의 효과가 있으므로 이러한 증상이 동반된 경우 사용을 고려해 볼 수 있다. 완화의료 환자, 특히 노인 환자는 적은 용량의 약물에도 부작용이 발생할 수 있어 낮은 용량부터 투약을 시작하여 천천히 증량하는 과정이 필요하다. 투약시 과도한 진정을 주의하여야 하며, 삼환계 항우울제의 경우 기립성 저혈압, 심장 독성, 항콜린성 작용에 유의하여야 한다. 우울장애가 동반되지 않은 수면장애에서는 효과에 대한 충분한 검증이 되지 않았기에 완화의료 환자의 수면장애에서 일차 치료약제로의 사용은 권장되지 않는다.

(3) 항정신병 약물
비전형적 항정신병 약물인 quetiapine, olanzapine을 소량으로 사용할 경우 수면장애에 효과적이다. 다만 주간 졸음, 어지럼증, 인지기능저하, 낙상 등의 위험이 있으므로 사용에 주의해야 한다.

(4) 기타 약제
Melatonin은 송과선에서 만들어지는 호르몬으로 일주기를 조절하는 역할을 한다. 서방정 제형의 melatonin은 수면장애에 도움이 될 수 있으며 benzodizepine에서 보이는 금단, 내성, 인지장애 등의 부작용이 관찰되지 않는다. 하지만 간기능, 신장기능이 저하된 환자에서 연구된 바가 없고, 완화의료 환자에 대한 연구가 충분하지 않기에 완화의료 환자의 수면장애에서 일차 치료약제로의 사용은 권장되지 않는다.

V 요약

최선의 호스피스·완화의료를 제공하기 위해서는 전인적인 접근이 필요하다. 신체적 고통뿐 아니라 정신적 고통도 조기에 발견하여 평가하고 진단할 수 있어야 한다. 가장 적합한 심리사회적 서비스를 이용할 수 있도록 치료 계획, 의뢰 경로 등이 제공되어야 한다. 많은 말기 환자에서 정신장애에 대한 진단과 치료가 제대로 이루어지지 않고 있기 때문에 가족뿐 아니라 의료진이 더욱 관심을 가지고 정신질환을 선별하고 평가함으로서 적절한 치료를 통해 말기 환자들의 정신적 고통을 경감시켜 줄 수 있어야 한다.

참고문헌

1. 김석주. 불면증의 약물치료. J Korean Med Assoc 2009;52:719-26.
2. 김선영, 김재민, 김성완 등. 말기 암 환자의 우울증 치료. 대한정신약물학회지 2010;21:51-61.
3. 대한가정의학회. 가정의학. Seoul: 도서출판 진기획; 2013.
4. 송정민, 채정호. 일차 진료에서의 범불안장애의 진단과 치료. 가정의학회지 2005;26: 517-28.
5. 홍승봉. 수면장애 의학. J Korean Med Assoc 2013;56:410-22.
6. Akechi T. Psychotherapy for depression among patients with advanced cancer. Jpn J Clin Oncol 2012;42:1113-9.
7. Block SD. Psychological issues in end-of-life care. J Palliat Med 2006;9:751-72.
8. Bruera E, Higginson I, Gunten CF, et al. Textbook of palliative medicine and supportive care, USA: CRC press; 2014.
9. Cherny NI, Fallon MT, Kaasa S, et al. Oxford Textbook of Palliative Medicine, London: Oxford university press; 2015.
10. Derogatis L. Brief Symptom Inventory 18: administration, scoring, and procedures manual. Minneapolis: NCS Assessments; 2001.
11. Induru RR, Walsh D. Cancer-related insomnia. Am J Hosp Palliat Care 2014;31:777-85.
12. Ita D, Keorney M, O'Slorain L. Psychiatric disorder in a palliative care unit. Palliat Med 2003;17:212-8.
13. PDQ Supportive and Palliative Care Editorial Board. Adjustment to Cancer: Anxiety and Distress (PDQ®): Health Professional Version.
14. PDQ Supportive and Palliative Care Editorial Board. Depression (PDQ®): Health Professional Version.
15. Ramar K, Olson EJ. Management of common sleep disorders. Am Fam Physician 2013;88:231-8.
16. Sateia MJ, Lang BJ. Sleep and cancer: recent developments. Curr Oncol Rep 2008;10:309-18.
17. Stark D, Kiely M, Smith A, et al. Anxiety disorders in cancer patients: their nature, associations, and relation to quality of life. J Clin Oncol 2002;20:3137-48.
18. Traeger L, Greer JA, Fernandez-Robles C, et al. Evidence-based treatment of anxiety in patients with cancer. J Clin Oncol 2012;30:1197-205.

7부

31장

섬망

| 안희경, 장창현 |

섬망(delirium)은 라틴어 'Delirare'에서 유래되었고, 밭고랑을 뜻하는 'lira'에서 파생된 말이다. 이는 이성의 밭고랑, 이성의 올바른 길에서 멀리 벗어나 있다는 뜻으로 '미친 또는 광란'의 상태를 의미한다. 의학적으로 섬망은 다양한 원인을 가진 복합적인 증후군으로 인지, 각성, 그리고 주의력의 장애를 특징적으로 보이며, 암과 같은 말기질환 환자가 경험하는 가장 흔한 신경정신과적 질환이다. 주된 증상으로는 각성 수준, 집중, 사고, 지각, 인지, 정신운동 행동, 감정, 수면-각성 주기의 장애 등이 있다. 무엇보다 섬망의 중요한 특징은 다음 두 가지이다; 1) 갑작스러운 증상 발생(acute onset), 2) 증상의 변동성(fluctuation of symptoms). 섬망은 일반적으로 가역적 과정으로 받아들여지나, 말기질환의 맥락에서는 비가역적일 수 있으며, 임박한 죽음의 전조증상일 수 있다 그림 31-1.

섬망의 발생은 중대한 신체적 장애를 의미하며, 대개 다양한 원인과 관련된다. 중대한 즉각적 이환과 관련이 있을 수 있고, 재원 기간이 길어짐에 따라 입원 비용이 증가할 수 있으며, 장기간에 걸친 인지저하와 연관될 수 있다. 섬망으로 인하여 종종 가족과 의료진 모두 고통을 겪을 수 있으며, 통증과 같은 신체 증상의 인지와 조절이 방해받을 수 있다.

안타깝게도 섬망은 인지율이 떨어지고, 치료율이 낮은 편이다. 신경정신 증상과 징후의 다양성과 변동성으로 인하여 진단과 치료가 늦어질 수 있다. 호스피스·완화의료 전문가는 섬망을 선별할 수 있어야 하고, 정확하게 진단할 수 있어야 하며, 적절한 원인을 밝힐 수

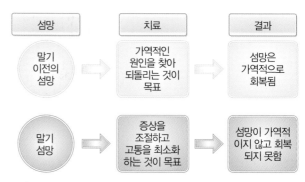

그림 31-1. 말기 이전의 섬망과 말기섬망의 치료적 접근의 차이

있어야 하고, 약물적·비약물적 치료의 위험과 이득에 대해 익숙해야 한다.

I 말기질환에서의 섬망의 역학

완화의료 또는 호스피스 병동 입원 기간 중 섬망의 유병률은 26%에서 62%로 나타나고, 죽음에 임박한 상태(죽음에 이르기까지 1주일에서 수 시간 전까지)에서의 섬망의 유병률은 88%에 이른다.

II 병리생리

최근 연구를 통하여 섬망이 여러 측면의 병태생리와 연관된다는 것이 밝혀졌다. 도파민 관련 경로(dopamine-containing pathway)와 콜린성 경로(cholinergic pathway) 외에도 세로토닌, 감마-아미노부틸산(gamma-aminobutyric acid, GABA), 코티솔(cortisol), 시토카인(cytokines), 활성산소와 같은 여러 신경전달물질(neurotransmitters)과 신경생물회로(neurobiological pathways)가 관련이 있다. 약물 관련 섬망은 약물로 인해 발생한 글루타민성, GABA관련, 도파민성, 콜린성 경로의 장애로 인한 일시적인 시상의 기능 장애(transient thalamic dysfunction)와 관련된다.

최근의 모델은 섬망의 병인을 다음의 두 가지로 설명한다. 1) 직접적인 뇌 침범, 2) 비정상적 스트레스 반응. 직접적인 뇌 침범은 일반적, 국소적 에너지 고갈(예; 저산소증, 저혈당, 뇌경색 등), 약물 효과, 대사적 이상(예; 저나트륨혈증, 저칼슘혈증)을 포함한다. 비정상적 스트레스 반응은 전신적 염증 상태, 질병행동 반응, 변연계-시상하부-뇌하수체-부신축(limbic-hypothalamic-pituitary-adrenal axis)과 관련된다.

III 섬망의 임상 양상 및 임상적 진단

섬망의 임상적 진단을 위한 최적표준(gold standard)은 표준 진단기준을 이용한 임상가의 평가이다. 가장 흔히 사용되는 표준 진단기준은 정신 장애의 진단 및 통계편람 제4판의 개정판(Diagnostic and Statistical Manual of Mental Disorders, fourth edition-text revised, DSM-IV-TR) 또는 대안적으로 사용되는 세계보건기구가 편찬한 국제질병분류 제10판(International classificaton of diseases, 10th edition; ICD-10)이다. DSM-IV-TR의 주된 구성 요소는 의식 장해(disturbance of consciousness), 인지의 변화(change in cognition), 단기간의 변동성의 경과(short and fluctuating chronology), 기저의 의학적 상태의 존재(presence of an underlying medical condition)이다. 2013년 5월에는 미국정신의학회(American Psychiatric Association)에서 정신 장애의 진단 및 통계편람 제5판(Diagnostic and Statistical Manual of Mental Disorders, fifth edition, DSM-5)을 발표하였다. DSM-5의 섬망 진단 기준 **표 31-1**에서 '의식' 이라는 용어 표현은 혼수상태와의 진단적 혼돈을 막기 위해 삭제되었다. 현재는 바뀐 진단 기준에 대해 논란이 있고 DSM-5를 활용하여 축적된 임상 연구 결과가 충분치 않지만 앞으로 활발히 진행될 것으로 기대된다. ICD-10에서의 섬망 진단 기준의 주된 구성은 다음과 같다. 의식과 집중력의 장애(impairment of consciousness and attention), 인지의 전반적 장애(global disturbance of cognition), 정신운동성 장애(psychomotor disturbance), 수면-각성 주기의 장애(disturbance of sleep-wake cycle), 정서 장애(emotional disturbance) **표 31-2**.

섬망은 인지적, 비인지적 신경정신 증상 둘 다를 포

표 31-1. 섬망의 DSM-5 진단기준

A. 주의의 장애(즉, 주의를 기울이고 집중, 유지 및 전환하는 능력 감소)와 의식의 장애(환경에 대한 지남력 감소)

B. 장애는 단기간에 걸쳐 발생하고(대개 몇 시간이나 며칠), 기저 상태의 주의와 의식으로부터 변화를 보이며, 하루 경과 중 심각도가 변동하는 경향

C. 부가적 인지장애(예, 기억 결손, 지남력장애, 언어, 시공간 능력 또는 지각 장애)

D. 진단기준 A와 C의 장애는 이미 존재하거나, 확진되었거나, 진행 중인 다른 신경인지장애로 더 잘 설명되지 않고, 혼수와 같이 각성 수준이 심하게 저하된 상황에서는 일어나지 않음.

E. 병력, 신체 검진 또는 검사 소견에서 장애가 다른 의학적 상태, 물질 중독이나 금단(즉, 남용약물 또는 치료약물로 인한), 독소 노출로 인한 직접적·생리적 결과이거나, 또는 다중 병인 때문이라는 증거가 있음.
　• 다음 중 하나를 명시할 것
　　− 물질 중독 섬망: 이 진단은 진단기준 A와 C의 증상이 임상 양상에서 두드러지고 임상적 주목을 보증할 정도로 충분히 심할 때에만 물질 중독의 진단 대신에 내려져야 함.
　　− 다른 의학적 상태로 인한 섬망: 병력, 신체 검진 또는 검사 소견에서 장애가 다른 의학적 상태의 생리적 결과에 기인한다는 증거가 있음.
　　− 다중 병인으로 인한 섬망: 병력, 신체 검진 또는 검사 소견에서 섬망이 한 가지 이상의 병인을 가지고 있다는 증거가 있음(예, 병인이 되는 의학적 상태가 한 가지 이상, 다른 의학적 상태에 더해지는 물질 중독이나 치료약물의 부작용)
　• 다음의 경우 명시할 것:
　　− 급성: 몇 시간이나 며칠 지속하는 경우
　　− 지속성: 몇 주나 몇 개월 지속하는 경우
　• 다음의 경우 명시할 것:
　　− 과활동성: 정신운동 활동 수준이 과잉되어 기분 가변성, 초조 그리고/또는 의학적 치료에 대한 협조 거부를 동반할 수 있음.
　　− 저활동성: 정신운동 활동 수준이 저조하여 혼미에 가깝게 축 늘어지거나 무기력을 동반할 수 있음.
　　− 혼합성 활동수준: 비록 주의와 의식의 장애가 있지만 정신운동 활동은 보통 수준임. 또한 활동 수준이 빠르게 변동하는 경우도 포함함.

표 31-2. 섬망의 임상적 양상

의식의 장애(Disturbance in consciousness)

인지적 결함(Cognitive deficits)
• 집중력(Attention)
• 시간, 장소, 사람에 대한 지남력
• 단기 기억력, 언어적 기억력, 시각적 기억력, 장기 기억력
• 실행 기능

지각 장애(Perceptual disturbance)
• 착각(Illusions)
• 환각(Hallucinations), 특히 환시(Visual hallucinations)
• 성격의 현저한 변화(Metamorphosis)

망상(Delusions)
• (조악한) 피해 망상

사고 장애(Thought disorder)
• 사고이탈(Tangentiality)
• 우회사고(Circumstantiality)
• 연상이완(Loose associations)

수면-각성 장애(Sleep-wake disturbances)
• 파편화된 수면
• 정상 수면-각성 주기의 역전
• 불면증

언어 장애(Language disturbances)
• 단어 선택의 어려움
• 착어증(Paraphasia)
• 기억언어상실증(Dysnomia)
• 쓰기장애(Dysgraphia)
• 심한 섬망의 경우 수용/표현 언어상실증과 유사한 증상이 나타날 수 있음

정동의 변화(Altered affect)
• 맥락에 맞지 않는 기분
• 화(Anger)
• 증가된 과민성
• 저활동성(이 경우 우울증으로 오진되기도 함)
• 불안정성(Lability)
• 두려움

행동(Motor behavior)
• 증가된 혹은 감소된 활동성
• 증가된 혹은 감소된 활동 속도
• 행동의 조절 능력 상실
• 배회(Wandering)
• 안절부절 못함(Restlessness)
• 호전성(Combativeness)
• 무감동증(Apathy)

함한다. 이들의 예로는 운동 행동의 변화, 수면-각성 주기의 변화, 정동 표현의 변화, 지각의 변화, 사고의 변화 등이 있다. 이러한 증상의 빈도와 특수성은 섬망의 정의와 분류 및 측정에 있어서 논란거리가 되어왔다. 핵심 증상의 빈도는 다양하다: 주의력 장애 97~100%, 사고 과정 이상 54~79%, 지남력 장애 76~96%, 기억력 장애 88~96%, 수면-각성 장애 92~97%, 운동성의 변화(motoric alterations) 24~94%, 언어 장애 57~67%, 비핵심 증상의 빈도는 다음과 같이 상대적으로 낮다: 지각 장애(perceptual disturbance) 50~63%, 망상(delusion) 21~31%, 정동 변화(affective changes) 43~86%.

IV 섬망의 선별검사도구

섬망의 선별검사도구(delirium screening instruments)들은 임상적 증상을 특징짓고 섬망의 발견율을 높이는 데 도움이 될 수 있다. 섬망의 선별 검사 및 중증도의 파악을 위한 다양한 도구들이 고안되었으며 상황에 따라 섬망의 평가 주체는 의료진, 환자, 보호자 등으로 다양하게 고려될 수 있다. 같은 도구를 이용하는 경우에도 평가자의 경험 및 평가 도구의 숙련도에 따라 다른 결과가 나올 수 있다. 아래는 호스피스·완화의료 영역에서 섬망의 평가에 이용되는 대표적인 평가 도구들이다.

1. Confusion Assessment Method (CAM)

섬망의 선별 도구로 DSM-III-Revised에서 고른 9개의 항목으로 구성되어 있다. 10개 이상의 언어로 번역되었으며 온라인상에서 설명서를 구할 수 있다. CAM의 4가지 소항목은 의식의 변화와 변동적인 경과, 부주의, 사고정리장애를 포함한다. CAM의 경우 호스피스·완화의료병동에 입원한 환자들을 대상으로 섬망의 임상적인 진단보다 높은 진단적인 정확도를 보여 유용한 선별검사도구로 연구되었다. 하지만 CAM의 경우 섬망의 중증도를 알 수 없는 단점이 있다.

2. Single Question in Delirium (SQiD)

역시 섬망의 선별검사도구이며 환자의 가족이나 친구에게 '당신이 생각하기에 (환자의 이름) 씨가 최근 더욱 혼돈스러워졌느냐'고 단순히 물어보는 도구이다. '네'라고 대답한 경우 에는 더욱 세분화된 평가가 필요하다. SQiD는 정신과적 면담과 비교하였을 때 80%의 민감도와 71%의 특이도를 보인다.

3. Nursing Delirium Screening Scale (Nu-DESC)

섬망의 간호평가도구로 1회성이 아닌 연속적인 선별,

경과관찰 그리고 중증도의 평가가 가능하다. 이 설문도구는 4개의 혼돈점수(confusion rating scale)가 있는데 지남력 장애(disorientation), 부적절한 행동(inappropriate behavior), 부적절한 의사소통(inappropriate communication), 착각/환각(illusions/hallucinations)이고 5개의 추가적인 항목으로 정신운동지연(psychomotor retardation)이 있다. 본래 Nu-DESC는 과잉행동과 과소행동 모두를 선별할 수 있는 장점이 있고 모든 항목들은 0~2점까지 표시할 수 있었다. 하지만 김경남 등이 개발한 한국판 Nu-DESC는 채점의 용이성을 위하여 항목별로 0~1점을 표시하도록 하였고, 노인 환자 75명을 대상으로 2점을 절단점으로 하여 2점 이상을 섬망 양성으로 판단할 경우 81%의 민감도와 97%의 특이도를 보였다 표 31-3 .

4. The Revised Delirium Rating Scale (DRS-R-98)

DRS-R-98은 Delirium Rating Scale로부터 개발되었으며 가장 자세한 섬망의 평가도구이다. 섬망의 진단과 평가 모두 가능하며 재평가도 할 수 있다. DRS-R-98은 16개의 의사평가항목이 있는데 이 중 13개는 중증도를 평가할 수 있고 중증도 평가 항목 중 5개는 인지기능관련 항목, 3개는 진단과 연관된 항목이다. DRS-R-98는 여러 언어로 된 타당성 연구가 있으며 모든 항목들은 지난 24시간 동안의 증상을 기본골격으로 하며 외래 또는 입원환자에 따라 평가 시간 간격을 유연성 있게 조정할 수 있다. DRS-R-98은 평가방법에 대해 적절한 교육을 받으면 임상의뿐만 아니라 간호사·임상심리사도 이용할 수 있다.

5. Memorial Delirium Assessment Scale (MDAS)

MDAS 는 임상의가 평가하는 섬망의 선별 및 중증도 평가도구이다. 10개의 평가항목은 각성, 의식수준, 인지기능, 그리고 정신운동기능을 포함하며 저활동성 섬망과 과잉 활동성 섬망 모두 선별할 수 있다. MDAS의

표 31-3. Nursing Delirium Screening Scale (Nu-DESC) 한국판

증상/징후	점수(Score)	
	0(아니오)	1(예)
1. 지남력 장애(Disorientation) 　시간, 장소, 사람에 대한 잘못된 인식으로 지남력(orientation)이 명확하지 않거나, 헷갈려하고, 못 알아본다.		
2. 부적절한 행동(Inappropriate behavior) 　튜브나 드레싱, 의료 기구를 함부로 빼거나 제거하려 하고, 침대에서 막무가내로 내려가려고 하거나 폭력적인 행동(물어뜯고, 때리고, 꼬집는)을 한다.		
3. 부적절한 의사소통(Inappropriate communication) 　지리멸렬함, 상황에 맞지 않거나 엉뚱하고, 무의미하거나 뜻을 알 수 없는 말을 중얼거리거나 횡설수설한다. 욕을 하거나 소리를 지른다.		
4. 착각/환각(Illusions/Hallucinations) 　현재 없는 무언가(사람, 사물, 생명체, 귀신 등)가 눈앞에 보이거나 환청이 들린다고 하며 이러한 것을 만지거나 잡으려고 허공에 손짓을 하는 등의 행동을 보인다. 누군가 자신을 해하려 하거나, 지켜보고 있다고 생각한다.		
5. 정신운동지연(Psychomotor retardation) 　질문에 응답하는 시간이 느려지고, 반응하지 않으려고 하고, 행동이나 말이 없거나 느려진다. 계속 잠을 자려고 하며 졸려한다.		

장점은 평가시간이 10분 내외로 짧으며 하루에도 여러 번 반복하여 측정할 수 있다는 것이다. MDAS의 경우 암 환자와 완화병동에 입원해 있는 환자들을 대상으로 시행한 타당성 연구가 있으며 민감도와 특이도에 있어서 연구간 다소간의 차이를 보였다.

6. 기타 측정도구

호스피스·완화의료 대상자들 중 고령의 환자들은 인지기능의 장애가 동반된 경우가 있다. 따라서 섬망의 평가 시 간이정신상태검사(Mini Mental State Examination, MMSE), 전반적 퇴화척도(Global Deterioration Scale, GDS) 인지기능 검사를 함께 고려할 수 있다. 또한, 75세 이상 고령의 암 환자에서 수술 전 Charlson Comorbidity Index와 도구적 일상생활 수행능력(Instrumental Activities of Daily Living, IADL), 낙상병력은 섬망의 발생 과 유의한 연관성을 보였는데, 고령의 노인인 경우 추가적으로 노인 관련 평가도구를 이용할 경우 섬망 발생 위험도에 대한 보다 정확한 예측을 도울 수 있다.

V 섬망의 위험인자

환자에게 시각과 청각의 장애가 있는 경우, 65세 이상, 인지 기능 저하가 이미 존재하는 경우, 탈수, 거동 장애(immobility), 다약제 사용(multiple medications), 공존 질환(comorbidity)이 있는 경우는 섬망 증상이 발생하는지 면밀하게 관찰하여야 한다. 암 환자의 경우 정신활성 약제의 사용, 낮은 알부민 수치, 골전이, 간전이, 뇌전이가 있는 경우를 추가적인 위험인자로 고려하여야 한다. 호스피스 병동의 암 환자를 대상으로 한 국내 연구에서는 기존의 우울증, 인지장애가 있는 경우 섬망 발생의 위험이 증가하는 것으로 보고되었다.

VI 섬망의 아형

섬망은 정신운동성 양상과 의식 수준에 따라 세 가지의 임상 아형(delirium subtypes)으로 구분된다. 저활동성 섬망(hypoactive delirium)은 둔감하고 졸림을 보일 수 있으며, 질문에 느리게 답하고, 움직임을 시작하지 못하며, 환경에 대한 인지가 줄어든 양상을 보인다. 저활동성 아형의 경우 종종 fatigue 혹은 depression으로 오진되는 경우도 있다. 과활동성 섬망(hyperactive delirium)의 경우 안절부절 못함(restlessness), 초조(agitation), 정신운동성 과활동성(psychomotor overactivity)이 나타날 수 있다. 저활동성 아형에 비하여 과활동성 아형에서 지각장애(perceptual disturbance)와 망상이 흔하게 나타난다. 최근 연구에서는 운동 활성성의 변화가 최소한으로 나타나는 무아형(no subtype) 섬망도 관찰되었다.

정신운동성 아형을 분류하는 데에는 특정 정신운동성 행동의 존재 혹은 부재 여부, 정신운동성 행동의 질적 평가, 흥분성 행동을 평가하는 타당도가 검증된 척도들이 사용되어 왔고, 가장 최근에는 섬망의 운동성 아형을 평가하는 척도가 개발되었다. DSM-IV-TR의 섬망 진단기준은 정신운동성 아형에 대한 정의를 포함하지 않았지만 DSM-5의 섬망 진단기준 **표 31-1**에는 정신운동성 아형에 대한 명시를 동반할 수 있게 개정되었다. 섬망의 정신운동성 아형에 대한 명시자는 1) 과활동성, 2) 저활동성, 3) 혼합성 활동 수준으로 구분된다. 과활동성 섬망은 정신운동 활동 수준이 과잉되어 기분 가변성, 초조 그리고/또는 의학적 치료에 대한 협조 거부를 동반할 수 있다. 저활동성 섬망은 정신운동 활동 수준이 저조하여 혼미에 가깝게 축 늘어지거나 무기력을 동반할 수 있으며 노인에게서 더 빈번하게 발생할 수 있다. 호스피스·완화의료 환경에서 진행성 암 환자, 혈액암 환자를 대상으로 한 연구에서는 40~78%에서 저활동성 섬망이 나타난다고 보고 되었다. 혼합성 활동 수준의 섬망은 비록 주의와 의식의 장애가 있지만 정신운동 활동은 보통 수준일 수 있으며 활동 수준이 빠르게 변동하는 경우도 포함된다.

현재까지의 연구에 의하면 저활동성 섬망이 예후가 더 나쁘다고 알려져 있다. 저활동성 섬망의 경우 압박궤양(pressure sore)이나 병원 획득 감염(hospital-acquired infection)이 동반되기 쉽고, 과활동성 섬망에서는 낙상(fall)이 발생하기 쉽다는 점을 섬망 치료 시에 고려하여야 한다.

VII 확진을 위한 정밀검사

섬망의 존재는 기저 내과적 질환이 있음을 암시하기 때문에 원인을 규명하기 위해 필요한 검사를 시행해야 하며 밝혀진 원인이 가역적인지를 판단해야 한다. 대부분의 섬망 삽화에는 평균 세 개의 촉진인자가 있다. 일반적으로 알려진 원인에는 감염, 물질 금단(알코올, 니코틴), 대사장애(예; 고칼슘혈증), 저산소증, 그리고 정신활성 약물(스테로이드, 마약성 진통제, 항콜린성 약물, 벤조디아제핀 계열 약물)이 있다. 섬망이 발생했을 경우에 고령, 신체적 허약, 다수의 동반질환, 치매, 감염이나 탈수로 인한 입원, 시력장애, 난청, 다중약물요법, 신기능 장애, 그리고 영양실조와 같은 선행하는 섬망의 위험인자가 있는지를 평가해야 한다.

섬망의 평가는 검사실검사, 영상검사, 뇌파검사(electroencephalogram) 등으로 이루어진다. 검사실검사를 통해 대사적 이상(예; 고칼슘혈증, 저나트륨혈증, 그리고 저혈당), 저산소증, 또는 파종혈관내응고 등을 규명할 수 있다. 영상검사를 통하여 뇌의 암 전이 또는 연수막 질환(leptomeningeal disease), 뇌내 출혈, 또는 뇌 허혈 등을 발견할 수 있다. 뇌파검사를 이용하여 섬망을 감별해낼 수 있다. 때때로, 연수막내 암 파종(leptomeningeal carcinomatosis) 또는 감염성 뇌수막염의 가능성을 확인하기 위하여 요추천자가 필요한 경우도 있다.

말기 암 환자 또는 임종 과정에 있는 환자에서 섬망이 발생한 경우, 감별진단은 가능성이 높은 단수 혹은 복수의 원인들로 조직화해야 한다. 하지만, 동시에 섬망의 원인에 대한 검사를 어디까지 시행할지에 대해 개개인의 돌봄 목표 및 섬망 직전의 기능과 질병의 경과에 대한 고려가 필요하다.

VIII 섬망의 감별진단

섬망의 여러 임상 양상은 우울증, 조증, 정신증, 그리고 치매와 같은 다른 정신과적 질환들과 연관이 있을 수 있다. 섬망 중에 특히 저활동성 아형(hypoactive subtype)은 종종 초기에 우울증으로 오진 되기도 한다. 특히 진행성 질환의 경우 섬망과 우울증을 구별하기 위해 우울 증상과 인지 증상의 증상 발생이 언제인지, 시간적 순서가 어떻게 되는지를 확인하는 것이 특별히 도움이 된다. 중요한 것은, 섬망에서의 인지 장애는 우울증보다 훨씬 증상이 심하고, 대개 더욱 급작스러운 증상 발생을 나타낸다. 추가적으로 각성 정도의 장애는 우울증의 특징이 아니다.

조증 삽화(manic episode)는 섬망 중에서도 과활동성(hyperactive subtype) 또는 혼재성 아형(mixed subtype)의 양상과 유사하다. 발생 시점과 증상의 진행 과정, 인지 기능과 각성 정도 장애의 여부, 추정되는 의학적 원인의 규명 등이 진단에 도움이 된다. 기분 장애의 과거 정신과적 병력 또는 가족력 여부는 우울증 또는 조증 삽화의 근거가 될 수 있다.

뚜렷한 환각과 망상을 보이는 섬망은 여러 정신병적 장애와 반드시 구분이 되어야 한다. 섬망에서의 환각과 망상 같은 정신병적 증상은 진행성 질환에서 기억력과 지남력의 장애 뿐만 아니라 각성도의 장애와 집중 범위(attention span)의 손상과 같은 양상과 함께 나타난다. 이러한 증상들은 다른 여타의 정신병적 장애에서는 나타나지 않는다.

감별 진단에 있어서 가장 어려운 문제는 환자가 섬망인지 치매인지, 아니면 이미 존재하는 치매에 섬망이 동반된 것인지를 감별하는 것이다. 섬망과 치매 둘 다 인지기능장애에 속하고 다음과 같은 공통의 임상적 양상을 공유한다 - 기억력 저하, 사고 장애, 판단력 저하, 실어증(aphasia), 실행증(apraxia), 실인증(agnosia), 실행기능의 장애, 지남력 장애(disorientation). 망상과 환각 또한 두 질환 모두에서 나타날 수 있다. 섬망과 치매를 구분하기 위해서는 구체적인 차이점을 살펴봐야 한다. 치매에 동반된 섬망 환자와 치매가 없는 섬망 환자를 비교한 100명의 암 환자 연구에서 전자가 인지 증상이 더욱 심했고, 치료에 반응이 더욱 좋지 않았으며, 증상 소실의 비율이 낮았다. 임상적으로, 치매 환자는 의식이 또렷하고 섬망에서 보이는 각성도의 장애가 없다. 치매는 아급성의 증상 발현과 만성적인 진행을 보인다. 환자가 치매 혹은 다른 인지장애가 기저에 있을지라도 섬망은 환자의 기저 인지기능으로부터 급성 변화를 보인다. 환자가 진행성 질환을 앓고 있을지라도 치료를 통하여 섬망의 증상과 징후를 완화시킬 수 있다. 이 또한 치매 증후군과는 구분되는 점이다. 하지만, 앞서 언급된 바와 같이 섬망은 임종 전 24~48시간 동안은 돌이킬 수 없을 수 있다. 몇몇 진단 도구들은 임상가들이 섬망, 치매, 또는 치매에 동반된 섬망을 진단하는 데에 도움을 줄 수 있다.

IX 섬망의 관리

섬망의 관리는 선행 원인의 교정과 섬망의 증상과 징후에 대한 치료를 포함해야 한다. 환자, 치료진, 그리고 가족의 고통을 최소화하기 위해 증상과 징후의 치료는 병인에 대한 진단적 검사가 시작되기 전에 혹은 검사와 동시에 진행되어야 한다. 임종 수일 전에 섬망이 발생한 말기 환자의 경우(말기섬망, terminal delirium), 관리에는 여러 딜레마가 있을 수 있다. 그리고 기대되는 임상적 결과는 임종 과정에 의해 현저히 달라질 수 있다. 말기 환자의 섬망에 있어서 기대되는 그리고 종종 달성할 수 있는 결과는 깨어 있고, 의식이 또렷하며, 평온하고, 편안하며, 인지적으로 온전하고, 정신병적인 상태에서 벗어나있고, 통증으로 고통 받지 않으며, 가족과 의료진과 원활하게 의사소통할 수 있는 상태이다.

1. 비약물적 개입

섬망의 원인을 찾아내어 교정하는 것에 더하여, 비약물적이고 지지적인 치료는 중요하다 **표 31-4**. 수액과 전해질 균형, 영양, 불안과 지남력 장애를 줄이기 위한 조치들(예; 가족과의 소통과 가족교육, 조용하고, 익숙한 물건들이 놓여진 채광이 좋은 공간, 시계와 달력의 배치, 가족의 상주 등)이 도움이 될 수 있다. 완화적 치료 환경이 아닌 경우라도 이러한 비약물적 개입으로 섬망이 빨리 호전될 수 있고 인지의 저하가 더디게 진행되는 것은 명백하다. 그러나, 통상적인 개입과 비교했을 때에 이와 같은 개입이 사망률을 낮추거나 건강 관련 삶의 질의 호전을 가져오지는 못하는 것으로 알려져 있다.

섬망이 발생할 위험이 있거나 섬망이 있는 환자에 있어서 신체적 구속(physical restraint)은 가능한 한 피해야 한다. 최근에는 신체적 구속을 하지 않는 관리 방법이 섬망을 예방하고 치료하는 데 있어서 치료의 표준이 되어야 한다는 근거가 제시되고 있다. 신체 구속을 사용하지 않는 경우 안전을 위하여 일대일 관찰이 필요할 수 있다.

2. 약물적 개입

지난 10년간 섬망의 예방과 치료에 대한 연구는 점차 증가하는 추세이다. 미국식약청(US Food and Drug Administration, FDA)에서 섬망 치료제로 승인받은 약은 없지만, 여러 환자 군에서 무작위 대조군 시험이 이루어진 세 종류의 약물들에는 항정신병약물(anti-psychotics), 아세틸콜린분해효소억제제(cholinesterase inhibitor), 그리고 알파-2 작용제(alpha-2 agonist)가 있다. 호스피스·완화의료에서 특히 고령에 다른 여러 동반질병을 가진 경우 섬망의 증상을 조절하기 위해 단기간 동안 저용량의 항정신병 약물을 발생 가능한 부작용에 대한 근접 관찰 하에 사용하는 것이 근거 기반의 지지를 받고 있다.

1) 항정신병약물

섬망 치료에 있어서 항정신병약물에 대한 상당 수의 증례보고(case reports), 증례 시리즈(case series), 후향적 의무기록 검토(retrospective chart reviews), 개방표지 시험(open-label trials), 무작위 대조군 시험(randomized controlled comparison trials), 위약-대조군 시험(placebo-controlled trials) 등이 있다. 연구 대상 인구는 대부분 신체질환을 동반하거나, 수술 후 상태이거나, 중환자실에 입원 중인 환자였다. 소수의 연구만이 호스피스·완화의료에서의 섬망 환자에 한정하여 초점을 맞추었다.

미국정신의학회(American Psychiatric Association)에서 1999년 발간한 미국정신의학회 진료 가이드라인에서는 섬망을 치료하는 데 있어 가장 우선되는 약물로 항정신병약물(antisychotics)을 추천하였다. 가이드라인을 좀

표 31-4. 섬망의 예방과 치료에 있어서 사용되는 비약물적 개입

- 다중약물요법의 최소화
- 통증 조절
- 수면 위생
- 수분/전해질 이상 모니터하기
- 영양 상태 모니터하기
- 감각 이상 모니터하기
- 신체의 조기 가동을 격려하기 – 이를 위하여 카테터나 수액 라인의 유치, 신체 구속을 최소화하기
- 배변기능 및 배뇨기능 모니터하기
- 환자에게 자주 환경(시간, 장소, 사람)에 대해 알려주기
- 달력, 시계, 친근한 물건 등을 병실에 배치하기
- 인지적으로 자극이 되는 활동을 격려하기

7부

더 구체적으로 살펴보면 약물이 필요한 경우 최우선치료(treatment of choice)로 저용량 haloperidol (예; 매 4시간마다 1~2 mg의 경구 haloperidol, 고령 환자의 경우 매 4시간마다 0.25~0.5 mg의 경구 haloperidol)을 추천하였다.

2004년 코크란 리뷰(Cochrane review)에서는 haloperidol, chlorpromazine, lorazepam의 무작위 대조군 시험을 토대로 하여 haloperidol이 생애 말기 환자의 섬망에서 가장 적합한 약물로 나타났다.

2007년 코크란 리뷰에서 haloperidol과 비전형 항정신병약물(atypical antipsychotics)의 효능과 부작용을 비교하였다. 여기에서는 선택된 비전형 항정신병약물(risperidone, olanzapine)은 섬망을 조절함에 있어서 haloperidol만큼 효과적으로 나타났다. 비전형 항정신병약물과 비교했을 때 haloperidol 용량이 4.5 mg/day보다 높은 경우 추체외로 증상(extrapyramidal symptom)(예; akathisia(좌불안석증), acute dystonia(급성 근긴장))이 더욱 많이 나타났으나, 3.5 mg/day 미만의 저용량 haloperidol에서는 추체외로 부작용의 빈도가 높지 않았다.

이와 같이 발표된 자료에 의하면, 저용량 haloperidol은 지속적으로 섬망 증상 치료의 가장 우선되는 약제로 여겨진다. 진행성 질환의 경우 haloperidol은 효능, 내약성(적은 항콜린 작용으로 인해), 그리고 활성 대사물 부재의 이유로 haloperidol이 선호된다. Haloperidol은 다양한 경로를 통하여 투여될 수 있다. 하지만 미 식약청은 정맥으로 약이 주입이 될 경우 QTc 연장과 torsades de pointes와 같은 심장전도와 관련된 부작용이 있을 수 있다고 경고한다; 그러므로 haloperidol을 정맥으로 투여할 경우 QTc 간격을 모니터하는 것이 표준 진료 지침이다. 부작용 등으로 인해 haloperidol 투여가 불가할 경우 비전형 항정신병약물은 효과적인 대안이다.

임상적 경험을 바탕으로 lorazepam은 종종 급성 섬망(특히 과활동성 섬망)을 조절하기 위하여 haloperidol에 추가적으로 투여된다. Lorazepam(매 1~2시간마다 경구 혹은 정맥을 통하여 0.5~1.0 mg)이 흥분된 섬망환자를 급속히 진정시키는 데 더욱 효과적이고, haloperidol의 추체외로 부작용을 최소화할 수 있다. 대안적 전략은 haloperidol에서 더욱 진정효과가 큰 항정신병약물, 예를 들면 chlorpromazine으로 약물을 전환하는 것이다. 이러한 후자의 접근은 환자를 모니터할 수 있고 혈압을 자주 잴 수 있는 환경에서 더욱 적합하다. 특히 고령 환자에 있어서 chlorpromazine의 부작용인 항콜린효과, 저혈압을 모니터하는 것이 중요하기 때문이다.

항정신병약물의 치료와 연관된 잠재적 위험은 약물이 처음 투여되기 전에 고려되어야 한다. 이러한 위험에는 추체외로 작용, 과도한 진정, 항콜린 부작용, 부정맥, 그리고 약물 간 상호작용의 가능성 등이 있다. 이러한 부작용은 특히 치매가 있는 고령 환자에 있어서 두드러진다. 미 식약청(US FDA)은 고령 환자의 치매와 관련된 행동 장애에 대해 항정신병약물 사용과 관계하여 사망 위험성이 증가할 수 있음에 대한 경고를 제기했다. 항정신병약물 투여군의 사망 위험도가 위약 투여 군에 비해 1.6~1.7배 컸다. 대부분의 죽음은 심혈관 질환이나 감염과 관계가 있었다. 그 다음으로, 23,000명의 노인 환자의 후향적 연구에서 치매 여부에 관계 없이 비정형 항정신병약물 투여군보다 정형 항정신병약물 투여군에서 사망률이 더 높았다. 이 결과로 인하여 미 식약청의 경고가 haloperidol을 포함한 정형 항정신병약물로 확대되었다.

항정신병약물 사용 중의 사망 위험도를 조사한 다른 연구들에서는 연구 결과가 혼재되어 있다. 미국 테네시 주의 Medicaid 등록자를 대상으로 하는 후향적 코호트 연구에서 정형, 비정형 항정신병약물 사용자의 심각한 심실성 부정맥과 급성심장사의 위험 증가가 나타났다. 반대로, 326명의 급성기 치료 세팅의 지역사회 병원에 입원한 섬망을 가진 노인 환자를 대상으로 한 후향적 환자대조군연구(이 중 111명이 항정신병약물을 투여)에서는 반대의 결과를 보였다. 단변량분석에서

표 31-5. 섬망의 치료에 사용되는 항정신병약물

약물	용량 범위	투여 경로 (국내 기준)	부작용	비고
전형 항정신병약물(Typical antipsychotics)				
Haloperidol	매 2~12시간마다 0.5~2 mg	PO(경구), IV(정맥주사), IM(근육주사)	고용량에서 추체외로 부작용(좌불안석증, 급성 근긴장)이 있을 수 있음. 심전도에서 QT 간격을 모니터해야 함.	섬망의 최적표준치료. 흥분된 환자들이나 추체외로 부작용이 있는 환자에게는 lorazepam 추가를 고려 가능(매 2~4시간마다 0.5~1 mg)
Chlorpromazine	매 4~6시간마다 12.5~50 mg	PO	Haloperidol과 비교했을 때 진정, 항콜린 작용이 심함. 저혈압 위험이 있어 혈압을 모니터해야 함.	진정 효과로 인해 흥분된 환자들에게 선호됨.
비전형 항정신병약물(Atypical antipsychotics)				
Olanzapine	매 12~24시간마다 2.5~5 mg	PO	단기간 사용 시에 용량과 관련하여 진정이 주된 부작용.	고령, 치매 동반, 저활동성 섬망의 경우 반응이 낮음.
Risperidone	매 12~24시간마다 0.25~1 mg	PO	6 mg 이상의 용량에서 추체외로 부작용. 기립성 저혈압	
Quetiapine	매 12~24시간마다 12.5~100 mg	PO	진정, 기립성 저혈압	진정효과가 수면–각성 주기가 깨진 환자들에게 도움이 될 수 있음.
Ziprasidone	매 12~24시간마다 10~40 mg	PO	심전도에서 QT 간격 모니터 해야 함.	
Aripiprazole	24시간마다 5~30 mg	PO	좌불안석증(Akathisia) 발생 여부를 모니터해야 함.	저활동성 섬망에서 효과가 있다는 보고가 있음.

7부

1.53 (95% 신뢰구간 0.83~2.80), 다변량분석에서 1.61 (95% 신뢰구간 0.88~2.96)의 통계적으로 의미 없는 승산비(odds ratio)로 연구 결과가 도출되었다. 앞으로 더 큰 표본수의 전향적 연구를 통하여 이러한 관련성을 명확하게 할 필요가 있다.

호스피스·완화의료 환경에서, 섬망의 증상 조절에 단기간, 저용량의 항정신병약물이 도움이 된다는 증거는 명백하다. 특별히 다수의 동반질환을 가진 노인 환자에 있어서, 발생 가능한 부작용을 파악하기 위한 근접 관찰(close monitoring)하에 용량 조절을 신중하게 해야 한다 표 31-5.

(1) 정신자극제(Psychostimulants)

다수의 증례 보고와 한 개방표지시험(open-label study)에서 저활동성 섬망의 치료에 있어서의 정신자극제의 사용이 제안되었다. 하지만 이 약물은 흥분(agitation)을 촉진할 수 있고 정신병적 증상을 악화시킬 수 있다. 호스피스·완화치료 환경에서 사용을 고려할 수 있으나 주의 깊게 사용되어야 한다.

(2) 아세틸콜린분해효소억제제(Cholinesterase inhibitor)

손상된 콜린성 기능이 섬망의 병인에 최종적 공통 경로 중의 하나로 제기되었다. Donepezil과 rivastigmine의 유익한 효과에 대한 증례 보고에도 불구하고, 2008년 코크란 리뷰에서는 대조군 시험을 통해서는 섬망 치료에 있어서의 아세틸콜린분해효소억제제의 사용이 근거가 없음을 결론지었다. 종합병원과 중환자실 환경에서 진행된 연구 근거와 완화치료 환경에서의 연구의 부재를 토대로 볼 때 아세틸콜린분해효소억제제는 섬망의 치료제로 적절치 않다고 할 수 있다.

(3) Dexmedotomidine

Dexmedotomidine은 중환자실에서 기계적 환기를 하는 성인 환자와 수술 전, 수술 중, 그리고 다른 술기 전 혹은 중에 삽관되지 않은 성인 환자의 진정에 사용되는 선택적 알파-2 아드레날린 수용체 작용제(selective alpha-2 adrenergic receptor agonist)이다. 이 약제는 진통 효과를 가지기도 하며 섬망의 예방제와 치료제로 고려된다. 중환자실 환경에서 진행된 임상시험에서는 섬망의 예방과 치료에 대해 혼재된 결과를 나타내었으며, 완화치료 환경에서 진행된 연구는 없었다.

3. 섬망의 예방

섬망을 예방하기 위한 효과적 전략의 개발은 완화치료 환경에서 최우선이 되어야 한다. 노인입원 환자를 대상으로 한 다양한 비약물적 개입에서 기대할 수 있는 결과가 나타났다. 이 인구집단을 대상으로 한 Siddiqi 등의 연구에서 연구 효과의 크기는 다성분의 개입(multi-component intervention)으로 섬망의 발생을 3분의 1로 줄일 수 있다는 내용을 제시하였다. 반면, Gagnon 등의 연구에서는 단순한 다성분의 예방적 개입은 말기 암 환자(N = 1516)에 있어서 섬망의 발생 혹은 심각도를 줄이는데 효과적이지 않다고 밝혀진 바 있다. 섬망의 발생(승산비 0.94, p=0.66), 섬망의 심각도(1.83 vs 1.92, p=0.07), 섬망 이환 일수(4.57 vs 3.57일, p=0.63), 첫 섬망 삽화의 기간(2.9 vs 2.1일, p=0.96)에 있어서 개입군(intervention group)과 고식적 치료군(usual care group) 사이에 차이가 관찰되지 않았다.

섬망의 예방에 있어서 다양한 약물적 개입이 고려되어 왔다. 항정신병약물, 아세틸콜린분해효소억제제, melatonin, dexmedotomidine 등이 여러 다른 세팅에서 무작위 대조군 연구를 통해 평가되었다. 2007년 코크란 리뷰는 섬망을 예방하기 위한 개입의 효과에 대한 근거는 희박하고 섬망 예방을 위한 약물의 사용은 권유되지 않는다고 결론지었다. 2007년 이후 발표된 연구들에서는 아세틸콜린분해효소억제제(cholinesterase inhibitor), 항정신병약물(antipsychotics), melatonin, dexmedetomidine의 섬망 예방효과에 대해 혼재된 결과를 보였고, 완화치료 환경에서는 섬망 예방에 대한 약물치료가 지금까지도 확립되어 있지 않다.

X 말기 섬망의 관리에 대한 논의

임종 과정에서 발생하는 섬망을 말기섬망(terminal delirium)이라고 한다. 이 증후군의 관리에는 논란이 있다. Agar 등의 연구에서는 수련 기관이 다른 임상가들은 말기섬망 관리 방법의 차이가 있음이 밝혀졌다. 종양전문의는 말기섬망 치료에 벤조디아제핀 계열 약물을 사용하거나 벤조디아제핀과 항정신병약물을 복합으로 사용하는데 반해, 완화의료 의사는 저활동성 섬망을 포함하여 섬망 증상을 조절하는 데 항정신병약물을 사용하는 경향이 더 높았다.

몇몇 연구자들은 섬망이 임종 과정의 자연스러운 부분이기 때문에 조절하려고 해서는 안되고, 항정신병약물이나 벤조디아제핀 약물을 통한 개입이 적절하지 않다는 철학적 견해를 주장한다. 하지만 임상적 경험을 통해 밝혀진 바로는 섬망 증상의 진행이 환자와 가족들에게 고통을 줄 수 있고, 흥분(agitation), 망상(paranoia), 환각(hallucinations) 또는 지각이상(altered sensorium) 증상에 대한 항정신병약물의 사용은 안전하고 효과적이며 종종 아주 적절한 치료가 될 수 있다는 것이다. 임종을 앞두었다고 판단되는 환자에 있어서 약물 치료의 사용은 현저한 고통이 관찰되는지 여부와 당장은 현저한 고통이 관찰되지 않을지라도 갑작스럽게 흥분 상태로 돌변할 수 있는 저활동성 섬망(hypoactive delirium) 환자에 대한 지식을 가지고 약물적 개입 없이 기다리면서 지켜보는 방식의 접근('wait and see' approach)과 저울질하면서 사례별로 접근하는 것이 최선이다. 섬망의 증상은 불안정하고 시간에 따라 수시로 변할 수 있다는 양상을 기억하는 것이 중요하다.

아마도 말기섬망의 치료에 있어서 가장 어려운 임상적 문제는 항정신병약물을 통한 표준적 개입에 반응이 없고, 진정 약물의 투여를 통하여 의식 수준을 현저하게 떨어뜨려야 증상이 조절이 되는, 임종상태의 말기섬망 환자일 것이다. 흥분을 감소시키는 데 있어서 항정신병약물이 가장 효과가 있지만, 임종을 앞둔 며칠 동안에는 또렷한 지각을 유지하고 인지기능을 높이는 것이 쉽지 않다. 대략적으로 임종 과정에서 섬망을 경험하는 환자의 30% 가량은 항정신병약물을 통하여 적절하게 증상 조절을 받지 못한다. 임종이 임박한 경우에는 섬망을 일으키는 과정은 진행성이고 비가역적이다. 그러한 경우, 평온한 진정의 상태를 얻기 위해 benzodiazepine계 약물(예; midazolam, lorazepam) 또는 프로포폴(진정효과가 있음이 입증 된 경우 때로는 마약성 진통제)와 같은 진정 약물을 사용하는 것이 합리적인 선택이 된다. 실제로, 섬망은 완화적 진정의 주요 적응증임이 확인되었다. 진정 약물이 호흡 부전(respiratory depression), 저혈압, 또는 금식 상태(starvation)으로 인해 죽음을 앞당길 수 있다는 염려를 하는 의료진이 있다면 호스피스, 완화의료 치료 환경에서는 연구를 통하여 이와 같은 관련성이 입증된 적이 없다는 연구 결과를 알아둘 필요가 있다. 결론적으로 섬망 환자에 있어서 항정신병 약물 혹은 진정제를 적정 용량 사용하면 정신 증상을 완화하면서 부작용을 최소화할 수 있다. 박형숙 등에 의한 국내 연구에서도 항정신병 약물 또는 진정제의 사용이 섬망을 동반한 말기 암 환자의 생존기간에도 영향을 주지 않는다는 결과가 도출되었다.

고요하고 편안한, 하지만 동시에 진정되고 반응이 없는 환자 상태를 얻기 위하여 진정 약물을 투여하기 전에 의료진이 거쳐야 할 단계가 있다. 의료진은 가족들과 (그리고 환자의 의식이 명료한 순간이 있고 판단할

표 31-6. 말기 환자의 섬망치료에서 흔한 오해들

죽음에 가까워진 환자는 섬망을 적극적으로 치료해선 안 된다. (X)
→ 섬망으로 인한 환자, 보호자의 고통이 심하다면 적극적으로 교정해야 한다.

섬망은 죽음 과정의 자연스러운 일부이므로 교정되어서는 안 된다. (X)
→ 말기가 가까워질수록 섬망이 빈번해지는 것은 사실이나 고통이 심하면 교정되어야 한다.

비경구 항정신병 약물 혹은 진정제는 저혈압이나 호흡 부전으로 죽음을 앞당긴다. (X)
→ 적절한 용량의 사용으로 정신 증상을 완화하면서 부작용을 최소화할 수 있다.

말기 상태에서는 항정신병 약물이 효과가 없다. (X)
→ 적응증이 되는 상태에서는 적절한 용량의 사용이 효과가 있다.

기저 병리 과정이 회복 불가하다면(예; 신부전, 간부전), 섬망의 증상은 호전될 수 없다. (X)
→ 기저 병리 과정이 회복 불가하더라도 섬망의 증상은 호전될 수 있다.

항정신병 약물의 사용이 환자를 더욱 혼란스럽게 하고 의식을 저하시킨다. (X)
→ 항정신병 약물의 사용은 환자의 혼란을 줄이고 의식을 또렷하게 하는 데에 도움이 될 수 있다.

능력이 있다면 환자와) 논의를 하여야 하고, 임종과정 중에 편안함과 증상 조절을 환자에게 제공하고자 하는 가족들의 바람이 최대한 존중받을 수 있는 돌봄을 받을 수 있도록 그들의 염려와 바람을 확인해야 한다. 의료진은 지금의 상태에서 달성할 수 있는 최선의 치료 목표를 설명해야 한다. 의료진은 가족들에게 진정 요법의 목표가 환자를 편안하게 하고 증상을 조절하기 위함이지 죽음을 앞당기기 위함이 아니라는 설명을 해 주어야 한다 **표 31-6**. 그러한 환자에서의 진정이 항상 완벽하거나 비가역적인 것은 아니다. 몇몇 환자들은 진정요법에도 불구하고 깨어 있는 기간이 있을 수 있다. 그리고 많은 의료진들은 환자의 상태를 재사정하기 위해 주기적으로 진정을 약하게 조절할 수 있다. 결국, 의료진은 돌봄의 목표를 마음 속에 간직해야 하고 이러한 목표에 대해 다른 의료진과 환자, 환자의 가족들과 소통하여야 한다 **표 31-7**. 의료진은 환자와 가족의 존엄과 가치를 유지하고 존중하면서 임종 직전의 섬망 환자를 최선으로 돌보기 위해 앞서 기술된 각각의 주제에 대해 신중하게 고려해야 한다.

표 31-7. 호스피스·완화치료에서 환자와 보호자에게 섬망의 경과와 치료에 대해 알려주면 좋은 표현들

- "환자분들에게 있어서 죽음을 1주 가량 앞둔 상태에서 섬망은 굉장히 많이 볼 수 있습니다."
- "섬망으로 인해 행동과 사고의 변화가 나타날 수 있습니다. 하지만 이것은 병으로 인해서 뇌가 제대로 작동하는 것을 방해받고 있다는 신호입니다."
- "섬망은 의학적인 상태입니다. 이것은 환자분에게 갑작스레 새로운 정신병이 생겼다거나 정신적으로 무너져버렸다는 것을 의미하는 게 아닙니다."
- "섬망으로 인해서 환자분께서 누구보다 힘드시고, 보호자 분들도 굉장히 힘드실 수 있습니다."
- "섬망으로 안절부절 못하는 모습이 있을 수 있고, 처지는 모습도 있을 수 있습니다. 우울증으로 잘못 오인되기도 합니다."
- "섬망 때문에 통증과 같은 환자분의 증상을 파악하기 어려워질 수 있습니다."
- "섬망은 잘 조절될 수 있고, 이로 인해 느끼시는 고통도 줄고 증상도 줄어들 수 있습니다."
- "사랑하는 가족과 소통이 안 된다면 큰 상실감을 느끼실 겁니다. 이로 인해 OO 씨의 가장 소중한 면을 잃어버린 것 처럼 느껴지실 수 있습니다. 이것이 애도과정의 시작일 수 있고요. 그건 지극히 정상입니다. 그리고 이런 상황이 생길 것이라고 미리 예측하는 것이 도움이 될 수 있습니다."
- "섬망 증상의 치료 목표는 환자가 또렷하게 깨어서 자기 표현을 분명히 하시고 가족들, 의료진들과 의미 있는 소통을 하는 것입니다."
- "약을 사용하여 환자 분을 진정시켜드림으로써 생존 기간을 줄이는 것은 아닙니다. 오히려 환자 분을 편하게 해드릴 수 있습니다."
- "이 시기에 섬망이 생기면, 멀리 계신 가족이 와서 환자를 보게 하는 것이 나을 것 같습니다.
- "진행성 암 환자 분들에게 섬망이 나타난다는 것은 며칠 이내에 아니면 몇 주 안에 돌아가실 수 있다는 신호일 수 있습니다."

XI 말기 환자에서 섬망의 예후적 의미

말기 환자에 있어서 섬망의 예후적 가치에 대해 강조하는 것은 중요하다. 섬망은 상대적으로 죽음이 수일에서 수주 임박했다는 것을 알려주는 신뢰할 만한 요인이다. 호스피스·완화의료에서, 몇몇 연구는 섬망이 진행성 암 환자에 있어서 임박한 죽음의 예측인자임을 지지한다. 섬망의 예후적 중요성을 고려할 때, 투병 말기에 섬망의 삽화를 인지하는 것은 치료 계획을 계획하고 가족들에게 조언을 하는 데 있어서 결정적으로 중요하다.

XII 요약

호스피스·완화의료 전문가는 섬망을 말기 환자의 주된 신경정신과적 합병증으로 주로 마주하게 된다. 섬망의 선별(screen), 사정(assessment), 진단(diagnosis), 관리(management)는 삶의 질을 높이고, 호스피스·완화의료 환경에서 환자, 가족, 의료진의 병적 상태로 인한 부담을 최소화하는 데에 필수적이다.

참고문헌

1. 고혜진, 윤창호, 정승은 등. 호스피스 병동의 암 환자에서 섬망 발생 위험 요인. 한국호스피스·완화의료학회지 2014;17:170-8.
2. 김경남, 김철호, 김광일 등. 한국어판 간호 섬망 선별 도구 개발 및 검증. 대한간호학회지 2012;42:414-23.
3. 박형숙, 김대숙, 배은희 등. 말기 암 환자의 섬망으로 인한 진정제 투약과 생존기간에 관한 후향적 코호트 연구. 한국호스피스·완화의료학회지 2016;19:119-26.
4. 서민석, 이용주. 섬망의 돌봄: 완화의료 영역에서의 진단, 평가 및 치료. 한국호스피스·완화의료학회지 2016;19:201-10.
5. Agar M, Draper B, Phillips PA, et al. Making decisions about delirium: a qualitative comparison of decision making between nurses working in palliative care, aged care, aged care psychiatry, and oncology. Palliat Med 2012;26:887-96.
6. American Psychiatric Association. Diagnostic and Statistical Manual of Mental Disorders. 5. Arlington: American Psychiatric Publishing; 2013.
7. American Psychiatric Association. Practice guidelines for the treatment of patients with delirium. Am J Psychiatry 1999;156(5 Suppl):1-20.
8. Boettger S, Passik S, Breitbart W. Treatment characteristics of delirium superimposed on dementia. Int Psychogeriatr 2011;23:1671-6.
9. Breitbart W. and Alici Y. Agitation and delirium at the end of life: 'We couldn't manage him'. JAMA 2008;300:2898-910.
10. Breitbart W. and Alici Y. Evidence-based treatment of delirium in patients with cancer. J Clin Oncol 2012;30:1206-14.
11. Caraceni A. and Grassi L. From history to present definitions. In A. Caraceni and L. Grassi (eds.) Delirium: Acute Confusional States in Palliative Medicine (2nd ed.), pp. 1-19. Oxford: Oxford University Press; 2011.
12. Gagnon P, Allard P, Gagnon B, et al. Delirium prevention prevention in terminal cancer: Assessment of a multicomponent intervention. Psychooncology 2012;21:187-94.
13. Gupta N, De Jonghe J, Schieveld J., et al. Delirium phenomenology: what can we learn from the symptoms of delirium? J Psychosom Res 2008;65:215-22.
14. Hosie A, Davidson P, Agar M, Sanderson C, Phillips J. Delirium prevalence, incidence and implications for screening in specialist palliative care inpatient settings: a systematic review. Palliat Med 2013;27:486-98.
15. Jackson KC and Lipman AG. Drug therapy for delirium in terminally ill patients. Cochrane Database Syst Rev 2004;2:CD004770.
16. Leonard M, Raju B, Conroy M, et al. Reversibility of delirium in terminally ill patients and predictors of mortality. Palliat Med 2008;22:848-54.
17. Lonergan E, Britton AM, Luxenberg J, et al. Antipsychotics for delirium. Cochrane Database Syst Rev 2007;2:CD005594.
18. Maldonado J. Neuropathogenesis of delirium: review of current etiologic theories and common pathways. Am J Geriatr Psychiatry 2013;21:1190-222.
19. Meagher D. Motor subtypes of delirium: past, present and future. Int Rev Psychiatry 2009;21:59-73.
20. National Institute for Health and Clinical Excellence. Delirium: Diagnosis, Prevention and Management. Clinical Guideline 103. London: NICE; 2010. Available at: <http://www.nice.org.uk/nicemedia/live/ 13060/49908/49908.pdf>.
21. Overshott R, Karim S, Burns A. Cholinesterase inhibitors for delirium. Cochrane Database Syst Rev 2008;1:CD005317.
22. Siddiqi N, Stockdale R, Britton AM, et al. Interventions for preventing delirium in hospitalised patients. Cochrane Database Syst Rev 2007;2:CD005563.
23. Webster R. and Holroyd S. Prevalence of psychotic symptoms in delirium. Psychosomatics 2000;41:519-22.
24. World Health Organization. The ICD-10 Classification of Mental and Behavioural Disorders: Clinical Descriptions and Diagnostic Guidelines. 10. Geneva: World Health Organization; 1992.

7부

32장

응급상황

| 김정은, 이명아 |

I 고칼슘혈증

고칼슘혈증(hypercalcemia)은 진행된 암 환자의 약 10~30%에서 경험하는 흔한 대사성 질환으로, 적절히 치료하지 않으면 생명을 잃을 수도 있다. 고칼슘혈증은 원발성 부갑상선항진증 등처럼 암과 무관하게 발생할 수도 있으나, 주로 암과 관련하여 발생하는데, 특히 다발성 골수종과 유방암에서 흔하고, 전립선암, 대장암에서는 드물다.

1. 병태생리

칼슘은 세포막의 기능을 유지하고, 신경근육 활성도를 유지하며, 내분비 또는 외분비선의 분비 조절, 혈액응고기전에 관여하며 주로 부갑상선 호르몬과 갑상선 호르몬인 칼시토닌에 의해 위장관, 신장, 뼈에서 혈중 칼슘 농도를 조절한다. 하지만, 악성종양에 의한 고칼슘혈증은 부갑상선 연관된 단백질(parthyroid hormone-

related protein, PTHrP)과 뼈로 전이된 종양세포에서 분비되는 프로스타글란딘, interleukin-1과 tumor necrosis factor (TNF)와 같은 시토카인의 국소적 반응에 의해 생긴다.

국소적 골용해성 고칼슘혈증(local osteolytic hypercalcemia)는 종양세포에 의한 직접적인 골파괴에 의해 나타나며 악성종양에 의한 고칼슘혈증의 20%를 차지하고, 다발성 골수종, 림프종, 유방암과 같은 암에서 주로 나타난다.

체액성 고칼슘혈증(humoral hypercalcemia of malignancy)은 주로 골병변 없이 종양세포에서 분비된 PTHrP에 의해 유발되며 악성종양에 의한 고칼슘혈증 환자의 80%를 차지하며, 폐나 두경부의 편평상피암, 신장암, 유방암에서 주로 나타난다.

림프종 환자에서의 체액성 고칼슘혈증은 종양세포에서 분비된 $1,25(OH)_2D_3$에 기인한다.

2. 임상증상

고칼슘혈증의 증상은 비특이적이며 신속하게 진단하기 어렵다. 초기 증상은 권태감, 피로, 식욕부진, 골 통증, 다뇨, 변비, 오심, 구토 등이 나타난다. 중증이 되면, 심한 탈수 및 신기능 저하, 혼란과 의식 변화, 혼수상태 등의 신경학적 증상을 일으키며 근력저하, 부정맥을 수반하기도 한다.

3. 진단

진단 검사로써 혈청 총 칼슘량, 이온형 칼슘농도, 알부민, 요소, 전해질 등을 측정한다. 생리적으로는 이온형 칼슘 농도가 중요하므로 혈청 이온형 칼슘농도를 측정하는 것이 혈청 총 칼슘량을 측정하는 것보다 더 선호되지만, 측정이 어렵고 혈액자동분석기로는 측정이 불가능하므로 임상검사에서는 총 칼슘량을 측정하는 경우가 흔하다. 혈청 칼슘은 혈청 알부민 혹은 다른 음이온 단백과 결합하여 존재하거나, 유리형으로 존재하며, 알부민의 농도변화가 총 칼슘량에 영향을 미치므로 아래와 같은 방법으로 보정하여 교정된 칼슘농도를 계산를 계산하여 혈청 이온형 칼슘농도를 평가하도록 해야 한다.

보정된 칼슘 농도(mg/dL)=혈청 총 칼슘 농도+ {(4.0 g/dL-혈청 알부민 농도)×0.8 mg/dL

4. 치료

경미한 고칼슘혈증은 보통 무증상이라 추적관찰만 시행한다. 그러나 증상이 있는 고칼슘혈증이나 중증의 고칼슘혈증의 경우에는 심각한 증상을 유발시켜 사망까지 이르게 할 수 있기에, 임종이 얼마 남지 않은 환자라도 적극적으로 약물 및 수액 치료를 시행하여야 한다.

1) 수분 공급

정맥 내 생리식염수 주입을 통한 적절한 수분 공급은 가장 먼저 실시되어야 하는 필수적인 치료이다. 수액의 양과 속도는 임상 상태, 심혈관 상태와 요소 및 전해질 농도에 따라 처음 24시간 동안 1~3리터의 0.9% 생리식염수를 투여한다. 이는 세포외액의 보충으로 신장으로의 칼슘 배설량을 증가시켜, 칼슘농도를 교정한다. 또한 furosemide 이뇨제는 수액공급에 의한 칼슘배설을 증가시키고, 체액이 과부하되는 것을 예방하므로 유용하다. 하지만, 저칼륨혈증, 저마그네슘혈증과 같은전해질 불균형을 초래할 수 있으므로 전해질과 소변량을 자주 측정해야 한다.

2) 비스포스포네이트

비스포스포네이트는 파골세포에 의한 골재흡수를 억제하여 혈중 칼슘농도를 정상화시키는 약물로서, 약물투여 2~6일 이내 교정 효과가 탁월하여 1차 선택약으로 고려된다. 일반적으로 경구투여 시 흡수율이 좋지 않아 정맥투여가 선호된다. 비스포스포네이트는 오심, 구토, 발열, 신기능 기능 등의 이상반응을 초래할 수 있으며, 드물지만 신부전, 악골괴사(osteonecrosis of jaw) 등을 유발할 수 있다.

3) 칼시토닌

칼시토닌은 갑상선의 여포곁세포(parafollicular cell) 혹은 C 세포에서 분비되는 호르몬으로 파골세포에 작용하여 골흡수를 억제하고 신장에서 칼슘의 재흡수를 감소시킨다. 약효 발현 시간이 매우 신속하여 피하주사 요법으로 투여시, 2~4시간 이내 효과를 나타낸다. 그러나 투약 48시간이 지나면서, 반응급강하현상(tachyphylaxis)으로 효과가 감소하기에, 일반적으로 빠른 칼슘 농도 저하를 요하는 응급상황에, 비스포스포네이트와 같은 약효 발현 시간이 느린 다른 약물의 약효 발현을 기다리는 동안 사용할 수 있다. 칼시토닌은 부작용으로 일시적인 구토, 홍조, 복통, 투여부위의 국소적인 자극감 등을 일으킬 수 있다 표 32-1.

표 32-1. 악성종양에 의한 고칼슘혈증의 치료

약물	투약 용량
수액 – 생리 식염수	≥1~3 liter/day IV or SC
비스포스포네이트	
– 1세대 Etidronate	7.5 mg/kg IV daily for 3~7days

– 2세대
  Pamidronate
  Clodronate
	60~90 mg IV
	1,500 mg IV or SC single dose
	or 300 mg IV daily for 7~10 days

– 3세대 Zoledronate	4 mg IV
칼시토닌	4~8 IU/kg SC, IM q 6~12 hour
스테로이드 – Prednisolone	25~75 mg/day
Gallium nitrate	100~200 mg/m^2/day over 24 hours for 5 days

4) 스테로이드

스테로이드는 림프종, 골수종과 같은 스테로이드 반응성 종양의 환자에서 발생한 이차성 고칼슘혈증의 치료에서 효과가 좋다. 또한, 칼시토닌과 병용 투여 시, 칼시토닌의 효과를 증가시키고 작용지속 기간을 연장시키는 효과가 있으나 반응급강하연상을 예방하지는 못한다.

5) 투석

신부전 환자에서 심낭염, 요독성뇌증 또는 신경병증, 치료에 반응하지 않는 폐부종과 체액과잉 상태, 치료에 반응하지 않는 고혈압, 요독증에 의한 출혈성 경향과 임상적 출혈, 지속적 오심, 구토 및 식욕부진 등이 동반 시, 투석이 1차 치료방법으로 고려되기도 하며, 투석 시 다량의 인산이 소실될 수 있기에 투석 후 인산농도를 측정하여 필요시 보충해 주어야 한다.

고위험 환자들의 경우 고칼슘혈증을 유발할 수 있는 약물(thiazide계 이뇨제, cimetidine, 진통소염제, 칼슘, 비타민 D 등)을 복용할 때 주의하도록 한다.

또한, 고칼슘혈증 초기치료 기간 동안 체액과다나 전해질 불균형 등이 발생할 수도 있으며, 고칼슘혈증으로 인해 섬망, 흥분, 의식변화가 나타나고, 일부 환자는 칼슘농도가 정상화된 후에도 수일에서 수주동안 의식변화가 지속될 수 있기에, 흥분과 혼돈을 조절하기 위해서 필요 시 haloperidol이나 benzodiazepine계 약물을 병용투여할 수도 있다.

II 출혈

출혈(bleeding)은 암 환자의 6~10%에서 흔히 나타나는 합병증으로, 암의 초기 증세로 나타날 수도 있으며 병의 경과 중이나 암 말기에도 흔히 나타나며, 사망의 원인이 되기도 한다. 증상은 인지하기 어려운 경미한 출혈부터 생명을 위협하는 정도까지 다양한 양상으로 나타난다. 출혈은 환자와 가족에게 두려움과 불안을 일으키고 대량출혈로 갑자기 사망할 수도 있으므로 매우 주의하여야 한다.

1. 원인

1) 종양으로 인한 출혈
종양이 직접 주위의 국소조직이나 혈관으로 침입하여 출혈을 일으킨다. 두경부, 폐, 위장관계, 여성 생식기 부분은 특히 종양이 점막으로 침범하여 국소적인 파열을 유발함으로써 출혈을 일으키기 쉽다.

2) 치료에 의한 출혈
항암화학요법 혹은 방사선 치료 자체로 인해 출혈의 위험이 증가할 수 있다. 항암화학요법은 이차적인 점막염이 발생하거나, 치료 후 10~14일 경 혈소판 수가 감소할 수 있어 이로 인해 치료 전보다 출혈의 위험이 높아진다.

3) 혈소판 감소증에 의한 출혈

종양이 골수를 침입하거나 골수의 기능을 억제하는 경우, 골수세포형성 기능의 감소를 일으켜 혈소판 수가 감소하게 되고 이로 인해 출혈을 일으킬 수 있다.

4) 영양 결핍에 의한 출혈

영양실조 환자나 심한 간질환자는 비타민 K를 비롯하여 혈액응고결함이 있을 수 있다. 또한, 비타민 K, 아연, 엽산과 비타민 B12의 결핍은 연쇄적인 응고 과정에 영향을 미쳐 지혈 작용을 방해하고 출혈의 위험성을 증가시킨다.

5) 약물에 의한 출혈

혈소판의 수와 기능에 영향을 주는 약은 상당히 많다. 경미한 혈액 응고 이상과 혈소판 기능장애가 겹치면 누적 효과로 심각한 출혈을 일으킬 수 있다. 예를 들면, 아스피린, 헤파린제제, 진통소염제 등이 있다.

6) 응고 장애에 의한 출혈

파종성 혈관 내 응고(disseminated intravascular coagulation, DIC), 일차성 섬유소 용해증(primary fibrinolysis)와 간질환은 응고장애를일으키며 출혈의 위험성을 증가시킨다.

2. 진행성 암 환자에서 흔히 발생하는 출혈의 양상

출혈의 양상은 국소적인 혈관손상, 종양의 혈관침범, 점막염, 혈소판의 수/기능 이상 등과 연관되어 묻어나오는 출혈부터 대량 출혈까지 다양하게 나타난다.

1) 객혈

혈액이 섞인 가래가 기침과 함께 뱉어 내는 경우로 암 환자의 50%에서 경험하는 흔한 증상이다. 객혈은 기관지 암, 폐암 등과 연관되어 직접적인 흉곽 내 혈관에 종양이 침범하여 발생하거나, 전이성 폐암을 동반하여 발생한다. 하루 200 mL 이상의 발생하는 대량 객혈 시 적절하게 치료가 되지 않으면 50% 이상의 높은 사망률을 보이기도 하므로, 급성으로 대량 객혈 시 기관지 내시경을 통한 풍선 카테터 삽입을 통하여 지혈을 시도하거나, 기관지 동맥 색전술 등을 시도한다. 또한, 드물지만 객혈 지속되는 경우 국소적 방사선치료 혹은 외과적 절제술을 고려하기도 한다.

2) 질출혈

자궁내막암, 자궁암 환자의 90%가 비정상 질출혈을 경험한다. 대부분 보존적 방법을 통해 치료한다. 하지만, 대부분의 진행된 암은 주변 방광이나 직장, 질 등의 점막을 침입하여 조절되지 않는 다량의 질 출혈을 일으킬 수 있으며, 이러한 경우 즉각적인 수액 공급 및 질 패킹(packing), 혈관 색전술을 통한 지혈을 시행해야 한다.

3) 위장관 출혈

위장관 출혈은 토혈(hematemesis), 흑변(melena), 혹은 혈변(hematochezia)의 양상으로 나타나게 된다. 대장암 환자의 10~20%의 환자가 직장출혈을 경험하며, 많은 수에서 위, 대장, 직장에서 발생한 원발암이 주변 조직으로 직접적 침입을 하여 출혈을 일으키는 것으로 알려져 있다. 소량의 출혈이 지속적으로 반복되는 경우 방사선 치료가 도움이 될 수 있으며 부위에 따라 열응고법(thermal coagulation), 한냉요법(cryotherapy), 물리적 결찰술, 국소적 혈관수축제 주사요법과 같은 내시경적 중재법을 고려할 수 있으며, 대량 출혈이 발생하는 경우 혈관 색전술을 시행한다.

3. 진단

우선 환자의 병력 청취와 신체 진찰을 통해 출혈 증상과 관련된 위험 요인 및 원인을 파악하여야 한다. 또한, 신속하게 혈색소, 혈소판 수를 포함함, 일반 혈액 검사

(complete blood cell count, CBC), 활성 부분 트롬보플라스틴시간(activated partial thromboplastin time, aPTT), 프로트롬빈시간(prothrombin time, PT) 등의 혈액학적 검사를 시행한다. 간기능 저하가 의심된다면, 간기능 검사도 함께 시행할 수 있다. 이와 함께 출혈 부위 확인을 위하여 필요시, 위장관 내시경 검사, 컴퓨터 단층촬영, 자기공명영상 등을 시행한다. 환자 평가와 검사 소견을 바탕으로 의료진은 환자의 기저 질환과 현재 출혈증상 상태를 정확하고 신속하게 파악한 뒤 적절한 치료방법을 결정해야 한다.

치명적인 대량 출혈의 경우, 신속하게 환자의 혈역학적 안정을 위해 수액을 공급하거나, 출혈지점이 외부에서 관찰 시, 외부 압박에 의해 지혈을 시도하며 필요시 혈관수축제를 투여하는 것과 같은 치료를 우선 고려해 볼 수 있다. 하지만, 출혈이 임종과정의 한 증상으로 나타날 수 있으며 이러한 경우 적극적인 검사나 치료가 도움이 되지 않을 수 있으므로 병의 진행 정도와 성격을 고려한 감별이 필요하다.

4. 치료

암 환자에서 출혈의 치료는 환자마다 기저 병력과 출혈이 발생하는 원인이 다르기에, 개별적으로 접근해야한다. 환자의 병력과 이전 출혈 발생 과거력, 환자와 보호자의 심리적 압박감, 진통소염제, 항응고제 복용과 같은 현재 복용하고 있는 약물 등을 모두 고려하여 환자의 치료계획을 수립해야 한다.

1) 국소적 처치

코, 질, 직장에서 출혈이 발생시, 우선 패킹을 시행한다. 소독된 거즈나, 면봉을 이용하여 팩킹을 시행하며, 필요에 따라 코카인 혹은 트로보플라스틴(thromboplastin)과 같은 지혈에 도움을 주는 약물을 도포하여 이용하기도 한다. 또한, 무균 처리한 스폰지 혹은 가루 형태의 흡수성 젤라틴을 이용하는 방법도 있다. 출혈 부위에 흡수성 젤라틴 적용시키면, 젤라틴내의 fibrin이 혈전을 형성하며 지혈을 유도하고, 이는 4~6주 이내에 흡수된다. 이 외에도 fibrin sealants, oxidized cellulose 같은 생체흡수성 국소 지혈용 재료를 고려해 볼 수도 있다. 또한 국소 출혈 시, 혈관 수축제의 주입이나, 소작법도 고려해 볼 수 있다.

(1) 방사선 치료

폐, 여성 생식기, 피부암 등에서 방사선치료는 종양으로 인한 출혈을 감소시킨다. 폐암으로 인하여 객혈을 호소하는 환자의 80%에서 효과적으로 출혈을 조절하고, 직장 출혈 환자의 85%, 방광암으로 인한 혈뇨를 호소하는 환자의 60%에서도 효과적으로 출혈을 멈추게 한다. 출혈을 감소시키기 위하여 방사선 일회 혹은 감소 분획요법(single or reduced fraction regimen)은 다분획 방사선 조사만큼 효과적이다.

(2) 완화적 도관 색전술

완화적 도관 색전술(palliative transcatheter embolization)은 도관을 통하여 출혈을 유발하는 혈관에 접근이 가능한 환자에서 유용한 지혈방법이다. 특히, 두경부, 골반, 폐, 간, 위장관 부위의 출혈 시 유용하다.

경피적 동맥 색전술(transcutaneous arterial embolization)은 골반 내 출혈, 비뇨기암 출혈, 간세포암의 자발적 파열에 의한 출혈 시, 일부 환자에서 출혈을 조절에 유용하다.

(3) 내시경적 중재술

상부 위장관 정맥류 혹은 암으로 인한 출혈 시, 경화성 제제를 주입하거나, 결찰하거나, 아르곤 빔을 이용한 레이저 응고술을 시행하기 위해 상부 위장관 내시경을 이용할 수 있다. 그 외에도 방광암으로 인한 혈뇨 환자에서 방광경을 이요하여 소작술을 시행하여 출혈을 조절할 수도 있으며, 객혈이 지속되는 폐암 환자에서, 기관지 내시경을 이용하여 출혈부위에 thrombin이나 fibrinogen과 같은 국소 지혈제를 적용하거나, 스텐트 삽입술, 레이저 응고술등을 시행하여 지혈을 유도할 수도 있다.

2) 전신적 처치

(1) 비타민 K (Phytonadion, menadiol)

비타민 K는 응고인자 II, VII, XI, X와 같은 비타민 K 의존성 응고인자의 이상이 있거나, 와파린 치료를 받는 진행성 암 환자의 출혈 시, 치료에 매우 유용하다. 비타민 K는 주로 경구, 혹은 피하로 투약되며, 빠른 교정을 요할 때 정맥 투여도 고려해 볼 수는 있다.

(2) 바소프레신/데스모프레신

바소프레신(vasopressin)과 데스모프레신(desmopressin)은 뇌하수체 후엽에서 분비되는 호르몬으로 내장 신경에 작용하여 혈관을 수축시킨다. 이는 종양과 관련하여 상부 위장관 출혈이 지속되는 환자 일부에서, 정맥주사 혹은 동맥주사 투여방법을 통하여 출혈 조절을 위해 고려해 볼 수 있다.

(3) 소마토스타틴(Somatostatin analogue)

Octreotide는 위장관 폐색으로 위액 분비물을 감소시키기 위하여 주로 사용하는데, 이는 정맥혈관의 확장을 유도하여 내장 혈류를 감소시키며 이는 나아가 문맥압과 문맥 혈류량을 감소시켜 출혈을 감소시키게 된다.

(4) 항섬유소 제제

Tranexamic acid, epsilon aminocaproic acid은 plasminogen의 활성화를 억제하여 섬유소용해를 저지하는 약제이다. 이 약제는 경구 혹은 정맥주사 제제로, 투여받은 환자의 25%에서 오심, 구토, 설사등 위장관 관련 이상반응을 나타내며, 이는 용량 의존적으로 발생한다. 하지만, 혈전증은 흔하지 않다.

(5) 수혈

과거에는 주로 전혈상태로 수혈되었으나, 현재는 부족한 혈액성분만을 환자에게 수혈하는성분수혈요법이 주로 이용되고 있다. 즉, 급성 또는 만성 출혈로 인하여 적혈구가 부족한 환자에게는 적혈구제제의 수혈을 시행하며, 진행성 출혈로 혈소판이 부족한 환자에게는 혈소판제제의 수혈을 시행하고, 응고인자를 포함한 혈장 성분이 부족한 환자에게는 신속동결혈장(fresh frozen plasma) 제제를 이용한다.

3) 완화적 지지

대량 출혈이 이루어지고 있는 환자와 가족들은 출혈로 인한 심리적 불안 및 공포를 함께 느끼게 된다. 출혈부위가 보이는 경우라면, 외부 압박을 통한 지혈 처치와 함께, 가능하면 산소와 측와위의 체위변경과 함께 심리적 지지를 제공해야 한다. 경우에 따라, 정신적 고통이 큰 경우에는 midazolam과 같은 진정제 투여를 고려해 볼 수 있다. Midazolam은 진정 효과가 빠르게 나타나며, 안전하고, 작용시간이 빠른 약물로 알려져 있으나, 약물 투여 전에 환자와 가족과 상의 후 투여 여부를 결정해야 한다 표 32-2.

III 상대정맥증후군

상대정맥증후군(superior vena cava syndrom)은 외부 압력, 상대정맥 혈관내의 혈전이나 혈관 벽의 직접적인 침습에 의해 초래되는 상대 정맥의 기계적 폐쇄이다. 상대정맥은 중앙 종격동에 위치하여 상대적으로 주위의 흉골, 기관지, 림프절보다 견고성이 낮으며 혈관벽이 얇고 탄력성이 높아 혈관내 압력이 낮다. 또한 상체 및 두경부로부터 주요 혈관들이 합류하여 우심방으로 유입되는데, 상대정맥 폐쇄가 발생하면 상체 및 두경부

표 32-2. 악성종양에 의한 출혈의 치료

종류	방법
패킹법	코, 질, 직장 출혈 시 우선 적용
압박 드레싱	투명 필름, 하이드로 겔 드레싱
체위 변경	객혈환자에서 출혈부위가 아래로 오도록 측와위
국소 지혈제	피브린 실란트, 산화 셀룰로오스
수렴제(Astringents)	질산은, 알루미늄 수렴제
방사선 치료	폐, 피부, 여성 생식기 암 출혈 시 유용
완화적 도관통한 색전술	
내시경적 중재술	경화성제제 주입법 결찰법 레이저 응고술
비타민 K	비타민 K 의존성 응고인자의 이상 혹은 와파린치료를 받은 환자에서 유용
바소프레신/데스모프레신	
항섬유소제제	
수혈	혈소판 수혈 신선동결혈장 수혈

의 혈액이 우심방으로 유입되는 혈류를 방해하고 측부 순환을 발달시키게 된다.

1. 원인

대부분 악성 종양이 원인으로, 가장 흔한 원인은 비소세포성 폐암이다. 이 외에도 소세포성 폐암, 배아세포종, 림프종, 흉선종, 중피종, 식도암 등의 직접적인 종격동 침입에 의해 흔히 발생하며, 대동맥류, 종격동염, 림프절 종창 등 양성 원인에 의해서도 발생할 수 있다.

2. 증상

상대정맥 폐쇄가 발생하면 특징적인 임상 증상과 임상 징후가 나타난다. 가장 흔한 증상은 얼굴, 특히 눈 주위의 부종이 심하고, 목, 손과 팔을 포함한 상지의 부종과 홍반이 나타난다. 이와 함께 목 주변 정맥의 무맥박성 확장, 상체의 표재성 측부 혈관의 확장이 동반되는 경우가 많다. 그리고 기도의 부종과 함께 호흡이 빨

라지며 호흡곤란이 동반되고, 어지럼증과 두통, 청색증, 시력의 변화, 애성 등이 나타날 수 있다. 심할 경우, 뇌부종, 심장 혈류 부전에 의한 의식 변화, 기도 폐색으로 인한 사망에 이를 수 있다.

3. 진단

얼굴과 목의 부종과 홍반/청색증이 악화된 환자, 호흡곤란을 호소하는 환자의 경우, 우선 호흡과 신경계통 증상 발생 여부를 확인해 보아야 한다. 흉부 방사선 촬영, 컴퓨터 단층촬영과 같은 영상학적 검사를 시행하여 종격동 내 종양이나 상대정맥의 혈전, 폐색 여부를 확인한다.

암으로 진단되지 않은 환자에서 이러한 증상이 첫 증상일 수 있으므로 처음 방문한 환자에서 종격동 내 종양이 의심 소견이 관찰된다면, 림프종, 생식세포암 같이 치료가 가능한 질환과 소세포성 폐암과 같이 항암화학요법에 반응이 좋은 질환을 위해 정확한 조직학적 진단이 필요하므로, 기관지 내시경 혹은 종격동 내시경을 통한 바늘 생검 등을 이용하여 원발 종양에 대한 병리 조직검사를 시행해야 한다.

4. 치료

상대정맥증후군은 상대정맥 폐쇄의 원인, 증상의 중증도, 환자 개개인의 치료적 목표에 따라 상대정맥증후군의 치료 방법을 결정하게 된다. 대부분의 환자에서 신속하게 환자의 증상(특히, 호흡곤란 및 안면부 부종으로 인한 익사하는 느낌 등) 호전과 삶의 질 향상, 생존률 향상을 위해서 고용량의 스테로이드와 방사선 치료를 고려한다. 하지만 원발 종양에 따라 항암화학요법에 반응이 좋은 소세포성 폐암, 림프종, 배아세포종의 경우에는 항암화학요법를 먼저 고려해볼 수 있다. 상대정맥증후군을 호소하는 진행된 소세포성 폐암 환자에서 항암화학요법을 시행한 경우, 80%까지 소세포성 폐암이 반응을 보여 증상을 완화시키며, 비소세포성 폐암일

지라도 환자의 60%까지 상대정맥증후군이 호전된다고 한다. 또한, 국한성 소세포성 폐암 환자나 진행된 비소세포성 폐암의 경우, 방사선 치료를 추가하여 항함화학요법과 함께 시행하면 보다 효과적이다. 비소세포성 폐암과 소세포성 폐암을 함께 가진 환자에서 항암화학요법에 대하여 반응이 있었던 경우, 약 20%의 재발률을 보인다. 항암화학요법에 대한 반응은 임상증상의 변화와 영상학적 검사를 통해 평가하게 되며, 환자의 임상증상의 호전이 반드시 영상학적 상대정맥 혈류의 호전과 일치하지는 않는다.

상대정맥의 폐쇄가 재발한 환자나 활동 수행능력이 나쁜 환자, 적극적인 치료를 원하지 않거나, 혹은 이전에 종양에 대한 치료에서 저항성을 보인 환자에서는 머리를 높게 위치하는 것이 측부 순환을 보다 원활하게 도움을 주어 유용하며, 스테로이드(prednisolone 혹은 dexamethasone) 투약이 호흡곤란 및 방사선 치료 연관 염증성 부종을 가라앉히는 데 도움을 준다. 산소 공급은 저산소증이 동반된 암 환자에서 호흡곤란을 완화시키는데 유용하다. 또한, 이전에는 상대정맥증후군 증상 완화를 위하여 이뇨제를 사용하기도 하였으나 최근에는 탈수와 같은 부작용을 유발할 뿐 다른 이득이 적어 권장하지 않는다.

방사선 치료나 항암화학요법에 저항성을 보이거나, 더 이상 방사선 치료를 시행할 수 없는 경우, 매우 빠른 속도로 상대정맥 폐쇄가 진행되는 경우, 상대정맥 내 스텐트 삽입을 고려해 볼 수 있다. 스텐트를 삽입하기 이전에 streptokinase 혹은 urokinase와 같은 혈전용해제를 이용할 수도 있으며, 스텐트 삽입 후 재협착을 줄이기 위하여 항응고제 치료를 시행할 수도 있다. 스텐트 삽입은 상대정맥 폐쇄시 혈류를 유지시키기에 유용한 중재법이지만, 삽입된 스텐트의 재협착과 색전증, 감염 및 스텐트 이탈, 상대정맥 천공과 파열등의 합병증과 관련된 사망률이 5~10%에 달하며, 상대정맥증후군의 1차 치료로 권장되지는 않는다.

악성 폐색을 동반한 일부 상대정맥증후군 환자에서 완화적 목적으로 수술적 우회술을 시행을 고려할 수 있다. 이는 보통 악성 폐색에 의한 상대정맥증후군보다는 삽입한 포트의 혈전과 같은 양성 질환에 의한 상대정맥 폐색 환자에서 더욱 적합하며, 수술 전 환자의 예후와 수술로 인해 유발될 수 있는 중증의 합병증에 대한 충분한 평가와 논의가 선행되어야 한다.

IV 척수압박증후군

악성종양을 진단받은 환자의 50% 이상은 전이를 경험하며, 70% 이상의 환자가 원발암 혹은 전이암에 의해 여러 증상을 호소하게 된다. 척수압박증후군은 악성종양 환자에서 뇌전이에 이어서 두 번째로 흔한 신경학적 합병증으로 암 환자의 5~10%에서 발생한다. 하지만 초기에 증상을 인지하기 어려워 조기 진단이 어렵다. 신경학적 이상은 매우 다양하며 운동이나 감각의 애매한 증상에서부터 명백한 감각손실까지 나타날 수가 있다.

척수압박증후군(spinal cord compression)은 원발성 척수종양이나 또는 유방암, 폐암, 전립선암, 비호치킨 림프종, 다발성 골수종, 신장암, 대장암, 췌장암, 육종 등 종양이 뼈, 특히 척추로 전이되어 직/간접적으로 척수강 내의 척수를 압박함으로써 통증, 감각/운동 장애, 배변 장애 등 여러 가지 신경증상을 나타내는 상태를 일컫는다. 특히 유방암과 폐암은 흉추부위에 주로 압박 증상을 일으키며, 대장암 및 골반 내 종양은 주로 요추부의 압박증후군을 야기한다. 척수 압박 증상은 병의 진행 속도에 따라 점진적으로 느리게 진행될 수도 있고, 빠르게 진행될 수도 있으며 특히 치료 전 신경학적 장애 정도는 예후를 가늠할 수 있는 결정적 요소가 된다.

1. 병태생리

척수 압박을 일으키는 종양의 약 85%는 척수 자체에서 기원한 것이 아닌 다른 곳의 원발성 종양으로부터 유래된 전이성 종양이다. 전이성 척수 압박은 전체 암 환자의 5%에서 발생하는 것으로 보고되고 있고, 척추 전이가 일어난 환자의 20%에서 발생하는 것으로 추정되고 있다. 그중 85%는 원발성 종양으로부터 척수 신경의 Bastone 신경총을 따라서 혹은 색전 등의 혈행성 전이를 한 것이다. 전이된 종양이 성장함에 따라 직접 경막외 공간으로 침입하거나 혹은 종양에 의해 허탈된 척추체 자체가 척수 압박을 하게 된다. 그 외에 골전이 없이 척추측방종양(paraspinal tumor)이 척추간공(intervertebral foramen)을 통하여 성장하여 척수 압박을 하는 경우도 있다. 경막외 종양이 성장함에 따라 경막외 정맥총의 혈류를 차단하여 혈관내피성장인자(vascular endothelial growth factor, VEGF), 프로스타글란딘 F2 (prostaglandin F2, PGF2)등이 생성되고 이로 인해 혈관성 부종이 발생하게 된다. 부종이 발생하면 초기에는 백질(white matter)이 손상을 받고, 후기에는 회백질(gray matter)도 손상을 받게 되며 결국에는 이로 인하여, 압박부위 척수의 혈류량 감소로 인한 허혈과 경색이 발생하게 되며, 이 과정에 여러 시토카인과 세로토닌 등의 매개체가 관여하여 비가역적인 신경세포의 괴사가 일어나게 된다. 일반적으로 경추 혹은 흉추 부위에 압박이 발생하면 몸의 마비 증상을 보이고, 요추 부위에 압박이 나타날 경우, 직장이나 방광 기능 장애와 함께 배변 장애가 발생한다. 압박 손상의 속도가 빠를수록 단기간 내에 압박을 제거해야 신경 손상의 회복이 가능하며 점진적인 압박의 경우에는 압박 제거에 시간이 다소 지연되더라도 회복이 가능하다고 알려져 있다.

2. 증상

척수 압박의 초기 증상은 압박 부위의 동통, 요통과 같은 통증이며, 때때로 신경을 자극하는 증상과 동반되어 띠 같은 통증(girdle like pain)이 유발되기도 한다. 통증은 힘을 주거나, 재채기 혹은 기침, 움직임 및 누운 자세에서 악화되는 양상을 보이며 점차적으로 척수 신경근통(radicualr pain)으로 진행된다. 일반적으로 근육 쇠약을 인지하기 전 수주 또는 수개월 동안 통증을 가지고 있다. 초기에는 쇠약보다는 경직이 흔하고, 하지 허약감이 나타나고, 얼얼하고 저리는 느낌(numbness & tingling)이 양쪽 발에서 시작하여 다리로 올라오는 감각 이상이 동반된다. 가장 흔한 발병부위는 흉추부(70%)이며, 그 다음으로 요추부(20%), 경추부(10%)에서 발생하기도 한다. 그리고 9~30%의 경우에는 다발성으로 나타나기도 하는데 서양에서는 주로 유방암, 전립선암의 경우 다발성 척수압박을 보인다고 한다.

또한 마미증후군(cauda equina syndrome)과 같은 신경학적 합병증이 발생하며, 요추 신경근뿐 아니라 천추 피부분절로부터 감각 저하, 운동신경 마비 증상, 빈뇨나 요실금 같은 배뇨 증상과 항문 주위의 마비 증상, 장 기능장애 등이 나타날 수 있다.

척수 압박의 정도는 통증의 악화와 관련되어 있다. 감각소실이나 반사작용 소실 같은 검사가 병변의 위치를 아는 데 도움을 준다.

3. 진단

척수압박증후군은 초기에는 증상을 알기가 어려워 조기 진단이 어렵다. 하지만, 진단이 늦어지게 되면, 척수압박증후군으로 인한 신경 회복 가능성이 낮아지고, 이로 인한 사망률이 증가되게 된다. 따라서 척추통증과 신경학적 증상 또는 징후를 가진 환자는 자기공명영상과 같은 방사선학적 검사를 요한다.

단순 방사선 검사는 척추뿌리의 미란, 척추허탈, 척추 주위의 종괴를 발견할 수도 있고, 연부조직을 보기 위해서는 컴퓨터 단층 촬영을 이용한 척수강 조영술이 유용하나, 현재는 척추의 자기공명영상이 비침습적이며, 골수, 천수의 종양의 침범, 중추신경계 및 말초신경계의 손상을 평가하여 척수압박증후군을 진단하고 다른 질환에 의한 척수압박의 감별진단에 가장 유용한 표준 진단방법으로 널리 사용되고 있다. 하지만, 마미 증후군에서 자기공명영상의 진단율은 20% 내외로 알려져 있는데, 이는 마미 증후군으로 의심되는 5명의 환자가 있을 때, 자기공명영상상에서 실제 마미 증후군으로 진단되는 환자는 1명에 지나지 않는다는 것을 의미한다. 하지만, 자기공명영상의 진단율이 낮다고 하더라도 마미 증후군을 절대적으로 예측할 수 있는 증상 및 증후가 없기 때문에 임상적으로 의심되는 모든 환자에서 긴급하게 척추의 자기공명영상을 시행하여야 한다.

4. 치료

척수압박증후군의 치료의 목적은 통증을 완화시키고, 신경학적 증상을 호전시키며, 척추의 안정성을 유지하여 보행 기능을 유지하도록 하는 것이다. 척수압박증후군이 진단되면, 종양학과, 방사선종양학과, 신경외과, 재활의학과, 완화의학과 의사와 간호사, 물리 치료사, 작업 치료사 등의 여러 분야 전문가가 포함된 다학제적 팀 접근을 통하여 환자의 질병의 진행단계와 예후, 수행능력, 동반질환, 증상의 중증도 등에 따라 환자의 치료목표를 설정하고 치료방법을 결정해야 한다.

1) 스테로이드 치료

척수압박증후군의 진단이 확정되면, 즉시 스테로이드 치료를 시작한다. 스테로이드 치료는 척수압박으로 인한 척수 조직의 부종을 빠른 시간 내에 가라앉히는 역할을 하여 통증을 경감시키고, 신경기능을 보존하는 효과가 있다. 이전 연구를 통하여 척수압박증후군에서 스테로이드의 유용성에 대해서는 이견이 없지만, 아직 스테로이드 치료요법의 적절한 용량 및 투여기간에 대해서는 확립되어 있지 않다.

일반적으로 증상 발현 24시간 이내, 초기용량으로 dexamethasone 10 mg을 한 번에 정맥주사 하고, 이후 긴밀히 경과관찰을 시행하며 dexamethasone 6~10 mg을 6시간 간격으로 정맥주사 한다. 말기 상황으로 생존 기간이 너무 짧거나 방사선 치료를 받기 어려워 스테로이드만 사용해야 하는 경우를 제외하면, 스테로이드 치료와 함께 방사선 치료나 수술을 함께 시행하며 일반적으로 수술이나 방사선 치료가 완료될 때까지 사용한다. 방사선치료가 끝나면, 스테로이드 투여 용량을 점차적으로 척수압박증후군의 증상을 완화시키고 신경기능을 보존하는 최저용량으로 감량하기를 권장한다. 또한, 부득이하게 스테로이드 투여를 지속해야 한다면, 캔디다 감염 혹은 주폐포자충 폐렴 등이 이차적으로 발생하지 않도록 주의해야 한다.

2) 방사선 치료

방사선 치료는 현재까지 척수압박증후군의 치료에서 주를 이루고 있으며, 일반적으로 스테로이드 투여 후 바로 방사선 치료를 시행하게 된다. 방사선 치료는 대부분의 상황에 적합하나, 특히 척추 불안정 없이 방사선 치료에 반응을 잘하는 종양일 때 권장된다. 3개월 이내의 조기 재발한 환자의 60%가 처음 발생부위로부터 2개의 척추체 이내에서 재발하기 때문에 방사선 조사부위는 병변이 있는 척추와 그 위아래 두 개의 척추체를 포함시키는 것이 일반적인 방법이며 통증을 완화시키고, 보행능력을 유지하며 괄약근 장애를 개선하는데 효과가 우수한 것으로 알려져 있다. 전이성 척수압박증후군의 경우 방사선 치료로 약 70%의 환자에서 통증이 호전되고, 45~60%의 환자에서 운동능력이 호전된다고 한다.

방사선 치료의 중요한 예후인자는 원발성 종양의 종류와 치료 전의 보행상태로 알려져 있다. 림프종, 다발성 골수종, 고환암의 경우 방사선 치료 효과가 좋고, 유방암, 진립선암, 위장간암 등은 중등도의 치료반응을 보이며, 폐암 등은 치료 효과가 좋지 않은 것으로 되어 있다. 치료 후 보행은 치료 전 보행상태에 거의 절대적인 영향을 받는 바, 수술 전 보행이 가능한 경우는 거의 보행능력이 보존되지만, 보행불가능 환자는 40~60% 정도만 다시 걸을 수 있게 되며, 일단 완전마비가 될 경우 보행은 이들 중 10%만이 가능하다고 한다.

3) 수술적 치료

방사선 치료 후에도 신경학적 증상이 악화되며, 방사선 치료에 효과가 좋지 않은 원발성 종양이거나, 이전에 방사선 조사 부위에 재발하였거나, 골절이나 골압박 등과 같은 척수의 불안정 상태인 경우에 수술적 치료를 고려해야 한다. 또한, 수술적 치료는 적어도 3~6개월 이상의 여명이 기대되는 환자에게 시행되어야 하며, 방사선 치료의 과거력이 있거나 또는 원발성 전이 장소를 모를 경우에 시행한다. 방사선 단독 치료 또는 수술과 방사선 병합 치료를 결정하는 것은 매우 어려운 문제이다. 방사선 치료와 감압술의 병합 치료를 방사선 단독 치료와 비교해 보았을 때 효과의 차이가 없었다는 과거의 보고도 있으나, 완전마비 및 심한 마비의 환자에게서는 방사선 단독 치료보다 수술과 병합 치료가 유용하다는 보고도 있다. 또한, 골전이에 의한 압박골절 시, 척추전방에 병변이 있는 경우에는 병소를 직접 제거하는 전방감압술을 실시한 경우, 신경회복 및 통증 감소에 좋은 결과를 보인다. 또한 골허탈에 의한 기계적인 문제가 발생한 경우, 척추후궁절제 감압술(laminectomy decompression)과 척추고정(spine stabilization)을 함께 고려해 볼 수도 있다. 하지만 이러한 수술적 감압치료는 환자의 여명, 전신상태, 암의 진행상태, 척추의 불안정성, 수술 후유증 등을 고려하여 환자에게 최선이 되는 방법을 선택하여야 한다.

4) 완화적 돌봄

척수압박증후군에서 스테로이드 약물 요법이나, 방사선치료 혹은 수술이 주요 치료법이나 이 외에도 환자와 가족에 대한 약물치료, 심리적 지지 및 재활 치료는 통증을 경감시키고, 삶의 질을 향상시키는 데 도움을 줄 수 있다.

V 간질발작

간질발작(seizure)은 진행된 암 환자에게 드물지 않게 나타난다. 대개 일시적으로 나타났다가 사라지지만, 5~30분 이상 지속되거나 한 번의 간질발작 후 의식이 완전히 회복되지 않은 상태에서 다음 간질이 연이어 발생하며 간질지속상태(status epilepticus)가 발생할 수도 있다. 암 환자에게서 간질발작은 원발성 뇌종양, 혹은 다른 종양의 뇌전이 등에 의해 주로 발생하지만, 그 외 대사 이상, 약물 독성, 중추신경계의 감염 등에 의해서도 발생한다. 간질발작은 여러 형태의 행동 및 정신증상으로 표현될 수 있기 때문에 섬망 등 다른 정신장애와의 감별이 필요하다.

1. 증상

간질발작은 뇌파의 양상에 따라 뇌의 한 부위에 국한되어 시작하는 부분발작(partial seizure)과 뇌의 양쪽에서 동시에 시작하는 전신발작(generalized seizure)으로 분류한다. 전신발작은 아무런 전구 증상 없이 갑자기 의식을 잃으며, 환자는 발작 동안의 일을 전혀 기억하지 못한다. 환자 자신은 발작을 마치고 나서야 자신이 간질발작을 한 것을 인지한다. 이와는 달리 부분발작은 간질을 시작하면서 스스로 전구증상을 느끼거나 의식소실이 없이 신체 일부의 경련으로 시작하기 때문에 본인 스스로 간질의 시작을 느낄 수가 있다. 처음 시작은 부분발작으로 시작하여도 발작 중에 전신발작으로 진행하는 경우도 있다. 그러나 간질의 종류에 따라서 여러 형태의 발작 유형을 동시에 갖는 경우도 있다.

5분 이상 간질발작이 지속되거나 한 번의 간질발작

후 의식이 완전히 회복되지 않은 상태에서 다음 간질이 연이어 발생하는 것이 30분 이상 지속되는 간질지속상태는 생명이 위급한 응급상황으로 적극적인 치료를 시행해야 한다.

2. 진단

경련 및 간질지속상태의 진단은 뇌파가 기본이지만, 뇌파에서 이상이 나타나지 않는 경우도 꽤 있고 진행된 암 환자에서 뇌파검사하기도 적절하지 않은 경우도 많으므로 임상적인 판단이 가장 중요하다. 뇌 자기공명영상 혹은 뇌 전산화단층촬영은 발작환자에서 간질병소를 확인하기 위해서 시행을 고려해 볼 수 있다. 또한 의식과 행동의 변화를 동반하는 다른 증후군들과의 감별이 중요하기 때문에 필요한 경우 정신건강의학과나 신경과와의 협진을 함께 시행하도록 한다.

3. 치료

1) 항경련제

대부분의 간질발작의 경우 보통 약물 치료에 잘 반응하여 한가지의 약물로 잘 조절되는 경우가 전체의 2/3 정도 되고 나머지 20~25% 정도는 여러 가지 약을 병용 투여해야 되는 것으로 알려져 있으며, 나머지 10% 남짓의 환자의 경우는 잘 조절이 되지 않는 것으로 알려져 있다.

간질지속상태는 생명을 위협할 수 있는 응급상황으로 제대로 처치받지 못하면 뇌에 손상을 입게 되고 다른 주요 장기부전을 초래하게 된다. 치료는 항간질 약제를 발작이 조절될 때까지 정맥주사로 직접 투여하는 것이다.

항경련제는 다양한 부작용을 일으킬 수 있으며 이는 약의 용량이 증가할수록 가능성이 높아진다. 부작용에는 소화기관 불편감, 간 수치의 상승, 감염 위험을 초래하는 백혈구 감소, 체중 증가, 졸음, 정신 착란, 기억장애, 어지럼증, 평형감각 문제, 복시 증상 등이 나타날 수 있다. 이러한 부작용이 발생할 가능성과 다른 약물과의 상호작용 때문에 항경련제는 예방적으로 사용하지 않는 것이 일반적이다.

또한, 일부 항경련제는 혈중농도를 측정해야 하는데 암 환자에서는 대사변화와 약물상호작용에 의해 농도가 변할 수 있다. 그렇지만 약물 용량 조절은 혈중 농도보다 경련이 조절되는 임상적인 반응을 기준으로 하는 것이 원칙이다.

2) Benzodiazepine

간질발작 환자에게 가장 많이 쓰이는 benzodiazepines 약물은 lorazepam이다. Lorazepam은 지방용해도가 높아 대뇌에 빠른 시간 안에 도달하여 γ-aminobutyric acid (GABA)의 억제 효과를 촉진시켜 항경련 효과를 보인다. Lorazepam은 약물 투여 3분 이내 진정 효과를 보이게 되며, 약물의 반감기는 10~15시간이다. Lorazepam은 2 mg을 한 번에 정맥투여하며, 최소 20~30분 간격으로 0.1 mg/kg/day 용량까지 반복투여할 수 있다.

7부

📑 참고문헌

1. Balasubramanian K, et al. Reliability of clinical assessment in diagnosing cauda equina syndrome. Br J Neurosurg. 2010;24:383-6.
2. Bell DA, et al. Cauda equina syndrome: what is the correlation between clinical assessment and MRI scanning? Br J Neurosurg. 2007;21:201-3.
3. Domen PM, et al. Predictive value of clinical characteristics in patients with suspected cauda equina syndrome. Eur J Neurol. 2009;16:416-9.
4. Edurado B, et al. 2nd edition. Textbook of palliative medicine and supportive care. Florida: CRC press; 2016.
5. Faul CM, Flickinger JC. The use of radiation in the management of spinal metastases. J Neuro oncol 1995;23:149-61.
6. Hoskin PJ, et al. Metastatic spinal cord compression radiotherapy outcome and dose fractionation. Radiother Oncol 2003;68:175-80.
7. Katagiri H, et al. Clinical results of nonsurgical treatment for spinal metastases. Int J Radiat Oncol Biol Phys 1998;42:1127-32.
8. Meiko K., Rony D. Emergencies in palliative care. In: Sriram Y., Eduardo B. 2nd edition. Oxford american handbook of hospice and palliative medicine and supportive care. Oxford: Oxford university press; 2016:185-94.
9. MK Kim, et al. Clinical analysis of metastatic spinal cord. Korean J Med 2005;68:1:56-65.
10. Paychell RA, et al. Direct decompressive surgical resection in the treatment of spinal cord compression caused by metastatic cancer: A randomised trial. Lancet 2005;366:643-8.
11. Rades D, et al. Final results of a prospective study of the prognostic value of the time to develop motor deficits before irradiation in metastatic spinal cord compression. Int J Radiat Oncol Biol Phys 2002;53:975-9.
12. Rades D, et al. Radiotherapy is effective for metastatic spinal cord compression in patients with epithelial ovarian cancer. Int J Gynecol Cancer 2007;17:263-5.
13. Siegal T, Siegal T. Current considerations in the management of neoplastic spincal cord compression. Spine 1989;14:223-8.
14. Sundaresan N, et al. Surgical treatment of spinal cord compression from epidural abscess. J Clin Oncol 1995;13:2330-5.

33장

임종기 돌봄

| 곽정임, 최윤선 |

생의 마지막 시간은 환자와 가족에게 중요한 의미를 가진다. 준비된 평안한 임종을 맞이하면 좋은 기억으로 남을 수 있다. 영적인 편안함을 찾고, 작별 인사를 할 수 있는 소중한 시간이다. 그러나 임종기를 인지하지 못하거나 돌봄이 잘 이뤄지지 않으면 불필요한 고통을 야기하며, 환자의 임종 이후에도 가족의 고통이 오랫동안 이어지며, 임종의 질이 저하된다.

적절한 임종기 돌봄을 위해 영국에서는 1990년대부터 Liverpool 돌봄 계획을 도입하여 임종 돌봄을 제공해 왔으며, 2015년 말 National Institute for Health and Care Excellence (NICE) 가이드라인을 통해 일반의들도 적용 가능한 성인 임종환자를 위한 돌봄 지침을 발표하였다. 우리나라에서도 2011년에 서울성모병원에서 말기/임종 과정 환자를 위한 한국형 표준 돌봄 지침을 개발하여 제시한 바 있으며 대한의학회에서는 2017년 8월부터 발효되는 '호스피스·완화의료 및 임종과정에 있는 환자의 연명의료결정에 관한 법률'을 위해 2016년 11월 '말기와 임종과정에 대한 정의 및 의학적 판단지침'을

개발하였다.

이 장에서는 임종이 임박했을 때 발생하는 증상의 조절과 임종 과정에서 환자와 가족이 경험하는 문제에 대한 완화 의료적 접근에 대해서 다루고자 한다.

I 임종기의 정의

우리나라 법에서는 회생의 가능성이 없고, 치료에도 불구하고 회복되지 않으며, 급속도로 증상이 악화되어 사망에 임박한 상태를 임종기라 정의한다.

대한의학회 지침에서는 임종기의 임상 판단 기준을 급성 질환(acute illness) 환자, 만성 질환(chronic illness) 환자, 만성 중증 질환 환자, 체외막 산소화장치(extracorporeal membrane oxygenation, ECMO) 적용 환자의 4가지 임상 상황 등으로 나누고 있다.

1. 급성 및 만성 질환 환자의 경우 임종기는 담당의

사의 판단으로 수일 내지 수주 내에 환자의 상태가 악화되고 사망이 예상되어 환자와 환자 가족과 임종 돌봄에 관한 논의가 구체적으로 시행되는 시점이다.

2. 만성 중증 질환 환자의 경우 임종기는 담당의사의 판단으로 더 이상 환자가 생존하기 어려워 환자와 환자 가족과 연명 의료 중단 등 결정에 대하여 구체적인 논의를 하는 시점이다.

3. 체외막 산소화장치 적용 환자의 경우 임종기는 담당의사의 판단으로 기저질환의 회복 소견이 없으면서, 다발성 장기 부전이 진행되거나 장기이식의 대상자 또는 기계적 생명보조장치의 대상자가 되지 않는 경우, 환자와 환자가족과 체외막 산소화장치의 지속 또는 중지를 논의하는 시점이다.

임종기 진입을 판단하기 위해서는 담당의사와 해당 분야의 전문의 1명이 해당 환자가 임종과정에 있다고 동일하게 판단해야 한다.

II 임종 전 돌봄

1. 환자와 가족 평가

호스피스·완화의료팀은 임종이 임박하기 이전부터 환자와 가족의 임종 및 장례 준비 정도를 평가해야 한다. 환자 본인의 사전의사결정, 임종 및 장례에 대한 의사 표현 여부와 원하는 임종 장소, 장례식장의 사용, 장례 예식(종교 예식 등), 매장 방법 및 장지, 영정 사진이나 수의 등의 준비 여부 등을 확인하고 안구나 시신 기증 의사가 있었는지도 확인해 본다. 암 환자는 장기 기증의 경우 안구 기증만 가능하다. 환자가 직접 의사결정을 하지 못하는 경우에 대신할 주 의사결정자를 확인해야 한다.

2. 환자와 가족 교육

임종 과정 중에 발생하는 변화나 징후를 알려 주고, 환자와 의사소통을 하는 방법, 환자에 대한 간호 방법, 임종 시 대처 방법, 장례 준비 방법 등을 알려 주어야 한다.

1) 임종기 증상 및 과정에 대한 설명

임종을 처음 경험하는 보호자는 환자의 임종기 호흡이나 임종 전 천명, 끙끙거림 등으로 인해 고통스러워할 수 있다. 임종기에 정상적으로 나타나는 증상 및 징후에 대해서 설명하고, 환자의 편안함을 위한 치료를 지속할 것임을 알린다. 환자의 편안함에 도움이 되지 않는 검사나 처치, 투약 및 영양제 등의 중단 필요성을 설명한다. 이때 돌봄의 목표 및 사전 의사 결정의 재확인이 필요하다.

또한 임종 시간을 정확히 예측하는 것은 불가능함에 대한 설명이 필요하다. 임종의 순간을 지키는 것을 중요시하는 우리나라의 문화적 특성상 임종의 정확한 시기를 요구하는 경우가 많다. 기간이 길어지면 많은 가족들이 수일간 환자 옆에 계시면서 지칠 수 있으며, 너무 짧으면 임종을 지키지 못하고 또한 이에 대한 죄책감을 갖기도 한다. 임종의 순간을 지키는 것보다는 환자에게 의미있는 이야기를 하고 함께 시간을 보내는 것 자체가 더 중요함을 설명하고 가족들이 교대로 환자의 곁을 지키면서 지지해드릴 수 있도록 격려해야 한다.

2) 의식이 저하된 환자와의 의사 소통

가족들은 마지막 수 시간 동안 환자와 가장 이야기를 나누고 싶어하나 대부분 의식이 저하되어 있어 불가능하다. 그러나 환자는 반응하는 것에 비해서 많은 것을 알아듣는다. 의식이 저하되어도 환자는 여전히 한 사람의 인격을 가진 사람이라는 것을 잊어서는 안된다. 의식이 없는 환자도 모든 것을 다 들을 수 있다고 가정하는 것이 현명하다. 의료진은 환자에게 의식이 있는 것처럼 이야기를 하고, 가족들에게도 그렇게 하도록 충고하는 것이 좋다. 시각은 완전하지 않을 수 있으므로 환자에게 이야기할 때 본인이 누구인지 먼저 밝히고 나서 이야기를 할 수 있도록 격려한다.

좋아하는 물건이나 음악, 소리를 들려 주는 것이 좋다. 일상적인 대화를 나누고 사랑과 용서, 감사를 표현하고 준비가 되면 마지막 인사를 할 수 있도록 도와준다. 간혹 떠나도 된다는 허락을 기다리는 것처럼 보이는 경우도 있는데, 그런 경우에는 편안히 임종하실 수 있도록 인사를 하도록 도와주어야 한다. 접촉이 의사소통을 증가시킬 수 있으므로 가족들이 평소 하던 방식으로 애정을 표현하도록 격려해야 한다.

3) 임종기 환자의 기본 간호
가족들이 직접 돌보고 싶어 하나 반면에 어떻게 해야할지 모르는 경우가 많으므로 이에 대한 교육이 필요하다. 욕창을 방지하기 위한 체위 변경, 시트 교환, 마사지, 관절 구축을 예방하기 위한 관절 운동, 대소변 관리, 구강 및 눈 관리, 연하장애 시 약물 투여 방법, 감염 관리 등에 대한 교육이 필요하다.

또한 가정에서의 임종을 원하는 경우 환자의 응급상황이나 변화에 대처에 대한 각 개개인에 적합한 교육이 필요하며 불안감이나 불필요한 응급실 방문을 줄이기 위하여 24시간 전화 상담을 제공해 주는 것이 필요하다.

4) 장례 절차 준비
개인의 선호 및 문화적, 종교적 전통에 따라 장례를 계획할 수 있도록 도와준다. 임종 전 종교 의식을 행할 수 있도록 돕고, 장례 장소와, 매장 방법 및 장지, 영정 사진 등에 대해서 구체적으로 미리 계획할 수 있도록 해야 한다. 임종 시 부고를 알릴 사람의 연락처를 미리 정리해 두는 것도 필요하다.

5) 임종 환경에 따른 임종 전 준비
집, 병원 또는 시설 등 어떤 장소에서 임종을 맞이하느냐에 따라서 준비할 것이 다르다. 중요한 점은 임종의 환경을 집과 같이 준비하는 것이 좋다. 임종 직전에 돌봄의 장소나 의료진을 포함한 돌봄제공자가 갑자기 변경되는 것은 혼란이 가중될 수 있으므로 피하는 것이 좋다.

집에서 임종하는 경우 반드시 119를 부를 필요는 없다. 가정방문 호스피스가 연계되어 있다면 환자의 임종이 임박한 경우 가정방문 호스피스에 연락하도록 알려주며, 연계가 되어 있지 않은 경우 미리 어디에 있는 누구를 부를 것인지 결정해 놓는 것이 좋다. 예상된 임종의 경우 검시는 필요하지 않으며, 119 호출 시에도 미리 말기 암 환자로 임종기라는 이야기를 들었으며 사전연명의료의향서가 작성되어 있음을 알려야 한다. 그렇지 않으면 환자와 가족이 원하지 않음에도 불필요한 심폐소생술을 받을 수도 있다. 임종 전 48시간 이내에 의사가 환자를 진찰한 경우라면 진찰했던 의사가 사망진단서를 작성할 수 있으며, 48시간이 경과한 후에는 담당 의사나 응급실 의사가 사체 검안서를 발급한다. 평소 다니던 병원과 먼 거리에 있는 경우 미리 말기 상태에 대한 소견서를 작성하여 보관해 두면 타 병원에 방문하여 사체 검안을 받아야 하는 경우 유용할 수 있다.

호스피스·완화의료기관에 입원한 경우에는 가능한 집과 같은 환경을 준비하도록 배려해 주고, 사생활을 보장해 줄 수 있는 공간으로 옮기는 것이 도움이 된다. 사진이나 좋아하는 물건, 음악을 들을 수 있도록 해주고, 다인실에 입원한 경우에는 48시간 이내에 임종이 예상되는 징후가 나타나게 될 경우, 1인실 또는 임종실로 이실하여 가족들과 시간을 보낼 수 있도록 하는 것이 필요하다.

3. 지속적인 지지 및 영적, 사회 심리적 돌봄 제공
임종기에는 호스피스·완화의료팀이 가족과 반복하여

면담하는 것이 도움이 된다. 환자와 가족, 돌봄 제공자들의 상태를 규칙적으로 확인해야 한다. 돌봄의 목적이나 생명 연장 치료의 무익함, 진행되는 일들의 비가역성 등에 대하여 반복하여 명확하게 알려 주고, 환자와 가족의 소진이나 영적, 사회심리적 지지의 필요성을 파악해야 한다. 환자와 가족의 감정에 공감하고 지지해 주는 것이 필요하다. 극심한 급성 애도 반응의 가능성을 예측하고, 추후 병적인 애도반응을 일으킬 수 있는 고위험군을 미리 파악해야 한다.

환자가 원할 경우 영적인 문제에 대해 의논해 주며, 환자가 원하는 종교에 따른 종교 예식 등의 영적 돌봄을 제공하는 것이 필요하다. 때로는 과도한 전도자로부터 환자를 보호할 필요도 있다.

III 임종기 증상 및 관리

1. 기능 저하

임종에 가까워짐에 따라 환자들은 점차 허약감과 피로감이 증가한다. 마지막 몇 시간 동안 환자는 침대에서 움직이거나 머리를 가누기 힘들다. 피부, 특히 뼈 돌출 부위의 지속적인 압박으로 피부 허혈, 나아가 욕창의 위험이 높아진다. 욕창이 발생하면 환자는 악취와 통증으로 고통스러울 수 있으며, 이로 인하여 가족도 고통스러워진다. 또한 욕창이 발생하면 영양결핍 및 악액질(cachexia) 그리고 움직임 부족으로 인해 급격히 악화될 수 있으므로 예방에 신경을 써야한다. 욕창의 위험을 줄이기 위해 최소한 2시간마다 자세를 변경하고, 뼈 돌출 부위를 보호하기 위해 수성콜로이드 드레싱을 시행할 수 있다. 공기 침대와 같은 적절한 완충 장치를 제공하면, 힘든 체위 변경의 필요성을 줄일 수 있다. 움직이지 못하면 관절의 구축이나 부종이 발생할 수 있으므로 1~2시간마다 수동적으로 관절 운동을 해 주는 것

도 좋다.

2. 식욕 저하 및 수분 섭취의 감소

대부분의 환자에서 식욕이 감소하고 음식물 섭취량이 줄어든다. 배고픔을 크게 느끼지 않으며, 억지로 먹이면 오심을 악화시킬 수 있고, 흡인이나 질식의 위험도 발생한다. 가족들은 이에 대하여 '곡기를 끊으면 임종한다'고 생각하여 굶어서 죽지 않을까 하여 걱정하고 힘들어하며 영양제를 요구하거나 환자를 억지로 먹이려고 하는 경우가 많다. 그러나 임종 직전의 환자에서 비경구 및 장관내 영양공급은 증상을 완화하지도 생명을 연장시키지도 못한다는 연구 결과들이 많이 있으며 다발성 장기 부전이나 다른 암의 합병증으로 사망하는 것이지 식사를 하지 않아서 사망하는 것이 아님에 대해 설명할 필요가 있다. 환자에게도 안 먹는 것에 대해 죄책감을 가질 필요가 없음을 설명하고, 먹고 싶다면 먹는 즐거움을 위해서 소량씩, 사레 걸리지 않도록 드실 수 있도록 교육한다.

유럽임상영양대사학회지침에서는 임종기 말기 암 환자에게 장관영양을 하지 말도록 이야기하고 있고, 여명이 최소한 2~3개월 남은 환자에서만 총정맥영양을 고려하도록 하고 있다. 임종 직전에는 도움이 되지 않을 뿐 아니라 해로울 수도 있음에 대한 설명이 필요하다. 장관 영양의 경우 삽입부의 통증이나 출혈, 튜브 막힘, 설사나 변비, 흡인, 전해질 장애, 고혈당, 급식 재개 증후군(refeeding syndrome) 등의 부작용이 발생할 수 있다. 또한 총정맥 영양의 경우 패혈증, 저혈당 및 고혈당, 간기능 장애, 전해질 이상, 용적 과부하(volume overload), 담낭염 등을 일으킬 수도 있으며 이들에 대한 잦은 모니터링이 필요할 수 있다.

일반적으로 인공 영양이 임종기에 권장되지 않는 것과는 달리 수액은 부종이나 복수, 흉수 등이 심하지 않는 경우, 갈증 및 다른 증상을 호전시키기 위해 고려한다. 수액은 정맥뿐 아니라 장관, 피하, 직장을 통하여

투여할 수 있다. 정맥을 찾기 힘든 경우 환자의 고통을 야기할 수 있으므로 다른 투여경로를 고려한다. 수액의 투여는 섬망이나 근간대경련(myoclonus) 등을 줄일 수 있다. 그러나 과도한 수액 투여는 말초부종이나 폐부종을 증가시켜 호흡곤란이나 기침, 기관지 분비물을 증가시킬 수 있는데, 특히 저알부민혈증이 동반된 환자에서 문제가 될 수 있다. 수분 공급은 환자가 가능한 편안하고, 갈증을 느끼지 않을 정도로 유지하도록 한다. 혈압이나 맥박의 감소는 임종 과정의 일부분으로 탈수를 의미하지 않으므로 저혈압을 호전시키기 위해서 생리식염수를 투여하는 것은 도움이 되지 않는다.

수분 섭취가 저하됨에 따라 환자의 평안함을 유지하고 갈증을 줄이기 위해 구강, 비강, 결막의 철저한 위생관리와 수분 유지가 필요하다. 구강세정제나 인공 타액을 사용하여 갈증의 감각이나 나쁜 냄새, 맛, 구강 점막의 균열로 인한 통증을 감소시킬 수 있다. 구강 캔디다증으로 인하여 삼킬 때 통증이 발생하는 경우 니스타틴과 같은 국소적 항진균제를 고려하고 삼킬 수 있는 경우에 fluconazole과 같은 전신적 항진균제를 고려할 수도 있다. 입술과 비강은 바세린(petroleum jelly)을 얇게 발라 주어 수분의 증발을 줄인다. 향수가 포함된 입술용 크림이나 레몬이나 글리세린이 포함된 제품은 건조를 촉진하고 자극적이므로 피해야 한다. 입마름을 유발하는 약제도 확인하여 불필요하다면 중단하는 것을 고려한다.

수액 투여나 인공 영양의 중단에 대한 논의는 임상적 측면뿐 아니라 문화적, 종교적, 윤리적 측면을 고려해야 하며 환자와 가족에게 적절한 교육과 안심시키기, 정서적 지지와 영양 지도가 필요하다.

3. 혈액 관류의 감소

임종이 임박하면 심박출량이 감소하고 혈관 내 용적이 줄어들어 말초 혈액 공급이 감소한다. 혈압이 떨어지고 맥박이 빨라지며 손발이 차가워지고 청색증을 보기도

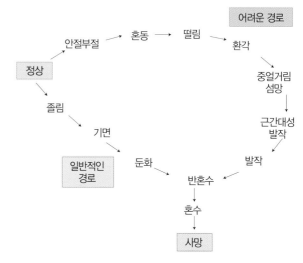

그림 33-1. 임종 과정의 두 가지 경로

하며, 그물 울혈반이 나타나 피부가 얼룩덜룩해지기도 한다. 신장 관류량이 줄어들면서 소변량은 점차 감소하게 된다. 핍뇨나 무뇨가 나타난다. 이러한 변화는 수액 치료로 회복이 불가능하므로 임종기에 정상적으로 나타나는 증후임을 설명해 주는 것이 필요하다.

4. 신경학적 변화

임종 과정에서 신경학적 변화는 크게 두 가지 다른 양상으로 나타나게 되는데 '임종 과정의 두 가지 경로그림 33-1'로 표현된다. 대부분의 경우 서서히 수면 시간이 증가하면서 의식이 저하되고 혼수와 사망에 이르는 '일반적인 경로'를 따르게 된다. 반면에 약 10% 정도의 환자는 중추신경계의 흥분이 일어나 심한 섬망이 유발되면서 힘겨운 임종 과정을 겪게 된다. 이때 경련의 위험이 높아지며, 경련은 뇌 전이가 동반된 환자에서 흔히 발생한다. 임종의 진행과 관련된 신경학적 변화는 다양한 비가역적인 요소와 관련되어 있다고 알려져 있다. 저산소증, 대사장애, 산증, 간기능 장애 및 신기능 장애에 의한 독성 물질의 신체 내 축적, 약제의 부작용, 패혈증, 질병과 관련된 요소, 뇌혈류량 감소 등을 들 수 있다.

1) 의식의 저하

점차 졸려하다가 수면 시간이 늘어나면서 결국 전혀 의식이 없게 된다. 속눈썹 반사의 소실 등 충분히 마쳐된 상태와 같은 수준의 깊은 혼수상태까지 진행될 수 있다. 드물게 임종 수시간 전에 잠시 동안 의식이 명료해졌다가 소실되면서 급격히 악화되는 경우도 있다.

2) 말기 섬망

초조성 섬망은 '어려운 경로'로 진행되는 것을 알리는 첫 번째 신호이다. 흔히 혼란과 초조함, 흥분을 보이며, 밤낮이 바뀌는 경우가 많다. 임종기에 발생하는 섬망은 대부분 비가역적이다. 임종이 임박할 때 발생하는 섬망은 원인이나 가역성 여부를 확인하기 위해 검사를 진행하기 보다는 관련된 증상을 관리하고 환자와 가족을 지지하는데 초점을 두어야 한다.

섬망은 환자와 가족, 돌봄 제공자, 의료진들의 소진을 가져온다. 이전에 환자를 잘 돌보아 왔더라도 섬망을 간과하거나 제대로 관리하지 못하는 경우, 또는 설명이 부족한 경우 가족들은 '끔찍한 고통 속의 무서운 죽음'을 떠올리게 되고 많이 힘들어하게 된다. 임종 후 애도 과정까지 나쁜 영향을 미칠 수 있다.

말기 섬망이 의심될 때 보호자에게 섬망의 원인과 증상, 비가역성, 치료에 대하여 충분히 설명하고, 지지하는 것이 필수적이다. 환자가 실제로 경험하고 있는 상황과 그들이 보는 상황과는 매우 다르다는 것을 이해시켜야 한다. 환자가 끙끙거리거나 찌푸림, 팔다리를 휘젓는 양상 등이 있을 때 가족들은 심한 통증 때문에 그렇다고 생각하는 경우가 대부분이다. 그러나 평소 통증이 잘 조절되던 사람에서 임종 수시간 전에 갑자기 통증이 심해지는 경우는 드물다. 평가가 어려운 경우 마약성 진통제를 투여해 볼 수는 있으나, 신기능이 떨어져 있는 경우에 진통제가 축적되어 오히려 섬망을 악화시킬 수 있다. 진통제를 증량하여도 초조가 호전되지 않거나 섬망이 악화되는 경우, 또는 근간대성 발작이나 발작이 발생하는 경우에는 진통제를 사용하는 대신 섬망 자체에 대한 치료를 해야 한다. 환자의 초조, 안절부절함은 환시에 대한 반응일 수 있음을 설명하고, 친숙한 보호자가 환자를 지지하는 경우 다소 안정될 수 있음을 교육하고 섬망의 비약물적 지지에 대한 교육을 시행한다.

말기초조와 섬망을 조절하는 데는 신경이완제(neuro-leptics)를 사용하는데 haloperidol을 가장 흔하게 사용한다. 정맥이나 피하, 항문으로 투여할 수 있으며, 0.5~2.0 mg를 밤에만 투여하거나 6~8시간 간격으로 투여한다. Haloperidol은 진정 효과는 적은 편으로 말기 진정의 효과보다는 섬망의 증상을 조절하기 위해 사용한다. 진정 효과가 더 강한 것으로 chlorpromazine (10~25 mg을 매일 취침 전에 6시간 간격의 범위에서 시작하여 조절)을 경구, 항문으로 투여할 수 있고 olanzapine 5~10 mg을 구강붕해정으로 투여할 수도 있다.

신경이완제만으로 조절되지 않거나 빠른 증상 조절이 필요한 경우 lorazepam이나 midazolam 등의 벤조다이아제핀류를 함께 사용하기도 한다. 벤조다이아제핀류는 항불안 효과, 기억상실 유발, 골격근 이완, 항경련 효과가 있기 때문에 말기섬망에 흔하게 사용되나 단독으로 사용하는 경우 섬망을 악화시킬 수 있다. 증상을 조절하는데 필요한 최소한의 용량을 사용하는 것이 필요하다. 이들로 조절되지 않고 심한 고통이 발생하는 경우 완화적 진정을 고려하게 된다. 완화적 진정에 대해서는 따로 자세히 살펴보도록 하겠다.

3) 경련

임종기에 경련이 흔하게 발생하지는 않지만 뇌종양이 있는 경우 경험할 수 있다. 특히 저등급 교종(glioma)에서 88% 정도로 매우 흔하게 발생한다. 고등급 교종에서는 30~50%, 전이성 뇌종양의 경우 15~20% 정도에서 나타나며, 이는 임종 1주일 이내에 흔하다.

이전에 한 번도 경련이 발생하지 않은 환자에서는 예

방적 항경련제의 중단을 고려할 수 있다. 그러나 한차례라도 경련을 경험했던 경우 지속적으로 항경련제를 사용해야 한다. 가능하면 경구로 사용하는데 시럽을 고려할 수 있으며, 경구 복용이 불가능한 경우 valproic acid 용액이나 carbamazepine 현탁액을 희석하여 직장으로 투여할 수 있다. Carbamazepine 현탁액의 경우 1~2시간 정도 유지해야 하는데 이때 강한 변의를 느낄 수도 있다. Lamotrigine도 항문으로 잘 흡수된다. 경련이 발생하는 경우에는 고용량의 benzodiazepine을 사용한다. 다른 항경련제인 phenytoin, phenobarbital 등을 사용할 수 있다. 주사로 투여 가능한 약제들이 있으나 근육내 주사나 피하 주사는 흡수가 불규칙할 수 있어 주의한다. 경련이 지속되는 경우 lorazepam이나 diazepam과 같은 benzodiazepines를 흔히 사용한다.

4) 호흡 양상의 변화 및 호흡곤란

임종기 환자에서 호흡 양상의 변화는 중요한 신경학적 변화를 나타내는 지표이다. 호흡이 얕고 잦으며 일회 호흡량이 감소한다. 무호흡 기간이 길어지거나 체인-스토크스 호흡이 발생하기도 한다. 호흡 보조근의 사용도 두드러진다. 이러한 양상의 변화를 가족들은 임종 전의 가장 고통스러운 징후 중 하나로 받아들인다. 많은 사람들은 의식이 없는 환자가 질식감을 느끼지 않을까 두려워한다. 그러나 혼수 상태의 환자들은 호흡곤란이나 질식하는 느낌을 경험하지 않으며, 오히려 매우 편안한 상태로 알려져 있다. 이때 산소의 공급은 아무런 도움이 되지 않으며, 오히려 임종 과정만 연장시킬 수 있다.

환자가 호흡곤란을 인지하여 힘든 경우 대부분의 중재에 반응하지 않는 경우가 많다. 이러한 경우 저용량의 마약성 진통제를 사용하면 증상의 호전을 기대할 수 있으며, 호흡곤란으로 인한 불안감이 큰 경우 벤조다이아제핀류의 사용이 도움될 수 있다. 저산소증을 나타내는 호흡곤란 환자에서는 저용량의 산소 공급이 증상의

호전을 줄 수도 있으며, 비약물적 요법으로는 선풍기 등의 바람을 쏘이거나 자세 변경을 하는 것 등이 도움될 수 있다. 임종기에는 이완요법이나 복식 호흡은 시행하기 어려우며, 환자가 많이 힘들어하는 경우 완화적 진정을 고려하기도 한다.

5) 연하 능력의 소실

쇠약함과 신경학적 변화에 의해 연하 능력이 감소된다. 연하 장애가 발생하면 구강으로 음식이나 수분을 섭취하는 것을 중단하고 흡인의 위험성을 가족이나 돌봄제공자에게 주의시켜야 한다.

또한 임종 전 천명이 나타날 수 있는데 임종 수시간-수일 전부터 나타나며 임종이 매우 가까워졌다는 강력한 예측인자 중 하나이다. 기전은 명확하게 알려져 있지 않으나 삼킴 반사가 감소하고 연하곤란 및 가래 배출 장애가 생김에 따라 상기도에 침과 분비물이 고여서 호흡 시에 발생하는 기류에 의해 그르렁거리는 소리가 나는 것으로 되어 있다. 이러한 상태는 환자의 의식이 점차 소실되면서 더욱 악화된다. 가족들은 환자가 고통스럽지 않을까라는 염려에 힘들어하나 대부분의 연구에서 환자들은 크게 고통스럽지 않은 것으로 나타난다. 따라서 이에 대하여 설명하고 안심시키는 것이 필요하다.

임종 전 천명 시 입인두에서 분비물을 흡인하는 것은 추천되지 않는다. 분비물이 카테터가 닿을 수 있는 범위보다 더 깊이 있어 효과가 별로 없을 뿐만 아니라, 편안한 상태의 환자를 오히려 자극하여 환자와 가족들을 힘들게 할 수 있다. 환자의 머리 위치나 자세를 변경하는 것만으로도 소리를 줄일 수 있다.

분비물이 과도하게 많고, 소리가 커서 가족들이 힘들어하는 경우 분비물을 줄이기 위하여 항무스카린성 약제를 고려해보기도 한다. Glycopyrrolate를 주로 사용하며 scopolamine을 사용하기도 한다. 그러나 환자 본인의 편안함에는 크게 차이가 없고 입마름이나 섬망 등의

부작용이 발생할 수 있으므로 항상 사용하지는 않는다. Atropine도 비슷한 효과를 가져올 수 있으나 심장이나 중추 신경계의 흥분을 가져올 수 있으므로 거의 사용하지 않는다.

6) 괄약근 조절 능력 소실

전신쇠약과 괄약근 조절 능력의 소실로 소변과 대변의 실금이나 정체가 발생할 수 있다. 이는 개인의 자존감에 영향을 줄 수 있으므로 섬세하게 다루어야 한다. 깨끗하게 닦고 피부를 잘 관리해주어야 피부의 손상이나 발진을 예방할 수 있다. 소변 카테터를 사용하면 기저귀를 자주 갈아야 하는 것을 줄일 수 있고, 피부 손상을 예방할 수 있으며 간병의 필요성을 줄일 수 있다. 그러나 소변량이 거의 없는 경우에는 카테터 삽입이 불필요하며, 이를 확인하기 위해 초음파로 잔뇨를 측정하는 것이 도움이 될 수 있다. 핍뇨나 무뇨 상태에서는 흡수성 기저귀나 패드만 사용하여도 충분하다. 의식 저하된 환자에서 안절부절 못하는 경우 소변 정체나 대변 정체가 있는지 확인할 필요가 있으며 설사가 심한 경우 직장관을 삽입 후 배액할 수도 있다.

5. 통증

지속적인 통증 조절은 임종기 환자에서 중요한 부분 중 하나로 필수적인 치료이다. 경구 복용이 힘들어지면 피하주사 등의 비경구 투여로 변경하는 것이 필요하며 경구 진통 보조제는 중단한다. 대부분 움직임이 줄어들면서 통증이 감소하여 경구 보조제를 중단해도 적절하게 조절되는 경우가 많다. 경구약 중단 후 통증이 악화된다면 마약성 진통제 자체를 증량하거나 주사 사용이 가능한 진통 보조제로 교체하는 것을 고려한다. 임종이 가까운 경우 통증 조절 및 기타 여러 증상의 조절을 위해 고용량의 스테로이드나 ketamine 주사를 고려하기도 한다.

　환자나 가족들은 임종 시 통증이 더 심해지지 않을까 걱정하지만 대부분은 그렇지 않다. 호스피스·완화의료 병동에서 시행된 국내 연구에서 통증의 점수는 임종 한 달 전에 3.0점 내외였고, 임종 1~2일 전에도 평균 3.1점으로 차이가 없었으며, 오히려 진통제의 용량은 임종이 가까워지면서 감소하였다고 하였다. 반혼수 상태나 의식이 저하된 환자의 통증은 평가하기 어렵지만 지속적인 통증이 있는 경우 얼굴 특히 이마나 미간의 찡그림이나 긴장이 나타나고 팔다리를 흔들기도 한다. 일시적으로 빈맥과 같은 생리적인 징후가 발생할 때도 통증의 가능성을 고려해야 한다. 그러나 꿈, 환각, 섬망 증상 등으로 인해 이마에 긴장이 간헐적으로 있거나 팔다리를 움직이는 경우도 있으며, 이때 통증으로 오인될 수 있다. 말기섬망에서 나타나는 초조, 흥분, 신음, 끙끙거림을 통증과 혼동해서는 안 된다. 구분이 되지 않는 경우에는 좀 더 높은 용량의 마약성 진통제를 투여하고 반응을 관찰할 수 있으나 섬망을 악화시킬 수 있어 주의해야 한다.

　Codeine, morphine, oxycodone, hydromorphone 등은 간에서 포합반응을 거쳐 glucuronides에 결합된다. 특히 morphine의 경우 신장으로 배설될 때까지 진통제로서의 활성을 가진다. 임종기의 환자는 간기능과 신혈류량의 감소로 핍뇨나 무뇨가 발생하는데 이때 morphine을 규칙적으로 투여하거나 지속적으로 주입하는 경우 활성화된 대사산물의 혈중 농도가 증가하여 독성이 발생하고, 말기섬망이 발생할 수 있다. 소변이 나오지 않거나 사구체 여과율이 극히 감소된 경우 morphine의 규칙적인 투여나 지속적인 주입은 중단을 고려한다. 신기능이 극도로 저하된 환자가 지속적인 통증을 호소하는 경우 돌발성 통증 시에 사용하는 용량으로 용량을 적정하여 관리한다. 비활성화 대사산물을 가지는 fentanyl이나 hydromorphone 등의 다른 마약성 진통제의 사용을 고려해 볼 수 있다.

6. 눈이 감겨지지 않음

소모성 질환이 진행되면서 안와 뒤 지방층이 사라져서 안구가 뒤쪽으로 이동한다. 눈꺼풀은 뒤쪽으로 늘어난 거리로부터 결막까지 덮기에는 길이가 짧아서 눈이 잘 감기지 않게 된다. 잠 잘 때에도 눈을 완전히 감지 못하여 결막이 노출된다. 결막이 지속적으로 노출되면 건조하지 않도록 안구 윤활제나 인공눈물, 생리 식염수 등을 사용하며 수분을 유지해야 한다.

7. 열

임종 전 수일 동안 고열이 발생하는 경우도 흔하게 경험할 수 있다. 그 원인은 잘 알려져 있지 않지만, 감염이나, 종양, 약물, 신경학적 손상 등으로 인한 것을 생각해볼 수 있다. Acetaminophen과 NSAIDs가 1차적 치료제이며, 이들이 효과가 없는 경우 dexamethasone도 사용할 수 있다. 임종기의 항생제는 감염의 치료 목적으로 사용하기 보다는 동반된 증상의 완화를 위해 제한적으로 사용하며, 주로 요로계, 피부, 호흡기 감염 등이 의심되는 경우에 고려한다. 배뇨 곤란이 동반된 방광염이나 호흡곤란이나 기침 가래가 동반된 폐렴 및 기관지염, 통증이 있는 피부 감염, 연하 곤란이 있는 캔디다 구내염이나 식도염, 감염성 설사, 자극성 냄새를 동반한 혐기성 감염 등에서는 증상의 완화를 위해 항생제를 고려할 수 있다.

8. 위장관 증상의 조절

임종에 가까운 시기에 발생하는 구역과 구토는 마약성 진통제나 기타 약물, 요독증, 장 폐쇄, 위마비, 복수, 뇌내압 상승 등의 원인으로 발생할 수 있다. 일부의 경우 각각의 원인에 따른 약물로 조절될 수 있다. 뇌내압 상승으로 인한 경우 glucocorticoids를 사용하고 위마비가 있는 경우 metoclopramide를, 전정기능 문제인 경우 scopolamine이나 항히스타민제를 사용할 수 있으며, 장폐색증인 경우 octreotide나 glucocorticoids를 고려할 수

있다.

그러나 임종기의 구역과 구토는 다인성이거나 불확실한 원인으로 나타나는 경우가 대부분으로 haloperidol이나 metoclopramide를 주로 사용한다.

9. 약물의 변경

1) 불필요한 약물의 중단

환자의 임종이 수일 내로 예상되는 경우 투여중인 약제를 다시 확인하고 적절하며 필수적인 약인지 논의하고 크게 도움이 되지 않거나 중복되는 약제, 해로운 약제는 중단해야 한다. 우리나라 연구에서도 임종기에 저혈압(수축기 혈압 90 mmHg 이하)이나 저혈당(50 mg/dl 미만)이 발생했음에도 불구하고 불필요하게 고혈압약 및 당뇨약을 사용한 경우가 약물 복용자의 47.3%, 10.3%로 나타났으며, 고지혈증약의 경우 75%가 불필요하게 사용한 것으로 나타났다. 위장보호제의 경우 절반 이상의 환자가 마지막까지 사용하였다. 이들 중 절반 이상은 위장관 출혈이나 소화성 궤양, 위염, 위식도 역류증, 장기적인 항염증제(스테로이드 나 NSAIDs)의 사용력 등이 없는 등 반드시 사용할 필요가 없는 경우로 나타났다. 물론 약물의 중단에 있어서 개인적, 문화적, 윤리적 측면에 대한 고려가 필요하며, 약물로 인해 발생할 수 있는 득실에 대한 충분한 논의가 필요하다. 항생제 등의 약물은 환자에게 해롭지 않으면 중단하지 않기도 한다. 간혹 임종기에 모든 약물을 중단해달라는 요구를 하는 경우도 있는데 진통제나 신경안정제(benzodiazepines), 신경이완제(haloperidol 등), 항무스카린약제 등 임종기 증상을 조절하기 위한 필수적인 약물은 유지되어야 함을 설명해야 한다.

2) 투여 경로의 변경

약물의 투여 경로에 대해서도 환자의 고통을 최소화할 수 있는 방법을 고려해야 하며, 약물의 경구 복용이 힘들어지는 경우 이에 대한 변경이 필요하다. 일부 약물

표 33-1. 임종기 증상 관리를 위한 약제

증상	약제	투여 경로	초기투여 용량	참고사항
통증 및 호흡곤란	Morphine	SC/IV/PR	2~3 mg q4h	신부전 시 축적 주의/타약제 혼합 가능
	Hydromorphone	SC/IV/PO	0.5~1 mg q4h	신부전 시 비교적 안전
	Fentanyl	TD/SL/SC/IV	지속 주입	악액질 시 경피제 흡수 감소
	Sufentanil	SC/IV	지속 주입	Fentanyl의 10배 강도:주사 부피 감소 가능
신경병증 통증	Lidocaine	TD		Allodynia시 사용
	Ketamine	SC/IV	0.1 mg/kg/h	불응성 통증
섬망/초조	Haloperidol	SC/IV/PO	0.5~2 mg q4~6h	구역에는 더 저용량에도 효과. 진정 적음
	Olanzapine	PO(구강붕해정)	2.5~5 mg q24h	진정효과 있음
	Quetiapine	PO	12.5~50 mg q8~12h	진정효과 있음
	Chlorpromazine	PR	50~100 mg q12h	진정효과 있음
	Lorazepam	PO/IV	0.5~2 mg q2~6h	불안동반 호흡곤란, 구역에도 도움
	Midazolam	SC/IV	2.5~5 mg q4h	60 mg까지 사용 가능
구역/구토	Metoclopramide	SC/IV	10~20 mg q6~8h	완전장폐쇄에서는 금기
	Ondansetron	IV/PO	4~8 mg PO q8h	난치성 구역/구토시
	Dexamethasone	SC/IV/PO	6~20 mg daily	장폐쇄 시
	Buscopan	SC/IV	20~40 mg qid	장폐쇄 복통 동반
	Octreotide	SC/IV	50~100 mcg q8h	장폐쇄 시의 난치성 구토– 고비용
임종전 천명	Scopolamine	TD/SC/IV	1~3TD q72h	진정, 섬망 유발 가능
	Glycopyrrolate	SC/IV	0.1~0.4 mg q4h 0.1~0.4 mg q4h	신경계 영향 적음

은 직장 내 투여를 고려할 수 있다. 주사의 경우 근육 내 주사는 통증을 유발하므로 가능한 피해야 하며, 혈관을 찾기 힘든 경우 피하 주사나 패치 제제 사용을 고려할 수 있다. 피하주사의 경우 한 번에 주입할 수 있는 용량이 1 ml 이내이므로 그 이상의 용량이 필요한 경우 지속적 피하주입을 고려한다.

3) 투여 용량의 변경
환자의 신기능이나 간기능이 저하됨에 따라 약물의 투여 간격이나 용량의 변경을 고려할 필요가 있다 표 33-1.

10. 완화적 진정
임종기에 할 수 있는 모든 방법을 시도해도 환자의 힘든 증상이 조절되지 않는 경우 완화적 진정을 시도할 수 있다. 완화적 진정이란 임종이 임박한 환자에서 어떠한 치료에도 호전이 되지 않는 증상의 호전을 위해 수면을 유도하고 진정을 유지시키는 것을 의미한다. 말

기진정이라는 용어로 사용되기도 하였으나 임종을 앞당기기 위한 것으로 오인될 수 있어 최근에는 완화적 진정이라는 용어를 선호한다. 의사 조력 자살이나 안락사와는 윤리적으로 구분되는데, 앞의 두 가지 경우는 임종을 앞당기는 것을 목적으로 하며, 완화적 진정은 임종이 임박한 상태에서 환자의 고통을 경감시키기 위함이 목적이며 임종 자체가 아니다. 실제로 대부분의 경우에서 연구에서 완화적 진정은 불응성 증상의 호전을 보이면서 임종은 앞당기지 않음이 밝혀져 있다. 우리나라에서는 임종기에 발생하는 심한 말기섬망이나 호흡곤란에서 주로 사용되고 있다.

1) 적응증
• 환자가 치료 불가능한 말기 암이거나 주요 장기 부전의 말기 상태이면서 이식이 불가능한 상태, 에이즈 치료가 더 이상 효과가 없거나 견디기 힘든 부작용이 발생하는 경우, 진행된 신경근육질환, 경구

섭취가 불가능한 진행된 치매 등의 심하고 만성적이며, 생명을 위협하는 질환에서만 사용되어야 한다. 일반적으로 수시간에서 수일 내에 임종이 예상되는 경우에 사용을 고려한다.

- 통증이나 오심 및 구토, 호흡곤란, 경련, 흥분성 섬망, 불안, 우울 등의 심한 신체적이나 신경 정신적 증상으로 심하게 고통받는 경우에 사용해야 한다.
- 표준적인 완화적 접근에 불응성인 증상이어야 한다.
- 환자 돌봄의 가장 최우선의 목표가 편안함인 환자이어야 한다.
- 심폐소생술, 기계 호흡, 기관내 삽관 등의 생명 유지 장치 치료의 중단 처방이 있어야 한다. 수액이나 영양제 등에 대한 논의도 진행할 수 있다.
- 의도하지 않게 임종을 앞당길 수 있음에 대한 사전 동의 및 충분한 설명이 있어야 한다.
- 환자를 돌보는 모든 팀원들이 사전에 알고 있어야 한다.

2) 분류

진정의 깊이에 따라 보호자와 소통이 서로 가능할 정도로 의식을 유지하는 얕은 진정과 환자를 거의 무의식 상태로 만드는 깊은 진정으로 나눈다. 지속성에 따라 간헐성 진정과 지속성 진정으로 나누기도 한다. 또한 투여와 효과의 빠르기에 따라 점진적 방식과 빠른 중재 방식으로 나눌 수도 있으며, 주로 점진적으로 증량하며 모니터링하는 점진적 방식을 흔히 사용한다.

3) 약물

대표적 일차 약물로는 효과가 빨리 나타나고, 반감기가 짧은 midazolam을 가장 많이 사용한다. 부하용량 투여 후 지속 정주나 피하주사로 사용한다. 부하 용량은 5~10분 간격으로 투여할 수 있으며 투여 후 10분 정도는 환자 옆에서 모니터링 하는 것이 필요하다. 항경련 효과, 근육 이완, 수면, 항불안 효과 등도 갖고 있

어 증상 조절에 유효하다. 국내에서는 diazepam이나 lorazepam도 흔히 사용한다. 그러나 때로는 충분히 진정이 되지 않거나 노인이나 간부전 환자에서 과활동성 섬망을 유발하는 경우도 있다.

Haloperidol과 같은 신경 이완제를 사용한 연구도 있으나 haloperidol은 진정 효과가 약하여 충분한 진정효과를 기대하기 어렵다. 오히려 주로 섬망을 조절하기 위해 사용한다.

그 외에도 ketamine이나 propofol, thiopental 등의 마취유도제 등을 사용할 수도 있다. Ketamine은 수면 및 진정 효과가 있으며, propofol이나 barbiturate과 달리 저혈압이나 호흡억제를 일으키지 않는다. 그러나 불쾌한 반응을 일으킬 수 있어 말기 진정에 단독으로 사용하지 않는다. Propofol은 30초 내에 작용이 시작되고, 반감기가 30~60분으로 짧고 간질환 및 신질환에 크게 영향을 받지 않으나 혈압이 떨어질 위험이 있어 주의해야 한다. 항불안, 항구토, 항소양, 항경련, 근육이완 효과 등도 있어 유용한 약물이다.

마약성 진통제는 통증과 호흡곤란을 조절하기 위해 사용하는데 진정 시 중단하면 안 되며, 반대로 진정을 목표로 사용해서는 안된다. 과량 투여 시 진정 효과는 충분하지 않으면서 근간대성 경련이나 통각과민증, 흥분된 섬망 등의 부작용을 경험할 수 있다 **표 33-2**.

4) 모니터링

환자의 증상의 변화 및 의식 수준, 부작용 발생 등을 주의 깊게 살펴보아야 하며, 가족과 의료진의 심리적, 영적 고통에 대해서도 주의를 기울이고 충분히 의사소통하여야 한다. 임종 임박 단계가 아니라면 활력 징후도 자주 평가해야 한다. 초기 약물 적정 과정에서는 15~30분 간격으로 임상 지표를 확인하고 적절한 수준의 진정 상태가 된 후에도 하루 3번 정도는 규칙적으로 평가하여 용량 조절이나 약제 변경을 고려한다.

표 33-2. 완화적 진정에 사용되는 약물 및 용량

약제	일회 용량	정맥 내 점적 용량	비고
Midazolam	0.03~0.05 mg/kg (over 2~5 min)	0.02~0.1 mg/kg/h로 시작, 최대 1~20 mg/h	SC 가능, morphine/haloperidol과 혼합 투여 가능, 길항제 존재(flumazenil)
Lorazepam	1~2 mg	시작용량 0.5~1 mg/h 유지용량 4~40 mg/h	간질환, 노인 환자에서 주의
Propofol	20~50 mg, 반복 가능	5~10 mg/h, 20분 간격으로 10 mg 씩 증량 가능	효과 빠르고 약효 짧음. 저혈압 주의 12시간마다 주입관 교환, 중심정맥
Thiopental	2~3 mg/kg	20~80 mg/h	
Pentobarbital	1~2 mg/kg (50 mg/분 이하 속도)	1~2 mg/kg/h	내성 빨리 생길 수 있으므로 자주 평가

IV 임종 시 돌봄

가족과 돌봄 제공자들이 충분히 준비가 되어 있는 경우에도 임종의 시간이 길어지면 힘들어지기도 한다. 환자가 간헐적으로 불안해하면서 안절부절 못하는 경우에 더욱 그럴 수 있다. 임종에 가까워질수록 환자의 상태를 잘 살피고 질문이나 가족의 불안감에 대해 지속적으로 설명하고 안심시켜 줄 필요가 있다. 의사소통이 지연될수록 가족들의 불안감은 심해지고, 가족들은 의료진이 최선을 다하고 있지 않다고 생각하여 실망할 수도 있다.

1. 임종의 징후

임종에 가까워지면 가족에게 임종의 징후나 발생 가능한 일들에 대해 알려준다. 맥박이 잡히지 않으며, 심장박동이 멈추며, 호흡이 없어지고, 동공이 고정되고 확대된다. 혈액순환이 되지 않음에 따라 피부가 창백해진다. 체온이 저하되며 근육과 괄약근이 이완된다. 괄약근 이완으로 요실금 및 변실금이 발생할 수 있으며, 눈은 계속 뜨고 있을 수도 있다. 턱이 떨어질 수 있으며 사후에도 체액의 이동으로 내부에서 졸졸 흐르는 소리가 들릴 수도 있다. 사후 4~6시간 정도가 지나면 사후경직이 발생한다.

2. 임종 시 할 일

대부분의 가족들은 임종과정을 많이 접해보지 않아 우왕좌왕하는 경우가 적지 않다. 이때 호스피스·완화의료팀은 가족들이 임종 돌봄을 적절하게 할 수 있도록 도와주어야 한다.

사람의 청각과 촉각은 마지막까지 지속되는 감각임을 상기시키고 부드럽게 쓰다듬거나 손발을 따뜻하게 유지할 수 있도록 격려하고 사랑을 표현할 수 있도록 한다. 환자의 몸을 흔들거나 큰 소리로 말하지 않고 자연스럽게 이야기할 수 있도록 설명한다. 반응하지 않더라도 듣고 있으며, 억지로 반응을 요구하는 경우 환자가 힘들 수 있음을 설명한다.

상체를 약간 올려주어 호흡을 용이하게 도와주며, 불필요한 모니터링은 가족들로 하여금 환자에게 주의를 집중하지 못하게 하고 모니터에 집중하게 할 뿐 아니라 오히려 불안을 가중시키므로 하지 않는다. 평소 좋아하던 음악이나 조용한 종교음악, 클래식을 틀어주는 것도 환자와 가족을 진정시키고 임종실의 긴장을 부드럽게 풀어주는 효과적인 방법이 될 수 있다.

환자가 마지막 호흡을 하고 있는 동안에는 가족들에게 환자와 마지막 인사를 나누면서 이별의 시간을 갖도록 격려해 준다. 마지막까지 목소리를 들을 수 있음을 상기시키며, '당신을 사랑해요.' '당신과 함께 해서 행복했어요.', '편안히 먼저 가세요.' 등의 말을 하며 아름다운 이별을 할 수 있도록 도와주는 것이 필요하다.

V 임종 후 돌봄

환자가 임종한 이후, 돌봄의 초점은 환자에서 가족에게로 전환되어야 한다. 서두르지 말고 가족들과 지인들이 마지막 인사를 하는 시간을 갖도록 해주는 것이 필요하다. 장기나 시신 기증을 한 상태가 아니라면 의료진이 환자 곁을 계속 지킬 필요는 없다. 다만 심하게 고통스러워하거나 궁금해하는 것이 있는 경우, 또는 심한 애도 반응을 보이는 경우 지지해 주는 것이 필요하다.

1. 임종 선언

임종에 대한 연락을 받으면 먼저 임종과 관련된 상황을 확인한다. 예상하던 일인지 혹은 갑자기 발생한 일인지, 가족들이 함께 있는지, 환자의 나이 등을 확인한다. 또한 환자의 질병 기간이나 사망 원인, 가족적인 문제 등을 파악하고, 장기 기증이나 시신 기증 여부를 확인해야 한다. 방에는 담당 간호사나 성직자와 함께 들어갈 수도 있다. 방에 들어가서는 먼저 자신을 소개하고 인사한다. '유감스럽지만,', '힘드시겠지만,' 등의 공감을 표현하고 잠시 진찰하겠다고 설명한다. 궁금한 점이 있는지 확인한다.

진찰 시에는 환자의 신원을 먼저 확인한다. 언어와 감각 자극에 반응하는지 확인한다. 유두나 고환을 비틀거나 가슴에 심한 압박을 주는 등의 심한 통증 자극을 줄 필요는 없다. 이후 심박동의 소실을 확인하고, 경동맥박의 소실을 느낀다. 자발 호흡이 중단되었는지를 보고 듣는다. 동공을 확인하고 대광 방사의 소실을 확인한다. 평가가 끝난 시간을 기록한다. 이후 사망 선언을 하고 신체 검진 결과를 기록한다. 사망 날짜와 시간을 기록한다.

2. 전화로 사망사실 알리기

간혹 가족이 곁에 없이 임종하시는 경우도 있다. 전화로 환자의 상태가 변화되었으므로 병원으로 올 수 있는지를 확인하고 기다려야 한다. 이때 임종을 예상하고 있었는지, 이전에 환자의 병 상태에 대한 감정적 반응은 어떠했는지, 와야 하는 사람이 혼자인지, 상황에 대한 이해가 가능한지, 오는 거리와 교통수단의 유무, 오는 시간 등을 확인해야 한다. 가능하면 직접 대면하여 임종 사실을 알려야 한다. 그러나 어쩔 수 없이 전화로 임종 사실을 알려야 하는 경우도 있다. 누구에게 어떤 방식으로 알려야 할지를 결정해야 한다. 나쁜 소식 알리기의 원칙에 따라 알리는 것이 필요하다.

3. 임종 선언 후 돌봄

임종 선언 직후에는 잠시 보호자들을 내보내고 정리하는 시간이 필요하다. 수액 등의 선들과 기계를 정리하고, 도관을 제거하고 지저분한 것을 깨끗하게 해 주어야 한다. 눈을 뜨고 있는 상태라면 손으로 눈꺼풀을 몇 번 정도 쓸어내려 주면 마르면서 눈이 감긴 상태가 유지된다. 그래도 눈을 뜬 상태가 지속되면 소량의 수술용 테이프나 접착성 봉합용 스트립을 붙여 둘 수 있다. 이 경우 나중에 제거하여도 속눈썹이 떨어지지 않는다. 근육 이완으로 턱이 밑으로 처져서 입이 벌어진 경우, 턱 아래 수건을 말아서 놓아두고 머리를 올려주면 4~6시간 후에 근육이 경직될 때까지 닫힌 상태로 유지할 수 있다. 추후 이동을 편리하게 하기 위해 사후 경직이 일어나기 전에 환자의 몸을 똑바르게 펴고 편평한 자세로 팔을 가슴 앞으로 모아서 남자는 왼손을, 여자는 오른손을 위로 하여 배 위에 가지런히 올려 놓고 자세가 흐트러지지 않도록 시트로 얼굴을 제외한 몸을 감싸준다. 이후에 가족들이 환자 근처에 와서 이별을 고하고 조용한 시간을 보낼 수 있도록 독립적인 공간을 제공해주고 충분히 기다려 준다. 과도한 애도반응은 앞으로 장기간 지속될 수 있는 병적 애도반응의 위험성을 암시한다. 거의 감정적인 반응을 보이지 않거나 긴장증을 보이는 경우에도 병적인 애도반응의 위험이 크다. 이러한 경우 성직자나 호스피스·완화의료팀 구성원의 도움이 필요할 수 있다.

직계 가족이 준비가 되면 환자와 가까웠던 다른 사람들에게 알린다. 시신을 옮기기 전에 돌봄 제공자들을 비롯하여 침대 곁에서 임종을 지키지 못한 사람들이 시신을 볼 수 있도록 배려해주어야 한다. 임종 소식을 알릴 때에는 나쁜 소식을 전하는 방법에 따라 이야기하고, 가능하면 직접 대면하여 이야기하는 것이 좋다. 다른 방문객들이 도착했을 때 시신의 색깔과 온도 변화에 대해 미리 알려 주는 것이 좋다. 이렇게 함으로써 시신 변화로 인해 사람들이 받는 충격을 좀 더 완화할 수 있다.

급격한 애도 반응이 다소 정리되면 그들의 문화와 전통에 따라 의식을 진행할 수 있도록 도와야 한다. 준비가 되면 장례식장에 연락하고 시신을 옮긴다. 대부분의 장례 서비스는 365일 24시간 연락을 하면 바로 도착한다. 장례식장에 옮기기 전에 환자의 본적, 주소, 주민등록번호를 확인하여 사망진단서를 발급해 주어야 한다. 일반적으로 최소 5장 이상 필요하다. 추후 사별가족 프로그램이 있음을 알리고, 언제든지 어려운 점이 있을 때 연락하도록 연락처를 제공한다.

VI 요약

임종기의 환자와 가족을 잘 돌보기 위해서는 임상적으로 숙련되어 있어야 한다. 또한 의사소통이 중요한데 잘 교육하고 조용하고 공감있는 태도로 안심시키는 능력이 필수적이다. 대부분의 임종기 환자들에서 예측이 가능한 생리적 변화들이 나타난다. 가정 호스피스에서나 기관에서나 돌봄의 원칙은 동일하지만 기관에서 임종하는 경우 독립된 공간에서 가족들이 함께 보낼 수 있는 시간을 제공해야 한다. 사전에 가족들에게 임종기의 증상과 임종의 징후를 교육하고, 해야 할 일을 알려주고 장례 계획을 세우는 것을 도와주어야 한다. 또한 삶을 잘 정리하고 작별인사를 할 수 있도록 도울 수 있다. 임종 이후에도 지속적인 사별가족 관리 등의 돌봄이 필요하다.

참고문헌

1. 고수진, 이경식, 홍영선 등. 임종 전 말기 암 환자의 임상 증상 및 징후의 변화. 한국호스피스·완화의료학회지 2008;11(2):99-105.
2. 곽정임. Module 24 임종 돌봄. In. 한국호스피스·완화의료학회. 호스피스·완화의료 의사 상급교육 교재. 도서출판 한국의학. 2011. 367-82.
3. 국립암센터. 호스피스·완화의료 돌봄 매뉴얼 2013. 179-94.
4. 김두식. 말기 진정. 한국호스피스·완화의료학회지 2010;13(3):139-42.
5. 대한의학회. 말기와 임종과정에 대한 정의 및 의학적 판단지침. 2016.
6. 정휘수, 김대영, 송경포 등. 말기 암 환자에서 감염에 대한 항생제 사용. 한국호스피스·완화의료학회지 2007;10(1):43-7.
7. Bobb B. A review of palliative sedation. Nurs Clin N Am 2016;51:449-57.
8. Blinderman CD, Billings JA. Comfort care for patients dying in the hospital. N Engl J Med 2015;373:2549-61.
9. Hui D, Nooruddin Z, Didwaniya N, et al. Contepts and definitions for "Actively dying,""End of life,""Terminally ill,""Terminal care," and "transition of care": A systematic review. J Pain Symptom Manage 2014;47(1):77-89.
10. Hui D, Dev R, Bruera E. The last days of life: Symptom burden and Impact on nutrition and hydration in cancer patients. Curr Opin Support Palliat Care. 2015;9(4):346-54.
11. Hwang IC, Ahn HY, Park SM, et al. Clinical changes in terminally ill cancer patients and death within 48 h: when should we refer patients to a separate room? Support Care Cancer. 2013;21(3):835-40.
12. Lee HR, Yi SY, Kim DY. Evaluation of prescribing medications for terminal cancer patients near death: essential or futile. Cancer Res Treat. 2013;45(3):220-5.
13. Leung JG, Nelson S, Leloux M. Pharmacotherapy during the end of life: caring for the actively dying patient. AACN Adv Crit Care 2014;25(2):79-88.
14. Lacey J. The terminal phase. In: Nathan I. Cherny, Marie T. Fallon, Stein Kaasa et al. eds. Oxford Textbook of Palliative Medicine. 5th ed. New York: Oxford University Press; 2015:1125-41.
15. Maltoni M, Setola E. Palliative sedation in patients with cancer. Cancer Control 2015;22(4):433-41.
16. Lokker ME, van Zuylen L, van der Rijt CCD, et al. Prevalence, Impact, and treatment of death rattle: a systematic review. J Pain Symptom Manage 2014;47(1):105-22.
17. Cherny NI. ESMO clinical practice quidelines for the management of refractory symptoms at the end of life and the use of palliative sedation. Ann Oncol 2014;25(S3):iii143-52.
18. NICE guideline. Care of dying adults in the last days of life. 2015.
19. Nguyen VD, Ash JM. The last days: the actively dying patient. In: Barry M. Kinzbrunner, Neal J. Weinreb, Joel S. Policzer ed. 20 common problems in end-of-life care. New York: McGraw-Hill; 2002:241-55.
20. Rhee Y. Location of death and end-of-life care. 한국호스피스·완화의료학회지 2016;19(1):5-10.

7부

34장
보완대체요법

| 김세홍, 김은정 |

I 정의와 사용현황

1. 정의

보완대체의학(complementary and alternative medicine, CAM)은 '현재까지 정통의학의 범주에 속하지 않는 다양한 의료체계 및 의료시술 행위'로 정의되고 있다. 정통의학(conventional medicine)은 서양의학, 주류의학, 정규의학이라고도 하는데, 의사가 시행하거나 물리치료사, 심리치료사, 간호사와 같이 의사를 도와서 의료 활동을 하는 전문가들이 시행하는 의학을 말한다. 보완대체의학의 정의는 시대에 따라 달리 받아들여지고 있다. 1980년대에는 증명되지 않은 미심쩍은 의료 행태로 인식되다가, 1990년대에는 과학적인 검증을 받지 못한 비정통의학으로 인식되어, '의과대학 교육 과정에서 널리 교육 하지 않거나, 병원에서 일반적으로 다루지 않는 의료 행위'의 정의가 일반적으로 통용되었다. 그러나 점차로 보완대체의학에 대한 필요성 및 과학적 근거

들의 제시가 늘어나면서 의과대학 교육 과정에서 교육을 하는 대학들이 늘고 있고 병원에서 보완대체의학치료를 하는 경우가 많아지면서 근래에는 과학적인 유효성과 안정성에 대한 근거가 부족하여. 정통의학의 범주에는 들지 못한 의료 행태를 모두 통틀어 보완대체의학으로 정의하고 있다. 보완대체의학적 치료 중 일부에서는 과학적으로 검증된 것도 있으나, 상당수는 안전성과 효능에 대한 평가가 필요한 상태이다. 보완대체의학의 영역은 고정되어 있지 않아, 현재는 보완대체의학에 속하지만 안전성과 효능이 입증된다면 정통의학의 치료 방법으로 채택될 수 있다. 최근에는 통합의학치료에 대한 의료계의 관심이 증가하고 있는데, 보완통합의학(complementary and integrative medicine) 혹은 통합의학(integrative medicine)이란 안전성과 효능이 어느 정도 검증된 보완대체요법을 정통의학적 치료와 함께 시행하는 것을 말한다. 완화의학 분야에서 보완통합의학적 접근은 증상관리와 삶의 질 향상에 도움을 줄 수 있다. 통합의학의 적절한 적용을 위해서는 좋은 의사-환자 관계,

치료 과정에서 환자의 참여의 중요성이 중요하다.

2. 사용현황

지난 수십년 동안 전 세계적으로 보완대체요법(CAM)의 사용은 점차 증가하고 있으며 성인 암환자의 40~60% 정도에서 보완대체요법을 이용하고 있는 것으로 조사되었다. 미국에서는 54%의 암환자들이 보완대체요법을 이용하고 있으며, 젊은 연령, 여성, 높은 가계수입 및 고학력자, 말기로 진행할수록 보완대체요법을 선택하는 경우가 많았다. 한국에서도 암 환자의 상당수가 기존의 정통의학적 치료와 함께 보완대체요법을 병행하고 있으며, 학력이 높은 집단이 보완대체요법을 더 사용하는 것으로 나타났다. 암 치료를 받고 있는 환자의 53~84%가 보완대체요법을 이용하고 있는 것으로 조사되었고 국한성 질환(42.7%)보다 원격 전이된 경우(47.6%)가 사용률이 높아 암 진행 정도가 높을수록 사용률이 높게 나타나는 경향이 있었다. 우리나라에서 보완대체요법 중 가장 자주 사용되고 있는 보완대체요법은 생물학기반치료법(85.5%)과 대체의학체계(19.8%)였으며 생물학기반치료법 중 건강기능식품(60.7%)이 가장 자주 사용되는 것으로 보고된 바 있다. 의료가 이원화된 우리나라 의료체계의 특성상 동양의 한의학과 생물학기반의 치료 등 약물치료법(93.1%)이 침술, 아유베다, 심신치료법, 수기법, 그리고 에너지치료법 등의 비약물치료법(8.4%)에 비해 자주 쓰였다. 말기 암환자의 경우 37%~42%가 보완대체요법을 사용한 적이 있다고 답해 미국(53.7%)이나 호주(64%)에 비해 낮게 나타났다. 미국에서 호스피스 대상자에게 제공된 보완대체요법을 조사한 바에 의하면 마사지요법이 80%이상으로 가장 많이 제공되었고 그 다음이 음악요법이라고 보고된 바 있다. 우리나라 말기암환자들이 가장 많이 선택한 보완대체요법은 생물학기반치료법으로 84.2%였고 다음으로 심신중재(18.3%)였다.

기존의 정통의학으로 더 이상 치료가 불가능한 말기

암환자들과 가족들은 보완대체요법에 더 관심을 가질 수밖에 없지만 대부분의 환자들은 보완대체요법에 대해 의료진과 의논하지 않는 경향을 보이고 있다. 국내 연구자료에 따르면 대체요법에 대한 정보는 의료인보다는 47%가 가족 및 친지에 의해 수집되었으며, 같은 질환을 앓고 있는 환자를 통한 정보 입수도 29.5%나 되어 비의료인을 통한 정보교환이 대부분이었다. 반면에 의료진과 보완대체요법 사용에 대해 의논하였다는 환자는 50% 미만이었고 의료진으로부터 추천받았다는 환자들은 1.6%에 불과한 것으로 나타나 터키의 연구결과(21.3%)나 일본의 연구결과(39.3%)와 일치한다. 이러한 경향은 문화, 지역적인 차이가 있는데 대부분의 국가에서 보완대체요법의 사용을 의사와 상의하지 않는 것에 비해 미국은 암환자의 89%에서 보완대체요법의 사용에 대해 의사와 상의하고 있으며 독일의 경우 보완대체요법의 적용 및 처방을 담당의사가 하고 있다.

환자들이 의료진과 논의하지 않았던 이유는 보완대체요법에 대해 관심이 없고 지식이 부족한 의료인이 보완대체요법의 과학적 근거가 부족하다는 점을 강조해 보완대체요법사용에 대해서 반대할 것이라 생각하거나, 의료진에게 좋지 않은 답변을 들을 것이라는 예상 때문이다. 실제로, 암전문의들은 보완대체요법에 대해 잘 모르기 때문에 상담을 회피하는 경우가 많아 환자들의 보완대체요법 사용률을 과소평가할 가능성이 많으며 실제 사용 빈도는 훨씬 높을 수 있다는 점을 고려해야 한다. 암환자를 치료하는 의사의 입장에서는 부작용과 약물상호작용의 가능성 때문에 보완대체요법에 대해 민감한 태도를 보이는 경우가 많으나 환자가 과학적인 근거가 부족한 보완대체요법에만 매달리면서 검증된 정통의학적 치료의 기회를 놓칠 수 있다는 점에서 환자 및 보호자와 충분한 상담을 할 필요가 있다. 특히 보완대체요법의 사용 여부뿐만 아니라 사용을 하게 된 계기와 의도까지 충분히 파악하고 올바른 정보를 제공할 책임이 있다.

II 보완대체요법의 임상적 적용 문제

최근 인터넷과 미디어를 통한 보완대체의학에 대한 정보는 홍수를 이루며 일반인들의 이에 대한 관심 및 활용 정보는 급등하고 있고 이에 따른 환자들의 요구도 다양해지고 있다. 따라서 말기 환자들을 치료하는 의사들은 더 이상 보완대체의학에 무관할 수 없게 되었다. 그러나 보완대체의학에 대해 대다수의 의료인들은 체계적인 교육을 받은 적도 없고, 여러 가지 치료에 대한 과학적인 근거도 부족하며, 각 치료에 대한 지침 및 기존 정통의학과의 연관성의 자료를 찾는 것도 힘들어 보완대체의학의 수용에 혼란이 생길 수 있다. 정통서양의학의 교육을 받았고 실제로 그에 근거한 진료를 하고 있는 대다수의 의사들이 보완대체의학을 받아들이기 위해서는 이를 위한 접근의 전략이 필요하다.

1. 환자 요소 : 환자에 대한 접근

환자에 대한 접근은 어느 환자에게 보완대체의학 치료를 적용할 것인가에 대한 선별 과정과 환자가 왜 치료를 원하는 지 파악하는 것에서 시작되어야 한다. 환자 진료 시에도 보완대체의학 치료를 통해 무엇을 원하는지, 기대감이 어느 정도인지를 파악하여 치료에 대한 그릇된 기대의 조정 및 치료의 한계점 등에 대한 숙지가 필요하다. 면담 시에는 환자와 열려 있는 의사소통을 통해 무비판적인 대화 환경을 만들어 보완대체의학 이용에 대해 편하게 대화하게 하고 치료 선택 시 의사를 협력자로 알게 해야 한다.이런 접근법은 환자들의 보완대체의학 이용에 대해 침묵을 피하게 하여, 참여 의식을 높여 치료에 대한 만족감을 높이는 단서를 제공할 것이다.

2. 의사 요소 : 접근법 및 수용 태도
1) 상담 시 고려사항
말기암환자로 진단받아 호스피스·완화의학치료를 받고

있음에도 불구하고 증상완화뿐만 아니라 생명연장까지도 기대하는 환자와 가족의 심리정서적인 면을 의사들은 이해할 필요가 있다. 따라서 보완대체의학 치료에 관한 상담 및 선택 시 의료진은 다음과 같은 사항을 염두해야 한다.

- 위험성이 있는 보완대체의학으로부터 환자들을 보호해야 한다 : 보완대체의학 치료를 받으며 발생할 수 있는 위험성에 대한 주의 및 경고를 환자에게 해야 하며 동시에 정통의학에 의한 유효한 치료를 받는 것을 포기하지 않도록 해야 한다.
- 보완대체의학 치료의 안정성과 유효성을 고려하고 적용에 앞서 반드시 문헌의 고찰에 따른 안정성 및 유효성 검증이 선행되어야 한다.
- 우리나라 환자들은 가족이나 가까운 친척에게서 보완대체요법사용을 추천받았지만, 의료진에게 추천받았다는 환자들은 1.6%에 불과하다. 의사가 먼저 환자에게 보완대체의학 치료에 대해 언급함으로써 이런 의사 소통의 부재를 줄일 수 있고 보완대체요법의 효과를 적절히 활용할 수 있다.

2) 환자의 선별
보완대체의학치료를 위한 환자 선별에서 정통의학에서 확실하고 효과적인 치료법이 있는 경우 일차적으로 제외시켜야 하며 다음 조건에 부합되는 환자에서 보완대체의학 치료를 고려한다.

- 정통서양의학의 기준에 의한 병력 청취, 이학적 검사, 적절한 검사실 검사를 통한 진단 과정을 거친 환자여야 하며
- 환자가 가진 질병 치료 선택사항에서 보완대체의학 치료가 인정받는 경우
- 환자가 이미 정통의학적인 치료를 받았으나 효과가 없고 더 이상의 치료 방법이 없거나 정통의학 치료를 환자가 거부하는 경우

3) 치료에 대한 접근

(1) 의료인의 자가 교육

어느 형태의 의료이건 새로운 치료의 시도 전에는 의료인 스스로의 연구 및 지식 습득이 필요하며, 과학적 근거를 위한 문헌 탐색 및 치료법에 관한 지식을 쌓는 것이 필요하다. 그러한 지식을 기본으로 보완대체의학의 치료를 선택하게 되고 환자의 의학적 상태와 병력, 기존 사용 약제와의 관계, 치료의 반응을 고려하게 된다.

(2) 보완대체의학 치료의 적절성 평가

치료의 적절성을 평가하기 전에 중요한 점은 치료과정에서 아무런 해가 없어야 한다는 것이다. 모든 치료는 안전해야 하며 부작용의 가능성은 최소이어야 한다. 다음은 치료의 적절성 평가를 위한 안정성과 유효성 평가가 필요하다. 이를 위해 의학 문헌의 탐색 및 검토가 필요하므로 연구 방법이 잘 고안된 논문들의 결과를 정리한다. 안타까운 것은 최근 20여 년 사이 보완대체의학에 대한 관심 증가로 수많은 논문들이 나오기는 하지만 아직도 대다수의 보완대체의학 치료법은 안전성과 유효성을 결론을 내리기에 근거가 부족하다는 것이다. 결국 의사들이 보완대체의학 치료 선택 시 고려하여야 하는 사항들은 안전성(safety), 유효성(effectiveness), 환자의 수용성(patient acceptance), 유용성(availability), 비용(cost) 등이다.

4) 바람직한 보완대체의학 수용태도

의료인이 보완대체의학을 바라보는 시각은 무비판적이고 무조건적인 열성적인 수용이어서도 안 되겠고, 무조건적인 배타와 배척도 곤란하다. 더 이상 의료인들은 보완대체의학에 무관할 수 없음을 받아들이고 중립적인 입장에서 과학적인 시각에 근거하여 옥석을 가려내어 선택적인 수용을 하여야 한다.

3. 주의사항 및 윤리적 문제

1) 주의사항

보완대체의학이 전 세계적으로 증가하게 되면서 정통의학 교육을 받은 의사는 복잡한 윤리적 고민에 직면하게 되었다. 대다수의 정통의학 의사들에게 보완대체의학 치료는 낯설고 기존 의학과의 조화에 있어서도 합의점을 찾기가 어려워 치료의 도입을 꺼리는 의사들이 많다. 그러나 최근에 일부 환자들은 과학적 근거가 없는 보완대체의학 치료조차도 치료를 요구하고 있는 상황이며 의사는 그 근거가 없음을 조언하고 충고하는 과정에서 환자들과의 갈등이 생길 수도 있다. 보완대체의학 치료는 결코 완벽하지 않으며 장단점을 가지고 있다. 또한 검증받지 않은 보완대체의학치료의 마구잡이식의 이용은 예기치 못했던 부작용을 야기할 수 있다. 실제로 식품안전정보원 조사에 따르면 2014년 건강기능식품 부작용 추정 사례 신고건수는 1,733건으로 2013년에 비해 10배 이상 급증하였다. 약초 제제나 식품 보조제의 문제점은 의사의 자문 없이 복용하였을 때 과용의 문제나 부적절한 복용, 기존의 약제들과 상호 작용 등을 들 수 있다. 예를 들면 일부 약초는 환자가 이미 사용하고 있는 정통의학 치료와 병합되었을 때 정상적인 약물대사를 방해하거나, 상호작용을 하여 심각한 부작용을 야기시킬 수 있다. 부적절한 보완대체의학 술기에 의한 부작용도 무시할 수 없는데 침술에 의한 기흉, 부적절한 수기 술기에 의한 마비 사례 등을 예로 들 수 있다. 그러나 많은 환자들이 보완대체의학치료의 이용 사실을 주치의에게 알리는 것을 꺼리는 경향이 있으므로 심각한 피해로 이어질 수 있다. 또한 의료인이 환자의 보완대체의학치료 이용 사실을 알고 있었다 하더라도 이에 대한 참고할 만한 과학적인 자료가 없는 경우에도 그대로 부작용에 노출되게 된다.

2) 윤리적 고려

보완대체요법은 말기 암환자가 의사의 동의 없이도 쉽

게 이용할 수 있으며, 인터넷 등의 대중매체에서 얻게 되는 보완대체요법에 대한 정보들은 일반인들도 이해할 수 있도록 쉽게 설명되어 있어 오히려 강한 신뢰감이 생길 수 있다. 따라서 암환자 치료 결정과정에서 현대의학 치료에 대한 설명에 더불어 보완대체요법 선택에 대한 상담과 정보제공이 충분히 진행되어서 막연한 기대와 희망으로 보완대체요법을 선택하지 않도록 할 필요가 있다. 이는 환자들이 정통의학과 보완대체요법을 이중으로 선택하면서 불필요하게 낭비되는 의료비의 부담을 줄이며 과학적인 근거에 바탕을 두고 효과가 증명이 된 보완대체요법을 올바르게 선택할 수 있도록 해 줄 것이다.

III 보완대체의학의 주요 영역

보완대체의학의 분류법은 여러 가지가 있으나, 가장 널리 통용되는 것은 미국 국립보완통합보건센터(National Center for Complementary and Integrative Health, NC-CIH)의 분류이다. 여기서는 보완대체의학의 치료를 크게 5가지 영역으로 나누어, 1) 대체의학체계(alternative medical systems), 2) 심신의학(mind body Medicine), 3) 생물학적 치료법(biologically based therapies), 4) 수기요법과 신체에 기초한 요법(manipulative and body−based methods), 5) 에너지 요법(energy therapies)으로 크게 분류를 한다.

1. 대체의학체계(Alternative medical systems)

대체의학체계는 문화 및 사회적 토양 속에서 나름대로의 완벽한 이론과 임상체계에 기초하여 만들어진 것으로서, 정통의학보다 훨씬 이전에 발전해 왔다. 서양에서의 동종요법(homeopathy)과 자연요법(naturopathy), 전통 중의학(traditional Chinese medicine), 인도의 아유르베다(Ayurveda) 등이 여기에 속하며, 북아메리카 인디언, 호주 토착민, 아프리카 토인, 중동, 티베트, 중남미 등에서 유래된 다양한 전통 민속요법이 여기에 속한다.

2. 심신의학(Mind body medicine)

심신의학은 '심적인 능력을 이용하여 정신과 신체의 기능을 증진시켜 각종 질병과 장애 그리고 그에 따른 증상들을 예방 및 완화하거나 치료하게 하는 다양한 기술'을 포함하는 의학의 한 분야이다. 이론적 배경은 정신과 두뇌, 신체와 행동이 서로 연결되어 상호작용을 하여 건강에 영향을 미친다는 것으로, 건강관리의 대상에는 신체, 정신, 무의식의 감정, 영혼, 행동, 사회의 광범위한 영역이 포함되어 있다. 지난 30년에 걸쳐 실로 많은 연구들이 심신의학의 안정성과 유효성에 대해 근거를 제시해 왔으며, 그 근거들에 의해 환자교육이나 인지행동요법 등의 심신요법은 정통 주류의학으로 인정을 받고 있다. 또한 심신요법은 심혈관질환, 고혈압, 불면증, 통증 및 전신 동통 증후군, 요통, 두통, fibromyalgia, 관절염의 자가 관리 요법, 실금, 수술 결과의 향상, 암 치료에 대한 보조적인 요법 등에서 유효한 근거를 가지고 있으므로 임상적 적용을 우선적으로 고려할 수 있다. 임상영역에서 주로 사용되는 심신요법으로는 바이오피드백, 심상유도, 자율신경훈련, Jacobson의 점진적 이완요법, 이완 반응, 최면 및 자가 최면 요법, 요가, 태극권, 각종 명상, 심호흡법 등을 들 수 있다. 특히 명상은 암환자의 스트레스와 불안을 경감시키고 불면증상을 호전시키는 효과가 있다. 소리나 호흡에 선택적으로 집중을 하는 간단한 방법을 통해 환자들이 생각이나 걱정을 조절하도록 도움을 줄 수 있으며 암과 관련된 주의력 장애를 개선시키는 효과에 대해서도 최근 많은 연구가 진행되고 있다. 명상 이외에도 요가, 태극권, 기공과 같은 동작을 기반으로 한 심신요법도 암과 관련된 증상을 조절하고 삶의 질을 높이는데 도움을 줄 수 있다.

1) 음악치료

(1) 정의

음악치료는 정신과 신체건강을 회복 및 유지시키며 향상시키기 위해 치료적인 목적으로 음악을 사용하는 것이다(미국음악치료협회, American Music Therapy Association).

호스피스·완화의료에서는 말기암 환자의 신체적, 심리적, 사회적 그리고 영적 고통을 완화하고 환자와 가족 및 주변인들과의 유대관계 형성을 도우며 삶의 마지막 여정을 아름답게 마무리 할 수 있도록 음악치료를 적용한다.

(2) 적용절차

말기암 환자를 대상으로 하는 음악치료는 호스피스 팀으로부터 전달된 환자 정보를 파악하는 것으로 시작된다. 이를 바탕으로 음악치료 사정을 수행하고 그 결과를 분석하여 환자의 도메인을 선정한다. 다음으로 선정된 도메인과 환자의 필요 사항을 반영하여 음악치료의 목적 및 목표를 설정하고, 이를 달성하기 위한 음악치료 계획을 수립한다. 이때 음악치료 중재의 환경과 내용은 환자에 대해 분석한 내용을 고려하여 환자의 신체, 심리 상태에 적절한 음악치료 방법으로 구성해야 한다. 음악치료 중재가 끝나면 중재과정 및 결과 등을 평가서로 작성하여 문서화하고 호스피스 팀과 공유한다 **그림 34-1**.

(3) 적용방법

호스피스·완화의료에서의 음악치료는 다양한 방법으로 적용될 수 있는데, 환자의 컨디션과 신체 상황에 따라 수동적, 능동적으로 접근할 수 있다. 먼저, 통증이 심하거나 언어적 표현이 불가능한 환자, 신체적 제약이 있거나 임종 직전에 있는 환자 등은 음악감상과 같은 수동적 접근을 통해 심리적 안정과 신체적 이완을 돕는다. 반면, 신체적 컨디션이 좋은 환자에게는 능동적으로 음악치료를 적용할 수 있으며 이때 사용되는 음악치료 방법

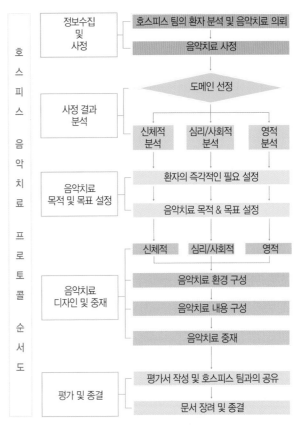

그림 34-1. 호스피스·완화의료에서의 음악치료 프로토콜 순서도(김은정, 2016)

은, 노래 부르기, 악기연주, 동작 등이 있으며 이를 통해서 무기력과 피로를 감소시키고 활력을 증진시킬 수 있다. 또한 한국 정서상 자신의 감정을 언어로 표현하는데 익숙하지 않은 환자에게는 즉흥연주를 통해서 환자의 감정 상태를 표현할 수 있도록 돕거나 작사, 작곡한 음악을 가족에게 전하는 음악 선물(music gift)을 적용할 수 있다.

(4) 효과

음악은 시상하부를 자극하여 망상 활성체를 거쳐 대뇌로 보내지며 대뇌 기억들이 변연계 안에서 음조와 리듬의 진동효과를 통해 정서에 영향을 미칠 수 있으며, 자율신경계에 영향을 미쳐 우리 몸 안에 엔돌핀과 같은 천연 내인성 몰핀을 분비하게 함으로서 통증, 불안 및 불편감을 감소시킬 수 있다. 이러한 기전에 의해 음

악치료는 죽음을 앞둔 환자나 그 가족의 불안이나 통증을 감소시키고 우울의 선행요인이 되는 스트레스 상황에서 긴장을 이완시키는 효과적인 중재로 사용될 수 있다. 말기암 환자를 대상으로 하는 음악치료의 효과는 크게 신체적, 심리/사회적, 영적의 3가지 관점에서 살펴볼 수 있다.

첫째, 음악치료는 호스피스·완화의료 중요한 목표 중 하나인 환자의 통증감소에 도움을 준다. 대부분의 말기암 환자들은 극심한 암성 통증에 노출되어 있는데, 관문통제이론(gate control theory)에 따르면 통증에서 오는 부정적인 신경 정보는 감소시키고 음악적 자극에 대한 긍정적인 신경 정보는 전달하도록 유도함으로써 통증을 조절할 수 있게 되는 것이다. 또한, 환자가 좋아하는 곡으로 이루어지는 음악감상이나 음악회상 등의 음악활동은 긴장이완에 도움을 주는데, 이를 통해 통증에 대한 지각을 감소시켜 주고 통증으로부터 주의를 돌리는 효과를 기대할 수 있다.

둘째, 음악치료는 암 환자의 불안감이나 우울감을 감소시키고 활력을 증가시켜 심리 상태에 긍정적인 영향을 준다. 음악은 지성적, 감성적 활동의 산물이며 인간이 삶을 영위하면서 느끼는 기쁨, 슬픔, 희망, 좌절과 같은 감정을 표현하는 수단이기 때문에 개개인의 경험적 기억들과 연결되어 있다. 따라서 음악을 통해 환자의 과거 및 현재의 내적인 갈등에 자연스럽게 접근하도록 도우며, 현재 마음에 고통을 주는 핵심 감정을 파악하고 해결하도록 통찰의 경험을 제공하여 삶의 질을 향

표 34-1. 호스피스·완화의료 음악치료 중재방법의 특징 및 효과

음악활동	특징 및 효과
노래 부르기 & 가사 토의 (Sing & song discussion)	• 폐활량 증가, 산소 공급과 혈액 순환 촉진 • 삶에서 느낄 수 있는 많은 감정들과 내용을 담은 가사를 통해 자신의 감정을 표출하고 인식 • 병원이라는 제한된 환경 안에서 가족이나 타인들과 함께 교제하며 관계를 향상 • 긍정적이고 희망적인 가사의 노래를 다 함께 부르는 과정을 통해 환자에게 현재의 상황을 극복하고 이겨나갈 수 있는 자신감을 갖도록 지원
노래를 통한 가사 만들기 (Song writing)	• 말로 하기 어려웠던 사랑, 위로, 기대, 희망 등의 메시지 전달 • 현재 자신의 감정이나 생각을 가사로 만들거나 자신의 삶을 돌아보고 이를 가사로 옮겨 자서전적 노래(song biography)를 만듦으로써 자신을 성찰하고 표현 • 환자가 선택하거나 가사를 만들어서 부른 노래들을 녹음하여 가족이나 의미 있는 사람에게 선물하는 기회 제공 (노래 패러디, 노래 콜라주)
음악 감상 (Listening)	• 심호흡과 이완법을 습득하여 생활에 적용 • 음악을 들으며 평온하고 아름다운 이미지를 상상하고 느끼도록 하여 심리적 안정과 신체적 이완 유도 • 고통 지각 감소 • 삶에 대한 회고와 죽음에 대한 통찰력 강화
노래 회상 (Music life review)	• 선호하는 노래와 관련된 회상을 유도하여 환자와 가족 간의 친밀한 관계를 향상시켜 미해결된 관계의 문제를 마무리 지을 수 있는 기회를 제공 • 가사와 관련된 삶의 기억과 경험을 상기하고 환자와 가족의 삶을 지지해주며 친밀한 유대감 형성 • 스트레스를 낮추고 슬픔을 감소하며 삶의 가치와 자존감 향상
즉흥 연주 (Improvisation)	• 다양한 악기나 환자가 선호하는 악기를 사용해서 환자의 기분이나 상태를 연주로 자유롭게 표현하여 환자가 자신의 감정을 표현
악기 연주 (Playing)	• 악기 즉흥 연주를 통해 자신의 감정 상태를 표현하도록 하고 이를 긍정적인 연주의 형태로 점차적으로 변화시켜 환자 감정의 긍정적 변화 유도 • 가족들이나 동료, 의료진들과 함께 악기 연주를 함으로써 사회적 관계를 촉진하고 자긍심을 향상 • 가족들에게는 감동적 추억을 남겨줄 수 있는 경험 제공 • 리듬을 사용한 악기 연주는 환자의 저하된 에너지 레벨을 상승시키고 동료들과의 일체감을 경험하며 현실적 감각을 촉진
음악과 동작 (Music & movement)	• 신체를 음악에 맞춰 움직이도록 하여 무기력감을 감소시키고 정서 상태를 음악의 리듬에 동조하도록 지원 • 입원 생활로 인해 저하된 신체 기능을 회복시키고 활력 증진

임종	사별의 슬픔 극복: 동질성의 원리를 사용하여 음악치료 접근
3개월	애도/상실: 즉흥 연주, song writing, song discussion, here & now
6개월	회상: 음악적 스크랩북 만들기, song writing, song discussion
9개월	극복: 인지재구조, 노래 패러디, 즉흥연주
12개월	홀로서기: Here & now

그림 34-2. 사별가족을 위한 음악치료 적용

상시킨다. 노래 부르기, 악기 연주, 즉흥 연주와 같은 활동들은 평소 말로 표현하기 어려운 생각이나 자신의 감정들을 음악을 통해 보다 쉽게 표현할 수 있게 하고 타인과의 의사소통을 위한 통로 역할을 하기 때문에 환자들로 하여금 사회적 상호작용을 촉진시키고 유지시키는 데 도움을 준다.

셋째, 음악치료는 용서, 희망, 삶의 의미와 같은 개인적 관점에서의 영성과 절대자에 대한 믿음, 신앙과 같은 종교적 관점에서의 영성에 긍정적 영향을 준다. 개인적 관점에서는 노래 자서전과 같은 활동을 통해 지나온 삶과 경험을 되돌아봄으로써 삶을 긍정적으로 정리하며, 자신의 존재가치를 느끼고 현재와 미래의 고통에 대한 두려움을 벗어날 수 있다. 종교적 음악활동 역시 환자에게 도움이 될 수 있다 표 34-1.

(5) 사별가족 음악치료

환자 임종 후 사별의 슬픔으로 인해 신체, 심리/사회, 영적인 문제를 겪는 가족에게 이를 극복하고 홀로서기를 할 수 있도록 음악적 중재를 적용할 수 있다. 사별가족을 위한 음악치료는 환자가 임종한 후부터 약 1년간 단계별 목표를 세워 아래와 같이 진행할 수 있다 그림 34-2.

2) 미술치료

(1) 정의

미술치료란 모든 연령의 사람들을 대상으로 시각적 예술(그리기, 색칠하기, 조각하기 등)과 창의적인 과정을 상담과 심리치료의 모델로 통합한 것이다(미국미술 치료협회, American Art Therapy Association).

호스피스·완화의료 미술치료의 목적은 말기 암환자의 심리적인 어려움과 자존감 회복을 돕고, 자신의 삶을 수용하고 통합할 수 있는 기회를 갖게 하여 가족이나 타인과 깊은 감정을 나눔으로써 안정감과 수용의 경험을 하게 하는 심리적 개입을 통해 남은 생을 고통으로부터 편안하게 해주는 것이다.

(2) 적용방법

① 콜라주기법

콜라주(collage)는 불어로 '풀로 붙인다'는 의미의 '꼴레'에서 유래된 것으로 가위나 칼을 사용하여 형상 또는 형상들의 요소를 잘라내어 풀로 붙이는 기법이다. 잡지 속에서 마음에 드는 사진을 오려 붙이게 함으로써 거부의 장소, 분노의 노출, 희망에 대한 상징 등 다양하게 활용할 수 있는 사진 매체가 많아야 한다. 자기감정 나타내기, 가족이나 친구에게 하고 싶은 것, 주고받고 싶은 선물, 타인에 대한 느낌 표현, 문제 예방 및 대처 방법 등을 쉽게 표현할 수 있다.

② 만다라

만다라(mandala)는 원(circle) 또는 중심(center)을 뜻하는 산스크리트어로 미술치료에서는 분산되어 있는 자아를 원상의 그림에서 통합하고, 개인이 가지고 있는 원형을 인식함으로써 치료에 이르는 미술치료의 한 방법이다. 만다라가 지닌 둥근 형태의 작업은 자신도 모르게 마음을 원만하게 해주는 특성이 있어 만다라 작업 과정에 집중함으로써 긴장과 불안감을 감소시켜 줄 수 있다. 색연필, 파스텔, 크레용, 물감 등 자신이 좋아하는 재료를 사용할 수 있으며, 만다라 그림에서 색은 중요한 요소이므로 선택의 폭이 다양한 색을 고르는 것이 좋다.

③ 자유화기법

자유화(free drawing)는 치료사가 특별한 주제를 주지 않고 환자가 주제를 스스로 결정하여 자신이 그리고 싶은 것을 자유롭게 표현하도록 하는 기법으로 미술치료에서 자주 사용되며 진단과 치료에 모두 활용된다. 자발적인 표현은 무의식을 의식화하는 데 도움이 되는데, 자유화는 내적 요구에 맞추어 자유로이 소재를 선택하는 그림으로써 환경에 대한 태도뿐만 아니라 감정이나 사고, 욕구, 흥미의 대상까지도 무의식적으로 투사되어 나타난다. 또한 자유화는 언어 또는 신체발달의 미숙함으로 인하여 자신의 의지나 느낌을 말로 표현하는 데 제한을 받고 있는 대상이나 자신의 감정을 표현하는 데 어려움을 보이는 대상자들에게 있어서 중요한 자기표현의 매체가 된다.

(3) 미술치료의 효과

예술치료의 한 분야인 미술치료는 통증과 만성적 증상들을 경험하고 있거나 수술, 약물치료 등과 같은 의학적 치료를 받고 있는 모든 연령의 사람들에게 다양한 방법으로 사용되며, 호스피스 영역에서도 통증과 증상 조절 등 환자의 의학적 문제뿐만 아니라 정신사회적, 영적인 문제를 해결하는 데 도움이 될 수 있다.

임종을 앞둔 말기 암환자들이 호소하는 가장 심각한 문제인 통증은 환자의 심리사회적인 상태에 영향을 받기 때문에 적극적인 심리 중재가 필요하다. 미술치료를 통해 환자는 작업의 주체가 되어 심리적인 어려움이나 죽음에 대한 불안을 안전하게 표출하여 심리적 이완을 얻을 수 있다. 이 과정에서 통증 경감 및 증상 완화가 가능한데, 미술이라는 창조적인 활동을 통해 통증에너지가 창조적 에너지로 전환되어 통증에 대한 인식이 줄

어들기 때문이다.

말기 암환자들은 심한 육체적 통증뿐만 아니라 죽음에 대한 두려움과 불안, 분노, 우울로 인해 심리적 고통을 겪게 되는데 이를 해결하기 위해서는 심리적/정서적 돌봄이 함께 이루어져야 한다. 미술치료는 이러한 말기 암환자들을 대상으로 억제된 감정을 표현하고, 자신의 내면세계와 소통하거나 자신의 긍정적인 면을 발견할 가능성을 제공할 수 있으며, 가족들에게도 정서적지지 기능을 할 수 있다. 또한, 미술치료 과정을 통해서 환자는 과거의 경험을 재구성하고 새롭게 인식하게 되며, 남은 삶의 의미를 부여하고 죽음을 준비하는 데 도움을 얻을 수 있다.

3) 원예치료

(1) 정의

원예치료는 식물과 원예활동을 이용하여 인간의 사회, 심리 및 신체적 적응력을 개선시키고 이를 통하여 인간의 신체, 정신, 영적 치유를 도모하는 과정이다(미국원예치료협회, American Horticultural Therapy Association).

호스피스·완화의료 원예치료의 목적은 말기 암환자의 생리적, 심리적 안정에 기여하고, 죽음을 앞둔 환자와 가족에게 죽음에 대한 인식 변화와, 죽음을 삶의 일부분으로 받아들이고 대상자가 살아있는 동안은 삶에 참여할 수 있음을 깨닫게 하여 남은 삶의 시간을 가치 있고 의미 있게 보내는 것이다.

(2) 적용방법

① 식물 번식과 기르기

1~2년생 꽃식물의 번식에 주로 사용되고 있으며 생활사의 전 과정을 볼 수 있어 의미 있는 원예 활동이 될 수 있다. 또한 새로운 생명을 재배해 내는 과정을 겪게 함으로 부정적이고 우울한 사고에서 벗어날 수 있게 한다.

② 꽃꽂이

꽃꽂이란 자연에 있는 소재인 꽃을 매개체로 하여 꽃이라는 소재가 갖는 특성을 살려 좀 더 아름답고 세련되게 하여 공간을 구성하는 조형예술로서 꽃을 화기에 담는 데서 이루어진다. 특히 꽃꽂이는 환자들이 실내에서 할 수 있는 중요한 원예 치료로 꽃꽂이를 할 때 실행하는 꽃 다듬기, 자르기, 구부리기, 꽃기 등의 행위는 정서적인 안정감을 얻을 수 있다.

③ 압화

압화란 꽃이나, 풀잎, 나뭇잎 등을 물리적 방법이나 약품처리 방법으로 이용하여 인공적으로 누른 것을 말하며, 눌러서 말린 식물을 회화적인 느낌을 강조하여 평면적으로 구성한 조형예술이다. 압화를 이용해 액자나 카드를 만들어 가족이나, 친구, 친척에게 자신이 직접 만든 작품을 선물할 수 있다. 또한 자신의 남은 시간을 정리하는 기회를 제공하며 압화를 이용한 유언장 만들기나 납골당에 걸어둘 화환 만들기 등이 가능하다.

(3) 효과

원예활동은 수동적인 측면에서뿐만 아니라 능동적인 측면에서 눈으로 보고 코로 향기를 맡으며, 손으로 만지고, 머리를 써서 움직이는 등, 많은 감각이 활용된다는 점과 자연에 대한 친밀감이 치료 대상자로 하여금 자신감을 높여주고 사회성을 증가시켜주며 불안이나 긴장상태에서 회복시킨다. 원예치료의 여러 활동들은 대근육, 미세근육, 관절을 사용하므로 말기 암환자에게 필요한 적절한 신체활동을 유도한다. 또한 자르기, 다듬기, 구부리기, 꽃기, 철사감기, 테이프 감기, 누르기, 담기 등의 다양한 기법들은 모두 정교한 손과 손가락 운동을 필요로 하기 때문에 손가락 운동을 촉진시켜 대뇌를 자극시키는 효과가 있다. 그뿐만 아니라 원예활동에 필요한 다양한 지식과 개념의 습득이나, 식물을 가꾸는 과정에서 유발되는 집중과 관찰은 환자에게 적절

한 인지적 자극도 줄 수 있다.

말기 암환자는 원예치료를 통해 직접 정원을 가꾸며 성취감을 느낄 수 있다. 자신이 키우는 식물이 자라는 과정을 지켜보면서 불안과 우울, 통증이 감소하고 삶의 활력과 희망, 자아 존중감 등이 증가하는 효과를 기대할 수 있으며, 이는 환자의 삶의 질 향상에도 도움이 된다.

원예치료는 자연의 가장 상징적인 식물과 원예에 대한 이해를 바탕으로 하고 있기 때문에 말기 암환자에게 있어서는 자연의 흐름과 연계하여 죽음의 과정에 대해 생각할 수 있는 기회가 되기도 한다. 원예치료를 통해 자연의 일부로서 자신을 인식하고, 죽음을 삶의 자연스러운 과정으로 받아들임으로써 심리적 편안함을 얻을 수 있다.

3. 생물학적 요법(Biologically based therapies)

생물학적 요법은 약초, 음식물, 비타민, 미네랄 등과 같이 자연에서 얻을 수 있는 물질을 이용하며 각종 건강기능식품, 영양제, 식이요법, 동식물 추출물 등을 포함하며, 효소요법, 약초요법, 향기요법 등도 포함된다. 특히, 인삼은 암 관련 피로해소를 목적으로 환자들이 통상적으로 이용하지만 말기 암환자를 대상으로 한 이전의 연구들에서는 효과가 있다는 근거가 아직까지 부족하다.

4. 수기요법과 신체에 기초한 요법(Manipulative and body-based methods)

카이로프래틱, 정골의학, 마사지 등 수기요법과 신체의 움직임을 활용하는 신체적 요법을 기초로 한다. 카이로프래틱이란 그리스어로 손(cheir)으로 치료(praktos)한다는 뜻으로, 약이나 수술에 의존하지 않고 손으로 시술하는 자연적이고 보존적인 치료방법을 말한다. 치료 원리는 척추를 비롯한 뼈, 관절 및 근육을 손으로 만져서 뇌와 장기 사이의 신경의 흐름을 원활하게 하여 질병을

치료할 수 있다는 가설에 근거한다. 수기치료를 통해 관절이 정상적인 생역학적 기능을 회복하고 관절, 주변 근육, 건을 통해 적절한 신경자극을 유도하여 신경계의 균형을 회복시키면 동통이 해소되고 정상적인 자세를 유지할 수 있다고 알려져 있다. 최근에는 관절이나 근육의 감각수용체를 이용하여 신경계의 기능 이상이나 자율신경장애를 치료하고 있다. 그러나 종양이나 감염 등으로 감각수용체를 통한 자극이 효과가 없는 경우에는 주된 치료법으로 활용할 수 없다.

5. 에너지요법(Energy therapies)

에너지를 이용한 치료법으로 생물장요법과 생체전자기장에 근거한 요법 두 가지가 있다. 생물장요법(biofield therapies)이란 인체를 둘러싸거나 투과하는 기(氣)나 에너지장(energy field)을 조절하는 치료법으로, 아직 과학적으로 증명되지 않았다. 기공(qi gong), 레이키(reiki) 및 치료적 접촉(therapeutic touch, TT)등이 여기에 해당된다.

생체전자기장에 근거한 요법 (bioelectromagnetic based therapies)은 펄스, 교류 또는 직류, 자석과 같은 전자기장을 치료로 이용한다. 보완대체의학에서 주로 이용되는 것은 비열성, 비전리 전자기장(nonthermal, nonionizing electromagnetic field)이다.

1) 침술요법

암환자들을 대상으로 한 이전의 무작위배정 임상시험에서 침술은 안면홍조와 같은 혈관운동성 증상(vasomotor symptom), 오심 및 구토, 통증, 피로, 불면에 일부 효과가 있는 것으로 보고된 바 있다. 하지만 다음과 같은 경우에는 시술을 피하는 것이 좋다.

- 절대 호중구수(absolute neutrophil count, ANC)가 500/μL 미만인 경우
- 혈소판 수가 25,000/μL 미만인 경우
- 의식상태가 명료하지 않은 경우
- 잘 조절되지 않는 부정맥

2) 아로마 요법

아로마 요법은 방향성 식물에서 추출한 휘발성 향 물질인 향유(essential oil)가 피부나 후각을 통해 본능, 감정, 기억을 관장하는 대뇌변연계(limbic system)에 직접 작용을 하여 정신적, 신체적으로 다양한 효과를 나타나게 하는 보완대체요법이다. 역사적으로 아로마 오일을 치료용으로 사용한 것은 지금으로부터 6,000년으로 거슬러 올라갈 만큼 매우 오래되었으나 'aromatherapy'라는 용어는 1928년 프랑스 향수제작자인 레네 모리스 가트포세(Rene-Maurice Gattefoss)가 처음 사용하였다. 이후 아로마는 여러 증상 및 질병에 다양하게 적용되면서 임상적 효능이 밝혀지기 시작하였으며, 특히 각 아로마의 다양한 휘발 확산 속도에 따라 여러 제제들을 적절히 혼합하여 사용함으로써 그 효능이 증대되는 시너지 블렌딩 효과를 낼 수 있다.

아로마 치료는 적용방법이 용이하고 부작용이 적은 장점이 있어 말기 암환자의 신체적, 정신적 증상 조절을 위해 점차 사용이 증가하고 있다. 말기 암환자를 대상으로 아로마 마사지의 효과를 분석한 이전의 임상연구에서는 우울 및 정신적인 안녕에 단기간의 효과가 있었으며, 긴장 완화 및 스트레스 조절과 통증 및 수면에 도움이 된다고 하였다. 혈액투석을 받는 환자를 대상으로 한 국내 연구에서는 아로마 마사지를 시행하여 소양증이 감소되었고 유방암 환자 및 말기 암환자의 통증, 우울 및 불안 감소가 보고된 바 있다.

IV 요약

암치료와 관련된 보완대체요법은 인터넷, 매스컴의 보급과 더불어 기하급수적으로 증가하고 있으나 임상시험을 통해 근거를 증명한 보완대체요법은 많지 않다. 특히 말기 암환자를 대상으로 하여 보완대체요법의 효능을 검증한 임상연구는 거의 이루어진 적이 없다. 잘못 적용된 보완대체요법은 기존 치료의 효과를 저하시키거나 부작용을 발현시켜 삶의 질을 저하시키고 생존 기간을 단축시킬 가능성이 있으므로 보완대체요법의 선택에 대한 의료진과 환자 사이의 충분한 대화가 필요하다. 근거가 충분히 증명된 보완대체요법에 대해서는 환자들이 적극적으로 사용할 수 있도록 해야 하지만, 생명을 단축하거나 삶의 질에 유해한 부작용이 있다면 사용을 중단하도록 교육해야 하며, 무엇보다 말기 암환자들 대상의 보완대체요법에 대해 잘 계획된 임상연구를 통한 근거 확보가 시급하다.

참고문헌

1. 김경운,박진노,이수한. 말기암환자가 보완대체요법을 선택한 이유. 한국호스피스·완화의료학회지. 2011;14(1):34-41.
2. 김명자. 호스피스와 보완·대체요법에 대한 전망. 호스피스논집 2006;10:40-50.
3. 김성아,김성주,정주혜,이수영,한명숙,오선희,김세홍. 아로마 요법이 말기 암 환자의 하지부종에 미치는 영향 - 대조군 연구. 한국호스피스·완화의료학회지. 2009;12(3):139-46.
4. 김유림. 말기 암 환자의 '희노애락(喜怒哀樂)' 인생회고를 위한 노래 심리치료. 2009; 성신여자대학교 대학원 석사학위논문.
5. 김은정. 음악치료가 암 환자 기분 상태에 미치는 영향에 관한 연구. 2008; 성신여자대학교대학원 석사학위논문.
6. 김은정. 호스피스 말기 암 환자를 위한 음악치료 프로토콜 개발 및 효과검증. 2016; 한세대학교대학원. 박사학위논문.
7. 김정숙,신지혜,손윤경. 아동미술치료의 이론과 실제. 서울: 교문사; 2009.
8. 김진숙. 예술심리치료의 이론과 실제. 서울: 키파프레스; 2011.
9. 문지영. 호스피스에서의 음악치료. 한국 호스피스완화의료학회지 2007;10(2):67-73.
10. 손기철,나선영,류명화. 녹색이 인간생활에 미치는 영향. 한국원예치료연구회지 1998;1:65-81.
11. 옥선명,김철민,최환석,주상연,신호철,송찬희. 가정의학과 수련과정에 보완대체의학 교육 도입 필요성에 대한 가정의학과 지도전문의들의 의견 및 교육경험. 대한가정의학회지. 2008;29(12):932-8.
12. 윤영호. 말기암환자에 대한 보완대체요법의 치료효과와 체계적 임상연구의 필요성. 의료정책포럼. 2015;13(2):26-31.
13. 이숙. 고통 속에서도 행복한 내 삶의 여정: 종말기 환자의 음악자서전 경험에 관한 질적 연구. 한국음악치료학회지 2006;8(2):22-44.
14. 정관숙. 원예활동이 암 환자의 스트레스, 불안, 우울, 자아존중감 및 삶의 질에 미치는 영향. 2011; 충남대학교 대학원 박사학위논문.
15. 정은경. 호스피스 대상자를 위한 원예치료적 접근. 2004; 단국대학교 대학원 석사학위논문.
16. Trauger-Querry B, Haghighi KR. Balancing the Focus:Art and Music Therpy for Pain Control and Symptom Management in Hospice care. Hosp J 1999;14(1):25-38.
17. Sourby CA. Barbara. Journal of Therapeutic Horticulture. 1998;9:46-7.
18. Conrad, AC, et al.. Attitudes of members of the German Society for Palliative Medicine toward complementary and alternative medicine for cancer patients. J Cancer Res Clin Oncol, 2014;140(7):1229-37.
19. Dimaio, L. Music Therapy Entrainment: A Humanistic Music Therapist's Perspective of Using Music Therapy Entrainment with Hospice Clients Experiencing Pain. Music Therapy Perspectives, 2010;28(2):106-15.
20. Gutgsell KJ, Schluchter M, Margevicius S, et al. Music therapy reduces pain in palliative care patients: A randomized controlled trial. J Pain Symptom Manage 2013;45(5):822-31.
21. Krout, RE. (2015). Music therapy for grief and loss. In B. L. Wheeler, Music therapy handbook (pp.401-11). New York, NY: The Guilford Press.
22. Liao, GS., Apaya MK, Shyur LF. Herbal medicine and acupuncture for breast cancer palliative care and adjuvant therapy. Evid Based Complement Alternat Med, 2013;2013:437948. doi: 10.1155/2013/437948.
23. Malchiodi, C. A. (2000) 최재영·김진연 역. 미술치료. 서울:조형교육.
24. Munro, S, Mount B. Music therapy in palliative care. Can Med Assoc J 1978;119(9):1029-34.

8부

비암성 말기 환자에서의 호스피스·완화의료

35장 말기 만성질환(심부전, 만성폐쇄성 폐질환, 신장질환, 간질환)
36장 신경계질환(파킨슨, 근위축삭경화증)
37장 후천면역결핍증후군

35장

말기 만성질환(심부전, 만성폐쇄성 폐질환, 신장질환, 간질환)

| 박중철, 김수정 |

I 말기심부전의 호스피스·완화의료

1. 말기심부전의 특징과 진단

심부전은 허혈성 심장질환, 고혈압 또는 심장판막질환과 같은 여러 심장질환들의 진행으로 말미암아 좌심실의 기능이 회복될 수 없는 상태까지 망가지면서 발생하게 된다. 특히 심부전이 진행되면 심인성쇼크(cardiogenic shock)를 초래하게 되는데, 이는 적절한 체액량에도 불구하고 심장의 기능저하로 말초장기와 조직에 혈액이 공급되지 못해 장기의 기능 이상이 초래되는 상태이며, 일반적으로 뉴욕심장학회(New York Heart Association, NYHA) 심부전 분류 4단계(NYHA Class IV)에 해당된다. 2016년 대학의학회는 호스피스·완화의료를 적용해야 할 말기심부전의 진단기준을 발표하였는데, 심장이식 등의 수술적 치료가 불가능하거나 환자가 이를 거부한 경우에 한하여 5가지 기준 중 3개 이상에 해당 되면 말기로 진단할 수 있도록 하였다 표 35-1.

심부전은 비만, 흡연 등에 노출된 선진국뿐만 아니라 최근에는 개발도상국에서도 그 빈도가 급격히 늘고 있다. 약물치료에도 불구하고 일상생활이 힘들 정도로 심각하게 진행된 말기심부전 환자의 비율은 어림잡아 약 5% 정도 되는 것으로 추정하고 있는데, 미국의 경우 폐암, 유방암, 전립선암과 에이즈(HIV/AIDS)에 의한 사망자를 모두 합한 것보다 심부전에 의한 사망자가 더 많아서 심부전의 사회적 부담은 날로 커져가고 있다. 한국에서도 심부전 환자는 날로 증가하고 있는데, 2012년 사망통계에 따르면 심부전 사망자의 93%가 65세 이상 노인이어서 고령화 시대의 중요한 질병으

표 35-1. 대한의학회의 말기심부전 진단 기준
(다음 중 2개 이상 해당)

① 적절한 치료에도 불구하고 NYHA III/IV 상태의 심부전, 심각한 심장판막 질환, 광범위한 관상동맥질환
② 심초음파를 시행한 경우 : 좌심실 박출량의 저하(<30%) 또는 폐동맥 고혈압(폐동맥압)60 mmHg)이 고착화된 경우
③ 심장질환에 의한 신장질환(추정 사구체 여과율(eGFR)<30 ml/min)
④ 심장질환에 의한 악액질
⑤ 심장질환에 의해 지난 6개월 동안 2번 이상 응급실 내원 등 응급상황이 발생했던 경우

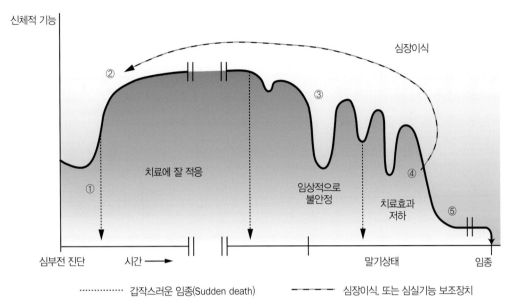

그림 35-1. 말기심부전의 일반적인 진행과정. 출처: Goodlin SJ, JACC 2009

로 부각되고 있다.

심부전의 기본 치료는 악화의 위험요소를 제거하고 약물치료를 통해 질병의 진행을 늦추는 것이지만, 말기심부전 상태에 이르게 되면 약물치료에 더 이상 반응하지 않고 가벼운 신체활동만으로도 호흡곤란이 발생하여 일상생활에 심각한 제한이 일어난다. 말기심부전의 근본적인 치료는 심장이식뿐이지만 엄격한 적응증과 공여자를 찾는 것도 어려워서 쉽게 시행할 수 있는 치료법은 아니다. 대신 최근에 심장기능을 보조해 주는 기계장치들의 개발로 말기심부전의 삶의 질 향상을 위한 선택이 조금 더 넓어졌지만, 이 역시도 수술의 위험성과 유지 관리의 어려움이 있고 말기심부전 환자 대부분이 노인인 것을 감안할 때 효과적인 대안이 되지는 못한다. 때문에 잔여 수명 동안 비침습적으로 삶의 질을 최대한 개선시키는 완화의학적 접근이 말기심부전의 현실적 대안이라고 할 수 있을 것이다.

완화의학적 치료의 제공은 충분한 증상 조절, 부적절한 생명 연장 지양, 환자의 자기통제감(sense of control)의 유지, 가족들의 경제적 및 심리적 부담 감소, 지인들과의 유대감 강화 등을 종합적으로 고려하여 구체적인 치료 방법을 결정해야 한다.

2. 말기심부전의 경과와 예후

1) 말기심부전의 경과와 치료 결정

심부전은 말기 상태로 진행될수록 호흡곤란 등의 증상 조절이 어려워지고 혈역학적으로 불안정해지면서 응급실 방문 및 중환자실을 포함한 입원치료가 빈번해지며, 이로 인해 삶의 질이 떨어지고 경제적 부담은 급격히 증가하게 된다. 말기심부전 환자의 삶의 질을 보존하기 위해서는 그 진행 경과를 이해하고 예후를 예측하여 진행 단계별로 적절한 치료를 제공해야 한다.

그림 35-1은 심부전의 전형적인 경과를 보여주고 있다. ① 심부전에 의한 신체적 기능이 저하되어 있는 환자는 ② 적절한 약물치료를 통해 신체적 기능을 개선시킬 수 있지만, ③ 심부전이 점진적으로 진행되어 가는 도중에 급성 악화 및 갑작스러운 임종(sudden death)이 발생하게 되고, ④ 수차례 악화와 회복을 반복하면서 결국은 약물치료에 더이상 반응하지 않는 말기상태에 이르

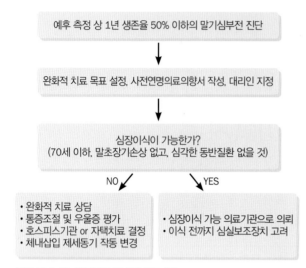

그림 35-2. 말기심부전의 단계별 치료과정

표 35-2. 임종 가능성을 증가시키는 예측 인자들

- 응급실 및 입원치료의 빈도 증가
- 안정 시 증상 발생
- 일상생활의 의존도 증가
- 10% 이상의 체중 감소
- 혈중 알부민 수치 2.5 g/dl 이하
- 좌심실 박출량(Ejection fraction) 20% 이하
- 증상을 동반한 부정맥 발생
- 심폐소생술을 시행받은 기왕력
- 실신(Syncope)이나 혈전성 뇌경색(embolic stroke) 발생 기왕력

게 되며, ⑤ 심장이식을 받지 못하면 환자는 결국 임종을 맞이하게 된다.

심장이식을 받을 수 없거나 거부한 말기심부전 환자에게는 호스피스·완화의료 돌봄이 최선의 치료이며, 이는 생명연장보다는 적극적인 증상 완화를 통해 환자의 만족을 높이고 경제적 부담을 경감시키는 것을 목표로 한다. 미국 심장학회는 심부전 환자가 말기상태에 이르렀다고 판단되면 환자 및 보호자에게 호스피스·완화의료에 대해 논의할 것을 권고하고 있으며, 여기에는 사전연명의료의향서의 작성과 더불어 체내에 이식된 제세동기(implantable cardiac defibrillators, ICDs) 등의 작동 중단에 대한 의사결정까지 포함하고 있다 그림 35-2 .

2) 말기심부전의 예후

심부전은 말기상태가 아니더라도 진행 과정 중 언제라도 갑작스러운 죽음이 발생할 수 있기 때문에 잔여수명을 예측하기란 쉽지가 않다. 그렇더라도 밝혀진 예측인자들을 통해 대략적인 예후를 가늠해 본다면 적절한 완화적 돌봄의 방법을 결정하는 데 도움이 될 것이다 표 35-2 .

좀 더 정교한 예후 예측이 필요하다면 대규모 인구집단을 대상으로 한 연구에서 타당도가 입증된 '시애틀 심부전 스코어(Seattle Heart Failure Score)'를 활용해 볼 수 있다. 이는 환자가 현재 복용하고 있는 약물부터 체내 보조장치 여부까지 고려하여 예후를 1년, 2년, 5년의 잔여 예측수명으로 나누어 제시해 주며, 온라인을 통해 무료로 이용할 수 있다(http://depts.washington.edu/shfm).

3. 말기심부전의 증상 관리

앞서 언급했듯 심부전으로 사망하는 환자의 육체적, 정신적 고통의 크기와 그로 인한 사회적 손실은 말기 암환자의 경우와 맞먹을 정도로 심각하기에 적극적인 증상 조절이 필요하다. 일반적인 심부전 치료는 주로 디곡신, 베타차단제, angiotensin 수용체 차단제 등의 심혈관계 약물들을 사용하여 심박출량의 향상과 심장의 변형을 예방하는 것이지만, 말기심부전의 경우는 이뇨제, 마약성 진통제, 항우울제 등을 통한 증상의 개선과 삶의 질 향상을 목표로 한다. 말기심부전 환자가 주로 겪는 고통들은 호흡곤란, 통증, 우울감, 피로감, 부종 등으로 알려져 있다. 한편, 피로, 거동장애, 부종 등의 여러 요인들이 복합적으로 관여된 2차적인 증상들은 최대용량의 약물을 사용하더라도 개선이 어려운 경우가 많아서 오히려 약물의 과다에 의한 부작용이 발생할 수 있으니 주의해야 한다. 때문에 치료방법을 선택할 때는 반드시 각각마다의 효과에 대한 근거 수준을 확인하여 높은 수준의 치료법부터 단계적으로 시도하는 것이 바람직하다 표 35-3, 4 .

표 35-3. 말기심부전 환자에서의 흔한 증상들과 완화적 치료 원칙들

증상	발현비율	완화의학적 치료
통증	78%	• 통증 유발 원인 규명 • 협심증에 의한 통증 시 마약성 진통제 고려
호흡곤란	61%	• Loop diuretics, low dose opioid • 회복 가능한 원인 치료 : 흉수액, 부정맥, COPD, 불안
우울증	59%	• 저활동성 섬망, 약물 부작용, 알콜의존성 요인 감별 • 1차 약물은 SSRI. 필요 시 정신자극제도 고려
불면	45%	• 섬망 및 우울증과 감별 • 통증 또는 호흡곤란 완화 시 해소되는 경우 많음
식욕부진	43%	• 우울증, 섬망, 변비 등의 선행요인 감별
불안감	30%	• 섬망, 우울증, 영적–심리적 고통 감별 • 1차약은 SSRI
변비	37%	• 이뇨제에 의한 탈수 예방 등의 수분 균형 관리
오심/구토	32%	• 마약성 진통제 사용 시 유발 가능 • 적절한 항구토제 사용

1) 호흡곤란

(1) 이뇨제 및 마약성 진통제

활동할 때는 물론 누워 있거나 안정 중에도 지속되는 호흡곤란은 말기심부전 환자의 가장 대표적인 증상이다. 호흡곤란의 조절을 위해서는 이뇨제가 우선적으로 고려되는데 주로 loop 이뇨제를 사용하며, 필요 시 thiazide를 병용한다. 그러나 신장의 기능까지 저하된 '심장콩팥증후군(cardiorenal syndrome)' 상태로 진행되면 이뇨제가 더 이상 호흡곤란을 개선시키지 못한다. 이 경우에는 수분제한으로 체액의 저류를 감소시켜 폐울혈을 개선시켜야 한다. 한편, 폐울혈이 심하지 않은 환자더라도 불안 및 통증으로 인해 산소요구량이 증가하고 빈호흡이 발생하여 호흡곤란을 호소할 수 있다. 이 경우에는 적절한 항불안제나 저용량 마약성 진통제를 사용하면 불안이 완화되어 호흡곤란이 개선될 수 있다. 그러나 가끔 진정작용에 의한 호흡저하가 발생될 수 있으므로 마약성 진통제는 모르핀 2.5 mg 또는 경구

표 35-4. 주요 증상별 근거 기반 치료법들

증상	근거 수준				
	Class I (근거 확보)	Class II		Class III (근거 미약)	Class IV (근거 불충분)
		IIa (선택적 시행)	IIb (다소 도움)		
호흡곤란	이뇨제 Nitrate 저용량 opioids	Inotropics Aquapharesis	산소투여	항불안제 (Benzodiazepines)	기타 보완대체요법들
통증	Opioids Nitrates 등 협심증 치료 약물		침술 운동요법 음악치료	NSAIDs	
우울증	항우울제(SSRI, SNRI, TCA)				
피로		2차적 원인교정 (빈혈, 감염, 수면장애 등) 정신자극제 운동요법		휴식 및 안정	Steroids L–carnitine 식욕촉진제 영양보조제

출처: ACCF/AHA Heart Failure guidelines

옥시코돈 1 mg의 저용량부터 시작해야 하며, 벤조다이아제핀 계열은 무호흡이 관찰되지 않는 호흡곤란에만 선택적으로 사용하는 것이 안전하다.

(2) 강심제(Inotropics)

협심증에 의한 흉통이 동반된 호흡곤란에는 nitrate 계열 약물을 투여해야 한다. 또한 말기심부전에서 심근 수축 개선을 위해 경구 혹은 정맥 내 강심제를 지속적으로 사용하는 경우도 있는데 이는 환자의 생존 기간을 늘리지는 못하지만, 호흡곤란을 일부 개선시킬 수 있는 것으로 알려져 있다. 와상상태의 말기심부전 환자에서 dobutamine 또는 milrinone 같은 강심제의 지속적인 정맥 내 점적투여는 호흡곤란 개선시키는 데 일부 도움이 될 수 있지만, 아직 합리적 근거가 확보되지 않아서 부작용의 위험보다 증상개선의 이득이 큰 경우에만 사용이 추천된다. 한편 산소투여는 명확한 저산소증이 없다면 실내 공기에 비해 별다른 이점이 없는 것으로 알려져 있다.

(3) 체액여과술(Aquapheresis)

우리나라에는 아직 보편화되어 있지는 않지만, 이뇨제에 반응하지 않는 심부전 환자에서 갑작스런 폐울혈로 인해 호흡곤란이 발생되면 투석과 비슷한 원리의 'aquapheresis'를 시행해 볼 수 있다. 이는 팔의 정맥 혈관을 통해 체액 중 수분과 나트륨을 기계적으로 제거하여 폐의 울혈성 부종을 개선시키는 방법이다 **그림 35-3**. 하루 정도의 입원이 필요하며, 임시적 해결책이기에 제한적인 효과 이상을 기대하긴 어렵지만 약물에 반응하지 않는 환자들에게는 유용할 수 있다.

2) 통증

통증은 심부전에서 호흡곤란에만 치중하다가 간과되기 쉬운 증상이다. 말기심부전 환자가 겪는 통증은 발생기전이 복합적이어서 효과적인 통증조절을 위해서는 원

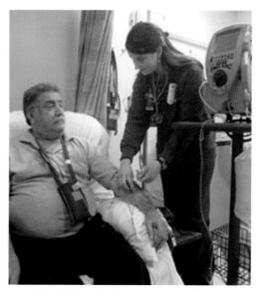

그림 35-3. 체외여과술(Aquapheresis)를 받고 있는 77세 심부전 환자
출처 : St. John's Mercy Medical Center.

인별로 세심한 진통제 선택이 필요하다. 일반적으로 비스테로이드성 소염제(NSAIDs)는 위장관 출혈, 신장기능의 악화 및 체내 수분저류 등의 부작용 때문에 가급적 사용하지 않으며, 마약성 진통제(opioids)가 우선적으로 추천된다. 마약성 진통제는 진통뿐만 아니라 다행감에 의한 심리적 안정으로 심장의 산소요구량도 줄여주기에 말기심부전에서 다른 진통제들보다 이점이 크다. 마약성 진통제는 주로 oxycodon과 acetaminophen 복합제가 1차약으로 선호된다. 반면 methadone은 간혹 QT연장 등의 부정맥을 일으킬 수 있으므로 주의해야 하며, meperidine, morphine, codeine 등은 신장을 통해 대사되므로 신장질환 환자에서 조심해야 한다.

3) 우울증

말기심부전 환자의 3명 중 1명은 우울증을 앓고 있으며, 특히 말기로 진행될수록 우울증 이환율도 증가하는데 우울증이 심각할수록 갑작스러운 악화에 의한 입원과 사망률이 상승하게 된다. 때문에 심부전 환자에서 우울증 예방에 가장 중요한 핵심은 증상의 안정적인 관리이다. 심부전환자의 우울증 치료에는 비교적 부작

용이 적은 SSRI (selective serotonin reuptake inhibitor)가 1차적으로 추천되며 citalopram 10 mg 또는 duloxetine 15 mg으로 시작하게 된다. 우울증에 만성적인 통증이 동반된 경우에는 TCA (tri-cyclic antidepressants)가 유용하지만 간혹 부정맥을 유발할 수 있으므로, 부정맥이 있는 경우 SNRI (serotonin norepinephrine reuptake inhibitor)계로 교체해서 사용할 수 있다.

4) 부종

부종은 거동장애를 유발하여 일상생활의 불편감을 유발하는 대표적인 증상이다. 호흡곤란이 동반된 경우에는 이뇨제를 사용하며, 하지부종에는 압박스타킹이 유용하다. 간혹 지속적인 복수가 발생하는 경우에는 복수천자를 반복적으로 시행해야 하지만, 복강 내 압력 감소가 신장기능 저하를 가속시킬 수 있으므로 과도한 천자는 주의해야 한다.

5) 피로

말기심부전 환자들은 만성적인 피로감과 무기력함을 흔하게 호소하는데 상당수는 원발성이 아닌 호흡곤란이나 다른 동반질환들에 의해 이차적으로 발생된 것들이다. 피로의 주된 원인은 우울증과 같은 심리적인 요인과 전신적인 부종에 의한 수면 무호흡증 등이 있지만 이들은 치료가 쉽지 않아서 우선적으로 교정이 용이한 빈혈, 감염, 탈수, 갑상선 기능이상, 전해질 불균형 등을 먼저 감별해야 한다. 간혹 이유를 알 수 없는 원발성 피로 증후군의 경우에는 methylphenidate 같은 정신자극제를 사용해 볼 수 있다.

4. 심장기능 보조 기계장치

약물들과 더불어 심부전 환자의 약해진 심장기능을 기계적으로 보조해 주는 장치들이 꾸준히 개발되고 있다. 이 장치들은 심장기능을 보조하여 환자의 운동능력을 개선시켜서 환자의 삶의 질을 향상시킬 수 있다.

반면 장치들마다 각기 단점들도 가지고 있어서 손익을 잘 따져서 시술해야 한다. 특히, 생애 말기에는 이들 장치의 작동이 고통의 원인이 될 수 있으므로 장치의 작동중지에 대한 논의를 사전돌봄계획에 반드시 포함시켜야 한다.

1) 삽입형 제세동기(Implantable cardiovert defibrillator, ICD)

ICD는 좌심실 부전에 의한 갑작스런 사망(sudden death)을 예방해주는 장치이다 **그림 35-4**. 심장박동을 감지하다가 심정지가 발생했을 시 자동으로 전기 자극을 주어 심박동을 되살리는 이 장치는 말기심부전으로 진행될수록 작동 빈도가 증가하게 되어 환자에게 고통을 야기할 뿐만 아니라 갑작스런 전기 자극에 대한 불안과 공포를 증가시킨다. 그럼에도 불구하고 현실적으로 의사들은 이 장치의 작동중지에 대해 환자와 사전에 잘 논의하지 않고 있으며, 환자가 임종할 때까지 방치하는 경우가 많다. 또한 환자들은 ICD의 작동 원리를 잘 모르기 때문에 작동 중지가 즉각적인 사망이나 자살에 해당하는 것으로 오해하여 결정을 주저하게 된다. 때문에 생애 말기 환자에게 불필요한 고통과 불안을 주지 않고, 의도치 않은 임종과정의 지연을 막기 위해서라도

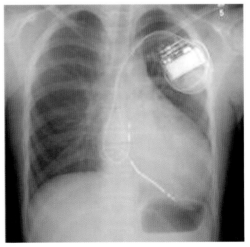

그림 35-4. 확장성 심근병증 환자에게 이식된 ICD

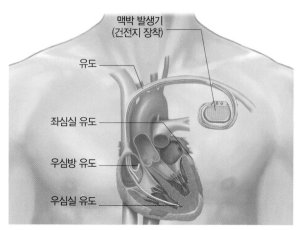

그림 35-5. 심장재동기화 치료(CRT)

맥박 발생기
(건전지 장착)
유도
좌심실 유도
우심방 유도
우심실 유도

반드시 사전에 ICD 작동 중지에 대한 충분한 설명과
논의가 이루어져야 한다.

2) 심장재동기화치료(Cardiac resynchronization therapy, CRT)

CRT는 좌심실 또는 양심실을 전극으로 자극하여 심장
이 규칙적으로 운동하도록 돕는 체내 삽입 장치이다[그림
35-5]. 이는 좌심실의 심박출량 및 심구출율을 증가시켜
말기심부전 환자의 삶의 질을 개선하는 데 도움이 되
며, ICD와 달리 미세한 전류 자극을 이용하므로 환자
는 전혀 고통을 느끼지 않는다. 때문에 CRT는 생애 말
기환자에 있어서 작동 중지를 논의할 필요가 없는 보조
장치이다.

3) 심실보조장치(Ventricular assist devices, VAD)

VAD는 국내에서는 아직 보편화되지 않은 치료법으로
체내에 좌심실 또는 우심실의 기능을 대신할 수 있는
전동펌프를 삽입하여 혈류 순환을 돕는 장치이다[그림
35-6]. 원래는 심장이식 대기자를 대상으로 개발되었지
만, 최근에는 말기심부전 환자의 삶의 질을 일부 개선
시켜주는 효과가 보고되어 심장이식을 제외했을 경우
'최종적인 치료(destination therapy)'로 간주된다. 하지만
시술 자체가 고비용에 매우 침습적이며, 지속적인 항응

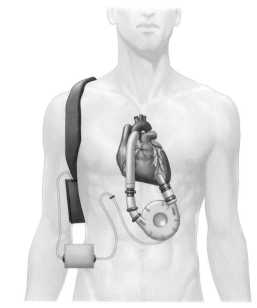

그림 35-6. 심실보조장치(VAD)

고 약물을 투여해야 하는데 이로 인한 출혈, 체내로 연
결된 배터리를 몸 밖에 차고 다녀야 하는 불편함, 전선
이 들어가는 부위의 피부감염, 고장에 의한 갑작스러운
작동 중지 등 여러 가지 위험요인을 가지고 있어서 적
용에 신중한 판단이 요구된다. 또한 말기심부전 환자는
고령이거나 다른 장기들의 손상이 이미 동반되어 있어
잔여수명이 길지 않을 경우 VAD의 적응증에 해당되기
어려우며, 설령 수술 후 운동능력이 개선되더라도 전신
증상들은 그대로이므로, 결국에는 증상을 완화시켜주
는 완화적 치료의 제공이 필요할 수밖에 없다.

5. 기존 치료의 중단 결정

말기심부전 환자의 치료 목표가 수명연장보다는 완화의
료를 통한 삶의 질의 향상이라면 부작용의 위험성이 있
는 약물들과 장치들에 대한 중단이 필요하다. 심부전의
진행을 늦추고 생존기간을 증가시키는 것으로 알려진
기존의 약물들이 말기상태에서는 더 이상 무의미해지기
때문이다. 또한 말기상태에서는 신장기능이 저하되고
체액 순환 장애가 심해서 기존 약물들의 효과와 대사가

불안정해지고 오히려 부작용이 증가하므로 중단을 고려해야 한다.

1) 약물 중단

베타차단제는 폐울혈에 의한 호흡곤란, 부종, 불편감을 동반한 서맥 등이 발생한 경우 중단하는 것이 좋다. 또한 ACEI 및 ARB 계열 항고혈압제는 신장기능의 저하와 현기증 등의 증상을 동반한 저혈압 발생 시에는 중단해야 한다. 저산소증으로 산소 투여를 하고 있는 환자더라도 임종 과정에 진입하고 있는 경우에는 농도를 낮추거나 투여를 중단하는 것이 좋다. 산소 투여가 비강 및 구강의 건조를 일으켜 점막출혈이 발생할 수 있고 나아가 호흡저하까지 일으킬 수 있기 때문이다. 환자의 기력이 떨어져 수분 및 음식섭취가 줄어든 경우에는 기존의 이뇨제를 적절히 감량하거나 중단해야 한다. 마약성 진통제는 진통뿐만 아니라 항불안 효과가 있어 말기상태에서도 유지하는 것이 도움이 되지만, 호흡 및 의식저하가 진행되는 경우에는 감량해야 한다.

2) 보조장치 중단

말기상태에서는 전기자극에 의해 제세동을 가하는 ICD의 작동은 미리 중지시켜 놓는 것이 좋다. 심박동을 조율하는 CRT의 경우에는 환자에게 아무런 고통도 주지 않으므로 중단의 고려 대상이 되지 않는다. VAD는 다른 장치들보다 감염, 혈전증 등의 위험이 크고 특히 항응고제에 의한 출혈 가능성도 있으므로 증상의 악화로 더 이상 거동이 힘들 경우에는 작동 중지를 고려하고 다른 완화의료적 돌봄을 통해 고통을 줄여주는 것이 바람직하다.

6. 요약

심부전의 유병률과 사망률은 꾸준히 늘고 있으며, 더불어 사회적 부담도 늘고 있다. 특히 심부전은 주로 노인 환자에 집중되어 있으며, 그들은 대부분 다른 동반 질환들도 가지고 있어 질병에 의한 고통의 부담이 날로 증가하고 있다. 그럼에도 불구하고 상당수의 환자들은 완화의료에 대한 설명과 적절한 돌봄을 제대로 제공받지 못하고 있기에 한국사회에서 심부전 환자의 삶의 질은 매우 낮다.

질병의 진행 특성상 말기심부전의 경과를 예측하기란 쉽지 않으므로 진행 과정에 따라 적절한 의료서비스가 제공되기 위해서는 정기적인 예후 평가가 이루어져야 한다. 일단 말기심부전으로 진단이 내려지면 증상개선 및 삶의 질 향상을 치료 목표로 삼고 완화의료적 돌봄을 위한 의사소통에 적극적으로 나서야 한다. 말기환자들에게 심리적 지지를 제공하고 임종과정에서의 치료 방법들을 논의하는 것은 매우 전문적인 의사소통 기술이 요구되므로 의료진에 대한 훈련과 교육도 중요하다.

심부전 환자에 대한 효과적 돌봄을 위해서는 다학제적 접근이 필요하며, 이는 치료를 담당하는 의료진이 초기부터 완화의료팀과의 유기적인 협력관계를 이루는 것이 이상적이다. 또한 말기환자의 완화의료적 돌봄을 위한 다양한 치료 지침들과 예후 측정 도구들이 개발되어 있으므로 적절하게 활용할 수 있다.

심부전 환자의 효과적인 생애 말기 돌봄을 위해서는 합리적인 치료모델의 수립과 확산이 중요하다 **그림 35-7**. 이와 더불어 사회적 지원과 의료적 서비스 간의 적절한 조화와 경제적 지원, 완화의료 서비스의 확대 등을 위한 의료기관, 지역사회, 국가 차원에서의 협력과 이를 지원할 수 있는 제도의 정비가 필요하다.

II 말기 만성폐쇄성 폐질환

1. 말기 만성폐쇄성 폐질환의 특징과 진단

1) 정의 및 역학

만성폐쇄성 폐질환(chronic obstructive pulmonary

8부

1단계 : 만성질환 관리	2단계 : 완화적 대증치료	3단계 : 임종기 돌봄
활동 시에 증상 발생 (NYHA I–III)	안정 시에도 증상 발생 (NYHA IV)	치료에 증상 호전 없음 다발성 장기부전 발생 생체징후 불안정 지속
생명연장	증상관리 + 삶의 질 유지	환자와 보호자 필요 만족
• 적극적인 모니터링 • 환자 및 보호자 교육 • 자기관리 지원	• 완화의료 상담 　– 환자 및 보호자의 필요에 대한 전인적, 　　다학적 분석 　– 예후 및 질병의 경과설명 　– 사전연명의료의향서 작성 　– 향후 치료계획 수립 • 갑작스런 악화에 대비	• 대개 입원상태 • 사전연명의료의향서 내용 시행 　– 약물 및 보조장치 중단 • 임종 돌봄과 사후 준비

그림 35-7. 만성 심부전의 진행과정과 완화의료적 접근 모델

disease, COPD)은 흡연, 호흡기 감염 등에 의해 기도와 폐실질의 만성염증이 진행되어 비가역적으로 기류의 흐름이 제한된 병적상태를 말한다. 이 질환은 주로 흡연력이 있는 중년 이상에서 발견되며, 호흡곤란으로 인한 독립적인 일상생활의 제한, 체중감소와 호르몬 이상과 같은 신체적 문제뿐만 아니라 우울, 불안, 수면장애와 같은 정신적 문제를 초래하며, 궁극적으로 사망률을 증가시킨다. COPD는 특히 고령에서 발생이 급격히 증가하며, 여성보다는 흡연율이 높은 남성에서 2배 이상 높다. 2009년 국민건강영양조사에 따르면, 우리나라 40세 이상 COPD 유병률은 12.9%(남 18.7%, 여 7.5%)이며, 70대 이상의 유병률은 32%로 노인 3명당 1명이 COPD 환자이다. 우리나라의 COPD를 포함한 호흡기질환으로 인한 사망률은 인구 10만 명당 27.7명으로 각종 국가차원의 노력에도 불구하고 최근 10년 동안 전혀 줄지 않고 있으며 **그림 35-8**, 암, 뇌혈관질환, 심장질환, 당뇨병에 이어 사망원인 5위를 차지하고 있다. 고령화 및 대기오염, 흡연 등의 위험인자 노출 증가로 COPD 환자는 계속 증가하고 있어서 2020년에는 사망원인 3위까지 상승할 것으로 예상되고 있다.

2) 말기 COPD와 폐암의 비교

COPD 환자가 겪는 호흡곤란과 통증 등의 증상들로 인

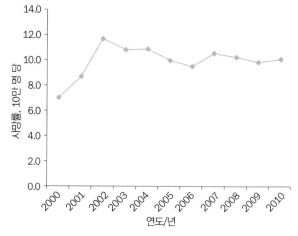

그림 35-8. 우리나라의 COPD 사망률 추이

한 육체적·사회적·정신적 장애의 심각성은 우울증을 넘어 폐암과 맞먹는다. 그러나 COPD는 그 진행속도가 폐암보다 더디고, 그 과정에서 빈번한 급성 악화와 호전을 반복하게 되므로 임종 전까지 더 오랜 기간 고통을 겪어야 한다. 한 연구에 따르면 COPD와 폐암에서 극심한 통증을 겪는 비율은 각각 21%와 28%로 폐암이 약간 높았지만, 극심한 호흡곤란은 58%와 32%로 COPD에서 월등히 높았다. 또 다른 연구에서도 생애 말기에 다다를수록 COPD 환자가 겪는 증상은 폐암 환자와 매우 유사했으며, 호흡곤란, 수면장애, 우울감은 오히려 폐암보다 더 높았다 **표 35-5**.

표 35-5. 만성폐쇄성 폐질환과 폐암의 생애 말기 증상 비교

생애 마지막 해 겪는 증상들	만성폐쇄성 폐질환		폐암	
	All (%)	Severe (%)	All (%)	Severe (%)
통증	77	56	85	56
호흡곤란	94	76	78	60
기침	59	46	56	40
식욕부진	67	15	76	19
변비	44	25	59	55
수면장애	65	42	60	35
우울감	71	57	68	51

출처 : Edmomons, Palliat Med. 2001

그럼에도 불구하고 폐암 환자에 비해 COPD 환자들에게는 완화의료적 돌봄과 사회적 지원이 제대로 제공되지 못하고 있는 실정이다. 또한 COPD 환자의 생애 말기를 대비한 사전돌봄계획 상담도 잘 이뤄지지 않고 있어서 말기상태에 이르러 중환자실 입원과 기계호흡의 시행이 빈번하며 고통스러운 임종을 겪는 경우가 폐암보다 상대적으로 많은 것으로 보고되고 있다. 한 연구에 따르면 임종 6개월 전 중환자실 입원 비율이 COPD가 폐암보다 2배 정도 많으며, 임종 2주 전에는 폐암보다 5배까지 많은 것으로 조사되어 COPD 환자에 대한 완화의료의 제공은 매우 시급한 당면 과제이다.

2. 말기 COPD와 완화의료

1) 말기 COPD의 진단

완화의료적 돌봄이 다학제적 협업을 통한 말기환자의 증상을 개선하고 삶의 질을 향상시키는 것임에도 불구하고 많은 의사들은 그것이 치료를 포기하고 빠른 임종을 유도하는 것으로 오해하고 있다. 이런 편견은 COPD를 비롯한 여러 비암성 말기질환에 대한 완화의료적 접근을 가로막는 대표적인 장벽이다. 특히 COPD는 갑작스러운 악화와 호전을 반복하기 때문에 언제부터 회복 불가능한 말기상태인지 판단이 쉽지 않아서 호스피스·완화의료의 제공이 더욱 늦어지기 쉽다.

COPD를 포함한 만성 호흡기 질환의 말기 진단은 그동안 미국 국립 호스피스·완화의료 기구(National Hospice and Palliative Care Organization, NHPCO)의 진단기준을 참고해 왔다. 우리나라는 2016년 '연명의료결정법'의 국회 통과 이후 대한의학회가 나서서 『말기와 임종과정에 대한 정의 및 의학적 판단지침』을 발표하였고, 그 안에 COPD를 비롯한 몇 가지 비암성 말기진환의 진단 기준을 포함시켰다. NHPCO와 대한의학회 모두 각각의 요건 중 한 가지 이상만 해당되면 말기로 진단할 수 있도록 하고 있다 표 35-6 . 말기 상태란 완화의학적 돌봄이 제공되는 시작점이 아니라 연명의료가 무의미해지는 시점이므로, 원칙적으로는 COPD 초기단

8부

표 35-6. 호흡기 질환의 말기 진단기준(한 가지 이상 해당 시 진단)

NHPCO 진단기준	대한의학회 진단기준
① 장애를 초래할 정도의 심한 안정 시 호흡곤란 ② 기관지 확장제의 효과가 거의 없는 경우 ③ 호흡곤란으로 항상 눕거나 앉은 상태로 지내는 경우 ④ 호흡기 감염, 호흡부전으로 반복적인 응급실 방문이나 입원 ⑤ 안정 상태에서의 저산소증(혈중 산소분압 < 55 mmHg) ⑥ 산소 공급에도 불구하고 산소포화도 88% 미만 ⑦ 고이산화탄소혈증(혈중 이산화탄소 분압 > 50 mmHg) ⑧ 폐심장증(Cor pulmonale) ⑨ 폐질환으로 인한 이차적인 우측 심부전 진행 ⑩ 의도하지 않은 체중 감소 및 영양 악화 : 체중 10% 이상 감소(>6months), 혈중 알부민 < 2.5 g/dl ⑪ 안정 시 빈맥(심박수 >100/min)	① 매우 심한 만성 호흡기질환으로 인하여 숨이 차서 의자에 앉아 있는 것도 어려운 경우 ② 장기간의 산소 치료를 필요로 하는 경우로서 담당의사의 판단으로 수개월 내에 사망이 예상되는 경우 ③ 호흡부전으로 장기간 인공호흡기가 필요한 경우 혹은 폐 이식이 필요하지만 금기 기준에 해당하거나 환자가 이식을 거절한 경우

계에서부터 환자의 삶의 질을 향상시키기 위한 완화의
료적 접근이 병행되어야 한다.

2) 만성폐쇄성 폐질환 환자에 대한 완화의료적 돌봄 모델

(1) COPD의 진행경과

COPD에서 호흡곤란은 환자의 육체적 고통뿐만 아니
라, 불안, 우울 등의 심리적 고통까지 유발하며 일상생
활과 사회로부터 고립되는 총체적인 고통이다. COPD
는 호흡곤란이 진행되면서 일상생활의 제한이 커지고
말기에는 기존의 치료로는 완화되지 않는 심각한 호흡
곤란으로 고통받다가 결국 임종에 이르게 된다. 그 중
간에 COPD 환자는 수 차례의 '급성악화(acute exacerba-
tion)'를 경험하게 되는데, 이는 COPD 환자의 호흡곤
란이 일상적인 변동범위를 넘어서 치료약제의 변경이
필요할 정도로 급격히 악화된 상태를 말한다. 급성악
화는 주로 세균, 바이러스에 의한 기도 감염 또는 대
기 오염물에 의해 유발되는데, 급성악화를 겪을수록
COPD의 진행은 가속화되고 증상은 심해지면서 사망
률도 증가한다. 또한 말기상태가 가까울수록 급성악화
와 심리적 불안의 발생이 증가하고 기존의 치료에 반응
하지 않는 '불응성 호흡곤란(refractory dyspnea)'도 겪게
되면서 환자는 자신의 호흡곤란을 통제할 수 없다는 공
포감에 심리적 공황이 일어나 마치 죽음을 체험하는 듯
한 '호흡붕괴(dypsnea crisis)'에 빠지기도 한다.

(2) 호스피스 · 완화의료 돌봄 모델

COPD의 완화의학적 접근은 기본적으로 증상조절과
질병 진행을 늦추는 '질병 조절 치료(disease modification
therapy)'와 더불어 갑작스러운 급성악화를 대비한 환자
스스로 즉각적인 대처를 할 수 있는 '대처 요령(action
plan)'을 수립하고 교육하는 것이 중요하다. 또한 질병
이 진행되어 '불응성 호흡곤란'이나 '호흡붕괴'의 상황
에서는 마약성 진통제, 산소요법, 항불안제 등의 사용
이 도움이 될 수 있다. 무엇보다도 질병의 진행과정 전

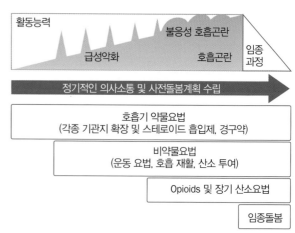

그림 35-9. COPD 진행에 따른 완화적 치료 대응

체에서 환자 및 보호자와의 지속적인 의사소통을 통한
심리적 지지를 제공하고 사전돌봄계획을 수립하여 환
자의 삶에 대한 가치관이 치료계획에 반영될 수 있도록
해야 한다 **그림 35-9**.

3) 의사소통과 사전돌봄계획

앞서 언급했듯이 실제 치료현장에서는 폐암 환자들에
비해 COPD 환자들에 대한 완화의료적 돌봄이 제대로
제공되지 못하고 있는 것이 현실이다. 사전돌봄계획이
이뤄지지 않은 상태에서 갑작스런 호흡악화나 호흡붕
괴가 초래되면 환자의 의지와 다르게 기관삽관에 의한
기계호흡 등의 침습적인 치료가 시도되기 일쑤이며,
중환자실에서 연명의료를 받다 사망하는 상황이 빈번
해진다.

　그러므로 COPD 환자에 대한 '질병 조절 치료'를 시
행하다가 점진적인 악화가 진행되어 환자의 호흡곤란
이 기존 치료로는 더 이상 개선되지 않고, 심신이 허약
해져서 일상생활의 의존도가 심해지는 상태가 되면 적
극적으로 사전돌봄계획에 대한 상담을 시작해야 한다.
특히 고령의 환자에서는 다른 치료보다 완화적 돌봄을
우선적으로 고려해야 하므로 좀 더 이른 시기에 시작하
는 것이 좋다 **표 35-7**.

　그럼에도 불구하고 COPD 환자와 의료진 사이에 사

전돌봄계획에 대한 상담이 제때에 이뤄지지 못하는 이유로는 ① 예후 예측의 어려움, ② 말기 상태에 대한 불명확한 기준, ③ 환자의 희망을 꺾게 될까 하는 우려감, ④ 급속한 악화로 인한 시간적인 제약, ⑤ 불충분한 의사소통 기술 등을 들 수 있다. 그러므로 환자가 호흡 붕괴 상태를 겪기 전에 사전돌봄계획 상담을 미리 진행하는 것이 바람직하며, 환자의 가치관과 치료 선호도를 바탕으로 치료범위와 임종에 관한 구체적 사항들도 정리함으로써 갑작스러운 위기 순간에 제대로 된 판단을 할 수 없어 원치 않는 고통을 겪게 되는 것을 방지

해야 한다.

3. COPD 환자의 증상치료

COPD 환자의 치료는 다양한 원인으로 유발되는 호흡곤란을 개선하여 궁극적으로 삶의 질을 향상시키는 것이다. 치료는 기존에 정립되어 있는 호흡개선을 위한 베타작용제, 항콜린제, 스테로이드제, 메틸산틴제 등을 사용하는 약물 요법과 호흡재활·운동 등의 비약물 요법, 그리고 산소요법과 마약성 진통제 투여 등으로 정리할 수 있다 표 35-8 .

1) 호흡기 치료

COPD의 호흡기 치료는 그 표준지침들이 지속적으로 개정되고 있는데, 이는 지속시간을 달리하는 새로운 약물들뿐만 아니라, 약물들이 기관지에 국소적이면서 효과적으로 작용할 수 있도록 하는 다양한 형태의 흡입기들이 개발되었기 때문이다. 최근에는 기존의 액체가스식 '정량 흡입기(metered-dose inhalers, MDI)'와 '습식

표 35-7. 사전돌봄계획에 대한 상담을 즉시 시작해야 할 요건들

- FEV1 <30% 이고, 산소투여를 끊을 수 없을 때
- 지난 1년간 1번 이상의 급성악화로 병원 입원치료를 한 경우
- 체중감소 / 악액질(cachexia) 상태
- 신체기능의 감소
- 일상생활에서 타인 의존도 증가
- 70세 이상
- 증상 개선을 위한 추가적인 치료선택이 남아있지 않은 경우

표 35-8. COPD의 일반적인 약물요법

약물종류	초기용량	적응증	주의사항	상호반응약물	부작용
속효성 베타작용제 (Salbutamol)	100 mcg 2회 흡입 4~6시간 간격	기관지수축		Furosemide, haloperidol, methadone, duloxetine, moxifloxacin	어지럼증, 구강 건조, 신경 과민
지속성 베타작용제 (Salmeterol)	50 mcg 1회 흡입 12시간 간격	기관지수축 유지요법	급성기 사용 비추천	Carvedilol, fluconazole	두통, 비충혈, 신경 과민
속효성 항콜린제 (Ipratropium)	0.5 mg 네뷸라이저 6~8시간 간격	기관지수축	속효성 베타작용제와 병용	Tiotropium bromide	기침, 구강 건조, 두통, 오심
지속성 항콜린제 (Tiotropium)	22.5 mcg 캡슐 하루 1회 흡입	COPD 유지요법	급성기사용 비추천 흡입기기 필요	Metoclopramide	시야 흐림, 구강 건조, 소화기 장애
메틸산틴제 (Theophylline)			혈중농도감시	Tramadol, metoprolol, clarithromycin	일시적 행동 변화, 이뇨작용
스테로이드 흡입제 (Fluticasone)	44~220 mcg 흡입 12시간 간격		용량적정 필요 단계적 감량		수면 장애, 식욕 증가, 신경 과민, 고혈당증
전신스테로이드 (Prednisone)	60 mg/day 3~10일간 사용	COPD 급성 악화	단기간만 사용	Furosemide, fluoroquinolones	
항생제	상황에 따라 선택	감염	급성악화 시의 감염에만 사용	각각 다양함	각각 다양함
산소 요법	적정 포화도 90%	저산소증	필요 시만 적용		

8부

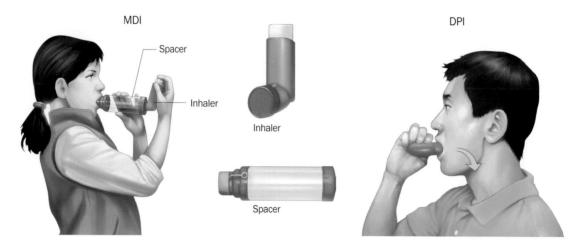

그림 35-10. 스페이서를 이용한 정량 흡입기(MDI)와 분말 흡입기(DPI)의 사용법

분무기(wet nebulizers)'보다 높은 효과를 보이는 가루형태로 분출되는 '분말 흡입기(dry powder inhalers, DPI)'가 널리 보급되고 있지만, 분말을 들이마시는 요령에 익숙해져야 하는 단점이 있다. 한편 기존의 MDI도 별도의 공기통 모양의 스페이서(spacer)를 이용하면 약물 흡입 효율을 보다 향상시킬 수 있다 그림 35-10 .

초기 COPD는 필요시에 속효성 베타 작용제 MDI를 간헐적으로 사용하지만 호흡곤란이 지속적으로 발생하는 진행된 COPD에서는 지속성 항콜린제 DPI를 매일 정기적으로 사용하면서 필요시 속효성 베타작용제 MDI을 병용하는 것이 추천되고 있다. 일반적으로 흡입방식에 따른 효과성은 DPI가 MDI보다 큰 것으로 보고되고 있지만, 고령환자들은 DPI방식에 익숙하지 않아 복용순응도 측면에서는 MDI가 더 유용하므로 개별 환자의 상황에 따른 적절한 선택이 필요하다.

스테로이드 흡입제의 사용은 어떤 원인의 COPD든 상관없이 전체적으로 사망률은 낮춰주는 것으로 알려져 있다. 또한 지속성 베타 작용제와 스테로이드 복합제 역시 COPD환자의 생존율을 높이는 효과가 보고되고 있지만, 말기 COPD환자에 대한 효과는 아직 불명확하다.

2) 전신약물 치료

(1) 세오필린계열

Theophylline계열 약물들은 오래전부터 기관지 수축에 의한 호흡곤란의 치료로 사용되어 왔지만, 여러 연구결과 지속성 베타작용제보다 효과가 떨어지고 부작용은 더 많아서 결과적으로 현재는 선호되지 않고 있다. 또한 장기 사용 시에는 약물의 독성과 clarithromycin 등의 항생제와의 상호작용에 의한 부작용 발생 가능성이 있어서 정기적인 혈중농도 확인이 필요하다.

(2) 코르티코스테로이드제

스테로이드의 경우 국소 흡입제가 아닌 전신 스테로이드제의 장기 사용은 그 자체가 사망률을 높이는 독립적인 위험인자이므로 COPD의 급성악화에만 단기적으로 사용하는 것이 바람직하다. 전신 스테로이드 요법은 프레드니솔론 기준 하루 30~40 mg을 10~14일 사용하며, 최근 연구결과에 따르면 5일 단기 사용도 14일보다 효과가 떨어지지 않으며, 또한 경구투여도 주사투여에 비해 치료효과가 떨어지지 않는 것으로 보고되고 있다.

(3) 항불안제

항불안제의 사용이 호흡곤란을 직접적으로 개선시켜

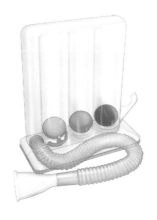  

코로 천천히 들이마시기　　　　　입술을 오므려 천천히 내뱉기

그림 35-11. 강화폐활량계와 pursed-lip breathing 요령

주지는 못하지만 불안장애가 호흡곤란을 악화시키는 요인인 경우에는 도움이 될 수 있다.

2) 비약물 요법

비약물요법이란 COPD의 급성악화를 예방하고, 증상을 스스로 조절할 수 있도록 교육·훈련하는 재활 및 예방요법을 의미한다. 이는 환자의 사망률과 병원 입원률을 낮추는 것으로 알려져 있으며, 여기에는 감정조절 및 신체 에너지 보존, 금연, 폐렴 및 독감 예방접종, 호흡운동 등까지 포함된다. 또한 갑작스런 호흡곤란이 언제든 발생할 수 있으므로 기본적인 응급대처 방법뿐만 아니라 위급 시에 신속한 도움을 요청할 수 있는 '대처 요령'도 숙지시켜야 한다.

평상시에 할 수 있는 쉬운 호흡운동은 강화 폐활량계(incentive spirometry)을 이용하는 것이다. 아침에 기상하자마자 폐활량계 기구로 힘껏 숨을 들이마시는 것을 5회 실시하고 이것을 하루 4번 이상 매일 반복한다. 그리고 갑작스럽게 호흡이 짧아지는 호흡곤란이 느껴질 경우에는 입술을 오므려 천전히 호흡하는 'pursed lip breathing'을 시행하여 호흡 개선과 심리적 안정을 취할 수 있다 그림 35-11 .

3) 산소요법

일반적으로 말초장기 손상 없이 $PaO_2 > 55$ mmHg가 유지되는 경도의 저산소혈증에서 산소요법은 추천되지 않는다. 장기적인 산소요법은 저산소증이 초래된 중증 COPD 환자에게 추천되는데, 사망률(mortality)과 질병률(morbidity)을 줄여주는 이점이 있음에도 불구하고 산소발생장치로부터 떨어지지 못하는 활동의 제한성 때문에 오히려 삶의 질이 제한될 수 있다. 간혹 환자와 보호자들이 산소공급을 하지 않는 것에 대해 치료를 포기하는 것으로 오해하는 경우가 있으므로 심리적 안정 목적의 저농도의 산소요법이 필요한 경우도 있다.

COPD 급성악화 환자의 경우에는 적절한 산소 공급이 매우 중요한데, 적절한 농도의 산소를 투여하지 않는 것뿐만 아니라 산소가 너무 과도하게 공급되는 경우 모두 환자의 사망률을 높일 수 있다. 특히 병원에서 흔하게 사용하는 '비강 캐뉼라(nasal prong)'의 경우 과도한 산소공급에 의한 CO_2 저류를 유발할 수 있으므로 '벤튜리 마스크(venturi mask)'를 사용하여 SpO_2를 89% 부근으로 유지시키는 것이 안전하다.

4) 급성악화에 대한 대응

급성 악화의 증상은 평상시보다 심하게 호흡이 가빠지고, 기침도 심해지는 상태로 특히 감염이 원인인 경우에

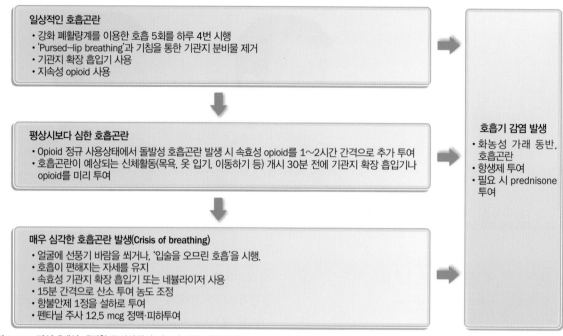

일상적인 호흡곤란
- 강화 폐활량계를 이용한 호흡 5회를 하루 4번 시행
- 'Pursed-lip breathing'과 기침을 통한 기관지 분비물 제거
- 기관지 확장 흡입기 사용
- 지속성 opioid 사용

평상시보다 심한 호흡곤란
- Opioid 정규 사용상태에서 돌발성 호흡곤란 발생 시 속효성 opioid를 1~2시간 간격으로 추가 투여
- 호흡곤란이 예상되는 신체활동(목욕, 옷 입기, 이동하기 등) 개시 30분 전에 기관지 확장 흡입기나 opioid를 미리 투여

매우 심각한 호흡곤란 발생(Crisis of breathing)
- 얼굴에 선풍기 바람을 쐬거나, '입술을 오므린 호흡'을 시행.
- 호흡이 편해지는 자세를 유지
- 속효성 기관지 확장 흡입기 또는 네뷸라이저 사용
- 15분 간격으로 산소 투여 농도 조정
- 항불안제 1정을 설하로 투여
- 펜타닐 주사 12.5 mcg 정맥·피하투여

호흡기 감염 발생
- 화농성 가래 동반, 호흡곤란
- 항생제 투여
- 필요 시 prednisone 투여

그림 35-12. 만성폐쇄성 폐질환 급성악화의 정도에 따른 대처 요령

는 가래의 색깔도 달라진다. 급성악화 시에는 천명음, 흉부의 조임, 피로, 식욕 저하 등도 동반되며 또한 반복되는 급성악화는 우울증을 심화시키게 된다. COPD가 진행될수록 급성악화의 빈도가 증가하므로 급성악화에 의한 폐기능의 손상과 고통을 완화시키기 위해서는 이에 대처할 수 있는 사전 '대처 요령'을 교육하여 환자로 하여금 숙지시키는 것이 중요하다 그림 35-12.

5) 마약성 진통제의 사용

더 이상 기존의 약물치료에 반응하지 않는 '불응성 호흡곤란(refractory dyspnea)'이 초래된 말기 COPD에서는 마약성 진통제의 사용이 도움이 될 수 있다. 불응성 호흡곤란을 호소하는 COPD환자에게 경구용 코데인이나 모르핀 투여 후 부분적으로 분간환기(minute ventilation)와 숨이 막히는 듯한 느낌이 호전되면서 환자의 운동능력과 호흡곤란의 개선이 보고되었다. 그럼에도 불구하고 마약성 진통제의 사용이 갑작스러운 임종이나 호흡저하 등 심각한 부작용을 초래할 것이라는 편견 때

문에 사용을 꺼려하는 경우가 많다. 말기 COPD 환자의 삶의 질을 향상시킨다는 많은 근거들이 쌓여 가고 있으므로 보다 적극적인 마약성진통제의 사용이 필요하다.

말기 COPD에서의 마약성 진통제는 우선 속효성 경구 모르핀이나 옥시코돈 제형을 사용해서 하루 동안 투여되는 적정량을 산정한 후 비슷한 용량의 지속형 제제로 이동하는 것이 추천된다. 반감기가 12시간 또는 24시간 지속되는 지속형 제제로 전환한 후에도 돌발성 호흡곤란(breakthrough dyspnea)이 갑작스럽게 발생할 수 있으며, 그때마다 속효성 마약성 진통제를 추가로 투여한다. 호흡곤란에 사용하는 마약성 진통제의 용량은 경험적으로 암성통증에서의 권장 용량보다 20% 정도 더 낮게 사용하는 것이 안전하다. 만약 마약진통제 사용 후 호흡곤란 감소가 없거나 효과가 충분치 않으면 용량을 계속 올리는 것보다 다른 종류의 마약성 진통제로의 교체를 고려한다. 구역과 구토가 심하거나 약을 삼킬 수 없는 환자에서는 구강 내 점막을 통해 흡수

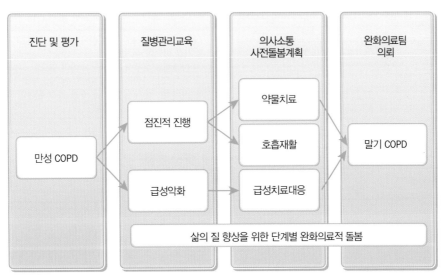

그림 35-13. COPD의 진행과정과 완화의료적 접근 모델

되는 제형들이나 설하정, 경피용 패치를 이용할 수 있다. 다만 경피용 펜타닐 패치는 정밀하면서도 즉각적인 용량 조절이 어려워서 자칫 마약성 진통제에 예민한 환자에서 심각한 진정 작용이 발생될 수 있으므로 주의해야 한다. 입원상태의 말기환자에서는 주사제를 경정맥이나 피하로 점적투여 하는 것이 용량 적정 및 부작용을 예방하는데 효과적이다.

불응성 호흡곤란에서 간혹 벤조다이아제핀계 항불안제를 사용하기도 하는데, 이는 숨이 쉬어지지 않는 느낌과 호흡 욕구를 무디게 하여 질식되는 느낌을 줄여줄 수 있다. 하지만 의식 및 호흡저하 등의 위험이 있으므로 산소나 마약성 진통제의 투여에도 개선이 없는 호흡곤란 환자에 한하여 선택적으로 사용하는 것이 바람직하다.

4. 요약

고령인구의 증가와 함께 각종 만성질환들도 증가하면서 이에 대한 사회적 부담 또한 날로 늘고 있다. 무엇보다 만성질환은 장기간 환자와 보호자에게 고통을 주면서 삶의 질을 총체적으로 훼손시킨다. COPD는 사회적 부담이 큰 대표적인 진행성 만성질환으로 환자는 해

결되지 않는 호흡곤란과 더불어 병발하는 여러 질병들로 인해 큰 고통과 우울감을 겪게 되고, 이로 인해 의료진들마저 허무주의에 빠지게 만든다.

하지만 COPD환자의 호흡곤란은 폐기능 문제뿐만 아니라 심리적인 요인과 동반된 다른 질환에 의한 영향이 복합되어 있으므로, 환자와의 긴밀한 의사소통을 통해 고통의 원인을 찾고 이에대한 다각적인 접근을 시도한다면 상당 부분의 고통을 개선시킬 수 있을 것이다. 때문에 COPD의 치료 초기부터 완화의료적 접근이 병행되어야 하며 너무 늦지 않는 시기에 완화의료팀에 의뢰되어야 할 것이다 **그림 35-13**.

III 말기신장질환

1. 정의, 역학, 예후 및 말기판단기준

만성신장질환은 '단백뇨, 혈뇨 또는 병리학적 이상소견과 같은 신장 손상 소견이나 사구체 여과율이 60 mL/min/1.73 m^2 이하로 3개월 이상 지속되는 경우'로 정의된다. 만성신장질환은 **표 35-9**와 같이 1-5기로 분류되

표 35-9. 만성신장질환의 병기(Kidney Disease: Improving Global Outcomes 분류)

병기	GFR (mL/min/1.73 m^2)
1	≥90
2	60~89
3	30~59
4	15~29
5	<15

GFR: glomerular filtration rate

표 35-10. 대한의학회 신장질환 말기 판단 기준안

다음의 ①의 상태에 있는 환자가 ② 또는 ③의 조건에도 해당할 경우 말기로 판단할 수 있다.
① 신대체요법(투석 혹은 신이식)이 필요한 신장질환 환자
② 투석 또는 신이식을 시행하지 않거나 투석을 중단하는 경우
③ 말기 암, 말기 심질환 등 주요 동반 질환이 있거나 지속적인 건강 상태의 악화가 있는 경우

며, 이 중 5기를 말기신장질환으로 칭한다. 말기신장질환에서 생명 연장을 위해서는 투석이나 신장이식과 같은 신대체요법이 필요하다. 만성신장질환은 당뇨, 고혈압 및 내인성 신장질환(다낭신, 사구체질환 등), 루푸스 등 다양한 질환으로부터 비롯될 수 있다.

한국에서 말기신장질환은 1986년 이후로 꾸준히 증가 추세이며 2005년 백만 명당 900명에 달하였으며, 국제비교에서 말기신장질환의 유병률이 세계 9위를 차지하였고 한국의 국가의료비 지출의 3.24%를 차지하고 있다. 그동안 한국에서는 비암성 말기환자에서의 호스피스·완화의료가 제도적으로 보장되지 않았으나 미국의 경우 호스피스 돌봄을 받는 환자의 3%가 말기신장질환 환자이다. 그러나 미국에서도 말기신장질환으로 사망한 환자의 13.5%만이 호스피스 돌봄을 받았으며 21.8%의 환자가 사망 전 투석을 중단하였지만 그들 중 절반에 못 미치는 41.9%만이 호스피스 서비스를 이용하였다고 한다. 말기신장질환 환자가 투석을 중단할 경우 평균 생존기간은 8일 정도로 알려져 있다.

신장 기능이 점차 떨어지면서 만성신장질환 환자들은 상당한 증상을 경험하게 되며 투석을 받는 환자들의 1년 내 사망할 확률은 25%에 달해 완화의료의 조기 개입이 필요하다. 투석을 받는 환자의 평균 생존기간은 3~4년인데 이 중 1년 내에 사망할 확률이 높아 특히 호스피스·완화의료가 추천되며 신장질환의 말기 판단 기준은 **표 35-10**와 같다.

2. 증상 조절

1) 통증

58% 이상의 만성신장질환 환자들이 만성 통증을 경험하였으며, 약 30%에서는 중등도 이상의 통증을 경험하게 된다. 통증은 감염이나 혈액투석 시 주사침 연결, 당뇨병이나 요독증에 의한 말초신경병, 말초혈관질환(당뇨, 고혈압 관련), 근골격계 문제(신장골형성장애(renal osteodystrophy), 골관절염, 골다공증 등)와 같은 여러 요인에 의해 발생할 수 있다. 또한 만성신장질환 환자에게서 특이적으로 나타날 수 있는 저항성칼슘형성(calcific uremic arteriopathy 또는 calciphylaxis) 및 전신섬유화증(nephrogenic systemic fibrosis) 등도 통증을 유발하는 원인이 된다.

저항성칼슘형성은 투석을 받고 있는 환자의 약 1%에서 발생하여 상대적으로 드물지만 피하조직이나 작은 동맥의 석회화로 인해 피부 괴사가 올 수 있는 심각한 질환이다. 치사율이 높아 60~90%의 환자가 패혈증으로 사망한다. 확실한 치료법은 아직 없으며 고압산소치료로 피부궤양을 치료할 수도 있으며 혈청 칼슘, 인, 부갑상선 수치를 정상화시키는 것을 권장한다. 전신섬유화증은 MRI의 조영제의 가돌리늄과 관련되며 피부의 경화 및 이로 인한 통증, 구축 등이 있으며, 일관되게 효과적으로 보고된 치료법은 없으나 물리치료, steroid, thalidomide, methotrexate, 자외선조사 등이 사용되어 왔다.

통증조절을 위해서는 원인을 찾아내어 교정하는 것이 가장 중요하며, 이것이 불가능할 경우에는 증상완화가 초점이 된다. 만성신장질환 환자에게서 진통제를 사

용할 때는 다양한 약제에 대한 약력학적 이해가 필요하며 약제의 부작용 및 신독성 등을 고려해야 한다.

(1) 아세트아미노펜

간으로 대사되기 때문에 말기콩팥질환 환자에서 용량 조절 없이 쓸 수 있으며 경증에서 중등도의 통증까지 쓸 수 있다.

(2) 비스테로이드성소염진통제

말기콩팥질환 환자에서 혈소판 기능 감소에 의한 위장관 출혈의 위험성을 높일 수 있으며 심혈관계 위험성 및 잔여 신기능의 소실 등에 대해 고려해야 한다. 그러므로 통풍과 같은 명확한 적응증일 때 짧은 기간에 걸쳐 사용해야 한다.

(3) 마약성 진통제

Fentanyl과 methadone이 만성콩팥질환 환자에서의 선택 마약성 진통제이다. Fentanyl은 10~25%에서 소변으로 배출되므로 용량 조절이 필요하지만 말기신장질환 환자에서 현재까지 가장 선호되는 마약성 진통제 중의 하나이다. Methadone은 간에서 대사되어 주로 대변으로 배설되며, 투석으로 인해 배출되지 않기 때문에 투석일에 상관없이 안전하고 효과적으로 사용할 수 있으나 아직 국내에 시판되지 않고 있다. Codeine, tramadol, morphine 등은 저혈압, 호흡부전, 경련 등의 부작용 및 활성 대사산물의 축적 등의 이유로 말기신장질환 환자에서 추천되지 않는다. 다른 대안이 없어 이러한 약제를 써야할 때는 oxycodone, hydromorphone을 50% 감량하여 적은 용량에서 시작하고 천천히 증량하면서 독성 여부를 면밀히 관찰하여야 한다. Meperidine은 추천되지 않는다.

(4) Gabapentin 및 pregabalin

말기신장질환자의 신경병성 통증에서 1차 약제이다.

시작용량은 gabapentin 50 mg/일, pregabalin 25 mg/일이며 최대용량은 각각 300 mg/일, 75 mg/일로 하고 투석일에는 투석 후에 투여한다. Gabapentin은 투석하지 않는 경우 축적되므로 투석을 하지 않는 말기신장질환자에서 주의가 필요하다.

(5) 삼환계 항우울제

신경병성통증에 효과적이지만 gabapentin보다는 말기신장질환자에서 구강건조, 기립성저혈압, 졸음 등의 부작용이 더 많다. 그러므로 gabapentin에 이어 2차약으로 고려한다. 용량 조절이 필수는 아니지만 적은 용량으로도 효과가 나타날 수 있으므로 amitriptyline 25 mg/일 정도로 사용하는 것이 좋다.

2) 피로

투석 중인 환자의 70~97%까지 경험하며 원인은 불충분한 투석, 투석관련 저혈압, 카르니틴 부족, 전해질 불균형, 수면장애, 영양불량, 빈혈, 약물 부작용, 우울증 등이다. 치료를 위해 원인을 교정하며 조혈제(erythropoietin-stimulating agents)를 이용하여 목표 헤모글로빈을 9~11 g/dL로 유지한다. 너무 높은 수치까지 올리는 것은 좋지 않다. 임종이 다가왔을 때까지 써야 하는지에 대해서는 명확하지 않으나 증상에 도움이 된다면 유지할 수 있다. 비약물적 치료로는 운동, 인지·심리적 접근, 보안대체 요법 등이 도움될 수 있다.

3) 오심 및 구토

복합적인 경우가 많으며 오심과 구토의 병력을 따로 분석할 필요가 있다. 먼저 원인을 밝혀 교정하는 것이 중요한데 요독증, 약물 부작용, 당뇨 및 요독증에 의한 위마비(gastroparesis), 위염, 변비 등이 원인이 될 수 있다. 위마비에 대해서는 metoclopramide를 50% 감량하여 쓸 수 있으나 근육긴장이상(dystonia)의 위험성이 있다. Haloperidol 및 levomepromazine은 요독증이나 약물 관련 오심, 구토에 사용할 수 있으나 신경부작용을 고려하여 용량감량이 필요하다. 세로토닌 길항제(serotonin type 3 antagonists)도 쓸 수 있으나 변비에 대한 치료가 필요하다. 위염이 흔하므로 PPI (proton pump inhibitors)의 사용을 고려할 수 있다.

4) 가려움

말기신장질환자의 40%에서 중등도 이상의 가려움증을 경험하며 병태생리는 잘 밝혀져 있지 않다. 면역가설(immune hypothesis)에 따라 국소 면역조절제(tacrolimus, thalidomide)를 써 볼 수 있으며 마약성 진통제 가설(opioid hypothesis)에 따라 naltrexone 등의 치료가 도움이 될 수 있다. 이외에도 건선, 옴, 칼슘 및 인 불균형 등이 있는 경우 보습이나 캡사이신 크림, 자외선조사, 영양불량 교정을 한다. 약물적 치료로 항히스타민이나 gabapentin 등의 약물을 사용해 볼 수 있다. 가려움증으로 인한 정신적 고통이 크므로 심리적 지지도 필요하다.

5) 불안정 하지 증후군

말기신장질환자의 12~48% 정도에서 보고되며 원인은 명확하지 않다. 다리의 불쾌감과 함께 다리를 움직이고자 하는 욕구가 있으며, 안정 시 악화되고 움직이면 완화되며 저녁이나 밤에 악화되는 특징이 있다. 철 결핍을 보충하고 칼슘·인을 교정해야 한다. 약물치료로는 gabapentin, 도파민 작용제(ropinirole 등), clonazepam 등을 쓸 수 있으며 용량 감량을 해야 한다.

6) 식욕부진

말기신장질환자의 9~82%가 경험하며 불충분한 투석, 구역, 미각변화, 구강건조, 위마비, 통증, 변비, 우울증 등 원인을 찾아 교정한다. 식욕개선을 위해 megestrol (100~400 mg PO qd), 조기포만에 대해 metoclopramide (10 mg PO q4hr), 구강건조에 대해 pilocarpine (5~10 mg PO tid), 미각 변화에 대해 아연(220 mg PO daily) 등을 사용할 수 있다.

7) 수면장애

60%에서 경험하며 통증, 가려움, 약물, 정신적 스트레스, 수면무호흡증, 불안정 하지 증후군 등이 원인이 될 수 있다. 수면위생이 중요하며, 점심 이후 카페인 섭취를 삼가고, 술, 낮잠을 피한다. 다른 방법들이 실패했을 때 수면제가 필요할 수 있으며, 수면 패턴을 재확립하기 위한 시도로 단기간 사용하는데 작용 기간이 짧은 수면제인 zolpidem 5~10 mg 등이 선호된다.

3. 의사소통과 사전돌봄계획

투석에 대해 결정하는 것은 복잡한 과정이다. 생존율과 삶의 질 향상을 위해 투석을 시행하게 되지만, 다양한 질환이 중복되어 있는 환자에서는 그러한 목적이 달성되기 힘들 뿐더러 오히려 삶의 질을 악화시킬 수 있음을 기억해야 한다. 그러므로 투석으로 인한 이득보다는 부담이 큰 경우에는 투석 대신 보존적 치료만 하는 것이 도움이 될 수 있다. 투석의 잠재적 이득과 해로움에 대해 충분한 설명을 제공해야 하며 신중한 상담을 통해 환자 중심의 치료 목표를 설정해야 한다.

일단 투석을 시작하더라도 중간중간 투석이 환자에게 도움이 되는지에 대해 지속적인 중간평가를 해야 한다. 더 이상 환자 중심의 목표를 달성하지 못하는 경우 투석을 중단하는 것에 대해 이제 많은 나라에서 받아들여지고 있다. 미국에서도 사망 전에 투석을 중단하는 비율이 25%에 달한다. 완화의료팀은 신장내과팀과 긴밀하게 협조하여 장기적인 상담, 증상조절, 임종에 대한 준비 등을 제공하여야 한다. 말기신장질환 환자에게 호스피스 서비스가 제대로 제공되지 않고 있는 것이 현실인데 투석을 받고 있다고 해서 필요한 환자를 호스피스에 의뢰하는 것을 미루어서는 안 되며, 또한 투석을 받던 환자가 투석을 중지하는 경우에는 즉시 호스피스·

완화의료 돌봄을 받을 수 있도록 해야 한다.

IV 말기 간질환

1. 정의, 역학, 예후 및 말기판단기준

말기 간질환은 간경변 및 문맥고혈압으로 귀결되며, 식도 및 위정맥류, 복수, 비장비대, 말초부종, 간 뇌병증(hepatic encephalopathy), 응고병증(coagulopathy), 범혈구감소증, 신장기능상실, 영양불량, 간세포간암 등을 동반한다.

우리나라에서 2014년 간질환으로 사망한 환자는 6,635명이며 이는 전체 사망원인의 8위에 해당한다. 간이식은 말기 간질환의 효과적인 치료법이지만, 미국에서도 간이식을 기다리는 동안 간이식을 희망하는 환자의 17%가 매년 사망하고 있으며, 한국은 뇌사자 간이식 기간이 극단적으로 길기에 대부분의 환자가 간이식의 수혜자가 되지 못하는 실정이다. 그럼에도 불구하고 말기 간질환자들은 호스피스·완화의료 서비스 역시 적극적으로 받지 못하고 있는 실정이다.

한 연구에 따르면 간이식을 고려하는 경우 말기 돌봄의 질이 7% 감소하는 것으로 나타났다. 간이식으로 인한 생명연장 가능성을 염두에 둔 상태로 호스피스·완화의료에 대해 결정하는 것은 쉬운 작업은 아닐 것이다. 하지만 간이식을 대기하고 있다고 해서 그것이 호스피스·완화의료의 배제조건이 되어서는 안 되며, 간이식 평가와 호스피스 의뢰는 간이식 평가와 동시에 이루어지는 것이 바람직하다.

간질환의 대표적인 생존예측모델에는 Child-Turcotte-Pugh (CTP) 분류와 Model for End Stage Liver Disease (MELD)가 있다. CTP 분류에서 C 등급에서는 평균 생존기간이 1년으로 예측되며, MELD에서는 30~39점일 때 평균 생존기간이 6개월에 못 미친다 표 35-11 . 호스

표 35-11. Child-Turcotte-Pugh 분류와 Model for End Stage Liver Disease에서의 생존예측

CTP score	6개월	12개월	24개월
Class A	n/a	95%	90%
Class B	n/a	80%	70%
Class C	n/a	45%	38%
MELD score	**6개월**	**12개월**	**24개월**
0~9			
10~19	92%	86%	80%
20~29	78%	71%	66%
30~39	40%	37%	33%

n/a, not available; CTP, Child-Turcotte-Pugh; MELD, Model for End Stage Liver Disease

표 35-12. 대한의학회 간질환 말기판단기준안

Child-Pugh C 등급 비대상성 간경변증 환자로 아래의 항목 중 1가지 이상 해당하는 경우 말기로 판단할 수 있다.
단, 간이식이 가능한 경우는 제외한다.
① 적극적인 치료에도 불구하고 호전을 보이지 않는 간신 증후군
② 적극적인 치료에도 불구하고 호전을 보이지 않는 위중한 간성 뇌증
③ 적극적인 치료에도 불구하고 호전을 보이지 않는 정맥류 출혈

피스 선진국에서는 이러한 모델 이외에도 호스피스·완화의료 대상자를 효과적으로 선별해내기 위한 노력을 해왔는데 영국의 SPICT (Supportive and Palliative Care Indicators Tool) 모델이나 미국의 NHPCO 기준을 바탕으로 한 호스피스 보험 기준 등이 그것이다. 우리나라의 경우에는 대한의학회를 중심으로 대한간학회 등이 참여하여 정리한 간질환의 말기판단기준이 있다 표 35-12 .

2. 증상 조절

1) 통증

팽팽한 복수, 복막염, 간세포간암의 전이, 간의 팽창 등에 의해 발생되며, acetaminophen을 하루 최대 2 g까지 투여할 수 있다. 간 피막의 팽창으로 인한 통증은

steroid가 효과적이다. NSAIDs는 신장 독성의 가능성을 높이므로 피해야 한다.

중등도 이상의 통증의 경우 마약성 진통제를 써야 하는데 간 대사를 고려한 약력학을 염두해야 한다. 마약성 진통제는 적은 용량으로도 말기 간질환에서 의식 저하 등의 심각한 부작용을 초래할 수 있다. 그러므로 작용 시간이 짧은 마약성 진통제를 적은 용량으로 자주 투여하는 것이 좋으며, methadone과 같이 활성 대사물질이 없고 작용기간이 긴 약물의 사용은 주의해야 한다.

2) 복수

복수는 통증과 호흡곤란을 유발하며 치료로는 나트륨을 하루 2 g 이내로 제한하고 이뇨제를 사용한다. Spirono-lactone을 단독으로 쓰거나 spironolactone (50~400 mg/일)과 furosemide (20~150 mg/일) 병용요법을 쓰며 혈청 칼륨 농도를 적정하게 유지할 수 있는 비율인 100:40 용량이 추천된다. 이뇨제 용량은 전해질 수치를 확인하며 주 간격으로 증량한다. 불응성 복수는 복수 천자를 하며, 4 L 이상일 때는 알부민 정맥주사를 같이 투여한다. 목정맥경유간속문맥전신순환연결술(transjugular intrahepatic portosystemic shunt, TIPS)을 고려할 수 있으나 이로 인해 간 뇌병증이 악화될 수 있음을 고려해야 한다.

3) 자발성 세균성 복막염

복강내 장천공이나 농양 같은 뚜렷한 감염원 없이 복수의 다형핵 호중구(polymorphonuclear leukocyte, PMN) 수가 250/mm^3 이상이며, 복수 세균 배양에서 균이 자라는 경우를 말하며, 균이 자라지 않더라도 동일하게 치료한다. 경험적 항생제 cefotaxime, ceftriaxone 등을 1차 약제로 쓰고 이후 세균배양 결과에 따라 감수성이 있는 항생제를 사용하며 항생제 치료 기간은 대체로 5~10일이다. 대부분 항생제 치료에 잘 반응하므로 치료반응 평가를 위해 복수천자를 다시 할 필요는 없다. 다만 증상 호

전이 없거나 이차성 복막염이 의심되는 경우에는 시행할 수 있다. 고위험 환자에서 항생제 투여와 함께 알부민을 투여하는 것이 간신증후군의 발생을 낮출 수 있다. 복막염이 주사 항생제로 호전된 후 norfloxacin 400 mg을 하루 1회 예방적으로 투여하는 것이 추천된다. 또한 위장관 출혈이 있는 경우 자발성 세균성 복막염을 예방하기 위해 7일간 경구 항생제를 사용한다.

4) 저나트륨혈증

나트륨 수치가 120 mmol/L 이하일 때는 수분을 제한하며 일시적으로 이뇨제를 중단한다. 알부민과 같은 혈장 증량제가 유용할 수 있으며, 고장성 나트륨을 투여할 때는 하루에 12 mmol/L 이상 교정해서는 안 되며, 고장성 나트륨은 복수와 부종을 악화시킬 수 있음을 고려한다.

5) 간 뇌병증

출혈, 감염, 변비, 단백질 과다섭취, 탈수, 신기능장애, 저나트륨혈증, 약물 등의 유발인자들을 확인하고 교정한다. Lactulose(경구: 30~45 mL/회, 관장: lactulose 300 mL를 물 700 mL에 혼합)를 이용하여 하루에 3~4회의 배변을 하도록 조절한다. 경구 섭취가 어려운 경우에는 관장을 하며 임종이 임박한 상태에서는 무리한 관장은 피한다. 경구투여가 가능한 경우 rifaximin을 400 mg tid 또는 550 mg bid로 사용한다.

6) 식도정맥류

출혈 예방을 위해 propranolol (20 mg bid) 등 베타차단제를 사용하는데 안정 시 심박동수가 25% 감소하거나 분당 55회에 이를 때까지 조절하며 큰 정맥류의 경우 내시경 정맥류 결찰술을 시행한다. 급성 출혈의 경우 혈관수축제(terlipressin, somatostatin, octreotide 등)와 항생제 치료, 내시경 치료를 권장하며, TIPS를 고려할 수 있다.

표 35-13. 간신증후군의 진단기준

1) 복수가 동반된 간경변증
2) 혈청 크레아티닌(sCr) 〉 1.5 mg/dL (133 μmol/L). 간신증후군 I 형은 sCr이 2주 이내 두 배 이상으로 증가하여 2.5 mg/dL (266 μmol/L) 일 때.
3) 알부민(1 g/kg body weight/day, 하루 최대 100 g까지)을 사용하여 혈장량을 늘리고 최소 2주 이상 이뇨제를 중단한 후에도 sCr의 호전(1.5 mg/dL 이하로 감소)이 없을 때.
4) 전신적인 shock이 없어야 함.
5) 최근에 신독성이 있는 약제 혹은 혈관확장제를 사용하지 않아야 함.
6) 단백뇨가 500 mg/day 이상, 혈뇨가 50 RBC/high power field 이상 등의 신질환이 없어야 하고 혹은 신초음파에서 정상소견.

7) 가려움증

담즙 정체나 마약성 진통제와 흔히 관련된다. 항히스타민은 흔히 처방되나 효과가 떨어지는 편이며 cholestyr-amine 4 g을 1일 3~4회 투여하거나, UDCA가 도움이 될 수 있다.

8) 간신증후군

표 35-13와 같은 정의가 사용되고 있다. 간신증후군에 이환되면 6개월 생존율이 20% 정도로 예후가 매우 불량하다. 근본적인 치료는 간이식이지만, 동시에 호스피스·완화의료에 의뢰되는 기준이 되기도 한다. 간신증후군의 치료는 terlipressin (0.5~2.0 mg을 4~6시간마다 IV, 최대 15일까지 고려)과 albumin (20%, 20~40 g IV 매일)의 병용투여이며 terlipressin 대신 octreotide (100~200 mcg SC 하루 3회, 최대 2개월), midodrine (7.5~12.5 mg 경구 하루 3회) 등도 쓸 수 있다.

9) 영양불량

간성혼수 초기에는 단백질을 가능한 제한하지만 회복기에는 점진적으로 늘려나간다. 그러나 진행된 간질환에서는 복수 천자로 인한 단백질 소실, 복부팽만감, 위마비, 위식도역류 등으로 인한 체중 감소와 근육량 감소는 피할 수 없다. 이러한 체중 감소는 간질환이 상당히 진행되었다는 징후이므로 가족들이 환자에게 억지로 식사를 권유하는 것은 바람직하지 않다.

3. 의사소통과 사전돌봄계획

말기간질환 환자는 상당한 신체적, 심리적 고통을 겪게 되므로 충분히 호스피스·완화의료의 대상자가 된다. 호스피스·완화의료가 2달 이상 충분히 제공될 수 있도록 적기에 의뢰하는 것이 중요한데, 일부 환자와 가족 또는 의료인에서 완화의료에 대한 이해가 부족하여 저항이 있을 수 있다. 그러나 의료진은 생애 말기로 이행하는 시점을 잘 인지하고 이에 대해 충분히 대화할 수 있어야 한다. 특히 간뇌병증이 발생하면 의사소통이 어려워지므로 미리 사전돌봄계획을 수립해야 하는데, 환자가 신뢰할 수 있는 가족구성원이나 지인을 파악하여 참여시키며, 법정대리인을 세우는 것이 필요하다.

선진국에서는 물론 우리나라에서도 아직 간이식의 기회가 흔히 주어지는 상황은 아니지만, 간이식을 대기하는 말기간질환 환자들의 추가적인 고통을 이해할 필요가 있다. 상반된 치료의 목표, 즉 완치와 완화 사이의 갈등과 혼란에 대한 지지와 도움이 필요하다. 간이식을 고려하고 있다는 것이 호스피스의 배제조건이 되어서는 안 되며 간이식 대상자는 동시에 호스피스·완화의료에 의뢰되어야 한다. 간이식 전부터 이식 후 어느 시기라도 합병증으로 사망할 가능성을 염두해 두어야 하며 환자와 가족도 이 사실을 인지하고 있도록 한다. 또한 간이식을 받지 못하고 생을 마감하는 확률이 크다는 현실을 설명해야 한다.

간이식을 대기하든 하지 않든 환자에게 정확한 정보를 제공하는 것이 중요하다. 정직하게 예후에 대한 정보를 주더라도 세심한 돌봄의 자세를 유지했을 경우에는 환자가 희망의 박탈로 느끼지 않음이 보고된 바 있다. 또한 말기 환자에서 "무언가를 희망하는 것(hoping for something)"에서 "희망 안에 살아가기(living in hope)"로 관점의 전환이 올 수 있다는 점을 기억하고, 희망을 유지하면서 예후를 설명하는 것이 바람직하다.

8부

참고문헌

1. 대한간학회. 간경변증 진료가이드라인. 2011.
2. 대한결핵 및 호흡기학회 COPD 진료지침 개정위원회. COPD 진료지침 2014 개정. 2014.
3. 대한의학회. 말기와 임종과정에 대한 정의 및 의학적 판단지침(안). 2016.
4. 이한주. 간이식의 시기와 관리: 간경변에서 간이식. 대한간학회지. 2006;12(2s):75-84.
5. Adler ED, Goldfinger JZ, et al. Palliative Care in the Treatment of Advanced Heart Failure. Circulation 2009;120:2597-606.
6. Au DH, Udris EM, Fihn SD, et al. Differences in health care utilization at the end of life among patients with COPD and patients with lung cancer. Arch Intern Med 2006;166(3):326-31.
7. Ayach B, Malik A, Seifer C, et al. End of life decisions in heart failure: to turn off the intracardiac device or not? Curr Opin Cardiol 2017;32(2):224-8.
8. Cai A, Eisen HJ. Ethical Considerations in the Long-Term Ventricular Assist Device Patient. Curr Heart Fail Rep 2017;14(1):7-12.
9. Care at the Close of Life: Evidence and Experience United States of America McGraw-Hill; 2011.
10. Cohen LM, Germain M, Poppel DM, Woods A, Kjellstrand CM. Dialysis discontinuation and palliative care. Am J Kidney Dis 2000;36(1):140-4.
11. Curtis JR, Engelberg R, Young JP, Vig LK, Reinke LF, Wenrich MD, et al. An approach to understanding the interaction of hope and desire for explicit prognostic information among individuals with severe chronic obstructive pulmonary disease or advanced cancer. J Palliat Med 2008;11(4):610-20.
12. David EW, Diane EM. Identifying patients in need of a palliative care assessment in the hospital setting: A consensus report from the center to advance palliative care. J Palliat Med 2011;14(1):1-7.
13. Edmonds P, Karlsen S, Khan S, et al. A comparison of the palliative care needs of patients dying from chronic respiratory diseases and lung cancer. Palliat Med. 2001;15(4):287-95.
14. Flowers, B. Palliative care for patients with end-stage heart failure. Nurs Times 2003;99(11):30-2.
15. Goodlin SJ. Palliative care in congestive heart failure. J Am Coll Cardiol 2009;54(5):386-96.
16. Graeme MR, Joanne MY, Curtis JR. Advanced chronic obstructive pulmonary disease. In: Eduardo B, Irene H, Charles FVG, et al. Textbook of palliative medicine. 2nd ed. New York: CRC Press; 2016. pp.969-75.
17. Graeme MR, Joanne MY, Robert H. Caring for the patient with advanced chronic obstructive pulmonary disease. In: Nathan IC, Marie TF, Stein K, et al. Oxford textbook of palliative medicine. 5th ed. New York: Oxford University Press; 2015. pp.969-76.
18. Hunt SA, Abraham WT, et al. 2009 Focused update incorporated into the ACC/AHA 2005 Guidelines for the Diagnosis and Management of Heart Failure in Adults A Report of the American College of Cardiology Foundation/American Heart Association Task Force on Practice Guidelines Developed in Collaboration With the International Society for Heart and Lung Transplantation. J Am Coll Cardiol 2009;53(15):e1-e90.
19. Hwang YI, Yoo KH, Sheen SS, et al. Prevalence of Chronic Obstructive Pulmonary Disease in Korea: The Result of forth korean national health and nutrition examination survey. Tuberc Respir Dis 2011;71(5).
20. Hyun-Young Shin J-YL, Juhwa Song, Seokmin Lee, Junghun Lee, Byeongsun Lim, Heyran Kim, Sun Huh. Cause-of-death statistics in the Republic of Korea, 2014. J Korean Med Assoc 2016;59:221-32.
21. Jaarsma T, Beattie JM, et al. Palliative care in heart failure: a position statement from the palliative care workshop of the Heart Failure Association of the European Society of Cardiology. Eur J Heart Fail. 2009;11(5):433-43.
22. John ML, Judith AL. Management of dyspnea in patients with far-advanced lung disease. In: Stephen JM, Margaret AW, Micheal WR, et al. Care at the close of life: Evidence and experience. New York: McGrow-Hill Companies; 2011. pp.61-71.
23. Jose LR, Marieberta V. Palliative care in end-stage heart failure. In: Sriram Y, Eduardo B. Oxford american Hand Book of Hospice and Palliative Medicine and Supportive Care. 2nd ed. New York: Oxford University Press; 2016. pp.375-84.
24. Ketchum ES, Levy WC. Multivariate risk scores and patient outcomes in advanced heart failure. Congest Heart Fail 2011;17(5):205-12.
25. Kim IH. 자발성 복막염의 진단과 치료. 대한간학회, <Postgraduate Courses (PG)>. 2012;2012(1):91-9.
26. Kim S. The Prevalence of Chronic Kidney Disease (CKD) and the Associated Factors to CKD in Urban Korea: A Population-based Cross-sectional Epidemiologic Study. J Korean Med Assoc 2009;2009(24 (Suppl 1)):S11-21.
27. Korean Society of Nephrology ERc. Renal replacement therapy in Korea: insan memorial dialysis registry. Korean J Nephrol 2006;25(S2):S425-57.
28. Kristian MB, Mark TK. End-stage congestive heart failure. In: Eduardo B, Irene H, Charles FVG, et al. Textbook of palliative medicine. 2nd ed. New York: CRC Press; 2016. pp.949-53.
29. Levey AS, Eckardt KU, Tsukamoto Y, Levin A, Coresh J, Rossert J, et al. Definition and classification of chronic kidney disease: a position statement from Kidney Disease: Improving Global Outcomes (KDIGO). Kidney Int 2005;67(6):2089-100.
30. McMurray JJ, Adamopoulos S, et al. ESC guidelines for the diagnosis and treatment of acute and chronic heart failure 2012: The Task Force for the Diagnosis and Treatment of Acute and Chronic Heart Failure 2012 of the European Society of Cardiology. Developed in collaboration with the Heart Failure Association (HFA) of the ESC. Eur J Heart Fail 2012;14(8):803-69.
31. Murray AM, Arko C, Chen SC, Gilbertson DT, Moss AH. Use of hospice in the United States dialysis population. Clin J Am Soc Nephrol 2006;1(6):1248-55.

32. NHPCO Facts and Figures: Hospice Care in America. National Hospice and Palliative Care Organization; 2015.

33. Oxford American Handbook of Hospice and Palliative Medicine. Sriram Yennurajalingam EB, editor: Oxford University Press; 2012.

34. Oxford Textbook of Palliative Medicine. 4th ed. Geoffrey Hanks NIC, Nicholas A. Christalkis, Marie Fallon, Stein Kaasa, Russel K. Portenoy, editor: Oxford University Press; 2010.

35. Pantilat SZ, Steimle AE. Palliative care for patients with heart failure. In: Stephen JM, Margaret AW, Micheal WR, et al. Care at the close of life: Evidence and experience. New York: McGrow-Hill Companies; 2011. pp.187-97.

36. Park HJ. Prevalence of chronic obstructive pulmonary disease and quality control of pulmonary function: Korea National Health and Nutrition Examination Survey, 2007-2009. Public health weekly report 2012;5(11):1-3.

37. Patel HJ. An Update on Pharmacologic Management of Chronic Obstructive Pulmonary Disease. Curr Opin Pulm Med 2016;22(2):119-24.

38. Potosek J, Curry M, Buss M, Chittenden E. Integration of palliative care in end-stage liver disease and liver transplantation. J Palliat Med 2014;17(11):1271-7.

39. Rocker G, Horton R, Currow D, et al. Palliation of dyspnoea in advanced COPD: revisiting a role for opioids. Thorax 2009;64:910-5.

40. Simeon K, Sriram Y. Palliative care in end-stage chronic obstructive pulmonary disease. In: Sriram Y, Eduardo B. Oxford american Hand Book of Hospice and Palliative Medicine and Supportive Care. 2nd ed. New York: Oxford University Press; 2016. pp.435-44.

41. Steven ZP, Anthony ES, Patrica MD. Advanced heart disease. In: Nathan IC, Marie TF, Stein K, et al. Oxford textbook of palliative medicine. 5th ed. New York: Oxford University Press; 2015. pp.979-88.

42. Tanner CE, Fromme EK, et al. Ethics in the treatment of advanced heart failure: palliative care and end-of-life issues. Congest Heart Fail 2011;17(5):235-40.

43. The SUPPORT Principal Investigators. A controlled trial to improve care for seriously Ill hospitalized patients: The study to understand prognoses and preferences for outcomes and risks of treatments (SUPPORT). JAMA 1995;274(20):1591-8.

44. Tu JV, Donovan LR, et al. Effectiveness of public report cards for improving the quality of cardiac care: the EFFECT study: a randomized trial. JAMA 2009;302(21):2330-7.

45. USRDS 2013 Annual Data Report: Atlas of Chronic Kidney Disease and End-Stage Renal Disease in the United States. Bethesda, MD: National Institutes of Health, National Institute of Diabetes and Digestive and Kidney Diseases; 2013.

46. Vermylen JH, Szmuilowicz E, Kalhan R. Palliative care in COPD: an unmet area for quality improvement. Int J Chron Obstruct Pulmon Dis 2015;10:1543-51.

47. Walling AM, Wenger NS. Palliative care and end-stage liver disease. Clin Gastroenterol Hepatol 2014;12(4):699-700.

48. WHO: Definition of palliative care [Internet]. World Health Organization; 2015. Available from: http://www.who.int/cancer/palliative/definition/en/

8부

36장
신경계질환(파킨슨, 근위축삭경화증)

| 김지선 |

I 파킨슨병의 호스피스·완화의료

1. 파킨슨병의 정의

파킨슨병은 알츠하이머병에 이어 두 번째로 흔한 신경퇴행성뇌질환이다. 증상으로 안정떨림(resting tremor), 경축(rigidity), 운동완만(bradykinesia) 및 체위 불안정(postural instability)이 보이는데 병리학적으로 뇌의 흑질(substantia nigra)의 도파민신경세포가 소실되며 특징적으로 레비소체(Lewy body)가 나타난다. 파킨슨 증상을 보이는 병은 특발성 파킨슨병(idiopathic Parkinson's disease)과 비정형 파킨슨증(atypical parkinsonism)으로 나눌 수 있고, 선행하는 원인에 의해 파킨슨증이 나타나는 이차파킨슨증(secondary parkinsonism)으로 구별된다.

2. 파킨슨병의 증상

파킨슨병 증상은 크게 운동증상(motor symptom)과 비운동증상(nonmotor symptom)으로 나눌 수 있다. 대표적인 운동증상은 안정떨림, 경축, 운동완만, 체위불안정이며 이로 인한 걸음장애가 나타날 수 있다. 떨림은 파킨슨병에서 비교적 흔하게 나타나며 주로 안정된 상태에서 보인다. 운동완만은 동작의 속도가 느려지고 진폭이 작아지는 것을 의미하며 가장 특징적이고 중요한 증상이다. 특발성 파킨슨병은 이러한 운동완만이 주로 한쪽부터 시작하여 병이 진행하면서 양쪽으로 파급된다. 초기에는 동작을 시작하는 것이 느려지고 동작이 점점 작아지게 되며, 운동완만의 악화는 환자들이 독립적으로 일상생활을 유지하지 못하는 가장 큰 이유가 된다. 자세불안정과 걸음장애는 진행된 파킨슨병 환자에서 많이 보이는데, 걸을 때 속도가 가속화되는 급속보행을 하거나, 걷기 시작하고 방향을 변경할 때 다리가 땅에 달라붙은 듯한 동결현상이 나타나면서 환자는 곧잘 넘어지게 된다. 비정형 파킨슨증의 경우 이러한 자세불안정과 걸음장애가 질병의 초기단계부터 관찰되기도 한다.

파킨슨병의 비운동증상은 매우 광범위하며, 몇몇 증

표 36-1. 파킨슨병의 운동증상과 비운동성증상

운동증상	비운동성증상	
느려짐(운동완만)	인지/감정	치매, 우울증, 불안증, 무감동증, 피로, 환각, 충동조절이상, 정신병
떨림	감각증상	후각기능저하, 통증, 시력이상, 하지불안증후군
경직(구축)	자율신경장애	소화기(변비), 소변(빈뇨), 어지럼증, 심장, 체온조절장애
자세불안정, 보행장애	수면	불면증, 렘수면장애, 주간 과다졸림, 수면발작

상은 본격적인 운동증상이 보이기 전부터 나타나기도 한다. 비운동증상은 크게 자율신경계 이상, 수면문제, 정서장애, 인지기능 저하, 감각증상 등으로 나눌 수 있다. 자율신경계이상 증상은 변비, 배뇨장애, 기립성저혈압, 어지럼증, 성기능장애 등 다양하게 나타나며 특히 변비는 운동증상보다 선행하여 나타나고 후기까지 지속되면서 일상생활에서 환자들이 느끼는 큰 고충 중의 하나이다. 수면문제는 렘수면행동장애가 대표적이다. 역시 운동증상 전 단계부터 보이며 수면 중 낙상, 골절의 원인이 되기도 하여 안전과 연관된 증상이다. 또한 하지불안증후군, 불면증 등이 나타날 수 있다. 정서적으로는 불안증, 초조, 우울, 정신병 환각이 나타날 수 있으며 인지기능저하와 치매가 보일 수도 있다 표 36-1.

3. 파킨슨병의 치료

1) 약물치료 및 수술치료

파킨슨병은 도파민신경세포의 소실이 특징적인 병으로 1960년대에 레보도파(levodopa)가 파킨슨병의 치료 약물로 발견되었고, 이후 여러 약제들이 개발되었다. 항파킨슨약물은 파킨슨병 증상을 효과적으로 완화시키며 환자들의 삶의 질 향상에 큰 역할을 하는데, 특히 초기 파킨슨병은 약물치료만으로도 큰 개선 효과를 볼 수 있다. 하지만 병이 진행하면서 후기 파킨슨으로 갈수록 레보도파 제재와 연관된 약물유발성 후기 부작용이 나타나게 되고, 이상운동증, 운동기복, 약효 소진 현상 등을 경험하게 된다. 최근에는 약물치료뿐 아니라 심부 뇌자극술이라는 수술치료를 하고 있는데, 특발성

파킨슨병 환자 중 약물에 대하여 반응이 좋았지만 심각한 후기 부작용이 있거나 약물 사용이 힘든 경우에 시행된다.

2) 진행된 파킨슨병 환자의 호스피스·완화의료

파킨슨병은 아직까지는 어떠한 치료로도 그 진행을 멈춰 세울 수 없는 비가역적이고 만성적인 신경퇴행성 질환이다. 따라서 환자는 병이 진행될수록 운동증상 및 비운동증상이 악화되어 일상생활의 장애가 심각해지게 된다. 보호자 및 환자의 심리적, 경제적 부담의 증가는 이차적인 정서장애를 유발하게 된다.

파킨슨병 환자는 언제부터 완화의료를 시작해야 할까? 파킨슨병의 진행정도는 대표적으로 호엔야척도(Hoehn-Yahr scale)를 이용한다 표 36-2. 호엔야척도 3단계 이후부터 환자는 본격적인 걸음장애가 동반되어 넘어지는 일이 발생하게 된다. 3단계 이상, 또는 치매나 정신병적증상등이 병합되어 나타나는 시점을 '진행된 중증 파킨슨병' 시기로 간주하고 통상적인 약물 치료와 함께 완화의료적 접근이 병행되어야 한다.

(1) 진행된 운동증상의 치료

① 약물치료의 한계

역학연구에 따르면 파킨슨병을 진단받은 후 20년이 되면 적절한 치료에도 불구하고 약 87%의 환자는 넘어지고 81%는 동결현상(freezing)을 경험하게 된다. 자세 불안정과 걸음장애는 낙상으로 인한 골절과 연관되어 이차적인 장애를 초래한다. 운동증상 치료의 기본

8부

표 36-2. Hoehn-Yahr 척도

단계	증상
제1단계	떨림, 경직, 혹은 운동완만 등 중요 임상 양상들이 일측성으로 나타난다.
제2단계	위에서 언급한 임상 양상들의 양측성 침범, 또는 이와 더불어 언어장애, 자세유지의 어려움 및 보행장애가 일어날 수도 있다.
제3단계	양측성 침범과 더불어 균형잡기의 어려움, 혹은 자세불안이 나타난다. 그러나 아직 독자적 기능을 할 수는 있다.
제4단계	양측성 침범에 의한 현저한 무능력 상태로 독자적 삶을 유지하기 어려운 상태이다.
제5단계	질병의 심각성으로 거동이 불가능한 상태이다. 휠체어의 도움이 필요하거나 혼자 침대에서 내려올 수가 없어 타인에 의존하여 생활한다.

은 약물이다. 레보도파 및 도파민 효현제의 복용은 각종 운동증상 완화에 효과가 있다. 하지만 병이 진행되면서 약물의 효과가 다음 약물 복용 전까지 이어지지 않는 약효 소진 현상이나 약물유발성 이상운동증이 나타날 수 있다. 말기에는 레보도파 약물 농도와 관계없이 운동기복과 이상운동증이 발생하게 된다. 이때에는 더 이상 약물치료가 운동증상에 도움이 되지 않게 되는데, 특히 동결현상 및 자세 불안정 등은 레보도파 약물에 효과가 좋지 않은 증상들이다.

② 운동치료

적절한 약물치료에도 불구하고 대부분의 파킨슨환자들은 광범위한 운동 또는 비운동증상을 겪게 되어 일상생활 능력과 삶의 질이 낮아지게 된다. 약물이나 수술에 효과가 적은 운동증상들은 발음 문제, 자세 불안정, 동결현상 등이며, 인지기능 저하, 우울, 정신병적 현상 같은 비운동성 증상들 역시 일상생활의 많은 장애를 초래한다. 약물치료와 함께 비약물치료를 병행하는 것은 환자의 광범위한 증상조절에 이로운데, 특히 운동을 포함한 신체치료, 언어치료, 인지행동치료가 대표적인 비약물적 치료이다. 병의 진행과 함께 운동완만이 악화되면 운동량이 현저하게 감소하게 되는데 운동부족은 근육량 감소, 관절구축을 일으켜 증상을 빨리 악화시키고 독립적인 일상생활을 불가능하게 하여 삶의 질을 심각히 훼손시키므로 지속적이고 적극적인 운동치료의 유지가 중요하다. 근력운동을 중심으로 뻗기운동, 이완운동과 함께 유산소운동을 병행하는 운동계획을 수립한다. 태극권 같은 느린 동작의 춤과 운동이 파킨슨병의 체위안정성에 긍정적인 역할을 하여 기능적 역량을 강화시키고 넘어짐을 감소시키는 효과를 보일 수 있다. 운동은 기존의 많은 연구들에서 그 효과가 입증되고 있으며 파킨슨병의 운동증상뿐 아니라 비운동증상의 완화에도 긍정적이다. 다수의 연구들에서 유산소운동, 근력강화운동, 균형과 보행훈련, 춤 등을 이용한 운동치료를 진행한 환자그룹이 보행, 근력, 보행 속도, 파킨슨운동척도 등 운동기능의 전반적인 향상을 나타내었다. 또한 운동증상뿐 아니라 정서, 수면, 인지기능과 같은 비운동증상에도 긍정적인 효과가 있어 운동치료는 삶의 질 유지에 매우 중요하다.

(2) 비운동성증상의 치료

① 정신병적증상과 치매

정신병(psychosis)이나 정신병적 증상은 파킨슨병에서 흔히 관찰되며, 특히 환시가 대표적인데 진행된 파킨슨병 환자의 약 40%에서 환시가 관찰된다. 정신병 및 환각의 원인은 파킨슨병의 진행으로 발생하지만, 일부는 약물에 의해 유발되기도 하므로 그 원인에 대한 충분한 검토가 필요하다. 환각증상이 환자에게 심각한 두려움과 일상생활 장애를 초래하면 신경이완제(neuroleptics)를 사용하게 되는데, 신경이완제는 파킨슨병 자체를 악화시킬 수 있으므로 파킨슨병 약물과 신경이완제 간의 상호작용을 주의해야 하며, 비정형 신경이완제가 비교적 이상반응이 적은 것으로 알려져 있다.

인지기능 저하 및 치매는 파킨슨환자들에게 매우 흔하게 나타난다. 여러 연구들을 종합하여 볼 때, 파킨슨병 치매의 발생률은 25~30% 정도이며, 파킨슨병 발병 후 20년이 되었을 때 환자들의 약 80%에서 치매가 관찰되었다. 치매는 파킨슨병환자의 삶의 질과 병의 진행, 장애 및 사망률에 영향을 주고 요양 시설을 이용하게 되는 주요한 원인이다. 파킨슨병 치매는 병의 경과를 바꾸거나 완치할 수 없기에 증상에 대한 치료가 유일하다. 약물 중 콜린에스테라제 억제제인 donepezil과 rivastigmine이 인지기능 악화를 지연시키는 역할을 하여 파킨슨병 치매 환자들에게 사용되고 있으며, 환자뿐 아니라 가족에 대한 정서적 지지도 매우 중요하다.

② 수면장애

현실적으로 많은 파킨슨병 환자는 수면 문제를 가지고 있고, 이것은 병의 초기부터 나타날 수 있다. 수면장애의 원인은 매우 복합적이나 수면 조절 중추의 병적인 퇴행이 매우 중요한 역할을 하고 있다. 렘수면행동장애(REM slpeep behavior disorder, RBD)는 약 30%의 파킨슨병 환자에서 나타나는데 수면 중 뚜렷한 악몽과 잠꼬대, 팔과 다리를 휘젓는 듯한 이상 움직임을 보인다. 변비, 후각기능 저하와 RBD는 파킨슨병의 운동증상이 나타나기 이전부터 관찰될 수 있다. RBD에 대한 치료는 레보도파를 추가적으로 복용하거나 클로나제팜을 사용하게 되고, 클로나제팜은 90% 정도의 환자에서 효과가 있는 것으로 알려져 있다. 또한 RBD가 있을 때에는 팔과 다리를 휘젓다가 높은 침대에서 떨어지거나 주위 물건에 부딪히는 등 사고로 이어지기도 한다. 그러므로 잠을 자는 곳은 환경을 단순하게 하고 낙상 방지를 위한 안전장치를 갖추어야 한다. RBD 이외에 주간 과다졸림 현상도 나타날 수 있으며, 이는 주로 병의 진행과 연관되나 밤 사이의 수면의 질, 약물 등도 원인이 될 수 있다.

③ 자율신경계증상

자율신경계증상은 비정형파킨슨증의 일종인 다계통위축증에서 특징적인데 정도의 차이는 있지만 특발성 파킨슨병에서도 흔히 나타난다. 기립성 어지럼증, 변비, 방광조절 이상, 발기부전 등의 자율신경계증상은 정상 노인에서도 흔하게 나타나지만 그 비율이 파킨슨병 환자에서 더 높으며 이러한 증상들은 일상생활에 심각한 손상을 끼치게 된다. 변비는 가장 흔한 비운동증상 중의 하나인데 중추신경계 및 대장의 도파민성 신경계(dopaminergic neurons)의 손상으로 발생하며 도파민 약물치료에 반응하지 않는다. 개선을 위해 일반적인 위장관계 움직임을 향상시키는 약물을 사용하며 운동 및 식이요법도 병행해야 한다.

④ 통증

통증과 뻣뻣함은 파킨슨환자에게 있어 그 원인과 양상이 매우 복잡한 증상들이다. 초기 파킨슨병 환자에서도 통증은 파킨슨의 전형적인 증상들(떨림, 경직, 느려짐)과 함께 주로 호소되는 증상이다. 파킨슨병이 진행되면서 기분 문제와 침 흘림, 수면 문제와 같은 비운동증상이 나타나고, 여기에 통증까지 동반되면 삶의 질이 급격히 악화된다. 최근의 보고에 따르면 83%의 파킨슨환자가 통증을 경험하며, 24%는 두 가지 이상의 통증을 가지고 있었다. 통증의 양상으로 근육긴장이상 등이 근골격계 양상이 70%였고, 20%는 신경뿌리병증성 통증, 그리고 10%는 중추성 통증으로 보고되었다. 파킨슨환자의 통증은 그 양상이 매우 다양하고 복합적이고, 정도가 심각한 경우도 많아 일차적으로 통증이 무엇으로부터 기인하는지를 파악해야 한다. 특히 근골격계 통증은 근골격계 자체의 문제뿐만 아니라 많은 경우 제한된 움직임이 통증을 악화시키게 된다. 이러한 경우라면 레보도파의 증량으로 경직을 완화시킨다 하여도 통증 자체를 경감시키는데는 한계가 있다. 이때에는 소염성 진통제, 아세트아미노펜, 트라마돌, 옥시코돈 등과 같은 진통제를 사용하게 되며, 신경병성 통증 양상일 때는 가바펜틴, 프레가발린 등을 처방한다. 무엇보다도 파킨슨 환자들은 약물 복용으로 인한 어지럼증, 자세 불안정, 기면현상 등이 나타나서 넘어질 수 있는 가능성이 매우 높으므로 보호자 및 의료진의 세심한 살핌이 요구된다.

4. 파킨슨병과 보호자 돌봄

파킨슨병은 서서히 진행하는 신경퇴행성 질환으로 60세 이상에서 발병률이 높아지며 발병 연령 및 동반 질환에 따라 매우 다양하기는 하지만 평균 생존율은 10년 이상이다. 이처럼 비교적 긴 투병 기간이 예상된다면 이와 함께 보호자의 역할도 중요하다. 호엔야 3기 이상으로 진행되면 신체적인 독립성이 현저히 감소하여 일상생활의 의존이 발생하게 되고 가정과 사회의 보호자적 역할은 더욱 커진다. 결국 파킨슨병이 진행할수록 보호자의 심리적 부담과 환자를 돌보는 시간이 늘어나는 반면 자신의 건강관리 및 사회활동은 제한되면서 보호자들 역시 사회와 점차 단절되곤 한다. 이러한 상황 속에서 그들의 분노가 환자에게 투사되고 이로 인한 죄책감과 우울감에 시달리며 특히 다른 보호자들에 비하여 배우자의 우울감이 더 심각하다고 한다. 이렇듯 환자의 파킨슨병이 진행되면서 환자를 돌보는 보호자들의 수고도 커져가는데 실은 환자의 기능 및 운동능력의 저하보다 정서적 문제가 보호자를 더욱 힘들게 한다. 파킨슨환자는 우울, 인지기능 저하, 정신병 등의 정신신경계 증상이 빈번하게 나타나며, 이러한 정신신경계 증상은 환자 자신의 '정서 불편감'뿐 아니라 '보호자의 스트레스'를 가져오는 강력한 원인이 되기에 삶의 질의 지표로 간주된다. 그러므로 의료진은 환자의 증상 치료뿐 아니라 보호자에게도 관심을 가져야 하며 환자 치료에 있어 보호자의 고충이 예상되는 증상들을 적극적으로 중재해 주는 것이 중요하다.

5. 요약

평균 수명의 증가와 함께 퇴행성뇌질환은 더욱 늘어나고 있으며, 의학의 발달로 파킨슨병 환자의 수명은 날로 늘어가고 있다. 길고 긴 병의 진행과정에서 겪게 되는 말기 파킨슨병의 치료는 파킨슨병만이 갖는 독특한 특징들이 있다. 운동증상의 악화와 함께 비운동증상이 나타나며 이는 항파킨슨병 약물로는 잘 조절되지 않는 경우가 많다. 진행된 파킨슨병 환자에게는 파킨슨병 약물뿐 아니라 심리적 지지요법, 체계적인 운동 계획, 종교적 지지, 가족의 도움이 종합적으로 요구되며 이들의 적극적인 상호작용이 환자와 보호자의 삶의 질을 높일 수 있을 것이다. 때문에 파킨슨병에 대한 완화의료의 제공은 아무리 강조해도 지나치지 않으며 이에 대한 국가 및 사회적 관심이 절실히 요구된다.

II 근위축측삭경화증의 호스피스 · 완화의료

1. 근위축측삭경화증의 역학과 임상 양상

운동신경세포질환은 일차 혹은 이차적으로 운동신경세포가 선택적으로 사멸해나가는 질환이다. 그중에서 흔히 루게릭병이라 불리는 근위축측삭경화증(amyotrophic lateral sclerosis, ALS)은 대표적인 운동신경세포질환으로 매우 심각한 임상 양상을 갖기에 호스피스 · 완화의료가 매우 필요한 질환이라고 할 수 있다.

ALS는 매년 약 10만명당 2명 정도의 발병률을 가지고 있으며 남자에게서 좀 더 흔하다. ALS의 예상 수명은 증상 시작부터 약 3~4년 정도이지만 10% 정도는 10년 이상 생존하기도 한다.

임상증상은 상위운동신경세포가 서서히 사멸되면서 피질연수로와 피질척수로가 침범되고, 또한 하위운동신경세포도 침범되면서 상위 및 하위운동증상이 함께 나타난다. ALS는 처음 증상에 따라 그 아형을 나눌 수 있다. 연수시작(bulbar onset) ALS는 연수 분절에서 시작되고 전체 ALS의 약 20% 정도를 차지한다. 초반부터 발음과 삼킴장애가 매우 두드러지며 이어 사지 근력 약화가 나타나게 된다. 또한 척추증상으로 시작되는 ALS는 특징적으로 사지의 근력마비가 있으며 서서히 진행하고 뇌신경은 비교적 늦게 침범하게 된다. 질병의 진행 과정에서 ALS는 근력약화로 인한 사지마비로 운동능력이 현저히 감소되고, 발음 장애와 삼킴 기능의 소실을 가져오며 마지막에는 호흡곤란을 일으키게 된다. 환자를 진찰할 때 혀의 근섬유다발수축(fasciculation)이 특징적으로 나타나므로 입과 혀를 안정시킨 상태에서 관찰해야 이를 정확하게 확인할 수 있다. 삼킴장애가 나타나면 환자는 기도흡인이 빈번하여 자주 기침을 하게 되고 흡인성 폐렴의 가능성이 높아진다. 호흡곤란은 호흡을 담당하는 근육들의 약화로 발생하며 수면 중 호흡곤란이 있는지 확인해야 한다. 인지기능장애도 나타날 수 있으며 특히 전두측두엽 치매가 흔하다.

ALS의 진단은 임상소견을 기본으로 하는데 질병의 정의처럼 상위운동신경세포와 하위운동신경세포가 손상되는 소견이 관찰된다. 세계신경과연맹(World Federation of Neurology)의 진단기준에 따르면, 상위운동신경세포와 하위운동신경세포의 손상을 임상소견, 전기생리검사 또는 영상검사로 확인해야 한다. 또한 이 손상의 증거가 중추신경계의 네 분절인 뇌줄기, 경부, 흉부, 요천추의 여러 분절에서 나타나야 하며 이러한 손상이 다른 질환에 의한 것이 아님을 구분해야 한다.

2. 근위축측삭경화증의 치료
ALS의 발병원인은 아직 밝혀지지 않았지만, 유전성, 흥분독성, 산화독성, 단백응집, 면역기전, 감염, 신경미세섬유의 기능이상, 사립체 기능이상 등의 총체적이고 복합적인 상호 작용의 결과로 추론된다. 치료는 이를 바탕으로 세포의 독성 방지, 흥분성독성 방지, 산화 방지 등의 약제와 신경 영양제, 면역 조절제 등이 연구되어

왔으나 아직까지 확실한 치료약제는 없다. 항글루탐산 약물인 릴루졸(riluzole)은 유일하게 제한적인 효과를 인정 받았고 생존기간을 수개월 정도 연장시켰지만 삶의 질이나 근력 호전 등에는 도움이 되지 않는다. 따라서 현재까지 치료 방법이 없는 질환으로 생각되어 병의 진행 경과 중 발생되는 여러 가지 증상을 치료하고 합병증을 예방하여 삶의 질을 높이는 완화의료적 접근이 매우 중요하다.

3. 근위축측삭경화증의 호스피스·완화의료적 접근
ALS는 점차적인 운동기능 상실로 인해 결국 죽음에 이르는 심각하고 치명적인 질병이다. 일부의 환자 및 보호자들은 생명을 연장하기 위한 강한 열망을 가지고 있는 반면에 일부는 적극적인 치료에 대하여 매우 회의적인 태도를 취하기도 한다. 이러한 혼란을 줄이기 위해서는 일단 병이 진단되면 병의 초기부터 질병의 진행과정에 대한 이해가 필요하다. 의료진은 병의 진행에 따른 치료방법들을 설명하고 각 치료의 이득과 손실에 대한 객관적인 정보를 제공해야 한다. 또한 호흡마비와 같은 응급 상태에 대비하여 기관절개, 기계호흡 등 치료 범위를 미리 상의하는 것도 필요하다.

1) 호스피스·완화의료 결정의 시점
유럽신경과학계(The European Federation of Neurological Sciences, EFNS)의 권유에 따르면 ALS의 완화의료 적용 시점은 병이 진단된 때로 보고 있다. 완화의료의 빠른 의뢰와 적용은 병의 진행 과정 중 나타날 수 있는 심리적 및 의학적 혼돈을 줄여서 남은 여생을 평안히 보내도록 도울 수 있으며, 특히 말기에는 언어와 의사소통의 제한이 발생하므로 병의 초기에 앞으로의 문제들에 대한 대비와 의사결정을 수립하도록 도울 수 있다. 하지만 완화의료 전문기관으로의 의뢰가 현실적으로는 개별 사회 시스템과 얽혀있어 적용에 장애가 많은 것도 사실이다. 미국 ALS Peer Workgroup에서는 호

표 36-3. 미국 ALS Peer Workgroup의 호스피스 의뢰 기준

1. FVC가 60%가 예상되거나, 2~3개월 안에 20% 이상 급격히 떨어졌을 때
2. 호흡부전의 임상 증상 및 징후가 있을 때
3. NIPPV가 필요한 상황
4. 영양공급이 저하되어 장관영양이 필요할 때
5. 심각한 통증이 있거나 완화치료개입이 필요한 정신적으로 심각한 문제
6. 2~3개월에 걸쳐 신체 2군데 이상의 급격한 마비가 진행하는 경우

스피스로의 의뢰를 고려하게 되는 상황을 발표하였다 **표 36-3**. 이는 호흡곤란, 영양문제, 통증 및 심리적 문제, 그리고 급격한 임상증상 악화 등을 주요하게 언급하고 있다.

2) 호흡곤란

호흡곤란 문제는 질병의 경과 중 필연적으로 경험하게 된다. 호흡관리는 환자의 생존과 직결되며, 호흡이 비교적 양호한 초기부터 정기적으로 호흡기능을 평가하여 호흡 악화 상태에 대한 대비가 필요하다. 흡인과 폐렴과 같은 응급 상황이 생기기 전에 환자와 보호자는 기계호흡기의 사용 여부를 이해하고 미리 결정해야 한다. 비침습적 양압기계환기(non-invasive positive pressure ventilation, NIPPV)는 생명을 연장하고 삶의 질을 높인다. NIPPV는 초기 호흡곤란이 의심될 때 시작을 고려하게 되는데, 예를 들면 밤사이 저호흡이 있다면 아침에 두통과 낮 동안에는 피곤함과 졸림이 있을 수 있다. 비침습적 기계환기, 침습적 기계환기, 기관삽관, 기관절개 등 치료의 범위는 환자의 삶의 가치관과 종교관 등 총체적인 의향을 충분히 고려하여 사전에 논의하는 것이 좋다.

3) 영양공급

ALS에서 영양부족이 나타나는 것은 삼킴곤란과 더불어 증가된 대사에 의한 것으로 생각된다. 삼킴곤란이 나타나면 언어 및 연하 재활치료를 하게 되는데 이 시점에서 영양상태와 영양공급 방법에 대한 상담이 함께 이루

어져야 한다. 액체를 삼키기 어려울 때는 턱을 당겨 식사를 하는 등의 섭식방법을 교육하고 적절한 식이종류를 선택해서 적용해야하며 병이 진행하게 되면 피부경유내시경위창냄술(percutaneous endoscopic gastrostomy, PEG)를 고려한다. PEG는 효과적으로 충분한 수분 및 영양공급을 가능하게 할 뿐만 아니라 경구섭취 시 발생하기 쉬운 음식물 흡인 등을 줄일 수 있어 생존기간을 연장시키고 삶의 질을 높인다.

4) 통증 및 경직

ALS에서 통증은 관절의 경직, 염증, 거동 제한 등 다양한 원인으로 발생한다. 그중 경직(spasticity)은 일차 운동신경세포의 침범으로 발생하며 경직 자체의 불편감 뿐만 아니라 통증, 운동 제한을 일으킨다. 경직에 대한 치료는 모든 관절에 대한 자발적이거나 수동적인 운동 치료가 필요하고 관절 구축을 예방해야 한다. Baclofen과 tizanidine은 경직에 효과적인 약물이지만 근위약이 악화되거나 전반적인 힘의 감소가 수반된다면 중단하여야 한다. 근육경련은 병의 초기에 나타날 수 있고 수면장애의 원인이 되기도 하는데, levetiracetam이나 carbamazepine 등의 항경련제로 조절을 한다. 관절의 힘이 점차적으로 떨어지면 관절이 과도하게 꺾이거나 경직되어 통증이 발생할 수 있어 적절한 보조기를 통하여 관절을 보호해야 하며, 기립근과 목 근육의 위약과 위축이 있으면 목 보조기를 착용하는 것이 도움이 된다.

5) 우울 및 죽음

병의 진행이 불가항력적이고 지속적이며 때로는 매우 빠르게 나타나기 때문에 많은 ALS 환자들은 대부분 우울과 절망에 빠지게 된다. 병의 악화 과정을 두려워하여 이 고통을 조기에 종결시키려고 적지 않은 환자들은 죽음을 선택하기도 한다. 따라서 ALS 환자들에 대한 정기적인 상담을 통해 우울감과 죽음에 대한 생각을 파악해야하고, 정서적 지지와 더불어 적극적인 우울증 치

료가 필요하다.

현대에 들어 연명의료와 관련하여 죽음 및 안락사는 ALS에서 매우 중요한 문제로 대두되었다. 안락사가 법적으로 허용된 지역에서 ALS 환자들의 약 20%가 안락사 혹은 의사조력 자살을 선택하였다는 보고도 있다. ALS 환자들은 그들의 의료진에게 죽음에 대하여 자주 질문하며, 회복 가능성이 없고 자율적인 존엄성이 결여된 상태에 대한 두려움 등으로 죽음을 요청하는 경우가 발생한다. 그러나 많은 경우에서 적절한 증상조절이 가능하다는 것과 적절한 시기의 의료적 개입으로 인격적 존엄성을 최대한 유지할 수 있음을 잊지 말아야 한다.

4. 요약

근위축측삭경화증은 급격히 악화되는 신경퇴행성 질환으로 진단 당시부터 환자와 가족 그리고 의료진간의 긴밀한 의견교환이 필요하다. 또한 보존적 치료에 대한 계획을 수립하고 효과적인 증상 조절과 응급 상황에 대처하기 위하여 완화의료팀과의 협업이 요구되는 질환이다. 환자-가정-의료기관-국가로 이어지는 성공적인 완화의료의 모델이 필요하며 국가적 차원의 정책 역시 더욱 확대되어야 할 것이다.

📖 참고문헌

1. Andersen PM, Borasio GD, Dengler R et al. EFNS task force on management of amyotrophic lateral sclerosis: guidelines for diagnosing and clinical care of patients and relatives: An evidence-based review with good practice points. Eur J Neurol 2005;12:921-38.

2. Aarsland D, Larsen J, Karlsen K et al. Mental symptoms in Parkinson's disease are important contributors to caregiver distress. Int J Geriatric Psy 1999;14:866-74.

3. Bastiaan R, Bloem MD, Nienke M,et al. Nonpharmacological treatments for patients with Parkinson's disease. Mov Disord 2015;30(11): 1504-20.

4. Bieske AG, Loge JH, Ronningen A et al. Pain in Parkinson's disease: prevalence and characteristics. Pain 2009;141:173-7.

5. Bourke SC, Tomlinson M, Williams TL et al. Effects of non-invasive ventilation on survival and quality of life in patients with amyotrophic lateral sclerosis: a randomised controlled trial. Lancet Neurol 2006;5:140-7.

6. Chaudhuri KR, Healy DG, Schapira AHV et al. Non-motor symptoms of Parkinson's disease: diagnosis and management. Lancet Neurol 2006;5(3):235-45.

7. De Lau LM, Breteler MM. Epidemiology of Parkinson's disease. Lancet Neurol 2006;5:525-35.

8. Fuzhong Li, Peter Harmer, Kathleen F et al. Tai Chi and postural stability in patients with parkinson's disease. N Engl J Med 2012;366:511-9.

9. Ghoche R. The conceptual framework of palliative care applied to advanced Parkinson's disease. Parkinsonism relat disord 2012;18:S2-S5.

10. Hely MA, Reid WG, Adena MA, et al. The Sydney multicenter study of Parkinson's disease: The inevitability of dementia at 20 years. Mov Disord 2008;23:837-44.

11. Logroscino G, Traynor BJ, Hardiman O et al. Incidence of amyotrophic lateral sclerosis in Europe. J Neurol Neurosurg Psychiatry 2010;81:385-90.

12. Maessen M, Veldink JH, Onwuteaka-Philipsen B et al. Trends and determinants of end-of-life practices in ALS in the Netherlands. Neurology 2009;73:954-61.

13. Magerkurth C, Schnitzer R, Baune PDDS et al. Symptoms of autonomic failure in PD: prevalence and impact on daily life. Clin Auton Res 2005;15:76-82.

14. McCluskey L, Houseman G, Medicare Hospice Referral Criteria for Patients with Amyotrophic Lateral Sclerosis: A Need for Improvement. J palliat med, 2004;7(1):47-53.

15. Reynolds GO, Otto MW, Ellis TD et al. The therapeutic potential of exercise to improve mood, cognition, and sleep in Parkinson's disease. Mov Disord 2016;31(1):23-38.

8부

37장
후천면역결핍증후군

| 윤석준, 최재필 |

인간면역결핍바이러스(Human Immunodeficiency Virus, HIV) 감염증은 성관계, 혈액 등의 오염된 체액, 수직 전파를 통해 전파되는 질환이다. 감염 이후 CD4 T세포 면역 세포의 수가 감소되어 면역 저하와 관련된 기회 감염증, 기회 암, 신경계 질환 등이 발생하고, 만성적 염증으로 인한 노화, 심뇌혈관 질환 등이 발생하게 된다. 그 중 국제보건기구에서 정하는 '정의 질환 C군'의 병이 발생하거나, 면역 저하 상태가 진행하여 CD4 T 세포수가 200개 미만으로 감소하게 되면 이를 후천면역결핍증후군(Acquired Immunodeficiency Syndrome, AIDS)이라고 정의하며, HIV 감염증과 AIDS의 상태는 일련의 과정이라고 할 수 있다. 1981년 처음으로 AIDS가 보고되었고, 1984년 HIV에 의하여 발생한다는 것이 알려진 이후 AIDS는 병의 진행과 기회감염으로 대부분 사망하는 질환으로 알려졌으나 고강도 항레트로바이러스제 치료(highly active antiretroviral therapy, HAART)와 기회감염의 예방이 1990년대 중반에 본격적으로 이루어지면서 생존율이 크게 향상되었다. 현재는 바이러스 증식이 조절되어 60%의 환자가 심뇌혈관 질환, 신장 질환, 간 질환, AIDS 정의 질환이 아닌 암(non-AIDS defining cancer) 등의 비감염성 질환으로 사망한다. 과거 일정 면역 이하에서 약물 치료를 시작하던 것이 현재는 환자의 면역 상태와 상관없이 발견 즉시 치료하는 것이 사망률을 감소시키는 것으로 알려져, 조기발견과 조기치료가 강조되고 있다. 치료 약제의 효능과 순응도가 좋아지면서 이제 AIDS는 병의 경과가 당뇨나 고혈압, 심부전같이 평생 관리하는 만성질환의 형태로 변화하였다.

I 국내 외 현황

AIDS 감염대책을 위해 글로벌 활동을 하는 '유엔 에이즈 계획(UNAIDS)'의 2015년 자료에 의하면 전세계적으로 3,670만 명의 HIV 감염인이 살고 있고, 210만명이 새롭게 HIV에 감염되며, 110만 명이 AIDS와 관련하여 사망하였다. 또한 2010년에 750만 명이 항레트로바이러스제를 복용하였던 것이 2016년 6월 기준 1,820만 명의 감염인이 항레트로바이러스제 치료를 받았다. AIDS 연관 사망은 2005년 200만 명으로 정점에 달했다가 이후 현재 45%가 감소하였으며, AIDS 환자의 결핵 관련 사망은 2004년 대비 32% 감소하는 추세를 보이고 있다. 성인에서의 신규 감염인수는 210만 명으로 유지되고 있으나 소아의 감염은 감소 추세를 보이고 있고, 약제 치료를 받고 있는 사람의 수는 증가하였으며 AIDS 연관 사망자 수도 감소 추세에 있다. 대부분의 감염과 결핵 관련 사망은 아직까지 사하라 이남 아프리카 지역이 가장 높다.

국내 상황은 '2015 HIV/AIDS 신고 현황'에 따르면 1985년 우리나라에서 처음 AIDS가 진단된 이후 HIV 감염으로 진단받은 사람들은 매해 꾸준히 늘어나고 있다. 2013년부터 3년 연속으로 약 1,000명이 매해 새로 신고되어 2015년 신규 감염인이 1,152명(내국인이 1018명), 생존 감염인(내국인)수는 10,502명이 있었으며, 이 중 남성이 92.7%를 차지하고 있다. 연령별로는 20대부터 40대가 전체의 76.2%를 차지하고 있지만, 전체 감염인의 28%가 50대 이상으로 노년 감염인 수가 증가하고 있다. 이러한 감염인의 고령화 현상은 지역별 분포라 볼 때 치료 접근성이 높은 서구 선진국에서의 현상과 일치하는 경향을 보인다. 그러나 아직도 조기발견이 되지 않은 채 지내다가 CD4 T세포 350개 미만인 면역이 많이 감소된 상태의 후기 발현자(late presenter)로 의료 기관을 방문하는 감염인이 32%로 높은 수준이다. 이들은 낮은 면역상태에서 AIDS 관련 합병증이 발생하여 의료기관을 방문하고, 1년 이내 조기사망하기 쉬우며 회복되더라도 중증의 뇌신경 합병증 등으로 와상 상태로 지내면서 장애 및 급·만성 질병으로 인한 의료 이용, 입원을 많이 하게 된다. 2014년 HIV/AIDS 사망자 수는 121명으로 매년 100여 명 정도가 사망하고 있다.

3. 임상 경과와 호스피스·완화의료 적용에 대한 고려

오늘날 HIV/AIDS는 조기발견, 조기치료를 통해 대다수의 환자들이 평생 무증상 상태에서 질병을 관리하고 유지할 수 있다. 하지만, 아직 많은 수의 감염인들이 늦게 발견되고 있고, 치료 시작 후에도 면역의 저하로 인한 급·만성 감염병과 기회 감염병을 겪게 되며, 면역 조절능의 저하로 인하여 카포시육종이나 버킷림프종, 일차성중추신경계임프종 같은 'AIDS 정의 암'이 발생할 수 있다. 또한, 조기에 신경이 침범되면 다양한 신경병증과 신경계 감염증으로 인한 기능 장애가 초래된다. 최근 AIDS 정의 암의 발생은 감소하고 있으나 폐암, 간암, 항문암 등 HIV 비관련 암의 발생이 증가하고 있으며, 이들 감염인 암 환자들은 표준화 사망률 대비 4~7배의 높은 사망률을 보이는 것으로 보고되고 있다.

급성기 이후에는 만성 염증성 변화로 심뇌혈관 질환의 위험이 증가되고, 노화가 빨리 진행되며, B형과 C형 간염 및 이에 따른 간경화의 위험성이 증가한다. 약제를 비롯한 다양한 위험인자에 따라 신 질환, 골다공증의 위험도가 증가하고, HIV의 뇌신경계 합병증으로 인해 신경인지기능이 떨어져서 60%의 환자들이 인지기능 이상을 경험하게 되며, AIDS 연관 치매가 발생하기도 한다. 또한, 다른 뇌신경 감염증 병변의 위치와 정도에 따라 다양한 장애를 경험하고, 노쇠가 빨리 나타나는 환자들도 많아지고 있다. 따라서 현재 효능이 좋은 항레트로바이러스제가 제공 가능한 한국에서의 HIV 감염은 만성질환화, 고령화, 노쇠로 인한 문제들이 복합적으로 나타난다고 하겠다.

세계보건기구에서는 완화의료는 모든 생명을 위협하는 질환을 가진 환자와 가족들의 삶의 질 향상을 위해 필요하다고 제언하고 있다. 암뿐 아니라 다른 만성질환들(심부전, 만성폐쇄성 폐질환, 간경화 등)도 환자와 가족에게 다양한 신체적, 정신사회적인 문제를 가져오기 때문에 완화의료가 중요하다고 밝히고 있다. HIV 감염인/AIDS 환자들도 진단 초기부터 기회감염들을 비롯한 다양한 증상들로 인해 고통을 받게 되고, 항레트로바이러스제 치료 중에도 약제로 인한 부작용들과 통증, 체중 감소, 피곤함 등의 질환 특이적 증상뿐만 아니라 무시되기 쉬운 많은 보편적인 만성증상으로 고통을 받게 된다. 완화의료는 환자의 고통 완화와 기능 개선, 삶의 질 향상을 다루는 분야이다. 다학제적, 통합적 접근을 진단의 초기부터 말기, 임종기까지 걸쳐 시행하는 것이 필요하다. 아직 논의들이 항레트로바이러스제를 사용할 수 없는 저개발국가에서의 대안으로서의 완화의료에 대한 것들이 주를 이루고 있으나, 선진국에서도 39~55%의 환자들이 통증을 경험하지만 보고에 따라 60~85%까지 통증은 저평가되고 제대로 치료받지 못하고 있는 형편이므로 완화의료에 대한 적극적 논의는 모든 사회에서 공통된 과제라고 할 수 있다.

II 증상 조절

HIV 감염이 만성화 경과를 밟고 있는 오늘날 항레트로바이러스제 치료와 기회 감염병의 치료, 심혈관, 당뇨, 골다공증, 신 질환 등의 합병증에 대한 치료가 이루어고 있으나, 환자들이 호소하는 많은 증상과 징후들이 충분히 치료에 반영되지 못하고 있다. 특히 말기상태의 경우 일반적으로 10개 이상의 증상들을 호소하는데, 신체 증상들뿐 아니라 우울증과 불안 장애의 비율이 높

고, 약물 중독, 편견과 낙인에 의한 사회적 고립 문제, 영적인 문제 등 다양한 고통을 겪고 있는 것으로 알려져 있다. 이들 증상들이 간과되거나 사회적으로 고립되게 되면 항레트로바이러스제 약물에 대한 환자의 순응도도 떨어지게 되어 질병의 예후와 사회보건학적 상황도 악화될 수밖에 없다.

1. 통증

환자들의 39~55%가 통증을 호소하고 있고, 연구에 따라 90%까지 보고되기도 하나, 이들의 통증은 60~85%까지 저평가되어 적절한 치료받지 못하고 있는 형편이다. HIV/AIDS 환자들에서의 통증은 신체 여러 장기에서 다양한 기전을 가지고 있는데, 염증 반응으로 인한 통각성 통증(nociceptive pain), 감염이나 암성 질환 자체에 의한 통증 등이 발생될 수 있다 **표 37-1**. 이 중 '다발성 신경병증(distal symmetric sensory polyneuropathy)'은 통각성 통증의 가장 흔한 원인으로 50~60%를 차지하며 주로 양쪽 원위부 하지의 감각저하, 이상 감각, 저린감, stocking-glove 분포의 통증을 호소한다. 이는 한쪽이 먼저 나타나기도 하며, 근위부로 진행하고, 상지도 침범할 수 있다. 원인은 주로 HIV 바이러스 자체의 신경 독성과 항레트로바이러스제의 신경 독성 등에 의한 것으로 생각는데 특히 오래된 약제(stavudine, didanosine)가 이런 신경병증을 주로 일으키지만 다른 약제들도 가능하므로 원인이 불명확할 경우는 약제의 변경을 고려할 수 있다. 당뇨, 알코올에 의한 신경병증과의 감별도 필요하다.

치료로는 원인이 되는 기저질환을 먼저 교정하고, 암

표 37-1. HIV/AIDS 환자에서 흔한 통각성 통증(nociceptive pain)의 원인들

Neurological/ headache	Visceral	Deep somatic	Cutaneous
Peripheral neuropathy	Tumor	Myopathy	Zoster
Headache, organic (meningitis, encephalitis, mass lesion)	Gastrtis, esophagitis	Back pain	Kaposi's sarcoma
Myelopathy (vacuolar)	Biliary tract disorder	Rheumatologic	Oral cavity lesion

modified from Daniel B Carr. Pain in HIV/AIDS a major global healthcare problem. available from: http://www.iasp-pain.org/files/Content/ContentFolders/GlobalYearAgainstPain2/20042005RighttoPainRelief/paininhivaids.pdf.

성통증의 치료와 같이 국제보건기구 통증 사다리를 이용한 적극적 통증관리를 시행해야 한다. 외국에서 일부 마약성 진통제의 장기 사용에 대한 우려가 보고되었으나, 국내 상황에 대한 적용은 재평가가 필요할 것으로 판단된다. 골수 기능 저하가 동반될 경우 비스테로이드성 소염제의 사용이 이를 악화시킬 수 있으므로 유의해야 하고, 아세트아미노펜은 간독성을 유의해야 한다. 신경병성 통증의 조절에는 항전간제(gabapentin, pregabalin, lamotrigine), 삼환계 항우울제(amitriptyline, nortriptyline, duloxetine), 국소작용제(capsicin, lidocaine)를 고려할 수 있다. 간혹 항레트로바이러스제 중 주로 단백효소 억제제(protease inhibitor)와의 약물 상호작용이 나타날 수 있는데 항레트로바이러스제의 농도를 떨어뜨려 바이러스 치료 실패를 만들거나, 신경 약제의 농도 증가에 의한 부작용이 나타날 수 있어 주의가 필요하다. 단백효소 억제제(cobicistat)를 carbamazepine과 같이 사용할 경우 항레트로바이러스제의 농도가 감소하므로 병용해서는 안 된다. Fentanyl이나 삼환계 항우울약제의 경우 단백효소억제제와 같이 사용 시 농도가 증가할 수 있어 감량이 필요하다. 노스판패치(buprenorphine)의 경우 darunavir/novir와 같이 사용할 때는 문제가 없으나, atazanavir만을 단독으로 사용하는 환자에서는 항레트로바이러스제의 농도를 떨어뜨리므로 함께 사용해서는 안된다.

통증과 동반될 수 있는 증상들뿐만 아니라 통증의 치료과정에 발생할 수 있는 변비, 배뇨장애, 구갈, 의식 저하 등의 부작용에 대한 대비도 필요하다.

2. 피로

'피로함' 또는 '기운 없음'은 대략 HIV 감염인들의 33~88%가 호소한다고 알려져 있다. HIV 감염인들의 피로는 다른 만성 질환들처럼 오래 지속되는 스트레스로 인한 뇌하수체 부신 체계의 변화, 여러 사이토카인들의 증가와 신경전달물질 체계의 이상 등 때문에 나타날 수 있다. 기회 감염, 항레트로바이러스제의 치료, 빈혈, 악액질과 체중 감소, 통증 등의 다양한 신체적인 원인, 우울들과 불안, 수면 장애 등의 정신적인 원인들 모두 피로의 원인이 될 수 있다.

피로를 조절하기 위해서는 교정이 가능한 신체적 요인들에 대한 치료(기회 감염의 치료, 항레트로바이러스 약물의 조절, 빈혈 교정)가 선행되어야 한다. 빈혈의 치료를 위한 적혈구생성촉진인자(erythropoietin)는 사망과 수혈을 줄이는 데 도움이 되지 않는 것으로 나타나 권고되지 않으며, 심한 빈혈이 있는 경우에만 수혈을 통해 교정하는 것이 타당해 보인다. HIV의 영향으로 인한 체중 감소와 악액질로 인한 피로는 점진적인 운동이 도움이 될 수 있다. 그러나 무엇보다도 우울, 불안 등의 정신적인 요인이 피로의 주요한 원인으로 드러나 이에 대한 치료를 병행해야 한다. 피로 자체에 대한 약물 치료는 기존 완화의료에서와 같이 methylphenidate나 modafinil 같은 정신자극제가 감염인들을 대상으로 한 몇몇 연구들에서 효과가 입증되었다. 남성 환자들에서는 남성 호르몬 수치를 측정하고 감소 시에 호르몬을 투여해볼 수도 있겠으나 전립선 암의 위험성에 대해 유의해야 한다.

3. HIV 소모 증후군, 체중 감소, 식욕 부진

소모 증후군은 HIV 감염인에서의 만성 설사, 발열, 위약감과 관련되어 10% 이상의 체중 감소가 발생하는 경우로, 항레트로바이러스제를 사용여 진행을 완화시켜도 14~38% 환자들이 경험한다. 이는 국제 보건 기구 AIDS 정의 질환에 해당하며 나쁜 예후와 관련이 있는 인자이다. 면역 반응, 2차 감염에 의한 대사와 기초 에너지 소비량 사이의 불균형, 설사, 저작/삼킴, 정신신경계 문제에 의한 섭식 장애와 위장관 기능 저하, 흡수 장애, 그로 인한 영양 부족, 내인성 아나볼릭 스테로이드의 부족 등 다양한 원인에 의하여 발생한다.

치료로는 먼저 전반적인 기능이 양호한 환자라면 저

8부

항성 근육운동을 통해서 근육양을 늘리고 관리하는 것도 한 방법이 될 수 있다. 식욕 부진에 대해서는 구강 관리와 항레트로바이러스 약제의 부작용 관리, 기회감염의 치료 등이 도움이 되며, 식욕 촉진제(megestrol acetate, dronabinol)도 사용할 수 있다. 소모증후군과 우울증이 동반된 경우 mirtazapine이 도움이 될 수 있다.

남성 환자들에서 성선 기능 감퇴 등의 이유로 남성 호르몬이 감소하면 근육의 감소가 초래되고 이로 인해 전반적인 신체 기능이 떨어지게 된다. 이때에는 남성 호르몬을 포함한 아나볼릭 스테로이드(testosterone, testosterone analogs, recombinant human growth hormone)의 사용으로 근육양과 체중의 증가를 가져올 수 있다. 남성 호르몬을 사용할 때에는 간기능 이상, 인슐린 저항성 등에 대하여 유의할 필요가 있다.

4. 위장관계 증상(설사, 오심, 구강/식도 증상)

HIV 감염인에서의 설사의 원인은 감염성 원인과 비감염성 원인으로 나뉜다. 과거에는 감염성 원인이 주였기에 항레트로바이러스치료가 발전하면서 설사의 빈도가 감소할 것으로 기대되었지만, 현재도 여전히 설사는 감염인의 삶의 질을 떨어뜨리는 주된 원인으로 19~60%까지 설사를 호소한다. 감염성 원인으로 결핵, 살모넬라나, Escherichia coli, Entamoeba histolytica, 장 바이러스 등은 면역에 상관없이 발생될 수 있고, CD4 T세포 200개 미만의 면역 저하 환자에서는 Cryptosporidia, Microsporidia, Giardia 등의 기생충증, Cytomegalovirus (CMV), Herpes simplex virus (HSV) 등의 바이러스 감염이 발생할 수 있다. 비감염성 원인으로는 HIV 자체에 의한 장병증, 항레트로바이러스제(lopinavir/ritonavir)나 동반 투여 약제에 의한 설사, 과민성 대장 증후군, 기능성 설사 등이 있다. 지속적인 설사가 발생하면 환자의 면역 상태와 현재 사용하는 약제에 대한 검토와 변경이 필요하고 감염성 원인이 배제된다면 비감염성 원인에 대하여 비스무스 등의 흡착제, loperamide와 진경제,

octreotide 같은 antimotility제제, antisecretory제제를 중심으로 한 일반적인 대증치료를 시행할 수 있다. 특히 말기상황에서는 보다 적극적인 대증요법이 필요하다.

항레트로바이러스제의 부작용으로 오심이 나타나는 경우에는 위장운동 촉진제(prokinetics), 항콜린제, 세로토닌 차단제 등을 사용할 수 있으며 심할 때는 약제의 변경을 고려해 본다. 식도의 칸디다증이나 CMV 감염증도 구토의 원인이 될 수 있으므로 내시경을 통한 병변의 확인 후 항진균제나 항바이러스제를 사용할 수 있다. 구강 칸디다증은 면역 상태의 저하, 전신 상태의 악화, 스테로이드 사용 등이 원인이 된다. 연하곤란의 경우 뇌신경 병변의 장애에 대한 확인과 함께 칸디다, CMV, HSV 등의 소화기계 감염도 의심해야 한다.

5. 뇌신경계 질환

항레트로바이러스제의 발전으로 중추신경계 기회감염증의 빈도는 급격히 감소하고 있으나, 후기 발현자 등의 신규 감염인에서는 여전히 나타나고 있다. 한편 항레트로바이러스제 치료의 과정에서 면역이 호전되어 역설적으로 감염성 질환의 증상이 심해지는 면역재건증후군이 발생하기도 한다. 급성기 치료 현장에서 발생하는 '감염성 구조적 신경병변'으로는 HIV 뇌병증, 진행성 다초점 백질 연화증, 뇌 톡소포자충증, 중추신경계 결핵, 크립토콕쿠스 뇌수막 뇌염, 중추신경계 임파종, 신경 매독, CMV/HSV 뇌염 등이 있다. 기능적 병변으로는 HIV 연관 신경인지장애가 경증 환자에서부터 AIDS 연관 치매 환자에 이르기까지 40~60%에서 발생하며 이로 인해 진전 등의 증상이 나타날 수 있다. 또한 만성 염증성 경과, 또는 혈관염 등에 의한 뇌혈관 문제들이 발생되며 이는 재발도 흔하다. 이러한 뇌신경계 합병증은 1년 이내의 조기 사망의 주요 원인이며, 바이러스학적, 면역학적 호전에도 불구하고 비가역적인 뇌신경 손상으로 기능 장애의 발생이 높고, 이로 인한 일상생활의 의존과 와상상태 등의 합병증이 증가하

면서 나쁜 예후를 가져오게 된다. 말기 AIDS 환자의 경우 와상 상태의 노인성 질환이나 말기 암성질환에서와 마찬가지로 욕창, 흡인폐렴, 요로감염 등이 빈번하게 발생하므로 세밀한 관리가 요구된다.

6. 정신사회적 문제

사회경제적으로 취약한 감염인들은 음주와 흡연 문제, 정신적인 문제들을 이미 가지고 있는 경우가 많다. HIV/AIDS 환자들의 우울증 유병률은 꽤 높아 40%까지도 보고되고 있으며, 말기 환자들의 '빨리 죽고 싶다'라는 말은 그만큼 고통이 심하다는 것이고 특히 정신적 또 영적인 문제가 심각하다는 것을 반영한다. 한 연구에서 HIV/AIDS 환자들에서 죽음 재촉 요구는 4.6~8.3%로 나타났고, 이에 가장 큰 영향을 미친 변수는 우울증과 희망 없음이었다. 이러한 요구는 우울증이 심할수록 더 강하게 나타나는데, 한편 SSRI계 항우울제 치료를 통해 우울증이 좋아지면 이러한 요구도 감소하는 것으로 보고되었다. 항우울제 치료시에, 항레트로바이러스제(단백효소억제제)와의 상호작용으로 약물의 농도가 증가할 수 있어 용량을 적정하는 것이 필요하다. 항우울제에 대한 반응이 나타날 때까지 수주간의 시간이 필요하므로 즉시적 효과가 필요한 말기상태에서는 methylphenidate 사용이 도움이 될 수 있다.

감염인들은 부정적인 사회 인식으로 인한 개인적 차원과 사회적 차원의 여러 단계의 낙인을 경험하며 이로 인해 직장이나 공동체에 속하지 못하는 사회적인 고립을 겪게 된다. 가족에게 조차 숨기거나 가족의 지지를 받지 못한 채 외롭게 투병하면서 나이 들어가는 경우가 매우 많다. 이러한 점은 호스피스·완화의료의 목표 중 하나인 죽음을 수용하고 가족과 함께 지난 삶을 돌아보며 인생을 정리하고 삶을 마무리하는 기회조차 누리지 못하고 있음을 시사한다. HIV/AIDS에 대한 호스피스·완화의료 체계에 있어 다학제팀, 지원 단체, 감염인 자조 모임 등 다양한 지지체계 모델에 대한 고민과 접근

이 필요하다.

7. 항레트로바이러스제와 완화의료 약물들 사이의 상호작용

항암제와 달리 말기 HIV/AIDS 환자들에게 항레트로바이러스제를 지속하는 것은 환자의 증상 조절과 유지를 위한 표준치료에 해당하며, 돌봄을 제공하는 사람들에게 전파를 방지라는 보건학적 측면에서도 꼭 필요하다.

현재 사용되는 항레트로바이러스제 중 특히 단백효소억제제는 cytochorme P450 효소 체계를 통해 대사되며 이 과정에서 완화의료에서 흔히 사용되는 여러 약물들과 상호 작용을 일으킬 수 있어서 주의가 필요하다. ① 마약성 진통제 중 methadone, oxycodone, codeine, fentanyl, ② 비스테로이드성 소염제 중 naproxen, ibuprofen, ③ 식욕촉진제인 dronabinol, ④ 삼환계 항우울제 중 amitriptyline, nortriptyline, ⑤ SSRI 항우울제 중 citalopram, paroxetine, ⑥ benzodiazepine 계열 중 clonazepam, diazepam, midazolam, triazolam, ⑦ 수면제인 zolpidem 등이 이에 해당하며 대체로 약제의 농도가 증가하므로 관찰이 필요하다. 상호작용에 대하여 DHHS가이드라인이나 리버풀의 http://www.hiv-druginteractions.org /checker와 같은 웹사이트를 참고하는 것이 도움이 된다.

III 예후와 말기 진단

질환의 말기와 임종과 관련된 HIV/AIDS 특이적인 예후인자들에는 ① 기능 상태의 저하(예, Karnofsky performance status scale 또는 Eastern Cooperative Oncology Group performance status scale 등), ② 일상생활 수행 능력의 저하, ③ 65세 이상의 연령, ④ 항레트로바이러스제 치료 6개월째의 CD4 T세포 면역과 바이러스 양, ⑤ 약물 남용 관련 감염, ⑥ 1개월 이상의 지속되는 설사,

8부

⑦ 진행된 간질환, ⑧ 동반된 암과 특정 기회 감염증 등이 있다.

항레트로바이러스제의 발달로 오늘날 HIV/AIDS 는 만성질환이 되어 HIV/AIDS 환자들의 임상 경과 역시 뚜렷한 변화가 발생되었지만 말기의 판단에 대한 기준은 항레트로바이러스제 사용 전이나 사용 초기의 기준들을 준용하고 있다. 일례로 미국의 National Hospice and Palliative Care Organization (NHPCO)에서 1996년에 호스피스 입원 기준을 마련한 것이 가장 최근의 가이드라인으로, 이 기준에는 ① 면역세포수 (CD4 T 세포수)가 25개/mm³ 미만, ② HIV바이러스가 100,000 copies/mL 이상, ③ 중추신경계림프종, ④ 진행성다초점백질연화증, ⑤ Cryptosporidiosis, ⑥ 파종성 Mycobacterium avium intracellular complex 감염증, ⑦ 치료에 반응하지 않는 소모 증후군, ⑧ 장기의 카포시 육종, ⑨ 진행성 HIV 치매, ⑩ 뇌 톡소포자충증 중 하나에 해당하고, palliative performance scale이 50% 미만, 항레트로바이러스제에 반응하지 않거나 이를 견디지 못할 때를 기준으로 하고 있다.

최근 국내의 임상상황에서는 HIV에 대한 항레트로바이러스제의 개선으로 HIV 바이러스 역가가 높고 CD4 T 세포수가 현저히 감소된, 면역이 낮은 환자들은 말기로 간주하기보다는 적극적인 치료가 필요한 상태로 보고 급성기 치료를 하는 것이 표준이라는 것이 공통적인 의견이다. 대한의학회의 말기 및 임종기 진단기준 지침 개발과정에서 도출된 현재 국내 HIV/AIDS 환자의 말기 정의는 **표 37-2**와 같다.

IV 말기 환자 관리와 감염관리

현재의 국내 상황에서 말기로 호스피스 돌봄이 필요한 환자들은 일반적으로 대한의학회의 말기 진단기준 '①

표 37-2. 후천성면역결핍증의 말기 진단 기준(대한의학회)

HIV 감염인이 기능 수준이 Karnofsky Performance Status scale 50 이하로 저하를 보이면서 다음 중 하나를 만족하는 경우

① 다약제 내성으로 항레트로바이러스제 치료에 실패하여 3개월 이상 치료에도 CD4 세포<25개/mm³ 미만이거나 HIV RNA >10,000 copies/mL 이상인 경우
② 임상적으로 중증인 뇌 병변장애: 중추신경계림프종, 진행성 다초점백질연화증, HIV 뇌병증, HIV 관련 치매, 치료에 불응하는 뇌톡소포자충증 등
③ 에이즈 정의 암 또는 기타 암성 질환 말기
④ 말기심부전, 말기 호흡부전, 말기 간경화, 투석하지 않고 있는 말기 신장질환
⑤ 기타 상기 합병 질환이 아니더라도 감염 전문의의 판단에 따라 말기 호스피스 케어가 필요하다고 판단되는 경우

바이러스학적 치료 실패'의 경우를 제외하고는 다른 합병 질환으로 인한 말기진단 기준 ②~⑤에 해당되는 환자가 된다. 이 환자군에서는 항레트로바이러스제를 계속 사용하고 있는 것을 제외하고는 HIV와 관련된 특수한 의학적 치료가 필요하다기보다는 보편적인 말기 환자에 대한 완화의료적 돌봄이 더 필요할 것으로 보인다. 이들은 질병 궤적에 있어 말기 암의 경과보다는 만성 질환의 경과를 따르며, 기대 여명의 판단이 쉽지 않아 돌봄과정에서 상황에 따라 재평가가 필요하다.

한편 HIV/AIDS 환자들을 돌보는 호스피스·완화의료 팀의 감염 관리 교육을 간과해서는 안된다. 모든 환자에게서 나오는 체액을 오염된 것으로 간주한다는 표준주의 원칙의 엄격한 준수가 필요하다. 주사침 자상 사고로 인한 감염의 위험은 HIV의 경우 0.3%로 항상 자상 사고나 점막노출 사고에 주의해야 한다. 사용 후 바늘의 뚜껑을 덮지 않고 바로 전용 플라스틱 폐기물에 버려야 한다. 이는 자상사고가 뚜껑을 덮는 과정에서 주로 발생하기 때문인데 만약 주사침에 노출이 되었을 경우 예방적 항레트로바이러스제를 4주간 복용하는 치료법이 확립되어 있으며 6주, 3개월, 6개월 간격의 추적검사를 시행한다.

V 요약

인간면역결핍바이러스 감염은 항레트로바이러스치료의 발전으로 인해 지속적으로 투약하며 관리하는 만성질환이 되었으나, 고령화 및 늦은 치료 시작으로 면역이 낮은 상태에서 여러 합병증을 경험하는 환자들이 많고, 이들은 조기 사망과 만성적인 중증 합병증을 경험하게 된다. 감염인들의 증상이 적극적으로 관리되지 못하고 있어 진단 및 치료의 초기부터 완화의료의 병행이 필요하며, 말기의 경우 적극적인 호스피스·완화의료팀의 개입이 요구되는데 이를 위해 HIV 감염 전문가들과 완화의료 전문가들 간의 협력체계가 시급히 확립되어야 한다. 감염 전문가들은 완화의료적 개념의 접근법에 대하여 이해하고 적용할 필요가 있으며, 호스피스·완화의료팀은 표준 주의 원칙하에 HIV 감염인들의 증상과 그 조절 과정에서의 문제, 정신 사회적 특성에 대해 이해해야 한다.

참고문헌

1. 대한의학회. 말기와 임종과정에 대한 정의 및 의학적 판단 지침 2016.
2. 질병관리본부. 2015 HIV/AIDS 신고현황 [internet]. Available from: http://cdc.go.kr/CDC/info/CdcKrInfo0128.jsp?menuIds=HOME001-MNU1130-MNU1156-MNU1426-MNU1448&fid=3444&q_type=&q_value=&cid=70430&pageNum=.
3. Arentzen M, Jubt F, Evers S, et al. Cerebrovascular events in HIV-infected patients: an analysis of a cohort of 3203 HIV+ patients during the times of cART. Int J Neurosci 2015;125(8):601-11.
4. Badowski ME, Perez SE. Clinical utility of dronabinol in the treatment of weight loss associated with HIV and AIDS. HIV AIDS (Auckl) 2016;8:37-45.
5. Bowen LN, Smith B, Reich D, et al. HIV-associated opportunistic CNS infections: pathophysiology, diagnosis and treatment. Nat Rev Neurol 2016;12(11):662-74.
6. Breibart W, Rosenfeld B, Kaim M, et al. A randomized, double-blind, placebo-controlled trial of psychostimulants for the treatment of fatigue in ambulatory patients with human immunodeficiency virus disease. Arch Intern Med 2001;161(3):411-20.
7. Breitbart W, Rosenfeld B, Gibson C, et al. Impact of treatment for depression on desire for hastened death in patients with advanced AIDS. Psychosomatics 2010;51(2):98-105.
8. Costagliola D. Demographics of HIV and aging. Curr Opin HIV AIDS. 2014;9(4):294-301.
9. Daniel B Carr. Pain in HIV/AIDS a major global healthcare problem [internet]. Available from: http://www.iasp-pain.org/files/Content/ContentFolders/GlobalYearAgainstPain2/20042005RighttoPainRelief/paininhivaids.pdf.
10. Fausto JA Jr, Selwyn PA. Palliative care in the management of advanced HIV/AIDS. Prim Care 2011;38(2):311-26.
11. Frich LM, Borgbjerg FM. Pain and pain treatment in AIDS patients: A longitudinal study. J Pain Symptom Manage 2000;19(5):339-47.
12. Johns K, Beddall MJ, Corrin RC. Anabolic steroids for the treatment of weight loss in HIV-infected individuals. Cochrane Database Syst Rev 2005;(4):CD005483.
13. Martí-Carvajal AJ, Solà I, Peña-Martí GE, et al. Treatment for anemia in people with AIDS. Cochrane Database Syst Rev 2011;(10):CD004776.
14. Monkemuller KE, Call SA, Lazenby AJ, et al. Declining prevalence of opportunistic gastrointestinal disease in the era of combination antiretroviral therapy. Am J Gastroenterol 2000;95(2):457-62.
15. Nwachukwu CE, Okebe JU. Antimotility agents for chronic diarrhoea in people with HIV/AIDS. Cochrane Database Syst Rev 2008;(4):CD005644.
16. Panel on Antiretroviral Guidelines for Adults and Adolescents. Guidelines for the use of antiretroviral agents in HIV-1-infected adults and adolescents [internet]. Available from: http://www.aidsinfo.nih.gov/ContentFiles/AdultandAdolescentGL.pdf.
17. Piscitelli SD, Gallicano KD. Interactions among drugs for HIV and opportunistic infections. N Engl J Med 2001;344:984-96.
18. Schütz SG, Robinson-Papp J. HIV-related neuropathy: current perspectives. HIV AIDS (Auckl) 2013;5:243-51.
19. Selwyn PA. Palliative care for patient with human immunodeficiency virus/acquired immune deficiency syndrome. J Palliat Med 2005;8(6):1248-68.
20. Simms V, Higginson I, Harding R. Integration of palliative care throughout HIV disease. Lancet Infect Dis 2012;12(7):571-5.

8부

21.   UNAIDS. Global AIDS update 2016 [internet]. Available from: http://www.unaids.org/sites/default/files/media_asset/global-AIDS-update-2016_en.pdf.

22.   WHO. Consolidated guidelines on HIV prevention, diagnosis, treatment and care for key populations 2016 update [internet]. Available from: http://www.who.int/hiv/pub/guidelines/keypopulations-2016/en/.

23.   Zucchetto A, Suligoi B, De Paoli A et al. Excess mortality for non-AIDS-defining cancers among people with AIDS. Clin Infect Dis 2010;51(9):1099-101.

9부

특수 상황에서의 호스피스·완화의료

38장 소아청소년 호스피스·완화의료
39장 노인 호스피스·완화의료

38장

소아청소년 호스피스·완화의료

| 황애란, 김민선 |

Ⅰ 소아청소년 호스피스·완화의료 개요

1. 정의

소아청소년 호스피스·완화의료란 돌봄의 철학인 동시에 생명을 위협하는 위중한 질환을 가진 환자와 가족에게 실제적인 돌봄을 제공하기 위한 구조화된 체계를 의미한다. 소아청소년 호스피스·완화의료의 목적은 고통을 완화하고, 삶의 질을 향상하며, 의사결정 과정을 원활하게 하고, 어떤 장소에서 돌봄을 받든지 필요한 서비스를 제공받을 수 있도록 조정하는 것을 포함한다. 미국소아과학회(the American Academy of Pediatrics)의 정의에 따르면 소아청소년 완화의료는 생명을 위협하는 질환을 가지고 살아가는 소아청소년의 고유하고 특별한 필요를 충족하기 위해 제공되는 것으로 통증과 증상의 조절뿐 아니라 환자와 가족이 겪는 심리사회적, 영적 요구에 대응하는 것이다.

2. 대상

소아청소년기에 사망하는 환자는 성인에 비해 소수이지만, 사망의 원인이 되는 생명을 위협하는 질환(life-limiting condition)의 종류는 훨씬 다양하고 많다. 1997년 영국의 소아청소년 완화의료 협회에서는 완화의료를 필요로 하는 소아청소년기의 질환을 아래의 4가지 카테고리로 분류하였다. 미국에서는 이와 달리 중증만성질환(complex chronic condition, CCC)이라는 개념을 주로 사용하는데, 이는 '사망하지 않는 한 12개월 이상 지속될 것으로 예상되며, 여러 기관(organ)을 침범하거나 한 기관을 심하게 침범하여, 3차 의료기관에서 상당 기간 입원 치료가 필요한 경우'로 정의된다. 중증만성질환은 ICD-10 코드에 맞추어 신경 및 신경근육계, 심혈관계, 호흡기계, 신장 및 비뇨기계, 위장계, 혈액 및 면역계, 대사성, 선천 및 유전, 악성, 미숙아 및 신생아 질환의 10개 카테고리로 구분되어 있다.

소아청소년 호스피스·완화의료의 대상이 되는 질환은 표 38-1과 같이 다양하며 질환에 따라 진행 경과가

표 38-1. 소아청소년 호스피스·완화의료 대상 질환의 분류

분류	특징	예
I	• 생명을 위협하는 질환이지만 치료의 가능성이 있음 • 그러나 치료가 실패할 수 있음 • 근치적 치료와 함께 완화의료를 병행하는 것이 도움이 될 수 있음	진행기 암, 복합적 또는 위중한 심장질환, 초극소 미숙아 등
II	• 조기 사망이 예측되지만 집중 치료(intensive treatment)를 받으면서 생존할 수 있는 상당한 기간이 있는 경우 • 집중 치료를 통해 일상 생활 및 삶의 질을 유지할 수 있음	듀센 근이영양증, 중증 면역결핍질환, 만성 중증 호흡기 질환, 신부전, 중증 흡수 장애 등
III	• 진단 이전 또는 진단 시부터 지속적으로 악화됨 • 완치가 불가능하여 완화의료적 접근만이 가능함 • 치료적 접근을 통해 연장할 수 있는 기간이 수년 이내임	중증 진행성 대사질환, 신경퇴행성 질환 등
IV	• 비가역적인 질환이지만 악화되지는 않음 • 합병증으로 인해 조기 사망의 가능성이 높음	중증 뇌성마비, 다발장기부전 또는 중증 호흡장애를 가진 미숙아, 중증 장애를 동반하는 뇌손상 등

A Guide to the Development of Children's Palliative Care Services (2009), Association for Children's Palliative Care (ACT), Bristol

다르며 예후, 특히 여명의 예측이 매우 어렵다는 특징을 갖는다. 즉, 완치가 어려운(또는 불가능한) 질환을 진단받았다고 할지라도 집중 치료를 통해 생명을 수년에서 십여 년까지도 연장할 수 있는 가능성이 있으며, 이 과정에서 갑작스러운 의료적 위기나 사망이 발생하기도 한다. 따라서 진단 후 진행 경과에 따라 치료의 목적을, 완치하는 것, 집중치료를 통해 연장하는 것, 증상 완화에만 초점을 맞추는 것 등으로 조정해 가는 것이 중요하며, 이러한 결정을 할 때에는 환자의 증상, 환자와 가족의 삶의 질, 질병 경과에 따른 예후 예측 등을 고려하게 된다.

II 호스피스·완화의료의 소개와 의사결정 지원

1. 호스피스·완화의료의 소개

생명을 위협하는 중증 질환을 가지고 있는 환자에게 완화의료가 필요하다는 것은 잘 알려져 있지만, 실제 임상 현장에서 환자에게 완화의료를 소개하는 것은 기존 의료진에게나 완화의료팀 모두에게 매우 어려운 일이다. 이때 중요한 것은 완화의료란 임종을 준비하는 것

이 아니라는 사실을 기억하는 것이다. 특정 환자와 가족에게 완화의료가 도입되는 형태는 크게 다음의 3가지로 나누어 볼 수 있다. 첫 번째는, 진단 시 또는 가능한 이른 시기에 환자에게 필요한 여러 의료팀의 일부로 소개되는 것으로서 증상, 통증 및 삶의 질 관리를 주요 역할로 규정하여 설명할 수 있다. 이렇게 접근을 할 경우 환자와 가족이 추후 지원이 필요할 때 완화의료팀이 적극적으로 개입을 하더라도 전체 의료진의 한 부분으로 받아들이기 때문에 거부감이 덜할 수 있다. 두 번째는, 완치의 가능성이 낮아지는 상황이 발생하는 경우에 완화의료를 소개하는 것이다. 이 경우에는 여전히 완치를 위한 치료를 지속하면서도 증상 완화를 하는 것이나 가족에게 중요한 가치를 검토하고 사랑하는 사람들과 시간을 보내는 것에 이전보다 우선순위를 두게 된다. 이 경우에 의료진이 완화의료팀을 소개할 때에는 아래의 문장을 예시로 사용할 수 있다.

9부

"앞으로의 치료를 고려하였을 때, 저희와 함께 ○○의 치료를 도와주실 팀을 소개해 드리고 싶습니다. 완치를 위해 적극적인 치료를 계속하는 과정에서

> 생길 수 있는 여러 불편한 증상이나 문제, 걱정을 적극적으로 파악하고 해결하기 위해 노력하는 의료진으로, 완화의료팀이라고 부릅니다. 이 팀은 저희가 앞으로 ○○의 치료에 집중할 수 있도록 도움을 주실 것입니다."

마지막 접근 방법은, 완치를 목적으로 하는 치료는 모두 중단하고 마지막으로 편안한 시간을 보내는 것에 집중하는 호스피스를 목적으로 하는 것이다. 이렇게 마지막 시기에 호스피스·완화의료를 접하게 되는 경우에는 환자와 가족들이 감정적으로 어려운 시기에 새로운 의료진과의 관계를 형성해야 하기 때문에 심리적 부담이 클 수 있다. 가능하면 기존 의료진이 지속적으로 전체 돌봄 계획을 주도하며 완화의료팀과 협력하는 것이 바람직하고, 의료기관을 옮겨서 새로운 호스피스·완화의료팀을 만나게 되는 경우에도 돌봄 계획이 단절되지 않도록 연계를 지속하는 것이 중요하다.

완화의료적 접근에 대해서 환자 및 가족에게 제시하는 방법은 환자가 가지고 있는 질환이나 상황에 따라 매우 달라질 수 있다. 표 38-2에 제시한 예시 문장들 또한 상황에 따라 변형하여 사용할 수 있다.

이러한 대화를 진행할 때에는 언어적 표현 외에 비언어적 표현도 매우 중요하다. 환자 및 가족과 대화를 할 때에는 다음의 비언어적 표현이 도움이 될 수 있다. 환자나 가족이 말을 할 때에는 가능하면 눈을 맞추고 적절한 웃음, 고개 끄덕임을 통해 공감을 표현해 줄 수 있다. 또한 환자나 가족이 병실에 앉아 있는 경우에는, 그 앞에 서서 이야기를 지속하기보다는 앉아도 될지 질문하고 곁에 앉아 이야기를 하는 것이 좋다. 의료진 뿐 아니라 환자 또는 가족도 비언어적 커뮤니케이션으로 많은 것을 표현하기 때문에 이에 집중하는 것이 필요하다. 만약 대화 중에 환자나 가족이 눈을 계속 피하거나 힐끗 보는 형태로 바라보거나 의료진으로부터 먼 쪽으로 이동하는 경우에는 환자 또는 가족이 스트레스를 받고 있고 의료진이 주는 정보를 받아들이기 어렵다는 뜻으로 해석할 수 있다. 이러한 경우에는 환자 또는 가족에게 직접적으로 대화를 잠시 쉬거나 다음에 다시 만나는게 좋을지 물어보는 것이 좋다. 병실을 나서기 전에는 환자나 가족이 직접 연락할 수 있는 전화번호 등의 정보를 제공함으로써 상대에 대한 존중과 열린 태도를 표현할 수 있다.

2. 의사결정 지원

치료의 목표나 치료를 통해 얻을 수 있는 이익이나 부담에 대하여 미리 대화를 하는 것은 위기 상황에서 갑작스러운 결정을 해야 하는 스트레스를 줄일 수 있다는 점에서 매우 중요하다.

소아 환자의 부모와 향후 의사결정을 위한 대화를 할 때 주의해야 할 점은, 부모는 완치가 불가능하며 결국 사망할 것이라는 사실을 받아들인 경우에도 완치의 가능성에 대하여 계속해서 말할 수 있다는 것이다. 부모가 완치의 가능성에 대하여 계속 이야기할 때, 부정(denial) 상태에 있다고 판단하고 계속 나쁜 예후에 대하여 설명하게 되면 오히려 대화를 진전시키기가 어려워질 수 있다. 질병 경과가 변함에 따라 부모의 기대와 희망은 계속해서 변화하기 때문에 그 과정을 살펴보는 것이 중요하다.

환자가 악화되었을 때 필요한 처치는 질병의 종류에 따라 다를 수 있다. 각 상황에 대하여 설명하고 각 처치를 통해 얻을 수 있는 이익과 부담에 대하여 설명을 해 주는 것이 좋다. 의료적 처치에 대한 설명은 한 번 듣고 이해하기가 어렵기 때문에 장단점을 표로 정리해서 제공하는 것도 도움이 된다. 생명 연장을 위한 처치 여부를 선택하는 것은 환자와 가족의 가치관, 고통에 대한 인식 등에 따라 매우 다를 수 있음을 설명하고 환자와 가족이 가장 원하는 선택을 찾아갈 수 있도록 도와야 한다. 선택에 대해 의료진의 개인적 생각을 알려주기를 원하는 경우가 종종 있는데, 가능하면 개인적

표 38-2. 완화의료적 접근에 대한 환자 및 가족과의 대화

대화를 시작할 때	지금 아이의 상황에 대해서 부모님께서 이해하고 계신 것을 말씀해 주실 수 있을까요?
	몇 년(개월) 전 △△△로 진단을 받고 난 후 지금까지 아이의 삶은 어땠나요?
	앞으로의 상황에 대해서 생각할 때, 저희와 얘기해 보고 싶은 부분이나 알고 싶은 내용이 있으신가요?
사망의 가능성에 대한 언급	○○의 병을 완치할 수 있기를 정말 바라고 있습니다. 하지만, 현재 상황을 살펴볼 때 성공하지 못할 가능성도 있습니다.
	현재로서는 ○○에게 어떤 상황이 주어질지 확실히 알기는 어렵지만, 오래 건강하게 지내기는 어려울 것으로 예상하고 있습니다.
	최근 ○○가 이전보다 더 많이 아파하고 힘들어하는 것으로 보입니다. 다시 좋아지기를 바라고 노력하고 있지만, 점점 조절이 어려워지고 있어서 얼마가 지나면 완치의 가능성이 희박해질 수도 있을 것으로 예상합니다.
치료의 목표 설정	지금 아이의 상황을 생각했을 때 부모님께서 가장 희망하는 것이 무엇인지요?
	지금 아이의 상황을 생각했을 때 가장 걱정되는 것이 무엇인지요?
	지금 아이의 상황을 생각했을 때 부모님께 가장 중요한 것은 무엇인지요?
	부모님께 가장 중요한 것은 질병을 완치하는 것이라고 하셨는데, 저희의 바람도 다르지 않습니다. 다만 만에 하나라도 완치가 되지 않는 상황이 발생하는 경우에 부모님께 어떤 것이 가장 중요할지, 또 어떤 희망을 가지고 계시는지에 대해서 얘기해 주실 수 있을까요?
완화의료적 접근에 대한 소개	가능한 한 오랜 기간 질병의 진행을 막을 수 있기를 바라고 있지만, 그와 동시에 ○○가 매일매일을 편안하게 보낼 수 있었으면 좋겠습니다.
	비록 이 치료를 통해 ○○의 병을 완치할 수는 없지만, ○○가 조금이라도 더 편안하게 지내도록 도와줄 수 있고, 또 생명을 연장하는 데에도 도움이 될 가능성도 있습니다.
앞으로 일어날 일들에 대한 대화	○○의 질병이 악화되는 경우에 어떤 일들이 일어날 수 있는지에 대해서 설명을 드리는 것이 도움이 될지요?
	비록 ○○에게 어떤 일들이 일어날지 아주 정확하게 예측하기는 어렵지만 이런 질환을 가지고 있는 아이들 대부분이 결국에는 [예시: 호흡곤란]을 갖게 됩니다. 만약 그런 상황이 발생한다면, 아이가 그로 인해 힘들지 않도록 약물 등을 통해 적극적으로 증상을 조절할 것입니다.
환자와의 대화 시작 시	지금 어떤 것을 가장 기대하고 있니?
	걱정이 되거나 두려운 마음이 들게 하는 것이 있니?

1) Textbook of interdisciplinary pediatric palliative care. 2011.
2) Opening end-of-life discussions: How to introduce Voicing My Choices, an advance care planning guide for adolescents and young adults (Palliat Support Care. 2015;13(3):591-9.)

판단을 설명하기보다는 중립적으로 장단점을 알려주는 것이 좋으며 필요한 경우 이전의 다른 환자 또는 가족의 선택에 대해서 설명해 주는 것도 도움이 된다.

완화의료에 있어 의사소통은 언제나 중요하지만 연명의료의 결정에 대하여 논의할 때에는 특히 단어나 문장의 선택에 주의해야 한다.

1) 심폐소생술에 대한 의견을 물을 때

"만약 ○○의 심장이 멈추는 경우 심폐소생술(또는 심장마사지)을 하시겠어요?"라고 질문하게 되면 환자 또는 가족은 심폐소생술을 통해 심정지 이전의 상태로 회복할 수 있다는 전제를 가지고 생각하게 된다. 이렇게 질문을 받는 경우에는 부모가 죄책감으로 인해 심폐소생술을 원하지 않는다는 표현을 하기가 매우 어렵다. 이보다는 심폐소생술이라는 처치에 대해서 알고 있는지 확인하고 현재 환자의 상태를 미루어 보았을 때 심폐소생술이 어떤 결과를 가져올지 예측되는 것에 대하여 설명하고 심폐소생술 이외의 치료 계획에 대해서도 알려 주는 것이 중요하다.

2) 완화의료로의 전환을 권유할 때

"적극적인 치료는 더 이상 하지 않는 것이 좋겠습니

다." 또는 "○○에게 더 이상 해줄 수 있는 것이 없습니다."라는 문장은 의료진이 치료 방향을 완화의료로 전환할 때 자주 사용되는 표현이지만, 이러한 표현은 의료진이 환자의 안위에 대해서 더 이상 관심이 없다는 뜻으로 전달될 수 있다. 이는 "환자가 편안하게 잘 지낼 수 있도록 최선을 다하겠습니다."라는 표현으로 대체할 수 있다.

3) 서면 동의서를 받을 때

"심폐소생술 거부 동의서에 서명하셔야 합니다."라는 표현은 자녀를 포기하겠다는 각서에 서명하라는 뜻으로 들릴 수 있다. 서면 동의서를 받을 때는 특히 표현에 주의하여야 하는데, 그동안 심폐소생술 등 여러 치료 선택에 대하여 의료진이 환자 및 가족과 함께 논의하였던 것을 정리해 주고, 서면으로 동의서를 받는 것은 그 내용을 의료진이 공유하여 상황이 발생하였을 때 환자와 가족이 원하는 가치를 지키는 방향으로 처치를 하기 위한 것임을 알려 주는 것이 도움이 된다.

3. 환자에게 나쁜 소식 전하기

소아청소년 완화의료에서 가장 어려운 부분 중의 하나는 환자와 나쁜 소식(질병의 진단, 악화, 예후 등)에 대한 대화를 나누는 것이다. 국내에서는 소아청소년 환자의 의견에 대한 연구가 부족하지만, 외국의 연구 결과에 따르면 대부분의 소아청소년은 자신의 상태에 대해서 정확히 알기를 원하며 만 3세 이상의 경우에는 예후에 대해서 자세히 듣지 못한 경우에도 이미 대략의 내용을 알고 있다고 한다. 또한 사별 부모를 대상으로 조사한 것에 따르면 자녀와 예후에 대해서 대화하고 함께 준비하지 못한 것에 대하여 대부분 후회를 하는 것으로 나타난다.

환자와 부모, 의료진이 함께 중요한 대화를 나누며 그 가족이 가장 원하는 것을 찾아가기 위해서는 진실한 대화가 필수적이며, 이를 위해서는 부모에게 자녀와 솔직한 대화를 나누는 것의 장점을 알려 주는 것이 필요하다. 대화의 시작을 위해서는 부모에게 아이가 현재 상태에 대해 어느 정도 알고 있다고 생각하는지 질문하는 것이 도움이 된다. 이때, 많은 소아청소년 환자들이 부모를 배려하여 자신이 알고 있다는 것을 숨기게 되고, 그로 인해 외로움을 느끼거나 부모와의 관계에서 긴장을 할 수 있다는 것을 설명해주는 것이 필요하다.

III 위중한 질환으로 투병 중인 소아청소년의 요구와 돌봄

소아청소년이 위중한 질환으로 투병을 하는 경우 한 인간으로서의 존엄성이 유지되는 가운데 발달과정에 맞추어 가능한 한 삶의 질을 높여야 한다. 이를 통해서 궁극적으로 자신의 진정한 삶을 실현해 낼 수 있도록 그들 각 개인의 요구에 따라 개별화된 맞춤 돌봄을 제공하는 것이 매우 중요하다. 이를 위해서는 완화의료팀 원들이 각 개인의 독특성과 가치 및 문화를 존중하면서 가족 내에서 전인적인 돌봄이 이루어지도록 학제간 접근을 해야 한다. 전인적 돌봄을 요구별로 나누어 살펴보면 다음과 같다.

1. 신체적 요구와 돌봄

통증은 중증 질환을 가지고 있는 소아청소년 환자들의 삶의 질을 저하시키는 주요 원인 중 하나이며, 여러 연구에 따르면 소아청소년 환자들이 삶의 말기에 적절한 통증 조절을 받지 못하고 있는 것으로 나타났다. 통증이나 증상이 잘 조절되지 않는 경우 환자의 삶의 질뿐만 아니라 가족들에게도 큰 영향을 미치게 되기 때문에, 소아청소년 환자의 통증을 잘 평가하고 조절해 주는 것은 매우 중요하다.

소아청소년 환자에서 통증을 평가하는 원칙은 성인

에서와 크게 차이가 나지는 않지만, 발달 단계에 맞추어 환자의 표현을 인지하는 것이 중요하고, 부모와의 긴밀한 의사소통을 통해 수면 상태, 감정 변화 등을 통합하여 평가해야 한다는 특징이 있다.

통증을 말로 잘 표현할 수 있거나 숫자로 표현할 수 있는 경우에는 성인에서와 마찬가지로 '얼굴통증등급(FPS)' 또는 '숫자통증등급(NRS)'을 사용하면 된다. 그러나 환자 스스로 통증을 정확히 표현하기 어려운 경우에는 'FLACC (face, leg, activity, cry, consolability) 등급'을 사용하는 것이 필요하다.

소아청소년의 통증 조절에서도 진통제 사용의 일반적인 원칙은 성인과 동일하다. 50 kg이 넘는 소아청소년의 경우에는 성인에서의 가이드라인(NCCN)대로 약제를 사용할 수 있고, 50 kg 미만인 경우에는 소아청소년 가이드라인에 나와 있는 용량을 사용할 수 있다. 소아청소년에서 마약성 진통제의 시작 용량은 표 38-3, 4, 5와 같다.

2. 심리적 요구와 돌봄

소아청소년은 적극적인 치료에도 불구하고, 재발하거나 자신의 신체적인 증상과 기능이 점점 악화되어지는 것을 느끼게 되면서 불안, 두려움, 우울, 분노, 절망감, 무력감, 무망감, 분노, 슬픔, 죄책감 및 무가치감과 같은 다양한 부정적인 정서를 경험한다. 따라서 이러한 부정적인 정서를 충분히 표현해 내도록 안전한 심리적 환경을 제공하면서 경청해 주고 환기시켜 주며, 이를 넘어서서 회복탄력성을 통해 다시 새롭게 자신의 자기

표 38-3. 1개월 미만 신생아에서의 마약성 진통제 시작 용량

약제	투여경로	시작 용량
Morphine	IV injection	0.025~0.05 mg/kg q6hr
	SC injection	
	IV infusion	Initial IV bolus 0.025~0.05 mg/kg, then 0.005~0.01 mg/kg/hr
Fentanyl	IV injection	1~2 mcg/kg every 2~4 hrs
	IV infusion	Initial IV bolus 1~2 mcg/kg, then 0.5~1 mcg/kg/hr

Non-ventilated neonates에서는 제시된 용량보다 소량으로 시작해야 함.
WHO guidelines on the pharmacological treatment of persisting pain in children with medical illnesses. 2012.

표 38-4. 1개월~1세 영아에서의 마약성 진통제 시작 용량

약제	투여경로	시작 용량
Morphine	Oral (속효성)	0.08~0.2 mg/kg q4hr
	IV injection	1~6 months: 0.1 mg/kg q6hr 6~12 months: 0.1 mg/kg q4hr (max 2.5 mg/dose)
	SC injection	1~6 months: 0.1 mg/kg q6hr 6~12 months: 0.1 mg/kg q4hr (max 2.5 mg/dose)
	IV infusion	1~6 months: initial 0.05 mg/kg, then 0.01~0.03 mg/kg/hr 6~12 months: initial 0.1~0.2 mg/kg, then 0.02~0.03 mg/kg/hr
	SC infusion	1~3 months: 0.01 mg/kg/hr 3~12 months: 0.02 mg/kg/hr
Fentanyl	IV injection	1~2 mcg/kg every 2~4 hrs
	IV infusion	Initial IV bolus 1~2 mcg/kg, then 0.5~1 mcg/kg/hr
Oxycodone	Oral (속효성)	0.05~0.125 mg/kg q4hr

9부

표 38-5. 1~12세 소아청소년 환자에서의 마약성 진통제 시작 용량

약제	투여경로	시작 용량
Morphine	Oral (속효성)	1~2 years: 0.2~0.4 mg/kg q4hr 2~12 years: 0.2~0.5 mg/kg q4hr (max 5mg/dose)
	Oral (서방형)	0.2~0.8 mg/kg q12hr
	IV injection	1~2 years: 0.1 mg/kg q6hr 2~12 years: 0.1~0.2 mg/kg q4hr (max 2.5 mg/dose)
	SC injection	1~2 years: 0.1 mg/kg q6hr 2~12 years: 0.1~0.2 mg/kg q4hr (max 2.5 mg/dose)
	IV infusion	initial 0.1~0.2 mg/kg, then 0.02~0.03 mg/kg/hr
	SC infusion	0.02 mg/kg/hr
Fentanyl	IV injection	1~2 mcg/kg, every 0.5~1 hr
	IV infusion	Initial IV bolus 1~2 mcg/kg, then 1 mcg/kg/hr
Hydromorphone	Oral (속효성)	0.03~0.08 mg/kg q3~4hr (max 2 mg/dose)
	IV or SC injection	0.015 mg/kg q3~6hr
Oxycodone	Oral (속효성)	0.125~0.2 mg/kg q4hr (max 5 mg/dose)

다음을 형성해 갈 수 있도록 긍정적 강화를 해야 한다. 이를 위해서는 이들의 발달 과정에 맞추어 놀이치료, 미술치료, 음악치료, 동작치료, 및 이야기치료의 전문적인 상담가의 돌봄이 필요하며 발달과정에 맞는 발달이 최대한 촉진되도록 도와야 한다. 특히 말기상황의 소아청소년은 생래적으로 가지고 태어나는 존재(죽음)불안을 무의식적으로 느끼게 되기 때문에, 자신이 안정감을 느끼고 살았던 이전의 시기로 자연스럽게 퇴행하여 안정감을 유지하려고 하므로 그에 맞추어 돌봄을 제공해야 한다. 소아청소년이 발달의 어느 시기에 있든지 간에 중요한 것은 존재 그 자체로 충분한 가치가 있는 존재임에 대해서 가족을 포함한 주위의 돌봄제공자들이 일관성을 갖고 그들을 존중하는 것이다.

또한 희망은 언제나 생동감의 원천이 되기 때문에 객관적인 현실상황도 인식해야 하지만, 동시에 어떠한 상황에서도 미래에 대한 희망을 갖고, 오늘 누릴 수 있는 것들을 찾아 살아갈 수 있도록 격려해 주어야 한다.

3. 사회적 요구와 돌봄

위중한 질환을 가진 소아청소년에게 가장 중요한 애착 대상은 주돌봄제공자이며 그 대부분은 부모이다. 소아청소년 환자들은 점차 스스로 자신이 할 수 있는 것이 적어지게 되면서 부모에게 의존하게 되고, 부모에게 더 많은 사랑을 받고 싶어한다. 소아청소년의 내면에는 애착대상과의 분리 혹은 유기불안도 존재하기 때문에, 부모는 지속적으로 발달과정에 맞는 적절한 방식으로 자녀에게 사랑을 확인시켜 주는 것이 필요하다. 10세 이상의 소아와 청소년에서는 부모의 마음을 조망할 수 있는 능력이 있고, 부모의 마음을 힘들지 않게 하고 싶은 보호 욕구도 있기 때문에 자신의 부정적인 마음을 되도록 표현하지 않으려고 할 수 있다. 따라서 부모는 스스로 먼저 힘든 상황 속에서도 안정감을 갖고, 자녀에게 안정감을 제공해 주어야 할 뿐 만이 아니라, 부모로서 자녀를 넉넉하게 품어주는 환경을 제공해 주어 자녀가 부모를 통해서 내면의 안정감과 수용감을 항상 누릴 수 있도록 해야 한다. 소아청소년이

친구들이나 자신에게 중요한 사람들과의 관계를 지속하기를 원할 때에는 이를 가능하도록 배려하고 격려하는 것이 필요하다.

특히 소아청소년이 가족과 함께 서로 사랑을 충분히 표현할 수 있도록 돕고, 가족과의 의미있는 여행이나 가족행사, 친구들이나 다른 중요한 사람들과의 만남이나 행사를 원할 때 이를 성취할 수 있도록 도와야 한다.

4. 영적 요구와 돌봄

어린 소아의 경우에는 자신을 둘러싸고 있는 세계를 이해할 능력이 부족하거나 자신의 내면을 논리적으로 표현할 언어 구사 능력이 부족할 수가 있어 삶과 죽음의 의미와 같은 영적 주제에 대해서 대화하기는 어렵지만, 자신을 영성적인 존재로서 경험하고 있고 이를 주로 정서적인 차원으로 표현하고 있다. 광범위한 의미로 보면, 영성적인 돌봄은 세상적인 것과 초월적인 것 사이를 연결하도록 돕는 것이다.

완화의료팀은 소아청소년이 갖고 있는 영성과 종교성이 질병, 치료에 대한 결정과 죽음 이해에 어떠한 영향을 미치고 있는지와 이들의 대처능력에 미친 영향을 파악하는 것이 필요하다.

만 5세 이상의 소아청소년에서는 왜 하필 내가 이러한 고통을 겪어야 하는지와 자신이 왜 태어났는지 그리고 죽어야 하는지 그 이유를 알고 싶어 한다. 또한 학령기 소아나 청소년은 사후 세계에 대해서도 질문을 하게 된다. 종교적인 환경에서 성장한 소아청소년의 경우에는 자신이 믿는 신이나 초월적 존재에 의해서 영적인 영향을 많이 받게 된다. 특히 소아의 경우 종교적인 믿음은 부모의 믿음에 대해 주로 영향을 받게 된다. 소아청소년이 종교적인 믿음을 통해서 내적 평안과 초월적 희망을 지속적으로 유지해 갈 수도 있으나, 때로는 신의 존재를 부정하거나, 공정하지 않다고 여겨지는 신에 대한 분노, 자신을 무가치하게 여기거나 버린 신에 대한 수치심, 혹은 자신이 종교생활을 소홀히 한 것에

대한 벌로서의 고통 등 다양한 정서를 경험하고 이를 표현할 수도 있다. 영적 돌봄은 소아청소년의 삶과 고통, 신, 죽음, 사후의 세계와 같은 여러 질문들에 대해서 그들의 관점에서 경청하고, 함께 고뇌하며, 그들의 현존에 함께 거하면서 그들이 스스로 이러한 질문에 대해 나름 수용해 가고 변화해 가는 과정에 동참하는 것이다. 이러한 과정을 통해서 소아청소년이 영성 안에서 평화를 체험할 수 있도록 돌보는 것이 중요하다.

때로는 이 영역의 전문가인 성직자를 연결하는 것이 필요하다. 특히 종교적인 의식이나 상담을 통해 도움을 받을 수 있는 경우에는 소아청소년이 속한 지역사회 종교단체나 혹은 완화의료팀의 성직자를 연결하여 돕는다.

IV 위중한 질환을 가진 자녀를 둔 부모의 요구와 돌봄

부모는 자녀가 위중한 질환을 가지고 있다는 소식을 의사로부터 들으면 큰 충격을 받게 되고, 믿을 수 없어 하고, 이어서 삶을 지탱하고 있던 모든 기반이 흔들리며 무너지는 경험을 하게 된다. 부모는 특히 자녀가 결국 죽게 될 것이라는 사실에 대해서는 거의 받아들이지 못한다. 비록 더 이상 부정을 하지는 않는다고 하더라도 대처의 한 방식으로 선택적인 무시를 통해 의식적으로 이를 인식하지 않으려고 한다. 그리고 어떤 형태로든지 뭔가 길이 있을 것이라는 막연한 희망을 붙잡고 싶어 하기 때문에 이를 지지하는 것은 매우 중요하다. 특히 가족 중심의 한국문화에서 부모에게는 자녀가 가장 중요한 애착의 대상이기 때문에 장기간 자녀를 완치시키기 위한 희망을 갖고 투병을 해 온 경우에는 이러한 상황을 받아들이는 것이 자신의 존재 이유 자체를 거부하게 하는 경험이 될 수가 있다. 따라

서, 부모의 희망에 대한 요구를 존중하면서 합리적인 한계 안에서 부모가 자녀를 위해서 가능한 모든 것을 할 수 있는 환경을 제공해 주는 것이 필수적이다. 이러한 가운데 적절한 때를 선택하여 혹시라도 자녀가 죽을 수 있는 가능성에 대해서도 조금씩 수용하고 그 준비의 필요성을 인정하도록 자녀 중심으로 대화를 나누어야 한다. 이렇게 되면, 부모는 자녀의 죽을 수 있다는 현실을 마음으로 받아들이고 더 이상 불필요하게 고통을 주지는 않고 싶다고 생각하게 될 수 있다. 그런 와중에서도 부모로서 자식을 지켜낼 수 없다는 불안과 무력감, 죄책감, 수치심, 슬픔 등 다양한 부정적인 사고와 정서를 경험하게 되고, 사회적으로는 사람들과의 만남을 기피할 수 있으며, 영적으로 왜 나에게, 하필 내 자녀에게 이런 일이 생겼는가에 대한 고뇌로 상당한 고통을 경험할 수 있다.

또한 부모가 배우자와 이러한 상황에서 발생하는 여러 이슈들에 대해서 서로 개방적으로 의사소통을 하지 못하고, 서로에게 분노하고 원망하게 되어 상호 지지해 주는 가족 환경을 만들어내지 못하는 경우에는, 아픈 자녀뿐만이 아니라 건강한 다른 자녀들에게도 부정적인 영향을 미치게 된다.

가족은 하나의 공동체로서 가족 구성원들은 상호의존적이며 한 구성원에게 일어난 일은 전체로서의 가족에 영향을 미친다. 따라서 완화의료팀원들은 가족 체계 전체 안에서의 가족 역동과 부모의 전인적인 요구를 파악한 후, 그에 맞추어 적절한 의료 상황에 대한 정보 제공 및 개개인의 심리, 사회, 영적인 지지를 통해 가족 기능이 강화되도록 도와야 한다. 때로 부부간 갈등이 있는 경우에는 부모를 각각 따로 만나 상담을 하여 서로를 있는 그대로 받아들이고 이해하며 지지해 갈 수 있도록 돕는 것도 필요하다.

또한 아픈 자녀와 건강한 자녀 모두 부모가 역할모델이 되기 때문에, 부모가 다시 안정감을 회복하고 회복탄력성을 키워 가며 상황에 대한 대처 능력을 가질 수 있도록 동행하면서 적극적으로 지원하는 것이 필요하다. 부모는 자신의 자녀에게는 가장 중요한 자원이 되기 때문에 이러한 측면을 상기시키면서 돕는 경우, 대부분의 부모는 다시 힘을 얻어서 자녀를 위해 최상의 대처 전략을 개발하려고 노력하게 된다. 또한 부모가 체력적으로도 지칠 수가 있기 때문에 부모의 사회적 지지 체계를 파악하여 가용 자원을 활용함으로써 충분한 지지를 받을 수 있도록 돕는다.

만약, 부모가 지나치게 종교적인 기적에 대해 몰입을 하는 경우에는 이에 대해 지속적으로 공감하면서 영적 차원의 고통을 이해하되 섣불리 설득하려고 해서는 안 된다. 부모가 갖고 있는 종교적인 신념 체계 안에서 스스로 새롭게 종교관을 수립하기까지 부모가 속한 종교의 성직자나 완화의료팀의 성직자를 활용하여 함께 지지하며 기다려야 한다.

가족 내 경제적인 어려움이 있는 경우에는 사회사업팀을 통한 지원이 필요하다.

Ⅴ 위중한 질환을 가진 형제자매를 둔 소아청소년의 요구와 돌봄

자녀 중의 한 명이 생명을 위협하는 질병으로 투병을 하는 경우 가족 전체의 삶은 아픈 아이를 중심으로 재구성되며, 그 형제자매들은 부모의 관심으로부터 멀어지기 쉽다. 아픈 아이의 형제자매는 아직 발달과정 중에 있는 미성년으로서 부모의 사랑과 안내가 절대적으로 요구되는데 부모의 돌봄을 적절히 받지 못하게 되면, 상황에 대한 적절한 대응을 하지 못할 수가 있다. 그들은 왜 나의 형제자매가 아프게 되었는가에 대해서도 의문을 갖게 되지만, 가장 고통스러운 혼란은 '왜 내게 이러한 일이 생겨서 내가 힘들게 살아가야 하는가'라는 생각이다. 아픈 아이의 형제자매들은 부모의 관심을 끌고 싶어 노력하지만, 자신의 요구는 부모가 알아 차리지 못하거나 충족시켜주지 못한다고 느낄 수 있다. 이렇게 방치된다는 느낌은 부모와 아픈 아이에 대한 분 노와 질투로 이어질 수가 있다. 또한 자신이 건강하다 는 것에 대해 죄책감을 느끼거나, 자신의 잘못으로 형 제자매가 질병으로 고통을 받는다고 생각하기도 한다.

아픈 아이의 질병 진단 시부터 부모가 나머지 건강 한 자녀에 대해 소홀하지 않으려고 의도적으로 노력하 지 않는 한, 결국 아픈 아이의 형제자매는 만성적인 슬 픔을 갖고 살아가게 되기 쉽다. 가족 기능이 약한 가족 에서는 아픈 아이의 형제자매가 소외되거나, 희생양이 되거나, 과다한 가족돌봄의 역할을 맡게 되거나, 반항 하게 되거나, 학교생활이나 또래 관계를 제대로 형성해 가지 못하게 되는 등 한 인간으로 성장하는 과정에 저 해를 받을 수 있다. 특히 형제자매가 아픈 아이에 대해 강한 애착을 갖고 있거나, 혹은 양가 감정 등의 갈등이 내재되어 있는 경우 아픈 아이가 말기상황으로 진행이 되어 갈 때 심리적으로 상처를 받게 된다.

따라서 완화의료팀원들은 형제자매의 개인적인 성 격, 양육 과정, 가족의 가치와 문화, 종교, 가족 기능 및 사회적 지원 체계를 파악하여 그 발달과정에 맞추어 부모로 하여금 그들에게 적절히 질병관련 정보를 제공 하고 의사결정과정에 참여하게 하며, 정서적으로 지지 를 할 수 있도록 지원을 하는 것이 필요하다. 특히 부 모는 아픈 아이의 형제자매를 돌봄 구성원으로 포함시 켜 아픈 아이를 돌보는 일에도 적절한 역할을 하게 하 되, 형제자매가 자신의 일상성을 잘 유지할 수 있는 경 계선을 그어주어 평안하게 자신의 삶을 추구하게 해야 한다. 그리고 부모는 아픈 아이의 형제자매와 다양한 방식의 의사소통을 통해서 그들을 격려하고 인정하며 칭찬하도록 하고, 언제든지 이야기의 상대가 되어줄 수 가 있어야 한다.

완화의료팀원들은 가능하다면 놀이, 미술, 음악, 동 작, 이야기치료를 통한 일대일이나 집단으로 프로그램

을 진행함으로써 형제자매의 성장발달이 원만할 수 있 도록 도와야 한다.

VI 말기상황의 소아청소년의 죽음 인식과 돌봄

1. 소아청소년의 죽음에 대한 개념

소아청소년의 죽음에 대한 인식은 죽음 개념에 대한 이 해와 관련이 된다. 죽음의 속성은 보편성, 비가역성, 비기능성, 및 인과성으로 약 8~12세 사이에 정립이 된 다. 그러나 연령 이외에도 소아의 인지적·정서적 발달 정도, 자아분화도, 과거 주요 상실 경험과 대처 경험, 현재의 질병 경험과 주위 사람들의 반응, 양육의 특성, 종교, 대중매체 등에 의해서 영향을 받게 된다. 치료 를 하고 있는데도 신체 상태가 좋아지지 않고 지속적 으로 나빠지면서 다양한 신체 증상과 기능장애를 경험 하게 될 때나, 주위의 다른 아이들이 죽는 것을 보거나 들을 때, 혹은 가족이나 의료진의 태도에서 긴장감이나 불안, 슬픔을 느낄 때에 자신의 죽음을 떠올리게 된다. 그러나 천천히 만성적으로 진행이 되는 경우에는 죽음 에 대한 두려움 때문에 자신의 죽음을 의식화하지 않으 려는 경향이 높아지게 된다. 특히 부모나 주위 사람들 이 과보호를 하면서 방어벽을 치고, 정보를 차단하는 경우에는 소아청소년의 의존성이 커지면서 퇴행하게 되므로, 죽음의 인식은 늦게 나타나게 될 수가 있다.

2. 소아청소년의 발달과정에 따른 죽음 이해와 돌봄

1) 생후 수개월에서 3세

이 시기는 자신에게 일어나고 있는 사건, 과거와 미래, 생명체와 생명이 없는 것들에 대한 차이에 대해 부분적 으로만 이해하므로 죽음에 대해서도 무엇인가가 잘못되 었다는 느낌은 가질 수 있으나, 죽음을 잠자고 깨는 것

과 같이 여길 뿐 영구적이라는 것은 이해하지 못한다. 그렇더라도 아이들은 태어나면서부터 죽음을 무의식적으로 알기 때문에 당연히 불안해하며, 이는 생존 욕구와 맞물려 다양한 내면 반응을 유발하게 된다. 특히 주위의 환경이 바뀌는 것과 가까운 가족의 불안이 몸으로 느껴지게 되기 때문에 분리 불안을 주로 경험하게 된다.

돌봄방법

① 평안함과 일관성을 견지하기 위해 친숙한 사람들, 친숙한 사물이나 장난감, 익숙한 일상생활이 중요하다. 특히 주돌봄제공자가 지속적으로 사랑과 관심 및 심리적인 안정감을 제공해야 한다.

② 아이가 선호하는 노래나 말을 들려주고 자주 스킨십을 한다.

③ 특히 영아기에는 부모의 감정을 내재화하기 때문에 부모가 안정을 유지할 수 있도록 도와야 하며, 부모가 아이에게 스킨십, 안아 주기, 눈 마주치기를 통해 긍정적 반영을 하는 것이 매우 중요하다.

2) 4~6세

이 시기는 죽음을 일시적이고 가역적인 것이며, 보편적인 것은 아니라고 여기고 현실과 환상 사이의 구분이 어렵다. 죽음을 장소의 이동개념으로 이해하거나 잠을 자는 것과 같다고 이해한다. 또한 죽음이 귀신이나 강도와 같은 외적인 힘에 의해서 일어나는 것으로 인식할 수 있다. 이 시기는 자신에게 죽음이 올 것이라고는 생각하지 않는다. 그러나 마술사고(magical thinking)를 하기 때문에 자신이 직접 질병과 죽음을 일으켰다고 생각하거나 자신이 잘못한 일이나 생각 때문에 초래된 것이라고 생각하기도 한다. 이성적으로 죽음에 대한 인식이 시작이 되었을 뿐이지만, 상대적으로 감정적으로는 더 많은 것을 느낄 수가 있고 상상력과 환상 속에서 혼란스러워하며, 상황에 압도되어 분리불안이나 유기불안을 느낄 수가 있다. 또한 악몽을 자주 꿀 수 있다.

돌봄방법

① 정서적으로 느끼고 있는 혼란과 불안을 공감하고 안정감을 제공한다.

② 일어나고 있는 일들에 대해 간단하고 명료하게 설명을 한다.

③ 질병이나 죽음은 아이의 바램이나 잘못 때문에 일어나는 것이 아님을 거듭 확신시킨다.

④ 삶의 주기를 설명할 수 있는 동화책을 사용하여 질문과 답을 끌어내도록 이끈다.

그러나 아직 언어화가 충분하지 않으므로, 비언어적으로 표현할 수 있는 매체인 놀이나 미술, 음악, 동작 등이 더 도움이 된다.

3) 7~9세

이 시기는 점차 논리적으로 사고하게 되고 언어 능력이 발달하나 아직은 제한적이다. 아이는 죽음이 실제이며, 영구적인 것임을 서서히 이해하기 시작한다. 그리고 죽음은 심장이 멎고, 숨을 쉬지 않는 것이라는 것을 이해한다. 죽음은 폭력적인 사건으로 여겨질 수도 있다. 죽음이 아직 개인적인 사건으로는 여겨지지 않으나 자신이 아는 사람들이 죽을 것이라는 것은 인식한다.

돌봄방법

① 안정감과 사랑을 지속적으로 제공한다.

② 일관되게 상황에 대해 논리적으로 간단히 설명하고 질문을 하도록 허용한다.

③ 아직 마술사고가 잔존해 있는 경우는 질병이나 죽음은 아이의 바램이나 잘못 때문에 일어나는 것이 아님을 거듭 확신시킨다.

4) 10~18세

논리적일 뿐만이 아니라 추상적인 사고가 점차 가능해지면서, 죽음의 개념이 정립된다. 따라서 죽음이 비가역적이고, 불가피하고 보편적인 것임을 이해하며 자신이 죽을 수 있다는 것도 알고, 사후의 세계에 대해서도 관심을 갖는다. 그러나 아직은 자기만의 논리를 더 중시하는 경향이 있다.

그러나 이 시기는 자신이 죽어야 한다는 것에 대해서는 받아들이기가 어렵다. 특히 청소년기에는 마술사고를 갖게 되어 죽음을 도전으로 받아들이고, 자신이 죽음을 제패해 낼 수 있다는 영웅적 신화를 창조하며, 죽음과 힘겨루기를 하게 된다. 따라서 자신이 죽을 수밖에 없다는 것을 깨닫게 되면 패배감을 느껴서 매우 절망할 수 있다. 그러나 역으로 죽음을 적극적으로 수용하는 것을 통해서 죽음에 대한 통제감을 갖도록 도울 수가 있다. 특히 타인의 입장을 조망할 수 있는 능력이 생기는 시기이므로 부모보다 자신이 먼저 죽게 된다는 것에 대해서 미안하게 여기며, 자신의 죽음 이후 부모가 슬퍼하며 지내게 될까봐 힘들어 하기도 한다. 또한 미래에 대한 꿈을 갖고 있었기 때문에 자신이 일찍 죽게 되어 사람들로부터 잊혀진 존재가 될 수도 있다는 것을 허망하게 여길 수가 있다. 따라서 자신의 죽음에 대해서도 나름의 의미를 만들어 보려고 하고, 장기기증에 대해서도 관심을 보일 수가 있으며, 앞으로 일어나게 되는 일들에 대해 미리 예견하고 자신의 삶과 죽음에 대해서 주인의식을 가지고 의사결정을 하려고 하기도 한다.

돌봄방법

① 자긍심과 자기 가치감을 강화시키고 자아정체감의 발달을 돕는다.
② 개인으로서의 주체성과 생각을 존중한다.
③ 자기 통제감을 갖고 의사결정과정에 적극적으로 참여하도록 독려한다.
④ 강렬한 감정의 표현을 수용하고 주위 사람들과 힘겨루기 하는 것을 허용한다.
⑤ 삶의 의미와 목적을 추구하도록 안내한다.
⑥ 또래 집단의 지지를 받도록 돕는다.

3. 말기 상황에 있는 소아청소년의 죽음 준비

한국의 부모는 자녀가 아직 인지적으로 충분히 이해를 할 수 없다고 여기거나, 심적 부담감을 주어서 상처를 받거나, 삶에 대한 희망을 잃게 되어 절망감에 빠지게 될까 두려워 자녀와 말기상황에 대해서 대화하기를 기피하는 경향이 있다.

그러나 만 5세 이상의 말기상황의 소아청소년은 부모나 의료인들이 명시적으로 이야기하지 않더라도 자신의 질병 상태와 그 상황이 의미하는 바를 먼저 알아차릴 수가 있으며, 상상 속에서 큰 두려움을 갖게 될 수 있고, 고립감을 경험하게 되며 부모가 자신을 버릴까봐 두려워하기도 한다.

소아나 청소년의 경우 자신의 예후와, 자신의 죽음과 관련된 이야기들을 부모와 나누고 싶어 하더라도 부모가 자신에게 차마 말을 하지 못하고 있다는 것을 미리 감지하고 있을 수 있다. 그래서 자신이 이야기를 꺼내면 부모가 이로 인해 고통을 받게 될까 걱정이 되어 이를 숨기는 경향도 있게 된다. 이는 자녀와 부모가 모두 상대방을 보호하기 위해서 서로 숨기는 일(mutual pretense)을 하게 되는 것이다.

한국 부모가 자녀와 진실하게 예후에 대해 대화하기를 주저하게 되는 이유는 다음과 같다.

① 내 자녀는 결코 죽지 않는다, 내가 끝까지 살려낼 수 있다.
② 자녀를 내가 먼저 포기할 수는 없다.
③ 자녀가 자신이 죽을 것이라는 것을 알면 불안과 우울로 너무 힘들게 지내게 된다. 혹은 이로 인해 죽음이 앞당겨질 수도 있다.
④ 자녀가 자신이 죽을 것을 알고 나서 힘들게 지내는 것을 곁에서 지켜보는 것은 견딜 수 없는 고통이다.
⑤ 어린 자녀들은 살아온 시간이 많지 않아서 삶을 정리할 것도 없다. 따라서 미리 이에 대해 알 필요가 없다.

9부

그러나 힘들지만 적절한 시기에 부모와 자녀가 신뢰를 바탕으로 서로 솔직하게 죽음에 대해서 대화를 하는 것이 바람직하다. 특히 자녀가 자신이 경험하고 있는 상황에 대해서 힘든 것이나 알고 싶은 것에 대해서 적극적으로 표현하고 질문할 수 있는 기회를 제공하는 것이 중요하다. 이를 통해 자녀는 초기에는 힘들지만, 부모의 보호와 사랑 안에서 서로를 더 깊이 만나고 이해하게 되며, 남은 삶의 시간들을 아픈 아이를 중심으로 재구성하여 의미 있게 보낼 수 있는 기회를 갖게 된다.

또한 소아청소년은 대화를 통해 적절한 정보를 제공받으므로 자신의 상상과 환상 속에서 만들어낸 죽음의 불안으로 인한 불필요한 심리적 고통을 받지 않아도 되며, 자신에게 닥친 역경을 대면해 나가면서 성숙하게 되는 경험도 가능하다.

이와 같이 소아청소년의 자신의 예후에 대해 알 권리는 자신의 삶을 자율적으로 선택할 수 있어야 한다는 관점에서 윤리적으로 매우 중요하지만, 때로는 소아청소년 스스로가 이에 대해 알고 싶어 하지 않을 수가 있기 때문에 '당장은 알지 않을 권리'나 '끝까지 모를 권리'에 대해서도 존중이 되어야 한다.

소아청소년에게 예후를 알려주는 것은 일반적으로 부모의 역할이다. 따라서 부모가 먼저 자신의 자녀가 죽을 수가 있다는 의학적 현실을 받아들여야 하는데 이는 시간을 요하는 일이다. 부모에게 자녀는 거의 자신의 분신처럼 여겨지는 경향이 있기 때문에, 자녀의 죽음의 가능성이 현실화되는 것을 인정하는 것은 이 세상에서 경험할 수 있는 가장 큰 고통이 된다. 그러나 한편으로는 그들이 두려워하면서도 불가피하다고 수용하는 과정을 통해서 부모는 그동안에 힘들게 겪어냈던 아픈 자녀의 고통이 곧 끝나게 되었다는 것에 대한 안도감을 갖게 될 수도 있다.

이렇게 상황을 받아들인다고 해도, 부모는 자신이 부모로서 이제 더 이상 아무것도 해 줄 수 있는 없다는 무력감으로 힘들어 할 수 있다. 이때 완화의료팀은 삶의 마지막 여정에 있는 자녀가 아직 어려서 부모의 절대적인 사랑과 안내가 없이는 남은 시간들을 의미 있게 보낼 수가 없고, 죽음의 여정도 자연스럽게 진행되기 어렵다는 것에 대해서 초점을 맞추어 의사소통을 해 나가야 한다. 이를 통해 부모는 마음을 재구조화하여, 자녀 중심으로 자신의 중요한 역할을 깨닫게 된다. 그러나 부모가 언제, 어떤 식으로 얼마만큼의 정보를 자녀와 공유하고 싶어하는지는 부모 스스로 결정할 수 있도록 부모의 권위를 존중해 주는 것이 필요하다. 또한 자녀가 부모에게 자신의 죽음에 대해서 질문을 하는 경우에는 부모가 진실을 말할 수 있도록 격려해 주어야 한다. 때로는 부모가 의료진이나 상담사 혹은 치료사가 함께 하거나 혹은 대신 말해 주기를 원할 수도 있는데, 상황에 따라서 적절하게 대응을 하는 것이 필요하다.

소아청소년은 비언어적인 매체를 통해 자기 표현을 하기도 하므로, 예후에 대한 설명 전·후에 놀이, 미술, 음악, 동작치료를 통해서 자신의 감정을 창의적으로 표현할 수 있도록 편안하고 안전한 환경을 제공해 주어야 한다. 또한 질병의 여정 동안 소아청소년이 가족, 친구, 선생님 및 의료진과 함께 한 시간들이 의미있는 기억이 될 수 있도록 추억 만들기(memory making)를 하여 가족에게 선물을 하는 것도 좋다.

VII 말기상황의 소아청소년과의 의사소통 원칙

말기 상황의 소아청소년과 의사소통을 할 때 먼저 다음의 사항에 대해 유념해야 한다.

① 연령, 인지발달, 정서발달, 자아분화도, 성격, 사회성 등을 고려한다.

② 가족문화와 종교, 양육 방식, 가족 기능과 의사소통 방식, 가족 내에서의 역할을 파악한다.

③ 질병 발생 이전의 상실 경험의 영향과 대처 방법을 확인한다.

④ 투병하는 기간 동안 질병으로 인한 영향과 대처방법을 파악한다.

⑤ 자신의 예후에 대한 이해와 수용 정도를 미리 탐색한다.

1. 해야 할 일

① 개인별 발달 수준에 맞추어 대화한다.

② 라포 형성을 하고 어떻게 지지받고 싶은지 묻는다.

③ 개방적이고 솔직하게 대한다.

④ 먼저 수용적으로 경청하며, 소아청소년이 자신의 속도대로 진행하게 한다.

⑤ 존재 가치를 존중하고 사랑의 대상임을 확인시킨다.

⑥ 요구도에 따라 적절한 정보를 구체적으로 제공한다.

⑦ 정보를 이해했는지 확인하기 위해 중요한 내용은 반복해서 말하게 한다.

⑧ 필요 시 매체를 활용하여 설명을 할 수도 있다

⑨ 다양한 감정과 환상을 표현할 기회를 제공한다.

⑩ 대화하기 어려운 경우에는 놀이, 미술, 음악, 동작 치료를 통해 자기 표현을 하게 한다.

⑪ 내면을 탐색할 단서를 찾아내고 소아청소년의 내면세계에 함께 머물려고 노력한다.

⑫ 질문의 기회를 늘 먼저 제공하고 기다린다. 이 때 대답하기 전에 그 질문을 하게 된 이유를 탐색하고 이를 위해 질문을 먼저 해야 할 수도 있다.

⑬ 부분적으로 탐색이 되는 내용을 통해 전체 그림을 만들어간다

⑭ "앞으로 나에게 무슨 일이 일어나지요?", "내가 죽게 되나요?"와 같은 죽음과 관련된 질문에 대해 소아청소년의 발달과정에 맞추어 적절한 방식으로 반응하기 위해서는 다음의 사항들을 유념한다.

- 이미 알고 있는 것은 무엇인가?
- 진정으로 알고 싶어하는 것은 무엇인가?
- 지금, 여기에서 왜 이 질문을 하는 것일까?
- 때때로 아이들은 말보다 함께 경청해 주며 있어주는 사람을 필요로 한다.

2. 주의 사항

① 연령을 이해 능력과 동등하게 보지 않는다.

② 질병이나 죽음의 개념을 고정된 것으로 간주하지 않는다.

③ 표현하지 않는다고 해서 이를 모른다고 가정하지 않는다.

④ 완곡어법을 사용하거나 복잡하게 설명하지 않는다.

⑤ 질문한 것을 넘어서서 설명하려고 하지 않는다.

⑥ 한 번의 대화로 충분하다고 가정하지 않는다.

⑦ 내가 믿지 않는 것을 말하지 않는다.

⑧ 때로 모르겠다고 여겨지면 모르겠다고 솔직하게 말하는 것을 두려워하지 않는다.

VIII 소아청소년과 가족의 임종준비 돌봄

부모를 대상으로 한 임종준비 상담은 부모가 자녀의 임종과정에 함께 하면서 미리 이를 준비하고 실제로 행함으로써 자녀에 대한 사랑을 실천하고, 상황에 대한 통제감을 경험하게 하기 위한 것이다. 또한 이 과정에서 충분히 예견된 사별상담이 이루어져야 하며, 이를 통해 자녀 사별 후에도 사별여정이 병리적으로 진행되지 않도록 예방할 수 있게 된다. 특히 부모나 형제자매는 소아청소년이 마지막 죽음의 과정을 어떻게 보냈는지를 죽는 그 날까지 기억하며 살아가기 때문에 존엄한 죽음이 되도록 준비하는 것은 매우 중요하다.

1. 평안한 임종을 위한 준비

소아청소년이 가능한 한 가족과 함께 전인적인 평안을

9부

유지할 수 있는 환경을 제공하기 위해서 소아청소년과 가족이 임종장소를 선택할 수 있게 한다. 또한 완화의료팀의 의료진이 소아청소년이 통증을 느끼지 않도록 최선을 다하고 있음을 신뢰할 수 있게 해야 한다.

필요하다면 소아청소년이 머무는 공간에 그들이 좋아하는 가족사진을 놓거나 음악(동요, 부모 목소리 등)을 틀어 놓는다. 죽기 전에 신앙을 갖기 원하는 경우에는 해당 성직자를 연결한다. 종교에 따라 소아청소년이나 가족이 묵주, 십자가, 염주 등을 갖고 있게 하거나 성경이나 불경을 읽어 주고 기도해 주거나 종교음악을 틀어 놓는다.

청각과 촉각은 끝까지 남아 있으므로 돌볼 때마다 이에 대해 설명하고, 소아청소년에게 안정감을 지속적으로 줄 수 있도록 부드럽게 지지하는 말과 스킨십을 제공한다. 의식이 없는 상태라고 해도 부모와 자녀는 영적으로 연결됨을 강조하고 가족이 소아청소년과 지속적으로 상호작용하도록 격려한다. 가족에게 임종 시 나타나는 현상에 대해 미리 정보를 드리고 임종이 임박한 것을 의료진이 알 수 있는 때에는 가족에게 정보를 드린다. 임종예배, 병자성사, 임종염불 등을 종교에 따라서 행하기를 원하면 도움을 드린다.

소아청소년이 만나고 싶어하는 분들을 가능한 한 모두 연락해서 올 수 있도록 격려한다. 소아청소년의 의식이 저하되기 전에 가족들 각자가 개별적으로 환자를 만나서 "감사합니다", "사랑해요", "용서하세요", "잘 가세요" 등 하고 싶은 말을 나눈다. 특히 소아청소년으로부터 배우고 깨우친 내용에 대해서 강조하며, 잊지 않고 감사함을 간직하고 살 것임을 말하도록 한다. 장기기증을 원하는지 파악하고 장기이식센터와 연결한다. 가능한 경우에는 장례방법에 대해서 미리 가족들이 상의할 수 있도록 돕는다.

2. 레거시(Legacy) 남기기

'레거시'는 어떤 사람의 생애를 기억하고 기리는 그리고 이를 통해 많은 사람들이 그가 남긴 독특한 미덕을 실천하며 살거나, 혹은 그 사람을 자랑스럽게 여기며 살아가게 하는 그 무엇으로, 여러 다양한 형태로 형상화할 수가 있다. 이는 어떤 한 사람이 죽게 되더라도, 그의 삶의 어떠한 부분은 이 죽음을 초월하여 남게 된다는 것을 느끼게 하기 때문에 이 세상을 떠나는 사람에게나 남는 사람들에게 큰 위로와 힘이 된다. 따라서 완화의료팀원들은 소아청소년의 레거시를 만들어서 지속적으로 그들과 가족들에게 알려 주고 이를 기릴 수 있도록 해야 한다.

장기기증 역시 새 생명을 가능하게 하는 의미 있는 일이므로 레거시라고 할 수 있다. 뇌사 상태로 진입이 되어 장기기증을 원하거나 사후 각막기증을 원할 때 그에 따라 필요한 도움을 드리면서 이 일의 숭고함과 의미를 강조하며 긍정적 강화를 가족에게 제공한다.

3. 이별의식

이별의식은 특히 소아청소년의 경우 부모가 자녀에게 해 줄 수 있는 마지막 선물로서 가장 아름답고 경건한 의식이다. 이별 의식을 못해 준 경우에는 자녀의 영혼이 사후세계에 들지 못하고 구천에 떠돌 것 같은 불안이 있어 가족의 사별 슬픔 치유에 걸림돌이 된다. 이는 한국인의 재래적 죽음관에는 부모보다 앞서서 일찍 어린 나이에 죽게 되는 경우 저승에 들 자격이 없다는 관념이 있어서 한국인의 집단무의식 속에 이 부분이 내재되어 있기 때문이다.

부모가 임종의 과정에 있는 자녀에게 이제는 가야 할 때라고 알려주면서 평안한 가운데 사후세계로 인도했을때 자녀의 죽음 이후에도 자녀가 가야 할 곳으로 갔다는 확신이 있어 불안해하지 않을 수 있다.

1) 이별의식의 내용

① 지속적으로 언어와 비언어적 표현을 통해 사랑을 표현한다.

② 자녀가 가족에게 언제나 소중한 존재임을 알린다.

③ 잊지 않고 기억할 것임을 알린다.

④ 자녀의 귀한 품성이나 자녀를 통해 배운 것들에 대해서 구체적으로 감사를 표현한다.

⑤ 끝까지 함께 함에 대한 확신을 준다.

⑥ 죽음 현상에 대해 종교 또는 가족의 신념에 맞추어 설명을 한다.

⑦ 사후세계에 대해 종교 또는 가족의 신념에 맞추어 이야기하고 필요시 소망을 준다.

⑧ 이 세상을 떠나도 사후세계에서 먼저 돌아가신 할머니나 신이 돌보아 줄 것이라고 말한다.

⑨ 남은 사람들에 대해 걱정하지 않고 떠나도 되며, 가족은 먼저 떠난 소아청소년을 기리며 살다가 사후 다시 만날 것이라는 소망을 준다.

⑩ 사후 세계의 시간은 그 개념이 달라서 오래 기다리지 않아도 다시 만나게 됨을 설명한다.

4. 형제자매의 죽음에 대한 준비

투병 중인 자녀의 상태가 위중해져서 죽음이 예견되는 경우 부모가 먼저 준비가 되면, 아픈 아이의 형제자매에게도 이에 대해 이야기를 하고, 투병 중인 소아청소년을 만날 수 있도록 한다.

부모가 건강한 자녀에게 충분히 사랑을 표현한 후 공감적 분위기에서 말을 시작한다. 아픈 아이를 살리기 위해 노력했지만, 살리지 못했고, 죽었다고 이야기한다. 이때 죽었다는 용어를 분명히 먼저 사용해야 하며 죽음을 '영원히 잔다' 혹은 '하늘나라로 갔다.' '하나님이 사랑하셔서 먼저 천국으로 불렀다'라고 은유적으로 표현하여 혼돈을 주지 않도록 한다. 그리고 죽음의 현상 자체에 대해서 건강한 자녀의 인지능력에 맞추어 간단하지만 명확하게 설명을 하고 건강한 자녀가 이 세상에 오래오래 살게 될 것이고 그런 후 죽게 되면 그때에 종교에 따라서는 만날 수도 있다고 말한다. 또한 건강한 자녀가 만 3~7세 사이인 경우에는 아픈 아이의 죽음이

건강한 아이의 마술사고와는 전혀 상관이 없음을 분명히 말해서 죄책감을 갖지 않게 한다. 건강한 자녀가 자유롭게 자신의 슬픈 감정을 표출할 수 있게 돕고, 부모가 함께 슬픔을 공유한다. 그리고 질문을 할 수 있도록 배려한다. 그리고 부모도 죽음이나 사후세계에 대해서는 잘 모른다고 말해도 된다.

임종이 가까이 오면, 이에 대해 설명하고, 만약 죽음의 과정에 있는 소아청소년의 얼굴이 평안해 보이는 경우, 건강한 자녀에게 만나보고 싶은지 물어보고 원하면 만나서 하고 싶은 말과 인사를 하도록 한다.

IX 소아청소년 사망 후 가족 돌봄 방법

1. 사망 직후 돌봄

사망이 확인이 된 후 문화에 따라서는 혼을 부르는 민간의식인 '초혼(招魂)' 혹은 '고복(皐復)'을 가족이 하고 싶어 할 수 있으므로 소아청소년을 영적으로 소생시키려는 믿음을 존중하여 의식을 행하게 한다.

일정 시간 가족이 원하는 만큼 소아청소년과 마지막으로 함께 할 수 있게 하고 사적인 공간이 되도록 배려한다. 이때 함께 누워있거나 안아줄 수 있으며, 부분 목욕을 시킬 수도 있다. 미리 평상복을 준비해 오도록 말씀드리고, 부모가 자녀에게 옷을 입히도록 한다. 가족이나 친지들에게 미리 시신의 색깔 변화와 온도 변화에 대해 알려드려서 놀라지 않도록 한다. 한국문화에서는 눈을 감지 못하고 죽은 경우 원한이 있다고 여기기도 하므로 눈을 감을 수 있도록 도운 후 가족을 만나도록 하는 것이 좋다.

2. 장례의식 준비

부모의 준비도에 따라서 미리 상의를 할 수도 있고, 소아청소년 사망 후 대화를 나눌 수도 있다. 보편적으로

9부

미성년의 자녀들의 경우는 성인과는 다른 부분이 있어 이에 대해 세심히 알려주고 상의한다.

1) 준비에 필요한 내용

(1) 조문객의 범위

부모가 자녀의 죽음에 대해 불편한 마음이 있어 주위에 알리지 않으려고 하는 경향이 있으므로, 자녀 중심으로 생각을 하여, 자녀의 삶을 기리고 자녀에 대한 사랑을 나눌 수 있는 귀한 의식인 장례식에 자녀를 아는 많은 사람들이 올 수 있도록 말씀드린다.

(2) 장례 형식

이일장을 한다는 것도 알려드리고, 원하면 삼일장도 가능하다고 말씀드린다. 보통 청소년의 경우는 빈소를 사용하고 소아의 경우에는 객실을 사용하기도 함을 알려드려서 의사결정 과정을 지원한다.

(3) 입관 의식

입관의식의 경우는 마지막으로 가족친지들이 소아청소년을 만나는 의식이고, 이 세상을 떠나는 의식이므로, 마치 관을 요람이나 침상처럼 평안하게 꾸며주고, 자녀가 평소에 즐겨입던 옷이나 입고 싶어하는 옷, 혹은 가족이 입히고 싶은 옷을 입히도록 말씀드린다. 평소에 소아청소년이 좋아하던 인형이나 플라스틱 장난감, 꽃 혹은 가족의 편지나 사진을 넣어주기도 한다. 소아청소년과 가족의 종교에 따라서 장례식장에서 의식을 한다.

2) 형제자매의 장례의식 참여를 위한 돌봄

만 3~5세 이상의 형제자매의 경우에는 장례의 전 과정에 함께 참여하도록 독려한다. 형제자매의 장례의식참여는 아픈 아이가 죽었다는 것을 공식적으로 인식하고 인정함으로써 슬픔 치유의 여정에 자연스럽게 진입하도록 도울 수 있는 중요한 과정임을 부모에게 이해시킨다. 다만 건강한 자녀에게 먼저 장례식의 전 과정과 참여의 의미를 설명하고, 그들이 잘 아는 친지를 선택해서 항상 장례의 전 과정에 함께 하면서 지지해 주고 설명해 주도록 해야 한다.

일반적으로 소아의 경우에는 입관을 하여 죽은 소아청소년의 모습이 평안하게 보일 때, 잠깐 부모가 데리고 들어와서 보여 주도록 하는 것이 좋다. 그렇지 않은 경우에는 나중에 죽은 형제자매의 모습에 대한 악몽을 꾸기도 하고 계속 기억에 남아있어 힘들어 할 수가 있다. 또한 소아를 화장장에 데리고 갈 수는 있으나 멀리 있으면서 함께 놀아 줄 사람이 대동해야 한다.

형제자매의 장례의식 참여의 중요성은 다음과 같다.

① 죽음에 얽힌 감정을 해소할 기회가 된다.

② 죽음을 둘러싼 여러 사건에 관한 대화를 나눌 수 있으며 이를 통해 죽음도 삶의 일부라는 사실을 이해하는 계기가 되어 죽음을 삶에 통합하게 된다.

③ 입관의식에 참여함으로써 사랑하는 대상이 죽었다는 것을 확실히 확인할 수 있으므로 현실 인식이 쉽고 죽은 사람이 돌아온다는 환상을 갖게 되지 않는다.

④ 자신이 죽은 사람과 분리된 개별적인 존재임을 확인한다.

⑤ 사람들이 서로 위로하고, 애도하고, 죽은 사람을 기리는 모습을 보면서 죽음을 엄숙하게 받아들이게 되며, 죽은 소아청소년이 얼마나 소중한 존재였는지를 확인한다.

⑥ 죽음에 대해서 종결의 의미를 부여한다.

⑦ 중대한 가족사에 참여하였으므로, 자신이 가족의 중요한 구성원으로 여겨지며 남은 가족의 응집력과 결속력의 중요성을 체험한다.

참고문헌

1. 고영선(2008). 소아암자녀를 둔 부모의 심리적 경험에 대한 현상학적 연구. 백석대학교 기독교전문대학원. 박사학위논문.

2. 문영임, 황애란, 최화숙 등(2004). 아동호스피스. 군자출판사.

3. 박은영(2013). 소아암자녀를 둔 부모의 하나님 이미지 변형과 종교적 대처. 연세대학교 연합신학대학원 석사학위논문.

4. 얼그롤만 저 정경숙, 신종섭 옮김(2008). 아이와 함께 나누는 죽음에 관한 이야기. 이너북스.

5. Betty R. Ferrell, Nessa Coyle, Judith A. Paice (2015). Oxford Textbook of Palliative Nursing. Oxford Textbooks in Palliative Medicine.

6. Brown, Erica and Warr, Brian (2007). Supporting the Child and the Family in Paediatric Palliative Care. London: Jessica Kingsley Publishers.

7. Bruera, Eduardo, Higginson, Irene, Gunten, Charles F., et al (2016). Textbook of Palliative Medicine and Supportive Care. Second ed., Boca Raton: CRC Press.

8. Carter, Brian S. Levetown, Marcia. and Friebert, Sarah, E (2011). Palliative Care for Infants, Children, and Adolescents. Second ed., Baltimore: The Johns Hopkins University Press.

9. Cherny, Nathan I., Fallon, Marie T., Kaasa, Stein, et al (2015). Oxford Textbook of Palliative Medicine. Fifth ed., Oxford: Oxford University Press.

10. Hutton, Nancy, Levetown, Marcia, and Frager, Gerri (2010). The Hospice and Palliative Medicine Approach to Caring for Pediatric Patients. Third ed., Glenview: American Academy of Hospice and Palliative Medicine.

11. Joanne Wolfe, Pamela S. Hinds, Barbara M. Sourkes (2011). Textbook of Interdisciplinary Pediatric Palliative Care. Elsevier Saunders.

12. Melissa O'Neill Hunt, Bridget McCrate Protus, Janine Penfield Winters, Diane C. Parker(2014). Pediatric Palliative Care Consultant. HospiScript.

13. Price, Jayne. and McNeilly, Patricia (2009). Palliative Care for Children and Families-An Interdisciplinary Approach. Hampshire: Macmillan Publisher.

14. Wittenberg, E., Ferrell, Betty R. Goldsmith, Joy. et al (2016). Textbook of Palliative Care Communication. Oxford: Oxford University Press.

15. Yennurajalingam, Sriram, and Bruera, Eduardo (2016). Oxford American Handbook of Hospice and Palliative Medicine and Supportive Care. Second ed., New York: Oxford University Press.

9부

39장
노인 호스피스·완화의료

| 김영성, 양경희 |

I 노인호스피스·완화의료 개요

1. 노인말기환자와 죽음의 인식

호스피스·완화의료를 생각해 볼 때, 우선 우리는 죽음이라는 단어를 염두에 둔 돌봄을 생각하게 된다. 호스피스·완화의료가 발전하면서 잘 죽는 것(웰다잉, well dying)에 대한 개념이 인식되기 시작하였다. 잘 죽는 것이란, 죽음을 자연스런 부분으로 받아들이는 것이며, 또한 죽음에 대한 경험을 성장의 기회로 보는 것이다. 그러나 죽음이나 좋은 죽음은 종교적으로나 문화적으로나 지극히 개인적인 경험으로 각자 다르게 정의하는 경향이 있다. 따라서 임종 시기(end-of-life)에 있는 사람들과 그 가족들이 좋은 죽음(good death)을 어떻게 인식하는가는 매우 중요하다. End of Life Nursing Education Consortium (ELNEC)은 좋은 죽음은 고통으로부터 자유로운 상태에서 인생을 마감하며 자신의 신념과 소망 및 가치와 일치되는 돌봄을 받는 것이라고

정의하고 있다. 고통스럽지 않고 평화롭게 죽으며, 마음속에 집착을 버리고 원망하지 않으며, 남에게 부담을 주지 않고 품위 있게 죽는 것 등으로 소개하고 있다.

통제감, 임상증상, 친밀감 등으로 구성된 좋은 죽음에 대한 인식 측정 도구를 사용하여 좋은 죽음에 대한 연구가 최초 국내에서 시도되고 있다. 한 연구에서 노인의 좋은 죽음에 대한 인식은 통제감이 가장 높았으며, 하위 문항에서는 친밀감 중 '평화롭게 죽는 것', '죽음을 수용하는 것'과 통제감의 '다른 사람에게 부담을 주지 않는 것' 등의 수준이 높았다. 에릭슨에 의하면, 특히 노년기에는 삶을 회고하며 만족감을 경험하거나 실패감을 경험한다. 만족감을 경험하는 노인은 인생주기의 일부분으로 죽음을 받아들이고 은혜롭게 노화과정을 받아들지만, 실패감을 경험하는 노인은 절망과 깊은 후회, 자존감의 상실, 다른 사람과의 차단, 허무함, 노화에 대한 분노 등을 느끼게 된다고 하였다. 질병을 삶의 실패로 받아들이는 우리 사회의 분위기 속에서 노인말기환자들이 자신의 인생에 대해 만족감을 나타내

는 경우는 흔치 않아 보인다.

따라서 노인호스피스·완화의료는 노인말기환자들을 돌봄에 있어서 노인들의 특징과 호스피스·완화의료의 돌봄 요구를 파악하여 그들이 제한된 삶을 가치 있게 누리면서 만족스러운 돌봄을 받으며 평화롭게 삶을 마감할 수 있도록 안내하고 돕는 전인적, 인도적, 전문적인 호스피스 돌봄을 제공하여야 할 것이다.

2. 노인 호스피스·완화의료 정의

근래에 와서 호스피스와 완화의료를 구분하기도 하고 호스피스와 호스피스·완화의료가 혼용되어 사용되기 때문에 노인호스피스·완화의료를 정의하는 데 있어서 법적인 근거를 활용한다.

『호스피스·완화의료 및 임종과정에 있는 환자의 연명의료결정에 관한 법률(2016. 2. 3. 제정, 약칭 연명의료결정법)』에 따르면 호스피스·완화의료란 말기환자 또는 임종과정에 있는 환자와 그 가족에게 통증과 증상의 완화 등을 포함한 신체적, 심리사회적, 영적 영역에 대한 종합적인 평가와 치료를 목적으로 하는 의료를 말한다. 연명의료란 임종과정에 있는 환자에게 시행하는 심폐소생술, 혈액 투석, 항암제 투여, 인공호흡기 착용 등의 의학적 시술로서 치료 효과 없이 임종과정의 기간만을 연장하는 것을 말하며, 이 법은 연명의료와 연명의료중단결정과 그 이행 사항을 규정하여 환자의 최선의 이익을 보장하고 자기결정권을 존중하여 인간으로서의 존엄과 가치를 보호하는 것을 목적으로 한다.

노인호스피스는 이를 기초로 하여, 65세 이상으로 암 또는 비암성질환자로서 제한된 삶의 시기에 있는 노인에게 생명의 연장이 아닌, 삶의 질을 최고로 높여 주는 돌봄을 제공하고, 말기환자 가족들의 요구를 파악하고 지지함으로써 그들의 삶의 질을 유지시키는 전인적이고 인도적이며, 포괄적인 돌봄 제공을 의미한다.

3. 노인 호스피스·완화의료 대상

노인 호스피스·완화의료 대상은 말기 암 환자로서 인위적인 생명연장 대신 임종할 때까지 삶의 질 유지를 추구하는 노인환자와 그 가족들이며, 연명의료결정법에 따르면 암뿐 아니라 AIDS, 만성폐쇄성 폐질환 및 만성간경화질환 등에도 확대 적용된다(2018. 3. 27 연명의료결정법 일부 개정).

의학의 발달로 인해 현대인의 수명은 점진적으로 증가하고 있으며 이로 인해 65세 이상 노년인구의 비율이 급증하고, 특히 저출산으로 인해 사회의 고령화 현상은 빠르게 진행되고 있다.

인구 고령화를 앞당긴 요인 중 하나는 평균수명(기대수명)의 증가인데, 2015년 평균기대여명은 82.4세이다. 2003년부터 계속하여 65세 이상의 사망원인 1위가 암이며, 2015년 통계청 자료에 의하면 4위는 만성폐쇄성질환, 6위는 만성하기도질환, 10위는 간질환으로 보고되고 있다 표 39-1, 2. 수명의 연장과 함께 자연스럽게 암 발생률도 높아지고 있는데, 평균수명이 81세일 때 암에 걸린 확률은 37.3%에 이른다.

2015년 65세 이상 고령자의 암 종류별 사망률은 폐암이 인구 10만 명당 206.7명으로 가장 높고, 다음은 간암(99.1명), 대장암(92.8명) 순이었다. 2014년 호스피스 기관 이용자의 평균 연령은 67.8세이며, 65세 이상이 64.9%로 호스피스·완화의료의 요구 대상이 대부분이 노인임을 보여 주고 있다.

II 노인 호스피스·완화의료 대상자의 특징

1. 노인의 특징

인간은 나이가 들면서 필연적으로 발생하는 신체적, 사회·심리적인 변화를 겪으며, 이에 적응하는 과정에서 다양하고 많은 건강문제가 야기된다. 그러나 개인주의

표 39-1. 한국 65세 이상 노인의 연도별 사망 원인

순위	1953	1983	2003	2012	2015*
1	결핵	노쇠	악성신생물	악성신생물	악성신생물
2	소화기계질환	증상증후불명	뇌혈관질환	뇌혈관질환	심장질환
3	뇌졸중	뇌혈관질환	노쇠	노쇠	뇌혈관질환
4	폐렴, 기관지염	고혈압성질환	당뇨병	허혈성심질환	폐렴
5	신경계질환	악성신생물	허혈성심질환	폐렴	당뇨병
6	노쇠	전도장애, 부정맥	만성하기도질환	당뇨병	만성하기도질환
7	심장병	소화기계질환	소화기계질환	만성하기도질환	고의적 자해(자살)
8	감염성질환	만성하기도질환	고혈압성질환	소화기계질환	고혈압성질환
9	악성신생물	간질환	치매	감염성질환	알츠하이머
10	증상증후불명	감염성질환	감염성질환	고혈압성질환	간질환

*2015년도 연령별 사망원인 순위'중 60대, 70대, 80대 이상의 사망수치를 합한 것임
출처: 통계청 보도자료, 2015년 사망원인 통계, 2016.9.27. p.45

표 39-2. 2015년도 65세 고령 인구의 성별 10대 사망 원인

순위	남성		여성	
	사망 원인	사망률 (10만 명당)	사망 원인	사망률 (10만 명당)
1	악성신생물	1,196.3	악성신생물	548.4
2	심장질환	352.7	심장질환	349.8
3	뇌혈관질환	326.4	뇌혈관질환	300.0
4	폐렴	247.8	폐렴	181.2
5	만성하기도질환	160.0	허혈성심질환	169.8
6	허혈성심질환	181.1	당뇨병	127.9
7	당뇨병	133.2	알츠하이머	95.53
8	소화기계 질환	113.9	고혈압성질환	91.9
9	감염 및 기생충	96.8	소화기계질환	89.6
10	고의적 자해(자살)	95.2	감염 및 기생충	83.3

출처: 통계청 보도자료(2016. 9. 29), 2016년 고령자통계 p.51,
　　　통계청 보도자료(2016. 9. 27), 2015년 사망원인통계, pp.32–43.

와 소가족주의, 여성의 사회 진출 등 오늘날 가족 구조의 변화로 인해 건강과 관련된 문제들을 개인이나 가족만의 노력으로 해결하기는 어려운 실정이다.

더구나 노화는 환경과 유전적 요인에 의해 영향을 받으며 면역력의 저하, 기능 보유나 스트레스나 손상 대응능력이 감소되어 쉽게 질병에 걸리게 되어 심장질환, 뇌혈관질환, 호흡기계 질환, 치매 등의 만성질환의 발생 및 암 발생이 증가된다.

노인이 갖는 다음과 같은 특징은 이러한 문제의 발생에 영향을 미친다.

• 노인은 신체적 항상성 유지가 어렵다. 젊은이들은 주위의 환경이나 신체의 자극에 대하여 빠른 적응

과 변화를 하지만, 노인은 그 변화에 대하여 적응하지 못하거나 적응하는 데 훨씬 많은 시간을 보내게 된다.

- 여러 감각기관의 기능 약화에 따라 일상생활에서 쉽게 다칠 수가 있고, 많은 불편을 겪게 되면 잘 움직이지 않게 된다.
- 입맛이 없고, 치아를 비롯한 소화기관의 기능 약화에 따라 영양 상태가 부실하거나 변비로 고생하는 경우가 많다.
- 면역기능이 약화되어 작은 감염에도 질병이 진행되어 생명이 위험하게 되는 경우가 많다.
- 뇌기능의 약화로 지적인 능력이 감소하고, 정신적으로 불안정하다.
- 요로계의 조직 변화나 기능 약화로 성기능 장애나 실금 등으로 고생하는 경우가 많다.
- 수면 생리의 변화로 깊은 잠을 들기 어렵고, 신체나 생활환경의 변화로 인하여 불면증에 시달리는 경우가 많다
- 의학적인 약물 투여나 처치로 말미암아 오히려 이전에 없던 병들을 새로이 발생시킬 수 있다.
- 여러 가지 질병이 복합적으로 발생하여 여러 의료기관을 이용하는 경우가 많고, 약을 중복·과다 복용하는 경우가 많다.
- 사회, 문화적인 여건에 따라 고립되거나 빈곤 속에 살고 있어 질병을 제대로 관리하지 못하고, 방치하는 경우가 많다.

2. 노인환자의 특징

노인환자의 돌봄은 단순한 연령과 관련되는 것 보다는 여러 가지 요인들이 영향을 주기 때문에 노인환자가 보유한 기존 질환, 보유하고 있는 기능수준, 인지 상태와 더불어 다음과 같은 질병경과의 특이성을 함께 고려하여 호스피스·완화의료에 대한 요구를 총체적으로 사정하는 것이 필요하다.

1) 질병이 발생해도 증상이 뚜렷하지 않고 모호한 경우가 많다. 즉 일반 성인들에서 보는 전형적인 증세가 없거나 비전형적인 경우가 많다. 오랜 세월을 지내오는 동안 겪었던 여러 병력, 생활력 등에 의해 증상 발현의 주관적, 객관적 발현 강도가 다르다. 이는 병력청취, 진단, 치료효과 판정에도 직접적으로 영향을 미친다.

2) 질병의 종류에 관계없이 비슷한 증상이 나타나는 경향이 있고, 동시에 여러 질병을 가지고 있다. 신경정신계의 노화 및 항상성 부조화로 인한 탈수 가능성의 증가로 의식장애 및 정신질환이 많다. 특히, 노인에서 우울증은 보통 생각하는 것보다 훨씬 많으며, 우울증이 신체 불편 증상이나 새로운 질병으로 진행되는 경우가 많다.

3) 개인의 사회, 경제, 문화적 환경에 따라 질병의 증상 발현이 다르다. 그러나 노인 환자에게는 비용이 많이 드는 정확한 진단에 의한 치료보다 현재의 증상이나 기능 개선을 선호하는 경우도 많다. 이러한 진료 방침을 결정할 때에는 환자 본인보다 배우자, 성인 자녀, 친척, 다른 친분이 깊은 친구들의 의견이 반영되는 경우가 많다. 질병의 경과에 의학적 요소 외에 정신적, 정서적, 사회경제적 요인이 크게 영향을 미치게 되므로 그 모든 관계를 살피며 전인적 치료와 돌봄을 제공해야 한다.

3. 노인 호스피스·완화의료 환자의 약물투여

노인에게는 노화에 동반된 약물흡수, 대사 등의 변화로 부작용이나 이상반응이 나타날 수 있다 표 39-3. 즉 신장의 기능저하, 제지방 체중(lean body mass)의 감소, 혈청 알부민 감소, 체액비축의 미약 등으로 인해 약물사용으로 인한 부작용이나 이상반응 등의 문제가 발생할 가능성이 많으므로 약의 종류나 용량을 주의하여 사용해야 한다. 또한 노인은 개개인의 약물에 대한 반응의 차이가 청장년보다 크고 약물의 대사기능이 약화되어 동일

9부

표 39-3. 노인의 중요한 약물학적 변화

약물의 기능	노화에 따른 변화
위, 장관 흡수 및 기능	• 위, 장에서의 약물 체류시간이 길어져서 약물분비효과가 연장된다. • 마약성 진통제와 연관된 장의 운동성 장애가 커진다.
분포	• 제지방 체중(lean body mass)에 대한 지방 비율의 증가로 지용성 약물의 분포가 증가되어 약물효과의 반감기가 길어진다.
간 대사	• 간에서의 산화작용의 변동이 심하여, 반감기가 길어진다.
신장 배설	• 노화에 따라 사구체여과율 감소로 신장으로의 배설작용 감소로 활성 대사물들의 효과가 연장된다.
항 콜린성 부작용	• 의식혼란, 변비, 실금, 운동장애가 증가한다.

출처: Eduardo Bruera, Irene Higginson, Charles F von Gunten, Textbook of palliative medicine and supportive care, chapter 50, 477(Table 50.3).

한 약물이라도 청장년에서와 다른 작용, 부작용을 나타낼 수 있다. 또한 노인은 다양한 약제를 사용하는 경우가 많아 약물의 부작용이나, 약물 상호작용에 의한 신체적 장애를 일으킬 수 있다.

제지방 감소로 인해 에탄올, 리튬, 디곡신 같은 수용성 약물독성의 위험성은 증가한다. 벤조다이아제핀, 트라조돈 등의 지용성 약물은 혈중에 약물이 안정적으로 유지되는데 시간이 오래 걸리고, 제거되는 시간도 오래 걸린다. 알부민의 감소는 일부 약물들(phenytoin, valproate, benzodiazepine, warfarin)의 부작용을 증가시킨다. 간 대사 Phase I을 이용하는 약물(diazepam, TCA, carisoprodol 등)은 활성 대사물로 분해되어 임상적으로 효과가 나타나는 시간이 오래 걸리고 독성도 오래간다.

이러한 이유로 opioids, sedatives, TCA 등의 정신활성 약품(psychoactive medication)은 노인들에게 중추 신경계 독성, 섬망 등을 일으킬 수 있다. 간대사 Phase II를 이용하는 약물(lorazepam 등)은 비활성 대사물로 분해되어 노인환자들에게 선호된다. 따라서 노인에게 있어서 약물 사용의 기본 원칙은 "낮게 시작하고 천천히 진행하라"이다.

또한 노인은 증상이 복잡하고 약물효과가 느려서 자칫 신중하지 못하게 약물이 추가되면서 동시에 하나이상의 동종약물을 포함한 여러 가지 약물을 사용하는 다제약물요법을 취할 수 있다. 약의 역반응은 신체에 대한 생리적 변화뿐만 아니라 이처럼 여러 약물들의 투여로 생길 수 있는데, 노인환자들은 특히 다제약물요법과 관련된 위험에 취약하다. 또한 다제약물요법의 역작용은 보통 처방 없이 사용하는 약물, 자가 치료, 그리고 자연요법의 출현 때문에 다양한 약물을 복합적으로 사용하는 경우에도 빈번하게 발생한다.

그러므로 복합적인 의료문제를 해결하는 데 다제약물요법이 필요할 수는 있지만, 환자에게 해로움을 최소화하기 위해서 주의사항에 유의하여 사용해야 하며, 적절한 교육과 의사소통을 통해 이를 예방하여야 한다. 의료진은 노인환자에게 해가 될 수 있는 주의약물목록(Beers medication list)을 숙지하고 약물을 투여해야 한다. 처방 시 다른 의사들과 의사소통을 하면서 약물 사용을 되도록 줄이고 중복투약을 막아야 한다. 아울러 환자 치료 목적에 필수적이지 않은 약물들은 가능하면 중단되어야 한다.

III   노인말기환자의 접근방법

1. 노인말기환자의 문제

세계보건기구(WHO)에서는 초기에는 완화의료의 대상 질환을 생명을 위협하는 말기질환(terminal illness with life-threatening)으로 한정하여 제시하였으며, 점차 대상 질환과 제공 시기를 확대하였다. 최근에 세계보건기구에서 제시하는 완화의료의 대상 질환은 암, HIV 감염/후천성 면역 결핍증(AIDS), 만성호흡부전(chronic respiratory disease), 당뇨, 간경변증(liver cirrhosis), 알츠하이머 치매와 기타 치매, 급사를 제외한 심혈관질환, 신부전증, 다발성경화증(multiple sclerosis), 파킨슨병(Parkinson's disease), 류마티스관절염(rheumatoid arthritis), 약제저항성결핵(drug resistant tuberculosis) 등이 있다. 이는 대부분의 노인성질환과 관련되어 있다는 것을 알 수 있으며 완치가 어렵고, 대개 수면, 섭식, 배뇨로 평가되는 일상생활 활동 수행에 심각한 장애를 보이며, 운동 신경학적 및 정신 인지적 장애가 동반된 경우가 많다. 또한 질병의 경과가 진행성이기 때문에 질병 자체 또는 합병증에 의해 궁극적으로 임종에 다다르게 된다. 여전히 비암성질환의 정확한 수명을 예측하는 것은 어려워 대상자를 선정할 때 장애요인으로 작용하고 있으나 우리나라에서도 점차적으로 확대 적용될 것으로 예상된다.

한 연구에 의하면 만성폐쇄성 폐질환, 심부전이나 암을 가지고 있는 60세 이상의 노인들 중에서 86%는 적어도 중등도 이상의 증상을 한개 정도 가지고 있고, 69%는 두 가지 증상을 가지고 있다. 이 중 가장 흔한 증상은 활동력의 저하(61%), 피로(47%), 육체적 불편감(38%)이다. 인지기능, 운동기능, 시력, 청력 장애를 가지고 있는 경우 나타나는 증상들을 확인하기가 쉽지 않고, 조절하는 것도 무척 어렵다. 또한 배우자의 상실, 사회적 고립, 분산된 가족 등으로 인하여 심리사회적 지지뿐 아니라 보호자의 지지도 미약하다. 따라서 노인을 위한 완화의료는 다음과 같은 점을 주의하여 시행해야 한다.

첫째, 통증이나 기타 증상에 대한 용어 사용이나 표현이 모호하기 때문에 면담을 하면서 자세한 관찰을 통해 증상의 종류와 정도를 파악하여 처방하며, 지속적으로 반응을 자주 살펴야 한다. 이를 위하여 가까운 가족이나 돌보는 이들의 도움이 매우 필요하다.

둘째, 가족들이 많으면 의견이 다른 경우가 있으므로 가족들과 의사소통을 통해 이해와 협조를 잘 받는다. 환자를 배제하고 가족들이 지나치게 일방적인 결정을 하는 경우에는 환자의 의견을 존중하도록 도울 필요가 있다. 반대로 가족이 없거나 있어도 무관심하거나, 멀리 있어 와보지 못할 경우는 환자의 외로움이 크므로 환자에 대한 심리·정서적 지지를 잘 해야 한다.

셋째, 죽음을 자연스럽게 받아들이는 노인도 있지만, 죽음을 끝까지 받아들이기 힘들어하는 노인들도 있으므로 젊은 사람을 돌볼 때와 마찬가지로 생명을 존중하며 끝까지 보살펴야 한다.

2. 노인호스피스 시설과 서비스

노인환자들에 있어서 호스피스의 접근이 어려운 이유는 혼자 된 노인에게는 돌봐줄 사람이 없거나, 환자나 가족의 경제적 문제, 또는 호스피스에 오면 버려진다는 환자들의 두려움 등으로 분석되고 있다. 이러한 노인들에게는 오히려 신체적, 정신·심리적, 경제적 문제와 사회적 지지의 부족 등으로 인해 어려움이 가중되므로 체계적인 돌봄 활동이 요구된다. 보건복지부가 요양병원에서의 호스피스·완화의료를 추진하고 있는 것을 감안한, 노인 호스피스·완화의료의 형태와 서비스 및 인력구성의 기본적인 체계를 표 39-4 와 같이 정리해볼 수 있다.

IV 노인 호스피스·완화의료 요구와 돌봄

1. 신체적 요구와 돌봄

앞에서 언급한 바와 같이 노인들의 인지기능, 운동기능, 시력, 청력 등의 장애는 그들에게 나타나는 증상을 확인하는 것과 그것의 조절을 어렵게 한다. 더 나아

표 39-4. 노인 호스피스·완화의료 기관 및 서비스팀의 구성

형태	위치	서비스 제공	인력
입원형	호스피스전문병상	• 호스피스전문완화의료팀	• 완화치료를 필요로 하는 입원환자
가정형	환자의 가정	• 입원형 호스피스전문기관이 가정호스피스팀 추가구성	• 16시간 추가교육을 받은 의사, 사회복지사1급, 전담간호사 (가정전문간호사, 호스피스전문간호사)를 최소 1명 이상 추가
자문형	호스피스전문기관의 일반병상	• 완화의료팀 추가구성	• 16시간 추가교육을 받은 의사, 사회복지사1급, 전담간호사 (호스피스전문간호사)
요양병원형	요양병원	• 요양병원 입원한 말기 암 환자에게 호스피스 제공 • 의료인과 사회복지사 추가 및 상근	• 의사나 한의사가 환자 20명당 1명, 간호사는 환자 2명당 1명 배치. • 간호사는 최저 5명 이상 유지, 사회복지사 1명 이상 상근배치

출처: 보건복지부 보도자료(2015.5.7), "말기 암 환자에게 다양한 호스피스 제공", 보건복지부 보도자료(2016.9.29.), "활기찬 백세시대를 위한 어르신들과 정부의 약속의 장"에서 정리한 것임.

가 약물의 부작용, 약물 간 상호작용 및 약물과 질병과의 상호작용 등은 이를 더욱 복잡하게 한다. 이러한 노인들의 특징을 늘 염두해 두고 치료의 방법을 선택하고 효과를 파악해야 한다.

1) 호흡곤란

노인들의 호흡곤란은 주로 폐질환, 심장질환 또는 신경근육계 원인으로 온다. 때로는 불안이나 대사장애, 비만, 죄책감이나 불신 때문에도 올 수 있다. 일단 호흡곤란의 사정도 통증과 같이 주관적인 보고가 중요하다. 호흡곤란의 사정에는 호흡기능의 상태, 악화시키는 요인. 호흡소리, 흉통여부, 복합적인 다른 통증이나 산소상태를 포함한다.

우선 불안을 줄이고 호흡을 편안하게 하기 위해 주위를 조용하게 하고 안심시키며, 침상 윗부분을 올려 준다. 편안하고 긴장을 풀도록 하고 이완을 돕는 음악을 틀어주는 것도 좋다. 말기환자들에게 산소요법은 효과가 없다는 연구도 있지만 저산소증에 의한 경우라면 할 만할 가치가 있다. Opioid(아편유사제)를 구강, 설하, 피하 등으로 투여할 수 있다.

2) 기침

기침은 호흡기관에 생기는 분비물이나 자극을 외부로 보내는 반사적인 생리적 방어기전이다. 중증환자에서

는 흔한 일로 말기 암 환자의 30% 이상이 호흡과 관련된 문제를 가지고 있다. 기침이 진행되는 것은 폐암에서는 흔한 일이며, 기관지염, 울혈성심부전증(congestive heart failure), HIV/AIDS 및 다양한 암 등으로 발생된다. 기침은 호흡곤란을 일으키고, 통증, 피로, 불면을 유발하여 환자들의 삶의 질을 심각하게 망가뜨린다.

기침을 할 때는 우선 염증, 만성적인 질환, 위-식도역류 등 근원적인 원인과 유형을 구분해야 한다. 칼슘채널 억제제, ACE 억제제(angiotensin converting enzyme inhibitor)등의 약물은 투약 후 수주에서 수개월 동안 만성기침을 유발할 수 있으며 약을 중단하면 해소된다. 위역류(gastric reflux)도 기침을 유발할 수 있으므로, 경관식이를 하는 노인에게서는 우선적으로 고민해봐야 한다. 투약은 opioids, 국소마취제, 스테로이드, 또는 거담제를 사용하며, 가습기의 사용과 흉부 마사지나 체위 변경 등을 통해 가래의 배출을 도울 수 있다.

3) 통증

많은 사람들은 노인들이 젊은 사람들에 비하여 통증을 많이 느끼지 않을 것이라고 잘못 생각하고 있다. 특히 말기 질환에서의 통증은 노인들이 가지고 있는 퇴행성 관절염 등과 같은 만성통증으로 오인되는 경우가 많다. 노인들은 통증(pain)을 불편감(discomfort), 아픔(hurting), 쑤신다(aching)등으로 다양하게 표현한다. 특

표 39-5. 통증평가(상황에 따른 권고사항)

병력(History)

인지기능 정상/경, 중등도 치매
- 항상 환자에게 직접 질문함
- 통증에 대한 다양한 용어를 사용함(burning, discomfort, aching, soreness, heaviness, tightness)
- 환자의 인지기능장애, 언어장애, 감각장애에 적합한 표준화된 통증척도 사용
- 다차원(multidimensional)의 통증척도 사용
- 주의 지속시간이 제한되거나 인지기능의 장애가 있는 환자에게는 반복된 질문과 적절한 시간을 보장함
- 지난 1주일 동안 가장 심했던 통증의 경험을 질문
- 경, 중등도의 인지기능이 있는 환자 – 손상된 기억으로 인해 현재 시제로 질문을 표현함

중증 이상 치매/의사소통이 안 되는 경우
- 직접 관찰하거나 간병인에게 병력 청취
  - 치매가 심한 환자들은 비정상적인 행동이 통증의 표현이기도 함
  - 직접 관찰 척도(ex; PAINAD)사용

이학적 검사
- 기형(deformity), 특정 자세(posture), 다리 길이 차이 등을 찾음
- 통증행동(pain behaviors)을 찾음(예; 얼굴 표정, 말 표현, 몸의 움직임, 대인상호작용의 변화 등)
- 신체기능 체크(ADL 측정 등)
- 새로 생기거나 악화된 인지기능
  - 섬망 검사(예; MDAS, CAM)
  - 치매 검사(예; MMSE, MoCA등)

출처: Eduardo Bruera, Irene Higginson, Charles F von Gunten, Textbook of palliative medicine and supportive care, chapter 50, 477(Table 50.2).

히, 인지기능이 약화된 노인에게 있어서는 얼굴을 찡그리는 모습, 우는 모습, 행동변화나 수면장애, 식욕감소 등 비언어적 통증 호소를 잘 관찰해야 한다. 통증에 대한 자세한 평가를 위해 노인 환자뿐 아니라 가족과 간병인으로부터도 정보를 얻어야 한다 표 39-5.

노인 암 환자의 통증 평가에는 Edmonton Symptom Assessment System (ESAS)과 안면 통증척도(Faces Pain Scale)와 같은 도구가 타당하게 보인다. 인지장애가 있는 환자에게는 가족이나 간병인이 환자의 병력, 사용하는 약물, 통증과 관련된 행동, 또는 통증을 감소하는 동작 등에 대한 정보를 제공하는 유일한 제공자일 수 있다. 어떠한 통증의 호소라도 신체적 기능과 삶의 질에 영향을 미칠 수 있으므로 중요한 문제로 인식해야만 한다. 가장 흔한 통증조절방법은 약물치료이다.

노인 환자들은 진통제, 특히 마약성 진통제로 인한 통증감소 효과에 더 민감하다. 마약성 약물은 노인에서 호흡저하, 인지장애, 변비, 습관성을 유발할 수 있으나, 정확하게만 사용하면 노인에게 비교적 안전한 약물이다. 졸림, 호흡저하, 인지장애, 기타 일상생활과 관련한 기능 수준의 저하는 마약성 약물을 처음 시작 할 때, 또는 용량을 빠르게 늘릴 때 용량에 비례하여 발생하므로 주의해야 한다. 환자가 졸리거나 인지장애가 없고, 통증 감소도 없다면 좀 더 빨리 증량할 수 있다. 부작용에 대한 내성과 적응은 대개 수일 내에 비교적 빨리 나타나게 되며 대개 완전한 각성상태 또는 약물을 복용하기 전의 인지기능 상태로 돌아온다. 넘어지거나 다른 사고의 가능성에 대하여 환자와 간병인에게 교육하고 주의하도록 해야 한다. 지속형 마약성 진통제들은 신장기능이 저하된 노인환자들에게는 신경독성의 위험이 증가하기 때문에 주의해야 하며, 옥시코돈 같은 속효성 제제를 사용하는 것이 안전하다. 또한 펜타닐(fentanyl)제제는 신장으로 배설되는 모르핀(morphine)제제보다 안전하지만, 노인에서는 반감기가 더 길어질 수 있으며 간혹 대사산물이 축적되면 경련을 일으킬 수 있음을 명심해야 한다. 반감기가 긴 약물은 천천히 양을 조절해야 하며, 새롭게 발생하는 통증을 조절하기 위해서는 속효성 약물을 복용하는 것이 필요하다. 초기 용량은 성인에 비하여 30~50% 정도로 낮추고 약물 간격도 늘려야 한다.

특히 NSAIDs는 위장출혈, 신장독성 등을 고려하여 사용해야 하며, 메페리딘(meperidine)과 프로폭시펜(propoxyphene) 같은 독성대사물질을 가지는 아편유사제와 신경장애성 통증에 쓰는 삼환계 항우울제 사용을 피한다. 신장손상을 가진 환자에게서 신경독성을 증가시키는 위험이 있기 때문에 지속형 아편유사제를 사용하는 것은 주의를 요한다. 이런 상황에서는 옥시코돈(oxycodone)과 같이 단시간 영향을 주는 아편유사제가 안전하다.

4) 오심 및 구토

오심은 말기환자의 70% 정도까지 호소하며, 그중 30% 는 구토를 일으킨다. 오심과 구토가 있으면 신체뿐만 아니라 정신적으로도 좌절되고 고통스러우며 지치게 된다. 원인으로는 위장관계로 인한 음식섭취, 정체, 변비, 장폐색, 췌장염, 복수, 간부전, 대사원인으로 고칼슘혈증, 뇨독증, 두개내압 상승, 심리적인 요인, 방사선치료나 항암치료와 관련된다.

노인들에게 있어서 항구토제의 사용은 주의를 요한다. Metoclopramide제재는 추체외로 증상(extrapyramidal symptom)을 유발할 수 있고, promethazine, benzodiazepines제제는 낙상의 위험을 증가시키고 섬망을 유발할 수 있다. 스테로이드 제제도 섬망을 일으킬 수 있으며, ondansetron과 같은 항구토제는 변비를 악화시킬 수 있다.

5) 변비

노인에게 있어서 활동량의 감소, 식이섬유나 수분섭취의 감소, 동반질환이나 약물과 같은 외부적인 요인이 대장 운동과 대장의 통과 시간에 영향을 주어 변비의 병태생리에 관여한다. 특히, 암 환자에서는 전신적인 질환에 의한 2차적인 반응이나 직접 위장관에 암이 작용하여 생긴다. 치료를 시작하기 전에 먼저 장폐색이 아닌지 확인해야 한다. 적절한 수분섭취가 변비치료에 가장 중요하지만, 노인들은 적당한 양의 물을 마시지 않거나, 심장이나 신장 질환으로 인하여 수분섭취를 제한받는 경우, 그리고 약제에 의해서도 변비가 유발되거나 악화된다. 마약성 진통제로 유발되는 변비 치료에서 팽창작용이 있는 약제들(bulking agents)은 변이 장을 통과하는 시간을 연장시켜서, 결과적으로 물의 재흡수를 증가시키고 장폐색의 위험성을 증가시키므로 사용하지 않는다. 항콜린성약물(삼환계항우울제, 항파킨슨제제, 항구토제. 방광배뇨근과민증치료제, 항히스타민제)과 항고혈압제(칼슘 길항제, 이뇨제) 등도 변비를 악화시

킬 수 있다.

6) 설사

설사는 세균성 또는 기생충 감염에 의한 경우, 또는 부분적인 장폐색이나 잠복변으로, 췌장종양이나 위절제술 후 흡수불량으로 발생할 수 있으며, 불안이나 공포 때문에도 온다. 설사는 말기환자의 5% 정도에서 발생하는데 탈수로 인해 무기력, 체중 감소, 식욕부진을 초래하며, 전해질 이상(저칼륨혈증, 산증)으로 인해 약동력, 신장기능, 산-염기 균형에 변화를 준다. 설사를 평가하는 데는 문진이 가장 중요하다. 환자에게 최근에 먹은 음식이나 약물에 대해 자세히 물어보고, 동반된 질환이나 최근의 병력에 대해서 알아본다. 특히, 약물과 연관되었는지(최근 항생제 사용, 항암요법), 감염에 의한 것인지 잘 파악해야 한다.

7) 불면

불면은 환자 자신이 느끼기에 잠이 불충분하거나, 잠이 들기 힘들거나, 자다가 자주 깨거나, 한번 깨면 다시 잠들기 힘들거나, 수면시간이 짧다고 느끼거나, 잠을 자도 개운하지 않다고 느끼는 등 여러 가지 형태가 복합적으로 혹은 단독으로 나타난다.

노인의 경우에는 잠이 들기 힘든 입면곤란 불면증보다는 자다가 자주 깨거나, 한번 깨면 다시 잠들기 힘든 수면유지 곤란 불면증을 흔히 호소한다. 무엇보다 선행하는 원인을 파악하는 것이 중요한데 특히 암환자인 경우 수면을 이룰 수 없게 하는 통증들의 문제를 꼭 확인해야 한다.

수면주기의 변화, 약물(일부 항우울제, 항암치료, 스테로이드, 진정제), 우울증, 치매에서 낮과 밤의 바뀜, 불량한 수면환경, 알코올 사용 등도 원인이 된다. 선행원인에 대한 적절한 치료를 먼저 시작하면서 불면과 관련된 증상의 치료를 병행하는 것이 바람직하다.

8) 구강문제

나쁜 치아 상태, 맞지 않는 틀니 장착, 구강칸디다증, 구강 궤양 등은 불편감을 초래하여 결과적으로 식욕 감퇴를 일으킨다. 음식물 섭취가 저하되어 영양이 부족하면 체력저하뿐만 아니라 항암치료 후 손상된 조직이 회복되는 것을 지연시키므로 적절한 관리가 필요하다. 따라서 자세한 구강검사로 이러한 상황들을 확인하고 먼저 적절한 치료를 해야 한다.

9) 이동성 및 감각장애(Mobility and sensory impairment)

이동 및 감각장애는 특히 정신활성(psychoactive) 의약품을 사용하고 있는 노인에게서 낙상의 위험을 증가시킨다. 이는 뼈 전이를 가지고 있는 암 환자에게서 병적 골절의 위험성을 높이므로 세심한 보호가 필요하다. 감각장애로 인한 자기수용감각과 손의 협동부족은 자기통제를 어렵게 만들며 보호시설에 입소하는 결정을 하도록 만든다.

10) 식욕부진, 악액질

암 환자에서 영양결핍은 일반적인 현상이며 흔히 암 악액질(cancer cachexia)로 불린다. 노인환자들은 나이가 들면서 미각, 후각은 감소하고 식욕도 더 나빠져 체중감소, 허약, 암 악액질, 암에 의한 식욕부진 등으로 나타나게 된다.

임상적으로 원인은 명백하게 밝혀지지 않았으나, 구강감염이나 전신감염, 통증, 변비, 대사변화, 위공복이 길어지거나 위궤양으로 음식섭취욕구 감소, 병의 진행이나 약물 투여로 인한 식욕부진에 의한다. 연구가 계속되면서 암 악액질의 매개물로 사이토카인의 역할이 중요시되고 있다. 암 환자들의 가장 큰 영양부족은 신체 세포의 크기를 감소시키는 단백질-칼로리 영양결핍이다. 더구나 따라서 환자들의 삶의 질 향상을 위하여 적절한 영양공급은 필요하다. 만일 투약이 필요하다면 식욕 촉진제인 메게스트롤 아세테이트(megestrol acetate), 트레스탄(trestan), 스테로이드(steroid) 등을 사용할 수 있다.

11) 실금

요실금은 노인층에 있어서 매우 흔한 질환이다. 특히 이동성장애, 인지장애, 신경학적 장애가 있는 노인에게 흔하다. 그렇다고 해서 정상적인 것으로 간주되고 방치되어서는 안 되며, 적극적인 치료를 고려해야 한다. 배뇨실금의 경우 노인에게는 하부요로 외에 다른 요인들이 증상을 더욱 악화시키기도 한다. 실금은 노인환자의 삶의 질을 매우 저하시키며, 시설에 들어가게 하는 중요한 이유가 된다.

환자를 진료할 때에는 환자의 병력을 검토하고 신체검진을 하는 것이 필수적이다. 섬망, 요로감염, 위축성 질염, 약물투여(benzodiazepine, 알코올, 이뇨제, 콜린억제성 약물), 심리적 장애, 내분비 장애 및 제한된 이동상의 문제나 대변 매복과 같은 선행원인을 파악하고 이들 중 일시적인 것과 만성적인 것을 구별하는 것이 중요하다. 배뇨 후 잔뇨(postvoidal residual urine)검사가 실금의 원인을 알아내는 데 사용된다. PVR>200 mL는 배뇨근의 무력이나 방광 출구폐쇄로 추측된다. 스트레스나 긴박한 실금은 PVR>50 mL 이다.

기능성 실금을 치료하는 전략으로는 화장실에 가는 길을 안전하게 유지하도록 물건이나 가구들을 잘 배치하고, 침상 변기를 가까운 곳에 비치해 주며, 소변 시간의 일정 관리, 잠자기 전에 수분 섭취 제한, 우울치료 등을 포함한다. 케겔(Kegel) 운동과 시간을 정한 배뇨 등의 비약물적 치료와 더불어 콜린억제성 약제 투여가 긴박실금에 도움을 줄 수 있다. 콜린억제성 약제 사용시에는 내성에 대한 면밀한 감시가 필요하며, 섬망, 심한 방광정체, 변비, 구강건조 등이 발생할 수 있다. 유치도뇨관을 유지하는 것은 요도감염과 항생제 저항을 일으키므로 이득과 위험을 주의 깊게 고려해야 한다. 장기간동안 직장튜브를 사용하는 것도 권고되지 않는다. 결론적으로 노인성 배뇨장애는 젊은 사람들과 달리 여러 요인들이 복합되어 있는 경우가 많으므로 총체적인 접근이 필요하며, 이에 따른 치료 방침 결정이 중요하다.

12) 감염

감염과 발열은 암 환자에게 흔히 발생하는 문제이며, 병력청취와 더불어 검사를 통해 주의 깊게 감염 부위를 찾아내는 것이 중요하다. 지속적인 항생제 사용은 오심, 식욕 감퇴, 설사, 감염성 장염, 진균감염 같은 부작용을 유발할 수 있지만, 항생제의 사용은 경우에 따라 임종기의 환자에게도 증상을 경감시켜서 삶의 질을 향상시킬 수 있다.

13) 욕창

욕창은 거동이 불편한 노인에서 흔히 볼 수 있는 심각한 문제이다. 욕창은 뼈가 튀어나온 곳에 홍반(erythema)의 형태로 생기거나, 상피 소실, 피부 망실, 수포 또는 피부의 괴사로 나타난다. 말기암 또는 척수손상, 치매, 파킨슨씨병, 심한 울혈성 심부전 또는 폐질환 등 움직일 수 없는 상태가 되어 활동이 제한되는 어떠한 질병에서도 발생의 위험도가 높다. 움직임이나 활동의 제한을 받는 것 이외에도 제2기 이상의 심한 욕창에 대한 위험 인자로는 요실금, 영양상태 및 의식장애 외에도 영양학적 인자로 임파구 수의 감소, 저알부민혈증, 불충분한 식이, 체중 감소, 피부 두께의 감소 등이 있다. 욕창의 가장 심각한 합병증은 패혈증이다. 치료보다는 예방이 중요하나, 관리를 잘 하여도 발생 할 수 있다. 따라서 잦은 체위 변경, 압력을 경감시키는 매트리스 사용, 청결한 피부 관리(특히 항문주위 위생)가 중요하며 드레싱할 때 생기는 통증에 대비하여 사전 약물 투여를 해야 한다.

2. 정신·심리적 요구와 돌봄

1) 우울, 불안

우울과 불안은 종종 함께 나타난다. 노인 말기 환자에서 우울 및 불안에 대하여 적극적인 관심을 가져야 하며, 시기적절한 진단을 내리고 효과적인 치료를 시행하는 것은 삶의 질 개선에 많은 영향을 미친다.

우울은 종종 노인에게서 간과되기 쉬운데 노인의 우울증은 임상증상 자체도 문제지만 동반된 내과적 문제나 인지 기능의 장애가 보다 더 심각하게 나타날 수 있기 때문이다. 암 환자에서 우울증의 유병률은 50% 이상으로 보고되기도 하는데, 특히 노인말기환자는 건강 상실과 더불어 신체적 이상(청력 상실등)이나 경제력 상실과 같은 여러 가지 문제에 시달린다.

우울은 통증, 조절되지 않은 증상, 울혈성심부전, 파킨슨병, 치매, 갑상선기능저하증 등의 질환이나 propranolol과 같은 약물 사용, 감각상실 등의 의학적 문제뿐만 아니라 배우자 사망, 피로, 기억장애, 소외감, 대인관계 갈등과 같은 개인적 이유 등 그 원인이 다양하다. 우선은 식욕부진이나 수면 양상 등의 신체적 증후나 증상들을 잘 평가해야 하며, 자율성을 유지해 주고 삶에 대한 희망을 갖도록 돕는다. 인지행동치료, 인생회고요법, 대인심리치료를 제공하는 한편, 호흡법, 이완요법 및 질병에 대한 무능을 경험하는 것에 대해 터놓고 말할 수 있도록 상담한다.

약물요법은 약물의 상호작용과 예측된 여명을 고려하여, 용량조정 및 다른 약물과의 병용을 결정한다. 항우울제는 선택적 세로토닌흡수억제제(SSRIs) 계열 약물 외에 nortriptyline이나 venalfaxine 등이 노인에게 주로 사용되며, fluoxetine과 paroxetine은 덜 바람직한데, 그 이유는 긴 반감기와 콜린억제성 효과가 있어 낙상, 어지럼증, 혼미 등과 같은 다른 합병증을 초래할 수 있기 때문이다. 동반 증상에 따라서 약물 사용도 하는데, 만약 식욕부진이 있다면 mirtazapine, 불면증에는 trazodone, 신경성 통증에는 duloxetine과 venlafaxine

을 사용한다. 삼환계(TCAs)와 모노아민산화효소억제
제(MAOIs)는 노인환자에게 일차적으로 권장하지 않는
데, 기립성 저혈압. 고혈압성 위기, 부정맥 등을 일으
킬 수 있고 진정효과 및 강한 콜린억제성 부작용의 위
험성 때문이다. 약물에 의한 진정작용이 심할 경우에는
methylphenidate와 modafinil과 같은 정신자극제를 사용
한다. 심리치료로 인지행동치료, 인생회고나 대인심리
치료를 시행한다.

불안은 걱정되고 안전하지 않고 편안하지 않는 느낌
과 관련된다. 좋지 않은 새로운 소식을 접할 때 올 수
있으며, 돌봄제공자, 가족 그리고 친구들로부터 심리적
지지를 받으면 완화될 수 있다. 근육긴장, 안절부절,
신경질, 심계항진, 복통, 가쁜 호흡, 흉부불편감 등의
신체적 증상을 동반한다. 조절할 수 있는 다른 증상들
이 촉발제가 될 수 있으므로 그럴 만한 원인을 상담을
통해 찾아내야 한다. 원인이 되는 증상에 따라 코르티
코스테로이드, digitalis, 항고혈압제, 항히스타민제, 항
파킨슨제제, 항콜린성제제를 사용할 수 있다. 노인환자
에게 benzodiazepine을 처방할 때는 간혹 섬망을 유발시
킬 수 있기 때문에 주의해야 한다.

2) 섬망, 초조, 혼돈

섬망은 변동이 심한 혼미, 정신운동초조가 특징적이며,
대개 중증질환을 가진 허약노인에게서 나타나는데 배
회, 기억장애, 환각, 낯설거나 부적절한 의사소통을 동
반하기도 한다. 인지장애가 있는 사람에게 섬망은 몇
주에서 몇 달 동안이나 지속될 수 있다. 노인의 섬망을
인지하지 못해 적절한 증상관리가 이루어지지 않으면
생명까지 위협받게 된다. 약물 사용의 병력, 신체검사
와 임상검사를 통해 약물금단증상이나 대사이상 여부
를 확인하고 인지기능 상태를 점검해야 한다.

저활동성에 속할 때는 치매나 우울증으로 잘 못 진단
되기도 하며, 활동성 섬망은 낙상 등 손상 위험이 높아
주위 환경을 안전하게 유지하며 일상생활 활동을 도우

며 환자와 가족의 정서적 지지가 필요하다.

섬망은 고령, 인지 장애, 질병의 심각성, 그리고 중
복질병을 가졌을 때, 또는 입원 등의 낯선 상황에서 잘
발생하게 되는데, 그 기전은 탈수, 투약, 감염, 저산소
증, 암, 신부전증, 간부전으로 인한 중추신경계의 침범
등이 일어난 것이며 사망률 증가와 관련된다. 종종 소
변저류, 배뇨곤란으로 인한 방광팽창 시에도 일어날 수
있어 섬망의 원인은 면밀히 탐색되어야 하고, 치료전략
은 임상상황과 돌봄의 목적에 맞도록 개별화되어야 한
다. 또한 가역적인 위험요소들을 확인하고 교정하며,
섬망 증상을 치료하도록 관리해야 한다. 마약제의 독
성, 탈수, 감염, 약물의 상호작용이나 부작용, 대사장
애를 교정하는 것은 섬망 치료에 도움이 될 것이다. 인
지정보를 반복해서 상기시키고, 전담돌보미를 배치하
여 익숙한 환경을 유지하며 주위의 소음 자극을 줄여주
는 등의 환경조정 전략이 필요하다. 섬망에서 회복되는
비율은 50% 정도이다.

주된 치료제로는 haloperidol, chlorpromazine, olanzap-
ine, risperidone과 같은 항정신성 약물이다. 근본적인 원
인을 치료하면서, 행위 장애의 조절을 위해 haloperidol
을 단기간 사용하는 것이 좋다. 완화치료에서 일반적으
로 사용되는 향정신 약물은 노인 섬망의 위험을 증가시
킬 수 있으므로 몇 달 동안 항전신약물 투여를 지속해
야한다고 생각되면, 비전형적인 신경이완제(quetiapine,
risperidone, olanzapine)를 사용하여 추체외로 부작용을
예방해야 한다.

결론적으로 노인환자에서의 인지장애는 질병, 약물,
환경적인 요인들이 복합적으로 작용하므로 환자의 맥
락에서 증상을 이해하며 임상적 과정과 예후를 분명히
설명하면서 중재에 임해야 한다.

3. 사회적 지지요구와 돌봄

다양한 이유로 인해서 노인환자들은 고립되는데, 특히
사회적 고립은 사람들과의 상호작용 부족에서 나오고,

외로움과 진정한 의사소통 및 우정의 결핍을 의미한다. 독거노인의 증가는 현대사회의 특징 중 하나인데, 혼자 산다는 것은 사회적 고립 가능성에 대한 주요 척도이다.

노인은 자율적으로 일상생활을 해결할 수 있는 능력이 감퇴하며, 시설에 수용되더라도 자신들이 방치된다는 두려움을 갖게 된다. 전인적 환자 돌봄의 중요성을 새겨가며 환자와 의료제공자들 간의 의사소통을 통해서 사회복지 도움, 성직자의 돌봄, 심리학적 지지서비스 등 다학제팀을 적절하게 사용하면 환자의 불안과 스트레스에 대처하는 데 도움이 된다.

경제적 문제 또한 노인환자들에게는 움직이거나 사회적 활동 및 그룹 프로그램에 참가하는 것을 어렵게 하는 중요한 현실적 장애이다. 취약한 환자 및 가족들에 대한 재정적인 지원을 통해 환자의 심리적 안정과 가족의 신체적 돌봄의 제공이 지속될 수 있도록 해야 한다.

4. 영적요구와 돌봄

말기 상태를 진단 받은 노인환자들은 죽음 앞에서도 행복에 대한 희망을 이어 가며 자신의 삶의 의미가 무엇인지 알고자 하는 같은 존재론적 고민을 갖는다. 이런 고민의 과정에서 그들의 질병, 고통, 그들이 믿는 신과의 관계, 그들이 입각한 죽음의 의미를 숙고할 수 있도록 환자에게 안정된 환경을 제공하는 것은 매우 중요하다. 또한 환자가 믿고 있는 종교나 철학적 사상을 확인하여 환자가 혼란을 느끼지 않고 편안하고 안정된 기도나 의식 그리고 희망을 갖도록 환경을 조성하는 것은 마음 편하게 죽음을 맞이하는 것을 가능하게 한다.

호스피스 · 완화의료팀에게 있어서 환자와 가족들이 죽음을 의미 있는 삶의 과정으로 받아들이도록 돕는 것은 매우 중요한 역할 중 하나이다. 위엄치료, 의미중심치료, 지지적 표현치료, 반영적 이야기 쓰기 등의 요법들은 말기환자의 고통을 이야기하게 하고 임종경험을 강화시키는 데 도움이 된다. 위엄치료는 간단한 중재인데, 환자의 인생에서 가장 중요한 것을 어디에 두며,

그들이 어떻게 기억되기를 원하는지에 강조점을 둔다. 의미중심 심리치료는 환자가 그들의 질병 경험의 의미를 발견하도록 돕는다. 환자들은 그들의 삶에서 의미의 원천으로 관계성, 경험, 그리고 아름다움과 사랑을 생각한다. 지지표현그룹 치료는 비구조화된 그룹중재법으로 참여자들에게 죽음과 죽는 것에 대해 개방적으로 지지하고 논의하게 하는 것이다. 그것은 개인적인 생활경험을 공유함으로써 사람들 간에 지지를 형성하여 사회적 고립을 감소시킨다. 의료인들은 영적인 것이 개인의 삶과 신념체계의 중요한 부분이고, 전체적인 안녕에 기여함을 알아야 하며, 이러한 요구가 환자에 대한 평가와 이해에 통합되어야 한다.

V　노인 호스피스 · 완화의료 환자와의 의사소통

인간사이의 의사소통은 언어의 형태가 아니더라도 상대방의 음성이나 제스처, 눈 맞춤, 터치, 걸음걸이 등 모든 것이 의미가 있으며 그 모든 신호를 듣고 보고 느끼면서 자신의 생각과 정서를 전달할 수 있다. 따라서 말을 하지 않는 환자일수록 잘 관찰하고 요구를 파악해야 한다. 어떤 형태로라도 자신을 표현하면 잘 들어 주고 존경심을 보이며, 무엇을 희망하는지, 그의 가치와 목표를 묻고 그것을 존중하여 성취하도록 돕는다. 우리는 당신을 존중하며 포기하지 않는다는 것을 믿게 한다. 그가 궁금해하는 것을 말해 주고 고통스러워하는 것을 들어준다. 자기 자신의 가치를 인정하고 소통하도록 하며 과거를 회상하도록 하면서 긍정적인 희망을 일으키도록 돕는다. 더구나 청각은 임종과정에서 늦은 시기까지 남아 있으므로 환자곁에서 보호자와 대화를 나눌때 각별히 유념해야 하며 환자가 편안하고 긍정적인 기분으로 삶을 정리할 수 있도록 돕는다.

증상조절 외에도 노인 호스피스 환자들에게는 함께

고민해 보아야 할 여러 가지 윤리적, 사회적 사안들이 존재한다. 첫째는 인위적인 수액 및 영양공급 문제, 둘째는 대리인 지정 및 의사결정 문제, 셋째는 경제적 상호 의존 문제, 넷째는 그들에게 존재하고 있는 고통문제이다. 이런 문제들을 해결하기 위해서는 환자 및 가족에 대한 심도있는 이해와 더불어 호스피스·완화의료팀의 체계적인 접근이 필요하다.

VI 노인 호스피스·완화의료 가족 지지

1. 노인 호스피스·완화의료 가족 돌봄제공자 지지

말기환자를 둔 가족은 신체적, 심리·사회적, 경제적인 부담을 크게 갖는다. 우선 노인환자들은 젊은 환자에 비해 세수, 양치질, 머리 감기, 목욕, 집안 청소, 빨래 등의 일상적인 위생관리가 어렵고, 식사 준비, 교통수단 이용, 외출하기 등 활동의 기동력이 떨어지며, 은행 일 보기 등의 일상 수행은 매우 의존적이 된다. 이러한 환자의 의존성은 돌봄제공자에게 신체적으로나 정서적으로나 어려움이 될 것이다. 돌봄제공자가 나이가 많은 허약한 배우자나 형제일 경우에는 환자를 돌보는 과정에서 자신들의 건강마저 해치게 된다. 또는 가족을 돌보기 위하여 직장을 포기해야 하는 경우에는 경제적 곤란을 겪게 된다. 심지어 돌봄제공자가 학업을 중단하거나 자녀양육을 방치하게 되는 경우도 있다. 이런 경우에는 사회복지에 신속히 의뢰해야 하며 사회복지서비스는 이러한 가족들이 갖는 어려움과 돌봄의 부담을 감소시키기 위하여 가용자원을 확인하고 최대한 지원한다.

현실적 어려움으로 환자를 시설에 수용하는 경우 가족 돌봄제공자에게 죄의식을 들게 할 수 있다. 가족들은 환자가 질병을 오래 앓는 동안 고통스러워하지만, 환자의 사망 후 돌봄제공자의 역할이 상실되었을 때는 그로 인한 복합된 슬픔과 우울 때문에 힘들어한다. 특

히 개인적인 감정이 복잡하게 얽혀있는 가족일 경우에는 환자가 사망하기 전에 호스피스·완화의료팀은 복잡한 사연으로 인하여 발생할 수 있는 슬픔을 사전에 탐색하여 그들이 상실에 대처하도록 미리 심리지지서비스와 지지그룹에 연결해준다. 호스피스는 환자뿐만 아니라 가족도 대상이기 때문에 이들에게도 환자와 마찬가지로 그들 각각의 신념과 가치를 존중하며, 가족 간 서로에 대한 어려움을 솔직하게 의사소통을 할 수 있도록 돕는다. 가장 중요한 가족 지지는 환자가 가족을 중심으로 얽힌 문제나 집착을 정리하고 이별을 잘할 수 있는 환경을 조성하고 심리적 지지를 제공하는 것이다. 아울러 환자임종 후 장례와 관련된 절차나 방식에 대해서도 가족 간 원만히 합의되도록 돕는다.

2. 임종 후 가족지지

노인환자의 임종은 다른 연령층과는 다르게 배우자도 신체적인 제한이 있는 노인이거나, 자녀들은 직장이나 학업 또는 다른 가족을 보살펴야 하는 이중고를 겪으면서 환자에게 소홀했다는 생각에 죄책감을 갖는 경우가 많다. 많이 연로한 배우자는 일단 건강을 배려하여 안정시키며 평화스러운 마음이 들도록 분위기를 만든다. 자녀들에게는 자신의 어려운 여건에서도 최선을 다했다는 마음이 들도록 위로하며 안심시켜 죄책감으로부터 벗어나도록 돕는다. 특히 돌보던 가족이 마지막 임종을 보지 못한 경우에는 고인의 마지막 상황을 설명하며 이를 안심시키고 필요한 경우 영안실의 고인을 접견할 수 있도록 배려한다. 가족들에게 임종이 인식되면 가족들의 문화와 사정에 맞는 장례의식을 갖도록 하고, 의식절차를 잘 준비하고 진행하도록 돕는다.

임종 전에 환자가 가족들과 소통을 통해 좋은 이별을 하였다고 하더라도 가족들의 마음속에 죄책감이나 슬픔들이 사라질 수는 없다. 가족에 따라서는 초기보다는 시간이 흐르면서 더욱 심적인 상실감이 커질수 있다. 애증과 같은 복합적인 감정이 얽혀 있을수록 고통이 더

심각할 수 있다. 환자의 임종과정까지 가족들이 겪었던 느낌과 생각들을 마음을 세심하게 청취하여 가족의 상실감에 대한 슬픔이나 다른 아픔들을 살펴서 사별 이후 불필요한 감정의 고통에 빠져있지 않도록 도와야 한다.

VII 노인환자의 임종준비

1. 의사결정을 위해 검토할 사항

노인말기환자를 위한 의사결정을 할 때 노인의 인지능력이나 지적수준, 가치관에 대해 편견을 갖지 않아야 한다. 또한 모든 사람들은 오래 살기를 원한다거나 고령자라고 해서 모두 생명연장을 선택하지 않을 거라고 생각하지 않아야 한다. 기능 장애가 있는 경우 삶의 질을 평가할 때 환자 대리인이나 건강관리 제공자로부터가 아닌 환자 본인으로부터 정보를 파악하는 것이 가장 좋다. 환자의 기능보유와 환자가 느끼는 삶의 질이 치료절차를 정하거나 치료를 계속할 것인지에 대해 결정하는데 가장 중요한 기준이 된다. 환자 가족들은 말기질환과 관련이 없는 만성질환에 대한 약물 사용에 대해서는 민감하다. 가족들과도 신뢰적 관계를 형성하고, 만성질환에 대한 약물을 계속 투여해야 하는지를 논의하여 불필요한 약물 사용을 감소시키는 것이 좋다.

그러나 치료여부를 결정하거나 어떤 치료법을 선택할 때는 이 치료가 환자의 예후를 어떻게 바꿀 수 있는가, 치료 유무로 삶의 질과 관련하여 무엇을 기대할 수 있는가, 환자의 목적과 우선순위는 무엇인가 등에 대해 잘 검토해보아야 한다.

2. 사전돌봄계획과 사전연명의료의향서(Advance directives)

사전돌봄계획은 환자가 스스로 자신에 대한 의사결정

을 할 수 없을 때를 대비하여 치료를 계획하는 것으로 대리인 지정, 치료 목적과 변화, 개인의 가치관통합 및 이들 선호도에 근거한 계획 작성 등의 다양한 과정으로 구성된다. 사전연명의료의향서는 환자의 사전돌봄계획에 의해 작성되며 환자가 치명적인 상태에서 자신의 건강간호에 대한 선택을 표현할 수 없을 때 환자의 의료적 돌봄을 안내하는 사전에 준비된 특별한 지시서이다. 사전연명의료의향서는 환자와 담당 의료진이 여러 번 만나서 상호작용을 거쳐 작성하였을 때 성공적이다. 반면에 안내서나 신청서 등과 같은 서식을 통해 미온적으로나 일방적으로 교육하는 것은 바람직하지 않다. 환자 중심의 사전돌봄계획의 사용은 임종에 대한 환자의 소망을 잘 확인하고 존중하며, 환자와 가족들의 관점에서 돌봄을 제공하므로 결과적으로 환자의 임종 이후 남겨진 가족의 스트레스, 불안 및 우울 등을 낮춘다. 환자와 가족이 충분한 시간을 갖고 상실에 대한 준비를 할 때 복합적인 슬픔은 덜 일어날 것이다.

우리나라에서는 노인들의 경우에 사전돌봄계획을 배우자나 아들, 딸에게 미루는 경우가 많은데, 근래에 2인 가족 구조에서는 배우자가 사망하면 적당한 대리인을 결정하는 것이 더욱 어려우므로 환자의 심리적 상황을 세심히 고려해야 한다. 노인환자와 만성질환은 다발성으로 악화되고 부분적으로 조금 회복하는 양상을 보인다. 항상 환자의 현재 소망에 부합하도록 치료 목적을 중간중간 다시 확인해야 한다.

한편 인지적 장애를 입은 사람은 이전의 사망유언장이나 사전연명의료의향서에 작성된 것과 현재의 요구가 일치하지 않을 수도 있다는 딜레마가 있다. 이렇게 곤란한 경우에도 협력이 성공적인 치료와 돌봄 계획에 필수적이기 때문에 환자대리인과 건강제공자들이 환자의 선택에 민감성을 갖는 것이 중요하다.

📑 참고문헌

1. 김숙남, 김현주. 좋은 죽음에 대한 인식, 연명의료 중단 및 안락사에 대한 종합병원 간호사의 태도 Korean J Hosp Palliat Care 2016;19:136-44.
2. 김춘길. 재가노인의 좋은 죽음에 대한 인지도와 가족지지의 영향. Korean J Hosp Palliat Care 2014;17:151-60.
3. 노유자, 한성숙, 안성희, 김춘길. 호스피스와 죽음. 서울: 현문사; 1997.
4. 대한 노인병학회. Geriatric medicine 개정3판. 서울: 도서출판 범문에듀케이션; 2015.
5. 대한가정의학회. Textbook of family medicine 개정4판. 서울: 도서출판 진기획; 2013.
6. 박재갑, 박찬일, 김노경 등. 종양학(Oncology). 서울: 일조각; 2007.
7. 보건복지부 보도자료(2015.5.7), 말기 암 환자에게 다양한 호스피스 제공.
8. 보건복지부 보도자료(2016.9.29.), 활기찬 백세시대를 위한 어르신들과 정부의 약속의 장.
9. 보건복지부, 국립암센터, 완화의료팀원을 위한 호스피스 · 완화의료 개론-호스피스 · 완화의료 표준교육자료 개정판. 2012. pp.440-2.
10. 요양병원 "9월 호스피스시범사업 준비철저", 데일리메디(2016.8.4.); [Cited 2017. Feb. 11]. Available from; http://www.dailymedi.com/detail.php?number=808926.
11. 윤진. 성인 · 노인심리학 11판. 서울: 중앙적성출판사; 1996.
12. 통계청 보도자료(2016. 9. 27), 2015년 사망원인통계, 32-43, 45, 51. [Cited 2017. Feb 11]; Available from:http://kostat.go.kr/portal/korea/kor_nw/2/1/index.board?bmode=read&bSeq=&aSeq=356345&pageNo=11&rowNum=10&navCount=10&currPg=&sTarget=title&sTxt=.
13. 통계청 보도자료(2016. 9. 29), 2016년 고령자통계, 51. [Cited 2017. Feb 11]; Available from; http://kosis.kr/statHtml/statHtml.do?orgId=101&tblId=DT_1B34E01&conn_path=I2.
14. 한지영. 검시관과 응급실 간호사의 좋은 죽음에 대한 인식과 죽음에 대한 태도. Korean J Hosp Palliat Care 2015;18:16-24.
15. 호스피스 · 완화의료 및 임종과정에 있는 환자의 연명의료결정에 관한 법률(약칭: 연명의료결정법) [시행 2017.8.4.] [법률 제14013호, 2016.2.3., 제정].
16. 호스피스 · 완화의료 및 임종과정에 있는 환자의 연명의료결정에 관한 법률(약칭: 연명의료결정법) [시행 2018.3.27.] [법률 제15542호, 2018.3.27. 제정].
17. Brook AC. and Christine SR. Oxford American Handbook of Hospice and Palliative care and a supportive care. Palliative Care in Older Adults, chapter 28. 361-74.
18. Eduardo Bruera. Irene Higginson. Charles F von Gunten. Textbook of palliative medicine and supportive care. chapter 50:475-80, 96:961-8.
19. Erik Erickson's Psycho-social Stages of Development; [Cited 2017 May 6] Available from http://socialscientist.us/nphs/psychIB/psychpdfs/Erikson.pdf.
20. Korean Hospice & Palliative Nurses Association & American Association of Colleges of Nursing. Promoting palliative care in long-term care ELNEC-Geriatrics Training Program) 2010. July 1,3; Seoul, Korea.
21. Nathan IC, Marie TF, Stein K. Oxford Textbook of palliative medicine. chapter 16.3.1044-55.
22. Schwartz CE, Mazor K, Rogers J, Ma Y, Reed G. Validation of a new measure of concept of a good death. J Palliat Med 2003;6:575-84.

10부

심리사회적 돌봄 및 영적 돌봄

40장 심리사회적 돌봄

41장 영적 돌봄

42장 가족 돌봄

43장 사별가족에 대한 사정과 상담

40장
심리사회적 돌봄

| 김원철, 김상희 |

호스피스·완화의료는 말기 환자의 총체적 고통과 통증에 대한 이해와 접근을 원칙으로 한다. 따라서 호스피스·완화의료는 임종을 앞둔 말기 환자와 가족의 총체적 고통과 통증을 해소하기 위해 신체적, 심리사회적, 영적 등 전인적 돌봄의 제공을 목표로 하고 있다. 전인적 돌봄을 위한 각 요소들은 서로 상호작용하고 영향을 주고받기에 어느 한 요소도 간과될 수 없다. 죽음에 직면한 말기 환자와 가족의 심리사회적 욕구(needs)에 대한 접근도 그러하다. 말기 환자와 가족의 심리사회적 욕구가 제대로 충족되지 않으면 환자의 전반적인 삶의 질에 부정적 영향을 받게 되며 이는 호스피스·완화의료 돌봄의 목표에도 심각한 영향을 미치게 된다. 따라서 호스피스·완화의료팀은 말기환자와 가족의 심리사회적 돌봄의 개념과 실천과정에 대해 잘 이해하여야 한다. 나아가 심리사회적 돌봄을 위한 사정과 구체적인 실천방법에 대해 이해하고 활용할 수 있어야 한다. 이 장에서는 호스피스·완화의료에서 심리사회적 돌봄의 필요성과 더불어 심리사회적 접근과 그 개념이 무엇인지를 파악하고 전문적인 사정(assessment)의 방법과 구체적인 심리사회적 돌봄 및 실천의 방법을 살펴보고자 한다.

I 심리사회적 돌봄의 이해

1. 심리사회적 돌봄의 필요성

인간은 변화하는 환경 속에서 안전과 만족을 얻고자 하는 다양한 욕구를 가진 유기체로서, 욕구가 발생하면 긴장하게 되고 욕구충족을 위한 행동이 발생하며 욕구가 충족되지 못할 때에는 여러 가지 문제가 발생하여 삶의 질에 영향을 받고 고통을 겪게 된다. 그래서 인간은 이러한 욕구를 충족하기 위해 누군가에게 무엇을 원하거나 요구하기도 한다.

호스피스·완화의료에서 환자와 가족의 기본적인 요구는 신체적·심리적·사회적·가족적·경제적·영적 욕구 등으로 구분하여 설명할 수 있다 그림 40-1. 이러한 욕구

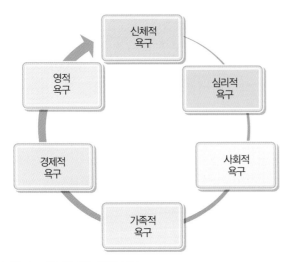

그림 40-1. 말기환자와 가족의 요구

들은 서로 긴밀히 밀착되어 있고 서로 상호작용을 하고 있어 한 가지 욕구라도 결핍되면 삶의 질에 많은 영향을 받는다. 즉 임종에 직면한 말기 환자의 심리사회적 욕구가 제대로 충족되지 않을 때 환자의 삶의 질에 부정적 영향을 미칠 수 있으며 환자는 호스피스·완화의료 돌봄의 목표인 좋은 죽음(good death)에 이르지 못할 수 있다. 그러므로 호스피스·완화의료팀은 환자와 가족의 심리사회적 욕구에 민감하게 반응해야 하며 돌봄의 필수 영역으로 인식하여야 한다. 그러나 심리사회적 돌봄은 사회문화적 다양성과 환자 개인의 개별성으로 인해 명백하게 해결책을 제시하기 어렵다. 그럼에도 불구하고 호스피스·완화의료팀은 심리사회적 돌봄에 접근하기 위한 전문적 시각과 접근 방법을 알고 있어야 한다.

돌봄은 정확한 환자에 대한 이해로부터 시작된다고 할 수 있다. 임종을 앞둔 환자와 가족의 심리사회적 돌봄 역시 그들에 대한 심도 깊은 이해로부터 시작된다. 따라서 환자와 가족의 심리사회적 돌봄은 무엇보다 말기 환자의 심리사회적 요구와 문제점을 정확히 이해하는데서 출발해야 하고 이를 해결해 나가기 위한 구체적 방법들을 습득해야 할 것이다. 호스피스·완화의료팀이 말기 환자와 가족의 요구와 문제에 접근하기 위해서는 생심리사회적(biopsychosocial) 접근에 대한 이해가 필요

하다. 생심리사회적 접근은 건강에 대한 의료중심의 접근을 확장하여 생물학적, 행동적, 사회적, 환경적, 심리적 측면의 요인들까지 고려하는 것으로써 이를 위해 의사, 간호사, 사회복지사 등 다양한 전문가들이 다학제간 접근을 실시한다. 즉 현대사회에서 바라보는 질병이란 단순한 원인에 의한 결과가 아니라 인간세계의 무한히 많은 생심리사회적 제 요인들 간의 복합적 결과로서 발생하는 것으로서, 신체적인 개념과 심리사회적 개념 및 사회문화적인 개념 모두를 포함하는 개념으로 그 의미가 부여되고 있다. 이와 같은 개념에 대한 이해를 바탕으로 호스피스·완화의료에서 심리사회적 돌봄은 임종을 앞둔 말기 환자의 현재, 과거와 미래, 그리고 사회적, 경제적, 문화적 관계에서의 사회구성원, 가족구성원으로서 환자를 균형 있게 바라보는 것이 필요하다. 말기환자와 가족의 사회경제적, 사회문화적, 심리사회적 배경과 더불어 질병의 잠재적 영향에 대하여도 이해해야 하는 것이다. 질병이 환자와 가족에 미치는 영향 가운데에는 경제적 부담으로 인해 적절한 치료를 받지 못하는 것, 집을 처분하는 것, 조기 퇴직, 개인적 생활 계획의 변화, 가족 생활 주기의 변화 등이 포함된다. 사회경제적 수준이 낮은 사람들의 경우에는 경제적 부담으로 인해 통증을 단지 참아야 하는 것으로 여기는 경향이 있다. 따라서 호스피스·완화의료팀은 환자와 가족의 사회경제적 상태를 평가하고 이해하여야 하며 사회경제적 특성에 따른 접근방식을 취해야 할 것이다.

또한 임종을 앞둔 말기 환자와 가족이 사회문화적으로 어떻게 영향을 받는지에 대하여 살펴보는 것은 매우 중요하고 의미 있는 일이다. 질병 발생의 사회문화적 역학은 인종, 지역, 문화, 전통적인 생활습관의 차이 등 기타 여러 요인의 복합적인 작용에 기인한다. 예를 들어 암성 통증은 가족관계, 직업적인 역할, 경제적인 이해관계 등에 대해 많은 영향을 주고 받는다. 이러한 요인들은 암 환자의 삶의 질에 영향을 미치는 지표로서 매우 중요하다. 환자가 통증에 대하여 갖는 태도

10부

나 행동은 다른 사람들이 그에게 기대하는 태도나 행동과는 차이가 있으며 이러한 차이로 인해 오해나 마찰이 생기기도 한다. 사람들은 대부분 자신이 학습한 통증에 대한 반응을 정상적인 것으로 생각하며, 자신과 다른 것을 틀렸거나, 부적절한 것, 또는 비정상적인 것으로 생각한다. 통증과 관련된 요인에는 분노와 우울감에 대한 표현, 의존과 독립심 간의 갈등, 그리고 흥분, 피곤함, 졸림, 혼란, 허약감 등과 같은 치료로 인한 부작용도 포함된다. 또한 질병에 대한 인식 수준과 이로 인해 치료를 받으려는 자세는 교육 수준과도 관계가 있다. 즉 교육 수준이 높은 사람일수록 자신의 병에 대해서도 더 잘 인식하고 더 일찍 치료를 받으려 한다. 결국 사회적 환경이 통증에 대한 경험과 반응을 결정하지만 통증에 관련된 요인들 또한 환자의 사회적 관계에 영향을 미친다고 볼 수 있다. 예컨대 통증으로 인해 역할의 변화가 생긴 환자의 경우, 가족이나 친구들과의 관계에서 더 큰 방해(부모 역할, 부부 관계, 직장의 기대 등)를 받게 된다. 어머니로서의 역할은 주부로서의 일보다 더 포기하기 어려우며 만성적 통증이 있는 환자와 배우자 사이에는 심각한 부부 문제가 있는 경향이 있다.

말기 환자와 가족의 사회문화적 측면을 이해하기 위해서 임종에 대한 반응과 사회문화적 요소도 고려해야 할 부분이다. 어느 사회에서도 죽음은 중대한 문제가 되고 있으나 임종을 받아들이는 방식 및 장례문화는 사회와 문화에 따라 각기 다르다. 상실과 그에 따른 애도의 표현방식은 임종자와 그 가족이 속한 문화권의 특성에 따라 다르므로, 한 가족의 상실에 따른 슬픔을 이해하고 그를 극복하는데 도움을 주기 위해서는 그들의 종교를 포함한 사회문화적인 여러 사항들을 파악하여야 한다.

1) '심리사회적 접근'과 돌봄의 개념

'심리사회적'이 무엇인가를 정의내리고 접근하는 것은 매우 광범위한 일이다. 오랫동안 많은 학자들에 의해 이 부분에 대한 논의가 있어 왔고 이를 정리해 보면 다음과 같다. 먼저 '심리사회적' 접근은 각각의 독립된 심리적, 사회적 관점에 국한되지 않고 '심리사회적'인 관점을 갖는다. 이것은 단지 심리학과 사회학적 관점의 통합을 의미하는 것이 아니라 인간을 생리적·심리적으로뿐 아니라 인간을 둘러싼 사회경제적인 상황을 포함한 포괄적이고 전체적인 시각을 갖는 것을 의미한다. 따라서 심리사회적 접근은 '환경 속에 있는 인간'이라는 생태체계적 관점에서 출발하며 개인의 내적 요소와 더불어 환경과의 상호작용측면을 통합적으로 바라본다. 환자와 가족을 외부 환경과의 상호작용과 상호교류의 맥락 속에서 바라보아야 하며 환자와 가족의 요구에 따라 개별적인 접근이 이루어져야 한다. 즉 인간이 생활하는 사회체계(가족, 집단, 조직, 지역사회) 영역에 대한 인간의 생심리사회적 발달에 대한 접근을 포괄하는 것이다. 이것은 호스피스·완화의료에서 중시하는 전인적 돌봄 과정과도 그 맥락을 함께 한다. 따라서 말기 환자와 가족의 현재와 과거의 기능수행과 생활환경에 중점을 두고 개인의 요구, 문제, 생의 주기별 단계, 환경적 요인, 사회적 지원체계 등을 고려하는 것이 필요하다.

심리사회적 돌봄은 환자와 가족의 자아존중감, 질병에 대한 수용과 병식(insight)을 갖는 것, 의사소통, 사회적 기능과 관계 등의 이슈를 포함하는 심리적·정서적 안녕과 관련된 것으로 정의된다. 여기에는 인구사회학적 지위, 사회적 관계망(social network), 지지체계, 대인관계, 직장생활, 경제적 어려움, 의사소통, 가족관계, 퇴원이후 돌봄 장소 및 주돌봄자 등의 환경적 문제, 취미, 성, 이동수단 등의 요소들이 포함된다. 또한 심리사회적 돌봄은 심리적 상실의 경험과 환자 또는 환자와 가까운 사람들에게 영향을 미치는 죽음에 직면하는 것을 포함한다. 영적인 신념, 문화, 관심가치, 경험에 영향을 주는 사회적 요소들도 포함된다. 심리사회적 돌봄은 재정, 주거, 일상생활 보조 등의 실제적 측면을 포함하고 있으며 영적돌봄과 중첩되기도 한다. 영적돌봄은 주관적이고 임의적이고 개별적 성향을 가지고 있어 정의내리기 쉽지 않다. 일반적으로 영적돌봄은 개인적 신념, 가치, 의미와 목적, 정체성, 종교 등을 포함하며 친척, 친구, 종교집단으로부터의 비공식적 지지와 공식적인 복양의 정서적 유익까지도 포함하고 있다.

이상의 개념을 살펴보았을 때 심리사회적 돌봄이란 임종을 앞둔 말기 환자와 가족의 삶의 질을 증진시키기 위한 호스피스·완화의료 활동 중 하나로 환자와 가족들이 경험하는 사회경제적, 사회문화적, 심리사회적 고통을 경감시키며, 심리사회적 기능 회복을 목적으로 도움을 제공하는 전문적 활동으로 정의할 수 있다.

II 심리사회적 돌봄의 과정

심리사회적 돌봄의 과정은 ① 초기면접을 통한 심리사회적 사정, ② 사정에 따른 돌봄 계획 수립, ③ 돌봄 계획에 따른 실천, ④ 실천에 대한 평가의 4단계로 이루어진다. 심리사회적 돌봄을 위한 사정은 호스피스·완화의료 서비스 제공 초기에 이루어져야 하며 이 분야의 전문가인 사회복지사가 평가하는 것을 원칙으로 한다. 이때 심리사회적 사정은 환자 개인, 가족, 경제, 지역사회자원 등을 포함하여 포괄적으로 진행하여야 한다.

심리사회적 돌봄 계획을 수립 시에는 환자와 가족의 요구를 중심으로 수립하되 전체적인 돌봄의 목표에 부합하여야 한다. 특히 돌봄제공자 간 의사소통을 통해 환자와 가족을 위해 어떠한 심리사회적 돌봄 계획이 수립되고 실천되는지 공유되어야 한다. 왜냐하면 심리사회적 돌봄 과정은 특정 전문직의 돌봄제공자만 개입하여 실천하는 것이 아니라 사회복지사를 중심으로, 의사, 간호사, 종교인, 자원봉사자 등 다양한 전문가들이

함께 힘을 합쳐서 노력해야 하기 때문이다. 또한 심리사회적 돌봄의 과정은 초기 입원 시부터 임종 후 사별 가족 돌봄까지 연속적으로 이어져야 하며 평가 또한 지속적인 재평가를 통해 환자와 가족의 변화하는 요구에 민감하게 대응하여야 한다. 심리사회적 돌봄의 과정을 도식화 하면 그림 40-2 와 같다.

1. 심리사회적 사정

호스피스·완화의료는 전인적 돌봄을 통해 환자와 가족의 삶의 질을 증진시키는 것을 목적으로 한다. 이를 위해서는 심리사회적 사정 역시 몇 가지 항목에 국한된 단편적 이해가 아닌 훈련된 전문가가 인간내적인 측면과 환경적 측면을 전체적으로 접근하는 것이 필요하다. Oliviere 등(1998)은 인간 내면적 요소인 신체-정신-영에 대한 통합적 접근과 더불어 가족과 지역사회 등 환경적 요소를 통합한 전인적이고 포괄적인 심리사회적 사정의 틀을 제시하였다 그림 40-3.

포괄적이고 다학제적 사정은 환자와 가족의 심리사회적 요구들을 인식하며 효과적으로 돌봄 계획을 수립할 수 있다. 따라서 호스피스·완화의료팀에 환자와 가족의 심리사회적·실제적 요구를 사정하고 개입할 수 있는 다양한 전문가들을 포함하여야 한다.

사정은 잠정적인 결론에 도달하기 위해 수집된 정보로부터 사회복지사 등 전문가가 추론하는 전문적인 사고과정이다. 사정의 과정에서 사회복지사 등 전문가는 사용 가능한 정보들을 통해 클라이언트의 상황을 이해하고 계획의 토대를 구축하기 위해 정보들을 조직화한다. 사정이 종결되었을 때, 문제를 정확히 묘사할 수 있고 클라이언트의 상황을 개선하기 위해 변화가 필요한 것을 분명히 규명할 수 있다. 다시 말해 사정은 돌봄제공자와 클라이언트 간 발생하는 것으로, 정보를 수집, 분석, 종합화해가며 다면적 공식화를 형성해가는 과정인 것이다. 환자와 가족에 대해 알고(knowing) 이해하고(understanding) 평가하고(evaluating) 개별화

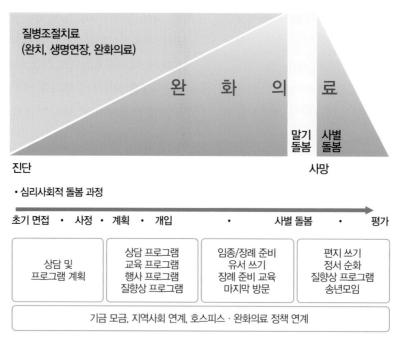

그림 40-2. 호스피스 · 완화의료와 심리사회적 돌봄의 과정

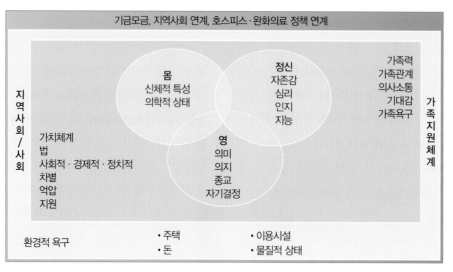

그림 40-3. 심리사회적 욕구 사정 및 서비스 제공
출처 : David Oliviere, Rosalind Hargreaves, Barbara Monroe(1998). Good Practices in Palliative Care : A Psychosocial Perspective. Ashgate : England. p.48.

하고(individualizing) 도식화하는(figuring out) 과정을 포함한다. 사정을 위해 심리사회적 돌봄 제공자는 클라이언트와 상호작용하며 정보를 수집하는데, 이때 환자와 가족이 처해있는 상황에 대해서 토론하며 그들이 미리 말기에 대한 계획을 세우고 증상이 악화될 때까

지 개인적 준비가 필요한 상황을 예상하고 고려하도록 도울 수 있다.

정보의 수집은 주로 환자와 가족 면담을 통한 언어적 보고에 의해 수집할 수 있으며 이외에도 환자의 비언어적 행동의 직접 관찰, 환자와 타인의 상호작용을 관찰,

병원의 의무기록을 조사, 주변 관련자를 접촉, 다양한 심리검사척도의 활용, 문제 체크리스트나 질문지와 같은 서면 질문, 돌봄제공자의 개인적 경험을 통한 통찰 등의 방법을 통해 정보를 수집할 수 있다.

심리사회적 사정은 자연과학 분야를 기초로 하는 의사, 간호사의 임상적 진단 또는 사정과는 그 방법에서 차이를 보인다. 즉 의사, 간호사는 주로 검사 결과나 증상 분류 등에 근거하여 진단이나 사정을 하게 된다. 그러나 사회복지사는 관찰되는 모든 것을 통합적으로 자료화시켜 접근한다. 따라서 환자를 어느 특정한 척도로만 사정할 수 없다. 예를 들어 불안에 대해 접근할 때 사회복지사는 불안척도를 사용하여 사정할 수도 있지만 이외에도 앞서 언급한 것과 같이 다양한 자료의 수집, 면접, 관찰 등을 통해서 논리적이고 인과적인 추론과정을 거쳐 사정하게 된다.

심리사회적 사정은 1917년 미국의 사회복지사인 Mary Richmond의 'social diagnosis'에서 유래한다. Richmond는 환경적 상황이 개인에게 결정적 영향을 미친다고 보았다. 즉 개인 내적요소와 환경의 두 가지 측면을 모두 강조하며 환경과 개인이 어떻게 상호작용하는지를 중요하게 보았다. 이후 Hamilton (1940)은 '케이스워크의 이론과 실천'에서 '심리사회적'이란 용어를 사용하기 시작했으며, Hollis (1964)는 논문 '케이스워크: 심리사회적 치료'에서 사례기록의 6개의 카테고리를 규명하고 이를 심리사회적 접근모델로 발전시켰다.

심리사회적 사정에서 중요한 점은 지속적인 사정과 더불어 강점을 강조하는 것이다. 사정은 사례의 전 과정 동안에 나타나는 새로운 정보를 수집하고 분석하며 조직화하는 유동적이며 역동적인 과정이다. 먼저 초기 면접에서 환자와 가족으로부터 풍부한 정보를 수집하고, 정보에 대한 의미와 중요성을 즉각적으로 사정해야 한다. 충분한 정보 수집 이후에 환자와 가족과 함께 이를 분석하고 정보를 통합화하며 이러한 사정 과정은 사례종결까지도 계속되어야 한다. 심리사회적돌봄 제공자는 최종 면담 시까지 주의 깊게 환자와 가족의 종결에 대한 준비 정도를 평가하고 장래에 어려움을 야기할 수 있는 잔여 문제의 존재를 사정하고, 종결에 대한 감정적 반응을 확인해야 한다.

초기의 심리사회적 사정은 의료적 모델에 기초한 진단으로 표현되었다. 진단은 질병, 역기능, 정신건강문제 등을 지닌 개인, 가족, 집단에서「무엇이 잘못되었는가」에 초점을 두는 것으로서, 과거 전통적인 사회사업에서 사용했던 용어이다. 그러나 사정은 환자와 가족이「무엇이 잘못되었는가」에만 초점을 두는 것이 아니라, 그들의「자원, 동기, 강점, 능력 등을 모두 보는 것」으로서, 최근의 사회사업실천 현장에서 사용하고 있다. 다시 말해 의료모델은 임상적 진단을 요구하고 병리적 증상을 제거하는 병리학적 모델을 기초로 접근한다. 그러나 심리사회적 사정은 문제에 대한 관심과 더불어 문제의 해결점을 발견하고 환자의 강점을 강화하는 것까지 초점을 둔다. 즉 심리사회적 사정 과정을 통해 환자를 독특한 존재로서 다양성을 인정하고 존중하여 환자와 가족의 역량을 실현해 나가도록 돕는다. Cowger (1992)는 이러한 강점을 사정하기 위한 두 개의 주요한 축을 제시하였다. 그는 수직의 위쪽에는 잠재적 강점과 자원을, 그리고 아래쪽에는 잠재적 약점과 도전, 그리고 장애물을 사정한다. 수평의 왼쪽에는 환경적인 요소, 오른편에는 개인적 요소의 범위를 사정한다.

지금까지 살펴본 사항을 바탕으로 호스피스·완화의료의 심리사회적 사정의 중요한 개념을 도출해보면 ① 말기 환자와 가족에게 수집한 심리사회적 정보들을 분석하여 사회복지사 등 전문가의 전문적 소견으로 판단하는 과정을 의미하며 ② 여기서 심리사회적이란 용어는 환자의 질병 또는 문제에 영향을 미치는 다양한 심리적·사회적·환경적 측면과 더불어 개인과 환경의 상호작용까지 포함하고 있다. ③ 심리사회적 사정 과정은 환자와 가족의 요구를 중심으로 종결 시까지 지속적으

10부

로 사정한다. 이러한 심리사회적사정을 바탕으로 적합한 돌봄의 목표를 설정함과 동시에 전문적인 개입 계획을 세우며, 수립된 계획에 따라 적절한 호스피스·완화의료 돌봄을 실천하는 것이 호스피스·완화의료에서의 심리사회적 돌봄이라고 할 수 있다.

1) 심리사회적 사정 항목

심리사회적 문제를 정확하게 측정하고 파악하기 위하여 다양한 사정항목이 제시되고 있다. 미국정신의학회의 정신장애의 진단 및 통계편람-4판(DSM-IV) 진단분류체계의 축 IV에서 심리사회적·환경적 문제들을 사정항목으로 제시하고 있고 미국사회복지사협회(1994)는 환경속의 인간 분류체계(PIE System Code)의 축 I, II에서 심리사회적 사정을 제시하고 있다. Spano (1980)는 심리사회적 문제를 목록화하기 위해 미네소타 대학병원 사회사업과에 약 7년간 내원한 환자들의 가장 빈번한 문제를 24가지로 정리하여 제시하였다. 호스피스 영역에서는 Lusk (1983)가 사회력, 물리적 자원, 그리고 심리사회적 기능 등으로 평가 내용을 분류하고, 심리사회적 기능을 정신상태, 질병에 대한 환자의 반응, 질병에 대한 가족의 반응, 역할손상 등의 문제로 심리사회적 사정영역을 분류하여 제시하였다 표 40-1.

미국 클리블랜드 클리닉(1991)은 초기 호스피스·완화의료 사회사업의 심리사회적 사정항목으로 인구사회학적 사항, 경제적 지위, 보험, 정서적 사항, 가족관계, 가정에서의 필요와 주돌봄자의 능력을 포함하였다. 이후 완화의료에서의 초기 심리사회적 사정 항목을 4가지 영역으로 재편하였으며 영역 중 환자와 주돌봄자의 기능에 대한 영역을 ① 진단에 대한 이해, ② 예후에 대한 이해, ③ 의사결정에 대한 참여, ④ 의사소통, ⑤ 문제 해결 능력, ⑥ 치료의 협조, ⑦ 수행지위, ⑧ 지지 체계, ⑨ 질병 적응의 9가지 항목으로 제시하였다. Pasacreta 등(1998)은 개인의 가치, 신념, 사회경제적 배경, 문화적 배경, 종교, 문화적 신념체계

표 40-1. Lusk의 심리사회적 평가 항목

대분류	중분류	세부내용
기초신상 정보	성명, 결혼 상태, 진단명 등	–
사회력	발달력	1. 가족체계의 배경 2. 교육 경력 및 직업의 경력 3. 소중한 이의 상실 및 위기 4. 문화적 고려사항
	현재의 가족체계	1. 크기 및 구조 2. 안정성 3. 돌보는 이들과 지지해주는 이들 4. 기능한 문제영역
물리적 자원	수입원 및 충족도	–
	의료보험	–
	서비스나 위탁에 대한 욕구	1. 재정적 서비스 2. 의료장비 3. 사회적 서비스
	사후준비	–
심리사회적 기능	정신상태	1. 의식의 수준 2. 지남력 3. 기억 및 인지기능 4. 외모 및 표현 5. 기분 및 정동 6. 행동의 적절성
	질병에 대한 환자의 반응	1. 슬픔의 단계 2. 방어기제 3. 증가된 의존에 대한 반응
	질병에 대한 가족의 반응	1. 슬픔의 단계 2. 방어기제 3. 환자의 증가된 의존에 대한 반응 4. 일차적 돌보는 이와 환자와의 관계
	역할 손상	1. 가족내에서의 환자의 역할 2. 질병에 의해 악영향을 받은 역할 3. 타인들에게 재할당된 책임성

등을 포함하는 많은 요인들이 말기환자들의 삶의 질과 완화의료에 영향을 미치며, 이전의 대처전략과 정서적 안정성, 사회적 지지, 그리고 증상의 디스트레스의 세 가지가 심리사회적 적응에 영향을 주는 요인이라고 하였다.

또한 우리나라의 보건복지부와 국립암센터(2010)는 '완화의료전문기관 서비스 제공 원칙'에서 사회적 사정을 다음과 같이 제시하고 있다.

2.2.3 사회적 평가

1. 환자와 가족의 사회적 요구에 대한 평가는 체계적, 포괄적, 지속적으로 이루어져야 한다.

1) 환자와 가족의 사회적 요구에 대한 평가는 적절히 훈련된 전문가에 의하여, 체계적인 평가 도구를 사용하여 이루어져야 한다.

● 원 칙
  (1) 완화의료전문기관은 사회적인 요구에 대한 체계적인 평가 서식을 구비하여, 포괄적인 평가가 이루어지도록 해야 한다.
  (2) 사회적 요구에 대한 평가는 각 기관의 사정에 맞추어 사회복지사, 조정자, 담당 간호사, 성직자 등이 시행할 수 있다.

2) 환자와 가족의 사회적 요구에 대한 평가는 포괄적이고 지속적으로 이루어져야 한다.

● 원 칙
  (1) 환자와 가족의 사회적 요구에 대한 평가는 아래와 같은 것들을 포함한다.
    – 가족문제
      • 가족의 구조 및 관계
      • 의사소통 경로 및 의료의사결정 구조
      • 가족들의 지리적 위치
      • 성생활, 친밀감
    – 사회경제적 자원/지지 체계
      • 재정적 상태
      • 법적 문제
      • 환자와 가족의 사회문화적 네트워크
      • 생활환경, 직장 및 학교의 환경
      • 돌봄제공자의 유무
      • 교통수단에 대한 접근성
      • 필요한 약품, 영양식품, 의료장비에 대한 접근성
  (2) 사회적 요구는 시간 경과나 환경적 변화에 따라 달라질 수 있으며, 지속적으로 재평가되어야 한다.

호스피스·완화의료의 심리사회적 사정에 ① 일반적 사항 ② 신체적/의료적 사항 ③ 심리적 사항 ④ 사회적 사항 ⑤ 가족 사항 ⑥ 임종 준비 ⑦ 경제적 사항 ⑧ 퇴원계획의 8가지 항목이 포괄적으로 반영되어야 한다.

2) 심리사회적 사정 도구

호스피스·완화의료에서 환자에 대한 보다 객관적이고 구체적인 심리사회적 사정을 위해 사정 도구를 활용할 수 있다. 기관마다 다양한 심리사회적 항목을 구조화한 기록지와 여러 가지 사정 도구를 사용하고 있지만 표준화된 심리사회적 사정 도구는 아직 부재하다. 이는 심리사회적 사정의 영역이 광범위하고 환자와 가족을 어느 한 가지 사정 도구를 사용해서 이해할 수 없고 개별

화시켜서 그들의 내적문제와 환경요인을 살펴보아야 하기 때문이다. 그럼에도 사정 도구를 활용하는 것은 ① 환자와 가족이 가지고 있는 자원을 규명하는 데 유용하고 ② 환자와 가족, 그리고 치료진 간의 대화를 중개하고 촉진하며 ③ 폭넓게 환자와 가족의 조건을 이해하도록 돕고 ④ 체계적인 개입을 선택할 수 있는 기반을 제공하며 ⑤ 환자와 가족의 변화(성과)에 대한 신뢰성 있는 기록이 가능하도록 하는 장점이 있다. 여기서는 심리사회적 자원 체계에 대한 사정 방법과 생태도를 활용한 사정방법에 대해 살펴보도록 하겠다.

(1) 심리사회적 자원체계의 사정

호스피스·완화의료 종사자는 환자와 가족을 사정함에 있어 그들이 가지고 있지 않은 점보다는 그들이 가지고 있는 여러 가지 자원을 바라볼 수 있어야 한다. 환자와 가족은 오랜 투병 생활로 인해 지치고 위축되어 그들의 상황을 부정적으로 바라보는 경향이 있다. 이때 호스피스·완화의료팀은 긍정적 시각으로 바라보며 그들이 가진 자원과 강점 등을 사정하고 이를 자원체계로 활용할 수 있어야 한다.

자원체계는 크게 『내부자원체계』와 『외부자원체계』로 구분될 수 있는데, 내부자원체계는 개인의 장점, 지식, 능력, 가치, 철학, 육체적 힘, 체력, 인생의 경험 등을 가리키는 『개인적 자원체계』와 환자가 소속되어 있는 가족의 정서 및 경제적 지지능력, 가족의 의사소통 능력 등이 포함되는 『가족적 자원체계』로 나누어 볼 수 있다. 외부자원체계의 경우 정부기관이나 사회기관 및 조직체, 정책 등이 포함되는 『공식적 자원체계』와 친척, 친구, 이웃, 자원봉사자, 교회, 사회단체 등의 『비공식적 자원체계』로 구분할 수 있다.

말기 환자와 가족들은 인적, 물적, 제도적, 법적인 자원을 필요로 한다. 호스피스·완화의료 종사자는 환자를 둘러싼 환경요소 중에서 특별히 사회적 자원체계를 정확히 이해하고 평가하여 환자의 심리사회적 돌봄을

10부

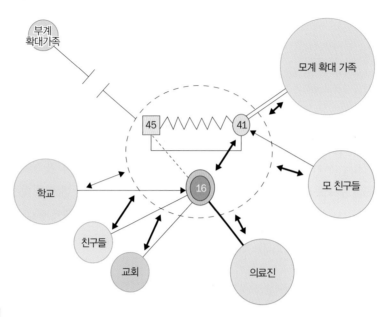

그림 40-4. 생태도 작성예시

이루어 나가기 위하여 이용 가능한 자원체계를 분석하여야 할 것이다. 하지만 이때 무엇보다 중요한 것은 그것이 정말로 환자에게 필요하고 환자와 가족이 원하는가에 초점을 두는 것이다.

(2) 생태도를 활용하기

생태도란 개인이나 가족을 포함하는 클라이언트 체계가 외부 환경체계들과 어떻게 관련되어 있는지를 그림으로 나타내는 것으로 심리사회적 돌봄제공자와 환자(또는 가족)가 체계적 또는 생태학적 관점에서 상황을 바라볼 수 있도록 돕는다 **그림 40-4**. 생태도의 작성방법은 다음과 같다.

(1) 중앙에 가족체계를 나타내는 커다란 원을 그린다.

(2) 중심원 내부에 가족구성원을 그린다.

(3) 환자나 가족과 상호작용하는 다른 체계들을 중심원 외부에 작은 원으로 표시한다.

(4) 다른 체계에는 확대가족, 친구, 학교, 사회복지기관, 교회, 의료기관 등이 포함한다.

(5) 환자/가족과 각 체계의 관계와 상호작용 정도를 선으로 표시한다.

(6) 체계들 간 에너지 혹은 자원의 상호교환 관계는 화살표로 표시한다.

III 심리사회적 돌봄의 실천방법

환자가 진행성 질병을 진단받게 되면 일반적으로 식욕 변화, 체중 변화, 피로감, 에너지 저하, 수면장애, 성기능 저하 등의 증상이 동반된다. 질병이 말기에 이를수록 더욱 증상이 심해지는데 이를 어떻게 완화시키고 극복하는가에 따라 말기환자의 심리사회적 측면에도 영향을 미쳐 임종에 대한 정상적 과정에 도달할 수도 있고 우울과 신체증상 조절의 어려움 등 병리적 과정에 이를 수 있다 **그림 40-5**.

말기 환자와 가족이 병리적 과정을 극복하고 정상적 과정에 도달할 수 있도록 심리사회적 돌봄은 매우 다양한 방법에 의하여 실천되어진다. 실천방법들은 심리사회적돌봄 제공자의 선호와 자질에 따라 달라지기도 하며 시설환경, 조직, 인력, 역할 기대 등 병원이나 기관

그림 40-5. 진행성 질병을 가진 환자가 겪는 정상적/병리적 과정
출처 : V.S. Periyakoil, Common psychological issues in palliative care patient, chapter 20, Psychosocial and cultural considerations in palliative care

의 환경에 따라 달라질 수 있다. 대표적인 심리사회적 돌봄의 방법으로는 상담, 환경의 조정 그리고 자원체계의 연계 및 개발, 사회적 지지체계 수립, 질향상 프로그램 연계 등을 고려할 수 있다.

1. 상담

상담은 환자의 심리사회적 고통을 완화시키기 위하여 주로 개별적이거나 집단적인 면접과 의사소통 기법을 통하여 말기 환자와 그의 가족이 정서적인 안정과 평형을 유지하도록 지지적인 상담을 제공하는 것이다. 심리사회적 돌봄을 위한 상담은 정신역동모델, 인지행동모델, 심리사회모델, 해결중심모델, 과제중심모델, 위기개입모델, 이야기 치료, 의미요법, 동기강화상담 등 다양한 이론과 모델에 따라 실천할 수 있다. 보다 전문적인 상담을 위해 심리사회적 돌봄 제공자는 전문적 상담 훈련 과정을 이수해야 할 필요도 있다. 일반적으로 말기환자와 가족이 느끼는 불안, 두려움, 분노 등의 부정적 감정을 경감시키기 위해 안심시킴(reassurance), 환기(ventilation), 정화(abreaction), 지지(support), 설득(persuasion), 암시(suggestion) 등의 지지적 상담기술이 호스피스·완화의료에서 활용될 수 있다. 또한 흥미와 관심을 수반하는 경청, 환자나 그 가족에게 수용의 전달, 환자와 가족의 불안감에 대한 안정 제공, 격려와 애정의 선물기법 등과 말기 환자와 가족의 자유로운 감

정표현을 격려하는 과정으로서의 환기, 정화법 등이 있으며 이에 대한 상담기술로는 전이, 감정의 동원과 명료화, 해석의 통찰로의 유도 등이 있다. 나아가 환자와 가족들이 임종 장소에 대한 선택과 재정적인 계획, 장례절차에 대한 결정 등을 잘 할 수 있도록 명료화, 조정 등의 기법을 활용할 수 있다.

말기 환자와 가족의 심리사회적 측면에 접근하기 위해서는 특히 환자의 방어기제에 대한 이해와 접근이 필요하다. 우리에게 익숙한 퀴블러로스의 임종환자의 심리적 5단계 : 부정-분노-타협-우울-수용은 모두 심리적 방어기제에 속하는 것으로 이해할 수 있다. 즉 환자는 치명적 질병 또는 임종이란 거대한 심리적 외상 앞에 자신도 모르게 무의식적으로 이러한 심리적 증상을 표출하게 되는 것이다. 결국 심리사회적 돌봄을 위해서 사회복지사 등 전문가는 심리적 방어기제를 이해하고 수용해 줄 수 있어야 하며 역기능적 방어기제를 잘 극복하고 순기능적으로 승화시킬 수 있도록 노력해야 한다. 부정의 심리를 나타내는 환자의 경우 공감과 경청을 바탕으로 사실에 입각한 정보를 주어 환자 스스로 병식이 생길 수 있도록 상담하는 것이 필요하다. 분노의 심리를 나타내는 환자는 분노의 속성이 공격성과 도피의 두 가지 측면이 있음을 인식해야하고 계속 감정적으로 돌고도는 '분노의 원'에서 벗어날 수 있도록 역할을 하여야 한다. 결국 적절하게 분노를 표현할 수 있도록 의도적인 감정표출을 지지하고 격려하는 것이 방법 중 하나이다. 우울의 경우 접근하기 매우 어려운 경향이 있다. 심리사회적 돌봄제공자는 환자와 거짓안심시키기와 같은 의사소통에서 벗어나 인내를 바탕으로 지지와 격려를 제공하여야 하며 객관적 사실을 바탕으로 자신의 감정을 전달하는 '나전달법(I message)'과 같은 방식으로 의사소통하는 것이 필요하다.

말기 환자의 경우 신체적 기능 이상으로 인해 대인관계의 폭이 줄어듦에 따라 대인관계 위축 등 사회적으로 고립되는 현상을 가져올 수 있다. 이럴 경우 심리적으

10부

로도 크게 위축되어 외로움으로 인해 호스피스·완화의료 환자에게 흔히 나타나는 심리적 증상인 불안감과 우울을 나타낼 수 있다. 이러한 것의 해결책으로서 상담을 통해 새로운 사회적 관계망을 수립하여 대인관계를 보다 증진시킬 수 있다. 인간은 어디인가 소속되고 싶은 요구를 가지고 있기 때문에 이러한 요구를 해결하지 못하고 단절되었을 때 문제가 발생하는 것이다. 따라서 심리사회적돌봄을 위해서 말기 환자로 하여금 계속 어딘가에 소속되어 있다는 것을 느끼게 해 줄 필요성이 있다. 이렇게 하기 위해서는 환자로 하여금 기존의 대인관계를 지속할 수 없다는 사실을 겸허히 받아들일 수 있도록 돕는 것이 필요하고 나아가 새로운 사회적 관계망을 수립하는 작업을 같이 함으로써 도울 수 있다.

그림 40-6 은 임종을 앞둔 환자들이 경험하는 준비된 슬픔과 우울에 따른 심리사회적 돌봄의 개입을 나타내고 있다. 임종환자의 디스트레스가 관찰될 경우 의료진은 먼저 환자에게 해결되지 않는 신체증상이 있는지 여부를 평가하게 된다. 왜냐하면 그러한 신체적 증상이 디스트레스로서 나타날 가능성이 매우 높기 때문이다. 신체적 증상이 있는 경우 증상을 먼저 완화시키고 조절한 이후 재평가하도록 한다. 만일 해결되지 않은 신체적 증상이 없는 경우 디스트레스가 지속된다면 그러한 디스트레스가 병리적인 우울증상인지 아니면 일반적 슬픔에 대한 증상인지를 구별하는 것이 필요하다. 슬픔은 시간에 따른 감정기복과 정상적 자아존중감을 동반하며 우연하고 막연한 자살생각을 한다거나 이별에 대한 분리불안 등을 나타낸다. 이와 비교할 때 우울은 어떤 상황속에서도 즐거움을 느끼지 못하고 지속적인 발성장애, 자기이미지 손상, 낮은 자기존중감, 죽음과 자살의 반추, 지속적인 희망 없음 등의 상태를 나타낸다. 디스트레스가 슬픔으로 반영되는 경우 심리사회적 상담이나 슬픔치료(grief therapy) 등을 실시한 이후 그 반응상태에 따라 상담과 치료를 지속할지, 우울에 대한 재평가를 할지 결정할 수 있다.

임종을 앞둔 환자의 근본적인 대처과업은 불안을 극복하고 자존심을 유지하며 상실하게 되는 사람들과 대상에 대한 애도과정을 거치는 일인데, 이때 가장 중요한 대처기제중의 하나가 희망을 유지하는 것이다. 어떤 사람이라도 희망이 없으면 좌절하게 된다. 이에 대하여 환자와 가족의 내적 문제를 조정하여 희망과 두려움의 내면적 균형을 유지하도록 지원하면서 죽음에 대한 점진적인 자각에 응답하고 감정을 발산하도록 도와주어, 임종환자나 그의 가족이 당면한 과업에 대해 대화를 나눌 수 있도록 기회를 제공하여야 한다.

2. 환경의 조정

환경의 조정은 환경속의 인간(person in environment, PIE)의 관점에서 출발한다. 즉 개인의 내적 측면과 더불어 환경적 측면, 그리고 환경과 개인의 상호작용 측면을 모두 고려하여 말기 환자가 처해진 다양한 환경을 재배치하고 조정하는 것이다. 즉 환자를 둘러싼 다양한 환경적 요인 중 환자에게 도움이 되지만 멀어져 있는 자원을 환자 가까이 재배치하여 조정할 수 있고, 환자에게 꼭 필요한 환경이나 현재 부재하다면 새로운 환경을 조성해줄 수 있을 것이다. 특히 단순히 환경을 재배치하는 것에서 벗어나 환자와 가족이 조정된 새로운 환경에 잘 적응할 수 있도록 상호작용을 증진시키는 것이 심리사회적 돌봄 제공자의 중요한 역할이라고 할 수 있다. 이러한 환경의 조정을 위해 앞서 살펴본 생태도를 적극 활용하여 환자를 둘러싼 환경체계를 정확히 이해하고 재조정할 수 있다.

3. 자원체계 연계 및 개발 : 경제적 문제의 원조

자원체계의 연계 및 개발은 지역사회와 가정은 물론 호스피스·완화의료팀 내에서 이용 가능한 지지적 자원을 동원시켜 말기 환자나 가족을 돕는 일과, 그들이 제공되는 자원을 적절하게 선택하게 하거나 활용하도록 지식과 정보를 주고 교환하는 일체의 활동을 말한다. 이

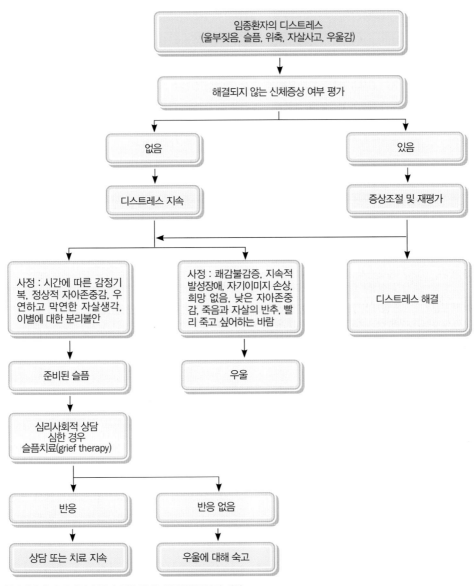

그림 40-6. 임종환자의 우울과 준비된 슬픔의 구별 및 심리사회적 돌봄의 개입

를 위해 심리사회적 돌봄제공자는 인적자원체계, 물적자원체계, 공공자원체계, 민간자원체계 등으로 구성되는 다양한 자원체계의 종류를 잘 이해하고 활용할 수 있어야 한다. 즉 심한 불안을 갖고 있는 환자를 위해서 친한 친구나 친지 등 인적 자원체계를 활용할 수 있다. 또한 지역사회 자원체계의 공동 정보망을 조성하고 이를 통해 후원자 연결, 각종 기금조성, 소원성취 단체 연계, 국가지원 연계, 법률부조, 자원봉사자 연계, 무

료 복지간병인연계 등의 서비스를 제공할 수 있다.

특히 의료비 등 경제적 지원이 필요한 환자와 가족을 위해 공공자원체계 또는 민간자원체계를 연계하거나 동원하는 방법을 사용할 수 있다. 먼저 공공자원체계로 아래와 같은 자원체계와 연계를 고려할 수 있다.

- 국민기초생활보장제도
- 차상위제도
- 산정특례제도

표 40-2. 호스피스·완화의료에서의 사회적 지지

유형	범주	활동내용
정서적 지지	신뢰	말기 환자와 가족에게 관심, 인정, 믿음 제공, 안심시키는 것, 특정한 문제에 대해 설명하고 설득, 약속
	애정	말기 환자와 가족의 고통 등을 함께 나누고, 손을 잡거나 안아주는 등 신체 접촉을 통한 다양한 관심과 애정 표현
	감정이입	말기 환자와 가족의 말 경청, 이해와 공감 표시, 감정 표현하도록 지지, 감정 상태나 어려움 등을 인정하고 위로, 격려
	친밀감	공감대 확인, 어울리는 것, 신체접촉 등을 통해 만남의 기쁨을 표시
평가적 지지	수용	말기 환자와 가족의 고통이나 불안 등을 있는 그대로 받아들이는 것, 기쁨이나 고통 표현에 즉각적으로 반응
	긍정적 환류	바람직한 방향으로 변화하도록 구체적인 태도나 행위를 격려, 지지, 가족 등에게 고마움을 표현하도록 지지, 계획을 실천하도록 격려, 지나온 삶을 돌아보고 정리하도록 지지, 죽음 준비하도록 지원
	긍정적 평가	말기 환자와 가족의 바람직한 태도, 행위, 실천에 대해 칭찬, 격려
정보적 지지	사회 서비스 이용	각종 복지관이나 가정봉사원 파견시설의 사회복지사나 가정봉사원 연계, 종합병원 연계, 종교단체나 노인정, 간병인과의 연결 주선, 치매센터 의뢰
	자원 이용	이웃, 친척, 종교인, 자원봉사자 등과 인적 네트워크 형성하도록 지원, 당뇨관리, 욕창 예방법 등 교육, 임종과정 및 절차에 대한 정보제공과 안내, 호스피스병동 입원 정보제공과 안내, 종교의식 안내 및 연결
도구적 지지	실제적 도움	진통제 등 약품 복용방법 안내, 복용여부 확인, 배뇨훈련, 실내운동방법 설명, 입원계획 및 지원, 치매 및 인지기능 검사, 운동계획표 작성, 장례절차 상담, 집안 정리 등 가사지원

출처 : 보건복지부 · 국립암센터, 완화의료팀원을 위한 호스피스 · 완화의료 개론, 2012. p. 381.

- 장애인 등록제도
- 노인장기요양제도
- 긴급지원제도
- 중증질환 재난적의료비 지원사업
- 보건소 암 환자 의료비 지원제도

또한 민간 자원체계는 아래와 같은 것을 고려할 수 있다.

- 사회복지공동모금회 등 의료비 지원 사회복지단체 또는 기업의 사회공헌프로그램을 이용
- 무료 복지간병인
- 기타 : 가정간호서비스, 자원봉사자 연계 등
- 병원 사회사업팀 연계

자원체계가 부족할 경우 심리사회적돌봄 제공자는 자원을 개발하는 역할을 수행하기도 한다. 따라서 기금모금, 프로포절 작성 등의 역량을 갖출 필요가 있고 바자회 등 다양한 행사를 기획하고 운영할 수 있어야 한다.

4. 사회적 지지체계 수립

사회적 지지란 사회적으로 친밀한 사람이나 친밀한 존재라고 생각되는 사람들이 제공하는 언어적·비언어적 정보나 충고, 가시적인 유형의 도움, 혹은 행동 그리고 수혜자에게 정서적으로나 행동적으로 바람직한 교화를 제공하는 것을 말한다. 호스피스·완화의료팀은 말기 환자에게 제공되고 있는 사회적 지지를 올바로 평가하고 부족한 부분에 대해 지지에 힘쓸 수 있도록 해야 하며 주변의 인물이나 상황이 환자에게 긍정적 지지를 할 수 있도록 변화매개체적 역할을 해야 한다.

사회적 지지는 ① 신뢰, 애정, 감정이입, 친밀감 등의 정서적 지지, ② 수용, 긍정적 환류, 긍정적 자기평가 등의 평가적 지지, ③ 사회적 서비스와 자원을 이용하도록 돕는 정보적 지지, ④ 실제적 도움을 제공하는 도구적 지지 등 4가지로 구분할 수 있는데 이에 따른 세부적인 활동 내용은 **표 40-2**와 같다.

5. 질 향상 프로그램연계

대부분의 호스피스·완화의료 기관에서는 음악치료, 미술치료, 원예치료, 웃음치료와 같은 프로그램을 운영하며 환자와 가족의 삶의 질 향상을 도모하고 있다. 이 같은 프로그램들은 환자와 가족으로 하여금 심리적 안정과 더불어 남은 여생을 돌아볼 수 있도록 도움을 주고 있다. 사회적 돌봄 제공자는 프로그램의 기획과 관리자로서 역할을 담당하여 각 전문 분야별 요법 치료사들과 더불어 유기적인 프로그램 운영할 수 있다. 이를 위해 다음의 사항을 고려해 볼 수 있다.

- 프로그램 진행자는 누구인가?
  (자격 여부, 완화의료 교육 여부, 근무 형태, 경력, 보상 정도 등)
- 프로그램의 진행 시간과 장소는?
- 프로그램의 준비물은?
- 프로그램의 예산은?
- 프로그램의 대상과 규모(참여인원)는?
- 프로그램의 목표와 성과는?
- 프로그램 진행 기록과 관리는?

삶의 질 향상 프로그램은 먼저 환자와 가족과 면담을 통해 해당 프로그램에 참여시킬 것인지를 결정하게 되고 이때 환자나 가족의 동의를 얻어야 한다. 다음으로 프로그램 참여가 결정된 환자 또는 가족에 대한 정보를 각 요법치료사들에게 알려주고 프로그램을 실시한다. 마지막으로는 제공된 프로그램에 대해 평가 후 종결의 단계를 거치게 된다. 이렇게 실시된 각각의 프로그램은 모두 기록으로 작성하여 보고하도록 한다.

미술치료는 시각매체를 사용하여 인격의 손상된 부분에 올바른 변화를 줌으로써 인격을 다시 통합하도록 도와주는 과정으로 그림 진단 검사, 만다라, 석고붕대로 손 본뜨기, 점토 작업, 자유화 등의 활동을 통해 감정 분출 및 통증 완화, 삶의 의미 성찰에 도움을 주는 활동이다. 음악치료는 음악치료전문가가 음악을 이용하여 환자의 신체적·정신적·감정적 이상상태를 교정하기 위한 일체의 활동으로 악기 연주, 노래, 작곡, 즉흥 연주, 음악 감상을 통해 신체적 긴장을 감소시킴으로써 통증을 완화하고 삶을 정리할 수 있도록 돕는다. 웃음치료는 웃음의 효능과 실천 방법 등을 교육하고 적용함으로써 감정 표현을 촉진하고 스트레스 및 불안감소, 에너지 발산 및 가족 간의 의사소통 증진 등을 돕는다. 원예치료는 꽃꽂이, 포푸리향 만들기, 리스 만들기, 토피어리 등을 통한 자연물과의 접촉을 통해 심리적 이완 및 정서적 안정을 돕는 활동이다. 심리사회적돌봄 제공자는 말기환자와 가족의 심리사회적 요구를 반영하여 삶의 질 향상 프로그램을 연계하여야 하며 조정자, 지지자, 평가자 등의 역할을 수행할 수 있다.

10부

📑 참고문헌

1. 국립암센터. 완화의료팀원을 위한 호스피스·완화의료 개론 : 심리사회적 돌봄. 2012.
2. 김원철, 황명진. 호스피스·완화의료 사회복지사의 심리사회적 사정항목에 대한 중요도 인식. 한국호스피스·완화의료학회지. 2014;17(4):259-69.
3. 김원철. 심리사회적 사정, 한국호스피스·완화의료학회 동계학술대회 자료집. 2013.
4. 김창곤. 호스피스환자의 심리사회적 사정, 한국사회복지학회 춘계학술대회 자료집. 1999;113-26.
5. 김창곤. 호스피스환자의 심리사회적 사정에 관한 일 고찰 : 사정도구를 중심으로. 한국호스피스·완화의료학회지. 2002;5:43-51.
6. 보건복지부·국립암센터. 완화의료팀원을 위한 호스피스·완화의료 개론: 심리사회적 돌봄. 호스피스·완화의료표준교육자료 개정판. 2012.
7. 보건복지부·국립암센터. 완화의료전문기관 서비스 제공원칙. 2010.
8. 유수현, 김창곤, 김원철. 의료사회사업론. 서울: 양서원; 2013.
9. 유숙자 외. 호스피스완화간호: 사회적 돌봄. 서울: 군자출판사; 2006.
10. 이경식 외. 완화의학. 서울: 군자출판사; 2005.
11. 이광재. 의료사회사업원론. 서울: 인간과 복지; 2002.
12. 이광재. 호스피스사회사업. 서울: 인간과 복지; 2002.
13. 이원숙. 사회복지실천론. 서울: 학지사. 2013.
14. 장인협. 사회사업실천방법론. 서울: 서울대학교 출판부; 1997.
15. 최윤선. 호스피스·완화의학. 서울: 고려대학교 출판부; 2000.
16. 한국호스피스완화간호사회. 호스피스완화간호. 서울: 현문사; 2015.
17. Bracht, Neil F,. Social Work in Health Care : A Guide To Professional Practice. New York: Haworth Press; 1978.
18. Bradford W. Sheafor, Charles R. Horejsi. 사회복지실천기법과 지침. 서울:나남, 2010.
19. Charles D. Cowger. Assessment of Client Strengths, The Strengths 13. Perspective in Social Work, New York; 1992;139-47.
20. Cohen, Kenneth P,. Hospice, Prescription for Terminal Care, London : Aspen Systems Corporation Germantown, Maryland London, England. 1979.
21. Florence Hollis. The psychosocial approach to the practice of casework, 15. Theories of Social Casework, Chicago, University of Chicago Press; 1970;33-75.
22. Goldstein, E. G,. Issues in developing systematic research and theory. In A Rosenblatt & D. Waldfogel (Eds.), Handbook of clinical social work (pp 5-25). San Francisco: Jossey-Bass;1983.
23. Gorey, Kevin M,. Environmental Health : Race and Socioeconomic Factors. In Encyclopedia of social work 19th. (pp. 868-71). Washington DC: NASW press; 1995.
24. Hepworth, Rooney & Larsen. 사회복지실천 이론과 기술, 서울 : 나눔의 집. 2004.
25. Pasacreta JV, Pickett M. Psychosocial aspects of palliative care. Semin Oncol Nurs. 1998;14(2):110-20.
26. Lusk MW. The psychosocial evaluation of the hopice patients. Health and Social Work. Washington DC : NASW Press;1983;211.
27. NASW. NASW Standards for Social Work in Health Care Settings. Washington, DC : NASW Press; 1987.
28. National consensus project for quality palliative care. Clinical Practice Guidelines for Quality Palliative Care, Second Edition. USA, Pittsburgh, PA: 2009;45-8.
29. Miller RD, Walsh TD. Psychosocial aspects of palliative care in advanced cancer. J Pain Symptom Manage 1991;6(1):24-9.
30. Powazki RD, Walsh D. Acute care palliative medicine: psychosocial assessment of patients and primary caregivers. Palliat Med 1999;13:367-74.
31. Spano RM. Accountability, Evaluation and Quality Assurance in a Hospital social service department. Chicago, IL: Quality Review Bulletin: 1980;16.
32. Specht, H,. Specht, R. Social Work asssessment: Route ot clenthood. Social Casework; 1986;67:525-32.
33. V.S. Periyakoil. Common psychological issues in palliative care patient. chapter 20. Psychosocial and cultural considerations in palliative care.

41장

영적 돌봄

| 강경아, 김도봉 |

생명의 위협적인 질병으로 고통당하는 말기 환자들은 '왜, 나는 이렇게 고통당하지 않으면 안 되는가?'라고 질문한다. 이때 그들이 당면하게 되는 문제는 고통의 의미, 인생의 의미, 그리고 죽음의 의미이다. 이러한 말기 환자와 가족들의 영적인 문제를 돌보는 일은 단지 성직자만의 역할이 아닌 호스피스·완화의료 영역에 종사하는 모든 의료인이 관심을 가져야 하는 부분으로서, 호스피스·완화의료 영역에서 영적 돌봄은 'hospitality'의 본질을 반영하는 매우 중요한 부분이다.

I 개념

적절한 영적 돌봄을 제공하기 위해서는 인간의 영적인 차원에 대한 개념이해가 선행되어야 한다. 본 장에서는 영, 영성, 종교, 영적요구, 영적 돌봄에 관한 개념정의와 실무중심의 영적 돌봄 제공을 안내하는 모델들과 알

고리듬을 제시하였다.

1. 영적 돌봄과 관련된 개념

사람에 대한 이해는 철학적, 문학적, 문화인류학적, 종교적, 정치적, 사회적으로 다양하다. 본 장에서는 WHO에서 규정하는 인간의 이해에 근거하여 인간을 신체적 심리적 사회문화적, 영적 존재로 보았다. 환자는 의료라는 관점에서 치료의 대상자로 보지만 인간은 몸과 마음(정신)과 영으로 구성되어 있으며 다면적이고 관계적인 존재이다.

영(spirit)의 어원은 히브리어 '루아흐(ruah)', 헬라어 '프뉴마(pneuma)'로서 '바람', '숨결', '호흡', '생명의 본질 혹은 에너지'라는 의미가 있다. 즉, 영은 인간에게 생명을 주는 원리나 활력으로서 사람의 모든 정신적 활동의 근원이 되는 실체이며, 세포의 핵에 비유할 수 있다.

영성과 종교는 대부분 혼용해서 쓰고 있지만 상당히 다른 의미를 가지고 있다. 영성(spirituality)은 인간

이 경험하는 내면의 신념체계로서 영의 내적 활동과 경험의 외적 표현이다. 즉, 영성이란 초월적 가치를 추구하고, 삶의 의미와 목적을 찾으며, 용서와 사랑의 관계 속에서 평화와 희망이 충만한 삶을 이루려는 인간 본질의 한 부분이다. 또한 영성은 문화와 종교에 관계없이 인간 누구에게나 있는 보편적인 속성으로 인간됨의 한 차원, 인간 존재의 한 부분으로, 의미, 목적, 가치, 희망, 사랑, 내적 평화, 편안함, 지지, 관계, 더 위대한 힘과의 연결 등을 내포하는 복합적이고 다양성의 측면이 있으며, 특정한 종교에 국한되지 않고 신에 대한 믿음, 자연주의, 이성주의, 인본주의, 예술 그 이상의 넓은 의미를 갖는다. 2009년 미국의 The National Consensus Project for Quality Palliative Care (NCP) guideline에서 제시한 완화 돌봄을 위한 영성의 정의는 다음과 같다: 영성은 인간됨의 본질로서 개인이 의미와 목적을 추구하고 표현하는 방법이며, 개인이 순간, 자신, 타인, 자연 또는 신성한 존재와의 연결성을 경험하는 방식이다. 또한 영성을 영적 돌봄을 위한 vital sign의 하나로 고려해야 한다고 하였다.

반면, 종교(religion)는 신이나 초자연적인 절대자 또는 힘에 대한 믿음을 통하여 인간 생활의 고뇌를 해결하고 삶의 궁극적인 의미를 추구하는 문화체계이다. 종교는 특정한 의식과 수행을 포함하고 있으며 외형화된 것이다. 어떤 종교를 형성하는 믿음의 구조와 실천 체계는 거기에 참여하는 사람들이 세계를 보고 반응하는 방식을 형성한다. 그러므로 종교는 질병의 경험에서 의미를 찾고 그 질병에 효과적으로 대처하게 하는 특별한 방법을 제공한다.

종교와 영성은 매우 깊은 관련이 있지만 영성은 종교보다 포괄적이고 넓은 개념이다. 즉, 영성이란 가장 넓은 의미로 '삶의 의미와 목적을 추구하는 것'이라고 정의한다면, 종교는 그러한 영성을 표현하는 방법을 제시한다. 영은 우리 존재의 일부이며, 종교는 인생철학과 윤리규범(ethical code)을 제공하는 하나의 구조

화된 믿음 체계다. 개인의 영성은 종교를 통하여 표현될 수도 있고, 삶의 의미 이해와 영적안녕을 위한 다른 양식 즉, 자연과의 대화, 음악, 미술, 과학적인 사실의 추구 또는 가치관이나 원리의 틀을 통해서도 표현될 수 있다.

영적 요구(spiritual need)는 절대자 및 중요한 사람과의 개인적인 관계를 갖거나 유지하는 데 필요한 요소가 결핍된 상태이다. 영적 요구는 인간의 본질인 영으로부터 나오는 요구이므로 절대자와 중요한 사람과의 관계성을 통해서 충족되는 것으로 정신적 요구보다 더 깊고 높은 차원의 것이다. 영적 요구가 결여될 때 영적고통(spiritual distress)이 초래되며, 자신이 경험하고 기대하던 실존적 의미적 희망이 약해지며 포기와 절망을 향하는 분기점 이후의 상태를 말한다. 영적 고통은 힘과 희망의 근원이 되는 믿음이나 가치체계의 붕괴를 경험하는 위험한 상태로서 죄와 심판에 대한 두려움, 죽음에 대한 두려움, 미래에 대한 희망 상실로 나타난다.

영적 안녕(spiritual well-being)은 시간과 공간을 초월하는 절대자와 자신, 이웃과 환경과의 조화로운 관계를 통하여 현재의 상태에서 삶의 의미와 목적을 찾게 하는 힘이라고 말할 수 있고 영적 요구 및 영적 고통과 밀접한 관련이 있다. 엘리슨(Ellison, 1983)은 영적 안녕을 설명할 수 있는 지표들을 여섯 가지로 제시하였다. 1) 나는 절대자가 나를 사랑하시고 돌보아 주심을 믿는다. 2) 나는 절대자와 개인적으로 의미 있는 관계를 맺고 있다. 3) 나는 절대자와 관계를 맺음으로써 고독감을 느끼지 않는다. 4) 나는 삶이 긍정적인 경험이라고 느낀다. 5) 나는 삶이 충만하고 만족하다고 느낀다. 6) 나는 삶의 궁극적인 목적이 있음을 믿는다.

인간의 영적 안녕은 인간의 본질을 이루고 있는 영적 특성과 종교와 깊은 연관이 있으며, 이를 근거로 호스피스·완화의료 현장에서 영적 돌봄(spiritual care)은 환자와 가족이 절대자(신), 자기 자신, 다른 사람들, 모든 환경적 상황을 수용하고 올바른 관계를 가져, 영적 평

안(안녕)을 이룸으로써 자신의 현재 상황을 긍정적으로 받아들이고 미래에 대한 희망 속에서 품위 있게 죽음을 맞이할 수 있게 하는 것이다. 환자 중심의 영적 돌봄 정의를 제시한 Burkhardt는 영적 돌봄이란 환자가 호소하는 영적 고통을 인지하고 동행과 지지를 제공하는 것이라고 하였다. '동행과 지지'에 대한 구체적인 내용으로는 환자가 자신이 처한 한계 상황을 인정하고 주변의 자원과 소통하며 희망으로 연결되도록 돕고, 환자의 내면, 타인과의 관계, 환경, 신앙과의 연결을 위해 실존적, 의미적, 관계적, 초월적인 가능성을 추구하고 신뢰하도록 돕는 행위라고 하였다. 영적 돌봄은 환자 중심의 돌봄을 제공하기 위해서는 필수불가결한 부분이다.

이상과 같이 영적 돌봄에 관련된 개념들은 암과 같이 생명에 위협적인 질병을 가진 환자의 돌봄에 중요한 요소로서, 진행성 또는 말기 질환자의 대응전략과 삶의 질에 영향을 미치기 때문에 생명에 위협적인 질환으로 고통당하는 환자를 돌볼 때 중요하게 고려되어야 한다. 또한 호스피스·완화의료에서 암 환자들과 후천성면역결핍 환자들에게 영성과 종교가 긍정적인 유의한 영향을 미친다는 근거 중심 연구 결과들이 다수 보고되었다.

2. 영적 돌봄을 위한 이론적 모델

영성과 종교의 관련성에 관한 선행 연구결과에서, 종교적 수행과 영적 신념은 말기 암 환자들의 삶의 중요한 부분이며, 종교성과 영성이 높을수록 긍정적인 대처유형과 삶의 질이 높다는 점이 보고되었다. 생명의 위협적인 질환을 가진 환자의 대처과정에서 영적 안녕은 영적 고통을 초래하는 여러 요인들의 완충체계로 기능하였고 종교와 영성은 말기환자들에게 힘의 근원으로서 신체적, 정신적 증상경감에 유의한 효과를 나타내었다.

영성에 근거한 영적 돌봄 모델들이 호스피스·완화의료 돌봄을 위해 제시되어 왔다. Kellehear의 서술적 모델(descriptive model)은 상황적, 도덕적, 종교적 초월성을 통하여 자신의 고통 너머의 의미를 찾고자 하는 요구에 초점을 둔 모델이다. Wright가 제안한 포괄적 영성모델(inclusive spirituality model)은 자아, 타인, 우주차원을 통해 이루어지는 '초월성', '연결성', '의미발견', '되어감'을 포함한 총체적 개념에 근거하고 있다. 이 두 개의 모델은 영성 개념 중심의 접근으로 실무중심적 돌봄의 이론적 기틀로는 접근 가능성과 활용성에 제한이 있다.

반면 본 장에서는 Delgado-Guay가 제안한 영적 돌봄 모델을 소개하였다 **그림 41-1**. 이 영적 돌봄 모델은 선행요인으로 영성과 종교성, 매개요인으로 대응 전략, 결과요인으로 적응에 초점을 둔 모델이다. 이 모델에서 영성은 임종을 앞두고 있는 말기 환자와 그 가족들의 삶에서 체험되는 살아 있는 경험으로 영성은 환자와 가족들의 종교적인 대처전략에 영향을 미치고 그 결과 적응-부적응행위를 가져온다고 본다. 결과요인인 적응을 측정하는 구체적인 지표(신체적/심리적/영적 고통, 삶의 질)가 제시되어 호스피스·완화의료 현장에 적용하여 영적 돌봄의 효과를 구체적으로 파악할 수 있는 실무이론이다. 또한 상황 중심, 실무 중심 및 근거중심적 접근이 가능한 영적 돌봄 모델이라고 본다.

3. 영적돌봄 수행과정 및 알고리듬

호스피스·완화의료팀이 보다 통합적이며 효과적으로 환자의 영적 돌봄을 수행하기 위해서는 초기 사정부터 결과평가에 이르는 전 과정에 대한 흐름도와 알고리듬이 체계적으로 정립되어야 한다. **그림 41-2**와 **그림 41-3**에 제시한 영적 돌봄 수행모델과 알고리듬은 2009년 Journal of Palliative Medicine 에 게재된 영적 돌봄 전문가인 채플린(board-certified chaplain)들에 의해 개발된 모델을 근거로 하여 한국 상황에 맞게 일부 수정 보완된 모델이다. 영적 돌봄 수행모델의 기본 개념은 다음과 같다 **그림 41-2**.

- 호스피스·완화의료팀원들이 영적 돌봄을 위한 전문교육과정을 수료하도록 한다.
- 호스피스·완화의료팀은 환자의 입원 시에 환자와

10부

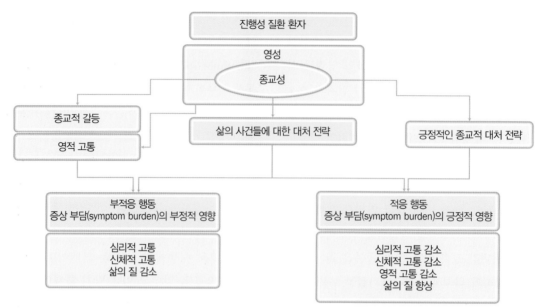

그림 41-1. 영성-종교성 모델 진행성 질환자의 삶의 질과 증상고통에 대한 살아있는 경험으로서 영성과 종교성의 영향 및 대응 전략
출처 : Delgado-Guay MO. Spiritual care. In: Bruera E. Higginson I, von Gunten CF, Morita T. eds. Textbook of palliative medicine and supportive care (II). CRC Press;2016:1056.

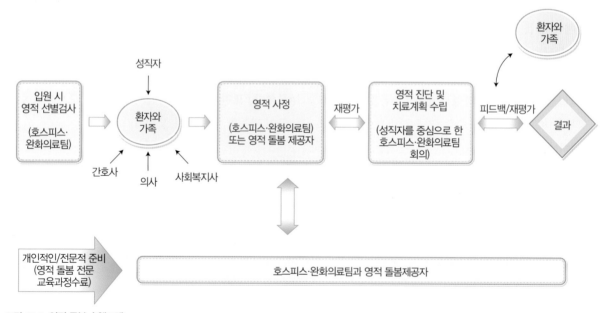

그림 41-2. 영적 돌봄 수행모델
출처 : Puchalski CM. Ferrell B. O'Donnell E. Spiritual issues in palliative care. In: Yennurajalingam S. Bruera E. eds. Oxford American handbook of hospice and palliative medicine. Oxford University Press;2011:253–268.

가족의 영적 선별검사(spiritual screening), 영적 내력(spiritual history), 영적 사정(spiritual assessment)을 수행하도록 한다.
• 영적 선별검사는 입원 시에 영적 고통(spiritual

distress)을 파악하는 질문이다. 호스피스·완화의료팀은 주로 다음의 두 가지 질문을 사용하여 영적 선별검사를 수행한다. '환자분에게 영적 문제 또는 종교가 어떤 비중을 차지하고 있습니까?', '지금 당신의 영적 또는 종교적 신앙이 상황을 이해하고 극복하는데 도움이 됩니까?' 예, 아니오로 답한 결과는 영적내력 단계에 반영된다.

- 영적 내력은 치료와 치료 계획을 세우기 위해 필요하다. 영적 내력 조사내용은 영적 요구 사정 부분에서 구체적으로 제시하였다.

- 영적 내력 확인 단계에서 수집된 자료를 근거로 보다 구체적인 치료 계획을 위해 영적 사정을 한다. 영적 사정에 사용될 수 있는 도구들은 영적 요구 사정에서 제시하였다. 각 도구들은 호스피스·완화의료기관의 철학에 따라 선택하여 사용하게 된다. 영적사정은 전문자격을 갖춘 성직자 또는 호스피스·완화의료전문가에 의해 수행되며 그 결과는 호스피스·완화의료팀 회의에서 통합적으로 논의되어 영적 돌봄 계획에 반영한다.

- 호스피스·완화의료전문가(가장 이상적인 것은 전문자격을 갖춘 성직자와 함께 다학제간 팀회의를 통해)에 의해 수립된 영적 진단에 따른 적절한 치료계획을 수립한다. 영적 진단 수립은 영적 사정 결과 확인된 영적 요구, 영적 고통정도와 적절한 치료목적 설정에 근거하며, 치료 계획은 필요에 따라 지속적인 피드백 및 수정이 가능하도록 한다.

- 결과 평가 단계는 환자와 가족, 그 외 중요한 사람들과의 상호작용을 통해 지속적인 재평가 단계를 거치게 된다. 이 과정은 공감과 연민을 기초로 한 환자 중심적 접근이 이루어져야 한다.

일단 영적 진단이 수립된 후의 영적 돌봄은 두 가지 경로(실존적 문제와 종교적 문제)를 거쳐 진행된다 그림 41-3. 실존적 요구(삶과 고통, 죽음의 의미를 찾고자 하는 실존적 요구)에 관한 영적 문제를 가진 경우, 요가나 명상이 가능한 환경 조성 및 호스피스·완화의료팀에 의해 의미 중심적 영적 상담과 돌봄을 제공한다. 좀 더 복잡한 영적, 종교적 문제를 호소하는 경우(절대자 또는 중요한 사람과의 용서와 화해 또는 중요한 다른 사람 또는 절대자와의 관계의 결핍 등)는 호스피스·완화의료팀에 속한 영적 돌봄전문가 또는 환자가 원하는 종교의 성직자에게 의뢰하도록 한다. 영적 요구 사정부터 평가까지 단계별 진행 과정은 그림 41-3 에 제시된 영적 돌봄을 위한 알고리듬을 참고하도록 한다.

II 영적 요구 사정

삶의 마지막 기간은 영적인 위기이며 환자에게는 영적인 요구(spiritual needs)가 신체적 요구를 초월하기도 한다. 여러 선행연구에서 이 시기에 영적 요구가 충족되지 않을 때 통증과 고통은 더 심하게 나타날 수도 있으며 반면, 영적 요구 충족과 환자의 만족도 및 삶의 질 간에 유의한 양의 상관관계가 있음이 보고되었다. 그러므로 환자의 영성감각(a sense of spirituality)은 중요한 대처전략이며 영적 요구 사정은 환자중심의 영적 돌봄을 제공하기 위한 첫 단계 작업이다.

본 장에서는 앞에서 인용한 인간의 영성과 종교적 속성에 근거한 영적 돌봄의 정의와 영적 돌봄 수행 과정 및 알고리듬에 근거하여 영적 선별검사와 영적 사정의 두 단계로 나누어 기술하였다.

1. 영적 선별검사

영적 선별검사는 말기환자와 가족의 입원 시에 영적 상태와 다양한 영적 관점에 대한 기본적인 방향성을 파악하기 위한 질문이다. 영성은 인간 누구나 가지고 있는 본질적인 문제이므로 믿음 또는 신념의 중요성 여부, 질병과 관련된 믿음의 수행 형태, 환자와 가족이 호스피스·완화의료팀에게 어떠한 영적인 지지를 원하는지를 확인해야 한다. 간호사 또는 사회복지사 등 호스피스·완화의료팀은 영적 선별검사를 통해 기본적인 영적 상태

10부

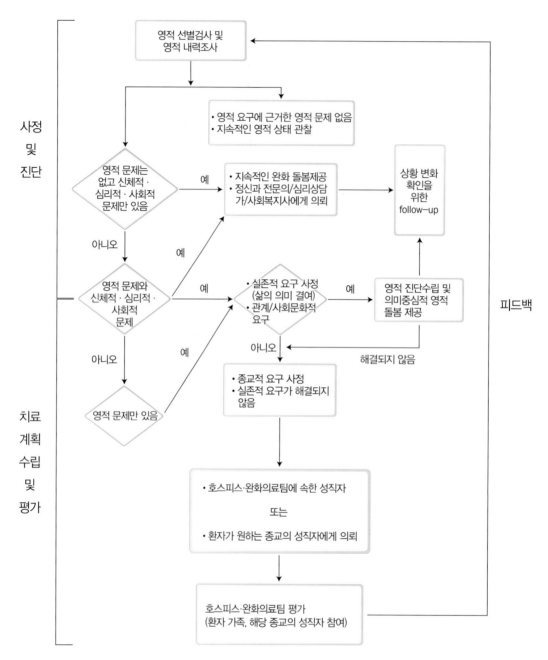

그림 41-3. 영적 돌봄 알고리듬
출처 : Puchalski CM, Ferrell B, O'Donnell E. Spiritual issues in palliative care. In: Yennurajalingam S, Bruera E, eds. Oxford American handbook of hospice and palliative medicine, Oxford University Press;2011:253-268.

를 파악하고 대상자가 심각한 영적 위기(spiritual crisis)를 경험하고 있는지, 전문가에 의한 즉각적인 영적 사정과 중재가 필요한지 결정할 수 있다. 다음에 제시된 간단한 질문을 통해 영적 선별검사를 수행할 수 있다.

• 당신은 어떤 영적 배경을 가지고 있습니까?(종교, 신앙생활정도 등)
• 당신에게 영적 문제 또는 종교가 얼마나 중요합니까?

• 지금 당신의 영적 또는 종교적 신념이 현실을 극복하는 데 도움이 됩니까?

• 당신은 종교적 문제에 대해 이야기를 나눌 분이 계십니까(지지 체계)?

• 종교적 문제에 대해 상담해 줄 분이 필요하십니까?

위의 질문내용이 포함된 영적 선별검사 서식 2가지를 표 41-1과 표 41-2에 소개하였다.

표 41-1에 제시된 도구는 환자 자가평가지로서 말기 환자의 개인적인 영적 요구를 보다 명확히 확인하기 위해서는 환자가 스스로 자각하고 있는 영적 돌봄의 필요를 파악할 필요가 있다. 자가 평가 내용을 통해 대상자의 영적 고통 정도와 원하는 영적 돌봄의 방향을 일차적으로 확인할 수 있다. 표 41-2에 제시된 도구는 환자의 영적 배경을 묻는 도구로써 개인관계, 가족 배경, 종교 배경에 관한 사항을 간단히 확인한다. 영적 선별검사 결과는 영적 사정 수행 단계에 반영된다.

2. 영적 사정

영적 사정은 영적 검사를 수행한 결과에 근거하여 보다 심층적인 요구 사정을 위해 진행되는 단계로서 영적 돌봄 전문가 또는 훈련된 호스피스·완화의료팀원에 의해 수행된다. 영적 사정을 위해, 환자와 가족이 요청하는 영적 요구는 세 가지 요구로 나누어 기술하였다. 첫째는 실존적 요구이다. 이것은 존재의 의미와 목적을 추구하려는 실존적이며 의미적인 요구이다. 둘째는 관계적/사회문화적인 요구로서 사랑과 용서를 주고받고자 하는 요구이다. 마지막은 종교적/초월적 요구로서, 희망과 초월을 상상하고 경험하고자 하는 요구이다. 다음은 각각의 세 가지 영적 요구의 구체적 특성과 이에 따른 영적 사정을 수행할 때 적용할 수 있는 질문 내용을 기존에 개발된 영적 사정 도구를 근거로 하여 공통적인 내용을 제시하였다.

표 41-1. 영적 선별검사용_ 환자 자가 평가지

성명:

저희 호스피스·완화의료팀은 귀하께서 최대한 안락하고 평온한 신체적, 정서적, 영적돌봄을 제공하기를 원합니다. 특히, 호스피스·완화의료서비스를 받는 귀하께서는 본인이 원하는 영적인 필요에 민감해야 합니다. 이 양식은 귀하께서 원하는 영적인 돌봄과 요구가 무엇인지 확인하도록 하기 위한 것입니다. 귀하의 경험과 가장 가깝다고 생각하시는 곳에 V 표 해주세요.

1. 귀하께서는 현재 영성 또는 종교가 얼마나 중요하십니까?

전혀   매우
중요하지   중요하다
않다

2. 최근, 나의 영적인 상태는

매우   나쁘다   보통   좋다   매우 좋다
나쁘다

간호사가 당신의 영적 안녕을 위해 어떠한 돌봄을 제공하기를 원합니까?(해당되는 곳에 모두 V 표 해주십시오.)

____ 함께 기도한다

____ 사적으로 기도하거나 명상할 수 있는 시간과 장소를 제공 받는다

____ 나를 안정시킬 수 있는 그림을 보여주거나 음악을 들려준다

____ 영적으로 도움이 되는 책을 읽어주는 것을 바란다

____ 나의 영적인 문제를 귀담아 들어주기를 바란다.

____ 지나온 인생사를 말하도록 경청해 주기를 바란다.

____ 꼭 말을 하지 않을지라도, 내 옆에 함께 있어준다.

이 외에 팀원이 당신에게 영적으로 돌봄을 주기 원하는 것이 있으면 기록해주세요:

_____

_____

나의 영적 지지자:

____ 친구와 가족

____ 의료인 또는 건강 돌봄 전문가(자세히 적어주세요):

____ 입원기관의 성직자

____ 믿음 공동체(자세히 적어주세요):

호스피스·완화의료팀이 알기 원하는 당신의 종교의식이 있습니까?(예; 식이, 생활습관 등)

출처: Taylor EJ. Spiritual assessment. In: Ferrell BR, Coyle N, eds. Oxford textbook of palliative nursing I. Oxford University Press;2015:531-545.

10부

표 41-2. 영적선별검사용-영적돌봄 초기 면담지

영적 돌봄 초기 면담지

의뢰일		의뢰경위	□ 의료진 □ 스크리닝 □ 환자·가족 □ 기타
면담일		면담자		관계	

1. 신체적·정서적 상태

환자명		등록번호		성별/나이	
진단명			입원사유		
말기병식유무	환자 □ 있다 □ 없다 주 돌봄자 □ 있다 □ 없다				
통증상태	□ 있다(점) □ 없다				
의식상태	□ 명료 □ 혼돈 □ 반의식 □ 무의식				
의사소통	□ 원만함 □ 곤란함 □ 불가능함 □ 거부함				
정서상태	□ 안정 □ 불안 □ 슬픔 □ 분노 □ 우울 □ 흥분 □ 안절부절 □ 기타				
평가방법	□ 의무기록 □ 환자·가족 표현 □ 관찰 □ 기타				

2. 종교적 측면

종교여부		□ 있다(□ 천주교 □ 개신교 □ 불교 □ 기타) □ 없다
종교인	소속종교단체	예) OOO 교회
	세례명(불자명)	예) 아리아
	신앙경력	예) 년
	종교 활동 참여 정도	□ 종교 예식에 한 번도 빠지지 않고 참여한다 □ 대체로 참여하는 편이다 □ 가끔 참여한다 □ 냉담중이다 □ 기타
	종교단체구성원들의 지지 정도	□ 높다(□ 방문/빈도 회 □ 전화 □ 기타) □ 낮다
비 종교인	종교에 대한 태도	□ 긍정적 □ 부정적 □ 무의미 □ 기타
	현재 종교 희망여부	□ 있다 □ 없다
	희망하는 종교	□ 천주교 □ 개신교 □ 불교 □ 기타
	현재 희망의 도구 유무 여부	□ 있다(□ 절대자 □ 자기 자신 □ 가족 □ 의료진 □ 기타) □ 없다
	영적 자가 노력 여부	□ 하고 있다 □ 하지 않는다
주 돌봄 가족의 종교		□ 있다 □ 천주교 □ 개신교 □ 불교 □ 기타( ) □ 없다

3. 영적 요구도

영적 돌봄 희망 여부	□ 있다 □ 없다
원하는 영적 돌봄 형태	□ 기도 □ 종교예식 □ 영적 환경 제공(성물 등 포함) □ 영적 독서 □ 성가/ 찬송가/ 찬불가 등 □ 종교방송 □ 영상 □ 자연과 친교 □ 종교 정보 제공 □ 가족들의 영적 지지 □ 프로그램 제공(미술, 원예, 음악 등) □ 기타
원하는 영적 대화 여부	□ 있다 □ 없다
원하는 영적 대화 주제	□ 투병 생활동안의 영적 체험 □ 신에 대한 믿음 □ 기도 등의 신앙생활 방법 □ 희망 □ 인생 회고와 의미 / 목적 □ 화해와 용서 □ 기타
	구체적인 내용:
이외 요구 내용	

현재 영적 돌봄 제공자	□ 있다(방문 빈도 회 제공내용)		
	구분 예) 신부, 목사, 승려, 자 원봉사자, 가족, 친 지, 친구, 외부인 등	이름/소속	연락처
	□ 없다(□ 희망 □ 희망하지 않는다)		
만나고 싶은 영적 지지자	□ 신부 □ 수녀 □ 목사·전도사 □ 승려 □ 교우 □ 자원봉사자 □ 가족·친지·친구 □ 의사 □ 간호사 □ 사회복지사 □ 기타		

4. 개입계획

기록일: 년 월 일 기록자:

출처: 호스피스·완화의료 돌봄 매뉴얼-말기 암 환자 완화의료전문기관용-. 국립암센터;2013.

1) 실존적/의미적 요구

삶의 목적과 의미를 찾고자 하는 요구이다. 인간의 깊은 마음속에는 자신의 실존에 대한 보다 근본적이고 궁극적인 의미를 추구하고자 하는 노력과 투쟁이 있다. 이러한 의미추구의 의지는 인간에게 그의 삶에서 근본적인 동기를 부여하는 힘이며 의미에의 의지가 억압되고 도외시되면 삶의 허무와 공허감을 경험하게 된다. 특히, 질병으로 고통 받으며 한계 체험을 하고 있는 말기환자에게는 많은 의료정보들이 홍수처럼 밀려오고 여러 지시사항들이 주어질 때 자신은 복잡한 의료 체계의 한 요소일 뿐이며 그저 수동적으로 치료 행위를 받

아들여야만 하는 무력한 존재라고 느낄 수도 있다. 또한 심각한 질병이나 사랑하는 사람의 죽음과 같은 실존적 체험은 우리에게 엄청난 충격과 더불어 가던 길을 멈추고 인생에서 가장 중요한 의미가 무엇인지 생각해보게 한다. 즉, 인간은 자신에게 주어진 고통과 한계 체험을 통해서 역설적이게도 우리 스스로 유한하고 사별적인 인간임을 깨닫고 인생과 죽음, 질병으로 인한 고통, 이제까지 살아온 삶의 의미를 찾고자 하는 계기를 갖게 된다.

이러한 실존적 요구는 환자의 가치관과 가족의 배경과 관련이 있으며 환자와 가족에게 다음과 같은 질문을

할 수 있다. 인간이란 무엇인가? 나의 존재 자체와 나의 삶에는 어떤 의미가 있는가? 질병(고통)이란 무엇인가? 이 상황을 편안하게 수용할 수 있는가? 왜 나에게 이런 질병, 고통이 왔는가? 영적 요구 사정을 위해서는 아래와 같은 질문을 통해 대화를 확장할 수 있다.

(1) 직면하고 있는 질병, 위기, 고통이 주는 의미가 어떤 것이 있을까요?

(2) 질병이 당신의 삶의 목표를 어떻게 바꾸어 놓았나요?

(3) 두려움이나 외로움을 느낄 때 어떤 방법으로 대응을 하고 있습니까?

(4) 무엇이 당신의 삶에 의미를 주나요? (또는 당신의 삶에서 가장 중요한 것은 무엇입니까?)

(5) 내적 안정이나 느낌을 가지고 있습니까?

(6) 지금 상황을 견딜 수 있는 힘은 무엇입니까?

(7) 남은 시간 동안 삶의 가치와 존엄성을 유지할 수 있습니까?

환자와 가족은 허무감, 무력감을 호소할 수 있으며 호스피스·완화의료팀원은 이런 질문을 통해 환자의 자아 정체성과 인생의 목적과 의미의 상실 과정을 이해하고 경청해야 한다. 또한 영적 요구 사정을 통해 돌봄의 계획을 세우고 편안함, 현실을 수용함, 가치와 존엄성을 유지할 수 있는 방안을 모색하도록 한다.

■ 사례: 실존적 요구

조OO 35세 미혼이며 2015년 4월 종격동암 판정을 받았다. 2015년 12월 초에 일반 병동에 입원하였다. 통증이 심하며 예민하여 병실에 다른 환자들과 다른 환자의 방문객들의 대화나 소음을 수용하지 못하고 분노를 폭발하여 늘 병실과 병동의 분위기가 삭막하였다. 부친은 환자인 아들을 적극 옹호하며 주변 사람들에게 불편한 관계를 유지하였다. "아무도 무섭지 않다." "나는 곧 죽을 사람인데 왜 나를 힘들게 떠들고 있냐?" "방해

하지 말라." 등의 좌절과 절망을 분노로 표현하였다. 2016년 5월에 호스피스·완화의료 병동으로 옮긴 뒤에도 방어적 태도는 지속되었다. "통증조절도 잘 안 되고 늘 힘들고 삶의 존재 의미가 없다."고 한다. 부친은 아들이 자기 때문에 이런 병을 얻은 것이라고 자책하기 때문에 이제라도 아들을 잘 지켜야 된다는 생각이 굳어져 주변과 관계를 차단하여 삶이 힘들고 변화는 없었다. 부친은 아들 어렸을 때 아내와 이혼을 했고 아들은 엄마의 사랑을 받지 못했다는 부재가 삶의 고통 중에 불행과 원망을 주변에 투사하는 것이라는 점을 호스피스·완화의료팀은 이해하였다. 팀원들의 관심과 지속적인 친절, 봉사자의 부종마사지 등 환자를 향한 조건 없는 돌봄으로 환자와 부친이 마음을 조금씩 열게 되었고 부친이 부재할 때는 같은 병실의 환자와 가족들의 도움으로 마음의 안정을 얻게 되었다. 혈연적인 가족에서 결핍된 사랑을 같은 병실에서 투병하는 환자와 가족이 서로 돕는 가운데 대안적 사랑을 경험하게 된다. 신체적 통증과 마음의 통증이 환자와 부친을 주변과 관계에서 난폭하게 만들어 갔지만 마음의 고통을 줄이게 된 후에는 인내심과 관계성이 향상되었다. 웃음도 보이고 대화도 조금씩 하였다. 나이도 어리고 장가도 못 간 사람이 중병이 들어 억울했던 불행이 주변에 투사되었을 때는 인생의 가치와 의미가 결여되었었다. 그러나 주변의 조건 없는 관심과 사랑은 환자와 부친에게 의미를 찾게하는 접촉점이 되었다. 이 환자는 호스피스·완화의료병동에서 임종하기 전까지 혈연 가족에서 확대 가족이라는 의미를 느끼며 임종하였다.

2) 관계적/사회문화적인 요구

용서와 사랑에 대한 요구이다.

자신, 중요한 사람들과 더불어 사랑과 유대감 및 조화로운 관계에 대한 요구이다. 즉 인간은 자신의 과거를 돌아볼 때 누구나 후회와 아쉬움을 가지게 되며, 이에 대하여 일종의 죄책감을 느껴 용서받고 싶은 마음을

가지게 되고 그 저변에는 사랑의 관계를 원하는 요구가 있다. 인간은 사랑의 관계에서만 근본적으로 만족할 수 있기 때문에 사랑받고 또한 사랑하고자 하는 이 요구는 매우 강한 영적 요구이다. 이 요구는 환자와 가족이 처한 사회문화적인 배경, 가족의 신앙관과 경험 등의 영향을 받는다.

환자와 가족이 서로 사랑과 용서를 주고받을 수 있는 필요가 있는지? 타인과의 관계에서 정리되지 않은 주제들이 있는지? 관계적이며 사회문화적인 요구를 파악하는 것이다. 환자와 가족은 좋은 관계 속에 있는가? 사랑을 공유하고 있는가? 환자와 가족이 다른 사람들과 지속적인 관계를 유지하는가? 지지를 받고 있는가를 확인하는 것이 중요하다. 이때 보다 구체적인 영적 요구 사정을 위해 자신, 중요한 사람들과의 관계성을 중심으로 한 질문 내용은 아래와 같다.

(1) 자신

- 지금의 자신에 대하여 어떻게 느끼십니까?
- 자신을 사랑하기 위해 또는 용서하기 위해 무엇을 하십니까?

(2) 중요한 사람들

- 당신과 가장 가까운 사람은 누구입니까? 그들이 당신을 어떻게 도울 수 있다고 생각하십니까?
- 긍정적이거나 부정적인 영향을 끼친 사람은 누구입니까?
- 용서를 받고 싶거나 용서를 베풀고 싶은 사람은 있습니까?
- 지금보다 더한 어려움이 온다면 도움을 청하고 싶은 사람은 누구입니까?
- 혼자입니까? 아니면 아직도 주변에 많은 사람과 연결되어 있습니까?
- 당신은 사랑을 주고받을 수 있는 존재라고 생각하십니까?

한편, 사회문화적인 배경은 관계적 요구 사정에서 중요하게 고려되어야 할 사항이다. 민족과 인종 그리고 성장 환경에 따른 문화의 차이는 말기 환자들이 질병의 진단부터 임종에 이르는 전 과정에 이르기까지 질병 관리 및 치료에 관한 의사결정에 중대한 영향을 미치며 임종 전과 후 및 장례절차에 관한 의식들에도 깊은 연관이 있다. 문화의 차이에 따라 환자와 가족들은 그들의 질병, 예후 그리고 치료에 대해 매우 다양하게 이해한다. 이런 맥락에서 환자와 가족들의 문화적 배경에 따른 이해 정도를 파악하는 것은 호스피스·완화의료팀들이 환자의 입장을 좀 더 잘 이해하고 적절한 중재를 계획하고 불필요한 마찰을 줄이면서 효과적인 결과를 가져오도록 돕는다. 예를 들면, 어떤 가족들은 환자인 가족 본인에게 자신의 질병을 알리지 말아달라고 요청할 수도 있다. 진실통고를 하지 못할 경우 의료진은 환자에게 진실통고를 하지 못함으로 인한 윤리적 갈등을 겪을 수 있다. 환자가 모르고 있는 상태에서 의사가 환자의 동의없이 완화적인 항암치료, 방사선 치료를 진행할 수 없기 때문이다. 또한 종종 다른 문화적 배경을 가진 환자들은 자신의 질병에 관하여 보편적이지 않은 매우 다른 믿음을 가지고 있는 경우가 있다.

다음은 환자 자신의 질병에 대한 문화적 배경에 따른 인식을 파악하기 위해 도움이 되는 질문들이다.

- 당신은 질병이 초래된 원인이 무엇이라 생각하십니까?
- 당신은 무엇이 두려우십니까?
- 질병을 치료하는 것에 대해 어떻게 생각하십니까?
- 우리가 당신을 어떻게 돕기를 바라십니까?
- 누가 당신의 질병 및 치료에 관한 의사결정에 관여합니까?

환자와 가족은 오랜 시간 질병과 투쟁하며 관계의 상실과 자신의 총체적인 고통을 통제할 수 있는 힘이 점차 소진된다. 환자와 가족은 죄책감, 미움, 외로움, 가족에 대한 염려, 원망 등을 표현한다. 이때 영적요구 사정이 정리되었다면 영적 돌봄은 환자와 가족을 동행하며 신뢰관계를 확장하고 환자와 가족의 이야기 내용을 경청과 공감으로 지지하고 호스피스·완화의료팀원들과 새로운 관계를 확장하면서 사랑의 가치를 느끼고 평화를 유지하도록 돕는다.

■ **사례: 관계적/사회문화적인 요구**

김OO 45세 여자이며 결혼하여 남매를 두었다. 2010년 난소암 발병, 2013년 간과 대장으로 전이, 대장 부분 절제하였다. 2016년 8월에 호스피스·완화의료병동에 입원하였다. 환자는 2남2녀 사남매 중 위로 오빠 아래로 여동생, 남동생으로 원가족이 구성되어 있다. 남편은 6년 전 간암으로 사망하였는데 아들의 나이는 8살, 딸은 2살이었다. 남편을 사별하고 환우가 암으로 투병을 하였기에 미혼인 여동생이 언니의 병간호와 아이의 양육을 도맡아 하고 있다. 아울러 환우의 여동생(이모)도 암 판정을 받아 수술을 했고, 몇 년 전 남동생은 객지에서 자살을 하였다고 한다. 부모님도 암으로 사별하였다고 한다. 지난 몇 년간 이 가족이 겪은 연이은 고통은 대화나 소통의 대상이 아니었다. 이 가족 내의 영적 질문은 어느 누가 단편적으로 개입할 수 없는 복합적인 고통이었다. 호스피스·완화의료병동에서 축소된 사회를 통해 새로운 관계를 설정하고 남매에게 이별과 죽음을 가족의 불행으로 축소하지 않고 슬픔과 사별을 직면하고 바르게 애도하는 과정을 호스피스·완화의료팀들이 동행하였다. 환자는 적극적인 통증조절로 마지막 시간까지 아이들과 소통하고 교감하며 최선을 다했다. 남매도 글과 그림, 사진 등을 통해 미래에는 엄마를 마음의 동행, 기억의 동행 속에 있는 분으로 승화시키는 작업을 하였다. 자신들에게 많은 사람들이 같이 아파하고 공조하며 슬픔을 나누어 보려는 과정에 함께 울고 웃었다. 축소된 시간과 공간의 치유가 현실과 미래에서 확장되기를 환자와 모든 완화의료팀원

들이 소망하였다.

3) 종교적/초월적 요구

죽음수용과 희망에 대한 요구, 절대자(신)와의 관계에 대한 요구이다. 종교적/초월적 요구는 특히 종교적 믿음과 관련이 있다. 종교적 믿음을 지닌다는 것은 일반적인 수용의 수준을 넘어서는 확신을 필요로 한다. 이는 진리에 대한 아주 깊은 신뢰 내지 충실성에 가깝다고 볼 수 있다. 바로 이러한 능력을 우리는 신앙이라 부른다.

인간에게 죽음은 두려움의 대상이지만, 임종 과정과 죽음 앞에서도 자신의 삶의 주인으로서 의미 있고 존엄한 죽음을 맞이하고 죽음 이후에도 자신의 뜻이 영원히 이어지길 바란다. 말기 환자들은 죽음을 피할 수 없다 해도 더 나은 형태의 죽음, 남은 가족의 행복, 죽음을 넘어서는 초월적인 세계를 원하고 희망한다. 이러한 희망을 가지는 것은 절망의 고통에서 벗어나고자 하는 깊은 영적 요구라고 할 수 있다. 종교적/초월적 요구는 유한한 인간이 절대자(신) 혹은 궁극적 실재와 의미 있는 관계를 가지고 싶어 하는 요구와도 관련이 있다. 이것은 절대자(신)에게 갖는 죄책감에서 해방되고 싶고, 인간이 절대자(신)와 합일을 이루어 자신의 한계를 벗어나고자 하며, 인간이 어디에서 와서 어디로 가게 되는지 그 존재의 비밀과 삶의 궁극적 의미를 알고자 하는 존재론적 요구의 다른 표현이라고도 볼 수 있다.

종교가 있는 환자는 '나의 고통에 대한 절대자 혹은 궁극적 실재의 뜻은 무엇인지 알고 싶어요.' '지금 이 고통 중에서 나를 용서하고 도와주기를 원합니다.' '나의 교우나 성직자의 방문과 도움을 원합니다.' 의 요구가 표현될 수 있다. 비종교인의 경우 '절대자 혹은 궁극적 실재는 과연 존재하는가?', '신은 나에게 관심이 있는가?', '왜 나와 우리 가족에게 이런 고통을 주는가?' 등의 의문을 가질 수 있다. 좀 더 구체적인 대화를 위해 다음의 질문을 사용할 수 있다.

10부

• 당신에게 신앙은 얼마나 중요합니까?

• 어떤 형태의 신앙생활이 가장 도움이 됩니까?

• 기도, 명상, 이완요법 등과 같은 것들이 당신에게 도움이 됩니까?

• 소속되고 지지받고 있는 신앙단체는 있습니까?

• 당신은 자연(또는 우주)과 어떻게 연결되어 있다고 느끼십니까?

• 당신은 자연(또는 우주)의 아름다움을 보면서 어떤 영적 느낌을 가지십니까?

이 영역의 대화에서 환자나 가족은 죽음에 대한 두려움을 직·간접적으로 표현할 수 있다. 불신, 죄의식, 두려움, 절망감으로 나타날 수 있으며 이때 영적 돌봄의 계획은 신뢰, 희망으로 전환하도록 한다.

■ 사례: 종교적 요구

난소암 3기 진단을 받은 이○○은 현재 88세이다. 13세에 그녀의 어머니는 유방암으로 세상을 떠났고 그녀는 17세에 수녀원에 들어가 수녀가 되었으나 부적응으로 35세에 수녀원을 떠났다. 그 후 회계학 분야의 학위를 취득하고 사회복지기관 등에서 활동적인 삶을 살아오다가 4년 전 난소암 진단을 받았다. 호스피스·완화의료병동 간호사는 이 씨의 증상뿐 아니라 전신 기능이 쇠퇴해가는 상태에 대해 논의하기 위해 둘만의 조용한 시간을 마련했다. 이때 이 씨는 자신이 죽음을 매우 두려워하고 있다는 것, 그리고 증상으로 인한 고통을 견디기가 점차 힘들어지고 있다는 사실을 모두 털어놓았다. 나아가 이씨는 자신의 질병과 증세가 '수도 서원을 저버린 것'에 대한 벌이기에 자신의 고통은 '받아 마땅한 것'이라고 말하기도 했다.

III 영적 문제와 진단

영적 문제에 근거하여 영적 진단을 내리는 작업은 아직도 더 많은 토의와 연구가 진행되어야 하는 영역이다. 현재까지 발표된 문헌에 근거하여 볼 때, 일반적으로 영적 문제와 관련된 영적 진단은 다음의 세 가지 범주로 나눠진다.

• 영적 문제는 의미의 결핍, 해결되지 않은 종교적 믿음, 용서하지 못함 등의 고통을 가져온다.

• 영적 문제는 심리적(우울, 불안, 무력감, 부정, 슬픔 등), 신체적(급성 만성 통증, 식욕부진, 호흡곤란, 불면증, 악몽 등) 진단의 원인이 된다. 예를 들면, 심각한 무의미는 우울 또는 자살 의도를 초래하고 죄책감은 만성적인 신체적 통증을 가져온다.

• 영적 문제는 환자가 현재 호소하는 심리적, 신체적 진단의 이차적 원인이 된다. 예를 들면, 종교적인 신념 때문에 투약을 거절해서 고혈압이 조절되지 않을 수 있다. 그 외에도 울고, 소리 지르거나 치료 및 식사 거부, 면회 거절, 무표정, 침묵 등의 행동을 보일 수도 있다.

위와 같은 영적인 문제를 진단으로 명명하는 것에 대해 논란이 있기는 하다. 영적 또는 종교적 관심은 개인 존재에게 매우 필수적인 사고로서 영성적 측면을 병리적 진단명으로 명명하는 것에 대한 우려가 제기되었다. 그러나 해결되지 않은 영성과 종교적 문제는 건강에 부정적 효과를 가져 오며 이는 고통, 통증을 초래한다. 따라서 질병의 맥락에서 볼 때, 영적, 존재론적 문제는 진단으로 분류될 수 있다고 보는 견해가 받아들여지고 있다.

말기 환자의 세 가지 영적 요구와 관련된 영적 문제(진단)를 미국 완화의료분야의 National Consensus Conference에서 2009년 합의된 내용에 근거하여 영적 고통의 표현 양상(증상과 징후), 중재 내용과 함께 **표 41-3**

에 제시하였다.

표 41-3 에 제시된 영적 문제(진단)들은 일부 환자에게 는 개인의 삶의 일부분으로 인식되면서 실존적 좌절이 나 고통을 초래하지 않을 수도 있지만, 대부분의 환자 들은 극심한 영적 고통을 경험할 수 있다.

예를 들면, 용기를 잃고 의기소침해 있고 그들의 삶 에서 어떠한 의미나 목적을 발견하지 못하는 환자가 있을 수 있다. 이것은 이혼, 질병 또는 중년기의 위기 와 같은 삶의 이행의 한 부분으로 인식될 수 있다. 이 때 환자는 단순히 반영적 또는 성찰적 과정(reflective process)으로서 삶의 의미에 대한 질문을 할 수 있다. 이 런 경우는 영적 문제를 의학적 또는 건강 문제에 영향 을 미칠 수도 있고 영향을 미치지 않을 수도 있는 것으 로 볼 수가 있다.

반면, 어떤 환자들은 삶에서 의미의 결핍으로 인해 아주 극심한 고통이나 실존적 좌절을 겪을 수 있다. 이 렇게 무의미가 통증, 고통이나 실존적 좌절을 가져올 경우에는 영적 문제로 진단을 내리고 신체적 통증과 동 일하게 증상을 치료해야만 한다. 용서 또는 화해는 영 적인 또는 종교적 수행으로 이해될 수 있지만 어떤 맥 락에서는 용서할 수 없는 것이 질병에 영향을 미칠 수 있고 극심한 좌절이나 고통을 유발하는 원인이 되거나 우울의 소인이 될 수 있다.

호스피스·완화의료팀은 병동이나 가정 등에서 호스 피스·완화의료 서비스를 제공할 때, 영성이 어떻게 질 병과 더불어 환자의 삶속에 나타나는지 전체적인 과정 을 구별할 수 있어야 한다.

정상적인 발달 단계적 맥락에서 발생하는 영적 문제 와 구별하여, 전체적인 맥락에서 나타나는 영적 문제에 대한 증상과 징후를 판별하고 통합하여 질병으로 인한 영적인 병리적 문제를 진단하는 것은 훈련된 영적 돌봄 가의 역할이다.

IV 영적 돌봄

1. 영적 돌봄의 원칙

임종을 앞두고 있는 말기 환자를 위한 영적 돌봄은 호 스피스·완화의료팀원이 그들과 진심으로 함께한다는 느낌이 전달되어 환자에게 감동을 주는 접근이어야 한 다. 이러한 팀원들의 인간애(humanity)는 '함께함과 들 어 줌', '동참함', '동정에 기초한 돌봄 행위'를 통해 표 현될 수 있으며 이것은 영적 돌봄의 기초 또는 원칙이 라고 볼 수 있다.

1) 함께함과 들어줌(Compassionate presence and deep listening)

호스피스·완화의료 환경에서 환자가 통증과 고통 없 이 편안한 임종을 맞이할 수 있다고 아무도 말할 수 없 다. 그러나 환자가 가는 마지막 길까지 동행할 수 있다 고는 말할 수 있다. '함께함'이라는 것은 호스피스·완화 의료팀원이 환자 옆에 항상 같이 있다는 것을 의미하는 것이 아니라 환자의 통증과 고통을 경감시킬 수 있도록 가능한 모든 노력을 하며 환자와 가족을 끝까지 포기하 지 않는다는 것을 뜻한다.

'들어 줌(주의 깊은 경청)'은 환자가 무엇을 말하며 무엇을 말하지 않는지 주의 깊게 듣고 환자가 말하는 단어 속에 숨겨진 감정과 느낌을 이해하기 위해 노력한 다는 것을 의미한다. 이것은 환자를 진심으로 이해하기 위해 우리의 모든 관심을 환자의 채널에 맞추는(tune in) 것을 뜻한다.

호스피스·완화의료팀원은 경청의 훈련을 통해 환자 나 가족의 이야기를 상대방의 입장에서 듣는 훈련이 필 요하다. 그러나 초창기의 경험은 대부분 나의 관점에 서 환자나 가족이 경험하는 사건과 감정 읽기를 거듭하 면서 점차 적극적인 경청으로 전환하게 된다. 영적 돌 봄을 제공하는 사람은 늘 전반적인 정보와 나의 역량이

10부

표 41-3. 영적 요구에 따른 영적 문제(진단)와 중재방법

영적 요구	영적 고통의 표현양상 (증상과 징후)	영적 문제 (진단)	돌봄의 세부목표	중재내용
삶의 의미와 목적에 관한 실존적/의미적 요구	멍함, 무관심한 태도, 우울함, 무력함, 자포자기한 태도, 허망하다는 표현	절망과 희망 없음(무력감)	의욕을 되찾음	• 어려운 문제의 중압감을 일단 내려놓게 돕는다. • 의욕을 느낄 수 있는 일을 함께 찾아 본다. • 시간을 의미 있게 활용하도록 방법을 찾아 돕는다.
		의미와 목적의 결핍(허무감)	의미 발견, 보람	• 과거의 삶의 의미를 찾고, 자신이 가치 있는 사람임을 느끼도록 돕는다. • 현재 말기 환자에게 의미를 줄 수 있는 하고 싶은 일(또는 창조적 행동)이 있는지 확인하고 가능한 범위에서 이를 성취하도록 돕는다. • 주위 사람들에게 그 수고에 존경과 감사를 표현하도록 안내한다. • 질병의 고통을 신앙과 인격 성숙의 기회로 삼도록 돕는다. • 잘 마무리하는 일의 중요성과 의미를 발견하고 느끼도록 돕는다.
관계적/사회문화적인 요구	불안해함, 후회스런 표정, 원망, 미움, 중요한 사람을 무시함, 자아 연민에 빠짐, 고독한 모습, 우울, 밉살스런 행동, 다 싫다고 거부, 지나친 찬사, 관심과 도움을 호소, 자신을 무시한다고 원망	애도와 상실 (슬픔/가족염려)	현실 수용 혹은 안심	• 가족에 대한 염려가 무엇인지 구체적으로 표현케 한다. • 가족 돌봄 팀과 협력하여 그 해결책을 같이 의논한다. • 해결을 위한 구체적인 시도를 한다. • 남은 가족들을 신뢰하고 맡기도록 돕는다(그들을 도울 것을 약속한다).
		죄책감과 수치심 (죄책감)	용서받음(평화)	• 질병과 고통은 절대자(혹은 신)의 징벌이라는 생각을 바꾸도록 돕는다. • 절대자(혹은 신)는 자비로우시므로 모든 잘못을 용서해 주시는 것을 알게 돕는다. • 자신의 허물을 고백하고 용서받아 평화를 누리도록 돕는다.
		원망, 미움(분노)	감사	• 질병과 고난을 선으로 바꾸시는 절대자(혹은 신)의 섭리를 믿도록 돕는다. • 지금도 절대자(혹은 신)의 도우시는 손길을 느끼도록 돌본다. • 현재의 어려움 중에서도 감사할 일들을 찾아보도록 격려한다.
		절대자(혹은 신)와 타인에게 버려짐, 고립(외로움)	사랑에 만족 (유대감)	• 대상자에게 진실한 관심과 돕고자 하는 의지가 있음을 알린다. • 짐을 같이 지고 동행하는 것을 느끼도록 최선을 다해 계속 돕는다. • 가족, 친지, 친구들을 격려하여 함께 사랑의 분위기를 만들도록 한다. • 즐길 수 있는 일을 만들고 같이 즐거워한다.
		화해 원함(불화)	화해	• 죄책감을 표현하고 그 원인을 찾도록 돕는다. • 원망이나 분노를 표출하도록 돕고 경청한다. • 용서하고 용서받아 화해를 이루도록 구체적으로 돕는다.
종교적/초월적 요구	불안, 혼자 있기 무서워함, 특정 사람이나 물건에 집착, 자신의 무가치함 표현	신과의 관계에 대한 관심 (절망감)	희망	• 절망감을 표현하도록 돕고 경청, 공감한다. • 작은 희망을 가지고 그것이 이루어짐을 체험케 한다. • 희망의 사람으로 늘 옆에 있음을 느끼게 한다. • 가족과 내세에 희망을 가지도록 돕는다.
		해결되지 않은 믿음(불신, 두려움)	평안	• 두려움을 표현하도록 하고, 그 실체가 무엇인지 파악해 보도록 돕는다. • 도움의 손길(신, 의료진, 기타)을 체험하고 기억하도록 격려한다. • 문제 생길 때 반드시 도울 것을 약속한다. • 두려움이 올 때 직면하여 해결함으로써 자신감을 갖도록 돕는다.

출처:

1. 국립암센터. 호스피스 · 완화의료돌봄매뉴얼-말기 암 환자 완화의료전문기관용-. 2013:173-175.

2. Puchalski CM. Ferrell B. O'Donnell E. Spiritual issues in palliative care. In: Yennurajalingam S. Bruera E. eds. Oxford American handbook of hospice and palliative medicine. Oxford University Press;2011:253-268.

얼마만큼 성장하고 있는지 점검이 필요하다. 자주 환자와 가족을 위한 혹은 다학제팀을 위한 영적 돌봄의 개념과 방법을 설정해야 한다.

2) 동참함(Bearing witness)

'동참함'은 말기환자가 경험하는 일과 그가 살아온 인생과 경험에 대해 갖는 감정을 공감하는 것이다. 우리는 다른 사람이 우리의 삶의 중요한 사건(좋은 일 또는 나쁜 일)에 함께 동참한다는 것을 인식할 때 힘과 위로를 얻는다.

적극적인 경청의 훈련이 어느 정도 몸과 마음에 익히게 되면 환자와 가족의 관점에서 필요가 무엇인지 공감대를 형성할 수 있으며 그 중에 일부 선택과 집중해야 할 주제에 초점을 가져야 한다. 그 주제를 중심으로 지금 여기에서 실현할 수 있는 전개가 필요하다. 환자와 가족이 경험한 인생의 이야기를 통해 지금의 문제들의 연관성이나 정리되지 못한 내용들은 무엇인가 인지하고 하나씩 정리해 가도록 동행하는 과정이다. 이때 주의할 점은 환자의 반응과 수용 정도를 평가하면서 자연스럽고 편안한 동행을 조성해야 한다.

3) 동정에 기초한 돌봄 행위(Compassion at work)

함께함, 들어 줌, 동참함은 돌봄을 제공하는 사람의 헌신을 요구한다. 이러한 돌봄 후, 좋은 영적 돌봄을 제공하는 다음 단계는 동정(연민, 측은지심, compassion)에 기초한 행동이다. 뭔가 빠뜨린 것은 없는가? 좀 더 해야만 하는 것이 있는가? 깊은 경청을 통해 환자의 희망, 원함, 갈망 등이 확인된다. 환자가 원하는 것은 매우 단순하지만 이것은 때로 환자의 삶의 질에 커다란 변화를 가져올 수 있다.

적극적인 공감이 형성된다면 환자와 가족을 포함하여 성장점이 무엇인지 직면하고 성찰하는 단계로 전환하게 된다. 당면한 현실에 대한 가족의 수용 정도는 어느 정도인지 적절하게 가족의 동참과 수용성을 확인하며 동행한다. 환자와 가족을 완화의료팀이 적극적으로 돌보지만 환자의 죽음 이후에 찾아오는 상실과 슬픔 그리고 애도는 유가족의 돌봄이 자율적으로 될 수 있도록 자원을 확인하고 재구성하는 조력이 필요하다.

이상과 같은 돌봄의 원칙에 따라 영적 돌봄을 수행할 때 호스피스·완화의료팀에게 필요로 되는 태도 또는 영적 돌봄의 핵심요소는 진실성, 친절, 연민, 존중, 존엄하게 대함, 인간애, 부드러움, 돌봄의 정신, 정직, 공감 등이 있다.

2. 영적 돌봄의 목표

1) 영적 돌봄의 첫째 목표는 희망과 의미발견에 있다.

이 목표는 말기환자의 영적 요구 중에서 '삶의 의미와 목적에 관한 실존적/의미적 요구' 와 관련되는 돌봄 목표이다.

말기 환자의 영적 요구 중에서 가장 보편적이고 핵심적 부분은 '의미'라 할 수 있다. 인간은 근본적으로 삶의 의미를 추구하는 존재로서 의미는 삶의 질의 핵심 결정 요소이다. 인간에게 있어 죽음이 기존에 지닌 삶의 의미에 문제가 되는 것은, 죽음이 결국 모든 것을 無로 돌리기 때문이다. 그러나 삶이 의미를 지니고 있는 것이라면, 삶 속에서 죽음도 반드시 의미가 있는 것이어야 한다. 특히 호스피스·완화의료 영역에서 죽음의 인식이 삶에 의미를 제공하는 조건이 될 수 있을 때 여생의 삶의 질이 유지되며 존엄한 죽음을 맞이할 수 있을 것이다.

실존치료의 대표적 학자이며 정신과 의사인 빅터 프랭클은 "일단 의미를 찾으려는 개인의 노력이 성공을 거두면 그것이 그 사람에게 고통에 대처할 수 있는 능력을 준다."고 단언했다. 그의 저서 1946년 출판된 '죽음의 수용소(Man's Search for Meaning)'에서 프랭클은 나치수용소의 자신의 경험을 통해 모든 상황에서 의미를 발견하는 것이 중요하며 우리 모두의 삶과 죽음까지도 의미가 있다고 하였다.

인간은 의미 추구를 지향하는 존재로서 자기 자신

10부

을 초월하고 자기 이외의 다른 어떤 것에 도달하는 능력이 있는 자율성을 가진 영적존재로서, 인간에게 진정한 행복을 가져오는 근본적 관심은 자아의 실현(self-actualization)에 있는 것이 아니라 가치 실현이나 의미를 추구하는 것에 있다. 문화와 세대를 막론하고 인간은 삶의 체험에서, 특히 고난을 야기하는 체험에서 의미를 추구해왔다. 힘겨운 시간을 보낼 때 영적인 의미 만들기는 위로와 희망을 제공한다.

의미를 발견하기 위한 노력과 그로 인한 정신적, 신체적 건강의 결과에 대한 상호관계를 입증하는 유의한 증거들이 말기 환자와 사별가족관련 연구결과에서 보고되었다. 의미 발견을 통해 대상자는 희망, 존엄성, 함께함, 참여, 연속성, 가족관계의 강화, 보다 깊은 개인적 성장과 같은 가치들을 성취할 수 있게 된다.

2) 영적 돌봄의 두 번째 목표는 사랑과 관계회복에 있다. 이 목표는 말기 환자의 영적 요구 중에서 '관계적/사회문화적인 요구', '종교적/초월적 요구' 와 관련되는 돌봄 목표로써, 이 요구들을 포괄하는 중심 부분은 '사랑'이라고 할 수 있다. 말기 환자가 절대적 존재 또는 인간관계에서 깊은 사랑을 체험하게 되면 큰 영적 평안과 만족감을 느끼며 존재의 의미와 희망의 요구도 함께 충족됨을 볼 수 있다.

3. 말기환자의 요구와 고통에 따른 영적 중재

영적 돌봄의 두 가지 목표를 달성하기 위해 영적 요구에 근거한 10가지 영적 고통 진단명과 이에 따른 중재 내용을 **표 41-3**에 제시하였다.

'실존적/의미적 요구'의 돌봄 영역에서는 완화의료팀원들이 "인간은 모든 삶의 경험에 있는 의미를 추구함으로써 자극을 받게 되고, 의미가 질병과 고통, 그리고 아픔의 경험에서 발견될 수 있다"는 중요한 사실을 환자들이 이해하고 그들이 처한 상황에서 자신만의 의미에 도달하도록 돕도록 한다. 완화의료팀원들은 말기환

자에게 어떠한 여건하에서도 삶은 의미 있고 가치 있다는 점을 제시하도록 한다. 빅터 프랭클의 의미요법에서 제시한 인간의 실존적 요구에 근거한 의미발견 방법은 말기 환자로 하여금 자신의 개별적 의미를 찾을 수 있도록 하는 구체적인 가이드가 될 수 있다. 이에 대한 구체적인 방법은 의미요법에 관한 전문적인 교육과 개발된 프로토콜을 적용하도록 한다.

'관계적/사회문화적인 요구'의 돌봄 영역에서는 점차 중요한 관계를 가진 사람들로부터 고립된 환자와 가족이 호스피스·완화의료의 돌봄 팀과 더불어 지속적인 관계설정을 확대하며 삶의 의미를 유지한다. 요일별 오전 오후의 자원봉사자팀, 도우미와의 공조, 간호사와 의사와의 인격적인 소통 등이 삶의 현실을 수용하고 극복하는 과정에서 희로애락을 나누는 공동체험을 체험하는 공간이며 기회이다. 환자를 사별하고 나면 가족들은 호스피스·완화의료팀과 소통하고 관계했던 경험이 사별자 가족 모임으로 연결되는 디딤돌이며 사다리가 될 수 있다.

'종교적/초월적 요구'의 돌봄 영역에서는 환자나 가족이 요청하는 종교적 의식을 포함한다. 필요하다면 지역 내 네트워크 된 성직자나 관계자를 연결한다. 가급적 영적 돌봄에 충분한 지식과 경험을 갖춘 관계자라면 더욱 안전하다. 예를 들어 호스피스 기본 교육이나 호스피스·완화의료표준교육을 수료한 관계자를 확보하고 있거나 확보할 계획을 수립하기를 권장한다. 이런 과정이 연결되어 사별자 가족모임으로 자연스럽게 효과적인 연대가 이루어질 수 있기 때문이다.

심도 있는 영적 돌봄이 요청될 때는 훈련된 혹은 전문성을 갖춘 영성 돌봄가를 연결한다. 이 분야에 심도 있고 전문적인 돌봄 전문가를 물색한다면 임상목회교육 clinical pastoral education 혹은 clinical spiritual care 프로그램을 수료한 전문 채플린을 말할 수 있다. 임상목회교육은 기본과정과 고급과정으로 나누어져 있으며 이 과정을 마친 4 unit을 수료한 사람을 말한다. 일반의

사의 훈련단계처럼 인턴과정과 레지던트 과정을 마친다.

다양한 삶의 스트레스 요인에 직면할 때, 말기 질환으로 고통당하는 환자들이 삶의 난관을 다루기 위해 종교를 이용하는 것은 매우 보편적인 대처 수단이다. 신과의 관계는 말기 환자와 가족들에게 위로를 주는 엄청난 자원이 될 수 있다. Baumeister는 "종교가 인간 삶에 높은 수준의 의미를 제공하는 고유한 기능을 갖고 있다"고 주장했다. 그는 "종교가 언제나 인생을 의미 있게 만드는 최선의 방법인 것은 아니지만, 적어도 가장 믿을 만한 방법"이라고 언급했다. 제멋대로 의미 없이 일어난 것처럼 보이는 비극적 사건도 신앙의 렌즈를 통해서 보면 나름대로의 목적이 있고, 은혜로우며, 신의 뜻에 따라 정해진 것으로 이해될 수 있다.

종교적인 믿음/가르침이 더 나은 결정을 장려해, 결국에는 스트레스의 수준과 건강이 악화될 가능성을 낮추는 것으로 보고되었다. 또한 종교생활을 하는 사람들은 규칙적으로 서로 만나기 때문에 보통 사람들보다 넓은 사교 범위를 갖고 있다. 이는 건강과 관련된 어려움을 견뎌낼 때 특히 도움이 되는 영적, 사회적 지지를 잠재적으로 제공한다.

V 영적 평가

영적 돌봄 제공 후에는 환자의 영적 안녕 상태를 확인함으로 제공한 영적 돌봄에 대한 지속적인 평가가 이루어져야 한다. 인간의 영적 본성이 최대로 개발된 영적 안녕 상태는 시공간을 초월하여 존재하는 절대자와 자신, 이웃, 환경과의 조화로운 관계를 통하여 현재의 환경에서 삶의 의미와 목적을 찾게 하는 힘이 된다. Ellison (1982)은 영적 안녕은 설명할 수 있는 어떤 상태라기보다는 대상자의 영적 건강이 행위로 표현되는 지

표라고 하였다. 임상에서 영적 돌봄 결과를 평가할 수 있는 영적 안녕 측정 도구를 **표 41-4**에 제시하였다.

또한 영적 요구 사정이 진행된 후에 돌봄 계획이 수립되고 실행되어졌을 때, 환자나 가족의 상태가 긍정적인 요소 혹은 부정적인 요소에 몇 가지가 노출되었나를 통해 돌봄의 효과를 평가할 수 있다. 영적 돌봄의 효과 평가를 위한 긍정적인 요소와 부정적인 요소는 다음과 같다**표 41-5**.

Ortiz and Langer의 연구에 의하면 영적 돌봄 평가를 위한 가장 좋은 도구는 '대화'이다. 환자와 대화를 통해 더 나은 관계 설정과 편안함을 얻게 되며, 환자들이 살며 직면한 상황에서 인간의 조절 한계를 넘어서 직면한 용기와 감정 조절, 결정, 믿음 그리고 희망을 이해하고 존중하는 자료를 얻게 된다. 그 외에도 소속된 종교, 영적 신념, 영적 태도, 영성에서 감성의 질, 영적 체험, 영적 기억들, 치료적 변화의 요인들, 사회적 지지 등의 요소도 영적 돌봄 평가내용으로 활용할 수 있겠다.

VI 영적 돌봄 제공자

앞에서 언급한 대로 영적 돌봄은 호스피스·완화의료 팀원 모두가 영적 돌봄을 제공할 수 있어야 하며 이를 위한 표준화된 교육을 받아야 한다. 그러나 의사, 간호사, 사회복지사의 전문영역처럼 전문 영적 돌봄가를 양성하는 교육이 필요하다. 신체적 돌봄과 사회적 관계가 축소되면서 내면의 영적 자원들을 통해 삶의 질을 유지하는 잠재 자원을 최대화하기 위해서이다. 북미의 병원에서는 환자의 영적 돌봄에 적합한 도구와 가치에 대한 훈련을 받은 인력으로 통상적으로 임상목회교육을 4 unit 정도 받은 전문 채플린이 있다.

교육 과정에 대한 정보를 얻기 위해 미국의 임상목회교육협회 Association for Clinical Pastoral Education

표 41-4. 영적 안녕 평가 도구(Paloutzian & Ellison, 1983)

내 용	전혀 그렇지 않다	그렇지 않다	그렇다	매우 그렇다
*1. 나는 내가 누구인지 어디서 왔는지 어디로 가고 있는지 모른다.				
*2. 나는 절대자(신)와의 개인적인 기도에서 큰 만족을 얻지 못한다.				
3. 나는 삶이 긍정적인 경험이라고 믿는다.				
4. 나는 절대자(신)가 나를 사랑하고 돌보아 주신다고 믿는다.				
*5. 나는 장래가 안정되어 있지 않다고 믿는다.				
*6. 나는 절대자(신)가 나의 일상 상태에 관심이 없다고 느낀다.				
7. 나는 나의 삶이 꽤 충실하고 만족스럽다고 느낀다.				
8. 나는 절대자(신)와 개인적으로 의미 있는 관계를 가지고 있다.				
9. 나는 나의 삶이 가고 있는 방향에 대하여 안녕감을 느낀다.				
*10. 나는 절대자(신)로부터 개인적인 힘과 지지를 얻지 못한다.				
*11. 나는 삶을 별로 즐거워하지 않는다.				
12. 나는 절대자(신)가 나의 문제에 대하여 관심을 가진다고 믿는다.				
13. 나는 나의 장래를 좋게 본다.				
*14. 나는 절대자(신)가 나의 문제에 대하여 관심을 가진다고 믿는다.				
*15. 나는 삶이 갈등에 가득차 있다고 불행하다고 느낀다.				
16. 나와 절대자(신)와의 관계는 나로 하여금 외롭지 않게 느끼도록 도와준다.				
17. 산다는 것은 내게 많은 의미를 준다.				
18. 나는 절대자와 함께 있을 때 가장 만족스럽게 느낀다.				
19. 나는 나의 삶에 어떤 참 목적이 있다고 믿는다.				
20. 나는 절대자(신)와의 관계를 가짐으로써 안녕감을 갖는다.				

(* 표시 문항은 채점 시 역환산)

표 41-5. 영적 돌봄의 효과평가를 위한 긍정, 부정적 요소

긍정적 요소	부정적 요소
• 인생은 영적인 세계의 한 부분이다. • 어려운 시간에도 신(절대자)은 함께하신다. • 고난은 시간에 신(절대자)의 능력과 지지와 인도를 요청한다. • 위기의 시간에 신(절대자)에게 교훈을 찾도록 노력한다. • 신(절대자)의 용서를 구하며 회개한다.	• 고통의 시간은 죄 때문에 혹은 믿음이 없는 벌이다. • 신(절대자)이 나를 버렸다. • 상황이나 판단을 할 때 신(절대자)을 의지하지 않는다. • 신(절대자)은 존재하지 않는다. • 고통이 있는 것에 대해 신(절대자)에게 분노를 표현한다.

(http://www.acpe.edu), 캐나다의 영적돌봄협회 Canadian Association for Spiritual Care (http://www.spiritualcare.ca), 한국임상목회교육협회(http://www.kcpe.kr.or), 한국 CPE협회(kacpe.com)를 참고하기 바란다. 북미에서 호스피스·완화의료의 전문화를 위해 생사학(thanatology)으로 번역하기도 하고 영어의 발음을 그대로 싸나톨로지라고

도 하는 과정에서도 영적 돌봄의 전문성을 접할 수 있다. 한국싸나톨로지협회(www.sdlfoundation.org), 국제싸나톨로지협회는 미국 ADEC (www.adec.org)을 참고하면 된다.

영적 돌봄이 체계적이고, 포괄적이며, 지속적으로 이루어지기 위해서는 이 분야의 전문가가 배출되어야

한다. 객관성과 전문성을 가진 영적 돌봄가와 다학제 (multidisciplinary) 팀과 다학제간(interdisciplinary)의 대화와 관계를 통해 영적 돌봄의 가치와 체계를 만들기 위한 노력이 필요하며 근거 중심의 의료와 돌봄을 위해 병원중심의 모델로 연구된 자료들을 잘 활용하는 것이 중요하다. 많은 모델에서 영성의 영역은 실존적, 심리적, 사회적, 종교적, 문화적 관점을 포함하고 있기 때문이다.

참고문헌

1. 김현숙, 유수정, 박숙현, 최성은, 김상희 역. 호스피스완화간호 교육과정 ELNEC 인터내셔널. 서원미디어; 2010.
2. 용진선, 박준양, 김주후, 조재선 역. Cobb M. Puchalski CM. Rumbold B. 헬스케어 영성 2. 서울: 가톨릭대학교 출판부;2016:247-8.
3. 정인찬. 성서대백과사전. 서울:기독지혜사;1980.
4. 호스피스협회 출판부, 호스피스 총론 pp.204-5(2010년 2차 개정 16쇄).
5. Baird RP. Spiritual care intervention. In: Ferrell BR. Coyle N. Paice JA, eds. Oxford textbook of palliative nursing I. Oxford University Press;2015:547-53.
6. Borneman T. Brown-Saltzman K. Meaning in illness. In: Ferrell BR. Coyle N. Paice JA, eds. Oxford textbook of palliative nursing I. Oxford University Press;2015:554-63.
7. Cotter VT. Foxwell AM. The meaning of hope in the dying. In: Ferrell BR. Coyle N. Paice JA, eds. Oxford textbook of palliative nursing I. Oxford University Press;2015:475-86.
8. Delgado-Guay MO. Spiritual care. In: Bruera E. Higginson I, von Gunten CF, Morita T, eds. Textbook of palliative medicine and supportive care (II). CRC Press;2016:1055-62.
9. Fabry JB. The pursuit of meaning. Purpose Research; 2013.
10. Frankl VE. Man's search for ultimate meaning. Basic Book; 2000.
11. Girgis A. Waller A. Palliative care needs assessment tools. In: Cherny NI. Fallon MT. Kaasa S. Portenoy RK. Currow DC, eds. Oxford textbook of palliative medicine (I). Oxford University Press;2015:364-75.
12. Lori Hefner, 'Comparing and Discussing Two Spiritual Assessment Tools' p.7, pp.18-9.
13. Margaret A. Burkhardt & Mary Gail Nagai-Jacobson, Spirituality: Living Our Connectedness, DELMAR Cengage Learning 2002, p.19.
14. McClement SE. Spiritual issues in palliative medicine. In: Cherny NI. Fallon MT. Kaasa S. Portenoy RK. Currow DC, eds. Oxford textbook of palliative medicine (II). Oxford University Press;2015:1060-6.
15. Periyakoil VS. Psychosocial and cultural considerations in palliative care. In: Yennurajalingam S. Bruera E, eds. Oxford American handbook of hospice and palliative medicine. Oxford University Press;2011:248-9.
16. Periyakoil VS. Psychosocial and cultural considerations in palliative care. In: Yennurajalingam S. Bruera E, eds. Oxford American handbook of hospice and palliative medicine. Oxford University Press;2011:248-51.
17. Puchalski C, Ferrell B, Virani R, et al. Improving the quality of spiritual care as a dimension of palliative care: The report of the Consensus Conference. J Palliat Med 2009;12(10):885-904.
18. Puchalski CM. Ferrell B. O'Donnell E. Spiritual issues in palliative care. In: Yennurajalingam S. Bruera E, eds. Oxford American handbook of hospice and palliative medicine. Oxford University Press;2011:253-68.
19. Spiritual Pain: A Dynamic of the Fifth Vital Sign, John L. Prater, Jack R. Klugh, 2000.
20. Susan E. McClement, 'Spiritual issues in palliative medicine' pp.1059-560, Oxford Textbook of Palliative Medicine (5th Edtion).
21. Taylor EJ. Spiritual assessment. In: Ferrell BR. Coyle N. Paice JA, eds. Oxford textbook of palliative nursing I. Oxford University Press;2015:531-45.
22. Watson M. Lucas C. Hoy A. Wells J. Oxford handbook of palliative care. Oxford University Press;2009:739-53.

10부

42장

가족 돌봄

| 이영숙 |

환자를 돌보는 일은 가족에게 매우 큰 부담감과 고통을 준다. 가족은 환자의 고통을 지켜보면서 신체적, 심리적, 경제적, 영적 고통을 겪는다. 환자의 상태가 점점 더 악화되어 말기 상태가 되면, 환자의 가족의존도는 높아지고 요구 사항도 많아지게 되어 환자를 돌보는 가족의 부담이 높아지게 된다. 이러한 가족의 중증 환자 간병을 심지어 '중노동'이라고 표현하고, 말이나 소의 머리위에 씌우는 장비인 굴레에 비유하여 "굴레를 쓰고 버티기"라고까지 한다. 이와 같은 표현만을 보아도 환자를 돌보는 가족들의 부담과 고통이 어느 정도인지 미루어 짐작해 볼 수 있다.

정부는 가족의 간병 부담을 줄이고 환자와 가족의 삶의 질을 높이고자 호스피스·완화의료 건강보험제도, 노인장기요양보험제도, 간호간병통합서비스제도 등을 도입하고 있지만 여전히 환자를 돌보는 일은 가족의 몫이 크다. 호스피스·완화의료에서는 돌봄의 대상자를 말기 환자와 그 가족까지 포함하므로 환자뿐만 아니라 가족들에 대한 돌봄은 반드시 이루어져야 한다. 따라서 환자

중심의 치료를 기반으로 의사, 간호사, 사회복지사, 성직자, 자원봉사자 등 호스피스·완화의료팀은 가족이 필요로 하는 요구를 해결하기 위한 지식, 기술, 태도를 동원한 가족돌봄에 대한 다각적인 접근이 필요하다.

가족 돌봄이 제대로 이루어지기 위해서는 가족의 고통, 요구, 가족과 상호작용하는 주변 환경에 대한 요소들을 파악할 필요가 있으며, 실무적 차원에서는 환자에게 미치는 가족 문화의 특성을 이해하고 접근할 필요가 있다. 특히 우리나라와 같은 가족중심 문화에서의 가족 돌봄을 위해서는 한국가족의 특성을 이해하고 의료현장에서 발생하는 환자와 가족의 요구를 반영하고 실천하는 실제적 접근을 요구한다. 따라서 본장은 가족 돌봄을 위한 이해를 돕기 위해 1절에서는 한국가족의 특성, 가족의 개념을 살펴보고, 가족을 중심으로 가족이 겪는 스트레스, 환자와의 의사소통, 정보적 요구를 파악하고, 2절에서는 가족 돌봄을 위한 개입으로 가족 평가, 심리사회적 개입, 교육적 개입, 가족 모임과 가족 회의를 다루고자 한다.

I 말기 환자 가족의 이해

가족의 유대관계가 밀접한 우리나라는 가족의 한 사람이 입원하게 되었을 때 다른 가족원이 환자를 돌봐 주는 것을 당연하게 생각하며 위기에 처한 가족원을 돕고자 하는 가족의 의욕 역시 강하다. 그렇기 때문에 환자의 가족들은 힘이 들어도 환자가 힘들어할까봐 감정을 드러내지 않고, 환자보다 더 힘든 고통 속에 지내는 경우도 많다. 따라서 호스피스·완화의료팀은 한국가족의 특성을 이해하고 한국문화가 환자 및 가족에게 미치는 영향력을 고려해야 한다.

1. 가족의 이해

1) 한국가족의 특성

한국 전통사회는 가족의 이익과 가족의 하나됨이 국가나 개인의 권리나 이익보다도 우선시되는 가족주의 사회였다. 전통적인 대가족은 부자 관계의 끝없는 계승을 통해 가문을 유지하고, 번성시키고, 지속시키는 것이었다. 이 목적을 위해서 가족은 조상을 섬기는 일, 가족경제를 유지하고 번영시키는 일, 아들의 출산을 통해 대를 잇는 일, 부모를 잘 봉양하는 일이 필수 과제였다. 웃어른 중심적이고 남성중심적인 가부장적 가족구조는 유교에 뿌리를 두고 있으며, 유교는 현대가족에게도 여전히 강한 영향력을 행사하고 있고, 한국인의 의식구조의 가장 밑바닥에 강하게 자리 잡고 있다.

1960년대 이후 현대가족은 개인주의, 부부 중심, 가족 간의 민주적 관계, 여성의 지위 향상 등을 특징으로 전통적 가족관계, 가족가치관 등이 변하면서 대가족이 감소하고 핵가족화되고 있다. 하지만 가족구조와 가족관계는 과거와 현재가 공존하고 갈등하는 과도기적 상태에 있다. 현대가족은 외형상 핵가족이나 실제로는 가까운 대가족에게 영향을 받고 있다. 가족관계는 남성 중심의 가부장적 가족제도의 지배를 받으며 이러한 가족관계는 가족 안에서 많은 갈등과 긴장을 발생시키고 있다. 부부관계는 평등하고 상호협력적인 동반자적 관계라기보다 대부분 아내가 지배받는 지배-복종 관계로 정신적, 육체적으로 남편에게 종속되어 있는 상황이다. 이로 인한 부부관계의 기대불일치가 부부갈등을 야기시키고 있다. 또한 부모자식 간에 세대 간의 단절로 의사소통이 원활하지 않은 경우가 많다. 특히 가족은 체면을 중시하고 대인관계에 있어서 간접적인 자기표현, 감정의 억제, 갈등을 회피하는 특징이 있다. 감정과 의욕의 억제는 개인 생활을 어둡게 만들고 긴장 속에 지내면서 감정을 폭발하게 만들 수 있기 때문에 부정적 영향이 문제가 될 수 있다.

종합병원 호스피스·완화의료 병동을 대상으로 한 달 동안 의사소통 유형을 분석한 조사에서도 환자와 가족 간에 서로 열린 의사소통을 하는 가족은 35%에 그쳤다. 가족은 의사소통에 있어서 남들의 눈치를 보거나, 감정표현을 꺼려하는 등 유교적 영향하에 있음을 보였으며, 가족관계가 갈등과 세대 간 의사소통의 차이가 있음을 보여주고 있다 표 42-1. 따라서 호스피스·완화의료팀은 한국가족의 가치관, 가족관계의 특성, 의사소통의 특징을 먼저 이해하고 접근하는 것이 필요하다.

표 42-1. 완화의료현장에서의 가족과의 의사소통

- 유교문화의 강한 영향력
  가족은 죽음을 부정적으로 바라보았다. 남에게 피해 주기 싫어하였고, 남에게 좋지 않은 모습을 보여 주기 싫어하였다.
- 보편적으로 감정표현하기 꺼려함
  자존심이 강하고 젊은 환자 가족일수록 대화하기를 꺼려하였다. 환자와 가족들은 우는 모습을 보이는 것을 힘들어했다. 또한 '말이 씨가 된다', '모르는 게 약이다'라는 속담을 이야기하며 감정표현을 꺼려하였다.
- 가족의 의사소통에서 특징적인 면
  환자는 아버지보다 어머니와 친밀한 모습을 보였다. 남자들은 가족들로부터 소외되는 경우가 많았다. 또한 부부의 경우 시댁 또는 처가와 갈등을 겪기도 한다.
- 나이별로 가족의 의사소통 유형이 다름
  환자가 10대 이하일 경우와 20~30대일 경우에는 어린자녀 때문에 죽음을 수용하기 어려워하는 모습이었다. 환자가 40-50대일 경우에는 가족경제 부담감이 매우 높고, 미혼자녀에 대한 걱정이 많았다. 환자가 노년기일 경우 특히 자녀에게 경제적 심리적 부담감을 주고 싶지 않은 모습을 보였다.

출처: 서울대학교병원, 2009

10부

현대사회의 가족은 복잡하고 다양한 형태로 나타나고 있다. 이혼 및 재혼가족, 편부모가족, 노인가족, 소년소녀가족, 독신가족, 미혼모가족, 혼전동거가족, 별거가족, 국제결혼이주여성의 증가와 이주노동자의 증가에 따른 다문화가족, 새터민가족 등 가족형태가 다양해지고 있다. 이런 가족은 가족기능의 약화로 인하여 가족 스스로의 힘으로는 가족문제를 해결하고 가족의 복지욕구를 충족시키는 데 제한을 받는다. 그 결과 빈곤, 가족해체, 심리적 문제, 자녀와 노인 등의 양육과 돌봄의 문제 등이 심화될 가능성이 높다. 특히 말기 환자는 대부분 임종이 가까워질수록 가족의 의존도가 높아지면서 누군가의 돌봄을 필요로 하기 때문에 돌봐 줄 가족이 없는 환자는 심리적 고통이 클 수밖에 없다.

게다가 우리나라는 국내 이주민이 꾸준히 증가하면서 다인종, 다문화사회로 급속히 이동 중이다. 이 중 결혼이민자는 '농촌총각 장가보내기'운동의 일환으로 꾸준히 증가하고 있다. 출신 국가별로 베트남, 중국, 일본, 필리핀, 미국, 태국, 캄보디아, 인도네시아, 우즈베키스탄, 몽골, 네팔 등 다양하다. 이러한 다양한 문화는 한국사회에 영향을 미치고 있으며, 완화 의료 현장에서 이들의 죽음인식, 장례의식 등은 한국인과 차이가 있을 수밖에 없다. 임종을 앞둔 이민자는 한국의료 안에서 자신의 의견과 선택이 얼마만큼 존중받을 수 있는가에 관심이 집중된다. 문제는 대개 이들이 빈곤을 벗어나기 위해 이주한 경우가 많아서 원가족의 지지를 받기도 어렵고 한국사회 내의 지지도 부족하여 질병이 발생할 경우 문화적 차이, 언어소통 문제, 경제적 문제, 양육 문제, 간병 문제 등이 더욱 심각해질 수 있다.

이주노동자 역시 한국노동시장에서 인력난을 해결하고자 꾸준히 증가하고 있다. 향후 저출산·고령화로 인한 젊은 노동인력의 국내 유입은 가속화될 것이라고 내다보고 있다. 문제는 정부가 외국인 산업연수생의 문제를 개선하고자 고용허가제를 실시하였으나 고용허가제 하에서도 기존의 열악한 근무조건, 저임금 관행으로 인해 여전히 불법체류자가 속출하고 있다. 이런 상태에서 이주노동자의 의료접근성은 매우 취약하다. 이주노동자나 불법체류자가 이용할 민간의료기관은 많지 않다. 고액의 국제수가가 적용될 경우 보험가입자가 아닐 경우 보험수가보다 몇 배 비싼 고액의 치료비를 마련해야 한다. 후원을 받으려면 필요한 서류를 구비해야하는데 서류를 구비하기가 어려운 경우도 있다. 특히 환자가 임종을 앞두고 있다면 환자가 고국에 갈 수가 없는 경우 고통과 상실감이 크다. 의사소통을 도와줄 통역자마저 없을 경우 환자가 호스피스·완화의료팀과도 원활하게 의사소통하기가 어려울 수 있다. 환자 곁을 지키는 소수의 남은 가족은 환자의 고통을 지켜보면서 장례에 대한 부담과 사별 후에도 정신적, 경제적, 영적, 자녀 양육 등의 문제가 복합적으로 가중될 수 있다.

그러므로 결혼이주여성, 이주노동자등 다문화가족이 겪을 수 있는 과중한 스트레스와 고통의 심각성을 깊이 인식하고 서비스 제공에 있어서 경제적 후원, 통역자의 확보, 다국적 자원봉사자 확보 등 다양한 지원이 필요하다. 또한 가족을 이해하고 도와주기 위해서는 가족을 둘러싸고 있는 사회적, 경제적, 문화적 환경 등 가족 외적 요인도 고려해야 한다.

2) 가족체계의 관점

가족은 하나의 체계이다. 가족을 체계의 관점에서 이해하고 평가하는 것은 개인의 존재에 대한 초점을 유지하면서 개인을 둘러싼 환경의 상황을 이해하게 한다. Carrie & David (2015)에 의하면 체계적 관점에서 볼 때 가족은 다음과 같은 두 가지 특성이 있다.

첫째, 가족은 서로 고통을 나누고 교환하는 특성 때문에 환자의 고통이 가족에게 큰 스트레스가 된다. 환자와 가족의 정신건강은 환자와 간병하는 가족의 절망 또는 낙관의 수준에 따라 영향을 받을 수밖에 없다. 중환자와 가족은 일반 대조군보다 높은 단계의 우울증과 불안장애를 겪고 있다. Hudson 등은 생명을 위협하는 환자를 돌보는 302명의 가족 44%가 불안장애와 우울증을 가지고 있다고 밝혔다. 암 환자 가족 310명을 대상으로 한 Rhee 등(2008) 국내 연구는 가족 중 3명 중 2명(67%)이 우울 증상을 경험했고, 3명 중 1명(35%)은 심각한 우울증을 호소했다. 특히 가족이 여자, 배우자, 환자의 상태가 나쁘거나 환자 간병에 적응하지 못하는 경우에 위험도가 약 2배 정도 높았고, 간병으로 정상적인 사회생활을 하지 못하거나 환자를 돌보는 부담감이 큰 가족이 위험도가 6~7배 높았다. 요약하면 환자 상태의 악화, 환자 간병의 부담이 높은 가족에게는 불안과 우울이 직결되고 있음을 보여준다. 가족은 제2의 환자(second patient)로 괴로움이 클 수밖에 없다.

둘째, 가족은 가족의 안정성(stability)을 유지하려는 경향이 있다. 가족은 심각한 질병으로 인한 많은 변화 속에서도 정상적이었던 가족의 기능을 지속하려고 노력한다. 가족은 환자가 했던 역할, 예컨대 가장의 역할, 어머니의 역할, 경제적 부양자 역할 등을 담당하거나 다가올 죽음에 적응하고 어려움에 처한 가족원의 감정적 요구를 받아주는 등 애를 쓴다. 가족은 겉으로 말하지 않지만 지키고자 하는 가족만의 문화, 가치, 규범, 역할 등을 유지하기 위해 행동하고 노력한다.

가족은 환자중심의 돌봄에 있어서 중요한 자원이다. 환자와 가족과의 긍정적인 관계는 매우 중요하다. 임종을 앞둔 말기환자는 가족을 통해서 사랑과 지지, 안정을 얻는다. 가족은 환자의 치료와 회복에 있어서 절대적인 역할을 담당한다. 반면 가족이 환자에게 잘못된 역할과 지지를 제공하면 환자에게 부정적 영향을 미치게 한다. 호스피스·완화의료팀은 가족이 환자에게 미치는 영향과 중요성을 인식하고 가족이 환자에게 미치는 부정적인 영향력을 축소시키고 긍정적인 영향력을 미치도록 가족을 도와줄 필요가 있다.

2. 말기 환자 가족의 이해

1) 말기 환자 가족의 특성

WHO는 호스피스·완화의료의 목적이 '통증 및 증상완화, 심리사회적·영적 영역에 대한 포괄적인 평가와 치료를 통해 생명을 위협하는 질병에 직면한 환자와 가족들의 삶의 질 향상'에 있다고 하였다. 이를 위해 호스피스·완화의료팀은 환자의 고통을 완화하는 것뿐만 아니라 환자를 돌보면서 고통스러워하는 가족에게도 심리사회적 도움을 제공해야 한다. 호스피스·완화의료는 환자와 가족에게 질병의 마지막 단계뿐만 아니라 사별기간에서도 도움을 줄 수 있어야 한다.

현대사회에서 '가족'의 의미는 과거와 달라지고 있다. 생물학적 가족, 결혼이나 계약이 아닌 친밀한 관계에 의한 가족도 가족이다. 예컨대, 보살핌을 제공하는 가족이 친구나 심지어 이웃인 경우도 가족이 될 수 있다. 그러나 여전히 환자를 돌보는 주된 돌봄 제공자는 배우자, 부모, 또는 성인 자녀인 경우가 많다.

하지만 최근 우리나라의 경우 가족의 돌봄이 많이 약화되고 있다. 우리나라는 가족의 변화(이혼, 재혼 등), 인구구조의 변화(저출산, 고령화), 저소득층의 증가(실업, 신용불량자), 여성의 지위 향상으로 인한 사회활동 등으로 과거 돌봄을 담당했던 가족, 여성의 역할과 책임이 약화되면서 환자를 돌봐줄 사람이 부족해지고 있다. 비록 국가가 호스피스제도, 노인장기요양제도, 통합간호간병제도를 도입하고 있지만 막상 가족을 대체할만한 간병 지원 시스템이 거의 없는 실정이다. 저소득층인 경우 무료간병인을 활용할 수 있지만 주말에는 이용할 수 없고 일부 지역에만 해당된다. 대부분의 말기 환자 가족들은 환자를 간병하기 위해 간병 때문에 직장을 그만두거나 심각한 생활의 변화를 겪는다. 이로 인해 경제적 부담과 가족 내 역할 갈등을 겪기도 한다. 돌봄 지원이 부족한 상황에서 장기간 환자를 돌봐야 하는 가족은 정서적 고갈과 소진으로 스트레스가 심할 수밖에 없다. 따라서 호스피스·완화의료팀은 환자와 그의

10부

가족을 돌봄의 한 단위로 보고 가족의 고통을 파악해야 한다. 또한 가족이 겪는 고통은 곧 환자의 삶의 질에도 영향을 미치기 때문에 호스피스·완화의료팀은 가족의 다양한 스트레스의 원인과 소진 등을 파악하여 그들에게 필요한 중재를 하는 것이 중요하다.

2) 가족의 스트레스

노인, 치매, 암 환자, 만성질병을 가진 환자를 돌보는 가족의 부담은 매우 높다. 환자를 돌봐야 하는 일은 다양하다. 장보기, 음식 준비하기, 환자에게 음식 또는 약 먹이기, 환자 목욕시키기, 환자의 얼굴 또는 머리 손질하기, 세탁하기, 재정 지원하기, 공과금 내기, 의학적 문제를 관리하기, 진료 일정 조정하기, 의료진과 연락하기, 사랑하는 가족의 정신적 안녕을 지지하기 등이다. 이러한 활동을 통해 가족이 더 성장하고 가족 간의 사랑을 나누는 기회가 되기도 한다.

하지만 만성적 질병으로 시달리는 환자를 돌보면서 가족의 심리사회적 고통과 스트레스가 가족에게 부정적 영향을 미치기도 한다. 특히 환자와 친밀한 관계를 가지고 있는 사람들은 정서적 압박이 크고 많은 긴장과 스트레스를 겪는다. 가정에서 환자를 돌볼 때 가족은 환자와 함께 있어야 하기 때문에 환자를 혼자 두고 외출하기가 어렵다. 가족은 자신이 제대로 환자를 돌보고 있는지에 대해서 끊임없이 걱정하며 환자를 제대로 돌보지 못한다는 생각 때문에 두려움을 가진다. 강경아와 김신정(2005)의 국내 연구에서도 입원한 말기환자 가족들이 겪는 가장 힘들고 걱정되는 점을 환자의 고통을 지켜보는 어려움(25.1%)과 심리적 고통(15.8%)이라고 했다. 또한 가족들은 환자의 치료에 대한 대처 어려움과 환자의 돌봄으로 인해 발생하는 역할 문제와 가족적 문제(13.3%)를 호소했다. 특히 환자를 돌보는 배우자는 수면장애, 식욕부진, 집중력 문제, 두통, 걱정과 피로 등의 다양한 신체적 문제나 정서적 문제로 고통을 받는다. 특히 말기암 단계에서 가족은 사랑하는 환자가 고통받는 모습을 지켜보면서 절망과 고립, 외로움, 무기력, 상실감 등을 겪는다.

가족의 고통은 다양한 요인에 따라 영향을 받는다. 예를 들면, 환자의 질병 상태 및 치료와 증상에 대한 이해도, 가족의 대처능력 등이다. 만약 가족이 가진 질병 정보가 부족하고 대처 능력이 떨어져 있다면 간병하는데 무력감을 가진다. 따라서 호스피스·완화의료팀은 가족의 스트레스를 줄이고 소진을 예방할 수 있도록 도움이 되는 정보를 제공하고 대처 능력을 강화해야 한다. 말기 암 환자 가족은 기분 전환을 위한 기회 제공, 시간적 여유, 환자의 남은 삶을 편히 쉬게 도와주는 것, 쉬고 싶음, 24시간 간호사의 도움, 임종준비 등을 원했다. 임종을 앞둔 환자가족은 정서적 안정, 최선의 치료, 회복, 역할 변화, 환자의 안위, 정보제공, 지지와 위로, 경제적 도움 및 장례의식에 대한 요구 등을 원했다. 호스피스·완화의료팀은 가족의 고통과 요구를 기반으로 상담, 교육 등 다양한 방법을 통해서 그들의 대처 능력을 향상시킬 필요가 있다.

3) 환자와 가족의 의사소통

호스피스·완화의료상담이란 말기 진단을 받은 환자와 그 가족에게 편안한 환경을 제공하고 그들에게 자신의 상황을 알고 이해할 수 있도록 도우며, 문제에 대처하고 대안을 검토하여 결정을 내리는 과정을 상담을 통해 돕는 것이다. 이를 위해서 호스피스·완화의료팀은 지속적인 상담을 통해 환자나 가족의 감정과 요구를 표현하도록 지지하며, 부정적 영향을 미치는 방어기제와 정서적 반응을 확인하고, 이에 대한 해결책을 모색하여 심리사회적 대처 능력을 향상시키도록 도와야 한다. 또한 환자 중심에서 가족이 계획할 수 있는 실제적 목표를 세우도록 도와주고 필요한 정보와 이용 가능한 자원을 제공함으로써 가족문제를 해결하도록 도와준다. 이를 수행하기 위해서는 환자와 가족 모두 직면한 질병 단계와 죽음을 긍정적으로 수용하면서 남은 삶을 의미 있게 보내기로 결정하는 것이 중요하며, 이때 비로소 환자 중심의 호스피스·완화의료를 시행하고 환자와 가족 간 사랑을 나누고 의미 있는 시간을 보내는 것이 용이해진다.

하지만 호스피스·완화의료팀이 가족과 개방된 대화를 하더라도 가족은 말기라는 사실만은 환자에게 절대 비밀로 해달라고 요구하는 경우가 있다. 특히 우리나라는 말기 암 환자의 경우 환자와 가족 간의 병에 대한 인식 차이가 크다. 말기로 진행할수록 가족들은 병에 대해 어느 정도 인식하고 있으나 환자들은 그에 비해 병을 인식하는 정도가 낮다. 특히 환자와 가족이 삶에 대한 집착이 강한 경우 대개의 가족들은 말기 암 환자에게 병의 악화에 대해 숨기는 경우가 많다. 게다가 한국인들은 유교문화로부터 강한 영향을 받고 있어서 내세의 삶보다 현세의 삶을 더 중시하고 있기 때문에 시한부 인생이라는 진단을 받았을 때 순순히 받아들이고 여유롭게 죽음을 준비하면서 삶을 정리하는 경우가 상대적으로 적다. 말기 환자라도 치료를 포기하지 못하고 기적을 바라면서 끝까지 치료하고자 하는 의지가 강한 편이다. 진행암 환자를 대상으로 조사한 연구는 95%가 본인의 질환을 알고 고식적인 치료를 받고 있지만 40%가 완치를 기대한다고 대답했다. 또한 환자의 반 이상은 의사의 결정을 따르는 수동적인 입장을 선호한다. 대부분의 가족들(87.7%)은 환자가 의식을 잃기 전까지는 임종문제에 대하여 논의하는 것을 거부하는 것으로 나타났다.

이러한 환자와 가족 간의 의사소통 방식은 환자와 가족이 남은 기간을 어떻게 보내고 가족이 무엇을 도와주면 좋을지의 결정을 어렵게 한다. 또한 의료진의 입장에서도 환자를 소외시키고 가족과 대화해야 하는 어려움이 발생한다. 예를 들면, 종합병원 의사가 환자를 적절한 다른 호스피스·완화의료 전문기관으로 보내려고 할 때, 환자에게 솔직하게 왜 가야 하는지를 알려줄 수 없기 때문에 소외되기가 쉽다. 가족은 호스피스·완화의료서비스를 받고 싶지만 환자가 치료를 포기하지 않고 있어 말기 환자만 있는 곳으로 옮기는 것을 망설이게 된다. 가족은 환자를 위한다고 말하지만, 환자와 관련된 중요한 사항을 가족 입장에서 결정하는 경우가 발생되어 소중한 시간을 낭비할 수 있다.

이때 의료팀은 가족에게 언제까지 환자에게 비밀로 숨기면서 지낼지, 지금 환자와 가족의 삶에서 무엇이 중요한지, 갑자기 환자의 상태가 나빠질 경우 환자에게 알려줄 시기를 놓치게 되어 환자의 중요한 결정(재산 정리, 장례식 등)을 가족이 대신해 주기 어렵게 된다는 점 등을 고려하게 하여 환자의 입장에서 가족이 생각해 볼 수 있도록 도와줄 수 있다.

최근 말기 사실을 환자에게 알려야 한다고 공감하는 가족이 늘어나면서 환자와 가족 간 열린 소통이 늘어가고 있지만 아직도 환자와 가족이 터놓고 대화하지 않는 경우가 많다. 서울대병원 호스피스·완화의료병동을 대상으로 한 조사에서도 환자와 가족 간 서로 열린 의사소통을 하는 가족은 35%에 그쳤다. 60%가 서로 대화하지 않는 폐쇄적 소통을 하거나 5%가 대화에 갈등을 겪고 있었다. 말기 암 환자와 가족 109사례의 상담 분석에서도 가족은 말기 상황에 대해 가족 간 대화가 없는 경우가 많고 어떻게 말을 해야 할지 모른다는 경우가 많았다(최은숙과 김금순, 2006). 말기 단계의 부부도 사랑하는 이가 정서적 고통을 겪지 않도록 서로의 감정을 숨기게 되는데 (1) 배우자는 긍정적 태도를 유지하기 위해 의식적으로 부정적인 감정들을 감추었고, (2) 환자는 배우자에게 부담을 지우지 않기 위해 자신의 증상을 최소화시켰으며, (3) 환자와 배우자는 긍정적인 겉모습을 보여주기 위해 환자의 병세에 대한 의논을 피했다. 이러한 환자와 가족 간의 원활하지 않은 의사소통 방식은 환자는 물론 가족의 생활을 어둡게 만들고 두려움과 긴장 속에서 환자와 가족 상호 간에 부정적 영향을 미칠 수 있다. 그러므로 우리나라에서의 말기환자와 가족 간의 의사소통을 이해하고 환자와 가족과의 효과적인 의사소통의 증진을 위한 개입이 중요하다.

10부

환자와 가족을 위한 의료진의 의사소통 가이드라인은 다음과 같다.

- 적극적인 경청과 공감을 표시한다.
- 현재 질병에 대한 정보 제공, 치료에 대한 선택을 제공, 미래에 무엇을 예상해야 하는지에 대한 정보를 제공한다.
- 환자나 가족이 안전한 환경에서 그들의 감정을 표출하도록 장려한다.
- 말하는 것보다 듣는 데 시간을 더 들이고, 언제라도 들어줄 수 있음을 알려 준다.
- 의논은 환자중심적이라는 것을 확인시켜 준다.
- 의사소통할 수 있는 접근을 강화한다.
- 환자나 가족에게 정서적 지지를 제공하고 정보를 줄 기회를 놓쳐서는 안 된다.

4) 가족의 정보적 요구

정보의 부재는 가족의 불안을 높이고 대처 능력을 떨어뜨리며, 필요한 정보를 제공해주지 않는 의료진에 대한 불만 요소가 될 수 있다. 실제로 환자나 가족은 대중매체나 인터넷, 전단지, 주변 사람들을 통해서 잘못된 정보를 접하면서 종종 부작용을 겪는다. 중병이나 말기 단계에 있는 환자나 가족은 지푸라기라도 잡고 싶은 심정으로 질병에 좋다고 선전하는 식품에 현혹되기도 하고, 효과를 알 수 없는 실험적인 치료에 의존하여 환자 상태를 악화시키는 경우가 있다. 예를 들면, 말기 암 환자가족의 경우 환자가 심한 통증이 있을 때만 마약성 진통제를 먹임으로써 통증조절이 안 되는 경우가 있다. 효과가 있다는 건강식품을 사서 환자에게 먹이거나 "고기를 먹으면 암이 커진다"라는 말만 듣고 환자에게 억지로 채소만 먹임으로써 영양결핍까지 오는 경우가 있다. 따라서 의료진은 가족이 어떤 정보를 알고 있는지를 확인하고 어떤 정보를 원하는지를 물어 봐야 한다.

정보제공의 중요성에도 불구하고 상담해줄 수 있는 의료시스템이 많이 부족하다. 환자나 가족은 의사에게 현대의학에서 인정하지 않는 치료를 질문했다가 무시당할까봐 주저하고, 바쁜 외래진료실에서는 질문하고 싶어도 다음 환자가 대기하고 있는 상태에서 의사와 충분히 의논할 시간이 부족하다.

정보적 요구의 내용은 다양하다. 대개 말기 진단 초기에는 치료와 관련된 의료적 질문이 많다. 가족은 말기라도 끝까지 할 수 있는 모든 치료를 다 해보는 것이 최선이라고 생각하는 치료중심적 관심이 높다. 말기 암 환자 가족과의 집단 교육에서도 질문은 다양했지만 치료와 관련된 의료적인 질문이 가장 많았다. 질문 내용을 보면 (1) 의사에게 의사가 하라는 대로 다 했는데 왜 항암치료를 중단하는지, 다른 치료방법은 없는지, 얼마나 살 수 있을지 등 (2) 약사에게는 진통제 사용과 부작용 등 (3) 영양사에게는 몸에 좋은 음식과 나쁜 음식, 민간요법의 효과 등 (4) 전문 간호사에게는 통증, 호흡 곤란 등의 증상 대처, 임종 시의 증상, 이용 가능한 시설 등 (5) 사회복지사에게는 환자에게 임종 알리기, 남은 기간 보내기 등이다.

특히 우리나라는 서양과는 달리 환자에게 말기 사실을 알릴 의무가 없기 때문에 가족이 환자에게 임종 알리기를 고민하는 경우가 많다.

강경아 등(2005)의 연구에서 가족들은 암의 예후에 대해 알려야 하는 이유로 투병(59.5%), 환자의 알 권리(21.6%), 임종 준비(18.9%)라고 답했다. 암의 예후에 대해 알리지 말아야 한다는 이유로 정서적 불안감(69.2%), 치료 의지 약화(30.8%)를 들었다. 말기 사실을 전달하는 것이 좋겠다고 결정한 가족은 언제, 누가, 어떻게 알리는 것이 좋은지를 궁금해한다.

이외에도 가정에서 환자를 돌보는 가족은 통증, 호흡 곤란 등이 왔을 때 위기 상황의 대처 문제, 환자를 돌봐줄 사람이 없는 문제, 입원하기 힘든 문제, 이용 가능한 호스피스시설이 집 근처에 없는 문제, 의논할 사람이 없는 문제 등을 궁금해한다. 특히 가정에서 환자를 돌보는 가족은 의사와 만나기도 어려운 상황에서 누구와 상담해야 할지 난감해한다. 이런 이유로 24시간 상담전화와 긴급한 상황의 지원 서비스를 필요로 한다. 또한 가족은 환자의 고통을 지켜보는 두려움이 크고 환자가 죽음에 대해 언급할 때 무슨 말을 해야 하고 어떻게 반응할지에 대한 정보가 부족하다. 가정에서의 돌봄 부담은 가족에게 스트레스와 죄책감, 무력감을 줄 수 있으며 가정이 아닌 병원을 선호하게 하는 요인이 되기도 한다.

질병으로 인한 현실적인 고민도 있다. 말기 환자의 경제적 문제는 가족의 생계를 책임지는 환자나 가족이 경제활동을 중단하면서 치료비는 물론 생계비가 어려운 경우가 발생한다. 우리나라는 대부분의 치료비 후원기관이 적극적인 치료 환자 위주라서 말기 환자가 이용할 수 있는 후원기관이 거의 없다. 돌봐 줄 가족이 없는 환자는 무료 이용시설, 치료비 지원, 간병인 이용 등에 대한 궁금증이 많다. 치료비 문제 외에 치료 과정에서 발생할 수 있는 장애, 실직, 이혼, 재산 정리와 관련된 법적 분쟁, 사전연명의료의향서 작성 등 다양한 문제에 대한 정보를 원하는 경우가 있다.

이러한 경우 사회복지사는 문제 유형에 따라 필요한 정보를 제공하고 관련 기관과 연계해줄 수 있다. 예를 들면, 동주민센터에 의료급여 신청, 후원기관에 치료비 연계, 사회보험(고용보험, 국민연금 등)에 대한 장애인 등록과 장애 정보, 무료법률자문 연계 등을 활용하도록 원조한다. 가족에 대한 사례관리가 필요한 경우(아동양육, 경제적 어려움, 주거문제 등)에는 구청, 동주민센터와 연계하여 연속적인 돌봄을 받도록 도와주는 방안도 알려 줄 수 있다.

다양한 정보의 제공은 주기적인 통로와 다양한 매체를 통해서 지속적으로 제공되어야 한다. 특히 말기 환자의 가족은 환자를 돌봐야 하기 때문에 상담이나 교육에 참여하기가 어려운 경우가 많다. 호스피스·완화의료팀은 교육이나 상담에 올 수 없는 가족의 경우 의료시스템에서 가족이 보다 쉽게 접근할 수 있는 대체 수단

을 고려해야 한다.

II 가족 돌봄을 위한 개입

가족 개입의 목적은 가족의 대처 역량을 증진시키고 실제적 고통의 문제를 해결하는 데 있다. 호스피스·완화의료팀은 가족 평가를 통해 확인된 문제 영역을 중심으로 가족 돌봄 계획을 세우게 된다. 본 절은 가족 돌봄을 위한 심리사회적 개입, 교육적 개입, 가족 모임과 가족 회의에 대해 다루고자 한다. 사별 부분, 지역사회 자원 연결은 다른 장에서 자세히 다루고 있으므로 참고하기 바란다.

1. 가족 평가

가족에 대한 개입과 돌봄 계획을 세우기 위해서는 환자와 그 가족이 직면하고 있는 문제 상황에 내포된 다양한 요인들을 파악하고 이해하는 점이 중요하다. 미국의 완화의료와 임종교육(Education in Palliative and End-of-life Care)자료와 완화의료사회복지사협회(NASW)에서는 가족평가 항목으로 과거와 현재의 질병 상태, 가족의 구조와 역할, 환자 생의 주기단계, 영성과 신앙, 문화적 가치와 신념, 의사소통 패턴, 사회경제적 요인, 질병·장애·죽음·상실에 대한 과거 경험을 제시했다.

가족 평가에 있어서 가족이 말하기 어려운 부분이 있다면 체크리스트 등을 활용할 수 있다. National Comprehensive Cancer Network (NCCN)는 환자와 가족 문제 파악을 위해 디스트레스 스크리닝 도구(distress screening tool) 활용을 제시했다. 이 도구는 자신이 느끼는 디스트레스 정도를 0~10으로 표시하도록 한다. 또한 어떤 문제로 디스트레스를 받고 있는지, 즉 실질적인 문제, 가족 문제, 정서적 문제, 경제적 문제, 종교적/영적 문제, 신체적 문제, 기타 문제가 있는지를 예,

10부

아니오로 표시하도록 한다.

1) 과거와 현재의 질병 상태

과거와 현재의 질병력, 증상이나 단계, 질병 상태를 평가한다. 또한 이런 의료적 상황에 대해 가족이 알고 있는 인식 정도와 심리사회적 요구를 평가하며, 현재 가족이 치료의 목적을 어디에 두고 있는지를 확인한다. 질병 상태에 따라 가족의 대처는 달라진다.

신체적 또는 정신적 증상(예컨대, 통증, 피로, 우울, 불안, 섬망, 감소된 움직임 포함)은 가족의 대처 방법에 영향을 주기 때문에 반드시 평가되어야 한다. 특히 통증은 피로나 불안, 영적 고통, 우울과 같은 고통으로 악화될 수 있으며 고통의 한 영역은 다른 영역에 영향을 주고 파급될 수 있기 때문에 고통의 다면적 특성을 고려해야 한다.

환자와 가족이 알고 있는 의료적 정보도 평가해야 한다. 의료적 정보의 평가는 어떤 치료 정보를 알고 있고 어떤 경로를 통해서 정보를 접촉하고 있는지를 파악해야 한다. 만약 알게 된 객관적인 정보와 그들이 바라는 정보 사이에 차이가 있다면 이러한 차이가 앞으로의 환자의 의사결정에 어떤 영향을 줄 수 있는지를 고려해야 한다.

2) 가족구조와 역할

가족역할에 있어서는 가족구성원이 어떤 역할을 해 왔는지, 질병이 생긴 후에 가족역할이 어떻게 변화했는지 또는 변함이 없는지를 평가한다. 체계적 관점에서 가족체계가 안정성을 유지하고 있는지, 가족기능을 상실할 위험에 처해있는지를 고려해야 한다. 가족관계의 결속력을 기준으로, 서로 친밀하고 지지적인 가족(supportive family)인지, 너무 밀착된 가족(enmeshed family)인지, 정서적 교류가 거의 없고 누가 아파도 도와주지 않는 유리된 가족(disengaged family)인지의 파악은 가족이 말기 단계의 위기를 어떻게 극복할 수 있는지를 예측하는데 참고가 된다.

주된 간병인에 대한 파악 역시 매우 중요하다. 간병해 줄 가족이 없거나 간병인이 있더라도 적절한 지지를 해줄 수 없다면 환자는 심리적 어려움을 겪을 가능성이 높다. 단독가구, 부양가족이 없는 단독노인세대 환자, 가족 안에 취약한 구성원(어린 자녀, 돌봐주어야만 하는 노인, 장애인)이 있는 환자, 에이즈환자, 시설입소자 및 행려자, 이민자, 새터민 등은 간병인 및 주변 지지체계를 세심하게 파악해야 한다.

3) 환자 생의 주기 단계

환자의 생의 주기는 질병에 대한 환자 및 가족의 반응에 영향을 준다. 생의 주기에 대한 이해는 적합한 진료를 계획하고 개입하는 데 활용되며, 가족의 생애주기 이슈와 개입은 다음과 같다. (1) 단독가구는 간병과 재정문제 등을 평가하며, 감정을 탐색하고 자원을 연계하고 환자를 옹호할 수 있다. (2) 갓 결혼한 부부는 인생 실패와 절망, 재정 문제 및 누가 간병해줄지가 고민이 될 수 있다. 부부의 사생활과 친밀감을 유지시키며 부부 소통을 증진시키도록 한다. (3) 자녀가 없는 부부는 미래 걱정이나 상실, 간병, 사별 위험도, 재정 등을 평가하며, 부부 소통과 배우자 지지를 계획할 수 있다. (4) 학령기 환자는 친숙한 일상이 파괴된 문제로 오는 스트레스, 아동을 돌보는 부모의 소진 및 간병 평가가 중요하며, 아동을 둘러싼 교사를 교육하고 가족 내 의사소통과 정보를 제공할 수 있다. (5) 10대 청소년은 또래관계와의 문제, 부모의 통제로 인한 갈등, 미래 걱정들을 평가하며, 청소년과 부모 간의 갈등을 해결하고 원하는 기대를 도와줄 수 있다. (6) 자녀를 결혼시키고 노인만 사는 부부는 배우자의 소진, 부부간 좌절된 꿈, 성인기자녀의 기대를 평가하며, 가족의 우선순위를 도와줄 수 있다. (7) 나이든 노인세대는 환자를 돌보는 배우자 역시 노쇠한 문제, 배우자의 상실로 인한 위험도 등을 평가하며, 삶을 돌아보고 외로움 및 소외감을 다루도록 도와줄 수 있다. 이외 다른 스트레스 요인(예를 들면, 결혼, 출산, 직장의 변화, 최근의 사별 등)이 있다면 평가한다.

4) 영성과 종교

영적 요구는 돌봄 계획에 중요한 요소가 된다. 신앙과 종교는(신앙이나 종교가 있든지 없든지 간에) 개인과 가족의 대처 방법에 영향을 미친다. 신앙이나 종교는 영적, 심리적, 사회적, 실질적 지지의 역할을 하기도 하며 어려운 시간을 겪고 있을 때 괴로움을 가중시키는 원인이 될 수도 있다. 사람에 따라 질병에 대한 의미를 신이 내린 벌로 생각하거나 시련을 주는 것으로 이해하는 경우가 있다. 반면 환자나 가족은 힘든 상황에서 종교를 통해서 질병에서 오는 스트레스와 걱정들을 해소하고 마음의 평정을 찾기도 한다. 호스피스·완화의료팀은 환자나 가족이 영적 생활 또는 종교적인 생활로 인해서 얼마나 도움을 받거나 고통을 받고 있는지를 아는 것이 중요하다. 만약 영적 돌봄이 필요하다고 판단될 경우 호스피스·완화의료팀은 성직자에게 도움을 요청하거나 영적인 편안함을 줄 수 있는 종교인을 연결할 수 있다.

5) 문화적 가치와 신념

문화는 개인의 행동, 가치관, 선호 형태, 대처 방식 등에 영향을 준다. 예를 들면 집안의 가풍, 지방특성, 음식 문화 등 다양한 문화가 개인의 삶에 영향을 준다. 최근 국제결혼이주여성, 이주노동자의 증가는 다양한 국가의 가족문화에 대한 이해를 점점 더 요구한다. 국적이 다른 환자가 고국에 돌아가지 못하고 외롭게 임종을 맞을 경우, 환자가 원하는 장례식을 진행하기가 어렵고 남은 가족은 심리적 문제, 경제적 문제, 간병문제, 언어문제, 사별 후 극복의 어려움 등을 겪을 가능성이 높다.

6) 의사소통 패턴

가족의 의사소통은 가족문화와 개인의 특성에서 비롯된다. 가족의 의사소통은 서로 열린 대화를 하는 가족(open family)인지, 잦은 마찰과 서로를 비난하며 대화를 거부하는 적대적인 가족(hostile family)인지, 정서적인 표현이 약하고 무뚝뚝한 가족(sullen family)인지에 따라 가족 지지와 가족문제를 해결하는 능력이 달라질 수 있기 때문에 가족의 의사소통 패턴을 파악하는 것이 참고가 된다. 환자와 가족 간의 의사소통 방식은 호스피스·완화의료팀이 의료 정보를 전달할 때, 나쁜 소식을 전할 때, 돌봄 계획을 세울 때 참고가 된다.

7) 사회경제적 요인과 자원

말기환자들의 재정 상태는 진단 초기에 환자를 지지하고 적극적으로 돕고자 하는 주변 에너지가 시간이 가면서 고갈되어, 더욱 큰 어려움에 직면하게 될 수 있다. 경제적인 상태의 평가는 환자와 가족의 현재 수입 정도, 환자의 주거상황, 부채, 보험 가입여부, 주변의 지지 정도 등에 초점을 둔다. 이외 환자와 가족이 필요로 하는 교통수단, 간병인 등 필요한 자원도 파악해야 한다.

8) 질병, 장애, 죽음, 상실에 대한 과거 경험

가족들은 과거의 경험을 통해 현재의 질병이나 죽음에 대한 인식에 영향을 받게 된다. 과거의 경험으로 인한 오해가 있다면 이를 확인하고 교정하는 것이 중요하다. 예를 들어, 친척이 치료되지 못한 암 환자의 경우 환자의 암도 치료되지 못할 것으로 생각할 수 있다. 과거 한방치료, 대체 치료, 영적인 치료에 대한 치유경험도 조사가 필요하다. 실제 진위와 상관없이 효과적이라고 믿고 있는 치유경험이 있다면 환자의 치료에 적용할 가능성도 있기 때문이다. 과거 상실에 대한 경험은 현재의 슬픔에 대한 반응과 앞으로 발생할 사별에 따른 심리사회적 위험 요소를 파악하는 데 고려 요소가 된다. 예를 들면, 직업 상실, 이혼, 배우자 사망, 자녀 사망

10부

등이 이에 해당된다.

2. 가족중심의 개입

일반적으로 가족개입은 가족의 요구에 기반한다(국립
암센터, 2009).

- 가족은 적절하게 이해할 수 있는 수준의 정보를 제
  공받고 싶어한다.
- 가족은 그들의 역할에서 감정적·기술적 측면을 더
  잘 준비하고 훈련받기를 원한다.
- 가족이 겪은 어려운 일로부터 고통과 혼란을 인지
  하고 또 털어놓기를 원한다.
- 의사결정과 환자 돌봄 시에 자신의 책임이 무엇인
  지를 알고 보호받기를 원한다.
- 자신이 희생한 만큼 호스피스·완화의료팀도 헌신
  해 주기를 바란다.

가족중심의 개입은 두 가지 원칙이 필요하다. (1) 개
입은 대처를 향상시키고 예방적이고 지지적이어야 한
다. (2) 개입은 가족 내부의 실제적 고통의 문제를 다루
어야 한다. 이를 위해 가족개입의 실천은 가족에게 심
리사회적 상담을 제공하거나, 교육적 개입, 또는 가족
모임이나 가족회의를 통해서 도움을 제공할 수 있다.

가족개입을 위해서는 다음과 같은 태도와 기술이 필
요하다.

- 가족과 의사소통할 때 조건 없는 관심과 열린 태도
  를 가져야 한다.
- 가족이 환자의 고통과 감정을 이해하고, 현재 환자
  의 입장에서 무엇이 중요한지를 생각해보도록 도
  와준다.
- 가족이 원하는 해결방법보다 전문가의 해결 방법
  을 고집하지 않도록 조심해야 한다.
- 무엇보다 가족을 돕고자 하는 마음이 선행되어야
  한다. 무례하게 요구하거나 까다롭게 구는 가족을
  만날 경우 기분이 상하여 돕고자 하는 마음이 떨어

질 수 있다. 가족을 대할 때 관심, 존경, 온정성 등
이 부족한 것은 아닌지 살펴봐야 한다.
- 가족에게 어떻게 하는 것이 좋을지 충고하거나 위
  협하지 않도록 한다. 가족이 의료진에 의존하도록
  해서는 안 되며 환자와 가족이 최종적으로 해결책
  을 찾고 결정하도록 한다.
- "무조건 나을 것이다, 모든 것이 잘 될 것이다"라
  는 헛된 희망을 주거나 불필요한 안심을 주지 않도
  록 한다.
- 전문가 자신의 목소리, 몸짓, 얼굴 표정 등이 가족
  들에게 어떤 태도로 비쳐지는지를 돌아볼 필요가
  있다. 전문가 자신은 잘 인식하지 못하지만 냉랭한
  표정, 따뜻하지 않은 목소리가 환자에게 부정적인
  메시지로 전달될 수 있다.

3. 심리사회적 개입

심리사회적 개입은 환자의 남은 생애에 따라 환자와 가
족이 갖고 있는 심리사회적 이슈들을 돕는 과정이며,
돌봄 계획을 세우고 개입하는 과정이다. 환자나 가족
이 치료 중심적인 목적보다 죽음을 준비하는 목적으로
전환될 때 남은 기간에 대한 삶의 질을 향상시킬 수 있
다. 삶의 목적은 죽어가는 과정을 연장시키는 것이 아
니고 환자를 편안하게 돌봐주는 데 있다. 환자의 고통
경감, 환자와 가족의 깨어진 관계의 회복, 보다 깊은
영적 가치들의 발견, 과거에 즐거웠던 기억의 회상, 슬
픔과 분노의 공유, 이별인사들이 이루어질 수 있는 것
들이다.

미국 NCCN은 남은 생애 기간을 세분화하여 완화
의료팀이 개입할 주제를 잘 분석하여 제시하고 있다.
마찬가지로 캐나다 빅토리아 호스피스협회(Victoria
Hospice Society)는 환자의 질병변화에 따라 단계별로 심
리사회적 개입을 제시하고 있다. 이 접근은 캐나다에서
매년 호스피스·완화의료 관련 종사자를 위한 교육과정
실천 자료로 사용되고 있다. 실무적 차원에서 유익한

표 42-2. 예상되는 여생기간에 따른 개입

예상되는 여생기간	개입
말기 진행 (1년 미만~수개월)	• 안전한 주거환경, 교통편, 주부양자(주간병인) 평가 및 확보 • 경제적 자원 평가 및 확보 • 필요한 경우, 사회복지 서비스 연결 및 자원동원 • 주간병인 및 가족에 대한 지지 및 상담 • 가족들의 특정한 요구나 스트레스에 대한 상담 • 예후와 관련된 개인적, 영적, 문화적 이슈에 대한 상담 • 효과적인 치료 및 돌봄에 방해되는 신념이나 오해를 확인 및 개입 • 영적, 종교적 상담을 원할 경우 성직자와 연계
임종 과정 (수주~수일)	• 지속적인 질병에 대한 정보 제공 및 예후에 대한 설명 • 치료의 목표가 고통을 최소화하고 편안하도록 하는 것임을 설명 • 가족들에게 임종과정과 일어날 수 있는 일들에 대한 설명 • 가족들의 특정한 요구나 스트레스에 대한 상담 • 환자의 효과적인 돌봄에 방해되는 신념이나 오해를 확인 및 개입
임종 임박 (하루~수시간)	• 환자와 가족만이 함께 할 수 있는 시간 제공 • 가족들의 임종과정 이해정도 확인 • 가족들의 요구나 결정에 따라 어린 자녀들의 방문 격려 • 생의 정리 및 마감을 도움(사죄, 용서, 감사, 사랑, 작별) • 가족들이 24시간 동안 환자 곁에 있도록 도움

두 접근방법을 중심으로 개입 실천 내용을 제시하겠다.

1) 남은 생애 기간에 따른 개입

NCCN에서는 환자의 남은 생애 기간(몇 일, 몇 주, 몇 달)에 따른 다학제간팀의 개입 방법에 대해 제시했다. 표 42-2는 예상되는 여생기간에 따라 환자 및 가족들과 다루어야 하는 의사소통 주제이다.

2) Palliative Performance Scale (PPS) 단계의 개입

빅토리아 호스피스협회의 완화의료팀(palliative response team, PRT)은 24시간 호스피스서비스로서 가정에서 환자를 돌보면서 발생하는 위기자문과 병동을 운영하고 있다. 1995년 빅토리아 호스피스협회는 완화의료수행 평가도구인 PPS를 개발하여 효율적으로 사용하고 있다. PPS는 말기환자의 질병변화에 따른 기능, 즉 거동(ambulation), 활동 및 질병의 근거(activity and evidence of disease), 자기관리, 섭취량, 의식수준(conscious level)을 관찰하여 만든 사정 도구이다.

PPS의 각 단계는 다음과 같이 나눠지며 표 42-3 PRT팀은 PPS단계에 따라 심리사회적 이슈를 논의하고 개입하고 있다. 팀은 환자중심의 돌봄에 초점을 두고 자문과 지지를 제공, 적절한 의뢰, 상호협력, 의사소통 증진, 환자의 자기관리를 높이는 데 노력한다. 완화의료가 시작되는 단계는 PPS 60~50%부터 시작되는 것으로 보고 있다. 대개 PPS 60% 수준은 여생 기간이 약 6주 정도 때이며, PPS 40% 수준은 여생 기간이 약 4주 정도 때라고 본다. PPS 60%부터 심리사회적 이슈와 개입을 [교재]를 중심으로 요약하여, 실무에 유익하다고 판단되는 내용을 중심으로 재구성하면 다음과 같다.

(1) PPS 60~50%: 호스피스 · 완화의료로의 전환기

호스피스·완화의료로의 진입은 환자와 가족 모두에게 고통스러운 시기이다. 환자는 병이 많이 진행된 것을 신체적으로 경험하고 죽음을 생각하기 시작하면서 깊은 슬픔을 경험한다. 자신의 상황을 받아들이는 환자가 있는 반면에 부정하는 환자도 있다.

호스피스·완화의료팀은 이 과정을 자연스럽게 전환해 주는 역할을 한다. 팀의 접근은 환자와 가족이 스스

10부

표 42-3. PPS (Palliative Performance Scale)

PPS	거동	활동 및 질병의 증거	자기관리	섭취량	의식수준
100	정상	정상적 활동 질병 증거가 없음	정상	정상	정상
90	정상	정상적 활동 약간의 질병 증거	정상	정상	정상
80	정상	노력에 의해 정상적인 활동 가능 약간의 질병 증거	정상	정상/감소	정상
70	감소됨 (부축 없이 혼자서 걸음)	정상적인 업무나 일을 할 수 없음 약간의 질병 증거	정상	정상/감소	정상
60	감소됨 (걷기 위해 한 사람의 도움이 필요하거나 휠체어로 이동 가능)	취미나 집안일을 할 수 없음 중대한 질병	침상 외에서는 도움이 필요	정상/감소	정상 혼돈(비지속적)
50	주로 앉아 있거나 누워 있음(걷기 위해 두 사람의 도움, 휠체어로 이동 시 도움 필요)	어떤 일도 할 수 없음 광범위한 질병	침상 내에서 많은 도움이 요구	정상/감소	정상 혼돈(비지속적)
40	주로 침상에 있음	어떤 일도 할 수 없음	거의 자기관리 불가능	정상/감소	정상/혼돈/기면(대화 어려움)
30	완전히 침상에 있음	어떤 일도 할 수 없음	불가능	감소	정상/혼돈/기면(대화 불가능)
20	침상생활만 가능	어떤 일도 할 수 없음	불가능	최소량의 삼킴	정상/혼돈/기면(대화 불가능)
10	침상생활만 가능	어떤 일도 할 수 없음	불가능	단지 구강 간호	기면/혼수(대화 불가능)
0	사망	–	–	–	–

로 선택과 책임을 지도록 도와준다. 환자와 가족이 남은 삶을 의미 있게 보내기 위해서 해야 할 여러 가지 결정과 기회가 있다는 것을 제시하는 것이 중요하다. 이 시기에 환자는 자신의 감정과 생각을 말로 표현하는 데 어려움을 느낀다. 환자와 가족 사이의 의사소통은 간단하고 긍정적인 대화만 지속하는 경우가 많다. 가족은 가족 내 역할과 책임이 변화하면서 가족 문제가 발생하고 가족 간 충돌과 의견 차이가 있을 수 있다. 이때 호스피스·완화의료팀은 가족구성원 각자가 인식하고 있는 관심과 걱정을 말하도록 돕는 것이 중요하다. 털어놓은 고민은 가족 내 문제를 이해하게 하며, 팀이 도와줄 수 있는 자원을 형성하게 해준다.

- 인생을 돌아볼 기회를 제공한다.
- 환자와 가족에게 슬픔, 두려움 그리고 불안한 미래에 대해 상담한다.
- 환자와 가족에게 질병의 영향을 상담한다: 강점, 힘든 점, 지지서비스, 대처전략
- 어떤 것을 할 수 있는지 찾아 준다: 희망, 선택, 행동
- 가족 내 의사소통의 차이를 인식하고 지지해 준다.
- 정서적 표현을 격려하고 지지한다.
- 가족은 환자가 안전한 범위에서 스스로 할 수 있는 것들을 하도록 하고, 환자의 자율성을 감소시키지 않도록 한다.

(2) PPS 40~30%: 질병의 급격한 악화기

환자가 주로 침상에 있는 시기로서 질병이 점점 악화

된다. 환자는 스스로 감당할 수 없는 일들이 늘어나면서 가족에게 더 의존하게 된다. 환자는 통증, 구토, 호흡곤란, 변비 등의 증상과 직면한다. 이런 신체 증상은 환자와 가족에게 엄청난 두려움과 걱정을 유발한다. 환자의 상태를 바라보는 가족의 슬픔이 심화되고 가족을 바라보는 환자 또한 슬픔을 경험한다.

호스피스·완화의료팀은 환자와 가족에게 유익한 정보를 제공하고 환자와 가족이 현재 이 시기에 할 수 있는 의미 있는 것들을 결정하도록 돕는다. 가족에게 치료의 과정을 명확히 알려주어 스트레스를 경감하도록 도울 수 있다. 또한 가족이 함께 할 수 있는 방법을 찾도록 도와준다. 치료와 시설 입소가 필요한 경우 이에 대한 가족의 감정과 생각을 탐색하고 가족의 힘든 점을 도와줄 수 있다. 또한 환자를 돌보느라 잊었던 가족 자신의 돌봄의 중요성을 인식하게 하고 가족이 자신을 위한 휴식과 시간을 갖도록 돕는다.

- 돌봄 계획을 세우고 자원, 선택권 등에 대한 정보를 제공한다.
- 우선순위를 결정하고 상의하는 것을 가능하게 한다.
- 죽음, 인생 의미, 연명중단에 관한 감정을 탐색하도록 한다.
- 슬픔, 스트레스, 소진, 양가감정(잡고 싶은 마음과 떠나보내야 하는 마음)이 정상적인 반응임을 알게 한다.
- 가족의 자기관리를 격려한다.
- 가족 관계, 돌봄(간병), 돌봄 장소에 관련된 이슈를 탐색하고, 강점, 회복력, 과거 전략을 강화한다.

(3) PPS 20~10%: 임종 임박 시기

환자가 할 수 있는 일이 없고 무반응에 의식도 오락가락한다. 가족은 이런 환자를 지켜보아야 한다는 사실 자체가 매우 힘든 과정이다. 만약 환자가 가족 없이 혼자일 때 사망할 수 있다면, 가족에게 미리 이런 가능성을 알려주어 죄책감을 덜어줄 수 있다. 환자가 무반응을 보이더라도 가족이 함께 곁에 있어 준다는 것만으로도 환자에게 힘이 될 수 있음을 알려준다. 환자와 가족 간 의사소통은 더욱 힘들어지는데, 환자가 상징적인 표현 또는 은유적인 표현(어디 가고 싶다, 집에 가고 싶다 등)의 상징적 의사소통방식으로 이야기를 할 수 있음을 가족에게 알려주는 것이 중요하다.

경험이 없는 가족은 죽음을 앞두고 무엇을 해야 할지 엄청난 공포를 느낀다. 호스피스·완화의료팀은 죽음 전에 나타날 수 있는 변화에 대한 정보를 정확하고 민감하게 제공해야 한다. 가족의 문화적 가치, 신념을 탐색하여 환자를 위한 분위기를 만들도록 도와준다. 가족은 환자의 소망에 기반을 두며, 그 소망을 존중하도록 돕는다.

- 임종 전의 변화들을 설명하고 관련 정보를 제공한다.
- 상징적인 의사소통에 대해 정보를 제공한다.
- 가족이 의사결정을 하는데 도움이 되는 정보를 제공한다.
  : 가족이 환자의 원하는 소망을 이루도록 돕는다.
  : 다른 의견이나 새로운 결정을 지지한다.
- 죽음과 관련하여 문화적, 종교적 신념 및 관습이 있는지 탐색한다.
- 가족의 이해능력에 맞추어 돕는다.
- 가족들이 환자의 죽음의 순간과 그 이후에 대해 대비하도록 한다.

(4) PPS 0%: 사망

환자의 죽음을 예상했음에도 불구하고 죽음은 예기치 않게 찾아올 수 있다. 가족은 죽음 준비가 되어 있다고 생각하지만 막상 환자가 사망할 때 준비되어 있지 않을 수도 있다. 죽음의 시점에서 장례를 서두르는 가족이 있는가하면 고인을 추모하며 천천히 이별을 받아들이는 가족이 있다. 호스피스·완화의료팀은 자신의 역할을 소개하고 충격받은 가족에게 적절한 위로와 안정을 제

10부

공한다. 이때 큰 소리보다는 작은 소리로, 지나치게 서두르기보다는 조용한 움직임으로, 주의 깊고 신속하게 반응하도록 한다.

환자가 사망 후 가족이 환자 방에 들어갈 때 무엇을 보게 될지 안내하여 가족의 충격을 완화시킬 수 있다. 또한 고인과 접촉하고 싶어 하는 가족의 요구가 정상임을 전달하고 가족이 할 수 있는 방법(만지고 느끼고)을 설명해 주고, 죽음 후에 일어날 과정에 대해 준비하도록 도울 수 있다. 필요한 장례절차 등도 준비되어 있는지 확인하고 관련 정보를 제공할 수 있다. 이 시기는 가족들에게 삶과 죽음의 여정에서 가장 중요한 순간 중 하나이다. 가족들이 고인과의 삶을 돌아보고 함께 하고 싶어 하는 것들을 할 수 있게 격려한다.

- 질병, 죽음의 과정과 죽음의 상황을 돌아보게 한다.
- 가족반응의 범위와 깊이를 평가하고 지지한다.
- 사람의 몸이 어떻게 변하는지의 상태를 예로 설명한다.
- 사망 이후의 해야 할 것에 대해 가족을 준비시킨다.
- 종결, 의식, 이별의식의 기회를 지지한다.
- 요구하는 실제적 준비 사항(장례절차 등)을 확인해 주고 도와준다.
- 사별을 위해 가족을 준비시킨다.

4. 교육적 개입

가족은 긍정적 대처를 사용하기도 하고, 부정적 대처를 사용하기도 한다. 긍정적으로 대처하는 가족은 환자 간병을 긍정적으로 수용하고 스트레스를 유발하는 요인을 관리하고, 문제를 계획적으로 해결한다. 또한 과거에 대한 후회나 미래에 대한 걱정보다는 하나씩 단계적으로 문제를 해결한다. 반면 부정적으로 대처하는 가족은 간병의 역할을 부정적으로 받아들이고 감정적 피로를 겪는다. 부정적 대처는 지나치게 미래를 염려하거나 최악을 예상하고, 긴장감을 다른 이들에게 전가하거나 자신의 스트레스를 잘 관리하지 못하는 경우가 해당된

다. 이러한 부정적 대처는 우울, 불안, 죄책감으로 이어지기 때문에 지원이 필요하다. 따라서 가족 대상의 교육적 개입은 (1) 스트레스를 주는 문제의 해결과 효과적인 대처 기술, (2) 환자와 가족 사이의 의사소통을 향상을 위한 기술, (3) 가족의 자기관리를 포함해야 한다.

가족교육은 환자와 가족의 증상을 관리하며 가족의 부정적 대처를 줄이고 소진을 예방하는 데 효과가 있다. 가족교육의 목적은 가족에게 환자 돌봄에 필요한 다양한 정보를 제공하여 환자에게 나타나는 신체적, 심리사회적, 영적 문제에 대한 이해를 돕고, 가족이 긍정적으로 대처할 수 있도록 돕는 데 있다.

1) 개별가족교육

개별교육은 환자의 침상 곁에서 가족들의 요구로 이루어지는 일회성 교육 또는 환자 및 가족의 개별적인 상황과 특성을 고려하여 상담실에서 1:1로 이루어지는 구조화된 교육이 있다.

(1) 가족교육 방법

① 가족의 교육 요구도 및 필요성 사정

필요한 정보가 무엇인지 직접 물어보거나 가족들의 질문이나 요청을 통해 확인하는 간접 방법이 있다. 또한 가족이 환자를 돌보는 행동을 통해서 확인하는 방법이 있다. 예를 들어 가족이 환자를 눕힌 상태에서 음식을 먹이거나, 장폐색이 있는 환자에게 식사를 강요하는 등의 행동이 관찰될 때 교육이 필요하다. 실제 말기 암 환자의 가족의 경우 교육을 직접 요청하는 경우가 많지 않기 때문에 교육의 필요성을 평가하여 환자의 상태변화에 따라 필요한 정보를 제공하고 교육을 수행하게 된다.

② 가족의 학습능력 사정

교육의 필요성이 확인되면 교육받을 가족의 학습능력을 평가해야 한다. 가족의 학습능력 사정은 가족의

신체적 측면, 심리적 측면, 사회문화적 측면과 환경적 측면으로 구분하여 평가한다.

- 신체적 측면: 나이, 성별, 시력, 청력, 피로, 민첩성, 통증 여부, 약물 복용 여부 등
- 심리적 측면: 불안도, 방어적 태도, 스트레스 반응의 증상 및 징후, 현 상태에 대한 수용력, 삶에 대한 관점 등
- 사회문화적 측면: 직업, 교육정도, 경제력, 시간, 종교적 신념, 문화적 특성, 가족 특성 등
- 환경적 측면: 교육이 이루어질 학습환경, 학습 유형 등

③ 가족교육의 내용 선정

가족들의 직접적인 정보적 요구와 간접적으로 확인된 교육이 필요한 부분, 그리고 환자의 질환 상태를 고려하여 적합한 교육내용을 선정한다. 가족 돌봄교육의 내용은 다음과 같다.

- 호스피스·완화의료에 대한 올바른 정보
- 환자의 신체적 상태변화에 따른 정보
- 환자의 통증 및 증상, 원인, 관리방법, 응급 시 대처방법에 대한 정보
- 환자의 심리적 상태 및 대처 방법, 의사소통에 대한 정보
- 실제적인 환자돌봄에 필요한 기술(예; 체위변경, 감염예방, 낙상예방, 음식물 제공 방법 등)
- 환자의 안전한 환경에 대한 정보
- 임종 단계 및 증상관리, 임종 시 돌봄, 임종 후 절차에 대한 정보
- 가족의 스트레스 관리
- 사별과정과 관련된 정보

④ 적합한 교육자 선정

가족의 교육 요구 영역 및 선호도에 따라 관련 전문가팀을 구성하여 교육을 제공한다.

⑤ 교육환경 준비

교육의 내용에 따라 환자의 침상 곁에서 1:1로 제공하거나, 독립된 공간에서 가족을 대상으로 제공할 수 있다. 가족이 교육을 받는 동안에는 자원봉사자 등 환자를 돌볼 인력을 배치하여 교육을 받는 동안 가족이 환자를 홀로 남겨둔 것에 대해 신경이 쓰이지 않도록 배려한다. 병동에서 교육이 제공되는 경우에는 회진시간, 정규 처치시간 등을 고려하여 독립된 시간을 지정하여 진행하는 것이 좋다.

⑥ 교육 후 평가

말기 환자 가족은 환자의 죽음을 앞두고 심리적으로 위축된 상태이기 때문에, 교육 목표 달성 파악을 위해서는 가족의 인지적 이해와 심리적 반응을 함께 평가해야 한다. 간혹 호스피스·완화의료에 대한 정보가 제공될 경우, 가족이 부정적 반응을 보일 수 있기 때문에 교육 후 교육에 대한 느낌을 표현할 기회를 제공하여 정서적 반응을 평가해야 한다. 또한, 환자 돌봄 기술을 교육하였을 경우, 실제 가족이 환자 돌봄을 잘 수행하고 있는지를 평가해야 한다.

2) 집단 교육

집단 교육은 비슷한 상황에 처한 사람들이 그들이 가진 문제를 공유하고 대처하는 기술을 배울 수 있다. 이때 참석자는 공통적인 관심사를 나누고, 서로 수용과 지지를 받으며, 병에 대해 더 많은 것을 배우고, 부정적인 감정을 나누며 지지를 받는다. 특히 집단 교육은 다수의 구성원들을 대상으로 체계적인 교육을 실시할 수 있다는 점에서 효과적이다.

말기환자의 가족은 많은 스트레스와 정서적 고통을 겪는다. 말기 암 환자 가족을 대상으로 한 번의 교육만으로도 효과를 거둘 수 있다. 예를 들면, 서울대병원은 최소한 임상경험이 3년 이상 된 자로 종양내과의사, 간호사, 약사, 영양사, 사회복지사가 팀을 이루어 매주

10부

표 42-4. 말기 암 환자가족 대상의 집단 교육

- 의사 : 진행 및 말기 암 환자의 의료문제
  (1) 암 환자의 보살핌: 치료와 돌봄/의료현장에서 보살핌의 문제점/말기 환자의 보살핌/호스피스·완화의료
  (2) 어떤 의료기관을 이용할 것인가?
  (3) 대체의료행위를 어떻게 이해해야 하는가?
- 약사 : 통증과 약
  (1) 암 환자의 통증 (2) 통증과 진통제의 복용 (3) 진통제의 종류 (4) 마약성 진통제 복용 시 주의 사항 (5) 부작용과 대처법
- 영양사 : 말기 암 환자의 식사관리
  (1) 좋은 영양 상태를 유지하기 위한 식사 (2) 식사 섭취에 문제가 있는 경우의 식사요령 (3) 유동식(미음)만 섭취가 가능한 경우의 식사요령
- 간호사 : 말기 암 환자의 가정간호
  (1) 통증 (2) 수면장애 (3) 변비 (4) 열 (5) 설사 (6) 호흡곤란 (7) 욕창 (8) 부종 (9) 활동 정도 (10) 가정간호 (11) 임종시기의 증상 대처
- 사회복지사 : 말기암을 가지고 살아가기
  (1) 환자의 정서적 특성 (2) 환자의 대처 방법 (3) 가족이 가진 어려움 원조 (4) 임종통고 (5) 기타 도움될 만한 정보

교육 및 상담을 실시했다 **표 42-4**. 결과는 높은 만족도(92%)를 보였다. 참석자는 의사의 권유, 병원 게시판을 보고 온 경우가 많다. 사회복지사(또는 간호사)는 프로그램 진행, 일시·장소의 조정, 정기 팀미팅을 조정하는 역할을 담당한다. 진행은 집단의 목적과 진행을 설명한 후 참석한 환자나 가족들이 오게 된 목적, 환자 정보, 질문사항을 간단히 소개하도록 한다. 소개가 끝나면 상담제공자별로 정보를 제공하고 질문에 대한 상담을 제공한다. 이때 참석한 가족에게 제작된 자료집을 배부한다. 상담제공자는 참석자들이 힘든 점을 표현하도록 격려하고 공감해주며 어려운 의학용어보다 쉬운 용어로 설명해주고, 참석자들과의 상호작용을 증진시키도록 한다.

5. 가족모임

가족중심의 돌봄에 있어서 가족모임은 필수적 요소이다. 가족모임을 갖는 것은 개별 가족구성원을 따로 만나는 것보다 효과적인 부분이 있다. 가족모임을 통해 가족의 정보 요구를 충족시키고 환자돌봄에 필요한 목표를 명확히 하며 가족 내의 갈등과 의견 차이를 중재할 수 있다. 가족모임의 운영 가이드라인, 촉진 기술은 다음과 같이 요약될 수 있다.

1) 가족모임의 효과

가족이 모였을 때 가족관계를 알 수 있다. 또한 누가 의사결정에 영향을 미치는지, 가족이 어떻게 반응하는지, 어떻게 의사소통하는지, 치료에 대한 태도를 알 수 있다. 또한 가족 모임은 많은 문제들을 가족토론을 통해서 짧은 시간 내에 해결할 수 있게 한다. 예를 들면, 가족모임을 통해서 돌봄 부담에 대한 가족구성원 간의 역할을 분배하게 한다. 집안일, 쇼핑, 교통수단 같은 일상 작업의 많은 부분들을 서로 의논하여 해결할 수 있다. 가족모임은 가족구성원의 솔직한 감정을 표출할 기회도 제공한다. 예를 들면, 성인 자녀들이 부모에게 어렸을 적 받았던 사랑과 관심에 대해 감사를 표출하는 기회가 주어질 수도 있다. 계획이나 일의 분배에 대한 반대 의견도 이 환경에서 안전하게 제기될 수 있다. 가족모임을 진행할 때 운영 가이드라인은 다음과 같다 **표 42-5**.

2) 가족모임의 촉진 기술(Dumont & Kissane, 2009)

- 순환적 질문(circular question): 각 가족 구성원들에게 돌아가면서 걱정거리와 타인의 대처 방법에 대해 이야기하도록 한다.
- 반영적 질문(reflective question): 가족들로 하여금 결과의 가능성 등을 성찰하도록 한다. 예컨대 "아

표 42-5. 호스피스·완화의료에서의 가족모임 운영 가이드라인

- 가족 모임 전 계획과 사전 준비 – 누구를 초대해야 하는가를 결정
- 가족을 환영하고 가족 모임의 목표에 대한 오리엔테이션을 하는 것
- 질병과 그 예후에 대한 가족의 이해도를 검토하는 것
- 현재 돌봄의 목표에 대한 합의 사항을 확인하는 것
- 주요 증상과 돌봄에 필요한 것을 관리하는 것에 대한 가족들의 우려 사항을 알아내는 것
- 미래에 어떤 일이 일어날 것인가에 대한 가족의 시각을 명확하게 알아 놓는 것
- 가족구성원들이 감정적으로 어떻게 느끼고 대응하는 지를 명확하게 알아 놓는 것
- 가족의 힘과 서로에 대한 상호 지원, 그리고 헌신의 정도를 확인하는 것
- 돌봄의 목표와 미래 돌봄 계획에 대한 합의를 검토하고 가족 모임을 마치는 것

출처 : Carrie & David, 2015; 1105.

버지가 집에 가신다면 어떤 이득이 있을까요?"라고 물을 수 있다.

- 전략적 질문(strategic question): 가족들로 하여금 바람직하다고 여겨지는 결과를 생각해 보도록 질문할 수 있다. 질문에 해결책을 포함하여 질문할 수 있다. 예컨대 "아버지가 편안한 죽음을 원하신다면 아버지는 호스피스 받는 것을 원하실까요?"라고 묻는다.
- 가족의 걱정거리를 해결해야할 문제로 요약: 가족의 고민은 서로의 긴장이나 부조화로 인해 생길 수 있기 때문에 중립적인 자세를 유지하면서 해결할 문제로 언급하고 요약해준다.

6. 가족회의

가족회의는 환자와 가족, 또는 관련 간병인을 포함하여 호스피스·완화의료팀(의사, 간호사, 사회복지사, 성직자 등)이 함께 모여서 치료법, 증상 관리, 앞으로 전개될 일, 사전연명의료의향서, 퇴원 계획 등을 의논하는 것에 목적이 있다. 완화의료팀은 모인 가족에게 환자와 관련된 의료적인 정보와 예후를 공유하고, 필요한 정보를 제공하며, 가족 내 의견 차이를 중재하고 의료적 돌봄과 관련된 의사결정을 돕는다. 때로는 환자가 신체적 상태가 좋지 않을 경우, 환자 없이 대리 결정자인 가족을 만나기도 한다.

가족회의에는 최적의 방법으로 공유된 의사결정 모델(shared decision making model)이 사용될 수 있다. 이 모델의 특징은 다음과 같다: (1) 임상실무자, 환자, 대리 결정자 모두의 참여를 바탕으로 한다; (2) 호스피스·완화의료팀은 의료적 결정에 영향을 미치는 예후와 치료법, 치료 선택이 가진 장단점에 대한 정보를 공유한다; (3) 환자나 대리 결정자는 치료에 대한 환자의 가치나 목표에 관한 정보를 공유한다; (4) 치료에 대한 환자, 임상가 그리고 대리 결정자의 합의가 이루어져야 한다. 이때 정보의 제공은 근거 기반의 접근을 바탕으로 진행되어야 한다. 가족회의를 준비할 때는 조용한 장소의 선정과 호스피스·완화의료팀이 회의 때 진행할 사항을 검토하고 의학적인 세부사항과 예후, 치료 선택, 협의의 목표에 대한 이해를 모두 공유한다.

중환자실에서 임종돌봄과 관련된 가족회의를 진행할 때 구성요소는 **표 42-6**와 같다. 이러한 가족회의 내용은 중환자실뿐만 아니라 급성종합병원, 장기요양시설, 가정에서도 효과적으로 사용가능하다.

가족회의에서 호스피스·완화의료팀은 모임을 촉진하고 잘 듣고 명료화하며, 참석한 가족 모두에게 지지를 제공하는 기술이 필요하다. 또한 문제를 해결하고 갈등을 해결하며 중재하는 기술이 필요하다. 가족회의를 방해요소로는 시간이 부족하여 충분히 가족회의를 할 수 없을 경우, 참석자 상호 간의 가치 차이가 커서 의논이 잘 안되는 경우, 모두가 서로 서로 시간을 맞추기가 어려운 경우, 촉진자나 진행자가 미숙한 경우, 팀의 헌신도가 부족할 경우가 있다. 이러한 경우에는 가족회의의 효과가 떨어질 수 있기 때문에 팀의 적극적인 협력과 헌신이 필요하다.

10부

표 42-6. 임종 돌봄과 관련된 가족회의의 구성요소

- 참석한 팀 구성원을 소개하고 가족구성원도 소개한다.
- 현재 상황을 어느 정도 이해하고 있는지를 파악하기 위해 가족에게 질문한다.
- 가족들과 예후에 대해 솔직하게 의논한다.
- 예후의 불확실성을 알게 한다.
- 대리결정자 가족이 있을 경우 "환자가 무엇을 원할 것인가?"를 검토하게 한다.
- 추천하는 치료를 제안한다.
- 가족의 결정을 지지한다.
- 연명의료에 대한 보류가 돌봄의 보류를 의미하는 것은 아님을 명확히 한다.
- 만약 연명의료가 철회되었거나 또는 앞으로 철회될 경우, 환자의 죽음이 어떻게 될지에 대해 대화한다.
- 환자나 가족들이 그들의 감정을 이야기하도록 공감하고 인정하며 격려한다.
- 침묵이 있더라도 침묵을 깨려고 하지 않는다.

출처 : Isaac & Curtis, 2016; 283.

📑 **참고문헌**

1. 강경아, 김신정. 말기암 환자 가족이 경험하는 어려움에 관한 내용분석. 지역사회간호학회지 2005;16(3);270-81.
2. 국립암센터(사업단09-4-9-1). 호스피스완화의료 표준교육자료(Education in Palliative and End-of-life Care). 12장 말기환자의 가족 돌봄. 2009.
3. 김영미, 김명희. 임종환자와 그 가족의 간호요구에 대한 탐색적 연구. 부산의대학술지. 1990;30(2);287-303.
4. 백선경, 장혜정, 양병혁 등. 고식적인 항암치료에 대한 의사결정 과정이 삶의 질과 치료 만족도에 미치는 영향. 대한내과학회지. 2008;75;110.
5. 서울대학교병원 완화의료전문병동/호스피스실. 심포지엄; 완화의료현장에서의 가족과의 의사소통. 2009;39-52.
6. 손지현. 임종관리(End of Life Care)에서의 의료사회복지사의 역할 : 환자, 가족, 의료진간의 효과적인 의사소통을 중심으로. 한국호스피스완화의료학회 동계심포지엄. 2002;5(2);218-26.
7. 엄예선, 부록 한국가족과 가족치료. 한국치료개발론. 홍익제; 1994;269-73.
8. 이소우, 이은옥, 안효섭 등. 한국형 호스피스 케어 개발을 위한 기초 조사연구. 대한간호. 1997;36(3);49-69.
9. 이영숙, 허대석, 윤영호 등. 말기 암환자와 가족을 위한 집단상담프로그램. 한국호스피스완화의료학회지. 1999;1;56-64.
10. 이태연, 권윤희. 호스피스환자 가족을 위한 지지적 교육프로그램의 효과. 한국간호교육학회지. 2014;20(2);175-83.
11. 최은숙, 김금순. 일호스피스실 이용 환자와 가족의 상담내용 분석. 재활간호학회지. 2006;8(1);50-9.
12. 최준식. 한국인의 죽음관 형성에 대해 - 전통에서 현대까지. 대한내과학회지. 2009;77(4);1039-48.
13. Burton M. & Watson M. Counselling People with Cancer. 1998. 암으로 고통 받는 사람들을 위한 심리상담. 이은희역 학지사; 2003.
14. Carrie L, David W.K. 17.6 The family perspective. In: Northan IC, Marie TF, Stein K, et al. Oxford Textbook of Palliative Medicine. Oxford Univ. Press. 2015;1101-9.
15. Charles C, Gafni A, Whelan T. Shared decision making in the medical encounter: what does it mean. Soc Sci Med. 2006;34;1679-85.
16. Curtis JR, Patric DL, Shannon SE, et al. The family conference as a focus to improve communication about end-of-life care in the intensive care unit; opportunities for improvement. Crit Care Med. 2001;29;26-33.
17. Dumont, I and Kissane, DW. Techniques for framing questions in conduction family meetings in palliative care. Palliat Support Care 2009;163-170.
18. Hinton J. Sharing or withholding awareness of dying between husband and wife. J Psychosom Res 1981;25(5);337-43.
19. Hudson P, Quinn, K, O'Hanlon, B et al. Family meetings in palliative care. Multidisciplinary Clinical Practice Guidelines. 2008;19;7-12.
20. Kissane DW, Bloch S, Burns WI, et al. Perceptions of family functioning and cancer. Psychooncology 1994;3;259-69.
21. NASW (National Association of Social Workers). NASW Standards for Palliative & End of Life Care. 2004.
22. National Breast Cancer Center. Clinical Practice Guidelines for the Psychosocial Care of Adults with Cancer. National Health and Medical Research Council, Canberra, Australian Capital Territory, Australia, 2003.
23. National Comprehensive Cancer Network. Practice Guidelines in Oncology. 2002.
24. Rhee YS, Yun YH, Park S, et al. Depression in family caregivers of cancer patients: the feeling of burden as a predictor of depression. J Clin Oncol. 2008;26(36);5890-5.
25. Rony D, Mary D. Family caregivers. In: Eduardo B., Irene H, et al. Textbook of Palliative Medicine. 2014;1063-1074. CRC Press.
26. Isaac M, Curtis JR. Family Conference. In: Siram Y, Eduardo B. Oxford American Hanbook of Hospice and Palliative Medicine and Supportive Care. Second Edition. 2016;279-86.
27. Victoria Hospice Society & Moira C, Marney T, Wendy W. Transitions in Dying & Bereavement-A Psychosocial Guide for Hospice and Palliative Care. 2003.

43장
사별가족에 대한 사정과 상담

| 손영순 |

I 사별가족과 돌봄에 대한 이해

마음의 준비 없이 갑자기 가족이 세상을 떠난 경우나 길거나 짧은 투병 기간 동안 이별에 대한 마음의 준비를 해왔던 경우라 하더라도 사랑하는 사람을 떠나 보낸 후에 느끼는 상실감과 고통은 그 어떤 말로도 표현하기 힘들다.

그 고통이 교과서처럼 6개월, 1년이면 회복이 될까? 이제 3년 정도 지났으면 슬프거나 떠나간 이에 대해 이야기할 때 동요 없는 편안한 마음으로 이야기를 나눌 수가 있을까? 충분히 애도를 하였을까?

현대를 살아가는 우리들에게 공식적으로 애도할 수 있는 기회는 삼우제까지의 날들이다. 그 이후에는 별일 없었다는 듯이 평소처럼 일상의 일들을 잘 해내야 하고 직장에 가서도 업무의 실수가 없어야 한다.

산 사람은 살게 되어 있다고 사람들은 얘기한다. 하지만 사랑하는 사람을 죽음이라는 사건으로 떠나보내고 살아남은 고통은 죽음보다 더 견디기 어려운 아픔이며 그 이후의 삶은 길고 긴 한숨과 눈물의 여정이 된다. 남겨진 가족들은 이런 이야기들을 한다. '사랑하는 사람을 떠나보내고 따라 죽지 못하고 살아 내야만 하는 고통이 얼마나 큰지 아십니까?'

그래서 사별가족들을 위한 동반 모임을 진행할 때 그들의 꿈과 희망, 미래에 대해 물어보면 이런 이야기들을 한다. '빨리 따라 죽었으면 좋겠습니다, 빨리 세월이 가서 제가 죽어 그분 곁에 갔으면 좋겠습니다.' 남겨진 이들의 꿈은 오직 한 가지 '죽었으면 좋겠습니다.'이다.

그리고 가끔은 죽음과도 같은 고통을 겪는 것이, 혹은 죽음으로 사랑하는 사람의 뒤를 따라가는 것이 떠나간 이를 위한 것이라 생각하기도 한다. 그러나 떠나간 이가 사랑하는 남겨진 이에게 원하는 것이 정말 그런 것일까?

또한 남겨진 이들이 원하는 것도 정말 '죽음'일까? 아니다. 그들이 원하는 것은 '죽음'이 아니라 '죽을 만큼 힘들다.'라는 절규를, 슬픔을, 이야기를 뱉어내고 싶은 것이다.

그래서 환자와 가족을 돌봄의 한 대상으로 하는 호스피스 종사자들은 사별가족에 대한 이해와 더불어 그들을 돌보기 위한 프로그램을 개발하고 진행하여야 할 필요성을 느끼고 또 그 의무를 지고 있는 것이다.

1. 사별, 슬픔, 애도의 정의

1) Bereavement (사별, 상실) : 상실의 고통을 느끼는 상태
2) Grief (깊은 슬픔, 비탄, 비통) : 상실의 자각(지각)에 대한 심리적, 사회적, 신체적 반응의 과정
3) Mourning (비탄, 슬픔, 애도) : 상실로 인한 의식적이거나 무의식적인 신체적, 정신적 변화 과정과 비탄에 대한 문화적 반응

2. 사별가족 돌봄을 제공하는 목적

1) 사망한 환자의 가족들이 사별로 인한 슬픔과 고통을 건강하게 극복할 수 있도록 돕는다.

사별을 포함한 상실의 고통을 겪어 내고 있는 이들은 그 고통을 이겨내기 위해 가장 가까운, 그리고 손쉬운 방법들을 택하게 된다. 즉 술이나 담배, 마약, 폭력, 과소비 등, 그러나 이런 방법들은 본인에게도 도움이 되지 않고 해악을 끼치거나 중독으로 이끌고 함께 하는 다른 가족에게도 아픈 기억을 남기게 된다. 이런 부정적인 방법으로 이겨내려는 이들에게 돌봄 프로그램을 통해서 긍정적이고 희망적인 미래를 새롭게 준비해 나갈 수 있는 방법들을 익히도록 한다.

2) 사별로 인한 충격을 완화시킨다.

처음 사별이라는 사건을 경험했을 때에는 앞으로의 삶을 유지할 수 없을것만 같다. 세상이 무섭고 두렵고 모두 본인에 대해 손가락질하거나 흉을 본다고 생각한다. 그러나 모임을 통해서 세상에 혼자가 아니라는 느낌을 갖게 되고 같은 슬픔에 놓인 사람들과 이야기를 하고 지지

를 받음으로써 새로운 용기를 얻게 되고 돌아가신 분이 주는 메시지와 상실의 의미, 또 신앙안에서 받는 지지를 받으면서 충격을 완화시켜나가는 과정을 함께 한다.

3) 슬픔의 과정과 단계들을 거치는 동안 가족간에 유대관계를 강화, 안녕과 조화를 유지한다.

투병과 사별의 경험을 겪는 동안 남겨지는 가족들 간에 유대나 결속이 강화되는 경우도 있지만 많은 가족들이 힘든 그 과정 안에서 가족, 친척들과의 관계 변화, 와해, 오해들이 생기게 된다. 서로가 서로를 지지해 주어야 하는 과정임에도 불구하고 죄책감과 후회를 벗어 나려는 본성적인 이유로 타인에게 모든 원인을 투사하기도 한다. 다양한 프로그램을 통하여 사별 전과 사별 후의 인간 관계망을 파악해 보거나 여러 테라피를 통해 타인을 이해하는 시간들을 갖게 되면 다른 가족이나 친척, 지인들의 마음을 들여다보면서 화해가 이루어지도록 한다.

4) 가족의 위기를 효과적으로 대처하여 정상적으로 재조정된 삶을 살아갈 수 있도록 돕는다.

이제 남겨진 사별가족은 떠나간 가족이 없는 상태에서 새로운 삶을 만들어 나가야 한다. 간혹 돌아가신 분에 대한 생각과 집념이 너무 강해 현재 함께하고 있는 가족과의 관계나 타인과의 관계를 잘 맺지 못하거나 아예 단절시켜 버리는 경우가 많다. 이제 그분은 돌아가셨고 나는 살아 있다는 상실의 자각부터 시작해서 상실의 고통, 분노, 위기 등을 경험하면서 새로운 출발, 회복, 새 희망으로 재조정된 삶을 살아갈 수 있도록 돕는 것이다.

3. 사별가족 돌봄을 제공받으려는 목적

사별가족들에게 묻는다. '사별가족 돌봄 프로그램을 제공하는 저희들에게 원하는 것이 무엇입니까?' 여러 가지 대답들을 하지만 그들의 대답은 이렇게 요약할 수 있다.

- '(사별의 고통을) 이야기할 데가 없습니다'
- '(통곡이라도 하고 싶은데) 울 데가 없습니다'

사별가족들이 가진 고통과 슬픔을 누구와 이야기를 할까? 몇 번이나 할 수 있을까? 몇 년이 지나서 같은 이야기를 해도 처음 듣는 것처럼 잘 들어 주고 위로해 주는 사람이 있을까? 수십 년이 지난 사별이 떠 올라 슬픔과 고통 속에서 힘들어할 때 '그래, 지금 네가 애도할 때이다. 충분히 하렴' 하고 등 두들겨 주는 가족, 친척, 이웃, 친구들이 있을까? 그들은 없다고 대답한다. 그래서 같은 슬픔을 가진 사람들을 만나 실컷 이야기하고 싶고 또 같은 아픔을 가진 사람들은 이 시간을 어떻게 견뎌나가고 있을까에 대해 궁금해하기도 한다.

또한 세월이 지나고 계속 떠 오르는 그리움과 슬픔, 고통으로 눈물이 날 때 실컷 울 수 있는지, 같은 가족이라 할 지라도 혹시 '이제 그만 울어' 이렇게 위로하지는 않는지, 혹은 내가 울면 다른 가족도 슬퍼할까봐 눈치보면서 제대로 울지 못하는 것은 아닌지, 또는 몇 년 세월이 지난 뒤에 울면 '새삼 왜 그래? 몇 년이 지났는데, 너만 유난스러워.'라는 말로 상처를 받은 적은 없었는지를 물으면 사별가족 대부분은 그렇다고 대답한다. 집에서도 못 울고 지인들 모임에서는 더욱 더 못 울고 그래서 이들은 대성 통곡하면서 울 데를 찾아 모임에 온다. '여기서는 계속 울어도 누가 그만 울라고 다그치지 않아요', '같이 우니까 창피하지도 않아요'라며 서로 위로하고 등 두들겨 주면서 기다려 준다.

II 사별(임종)의 단계 및 사별 경험 후 나타나는 증상

1. 사별의 준비 단계

사별관리는 환자가 살아 있는 동안 호스피스 팀이 가족과의 관계 속에 쌓아온 신뢰 관계에 바탕을 두고 있으므로 임종의 과정이 가까워올수록 보다 더 많은 시간을 가족에게 할애하여 사별에 관련된 교육과 상담을 통하여 사별준비를 하도록 돕는 것에서 출발한다.

사별 전에는 예상되는 임종준비, 유언, 장례식 절차, 묘지선정, 장기기증, 화해, 미해결된 문제의 처리, 재산정리, 임종 후 일들에 대해 환자와 가족이 함께 솔직하게 대화할 수 있도록 돕는 것이 매우 중요하다.

이 시간에 호스피스·완화의료팀은 비탄에 잠긴 환자와 가족의 이야기를 경청하며 이별이 서로에게 의미를 추구하도록 격려한다. 또한 이 상실의 고통에 깊은 관심을 가지고 있으며 이해하고 있다고 말한다. 내세에 대한 희망이나 영적인 요구에 응답해 주면서 가능한 한 희망을 불러 일으키도록 한다.

시간이 많이 남아 있지 않으므로 아직 대화가 가능할 때 결정해야 할 일이 있으면 하도록 도와주고 환자, 가족, 의료진이 임박한 죽음 시기에 대한 인식을 공유하며 임종 시기를 예측해 주고 환자의 활동수행능력, 증상과 징후를 계속 관찰한다. 환자의 선호도, 체험, 종교적 소망과 죽음에 대한 인식 및 결정 존중, 문화적 신념과 가치를 배려한다. 가족의 요구를 사정하고 가족의 환자 임종 간호 참여를 권장함으로써 자연스런 이별의 과정을 경험하도록 배려한다. 이 순간에도 다학제적 팀 접근은 필요하므로 모든 자원을 이용하도록 한다.

2. 사별 단계(임종 단계)

- 1인실 혹은 임종방으로 이실하여 가족들과 함께 시간을 보내도록 한다.
- 손발을 따뜻하게 덮어주거나 가족들이 부드럽게 쓰다듬어 주도록 한다.
- 부드럽고 자연스럽게 이야기하도록 하며 가족들이 번갈아 가면서 마지막 인사를 할 수 있도록 시간을 주고 대화하도록 도와준다.
- 환자의 의식이 떨어져 가는 상태이므로 대화할 때

10부

는 우선 자신이 누구인지를 말한다.

- 환자 앞에서 환자가 없는 것 같이 말하지 말고 환자가 반응하지 못한다 하더라도 정상인에게 말하는 것과 같이 이야기한다.
- 환자를 진정시킬 수 있는 음악이나 종교에 따라 종교 음악을 들려주는 것도 좋다.
- 침대의 상체를 약간 올려주는 등 환자가 편안해 할 것 같은 자세를 유지해주고 불필요한 모니터링 및 침습적 치료를 하지 않는다.
- 임종을 알리고 필요하다면 가족들에게 시간을 갖도록 도와준다.
- 환자의 몸에 부착되어 있던 관 등을 제거하고 상처는 감싸주며 분비물이 많은 경우 packing을 해준다 (의료적인 처치물 제거를 하는 동안 보호자들은 잠시 나가 있도록 한다).
- 따뜻한 물수건으로 환자를 전체적으로 닦아 주며 머리를 감아 주고 정갈하게 빗겨 준다(이별의 한 과정으로서 원한다면 보호자들이 참여하도록 한다).
- 환의를 벗기고 미리 준비된 옷을 입히고 똑바로 눕혀 준다.
- 눈이 감겨지지 않는 경우 부드럽게 마사지를 하여 경직된 피부를 풀어 주어 감겨 드린다.
- 이불을 덮어주되 얼굴은 가리지 않고 가족들이 계속 환자의 얼굴을 보거나 신체를 만질 수 있도록 해 준다.
- 가족과 함께 종교의식을 하도록 한다. 필요하다면 해당 원목자를 불러 준다(종교예식은 임종 과정에서도 할 수 있도록 해 준다).
- 가족이 환자에게 마지막 인사 또는 추억의 시간을 갖도록 시간 및 장소를 배려해 준다.
- 기다리는 가족이 있을 경우 시간이 지체되면 조용한 음악을 틀어 주거나 기도를 하면서 함께 있어 준다.

3. 사별 경험 후 나타나는 증상(반응)들

사별은 보편적인 경험이다. 이 세상에 사별의 경험과 무관한 사람은 한 명도 없다. 아직 가족과의 사별을 경험하지 않았다고 해도 주변 지인 혹은 개인적인 친분이 없어도 나에게 의미 있는 누군가가 세상을 떠났다는 이야기에 충격을 받고 슬픔을 느낀 적이 있을 것이다.

사별은 개인적인 경험이다. 먼저 세상을 떠난 그 분은 나에게 유일한 한 분이다. 예를 들어 자녀들에게 어머니의 존재는 우리의 어머니이면서 나의 어머니이다. 그렇기 때문에 어머니가 돌아가신 후, 어머니의 상실에 대해 형제들이 공유할 수 있는 슬픔이 있지만 나만이 느끼고 표현하지 못하는 슬픔도 있다. 가령 네 자녀를 둔 어머니가 돌아가셨다면 이 가정에서는 한 분의 어머니가 돌아가신 것이 아니라 네 분의 어머니가 돌아가신 것이다.

마찬가지로 사별의 고통도 사람마다 다양하게 나타난다. 사별을 경험한 본인의 나이, 성별, 성격, 건강 상태, 문화적, 종교적, 영적 배경, 극복하는 방식, 과거의 사별 혹은 상실 경험, 사별 외의 다른 위기나 스트레스, 고인의 죽음의 환경, 고인의 성격과 사회적 역할, 고인과의 관계성 등에 따라 사별 이후의 반응이 다르게 나타나기도 한다.

명심해야 할 것은 내 슬픔이 가장 크고, 내가 가장 힘들고, 오직 나만 이 고통 속에 놓여 있다고 생각되어지는 것이다. 슬픔과 고통은 비교 불가이다. 이 또한 정상적인 생각이다. 이렇게 생각되는 남겨진 가족 본인도, 주변의 사람들도 이것을 인정해 주어야 한다.

1) 사별 경험 후 나타나는 정상적 증상(반응)들

슬픔과 고통은 신체적인 것으로만 나타나는 것이 아니라 심리적, 정서적, 정신적, 사회적, 영적인 측면 등 거의 총체적인 면에서 그 증상을 표출하기도 한다.

우선 신체적인 면을 보면 식욕이 감소되거나 또는 반대로 폭식하게 될 수도 있고 전반적으로 기운이 없어진다. 소화기능의 이상과 성적 욕구의 저하가 보일 수도 있으며, 불면증이 생기거나 아니면 반대로 너무 많이 잠을 잘 수도 있고 목에 무엇인가 걸리거나 가슴이 답답하고 숨이 막히는 느낌 또는 입이 마른 현상이 생길 수 있다. 사람에 따라서 시끄러운 소리에 매우 민감하게 반응하고 자각몽을 경험하기도 하며 또 넋이 나간 행동을 많이 보이며 돌아가신 분을 기억나게 하는 대상을 찾거나 피하는 행동을 반복하기도 한다.

이러한 신체적인 변화뿐만 아니라 정서적인 변화를 보이기도 하는데 대표적으로 우울감이 있다. 죄책감, 자책감에 사로잡혀 멍한 느낌을 가지며 그로 인해 감정의 기복이 심해지는 건 흔히 볼 수 있는 증상이다. 인지적인 고통으로는 생각이 집중되지 않고 기억력이 급격히 감퇴되고 이해하고 분별하는 것에 있어서 어려움을 느끼게 된다. 자신과 가족들의 건강에 대한 염려증이 생겨 잦은 병원 출입과 건강 기능 식품과 약이 쌓이게 된다. 꿈이 많아지고 착각 현상이 생기며 헛것이 보이거나 소리가 들리는 듯하다. 심지어는 돌아가신 분이 현실에 있는 것처럼 느끼고 행동하기도 한다.

수치심, 분노, 죄책감, 고립, 우울, 슬픔, 좌절, 허무감 등의 감정이 휘몰아쳐서 자신을 학대하거나 고인과 사별하기 이전의 생활 양식으로 돌아가기를 두려워하거나 거부하기도 한다. 세상이나 사람에 대한 불신감이 높아지고 "~했으면 좋았을 텐데…" "만약에…" 라는 표현을 자주 하고 추억에 사로잡히며 자신의 존재감과 정체성에 의문을 가지게 된다.

사회적 관계에 전반적인 변화가 일어나고 변화를 강요당하기도 한다. 타인에게 무관심해지고 고인과의 추억에만 사로잡혀서 하루 종일 고인과 함께 했던 사진, 앨범, 편지 등을 보면서 지내기도 한다. 사회부적응 및 고립 현상이 일어나고 대인관계가 위축되며 사회활동 참여가 어려워지면서 격리된 느낌을 받게 된다. 물론 이런 현상은 고인의 죽음으로 인해 자연스럽게 일어나는 단절도 있지만 스스로 고립시키기도 한다. 평소 익숙했던 업무의 처리가 지연되고 자신감이 저하되고 의

존감이 증대되고 창의성과 자발성의 결여가 나타난다. 고인이 경제적인 주 수입원이었다면 경제적인 상황은 현실적인 어려움을 더 가중시키기도 한다.

영적인 측면과 종교적인 면에서도 변화와 갈등이 일어난다. 인생에 대한 허무감을 느끼고 신을 향한 원망이 생기기도 하며 사별을 신이 내린 벌로 생각하거나 전생에 죄가 많아서, 혹은 업이 많아서라고 표현하며 자기 자신을 자책하고 절망하며 신의 부재를 체험하면서 자살을 생각하기도 한다. 이제 더 이상 삶의 목적과 의미를 느낄 수 없고 종교적 신념과 가치체계도 혼란스러워진다. 이때 신앙이 변질되거나 포기되어지기도 한다. 물론 신앙으로 더 강한 귀의를 하기도 한다.

중요한 것은 앞서 열거한 이런 증상들이 사별을 겪은 후에 일어나는 자연스럽고 정상적인 반응이라는 것을 인식하는 것이다. 돌봄자뿐만이 아니라 사별가족 스스로도 이런 증상들과 행동들이 지극히 정상적이고 다른 사람들도 같은 현상들을 겪고 있으며 도움을 받을 곳이 있고 나아질 수 있다는 확신을 갖게 해 주는 것은 절망밖에 없는 사별가족들에게 중요한 희망의 한 끈이 되어 주는 것이다.

2) 사별 경험 후 나타나는 비정상적 증상(반응)들

사별 후의 비정상적 반응(병적 증상, 과도한 증상, 급박하게 도움이 필요한 증상)은 사별의 슬픔을 제대로 표현하지 못할 때 일어나며 이는 무의식적 반응인 슬픔의 실패, 의식적인 슬픔의 지연과 슬픔의 회피로 나타나기도 한다.

사별 후의 비정상적 반응의 예 : 자기 파괴적인 행동을 하거나 자존감이 상실되고 자기 혐오감, 절망감, 극심한 불안 증세를 보이며 집중력이 떨어지게 된다. 또한 설명하기 힘든 모호한 육체적 고통을 호소하며 돌아가신 분을 찾는 행동이 오래 지속되거나 과잉행동을 하기도 한다. 돌아가신 분의 임종을 마치 어제 일어난 일인 것처럼 여기며 고인의 물건들을 치우려고 하지 않

다. 물론 고인과 관련된 물건들은 고인 자체로 여겨지기 때문에 어느 정도 시간이 지난 후에 고인에 대한 마음의 정리가 되는 한도내에서 정리를 시작하는 것이 좋다. 지속적으로 술, 담배, 마약 등에 의존하려는 경향이 심해지며 타인과의 관계에 혼란을 느끼고 가족과 지인, 사회로부터의 완전한 단절을 보인다. 종교 의식이나 행사 특히, 장례식에 참석하는 것을 꺼리거나 일상적인 사회생활에 적응하지 못하는 모습을 보인다.

이런 증상들은 일반적인 증상으로 볼 수도 있지만 그 강도가 너무 심하다고 느껴지거나 너무 오랜 시간 지속되거나 아니면 점점 더 심해지거나 한다면 사별 그 자체보다 다른 요인이 있을 수 있다고 판단되기 때문에 좀 더 적극적이고 전문적인 접근과 돌봄이 필요하기도 하다.

이런 증상들이 나타나는 원인은 가령 예기치 않은 죽음으로 사별을 갑작스럽게 당한 경우, 고인과의 관계에 복잡한 문제가 있어서 고인에 대해 극심한 자책감이나 죄책감을 느끼는 경우, 또는 결단력이 심하게 저하되거나 주도력을 상실한 경우 등에 나타날 수 있다.

또한 과거에 다른 사별의 경험으로 힘들어 한 적이 있거나 현재 해결해야 할 힘든 문제들이 남아있을 때도 나타날 수 있다. 사별 자체가 떳떳하지 못하여 남들에게 고인의 죽음을 말하지 못 할 때, 예를 들어 자살하였거나 타인을 살해하고 가해자로 죽음을 맞이하였거나 하였을 때 남겨진 가족들은 타인에게 위로 이전에 원망과 지탄을 받기 때문에 사별의 고통이 더욱 더 심하지만 표현은 도리어 할 수 없게 되면서 위기에 처하게 된다. 사별 후 지지를 받을 인적·물적 자원이 부족할 때 그리고 사회적으로 폐쇄되어 고립된 상황에 있을 때도 많이 나타난다.

하지만 사별의 비정상적 반응과 정상적인 반응을 명확하게 구별하는 것은 어렵다. 따라서 지속적인 관찰과 경청, 오랜 대화를 통해서 정확하고 전문적인 평가가 반드시 행해진 이후에 정신치료(개인 혹은 그룹)나 약

물치료를 병행하도록 하는 것이 바람직하다.

III 사별 경험 후 돌봄의 단계

1. 슬픔의 반응 단계
슬픔의 반응이 사람마다 다양하듯이 슬픔의 치유 속도도 사람마다 다르다. 그런데 슬픔을 빨리 극복하고자 하는 마음으로 애도의 과정을 서두르게 되면 오히려 치유가 늦어지게 되거나 감춰지게 되어 적절한 시기에 애도의 과정을 충분하게 가지지 못하게 된다.

또한 사별의 슬픔과 고통은 오랜 시간이 지나도 나타날 수 있기에 사별을 경험한 십수 년이 지난 후에라도 사별자가 필요하다고 느끼면 돌봄 모임에 참여할 수 있도록 배려한다. 슬픔의 회피, 슬픔의 실패, 슬픔의 지연으로 인해 슬픔의 반응이 아주 뒤늦게 나타나는 경우도 종종 있음을 돌봄자들은 염두에 두어야 한다.

2. 사별, 상실에 대한 치유의 단계
1) 사별, 상실의 치유 3단계
상실에 대한 애도의 과정은 크게 회피의 단계, 직면의 단계, 순응의 단계로 나누어 볼 수 있다. 하지만 이 과정이 순서적으로 나타나는 것은 아니다. 때로는 동시에 나타날 수도 있고 순응의 단계를 지났다 해도 다시 회피 혹은 직면의 단계로 되돌아갈 수도 있다.

(1) 회피의 단계(Avoidance phase)
사별의 현실을 자각하고 사랑하는 사람의 죽음을 인정하고 이해하는 시기이다. 처음에는 넋이 나간 듯이 멍한 상태이거나 허둥지둥하면서 착각이 심해지고 주위에 무감각해진다. 그러다 상실감이 커져서 견디기 힘들어 지면 본인도 모르게 비명을 지르거나 반대로 모든 일에 초연한 듯 침묵 상태를 유기하기도 한다.

(2) 직면의 단계(Confrontation phase)

이별에 대해 반응하는 시기로 실제로 고통을 느끼는 시기이다. 이 시기에서는 상실을 현실적으로 피부로 느끼고 확인하며 이를 받아들이는 상실에 대한 모든 정신적 반응이 나타난다. 이 시기에 사별가족은 지난 기억을 다시 떠올리면서 이별의 시기에서 느꼈던 감정들을 되새겨 보고 재 경험하면서 고인과 관련된 기억이나 지난 시간에 매달리는 것에서 벗어나려는 노력을 하기도 한다.

그러나 이때 신체적 통증이 심해질 수 있고 단순히 멍한 단계에서 벗어나 고인에 대한 그리움이 더 심해질 수도 있다. 사별가족들은 상실을 부정하는 단계를 벗어나지만 이로 인해서 혼란, 우울, 무관심 그리고 절망감이 생겨나기도 한다.

이 시기에는 현실에 대한 책임감을 느끼면서 서서히 상실을 극복해 나가는 단계이지만 아직 심리적, 정서적으로 안정되어 있지 않기 때문에 주변의 도움과 지지가 필요하다. 특히 집안일이나 자녀 양육, 경제적인 부분 등에서 실질적인 도움이 필요하기도 하다.

(3) 순응의 단계(Accommodation phase)

이 단계는 사별가족이 과거의 추억이나 기억을 망각하지 않고 새로운 세계에 적응하면서 재조정된 삶을 시작하는 시기이다. 미래에 대한 새로운 시각과 목표를 설정하고 고인과의 새로운 관계를 설정하게 된다. 이런 과정을 통해서 자신의 정체성을 재형성하고 새로운 계획을 수립하면서 자신의 역할을 찾아가는 노력을 해야 하는 시기이다.

2) 사별, 상실의 치유 4단계

(1) 회피하는 단계

상실을 인식하고 죽음을 알아차리고 죽음을 이해하면서 멍해지고 착각 상태를 보이기도 한다. 죽음의 현실을 극심하게 느끼면 약간 부정의 형태를 보이면서 자제할 수 없는 비명을 지르거나 낙담에 빠져서 잠잠해진다.

회피단계에서의 도움은 임종 직후 가족들이 충분히 슬픔을 표현할 수 있게 돕고 장례식에 함께 있어 주며 필요 시 적절한 도움을 제공한다. 또한 앞으로 일어날 수 있는 정상적인 반응들에 대해 알려 주고 주위에 항상 누군가가 지지할 사람이 있도록 배려한다. 고인에게 과도하게 집착하는 경우라도 이를 수용해주는 태도가 필요하며 대상자의 말을 경청해 주며 충분한 휴식을 취할 수 있도록 돕는다. 적어도 약 1년간은 중대사에 대한 결정을 유보하는 것이 좋음을 알린다.

(2) 대응(직면)하는 단계

이별에 대한 반응으로 다양한 통증을 느끼고 상실에 대처해서 정신적 반응을 표현의 한 형태로써 사용하므로 이를 확인하고 수용한다. 사별 이후 나타나는 이차적 상실을 확인하고 애도하는 시간이므로 통증과 그리움이 더 심해질 수 있다. 상실을 부정하는 마음이 차츰 사라지지만 매사에 정리가 잘 안 되고 우울해지고 흥미가 사라지고 절망감이 생기기도 한다. 커지는 책임감 때문에 힘들 수가 있고 현실적인 관점에서 자기 자신을 돌아보게 된다. 고인과의 인연에 대해 다시 생각하고 지난 시간에 대해 더 이상 집착하지 않으려 노력한다.

대응(직면)단계에서는 슬픔은 복합적인 것이며 고인을 마음에서 떠나 보내는 일은 매우 어렵고 많은 시간을 필요로 하는 일임을 인식하도록 돕는다. 죽음과 관련된 사건들을 세세하게 지속적으로 이야기할 수 있는 분위기를 조성하고 수용적인 태도로 경청과 격려한다. 울고 싶을 만큼 울도록 허용하고 고인이나 자신에 대한 고통스러운 느낌들(공허감, 분노, 불안, 무력감, 슬픔 등)을 탐색하여 언어로 표현할 수 있도록 돕는다. 건강 관리가 필수적이므로 규칙적인 운동, 균형 있는 식사, 충분한 수면 등을 할 수 있도록 교육한다. 불안증상이 지속될 경우 의료진의 도움을 구한다. 가족들이 서로 자신의 감정을 표현하고 나눌 수 있도록 돕는다. 상실을 경험하면서 누구도 나를 이해해 줄 사람이 없을 것이라는 생각이 들 수 있으므로, 같은 경험을 한 사람들의 자조모임 등을 찾도록 도움을 준다. 가장 우울을 경험하기 쉬운 기간이므로, 행동의 변화 혹 자살에 대한 이야기를 하는 경우 주의 깊게 파악하여 중재하여야 한다. 일상적인 일과를 만들어 계속 유지하는 습관이 필요함을 인식시킨다.

(3) 조정(수용, 화해) 단계
과거를 망각하지 않고 새로운 세상에 적응하도록 자신을 맞춰 나가며 가상세계를 수정하고 돌아가신 분과의 새로운 관계를 설정한다. 세상에서 존재하는 새로운 방식을 채택하고 새로운 주체성을 형성하고 회복한다. 남겨진 사람은 돌아가신 분과의 관계를 새로 만들고 새로운 정체성을 확립해야 하며 사회에서의 새로운 역할을 만들어야 한다.

조정단계는 고인에 대한 정서적인 집착, 공허감, 슬픔의 강도나 간격이 전처럼 강하고 자주 발생하지 않음을 깨닫는 시기이다. 죄책감과 배신감 같은 두려움이 발생함을 이야기할 때 충분히 이를 수용해주고 자연스러운 반응임을 깨닫도록 돕는다. 새로운 흥미나 취미 혹은 스포츠 활동을 하도록 격려하여 자신의 잠재력을 찾아내도록 돕는다. 고인이 없는 삶을 재구성하게 되고 새롭게 시작하고 싶은 마음이 생기는 것을 느끼게 해준다. 고인과 함께 나누었던 감정들을 정리하고 타인과의 사회적 관계를 재정돈한다. 새롭게 세운 목표들을 집중적으로 실행할 단계이므로, 하고 싶은 일을 선택하여 이를 실천해볼 수 있도록 격려한다.

(4) 적극적 치료(개입) 단계
환자가 임종하기 전이라도 고 위험군에 속하는 사람은 반드시 정신적 지지를 받도록 하며 임종 전 마지막 몇 일 동안 지지를 해 주어서 가능한 한 편안한 임종이 되도록 한다. 신체적 안녕뿐만 아니라 정서적 그리고 영적인 지지를 제공해야 한다. 눈에 띄는 문제점들을 해결하도록 가족들을 도와준다. 분노, 신앙의 위기, 죄책감이 있을 때는 계속 진행되는 영적 상담을 받도록 한다. 자책감, 과도한 의존심, 양가 감정이 있으면 개인 또는 단체 정신치료를 받도록 하며 필요 시에 약물 치료를 병행할 수 있다.

3) 사별, 상실의 치유 5단계
J. LoCicero는 상실의 자각 단계, 상실의 고통 단계, 현실과의 화해 단계, 회복 과정의 단계, 재출발의 단계로 보고 상실 극복의 과정을 5단계로 분류한다.

(1) 상실의 자각 단계
사별, 상실을 자각한다는 것은 슬픔이 치유되는 최초의 반응이므로 이때는 자신의 이야기를 자주, 그리고 자세하게 밖으로 꺼내는 것이 필요하다. 슬픔을 나누는 것은 슬픔을 덜어내는 일이며 대부분의 사람들은 자신의 이야기를 하길 원하고 자신의 삶이 중요시되길 원한다. 누군가에게 반복적으로 말할 때, 그들 스스로도 뭔가를 이해하기 위해 노력하고 있는 것이므로 돌봄자는 이야기의 증인이 되어 주고 더 나아가 안내자가 될 수 있도록 해야 한다.

(2) 상실의 고통 단계
사별, 상실을 자각하게 되면 다양한 고통이 밀려온다. 이 단계는 자신의 고통을 표현하는 단계로 사별자의 이야기를 경청하고 보듬어 주며 수용해 주는 것이 필요하다. 이때 다양한 도구들을 사용한다. 수공예품, 사진, 음악, 시와 글, 취미, 영상자료, 음향, 일기와 편지 등을 도구로 하여 고통을 표현하도록 돕는다.

(3) 현실과의 화해 단계
새로운 역할과 책임과의 싸움이 시작되는 시기로 새로운 현실에 적응하려고 노력하는 시기이다. 사랑하는 이가 없는 현재 상태에 적응해야 하고 현실적으로 혼자 사는 법을 습득해 나가는 과정이다. 자녀를 혼자 키우거나 재정적인 측면을 혼자 담당하는 법, 1인분의 식사를 준비하고 가사를 돌보는 법, 고인과 관계되었던 사람, 모임과의 관계를 재조정해야 하는 단계이다. 이때 이차 상실을 경험하면서 다시 고통과 슬픔속에 빠지기도 한다.

(4) 회복 과정의 단계

새로운 환경과 활동으로의 전진 단계이므로 자신의 생활 계획을 작성해 보도록 격려한다. 이때도 상실의 고통을 이해하고 숙지하며, 슬퍼하는 감정들을 표현해도 된다는 것을 알려준다. 마음을 다시금 다지고 문제를 해결하도록 격려하고 문제를 채택했으면 의미를 부여하고 또한 상실을 통합하고 그 의미를 재해석할 수 있도록 도와 준다.

(5) 재출발의 단계

새로운 삶의 방향을 재설정해 나가는 과정에서 약화되거나 변화된 상실의 고통을 느끼기도 한다. 그러나 이 단계는 상실 이후의 새 출발을 위한 회복과정이며 감정적으로 소모되었던 원기를 회복하는 시기이다. 자연스럽게 고인의 부재로 인한 새로운 역할과 환경에 적응하면서 고인이 없는 일상생활에 익숙해지고 보다 발전적으로 임하게 되는 시기이다. 감정의 치유가 이루어져가고 있는 단계로 새로운 관계를 향해 나아가는 과정으로 이제 조금씩 고인과 나누었던 감정들을 정리하고 다른 사람과의 관계를 새롭게 시작하기도 한다.

IV 사별가족 돌봄의 방법(모현 호스피스 예시)

전화, 편지, 방문 혹은 내방을 통하여 사별가족과의 만남을 가지며 비정규적이고 개별적인 만남을 통해 각자의 요구에 부합되는 서비스를 제공한다.

심리적인 치료와 지지가 필요한 가족은 그룹작업을 통해서 정규적인 프로그램을 운영한다. 사별 후 3개월에서 6개월이 지난 후에 일년에 2회 과정으로 이루어지는 10주 프로그램에서는 사회복지사, 간호사, 의사, 정신과 의사, 사별가족 상담가, 각 테라피스트 등 다양한 직업군의 사람들이 모여 전문적인 접근을 한다. 10주 프로그램 시작과 종료 시에는 먼저 과정을 수료한 이들이 함께 모여 격려하고 지지하는 분위기를 조성하고 자조 그룹을 형성해 준다.

10주 정규 모임이 끝난 이들과 정규 모임을 하지는 않았지만 계속 관계를 갖기 원하는 이들을 대상으로 한 달에 한 번 정도 모임을 갖는다. 이때에는 사별가족뿐만이 아니라 이들을 동반했던 봉사자, 후원자들도 초대할 수 있다.

1. 사별 후 안부 묻기 프로그램

1) 사망 시

임종을 맞아 가족이 반응하는 행동들은 정상적이라는 점을 확인시키고 나중에 자신의 마음을 조절하는 데 문제가 없다는 점을 알려준다.

2) 초기 확인 전화

임종 후 24~48시간에 위로를 나타내고 도움이 필요한지 물어본다.

3) 사망 후 4~6주 후(첫째 달)

  (1) 팀 멤버들이 위문의 편지를 보낸다.
  (2) 사별가족 돌봄 팀이 애도의 편지를 쓴다.
  (3) 봉사자나 사목자가 편지를 보낸다.

4) 둘째 달부터 1년까지

  (1) 가족의 생일

(2) 결혼 기념일

5) 사망 1주년
    (1) 특별한 날에 직접 작성한 편지나 카드를 보낸다.
    (2) 1년 동안 위문 전화나 방문을 수시로 한다.
    (3) 월간 소식지등을 보낸다.
    (4) 달마다 보내는 우편물이나 의무 기록지 검토를
        위해 자료들을 보관한다.

2. 사별가족 돌봄 종료

종료를 알리는 편지를 보내고 사별 돌봄에 관해서 전체적으로 살펴본다. 환자 사망 1주기 때 사별가족에게 위로편지와 1주기 관련 유인물을 발송하며 13개월이 될 때 사별가족에 대한 마지막 방문이나 상담을 한다. 그러나 대상자가 정서적으로 연락을 원하는 경우, 또는 사별가족의 심리 사회적 문제 중 해결되지 않은 문제가 있어서 사별관리가 계속 요구되는 경우 사별중재계획을 조정하여 사례진행을 지속한다.

3. 편지 예시

1) 서비스 대상자
사별가족 중 가장 의미 있는 상실자로 남겨진 가족

2) 서비스 내용
사별 후 1주 이내 전화, 매월 소식지 발송, 기일에 전화 혹은 편지, 수시로 전화 상담 등

3) 일주일 후 편지
남편을 잃은 당신의 슬픔을 같이하고 싶습니다. 우리는 사랑하는 사람을 보내는 일이 얼마나 힘들고 그리고 이때에 가족과 친구가 곁에 있다는 것이 얼마나 중요한지를 알고 있습니다. 만일 무엇이든지 우리의 도움이 필요하면 언제든지 전화 주시기 바랍니다. 우리 ○○ 호스피스의 모든 식구들은 다시 한 번 깊은 애도를 표합니다.

4) 3~6주 후 편지
지난번 전화로 얘기했을 때 사별 후 당신이 어떻게 헤쳐 나아가야 할지에 대한 정보를 달라고 하셨지요. 여기에 사별을 경험한 많은 사람들의 일반적인 감정에 대한 정보들을 보냅니다. 그리고 도움이 될 만한 책자들의 목록을 동봉합니다. 지금은 당신에게 매우 힘든 시간이겠지요. 우리가 보내는 이 정보가 당신에게 도움이 되었으면 합니다. 만일 질문이나 우리와 얘기가 하고 싶으면 주저하지 말고 언제든지 전화 주시기 바랍니다.

5) 명절, 휴일을 맞아
아마 이번이 당신이 혼자서 보내야 할 첫 명절(휴일)이고 그래서 더욱 어려운 날이 될 거라고 우리는 당신에 대해 생각하고 있습니다. 당신 주위의 가족이나 친구들도 역시 당신의 남편에 대해 생각하겠지요. 우리는 당신이 남편과 같이 했던 특별한 날들에 대해 이야기하고 회상하는 것이 좋다고 느끼길 바랍니다. 만일 당신이 불안하고 우울하거나 또는 너무 쓸쓸하다는 기분이 들 때는 언제든지 전화하셔도 좋습니다. 우리 모두가 당신이 지금 평안하고 평화로운 기분으로 지내길 바랍니다. 만일 우리가 도울 일이 있다고 생각되면 언제든지 꼭 전화 주시기 바랍니다.

4. 사별가족 돌봄 과정에서의 역할

1) 돌봄자로서의 역할
경청하는 기술과 사정하는 기술을 가지고 모임에서 알게 된 모든 내용에 대한 비밀 유지를 엄수하며 사별가족에 대한 연민의 감정을 가진다. 가족들이 참여하도록 독려한다.

2) 자원 봉사자로서의 역할
사별가족들과 의미 있는 대인 관계 형성하고 사별 고통에 대한 치유 그룹의 일원으로서 가족들의 수없이 많고 다양한 작은 필요에 기꺼이 응답하는 역할을 할

수 있다.

　또한 우선적인 인간관계를 원하는 가족이나 지인들의 대리인 역할도 할 수 있다.

3) 교육자로서의 역할

사별의 고통과 슬픔의 과정을 충분히 이해하는 능력을 지녀야 하고 외부의 자원들을 포함하는 계속적 지지를 선택할 수 있어야 한다.

4) 지지자로서의 역할

환자가 사망하기 전부터 지지하며 모든 팀원들은 예상되는 슬픔의 문제들과 관련된 지지를 한다. 사별 전문가가 주도하는 팀 모임에 참석하여 정보를 주고받고 서로의 역할을 확인한다.

V 사별가족 돌봄 사정 및 돌봄 프로그램

1. 사별 위험 사정 도구들

1) 질문지 사용

일반적인 질문지를 사용하는 사정 방식이다. 대상자가 점수를 배점하는 기준이 각자 다르고 같은 상황이어도 긍정적인 측면으로 인식하는 경우와 부정적으로 인식하는 경우가 있기 때문에 절대적으로 이 결과에 의존하는 것은 부적절하다.

■ 사별 위험 사정 도구

- 집에 14세 이하 어린이가 있는 경우
- 가정 경제 활동의 주체가 되는 사람의 직업
- 배우자나 주요한 사람의 예상된 고용 상태
- 매달리거나 매우 그리워할 때
- 분노가 있을 때
- 자책감에 시달리는지

- 현재의 관계
- 이겨내는 방식

- 14세 미만 아이
  - ____ 0. 없다
  - ____ 1. 한 명
  - ____ 2. 두 명
  - ____ 3. 세 명
  - ____ 4. 네 명
  - ____ 5. 다섯 명이나 그 이상

- 경제활동 주체가 가진 직업
  - ____ 1. 전문직
  - ____ 2. 전문직에 가까운 직업
  - ____ 3. 사무직
  - ____ 4. 숙련 노동직
  - ____ 5. 비숙련 노동직

- 남겨진 이에게 예상되는 직종
  - ____ 1. 상근직
  - ____ 2. 비상근직
  - ____ 3. 은퇴 상태
  - ____ 4. 가사
  - ____ 5. 비고용

- 밀착되거나 그리워하는 상태
  - ____ 1. 절대 그렇지 않다.
  - ____ 2. 거의 그렇지 않다.
  - ____ 3. 보통으로 그렇다.
  - ____ 4. 자주 그렇다.
  - ____ 5. 항상 그런 편이다.
  - ____ 6. 매우 심한 정도로 그렇다.

10부

• 사별과 상황에 대한 분노

_____ 1. 절대 아니다.

_____ 2. 조금 신경이 거슬리는 정도이다.

_____ 3. 종종 폭발적인 화가 난다.

_____ 4. 관계를 망칠 정도로 심하게 화가 난다.

_____ 5. 굉장히 심하게 분노의 감정이 있다.

• 떠나간 이에 대한 자책감

_____ 1. 없다.

_____ 2. 약간 있을 정도

_____ 3. 중간 정도

_____ 4. 약간 심할 정도

_____ 5. 문제가 될 만큼 심한 상태

• 남겨진 이들과의 현재 관계

_____ 1. 친밀한 관계

_____ 2. 따뜻하고 매우 협조적인 가족

_____ 3. 가족 간의 협조는 좋은데 서로 멀리 산다.

_____ 4. 별로 밀접하지 않다.

_____ 5. 아무것도 아니다.

사정-15점 이상이다(중간 이상) : 위험한 상태이다.
항목의 대부분이 4~5 이상이다 : 긴급한 상태이다.

그러나 위의 판단에 너무 얽매일 필요는 없다. 지금 내가 느끼고 있는 것을 솔직하게 표현할 수 있다면 그것이 기준이며 정답이다.

2) 자가 체크 방법

* 내가 스스로 어떤 단계라고 생각합니까?

어떻게 이 시간을 이겨낼 수 있다고 생각합니까?

(1) 좋은 단계 : 난 지금 정상적인 슬픔의 과정을 겪고 있으며 특별한 도움 없이도 회복될 수 있다.

(2) 적절한 단계 : 특별한 도움 없이도 잘 헤쳐 나갈 수 있을 것 같다(일상에 돌아가서 예전처럼 살게 되면 이겨낼 것이다).

(3) 모호한 단계 : 특별한 도움이 필요할지도 모르겠다(내가 지금 겪고 있는 것들이 일상인가, 사별로 인한 특별한 증상인가, 잘 판단이 서지 않는다).

(4) 나쁜 단계 : 특별한 도움이 필요하다(그냥 일상적인 위로나 지인들의 도움이 아닌 경험을 공유할 수 있는 집단이나 전문적인 돌봄자가 있었으면 좋겠다).

(5) 최악의 단계 : 긴급히 도움이 필요하다(일상생활의 리듬이 모두 깨져버렸다. 아무것도 할 수 없다).

* 여기서 특별한 도움이란 전문적인 돌봄자의 도움이나 돌봄 프로그램에 참석하는 것일 수 있고 긴급한 도움은 약물 치료나 다른 프로그램일 수도 있다.

3) 상담을 통한 사정

사별자가 느끼는 감정을 사정도구를 이용하여 사정하고 지속적인 상담을 통하여 알아낸 반응들을 중심으로 사별 돌봄 계획을 세울 수 있다. 아래는 사정 항목이며 이런 반응에 영향을 주는 요소들은 나이, 성별, 개인의 성격, 건강 상태, 사별자의 성격과 사회적 역할, 문화적, 종교적 혹은 영적 배경, 극복하는 방식, 죽음의 환경, 고인과의 관계성, 개인의 과거 상실 경험, 다른 위기나 스트레스의 내재 등이 영향을 미칠 수 있으나 이것도 절대적이지는 않다는 것을 명심한다.

(1) 정상적인 반응(슬픔)의 사정

사별 후 나타나는 일반적인 감정(느낌)은 어떤 것인가?

_____ 멍한 느낌이 든다.

_____ 감정의 변화가 심하다.

_____ 우울증에 빠지기 쉽다.

_____ 죄책감에 빠지기 쉽다

_____ 자신을 학대하는 느낌을 갖는다.

_____ 좌절감이나 절망감에 싸인다.

_____ 눈물이 많아지고 자주 운다.

_____ 두려움과 불안감, 분노와 죄책감이 생긴다.

_____ 우울한 마음과 절망감에 힘들어한다.

_____ 이별의 마음과 그리워하는 마음이 교차되어 나타난다.

_____ 정신적으로 생기는 고통이 갑자기 엄습할 때가 있다.

_____ 어떤 결정을 내릴 때 집중을 하기가 힘들고 착각이 있다.

_____ 한숨을 쉬며 안절부절 못하며 뭔가 그리워하면서 어쩔 줄을 몰라 한다.

(2) 비정상적인 반응(병적 슬픔)의 사정

사별 후 나타나는 병적 슬픔의 증상들은 무엇인가?

_____ 모든 것이 가치 없게 느껴진다.

_____ 자존심이 사라진다.

_____ 자기 자신이 혐오스럽다.

_____ 매우 심한 슬픈 감정이 계속된다.

_____ 낙담, 절망, 희망이 없다는 느낌

_____ 매우 심각한 불안증상이나 집중하기 힘든 상태

_____ 술에 의존하려고 한다.

_____ 슬픔을 느끼지 않는다(슬픔의 부재).

_____ 늦게 슬픔이 나타나거나 슬픔이 지속되는 경우가 있다(슬픔의 지연이나 만성화된 슬픔).

_____ 슬픔을 회피하기 위해 의도적으로 장례식에 참석하지 않거나 무덤에 가지 않는다.

_____ 과도한 죄책감이나 자신을 질책하는 감정을 가진다.

_____ 결정력을 상실하거나 주도적으로 자신의 일을

하지 못할 경우가 생긴다.

_____ 자기 파괴적 또는 자학적 행동을 한다.

_____ 신체적으로 애매한 고통이 따른다.

_____ 오랫동안 뭔가를 찾고 과도한 행동을 한다.

_____ 돌아가신 분이 어제 나타났던 것처럼 느껴진다.

_____ 돌아가신 분이 지녔던 물건들을 치우려고 하지 않는다.

_____ 사별 후에 다른 관계들이 악화된다.

_____ 종교적 의식에 잘 참여하지 않는다.

_____ 고인에 대하여 이야기할 때면 매우 심각한 감정이 북받쳐 대화하기 힘들다.

(3) 정상적 슬픔을 왜곡시키는 요인이 있는가?

_____ 양가 감정을 가진 관계이거나 분노가 가득 찬 관계

_____ 의존상태, 사별자가 아주 강하거나 아주 약한 역할을 하는 상태

_____ 해결되지 않는 추가적 상실

_____ 사별자에게 주어지는 추가적 스트레스

_____ 사회적 지지의 실제적 결핍

_____ 갑작스런 혹은 예기치 못했던 죽음일 때

_____ 돌아가신 분과의 관계가 원만하지 않았을 때

_____ 다른 사람이나 곁에서 도와줄 사람들이 거의 없을 때

_____ 실질적으로 잘 관계를 형성하지 못했을 때

_____ 과거에도 상실의 경험이 있을 때

_____ 동시에 정신적인 스트레스가 많이 있을 때

(4) 정상적 슬픔 표현 불가의 선행 요인은 무엇인가?

_____ 상실 자체를 사회적으로 무시당하거나 말할 수 없는 상태

_____ 사회적으로 격리되는 경우

_____ 상실에 대한 불확실성

_____ 죄책감이나 양가 감정

10부

_____ 최근의 상실로 인하여 과거의 상실이 되살아 날 때

2. 사별가족돌봄 프로그램 예시

사별가족을 돕기 위한 정기 프로그램 : '샘터', '옹달샘', '피에타'를 중심으로 설명하면 다음과 같다.

1) 서비스 대상자

가족이나 의미 있는 관계의 사별을 겪으면서 심리적 불안과 독립의 어려움, 사회성 단절을 경험하는 고위험군, 사별가족으로서의 상실감과 고통으로 힘들어하여 그룹 작업을 원하는 이들에게 제공된다.

2) 서비스 내용 예시

(1) '샘터' 내용 예시 1(10주 프로그램)

- Session 1 : 오리엔테이션 및 프로그램 성격 소개-사별 후 자신의 마음 헤아리기
- Session 2 : 고인에 대한 기억 회상하기-고인과의 관계 재인식하기
- Session 3 : 슬픔에 대하여 표현하기-슬픔의 증상들을 자각하기
- Session 4 : 분노와 화에 대처하기-내면의 분노에서 해방하기
- Session 5 : 죄책감에 대하여 나누기-죄책감을 인정하고 자유로운 삶을 살기
- Session 6 : 고인과 함께 했던 시간들에 대해 명상하기-상호이해와 친밀감 갖기
- Session 7 : 사별 후 변화된 나의 모습에 대해 나누기-지점토를 통해 나 만들기
- Session 8 : 자연으로 돌아가기-온 세상 안에 깃들여 있는 고인을 만나기
- Session 9 : 버리고 떠나기-먼 훗날 같은 길을 걷게 될 나를 연습하기
- Session 10 : 감사하기-모임과 동반자와 떠나간 이에게 감사의 인사 전하기

(2) '샘터' 내용 예시 2(8주 프로그램)

- Session 1 : 환영 및 오리엔테이션-떠나간 이들을 기억하는 전례
- Session 2 : 상실의 자각-고인에 대한 기억하기(미술 치료기법)
- Session 3 : 상실의 고통-슬픔에 대하여(사별 상담가)
- Session 4 : 상실의 고통-분노(화)에 대하여(무용, 동작 치료기법)
- Session 5 : 현실과의 화해-명상의 시간(사별 상담가)
- Session 6 : 재출발-함께 떠나기(소풍)
- Session 7 : 회복 과정-자아 찾기(신경정신과 의사 참여)
- Session 8 : 감사하기-모임과 동반자와 떠나간 이에게 감사의 인사 전하기

(3) 어린이를 위한 사별가족 프로그램 예시 3(6주 프로그램)

- Session 1 : 프로그램에 대해 소개하고 삶과 죽음에 대한 태도들에 대해 나눔을 한다.
- Session 2 : 현재의 감정들과 사람, 사건들에 대해 어떻게 직면할 수 있는가를 나눈다.
- Session 3 : 애도(애통, 슬픔)를 표현한다.
- Session 4 : 긍정적인 방법안에서 어떻게 기억(추억)들을 표현할 것인지 고민한다.
- Session 5 : 장례를 치르고 헤어지는 인사를 한다(편지를 쓴다).
- Session 6 : 애도에 직면하고 나눔을 하도록 한다.

3) 정규 모임 종결 후 지속적인 돌봄

(1) 서비스 대상자

정규 모임을 마친 사별가족들의 자조 모임으로 매 기수별 모임을 진행하기도 하고 모임을 이수한 선배들과 후배들의 교류를 통해 전체적인 모임을 하기도 한다. 이

때 모임에 함께 했던 진행자들, 호스피스·완화의료팀원들, 자원봉사자들도 초대된다.

(2) 서비스 내용
환영, 전례 또는 성찰, 비디오 상영 및 나눔, 다과, 음악회, 축제, 소풍, 여행, 피정, 세미나, 사별가족 자체 프로그램 제작 등을 한다. 또한 필요 시 모임 이후에도 돌봄 담당자가 사별가족을 개별 면담하기도 한다.

3. 사별가족 프로그램 진행 시 사용하는 방법들
1) 테라피 영역
아트 테라피, 댄스 테라피, 뮤직 테라피, 아로마 테라피, 피규어 테라피, 드라마 테라피, 오감 테라피, 의미 요법, 원예 요법, 푸드 테라피 등을 적절하게 사용하여 사별가족의 마음을 표현하도록 유도한다. 여러 가지 테라피를 사용하는 이유는 각자 다른 정서와 환경을 가지고 있는 사별자들은 각자가 선호하거나 자극을 받고 마음을 여는 도구들이 다르기 때문에 한 가지 방법을 일관성 있게 사용할 수 없다.

2) 사용하는 도구들
사별 위험 사정 도구표, 내가 경험한 슬픔 체크리스트, 내가 경험한 감정 체크리스트, 내가 경험한 상실 체크리스트, 내가 경험한 상실 슬픔 체크리스트, 동화 쓰기(새 이야기), 벌집 만들기(인간 관계 그물망 짜기), 사별·상실의 고통 측정표, 상실 또 다른 이름의 치유 가이드 북 사용, 상실 후 愛(한 달 버티기) 노트 사용

3) 필요한 양식들
사별가족 모임 초대장(전화·문자 병행), 사별가족 모임 신청서(개인이 작성), 전체 평가서(각 session이 끝날 때마다 진행 팀이 평가), 개인 평가서(참가자 개인에 대한 평가), 모임 종결 평가서를 제출한다.

　이는 다음 회기를 진행할 때 도움이 되기도 하고 참가자들의 변화를 알 수 있는 좋은 도구이다. 개인 기록지를 사용하여 각 개인의 변화 과정과 참여도 등을 기록한다.

4. 사별가족 돌봄 프로그램 참여 시 해야 할 일(돌봄자가 배려할 일)
1) 상실의 현실성을 인정한다.
　고인이 없는 현실의 환경에 적응해야 한다.
2) 나의 사별 상실의 아픔을 이해하고 인정한다.
3) 슬픔을 표현한다.
4) 슬픔과 고통 등에 대한 조절능력을 재확인하여 당면한 어려움들을 해결해 나간다.
5) 새로운 환경에 적응하기 위하여 나의 상실감에 의미를 부여하는 작업을 해 본다.
6) 고인과의 관계를 재정립하고 고인과 나를 분리하여 사별 이후의 인생을 새로운 출발점에서 시작한다.
7) 슬픔의 고통을 극복하면서 일상적인 일이나 새로운 일, 혹은 필요한 경제활동을 한다.
8) 일상에 대한 시간표를 작성하여 나의 생활을 점검해 본다. 어느 한곳에 치우치지 않는지 살펴본다.
9) 상실과 회복에 대한 책을 읽거나 관련된 영상을 통해서 타인의 경험을 공유하고 나눔, 지지의 기회를 가져 본다.
10) 떠나간 이들이 내게 원하는 삶에 대한 성찰을 하고 두려웠던 외부 활동이나 외출을 해 보도록 한다.

＊ 이런 과정을 돕기 위해 '상실, 또 다른 이름의 치유'를 참고하여 '상실 후 愛(한 달 버티기)'를 쓰도록 하는 것이 유익하다. 이 가이드 북과 노트는 사별 이전의 질서를 회복하고 재조정된 삶을 살도록 스스로 돌아보게 하며 동반자들에게는 사별자들의 상황을 이해하고 대화를 이끌어 내며 함께 시간을 보낼 수 있는 소재를 발견할 수 있도록 해 준다.

10부

5. 사별의 극복 과정에서 천천히 해야 할 일

1) 큰 변화는 천천히 시도한다.

단순히 사별을 이유로 예정에 없던 큰 변화를 시도하는 일이다. 갑작스런 이사, 재혼, 입양, 물건 버리기 등은 좀 더 시간이 지난 뒤에 신중하게 결정해야 한다. 사랑하는 가족을 죽음이라는 되돌릴 수 없는 사건으로 이별을 한 뒤에는 분별력이나 감정이 정상적이지 않을 수 있으므로 이때 성급하게 무언가를 결정하는 것은 올바른 선택이 아닐 수 있다.

예를 들어 젊은 아버지를 사별한 어린 아이의 경우, 아이의 어머니와 친척 등 어른들의 생각으로 아이가 아버지가 안 계시다는 이유로 동네 또래집단에서 상처를 받지 않을까 걱정하여 새로운 곳으로 이사를 결정할 수도 있다. 하지만 아이의 입장에서 보면 이사로 인해서 또 다른 상실, 더 많은 상실을 경험하게 된다. 아버지 사별로 인한 상실뿐 아니라 친구와의 이별, 익숙한 학교와 놀이터, 동네와의 이별, 아버지와 추억이 담긴 집과의 이별 등을 경험하게 되고 이는 아이에게 아버지의 부재보다 더 큰 정서적 위험이 될 수 있다.

배우자를 사별한 경우에는 먼저 떠난 사람에 대한 마음의 정리가 어느 정도 되지 않은 상태에서 경제적인 부분, 아이의 양육 등의 현실적인 이유를 포함한 타인의 시선, 정서적 지지 등 다양한 이유로 새로운 결혼생활을 시작할 수 있다. 이런 경우 새로운 배우자에게 먼저 떠난 사람의 역할과 태도를 원하고 비교하면서 이것이 새로운 갈등의 원인이 되기도 한다. 이런 갈등이 심해지면 재혼의 실패로 이어지면서 또 다른 상처로 남을 수 있다.

어린아이를 잃은 젊은 부부의 경우에는 세상을 떠난 아이를 계속 마음으로 품고 키우는 경향이 있다. 또래의 아이들을 보면서 '우리 아이는 지금 몇 살이야.', '살아 있으면 올해 중학교에 다니겠네.' 등의 생각을 하게 되고 그 아이는 부모의 마음속에서 계속 성장한다. 그러다 보니 죽은 아이와 비슷한 또래 혹은 비슷하게 생긴 아이를 입양하기도 하는데 이때 입양한 아이를 새로운 자녀로 키우는 것이 아니라 죽은 '옛 자녀'로 키우게 된다. 이런 상황에서 입양한 아이와 부모 사이에 갈등과 불만이 생길 수 있고 먼저 세상을 떠난 아이의 존재는 입양된 아이에게 큰 부담이 될 수 있다. 이런 갈등이 커지게 되면 파양을 하기도 하는데 이런 과정을 겪으면서 파양된 아이는 두 번 버림받았다는 상처가 생기게 되고 부부에게는 또 한 아이를 버렸다(잃었다)라는 죄책감을 가지게 되면서 더 큰 좌절과 실망을 경험하게 된다. 새로운 아이를 출산하는 경우에도 새로 태어난 아이에게 떠난 아이를 투사하고 비교할 수 있으므로 마음의 안정을 되찾은 후에 출산 계획을 세우는 것이 좋다.

2) 부정적인 방법을 선택하지 않도록 한다.

지나친 음주, 흡연 혹은 마약 등의 약물 남용, 폭력, 과소비 등의 부정적인 방법으로 슬픔을 해결하는 것은 지양해야 한다. 이런 방법들은 본질적인 문제를 해결하려는 것이 아니고 회피, 외면하려는 것으로 자신을 해치고 주변의 사람들도 위험에 처하게 한다. 이런 부정적 충동이 심하거나 감정적 고통이 일정 기간 지속되면 전문적인 사별 돌봄 프로그램이나 사회적 지지 단체의 도움을 받도록 한다.

3) 사회활동을 중단하지 않는다.

직장이나 학교를 그만두거나 활동했던 단체에서 탈퇴하거나 사별의 고통에서 도망치기 위해서 가출이나 출가 등 스스로를 고립시키는 행동을 하지 않는다. 물론 내가 원하지 않아도 사회활동에서의 관계는 변화될 수밖에 없다. 배우자 사별 후 부부동반 모임과 시댁 혹은 처가와의 관계, 자녀 사별 후 다른 학부모들과의 관계 단절 등은 자연스럽게 생기는 단절이다. 그러나 스스로 선택하는 새로운 길이나 방법이 일시적이고 충동적인 감정인지 지속적으로 실행할 수 있는지를 생각하면서 결정하는 것이 바람직하다.

VI 사별가족 돌봄 전문가 양성

1. 사별가족 돌봄 전문가의 자세와 역할

1) 사별가족 돌봄 프로그램 제공자로서 가족들의 슬픔에 대한 공감을 가지며 사별가족들을 존중하며 전문가로서의 확신감이 있어야 한다.

2) 사별의 슬픔에 대한 과정을 잘 이해할 수 있어야 하고 사별의 고통을 평가할 수 있는 능력을 가져야 하고 경청을 할 수 있어야 한다.

3) 돌봄 제공자로서 외부 자원들을 포함하여 지속적인 지지를 할 수 있어야 한다. 정서적 지지, 영적 지지, 사회적 지지, 신체적 지지를 제공해야 한다.

4) 사별과 관련되어 예상되는 호스피스·완화의료팀원들이 겪어야 하는 어려움에 대한 지지를 하며 임종 전에 다학제 호스피스·완화의료팀 미팅에 참여하는 것이 바람직하다.

5) 사별가족 돌봄 전문가 양성 과정 등의 수업을 통하여 사별에 대한 이해와 프로그램 진행 방법을 익히고 적용하며 지속적인 슈퍼비전을 받도록 한다.

2. 사별가족 돌봄 전문가 양성(모현상실수업)

1) 목적

사별을 경험한 사람들의 이웃이나 친척, 혹은 돌봄자들은 정작 어떤 말로 사별가족들을 위로해야 좋을지 모른다. 본인은 가장 필요한 위로를 했다고 하지만 사별가족들에게는 그 말과 행동이 가장 큰 상처로 다가와 사별과 함께 더 큰 상처를 안게 되고 기존 인간관계마저 단절되는 이중의 아픔을 겪게 된다.

이에 호스피스 현장과 사별을 돌보는 사람들에게 사별상실에 대한 기본적인 과정을 이해하고 조금이나마 사별가족들을 도울 수 있는 전문적인 프로그램을 개발할 필요성을 절감하게 되었다. 사별동반자들이 우선 자신들의 상실을 먼저 바라보고 상실의 다양성, 상실의

종류 및 상실의 슬픔이 실생활에 미치는 영향 등에 대해 자세히 알아보도록 돕는다.

먼저 동반하고자 하는 이들의 상실에 대한 성찰을 하고 사별에 대한 이론 과정을 거친 후에 감정 표현을 위한 다양한 방법론을 통하여 사별가족의 마음을 읽도록 한다. 프로그램을 종결한 후 사별가족들을 동반하여 자조그룹을 형성하는 단계까지 이끌어 주도록 하며 만들어진 자조그룹이 독립적인 지지그룹으로 성장할 수 있도록 일정 시점까지 동반하면서 슈퍼비전을 제시하도록 한다.

이 프로그램은 단계별 변화에 적절한 프로그램을 제공하고 습득하게 함으로써 주변에 있는 사별가족들에게 단순한 위로가 아닌 직접적인 도움을 주고 동반을 가능하게 하는 동반자들을 양성하는 데 그 목적이 있다.

2) 프로그램 대상자

사별가족들을 돕기 위한 프로그램 진행자와 프로그램 기획자를 대상으로 하며 현재 각 암센터나 호스피스 기관의 의사, 간호사, UM, 코디네이터, 사회복지사, 자원봉사자를 대상으로 하고 있다. 또한 사별가족들을 돕고자 하는 종교기관과 민간기관에서 프로그램 이수 후 사별가족 돌봄 프로그램을 진행하고 있다.

3) 모현상실수업 10주 프로그램 과정 예시

- Session 1 : 환영 및 오리엔테이션
  - 개강 및 수업 진행 방식, 목적, 소개
  - 각 개인의 죽음 인식 "죽음 앞에 선 인간"
- Session 2 : 나의 상실의 슬픔
  - 상실 체크리스트를 통한 네이밍 작업
  - 클라이언트(사별가족) 이해를 위한 기초 작업
  - 개인별 상실의 슬픔을 위로하는 전례 참여
  - 그룹 나눔
- Session 3 : 이론 전 배경에 대한 이해
  - 사별상실의 슬픔을 이해한다.

- 사별상실의 슬픔 과정의 단계별 이해와 과업 이해
- 사별상실의 슬픔의 종류를 알아본다.
- Session 4,5,6 : 상실의 자각, 상실의 고통, 현실과의 화해
  - 사별상실의 고통단계에서 겪게 되는 변화에 대한 이해(신체적, 심리적, 정서적, 사회적, 영적 변화)
  - 전문테라피 영역의 이론적 이해와 표현 작업
  - 사별가족의 상실의 고통 단계에서 동행하는 활용안
- Session 7 : 사회적 지지 자원 활용
  - 사별가족 동반을 우한 사회적 지원체계를 알아본다.
  - 사회적 자원 활용 방안에 대해 알아본다.
  - 사별가족을 동반하기 위한 상실노트 사용법을 배운다.

- Session 8 : 회복과 재출발
  - 사별상실의 재출발 단계에서 겪게 되는 감정의 변화
  - 전문 테라피 영역의 이론적 이해와 표현 작업
  - 사별가족의 재출발 단계에서 동행하는 활용안
- Session 9 : 동반 여행
  - 만남을 종결하기 위해 필요한 방법론적 접근과 이해
  - 여행의 의미와 활용 방법, 진행 내용에 관해 알아본다.
- Session 10 : 감사하기
  - 교육 마침 전례
  - 사별가족과의 만남에서 종결이 갖는 의미
  - 나눔과 환송
  - 자조 그룹 형성의 기반 마련

📑 **참고문헌**

1. 김형숙, 도시에서 죽는다는 것, 뜨인돌, 2012.
2. 로버트 버크만 저, 마리아의작은자매회 역, 무슨 말을 하면 좋을까, 성바오로출판사 2014.
3. 마리아의작은자매회, 상실 후 愛(한달 버티기), 메리포터호스피스영성연구소, 2012.
4. 마리아의작은자매회, 모현상실수업, 메리포터호스피스영성연구소, 2012.
5. 메리포터호스피스영성연구소, 상실 매뉴얼 북(총 10권), 마리아의작은자매회, 2012.
6. 메리포터호스피스영성연구소, 상실, 또 다른 이름의 치유, 마리아의작은자매회, 2017.
7. 정극규 저, 호스피스 가이드 북, 마리아의작은자매회, 2014.
8. 정극규, 사랑, 감사, 용서 그리고 작별 준비, BOOKK, 2016.
9. 정극규, 윤수진, 손영순 공저, 알기 쉬운 임상 호스피스·완화의료, 마리아의작은자매회, 2016.

11부

의사소통

44장 나쁜 소식 전하기

45장 환자, 가족, 의료진 상호 간의 의사소통

44장
나쁜 소식 전하기

| 김유정, 이순남 |

의사소통은 인간사(人間事)의 핵심이라 할 수 있을 것이다. 호스피스·완화의료 분야에서도 환자와 의료진 간의 적절한 의사소통은 진료에 있어 가장 중요한 부분이다. 생명을 위협하는 질병으로 고통받는 환자들의 경우 죽음을 앞둔 사람으로서의 실존적 고통 속에서 치료와 관련된 복잡한 의사결정을 해야 하고, 삶의 희망을 지키면서도 죽음을 잘 준비해야 하는 특수한 상황에 처해 있다. 호스피스·완화의료 분야의 의료진은 이러한 상황에 처한 환자와 끊임없이 의사소통을 하게 되며 진실을 알리면서도 환자의 희망을 지켜 주고 최선의 선택을 할 수 있도록 돕는 역할을 하게 된다.

실제로 말기 환자들이 진료와 관련하여 갖게 되는 불만의 대부분이 의료진과의 의사소통과 관련한 문제라고 한다. 의료진은 적절한 의사소통을 통해 신뢰와 상호 존중에 기반한 치료적 관계를 형성하기 위해 지속적으로 노력할 필요가 있다. 적절한 의사소통은 환자와 가족의 고통을 감소시키고 삶의 질을 향상시킬 뿐 아니라 의료진의 소진(burnout)을 막고 의료진으로서의 보

람도 증진시킬 수 있는 중요한 문제이다.

I 나쁜 소식 전하기의 정의

생명을 위협하는 질병을 가진 환자와 의료진 간의 의사소통은 친구 간의 의사소통과는 달리 '나쁜 소식(bad news)'을 기반으로 하게 된다. 나쁜 소식이란 '미래에 대한 개인의 전망에 부정적이고 심각한 영향을 주는 소식'으로 정의할 수 있다. 이는 환자가 기대하는 바와 의학적 사실 간의 간극을 의미한다고도 볼 수 있는데, 의료진은 하루에도 여러 명의 환자에게 나쁜 소식을 전해야 하는 임무를 맡고 있다. 나쁜 소식 전하기(breaking bad news)는 '환자에게 폭탄을 던지는 일'로 표현되기도 하며 그만큼 스트레스가 큰 임무로 의료진의 경험이 부족할수록, 환자가 젊을수록, 그리고 예후가 불량할수록 더 어렵다고 한다. 나쁜 소식 전하기와 관련된 연구는

대부분 암 환자에서 이루어졌는데 암 환자의 진료에 있어서는 암 진단 또는 암의 재발 및 진행을 알리는 일, 예후를 알리는 일, 더 이상 적극적인 암치료가 불가능하고 호스피스 돌봄으로의 이행이 필요함을 알리는 일, 그리고 죽음 및 연명의료에 대해 논의하는 일 등이 나쁜 소식에 해당한다.

한편 '나쁜 소식 전하기'라는 말은 일방적인 통보의 느낌을 줄 수 있다. Back 등의 연구에 따르면 환자들은 의료진 측에서 환자와 관련된 소식을 '나쁘다'고 판단하는 것을 좋아하지 않았고 심각할 수 있는 의학적 소식을 의료진과 함께 헤쳐나가야 할 문제로 보기를 원했다. 이에 따라 미국에서는 최근 나쁜 소식 전하기 대신 '심각한 소식 논의하기(discussing serious news)'라는 표현을 사용하는 경우가 증가하고 있다.

II 의사소통 기술

의료진은 열린 질문(open-ended question)을 통해 환자가 염려하는 바를 파악하기 위해 노력해야 한다. 열린 질문을 하고 환자가 말할 수 있는 시간을 충분히 주며 공감을 표현하는 것은 환자가 자신이 걱정하는 바를 말하게 하는 데 도움이 된다. 환자들이 염려하는 것은 일반적으로 정보적 측면과 정서적 측면을 모두 포함한다. 예를 들어 환자는 "앞으로 어떤 치료를 할 수 있는지 잘 모르겠다(정보적 측면)"라든지 "앞으로 어떻게 될지 너무 걱정이 된다(정서적 측면)"와 같이 단서가 되는 말을 하게 된다.

정보적인 측면과 관련된 염려에 대해서는 '묻고 대답하고 묻는(ask-tell-ask)' 방법이 도움이 된다. 의료진은 "그동안 본인의 질병 상태에 대해 어떻게 설명을 들으셨나요?"와 같이 먼저 환자에게 질문을 함으로써 환자가 자신의 상태를 어떻게 이해하고 있고 어떤 생각을 하고 있는지 파악할 수 있다. 이를 바탕으로 환자가 이해할 수 있도록 천천히 쉬운 용어로 정보를 제공하되 그 정보가 환자에게 줄 충격을 잘 인지하여 환자의 입장을 세심히 배려하는 모습을 보여야 한다.

정서적인 측면과 관련된 염려에 대해서는 환자에게 충분한 공감(empathy)을 표현하는 것이 중요하다. 공감을 표현하는 방법에는 언어적 또는 비언어적 방법이 있는데 **표 44-1**에 정리된 바와 같이 NURSE 또는 SOLER 기법을 이용할 수 있다.

III 나쁜 소식 전하기의 모델

1. 나쁜 소식 전하기의 모델

환자 개개인은 서로 다르며 각기 다른 상황에 처해 있으므로 모든 환자에게 똑같은 방식으로 나쁜 소식을 전할 수는 없을 것이다. 그러나 많은 경우에 비슷한 필수 요소들이 포함되며 지난 20여 년간 나쁜 소식을 보다 잘 전달하기 위한 대화 모델들이 발표되었다. 대부분의 모델은 대화를 위한 환경을 조성한 후 환자가 이해할 수 있게 쉬운 용어를 사용하여 진실하게 나쁜 소식을 전달하고 환자의 감정에 공감하면서 다음 계획을 수립하며 대화를 마무리하도록 권고하고 있다.

나쁜 소식 전하기의 모델로 가장 잘 알려진 것은 2000년에 미국 엠디앤더슨 암센터의 Baile 등이 발표한 SPIKES 모델로 여섯 단계로 나쁜 소식을 전하는 방법이다. SPIKES 모델은 암 환자를 대상으로 만들어진 것이지만 다양한 환자에 응용될 수 있다. SPIKES 모델 외에도 SHARE, ABCDE, GUIDE 등의 다양한 모델이 있다. SHARE 모델의 경우 일본에서 개발된 모델로 일본 암 환자들의 나쁜 소식 전하기에 대한 생각을 반영하여 만들었으며 SPIKES 모델보다 짧은 시간이 소요되어 한국, 중국, 대만 등 동아시아 국가에서 많이 활용되고

11부

표 44-1. 공감을 표현하는 방법

언어적 공감 표현(NURSE)	N: 감정을 명명한다(NAME the emotion). "많이 속상하시죠?"
	U: 감정을 이해한다(UNDERSTAND the emotion). "이런 상황에서 얼마나 괴로우시겠습니까?"
	R: 감정을 존중한다(RESPECT the emotion). "언제나 그러셨지만 고통을 견뎌내시는 모습이 참 존경스럽습니다."
	S: 환자를 지지한다(SUPPORT the patient). "어떤 상황에서도 환자 분을 돕기 위해 계속 노력할 것입니다."
	E: 감정을 탐색한다(EXPLORE the emotion). "지금 어떤 점이 제일 괴로우신지 조금 더 말씀해주실 수 있으세요?"
비언어적 공감 표현(SOLER)	S: 환자의 얼굴을 직면한다(face the patient SQUARELY).
	O: 열린 자세를 취한다(adopt an OPEN body posture).
	L: 환자를 향해 몸을 기울인다(LEAN towards the patient).
	E: 눈을 마주친다(use EYE contact).
	R: 이완된 자세를 유지한다(maintain a RELAXED body posture).

표 44-2. SPIKES와 SHARE 모델에 따른 나쁜 소식 전하기

SPIKES	SHARE
S: 대화 환경 조성(SETTING UP the interview) P: 환자의 이해 상태 확인(Assessing the patient's PERCEPTION) I: 환자가 나쁜 소식을 들을 준비가 되어 있는지 확인(Obtaining the patient's INVITATION) K: 의학적 사실 전달(Giving KNOWLEDGE and information to the patient) E: 환자의 감정에 공감 반응을 보이기(Addressing the patient's EMOTIONS with empathic responses) S: 계획 수립 및 요약(STRATEGY and SUMMARY)	S: 대화 환경 조성(Setting up a SUPPORTIVE environment for the interview) H: 상황에 맞추어 나쁜 소식 전하기(HOW to deliver the bad news) A: 환자가 원하는 추가적인 정보 제공(Discussing various ADDITIONAL INFORMATION that patients would like to know) RE: 안심시키고 정서적으로 지지하기(REASSURANCE and EMOTIONAL SUPPORT)

있다. 표44-2에 SPIKES 모델과 SHARE 모델에 따른 나쁜 소식 전하기의 단계가 정리되어 있다.

2. SPIKES 모델에 따른 나쁜 소식 전하기

대화를 위한 환경 조성은 가능한 조용하고 독립적인 공간을 마련하는 것이 중요하다. 짧은 시간이더라도 외부의 방해를 받지 않고 대화에 집중할 수 있도록 전화기 등을 꺼두는 것이 추천되며 환자와 눈높이를 맞추어 앉도록 한다. 환자 외에도 함께 들어야 할 보호자를 미리 확인하여 부르는 것이 필요하다. 우리나라 등 아시아 지역에서는 아직까지 보호자와 먼저 대화를 나누게 되는 경우도 많이 있다. 환자나 환자 가족이 울음을 터뜨

리게 되는 상황도 흔히 발생하므로 티슈를 미리 준비해두는 것도 좋다.

환경이 준비되면 열린 질문을 통해 환자가 본인의 현재 상황에 대해 어떻게 이해하고 있는지 확인한다. "그동안 본인의 건강 상태에 대해 어떻게 설명을 들으셨나요?", "현재 본인의 상태에 대해 어떻게 생각하고 계시는지 말씀해주시겠어요?"와 같이 질문할 수 있다. 환자가 생각하고 있는 바를 파악하는 것은 개개인에 맞는 맞춤 대화를 시행하는 첫 걸음이 된다.

많은 환자가 자신에 관한 나쁜 소식을 정확히 알기 원하지만 나쁜 소식을 들을 준비가 되어 있지 않은 경우도 종종 있다. 나쁜 소식을 회피하려는 것은 정상적

인 방어 기제의 일종으로 볼 수 있으므로 환자가 대화를 원치 않을 경우 충분히 존중해 주어야 한다. 이를 위해서는 본격적인 나쁜 소식 전하기에 앞서 환자가 스스로 전망하는 바는 무엇인지, 본인의 상태에 대해 상세하게 알기 원하는지를 묻는 것이 필요하다.

환자 또는 가족이 들을 준비가 되어 있다고 판단될 경우 현재의 의학적 상태, 즉 나쁜 소식을 설명한다. 이 단계에서는 먼저 환자의 이해 수준과 어휘력에 맞추어 설명을 시작한다. 또한 어려운 의학용어를 그대로 사용하지 않고 쉽게 풀이하여 천천히 전달해야 하며 환자가 잘 이해하고 있는지 중간중간 확인할 필요가 있다. 사실을 숨기지 않고 정확하게 설명하는 것이 중요하지만 지나치게 절망적이거나 부정적인 화법은 피하는 것이 좋다. 예를 들어 "이제 더 이상 가능한 치료법이 없습니다"와 같이 말하기보다는 "현 시점에서 항암치료를 시행하는 것은 득보다 실이 커서 추천되지 않습니다. 대신 통증 등 고통스러운 증상을 완화하기 위한 치료를 보다 적극적으로 시행하게 됩니다."와 같이 현재 가능한 것에 초점을 맞추어 말하는 것이 도움이 된다.

나쁜 소식을 전해 들은 환자의 감정적 반응에 적절한 공감을 표하는 일은 가장 중요하고도 어려운 일 중 하나이다. 환자들은 충격으로 인해 아무 말도 하지 못하기도 하고 부정하거나 울거나 또는 분노를 표출하기도 한다. 의료진은 먼저 환자를 잘 관찰하여 환자가 느끼는 감정 상태를 파악하도록 노력해야 한다. 만약 환자가 침묵하고 있다면 섣부른 공감의 표현보다는 함께 잠시 침묵하는 것도 도움이 될 수 있지만 이어서 환자가 어떤 생각을 하고 있는지 어떤 감정을 느끼고 있는지 열린 질문을 하는 것이 중요하다. 환자의 감정 상태를 파악하면 그에 대한 공감의 표현을 함과 동시에 이러한 대화를 나누는 것이 의료진 자신에게도 매우 힘든 일임을 표현한다. 예를 들어 "이런 소식을 듣기 원하지 않으셨을 텐데 이런 말씀을 전해드려야 해서 정말 괴롭습니다."라든지 "얼마나 속상하시겠습니까", "저도 더 좋은 결과를 희망하고 있었는데 이런 말씀을 전해드리기가 참 어렵습니다."와 같이 말할 수 있다.

마지막으로 환자와의 대화로부터 밝혀진 환자의 걱정, 두려움 및 희망사항 등을 감안하여 향후 치료 및 돌봄 계획에 대해 논의한다. 미래가 불확실하고 예후가 불량하더라도 명확한 계획을 수립하는 것은 환자의 불안과 두려움을 감소시키는 데 도움이 될 수 있다. 또한 신뢰할 수 있는 의료진으로부터 현재 상태에서 기대할 수 있는 것과 시행할 수 있는 치료 방법에 대해 듣는 것은 환자에게 위로가 되고 현실적인 희망을 줄 수 있다.

IV 호스피스·완화의료에서의 나쁜 소식 전하기

1. 나쁜 예후 및 호스피스 돌봄으로의 이행에 대한 논의

미국임상종양학회에서 700여 명의 종양내과 의사를 대상으로 시행한 설문에 따르면 종양전문의들은 나쁜 소식 전하기 중에서도 '더 이상 적극적인 항암화학요법이 어렵고 호스피스 돌봄으로의 이행이 필요함을 알리는 일', 즉 말기 상태임을 알리고 나쁜 예후를 전하는 일을 가장 전하기 힘들어하였으며 그 이유는 정직하게 사실을 알리면서도 희망을 빼앗지 않는 일이 어렵기 때문이라고 답하였다. 더 이상 적극적인 항암화학요법이 어려운 시점은 일반적으로 기대 여명이 2개월 이내인 시점으로 나쁜 예후에 대해서 직접적으로 알리고 죽음을 준비할 수 있게 도와주어야 하는 시점으로 볼 수 있다. 미국의 경우 1960년대, 우리나라의 경우 1990년대까지만 하여도 의사가 환자에게 암 진단 자체를 통보할 지의 여부가 고민의 대상이었지만 최근에는 환자에게 말기 상태임을 알려야 하는지, 어떻게 알려야 하는지가 많은 의사들에게 깊은 고민의 대상이 되고 있다.

말기 환자에게 예후를 잘 알리는 것은 다음과 같은

이유에서 매우 중요하다.

- 환자의 자율성을 존중하고 환자가 인생의 중요한 문제를 정리할 수 있도록 돕는다.
- 취약한 환자에게 해를 주지 않고 무의미한 연명 치료에 집착하지 않도록 돕는다.
- 죽음의 과정에 더 잘 대처하고, 죽음을 잘 준비할 수 있도록 돕는다.

일부 환자의 경우 예후에 대해 듣는 것을 꺼려하는 경우도 있고 우리나라의 경우 보호자와 먼저 상의해야 하는 경우도 많지만 실제로 대다수의 암 환자는 의사가 예후에 대해 사실대로 말해주기를 원하며 본인에게 가장 먼저 알려주기를 원하는 것으로 알려져 있다.

그러나 환자에게 예후를 잘 알리는 것은 항상 어렵다. 이는 환자의 경우 감정적인 반응이 이성적 사고를 억제하여 설명을 들어도 이해하지 못하는 경우가 많고 의사의 설명을 믿지 않거나 의사가 무슨 말을 하는지 아예 듣지 못하는 경우도 많기 때문이다. 반면 의사의 경우 예후를 전달하는 것 자체를 꺼리는 경우가 많은데 그 이유는 환자의 희망을 지켜주고 싶어하는 마음이 크고 실제로 정확한 예후 예측 자체가 어렵기 때문이다. 또한 원망을 듣는 것에 대한 두려움, 실패했다는 느낌이나 무력감, 그리고 충분한 시간을 들여 예후를 설명할 시간이 없다는 점도 예후에 대한 논의를 피하게 하는 요인이 될 수 있다.

예후를 전달함에 있어서는 공감하고 배려하며 사실을 전달하는 일이 중요하며 환자가 감당할 수 있는 범위 내에서 조금씩 정보를 전달할 필요가 있다. 의사는 일반적으로 환자의 삶에 대한 희망을 꺾을까 두려워하는 경우가 많은데 환자는 예후가 좋지 못하더라도 의사와의 상호 관계에서 희망을 느끼는 것으로 잘 알려져 있다. 환자는 진실하고 개개인에 맞게 접근하는 의사, 자신감 있고 상호협력적인 의사, 배려하고 공감하며 희망의 중요성을 잊지 않는 의사에게 희망을 느낀다고 한

다. 또한 말기 암 환자는 남아 있는 삶이 얼마나 될지 불확실하더라도 삶의 질을 유지하는 것, 살아 있는 한 최선을 다해 살고 인생의 남은 목표들을 이루는 것에서 삶의 희망을 느낀다고 한다. 따라서 의사는 "최선을 희망하면서 최악의 경우에도 대비하자."라는 자세로 환자에게 예후에 대해 잘 알리기 위해 노력할 필요가 있다.

표 44-3에 SPIKES 모델에 근거하여 말기 환자에게 나쁜 예후를 설명하고 호스피스 돌봄으로의 이행에 대해 설명하는 방법이 정리되어 있다. 다른 질환은 그 시점이 뚜렷하지 않은 경우가 종종 있으나 암의 경우 더 이상 적극적인 암 치료가 어려움을 알리는 시점이 환자에게나 의사에게나 매우 힘들고 극적인 순간이 될 가능성이 높다. "이제 항암치료가 불가능합니다. 호스피스 치료를 받으셔야 하겠습니다"와 같이 설명하게 될 경우 많은 환자가 깊은 충격과 상실감, 거부감을 느낄 수 있다. 호스피스 돌봄으로의 이행이 적절히 이루어지려면 환자에게 의미 있는 것, 환자가 걱정하는 것을 반영하여 돌봄 계획을 수립하는 것이 중요하다. 시간이 걸리더라도 현재 환자에게 가장 의미 있는 것은 무엇인지, 가장 중요한 목표는 무엇인지 물을 필요가 있다. 환자가 "사는 것이다", "완치되는 것이다"와 같이 비현실적인 기대로 답할 경우에는 그 대답을 충분히 인정해 주되 "현재 환자 분의 삶에서 가장 중요한 것은 무엇인가요?", "현재 꼭 살아야 할 가장 중요한 이유는 무엇인가요?", 또는 "완치 외에 중요한 것은 무엇인가요?"와 같이 질문할 수 있다. 또 환자가 앞으로 가장 걱정하는 바가 무엇인지 묻는 것도 중요한데 환자들이 주로 걱정하는 바는 다음과 같다.

- 통증 및 증상이 조절되지 않는 것
- 해결되지 않은 인간 관계
- 가족에게 짐이 되는 것
- 존엄성을 유지하지 못하는 것

만약 어떤 환자가 아들의 졸업식에 참석하는 것이 목

표 44-3. SPIKES 모델에 근거한 불량한 예후 및 호스피스 돌봄으로의 이행에 대한 논의

	SPIKES 모델	내용
Setting	SETTING up the interview	대화를 위한 환경을 조성한다. "앞으로의 목표에 대해 상의했으면 합니다."
Perception	Assessing the patient's PERCEPTION	환자와 가족이 이해하고 있는 바를 확인한다. "그동안 병의 상태에 대해 어떻게 설명을 들으셨나요?"
Invitation	Obtaining the patient's INVITATION	환자와 가족이 기대하고 있는 바가 무엇인지 설명을 들을 준비가 되어 있는지 확인한다. 환자에게 가장 중요한 것은 무엇인지 가장 걱정하는 바는 무엇인지 묻는다. "앞으로 어떻게 될 것이라 생각하시나요?" "환자 분에게 가장 중요한 것은 무엇인가요?" "어떤 것이 가장 걱정되시나요?"
Knowledge	Giving KNOWLEDGE and information to the patient	현재 상태에 대한 의학적 사실을 전달한다. 앞으로의 목표에 대해 논의하고 호스피스·완화의료가 그러한 목표를 이루는 데 어떻게 도움이 될 수 있는지 설명한다.
Emotions	Addressing the patient's EMOTIONS with empathic responses	환자의 감정에 공감을 표한다. "이런 말씀을 드리게 되어 너무 안타깝습니다." "저도 이런 소식을 말씀드리기가 정말 힘듭니다." "저도 정말 좋은 결과를 희망하고 있었습니다."
Strategy	STRATEGY and SUMMARY	현재까지의 대화를 요약하고 앞으로의 치료 및 돌봄 계획을 수립한다.

표이고 통증이 조절되지 않는 것이 가장 두려우며 남편에게 짐이 되는 것이 가장 괴롭다고 말할 경우, "환자분이 목표를 이룰 수 있게 도와드리고 고통스러운 증상을 최대한 조절해 드리기 위해 추천할 수 있는 방법이 있습니다"라고 말하면서 호스피스·완화의료에 대해 설명하고 호스피스 돌봄으로의 이행에 대해 설명할 수 있다. 환자 자신의 가치와 염려가 많이 반영될수록 의료진의 추천을 오해하지 않고 잘 받아들일 수 있다고 한다.

2. 죽음 및 연명의료 중단에 대한 논의

죽음에 대해 직접적으로 논의하고 심폐소생술 금지(Do-Not-Resuscitate, DNR) 등 연명의료 중단에 대해 상의하는 것은 환자와 의사 모두에게 매우 괴로운 일이다. 죽음에 대한 논의에 있어 의사의 태도와 습관이 가장 문제가 되는 경우가 많다. 많은 의사가 환자 상태가 악화되어 누가 보아도 오래 살기 힘들 것 같아 보일 때까지 주저하며 대화를 미루다가 어느 날 갑자기 심폐소생술 금지 동의서를 내놓으며 죽음에 대한 논의를 하는 것으로 알려져 있다. 그러나 환자와 가족이 현실을 받아들이고 다가오는 죽음을 대비하려면 충분한 시간이

필요하며 심폐소생술 금지 등을 논의하기에 앞서 가능하면 호스피스 돌봄으로의 이행에 대한 논의가 사전에 이루어지는 것이 중요하다. 또한 전체적인 의학적 상황에 대한 설명이나 향후 호스피스 돌봄의 내용에 대한 논의 없이 심폐소생술, 인공호흡, 혈액투석 등 개별적인 연명치료에 대한 찬반 여부를 일일이 확인하는 것에 집중하는 것은 지양해야 한다.

죽음 및 연명의료 중단에 대한 논의를 시행할 때는 다른 나쁜 소식 전하기와 마찬가지로 조용하고 프라이버시가 보장되는 환경을 마련하여 대화를 시작하는 것이 좋다. 먼저 환자가 현재 병 상태에 대해 어떻게 인식하고 있는지 확인하고 환자가 가치를 두는 것이나 염려하고 있는 바가 무엇인지를 묻는다. 다음으로 개별적인 검사 결과 하나하나에 의미를 두어 설명하기보다는 현재의 전반적인 의학적 상태의 심각성을 '큰 그림(big picture)'으로 설명한다. 그리고 향후 의학적 돌봄의 내용 및 방향을 설명하면서 심폐소생술 거부 등 연명의료 중단에 대한 내용을 포함한다. 일반적으로 의사들은 말기 환자에게 심폐소생술을 시행하는 것은 비윤리적이라고 생각한다. 그러나 환자나 가족의 경우 환자가 말

11부

기라는 사실 자체, 말기 환자에서 심폐소생술이 가지는 의미 등에 대해 잘 모르는 경우가 많으며 의학적 치료를 중단하거나 의료진에게 버림받는 것으로 오해할 수 있다. 환자가 현재의 전반적인 상태를 가능한 정확히 이해할 수 있도록 노력하면서 심폐소생술 금지의 의미와 환자가 앞서 말한 가치들을 연결시켜 설명하는 것이 도움이 된다. 이어 환자와 가족들의 감정에 공감을 표현하면서 사전연명의료의향서가 없을 경우 연명의료계획서 작성을 권유하며 내용은 환자가 원하면 언제든지 바뀔 수 있음을 설명한다.

환자 본인이 병식을 가지고, 스스로 사전연명의료의향서를 작성하는 것이 가장 이상적이겠지만 우리나라의 경우 아직까지는 환자와 곧바로 연명의료 중단에 대해 논의하는 것이 어려운 것이 현실이다. 예를 들면 서울대학교병원에서 심폐소생술에 관한 사전연명의료의향서 479부를 분석한 결과 1부에서만 환자가 직접 서명하였으며 대부분 가족이 환자를 대리하여 서명함을 볼 수 있었다. 현재로서는 환자 가족과 먼저 논의한 후 가족의 동의를 얻어 순차적으로 환자와 논의하거나 대만과 같이 가족에 의한 대리 결정을 인정하는 방법 등이 현실적인 대안이 될 수 있겠다. 그러나 2018년부터 우리나라에서 시행된 연명의료결정법의 경우 환자의 자기결정권을 존중하여 환자에 의한 의사결정을 기본으로 하고 있다. 따라서 연명의료결정법 시행과 발맞추어 환자와 직접 본인의 죽음에 대해 논의하는 것의 중요성에 대한 인식이 확산되고 이에 대한 사회적 합의가 이루어지는 방향으로 나아가는 것이 바람직할 것이다.

V　나쁜 소식 전하기와 관련한 환자의 입장

동서양을 막론하고 90% 이상의 환자는 의사가 자신의 미래에 대해 사실대로 말해 주기를 바라며 가족이 아닌 자신에게 사실을 알려주기를 원한다고 한다. 그러나 우리나라를 비롯한 아시아 국가들에서는 아직까지 가족들이 의사결정을 하게 되는 경우가 많고 환자에게 직접 알리지 못하게 하는 경우가 많으므로 문화적 차이를 고려한 세심한 접근이 필요하다.

일반적으로 환자들은 나쁜 소식을 들음에 있어 의사가 충분한 최신 지식을 보유하고 가능한 치료 방법을 제시하며 진실하게 사실을 알리는 것을 선호한다. 반면 사실을 숨기거나 지나치게 완곡한 표현을 사용하는 것, 사무적인 어조로 일방적으로 통보하거나 정확한 수치를 제시하는 것을 선호하지 않는다. 예를 들어 "기대여명이 3개월입니다."와 같이 말하는 것은 사형선고와 같은 느낌을 줄 수 있으며 '수주에서 수개월'과 같이 범위를 제시하거나 "절반 정도의 환자가 3개월 이상 생존합니다."와 같이 보다 '긍정적인' 표현을 사용하는 것이 추천된다. 표 44-4 에 환자들이 선호하는 바와 선호하지 않는 바가 정리되어 있다.

VI　요약

환자에게 슬픈 소식 또는 나쁜 소식을 전하는 것은 유쾌하지 않은 일이지만 심각한 질환을 가진 환자를 진료함에 있어 피할 수 없는 부분이다. 호스피스·완화의료 분야에서는 말기 환자에게 나쁜 예후를 알리고 호스피스 돌봄으로의 이행을 알리는 일이나 죽음 및 연명의료 중단에 대해 논의하는 일이 대표적인 나쁜 소식 전하기에 해당한다. 나쁜 소식을 전할 때 SPIKES 모델이나 SHARE 모델 등에 따라 단계적으로 대화를 하는 것이 도움이 될 수 있다. 이러한 대화 모델에 따르면 먼저 대화를 위한 환경을 조성한 후 환자가 이해하고 있는 바를 파악하여 쉽고 진실하게 나쁜 소식을 전달해야 한다. 다음으로 환자가 표출하는 감정에 충분한 공감을

표 44-4. 나쁜 소식 전하기와 관련한 환자의 선호도

환자가 선호하는 것	환자가 선호하지 않는 것
• 의사가 나의 병에 대한 최신 지식을 보유한 것 • 나에게 최선의 치료 방법을 제시하는 것 • 나에게 모든 치료 방법을 제시하는 것 • 내 질문에 모두 대답해 주는 것 • 끝까지 책임지겠다는 태도를 보이는 것 • 간단하고 명료하게 정보를 제공하는 것 • 내가 기대할 수 있는 바를 알려 주는 것 • 영상 소견이나 검사 소견을 보여 주는 것 • 때때로 유머러스한 것	• 가족에게만 또는 가족에게 먼저 사실을 알리는 것 • 명확하지 않게 돌려 말하는 것 • 기대여명에 대한 정확한 통계 수치를 제공하는 것 • 나의 질문에 짜증스럽게 반응하는 것 • 사무적으로 말하는 것 • 일방적으로 빠르게 설명하는 것 • 나쁜 소식을 전함과 동시에 손을 잡거나 스킨십을 하는 것 • 처음 만나는 의사가 나쁜 소식을 전하는 것 • 전화로 나쁜 소식을 전하는 것

보인 후 향후 계획을 수립하며 대화를 마무리하게 된다. 나쁜 예후나 죽음에 대해 논의할 때는 공감하고 배려하는 태도를 보이면서도 진실하게 사실을 알리는 일이 중요하다. 의료진은 의학적 사실을 전달하되 의학의 불확실성을 인정하고 통계 수치를 뛰어넘는 위로와 지지를 제공하도록 노력해야 하며 환자의 아픔을 함께 나누고 의학적 돌봄을 제공함으로써 현실적인 희망을 지킬 수 있도록 도와주어야 한다.

📑 **참고문헌**

1. 허대석. 무의미한 연명치료를 거부할 권리. 대한의사협회지 2008;51:524-9.
2. Back AL, Anderson WG, Bunch L, et al. Communication about cancer near the end of life. Cancer 2008;113(7 suppl):1897-910.
3. Back AL, Arnold R, Tulsky J. Mastering communication with seriously ill patients. New York: Cambridge University Press; 2009.
4. Back AL, Trinidad SB, Hopley EK, et al. What patients value when oncologists give news of cancer recurrence: commentary on specific moments in audio-recorded conversations. Oncologist 2011;16:342-50.
5. Baile WF, Buckman R, Lenzi R, et al. SPIKES-A six-step protocol for delivering bad news: application to the patient with cancer. Oncologist 2000;5:302-11.
6. Buckman R. Breaking Bad News: A Guide for Health Care Professionals. Baltimore: Johns Hopkins University Press; 1992.
7. Fujimori M, Akechi T, Morita T, et al. Preferences of cancer patients regarding the disclosure of bad news. Psychooncology 2007;16:573-81.
8. Fujimori M, Akechi T, Morita T, et al. Japanese cancer patients' communication style preferences. Psychooncology 2007;16:617-25.
9. Hagerty RG, Butow PN, Ellis PM, et al. Communicating with realism and hope: incurable cancer patients' views on the disclosure of prognosis. J Clin Oncol 2005;23:1278-88.
10. Kissane DW, Bultz BD, Butow PM, et al. Handbook of communication in oncology and palliative care. Oxford: Oxford University Press; 2010.
11. Lloyd-Williams M. Psychosocial issues in palliative care. Oxford: Oxford University Press; 2008.
12. Parker PA, Baile WF, de Moor C, et al. Breaking bad news about cancer: patients' preferences for communication. J Clin Oncol 2001;19:2049-56.

45장
환자, 가족, 의료진 상호 간의 의사소통

| 나임일, 홍진의 |

환자와 가족의 원활한 의사소통은 서로의 만족도를 높인다. 환자와 가족이 원만하게 의사소통을 할수록 서로의 삶의 가치와 목표 그리고 최종적인 선택이 일치할 가능성이 높아진다. 특히 외면하고 싶은 어려운 상황에서 원활한 의사소통은 올바른 결정을 하도록 이끌어 준다. 중증 환자와 가족들은 고통스러운 딜레마에 빠져 있고 대체로 상태 변화가 갑작스럽다. 이렇게 불확실할수록 바람직한 의사소통은 그들의 삶의 질 향상에 필수적이다. 환자와 가족의 의사소통과 마찬가지로 의료진과의 의사소통도 중요하다. 특히 말기 환자에게 의료진의 바람직한 의사소통은 양질의 돌봄을 제공하는 데 필수적이다. 비효과적인 처치가 아닌 현실적인 목표 성취를 위해 원활한 의사소통은 반드시 필요한 과정이기 때문이다.

증상 조절은 호스피스·완화의료에서 가장 중요한 의료적 목표이다. 그럼에도 불구하고 원활한 의사소통은 호스피스·완화의료 전문가들이 우선적으로 성취하기 위해 노력해야 할 영역이다. 이러한 영역은 가족 미팅과 같은 다양한 형태로 시도되고 있다. 원활한 의사소통을 위해 많은 호스피스·완화의료 전문가들이 가족 미팅을 활용하고 있다. 가족 미팅을 통해 환자와 가족, 또는 그들과 의료진 간 의사소통이 동시에 이루어진다. 따라서 복잡한 갈등이 단기간에 해소될 수 있는 기회가 될 수 있다. 이러한 의사소통을 위한 다양한 노력은 호스피스·완화의료의 미래를 결정하는 데 매우 중요하다.

큰 이점에도 불구하고 임상 현장에서 의료진이 원활하게 의사소통하기란 쉽지 않다. 의료진은 쏟아져 나오는 다양하고 불규칙적인 요구들을 해결해야 한다. 이러한 요구들은 환자와 가족이 처한 환경 또는 가치관에 따라 복잡해진다. 현장에서 흔히 접하는 갈등만 하더라도 환자와 가족 사이, 심지어 의료진 내부에서도 다양하게 발생한다. 이러한 갈등은 환자와 가족의 지나친 긴장으로 이어진다. 이때는 어느 한쪽의 소통 기술이 뛰어나다 할지라도 의사소통이 매우 어려워진다. 게다가 의료진의 과거 경험도 의사소통을 힘들게 할 수 있다. 개인적 실수, 불신, 의료 사고 등은 의료진의 올바른 의사소통을 방해하기 때문이다. 개인적 가치관과 의사소통 방법도 의료진의 의사소통에 영향을 미친다.

의사소통의 어려움과 중요성에 비해 적절하게 훈련을 받은 의료진은 많지 않다. 상당수 의료진은 생애 말기에 던져지는 어려운 주제에 대해 말하기를 회피하며 자신감이 결여되어 있다. 다행스럽게도 연구들에 의하면 의사소통 기술은 훈련으로 습득될 수 있다. 훈련을 통해 국내 의료진의 의사소통 기술이 개선된다면 돌봄의 질도 향상될 것이다. 따라서 국내 의료 환경에서도 교육을 위한 의사소통 모델이 절실하다. 다만 국내 의료 환경의 특수성을 감안하여 한국형 모델이 적절할 것이다.

호스피스·완화의료 전문가에게 의사소통은 얼마나 어려운 과제인가? 우리는 환자와 가족을 대상으로 죽음이라는 난해한 주제를 다룰 수밖에 없다. 이러한 주제는 나쁜 소식 전하기, 예후 설명, 돌봄의 목표 설정, 치료 선택, 그리고 작별인사 등 광범위하다. 심지어 삶의 대한 근원적인 문제와도 연관되어 개인적인 성찰도 요구된다. 그뿐 아니라 슬픔이나 분노와 같은 격한 감정을 다루어야 할 때도 많다. 마지막으로 국내 의료 환경의 특수성도 고려해야 한다. 우리가 원만하게 의사소통하기 위해서는 상당히 복잡한 과제들을 해결해야 한다. 이 장에서는 이토록 난해한 의사소통이라는 주제에 대해 저자들의 완성되지 않은 고민을 담아보았다.

I 국내 의료 환경의 특수성

'3분 진료'라는 말이 뜻하듯이 의사소통을 위한 국내 의료 환경은 열악하다. 국내 의료진은 제한된 진료시간에 많은 환자를 진료해야 한다. 암 진단부터 치료까지 이 환경은 변하지 않는다. 부정, 분노, 그리고 슬픔 등과 같이 복잡한 심적 상태를 겪는 암 환자와 가족에게 충분한 경청은 필수적이다. 그러나 짧은 진료 시간은 현

실적으로 큰 제약이 된다. 안타깝게도 의료진은 원활한 의사소통보다는 단순한 정보전달이라는 선택을 하기 쉽다. 심지어 호스피스·완화의료 전문가에게 의뢰된 시점에서도 말기 암 환자의 병식마저 불완전하다. 충분한 의사소통 없이 임종 수개월 전까지 항암치료가 시행되는 현실은 이와 무관하지 않다.

국내 의료 환경을 이해하기 위해서는 동양의 유교문화도 고려해야 한다. 위계질서와 예를 중시하는 유교문화는 의사소통을 어렵게 한다. 환자가 가족 중 연장자라면 진실통고는 매우 힘들어진다. 서양과 달리 국내 완화의료 현장에서는 가족 중심의 의사결정을 흔히 접한다. 예를 들어 심폐소생술 금지(Do-Not-Resuscitate, DNR) 동의서를 생각해보자. 환자보다는 가족의 동의를 받는 경우가 훨씬 많다. 그 외 죽음에 대한 논의를 금기시하는 문화도 의사소통을 가로막는 걸림돌이다. 예를 들어 자녀가 부모에 대한 죽음을 생각하거나 논의한다면 이를 불효라고 인식하는 경우가 많다.

호스피스·완화의료가 활성화된 서양에서도 원활한 의사소통을 위해서는 교육 외에 다양한 문제들을 극복해야 한다. 우리가 원활한 의사소통을 하기 위해서는 더욱 특별한 노력이 필요하다. 국내 의료 환경의 특수성까지 고려해야 하기 때문이다.

II 바람직한 의사소통

전통적으로 임상 현장에서 좋은 의사소통의 기준은 '환자중심'의 의사소통이다. 사회적, 심리적인 이해부터 선호도 및 가치관을 고려하며 의사결정 참여까지 모든 과정은 환자중심으로 이루어진다. 그러나 가족중심의 의사결정이 이루어지는 국내 환경에서는 '환자'보다는 '환자를 포함한 가족' 중심이라는 좀 더 확장된 개념이 요구된다.

11부

원활한 의사소통을 위해서 의료진들은 가장 우선적으로 환자와 가족의 감정을 이해해야 한다. 분노, 죄책감, 좌절, 슬픔, 공포 같은 느낌은 소통과 결정에 영향을 미친다. 연구에 따르면 슬픈 소식을 들은 환자는 감정적으로 압도되어 정작 질환이나 치료 계획에 대한 세부사항에 대해 알아듣지 못했다. 부정적 감정에 휩싸인 환자는 내용 자체보다 전달 방법에 더 집중하게 된다. 다시 말해 의료진이 부정적인 감정을 다루지 못한다면 환자와 가족은 메시지를 수용하지 못할 가능성이 높아진다. 안타깝게도 의료진과 환자 사이의 대화에서 감정은 자주 간과된다. 국내라고 예외는 아닐 것이다. 제한된 진료 시간에 의료진이 가족의 감정까지 고려하고 대처하기란 매우 어렵다. 이러한 어려움을 극복하기 위해서는 조기 완화의료(early palliative care)를 통해 의사소통 기회가 많아져야 한다. 또한 다학제간 접근 활성화를 위한 제도적 뒷받침도 필요하다고 생각된다.

환자와 가족뿐 아니라 의료진의 감정도 의사소통에 영향을 미친다. 의료진은 생애 말기 환자를 돌보면서 많은 감정을 경험한다. 이러한 의료진의 감정은 의사소통에 영향을 미친다. 심지어 환자가 의학 정보에 반응하는 과정에서도 의료진의 감정은 중요한 역할을 한다. 무작위로 종양 전문의의 영상을 본 여성들의 연구를 예로 들어보자. 연구에서 종양 전문의는 유방촬영술의 결과를 설명하면서 '걱정하거나', '걱정하지 않는' 것처럼 연기했다. '걱정하는' 의사의 영상을 본 피험자들은 그렇지 않은 경우보다 상대적으로 적은 정보를 수용했다. 게다가 더 높은 수준의 불안을 경험했으며 상황을 더 심각하게 받아들였다.

'정직'은 의료진의 의사소통에서 매우 중요한 영역에 속한다. 대부분의 환자는 이해할 수 있는 적절한 정보를 솔직하게 제공받길 원한다. 또한 상당수 환자는 자신이 염려하는 바를 의료진이 파악하고 적절하게 반응해 주기를 바란다. 동시에 자신의 감정에 대한 의료진의 관심을 원한다. 대부분의 중증질환 환자도 마찬가지이다. 대부분 환자는 증상, 치료, 그리고 부작용에 대해 가능한 한 많은 정보를 원한다. 그러나 일부의 환자는 생존 가능성과 같은 주제에 대해 논의하기를 피한다. 개인에 따라서 민감한 정보에 대한 전달 시기가 달라야 한다는 사실도 기억해야 한다. 의료진의 정직한 의사소통은 가족에게도 중요하다. 대부분의 가족들은 '거짓 희망(false hope)'을 부정적으로 바라본다. 또한 예후에 대한 논의 회피가 결과적으로 자신들을 돕는다고 생각하지 않는다. 그러나 가족들에게 '정직'은 이중적인 가치를 가질 수 있다. 의료진이 환자와 정직한 의사소통만 강조할 때 가족들은 심한 거부감을 보이는 경우가 많다. 이런 상황을 피하기 위해서 의료진은 가족이 정직한 정보 제공을 꺼리는 이유를 확인해야 한다. 또한 가족에게 먼저 동의를 얻고 설득하는 과정이 필요하다.

생의 마지막에 있는 환자와 가족을 낙담시키지 않으면서 정직하게 의사소통하기란 쉽지 않다. 개인적으로는 환자와 가족을 향한 '포용적 의사소통'을 강조하고 싶다. 포용적 자세는 긍정적인 자세와 구별되어야 하는데, 단순한 수긍이나 낙천적인 태도를 뜻하는 것이 아니다. 포용적 자세란 마지막까지 최선을 다한다는 믿음을 주며 공감하고 환자와 가족의 결정을 존중하는 자세라 할 수 있다. 연구에 따르면 집중치료실에서 이러한 유형의 접근은 가족의 만족도를 높였다. 반대로 의료진이 공감해주지 않는다고 생각하거나 진단 및 추천 치료에 대해 적절히 설명하지 못했다고 생각할수록 법적 다툼이 발생하였다. 따라서 의료진이 의사소통할 때 단순한 정보 전달에 그쳐서는 안 된다. 환자와 가족은 감정적으로 지지받으며 듣고 싶어 한다는 점을 잊지 말아야 한다. 호스피스·완화의료 진료를 할 때 이전 의료진에게서 충분한 정보를 듣지 못했다고 불만을 제기하는 환자와 가족을 많이 접한다. 이는 대부분의 경우 감정적 지지 없이 전달되어 단순한 정보 전달에 그친 경우이다. 포용적 의사소통을 위해서 구체적으로 어떤 방법이 있을까? 우선 환자와 가족이 기적의 가능성을 제기하더라도 감정적 지지를 위해서는 이를 부정하는 자세는 피하는 것이 좋다. 변화되는 상황이나 결과에서 의미를 찾거나, 상실에 대비하도록 돕는 대화도 바람직하다. 또한 불가능보다 가능을 강조하며 현실적인 목표를 생각하고 일상생활의 성취를 도와주는 방향으로 대화하는 자세가 필요하다.

호스피스·완화의료 의료진은 환자가 적절한 정보를 받고 자기 결정을 내릴 수 있도록 도와야 한다. 삶의 마지막에 가까울수록 의사결정은 환자와 가족에게 매우 힘든 상황이 된다. 실제로 환자와 가족은 정보 전달과 의사결정에 대해 각기 다른 태도를 보인다. 정보 전달과 달리 의사결정을 장려할 때 스트레스는 증가할 수 있다. 의료진의 추천에 의지하여 환자와 가족들의 부담을 줄일 수도 있지만 개인별로 선호도가 다르다. 따라서 민감한 주제에 관한 의사소통 전에 선호하는 방법을 묻는 것이 바람직하다. 의사결정의 내용 못지않게 과정도 매우 중요하다고 생각된다. 특히 가급적 가족 모두가 이 과정에 참여하도록 강조하고 싶다. 이를 위해서는 적극적 참여를 격려하는 의료진의 노력이 필요하다. 적절한 정보와 함께 시간적인 여유도 중요하다. 충분한 시간이 있다면 의견을 나눌 수 있는 기회도 많아지고 스트레스에 대비할 가능성도 높아지기 때문이다.

의사소통의 빈도나 시간 못지않게 질적 수준도 매우 중요하다. 중증 환자들은 열려 있고 공감해 주는 접근을 훨씬 선호한다. 또한 의사소통의 스타일과 형식에 만족할 때 환자들은 그 진료가 실제보다 더 길었다고 생각하는 경향이 있었다. 가능하면 정확한 언어적 표현으로 공감하는 것이 최선이다. 그러나 시간적 물리적 제약이 있다면 비언어적 공감 표현(예; 걱정하는 표현, 손 잡아주기)을 적극적으로 활용할 수 있겠다.

의사소통을 위한 특별한 미팅(예; 가족 미팅)은 사전에 충분히 계획하며 진행하는 것이 바람직하다. 전달될 정보나 미팅의 목적에 따라 환자나 가족들이 마음의 준비를 해야 할 시간이 다를 것이다. 면담을 위한 시간을 미리 정해둔다면 의료진도 불필요한 사전 질문이 줄어드는 효과가 있어 효율적이다. 또한 의료진이 관련된 정보를 사전에 충분히 확보하기 때문에 양질의 답변이 가능하다.

III 의료진과 가족 간 의사소통

의료진과 가족 간 의사소통의 중요성도 간과될 수 없다. 국내 호스피스·완화의료 환경에서는 더욱 그러하다. 가족구성원마다 다른 가치관이 있고 생활패턴도 다양하기 때문에 의료진과 가족 간 의사소통은 상당히 어려운 영역이다. 의료진이 많은 가족구성원들과 원활하게 의사소통하기 위해서는 꾸준한 면담과 오랜 시간이 필요하다. 이러한 한계를 극복하기 위해 다학제 간 접근은 매우 유용한 방법이 될 수 있다. 특히 중요하고 어려운 의사결정이 진행될 때일수록 그러하다. 의료진은 다학제 간 접근을 통해 가족에 대한 정보를 최대한 얻고 사전 준비를 철저히 할 수 있기 때문이다. 의사소통을 주로 담당할 가족구성원을 정하는 방법도 적절하다. 의료진은 의사소통 담당 가족을 통해 다른 가족들에게 상황을 인지시키고 의사결정을 위한 의견 수렴을 진행할 수 있다. 특히 이러한 접근은 말기 돌봄에 대해 이견이 있거나 대가족으로 구성되어 의사소통이 쉽지 않은 경우 유용해 보인다. 의사소통을 담당하는 구성원 가족은 간병을 담당할 가족과 다를 수 있다. 말기 돌봄 상황에서 종종 가족구성원의 역할이 재구성된다는 점도 기억해야 한다. 개인적으로는 진료 초기 가족 미팅을 진행하도록 권한다. 가족구성원들의 역동을 초기에 파악하면 의료진이 보다 적절히 대처할 가능성이 높아지기 때문이다.

마지막으로 가족 간 의사소통을 격려하는 의료진의 역할을 강조하고 싶다. 국내에서는 가족 중심의 의사결정이 많이 이루어지는 현실을 직시해야 한다. 많은 가족들이 상황이 심각해질수록 의사소통을 꺼리거나 비현실적으로 낙천적인 접근을 최선으로 생각하는 경향이 있다. 임종 수개월 전에도 항암치료를 받거나 병식이 없는 경우도 이와 무관하지 않다. 의료진이 가족 간 의사소통의 촉진제가 되기 위해서는 가족이라는 집단과 인간적 관계를 형성하도록 노력해야 한다. 그러기 위해서 의학적 상황 외에도 가족 전체의 관심사나 일상생활 등에 관심을 가져야 한다. 중요한 의학적 정보가 전달될 때 의료진은 다른 가족구성원에게 이러한 정보가 공유되도록 숙지시키는 방법도 유용하다. 또한 다른 가족구성원 사이의 꾸준한 의사소통을 확인하는 과정도 병행되어야 한다. 필요하다면 가족구성원의 적극적인 의사소통을 위해 가족 미팅을 활성화하는 방법도 권장된다.

IV 요약

호스피스·완화의료 전문가는 의사소통 능력을 향상시키기 위해 의식적으로 훈련해야 한다. 생의 마지막에 서 있음에도 환자와 가족은 병식이 부족한 경우가 많다. 또한 환자와 가족 간 원활한 의사소통도 어렵다. 그럴수록 호스피스·완화의료 전문가에게 의사소통은 필수적이면서 존엄성 있는 죽음을 위한 마지막 보루라 할 수 있다. 자칫 서툰 의사소통은 향후 진료를 더욱 복잡하게 만들 수 있다. 그러나 우리는 이러한 미완성을 두려워해서는 안 된다. 의사소통은 꾸준한 노력으로 학습될 수 있다는 점을 기억해야 한다. 비록 부족하고 서투르더라도 그 과정 자체가 환자와 가족에게 의미 있는 기억으로 남게 된다. 역설적으로 의사소통의 큰 혜택을 입는 집단은 호스피스·완화의료 전문가가 될 수 있다. 우리는 서로 세상에 유일무이한 존재로서 만난다. 그리고 수많은 죽음을 통해 강렬하게 삶을 바라볼 수 있다. 짧은 순간 수많은 삶에 대한 성찰을 하며 성장할 수 있는 기회는 흔하지 않은 행운이다.

📑 참고문헌

1. 가톨릭대학교 호스피스교육연구소. 호스피스완화간호. 서울: 군자출판사; 2006.
2. 보건복지부, 국립암센터. 완화의료팀원을 위한 호스피스·완화의료 개론.
3. 한국죽음학회 웰다잉 가이드라인 제정위원회. 죽음맞이. 서울: 도서출판 모시는 사람들; 2013.
4. Azoulay E, Chevret S, Leleu G, et al. Half the families of intensive care unit patients experience inadequate communication with physicians. Crit Care Med 2000; 28:3044-9.
5. Back AL, Arnold RM, Baile WF, et al. Efficacy of communication skills training for giving bad news and discussing transitions to palliative care. Arch Intern Med 2007;167:453-60.
6. Back AL, Arnold RM, Baile WF, Edwards KA, Tulsky JA. When praise is worth considering in a difficult conversation. Lancet 2010;376:866-7.
7. Back A, Arnold RM, Tulsky JA. Mastering Communication with Seriously Ill Patients: Balancing Honesty with Empathy and Hope. Cambridge: Cambridge University Press.; 2009a.
8. Butow PN, Brown RF, Cogar S, Tattersall MH, Dunn SM. Oncologists' reactions to cancer patients' verbal cues. Psychooncology 2002;11:47-58.
9. Fallowfield L, Jenkins V, Farewell V, Saul J, Duffy A, Eves R. Efficacy of a Cancer Research UK communication skills training model for oncologists: a randomized controlled trial. Lancet 2002;359:650-6.
10. Fried TR, Bradley EH, O'Leary J. Prognosis communication in serious illness: perceptions of older patients, caregivers, and clinicians. J Am Geriatr Soc 2003;51:1398-403.
11. Hagerty RG, Butow PN, Ellis PA, et al. Cancer patient preferences for communication of prognosis in the metastatic setting. J Clin Oncol 2004;22: 1721-30.
12. Koh SJ, Kim S, Kim J. Comunication for end-of-life care planning amang Korean patients with terminal cancer: A context-oriented model. Palliat Support Care 2016;14:69-76.
13. Lamont EB, Christakis NA. Prognostic disclosure to patients with cancer near the end of life. Ann Intern Med 2001;134:1096-105.
14. Maguire P, Faulkner A, Booth K, Elliott C, Hillier V. Helping cancer patients disclose their concerns. Eur J Cancer 1996;32A:78-81.
15. Parker PA, Baile WF, De Moor C, Lenzi R, Kudelka AP, Cohen L. Breaking bad news about cancer: patients' preferences for communication. 2001;19:2049-56.
16. Pollak KI, Arnold RM, Jeffreys AS, et al. Oncologist communication about emotion during visits with patients with advanced cancer. J Clin Oncol 2007; 25:5748-52.
17. Quill TE, Arnold RM, Platt F. 'I wish things were different': expressing wishes in response to loss, futility, and unrealistic hopes. Ann Intern Med 2001;135(7):551-5.
18. Thomas W. LeBlanc and Tulsky, J.A. Communication with the patient and family. In Chern N, Fallon M, Kaasa S, Russell K, Portenoy, David C, Currow, eds. Oxford Textbook of Palliative Medicine. 5th ed. New York:Oxford University Press; 2015.
19. Tulsky JA, Arnold RM, Alexander SC, et al. Enhancing communication between oncologists and patients with a computer-based training program: a randomized trial. Ann Intern Med 2011;155:593-601.
20. Wright AA, Zhang B, Ray A, et al. Associations between end-of-life discussions, patient mental health, medical care near death, and caregiver bereavement adjustment. J Am Med Assoc 2008;300:1665-73.

11부

12부

호스피스·완화의료 전문인력 교육

46장 국내 필수인력 교육현황

46장

국내 필수인력 교육현황

| 권소희, 김도연, 김창곤, 장윤정, 남은미, 장윤정 |

I 의사 교육

늘어난 평균 수명과 의료기술의 발달로 만성 질환을 가지고 오랜 시간에 걸쳐 '죽어가는 환자(dying patient)'가 증가하고 있다. 이에 '말기' 과정의 환자를 돌보고 진료하는 경우도 많아져, 의사들은 호스피스·완화의료가 필요한 말기 질환 환자들을 진료하기에 필요한 역량을 갖추는 것이 필요하다. 세계 보건 기구(World Health Organization; WHO)는 완화의료접근의 주된 장벽으로 의료진 교육의 부재를 원인으로 지목하였고, 완화의료가 모든 의과대학생 교육의 필수 교육으로 여겨야 한다고 제시하였다.

국내외적으로 호스피스·완화의료에 대한 의사 교육은 많은 발전이 있었지만 각 나라의 의료체계 따라 교육시간, 내용 등이 표준화되지 않았고, 전문인력 양성 제도 확립 여부 등도 차이가 많다. 특히 국내의 호스피스·완화의료 교육은 아직 걸음마 단계로 의과대학생에게 시행하는 기본의학교육(undergraduate education)과 의사에게 시행하는 졸업 후 교육(postgraduate education)은 체계적으로 정립되어야 할 중요한 문제이다. 우리나라는 고령인구가 매년 증가하고 있으며 임종의 70% 이상이 병원에서 이뤄짐을 고려할 때, 의대생 및 의사 교육에 말기 질환자들의 신체적 증상 조절, 연명의료 결정의 의사소통 등을 포함한 호스피스·완화의료 진료 역량의 함양은 필수적으로 갖추어야 할 바이다.

1. 국외 의대생 교육 현황

1) 영국

영국은 1987년부터 완화의료를 세부 분과 전문과목으로 인정한 첫 번째 나라이다. 이에 General Medical Council (GMC)에서는 완화의료를 의대생의 필수교육과정으로 제시하고 있고 2014년도에 Joint Royal Colleges of Physicians Training Board에서 완화의료 교과목(UK Palliative Medicine Syllabus)을 공표하였다. 이 강의안은 완화의료의 서론과 심리적 돌봄, 의사소통, 정서사회적 돌봄, 윤리, 법적 문제, 리더쉽 등의 내용으로 구성되어 있다. 이후 2022년 8월 개정된 강의안(Curriculum for Palliative Medicine Training)이 나왔고 2014년도 강의안보다 완화의료전문의로 숙지해야 할 지식, 역량들이 더 체계적으로 열거되어 있다. 한편 2017년도 영국 의과대학 30개를 대상으로 조사한 바 완화의료 교육으로 행해지는 가장 흔한 형태는 큰 교과목 내에 모듈로(57%; 17/30) 제공되는 것이었고, 의과대학의 강의 내용, 강의 시간, 평가 방법 등 각 대학 간 편차가 상당하였다.

2) 미국

미국은 1995년부터 일부 의과대학에서 강의 위주의 교육을 하다가 Liaison Committee on Medical Education (LCME)에서 생의 말기 돌봄 교과목(End of Life care curriculum)을 필수로 권유하고 자격시험에 완화의료 내용을 포함한 이후로 완화의료 교육은 거의 모든 의과대학에서 제공되고 있다. 이 교과목에는 의사소통 기술, 인간의 가치에 대한 교육, 예후 예측, 사전동의 취득, 공유의사결정(shared decision making), 사전 의료 지시서의 의사교환, 삶의 의미에 대한 호기심, 나쁜 소식 전하기, 심폐소생술 금지 지시 등에 대한 내용이 포함되고 완화의료 관련하여 의과대학생이 갖추어야 할 진료 역량 18개 항목을 제시한 보고도 있다.

3) 유럽 연합(European Association)

2019년도 Atlas of Palliative Care in Europe 보고서에 의하면 유럽연합 51개의 국가 중 9개 국가에서 의과대학 교과과정에 완화의료를 필수과정으로 시행하고(오스트리아, 영국, 벨지움, 에스토니아, 프랑스, 독일, 룩셈부르크, 몰도바 공화국, 스위스) 있고, 20시간의 완화의료교육 시간을 제공하거나 필수 임상견학으로 지정하는 나라는 매우 드물었다. 한편 완화의료 유럽연합(European Association for Palliative Care, EAPC)은 완화

의료 교과목 습득의 목표를 달성하기 위해서는 총 40시간의 교육 시간과 다양한 전문가 들이 강의, 토의, 역할극, 문제해결 강의 방식을 해야 할 것을 권고하고 있다.

4) 아시아

2019년도 발표된 완화의료교육 현황에 대한 체계적 문헌 고찰은 중국내 의대생이나 졸업 후 과정에서 완화의료 교육이 매우 부족하고 관련 연구도 거의 없음을 보여준다. 반면 대만의 경우 많은 의과대학이 필수교육과정으로 완화의료 교과과정을 제공하고 있다. 일본 역시 대부분의 의과대학에서 완화의료 교과과정을 제공하고 있고 2001년도에 'medical education model core curriculum'을 확립하였다.

2. 국내 의대생 교육 현황

국내 의대생 대상의 호스피스·완화의료 교육에 대한 현황은 1998년도, 2008년, 2016년도에 조사되었다. 1998년도 대한 의사협회지에 보고된 바에 의하면 서울 시내 소재 일부 6개 의과대학에서만 종양학이나 가정의학에 호스피스·완화의료 관련 교과목을 1 - 3시간 배정하여 교육하고 있었다. 이후 2008년도와 2009년도에 걸쳐 한국 호스피스·완화의료의 교육 수련분과와 학장협의회에서 완화의료에 대한 교육 실태를 조사하였을 때(응답률: 80%, 33/41개 의과대학), 완화의료로 지칭하여 독립된 과목으로 교육하고 있는 의과대학 1개, 이외 호스피스·완화의료 교육과정에 포함되는 영역(1. 호스피스·완화의료 총론 2. 통증 관리 3. 심리, 정신증상 관리: 우울, 불안, 섬망 등 4. 신체증상 관리: 구역/구토, 호흡곤란, 변비 등 5. 윤리적, 법적 문제 6. 임종시기의 환자와 가족 돌봄 7. 의사소통)에 해당하는 과목을 강의하고 있는 의과대학은 22개(67%)였다. 2016년 한국호스피스완화의료학회의와 한국의과대학의학전문대학원협회의 협조로 조사한 바에 의하면 1998년과

2009년도 보다 의과대학 내 호스피스·완화의료 교육이 점진적으로 활성화됨과 모든 의과대학에 호스피스·완화의료 교육이 필수교육으로 포함됨을 확인하였다. 세부 조사결과를 보면, 41개 의과대학 중 27개(66%) 대학 응답 중 호스피스·완화의료 교과목에 배정된 수업 시간은 평균 10시간(범위, 2 - 32시간)으로 응답한 모든 의과대학에서 관련 교과과정을 단독으로 혹은 다른 교과과정에 포함해 교육하고 있었다. 또한 호스피스·완화의료 교과과정을 단독 교과목으로 운영하는 대학

도 7개 의과대학이었다. 한편 이 조사에 응답하지 않았던 14개 의과대학의 교과과정을 후에 확인하였을 때 학습목표집 및 의사 국가시험 문항에 포함된 의사소통능력-나쁜 소식 전하기-와 통증조절을 기본의학교육과정에 포함하여 교육하고 있어 국내 모든 의과대학이 호스피스·완화의료 교과과정에 연관된 교육을 시행하고 있다고 볼 수 있다 표 46-1.

학습목표와 진료역량 측면에서 의과대학학습목표집(한국의과대학 의학전문대학원협회; Korean Association

표 46-1. 국내 의대생 대상 호스피스·완화의료 교육 현황

조사 년도	2009	2016
교육과정 진행여부 단독 교과목운영 다른 교육과정에 포함	67% (22/33) 3% (1/33) 64% (21/33)	100% (27/27) 26% (7/27) 74% (20/27)
교육 시간 (시간)	Not available	10 (2~32)
강의 주제		
나쁜 소식 전하기	27% (6/22)	100% (27/27)
증상 조절 (통증, 구역/구토, 섬망 등)	27% (6/22)	74% (20/27)
윤리적, 법적 문제 (안락사 등)	23% (5/22)	67% (18/27)
기타	64% (14/22)*	52% (14/27)**

* 호스피스·완화의료 관리, 자문과 의뢰, 생명과 죽음, 전인의학 등
** 호스피스·완화의료 관리, 뇌사, 장기이식 등

표 46-2. 기본의학교육 학습성과에 제시된 '호스피스·완화의료' 관련 학습성과 및 학습목표

주제	최종학습성과	실행학습목표
진료역량중심 – 임종/애도	1. 죽음을 맞이한 사람의 심리적 반응을 잘 이해하고 존엄성을 유지하도록 도울 수 있다. 2. 죽음을 맞이한 사람에게 적절한 완화치료계획을 세울 수 있다. 3. 임종 후 가족의 애도반응에 적절하게 대처할 수 있다.	1) 죽음을 맞이한 사람에게서 흔하게 나타날 수 있는 심리반응을 설명할 수 있다. 2) 죽음을 맞이한 사람의 가족들의 심리반응을 설명할 수 있다. 3) 죽음을 맞이한 사람에서 나타날 수 있는 신체증상과 정신증상을 파악할 수 있다. 4) 임종을 맞는 사람의 가족과 대화를 통하여 정상적인 애도반응과 병적애도 반응을 구분할 수 있다. 5) 죽음을 맞이한 사람에게 적절한 완화치료계획을 세울 수 있다. 6) 죽음을 맞이한 사람과 가족에게 치료 결정에 대해 상담해줄 수 있다. 7) 임종 후 가족의 애도반응에 대하여 적절하게 대처할 수 있다. 8) 안락사, 존엄사 등에 대한 법적·윤리적 문제에 대해 적절하게 대처할 수 있다. 9) 임종 상황에서 품위 있는 죽음을 위한 가족의 참여와 협조를 구할 수 있다.
사람과 사회중심 – 사람과 질병	3. 삶과 죽음에 대한 다양하고 포괄적인 이해를 바탕으로 의사의 직무를 수행할 수 있다.	7) 죽음에 대한 의학적 정의와 사회문화적 정의의 차이와 관계를 설명할 수 있다. 8) 죽음에 대한 사회문화적 정의를 의사의 직무에 적용하는 전략을 수립할 수 있다.
사람과 사회중심 – 의사와 윤리	5. 의사의 다양한 직무를 윤리적 원칙에 따라 적절하게 수행할 수 있다.	1) 연명의료에 관한 윤리적 및 법적 관련 지침에 따라 임종기 환자를 돌볼 수 있다. 2) 호스피스·완화의료의 원칙에 따라 임종환자를 돌볼 수 있다.
과학적 개념과 원리 중심 – 의료와 법	사망과 관련하여 의사의 역할을 설명할 수 있다	3) 사망진단서를 작성할 수 있다.

of Medical Colleges, KAMC 발간하며 '기본의학교육 학습성과: 진료역량 중심(제2판), 과학적 개념과 원리 중심, 사람과 사회 중심', 총 3권으로 구성)에서 제시되고 바(호스피스·완화의료 및 생애말기돌봄의 교과과정에 관련된다고 판단되는 내용)는 **표 46-2**와 같다. 하지만 실제 의과대학에서 공개된 학습목표를 바탕으로 교육현황을 조사하였을 때(40개 의과대학 중 17개 학교, 30개 강의계획안), 현재 KAMC에서 제시한 호스피스·완화의료 및 생애말기돌봄 관련 실행학습목표에 대해 1개 학교를 제외하고 대부분 일부 학습목표만을 적용하고 있었고, 법적, 윤리적 문제에 대한 대처가 가장 많이 적용되었으며 '임종 상황에서 품위 있는 죽음을 위한 가족의 참여와 협조를 구할 수 있다.'의 학습목표를 포함한 강의계획안은 1개 학교에서만 확인되었다.

3. 국내 의사대상 졸업 후 교육 현황

2009년도 완화의료 유럽연합(European Association for Palliative Care, EAPC)은 졸업 후 권유되는 교과과정을 발표하였으나, 유럽 각국의 문화와 교육 구조의 차이로 권유안이 일관되게 적용되지는 않고 있다. 또한 졸업 후 완화의료 교과과정을 파악한 국외 체계적 검토에서도 낮은 강도의 교육부터 높은 강도의 교육과정까지 관련 교육이 매우 다양함을 확인하였다.

국내 의사대상 졸업 후 교육은 기본적인 교육에 대한 자발적인 요구에 의해 자생적으로 시작되어 1998년에 설립된 '한국 호스피스완화의료학회'가 지속적인 학술활동과 교육과정을 운영하고 있다. 또한 중앙호스피스센터에서는 2016년 2월 제정된 「호스피스·완화의료 및 임종과정에 있는 환자의 연명의료 결정에 관한 법률(이하. 연명의료결정법) 시행규칙」에 따라 호스피스·완화의료 전문기관의 필수인력(의사,간호사, 사회복지사)이 받아야 하는 표준교육과정을 운영하고 있다. 교육운영기관은 중앙호스피스 센 터이외 권역별 호스피스 전문센터, 호스피스 전문기관이 담당이다. 교육 내용은 **표 46-3**과 같으

표 46-3. 의사용 호스피스 이러닝 표준교육과정 내용

차시	강의제목
1	호스피스·완화의료의 이해
2	호스피스·완화의료 팀
3	죽음의 철학적 이해
4	암의 이해
5	암치료의 이해
6	효율적 의사소통
7	의사소통의 실제
8	전인적 평가
9	예후의 예측과 설명
10	사전돌봄계획
11	통증조절 원칙과 평가
12	통증의 약물치료
13	통증의 중재적 시술
14	환자 및 가족 대상 통증교육
15	암성 식욕부진 악액질/암성피로
16	소화기계 증상 I
17	소화기계 증상 II
18	심혈관계 및 호흡기계 증상 I
19	심혈관계 및 호흡기계 증상 II
20	정신신경계 증상 I
21	정신신경계 증상 II
22	피부증상
23	비뇨기계 증상
24	응급상황
25	튜브 및 카테터 관리
26	심리사회적 돌봄
27	영적돌봄
28	가족돌봄
29	임종돌봄
30	사별돌봄
31	입원형 호스피스·완화의료
32	가정형 호스피스·완화의료
33	자문형 호스피스·완화의료
34	소아청소년 호스피스·완화의료
35	비암성 말기환자 관리(폐질환)
36	비암성 말기환자 관리(만성간질환)
37	비암성 말기환자 관리(후천성면역결핍증)
38	윤리적 의사결정
39	팀원의 소진 및 스트레스
40	자원봉사자 관리

12부

며 40시간의 이론교육, 20시간의 실무교육 구성으로 총 60시간의 교육과정이다.

완화의료 전문의 제도는 영국, 미국, 일부 유럽에서는 분과 전문의 제도로 실시, 운영되고 있고 국내는 아직 분과 전문의 제도는 아닌 한국호스피스완화의료 학회 주관의 인정의 제도로 운영되어 2019년부터 2022년까지 167명이 호스피스·완화의료 인정의로 배출되었다.

II 간호사 교육

우리사회는 고령화와 중환자의 기대여명 연장으로 다양한 의료현장과 분야에서 호스피스·완화의료를 통합적으로 제공해야 하는 도전에 직면하고 있다. 2014년 제 67회 세계보건총회는 생애 전 과정에 걸친 의료의 모든 영역에서 호스피스·완화의료 접근을 강화해야 함을 선언하였고, 그 구체적 내용으로 호스피스·완화의료를 보건의료체계의 핵심요소로 규정하고, 일차보건과 지역사회보건까지 포함해 통합적이고 체계적인 호스피스·완화의료 접근이 필요함을 강조하였다. 이를 실현하기 위해서는 생애말기 환자와 가족의 신체적, 정신적, 영적, 심리사회적 요구에 적절히 대응하는 역량을 갖춘 간호사 양성이 필요하다.

2008년 뉴질랜드 보건국은 질병과정에 따라 다양한 셋팅과 수준의 호스피스·완화의료를 제공하기 위해 간호사의 피라미드 형태의 단계별 역량 모델을 제시하였다. 이 모델에 따르면, 모든 간호사는 호스피스·완화의료 핵심역량을 시행해야 하고, 다수의 간호사는 특정 실무현장에서 상급수준의 호스피스·완화의료 핵심역량을 발현하여야 하고, 일부 간호사는 호스피스·완화의료 전문간호사의 역량 표준에 따라 실무를 수행하여야 하며, 소수의 간호사는 상급수준이나 확장된 실무역할에서 호스피스·완화의료 전문간호사로서 역량 표준을 적용할 능력을 갖추도록 하고 있다.

우리나라에서의 호스피스·완화간호를 위한 역량 교육은 일차적으로는 간호학과 학부교육과정에서 개별 교과목이나 교과목 내 일부 포함되는 형태로 시작하여, 표준교육과정, 심화교육, 호스피스·완화간호사 인정교육과정 등의 심화교육 프로그램, 그리고 상급실무 전문가로서 석사과정의 호스피스전문간호사로 단계별로 이루어져 있다.

간호사는 호스피스·완화의료의 핵심직종이며, 간호사의 역량은 서비스의 질에 중대한 영향을 미친다. 이 장에서는 양질의 호스피스·완화의료를 제공하기 위해 요구되는 간호사의 핵심역량과 각 단계별 교육현황을 살펴보고자 한다.

1. 호스피스·완화간호사의 핵심역량

역량이란 주어진 직무를 합당하게 수행하는 능력으로, 지식, 기술, 태도, 가치관을 포함하는 개념이다. 역량은 교육내용과 방법, 자격 인정기준 설정, 서비스 질 평가를 계획함에 있어 기본 틀이 되기 때문에 호스피스·완화간호사에게 요구되는 핵심역량이 무엇인지 규명하는 것이 필요하다. 역량은 직무의 범위와 표준에 따라 결정되는데, 단계별 역량모델에서는 호스피스·완화간호를 제공하기 위한 역량의 영역은 동일하나 그 수준을 일반적인 호스피스·완화의료 접근에서부터 호스피스·완화의료 전문가 단계까지 구별하고 있다. 영국의 왕립간호대학에서는 호스피스·완화의료 간호사의 핵심역량 영역은 1) 의사소통 기술, 2) 질 향상, 3) 임상 실무 지식과 기술, 4) 교육, 5) 관리와 리더십, 6) 연구와 개발, 7) 상실, 사별, 비통으로 구분하였고, 뉴질랜드 완화간호사회에서는 1) 전문가적 책임 영역(전문가적, 법적, 윤리적 책임과 문화적 안전성), 2) 간호관리, 3) 대인관계, 4) 학제 간 의료와 질 향상으로 구분하였다. 유럽완화의료협회(European Association for Palliative Care, EAPC)도 호스피스·완화의료의 수준을 완화의료적 접근(palliative care approach), 일반 완화의료(general palliative care), 전문적 완화의료(specialist palliative care)로 구분하고 호스피스·완화의료팀의 10대 핵심역량을 제시하였다. EAPC 백서에 제시된 호스피스·완화의료팀의 10대 핵심역량은 다음과 같다.

① 환자와 가족을 기반으로 하는 의료현장에서 호스피스·완화의료의 다음의 핵심 구성요소를 적용한다: 자율성, 존엄성, 환자와 의료진 간의 상호관계, 삶의 질, 삶과 죽음에 대한 입장, 의사소통, 일반대중 교육, 다학제적 접근, 비통과 사별.

② 환자의 투병 전 과정에 걸쳐 신체적 편안함을 강화한다.

③ 환자의 심리적 요구를 충족한다.

④ 환자의 사회적 요구를 충족한다.

⑤ 환자의 영적 요구를 충족한다.

⑥ 단기-중기-장기적 돌봄 목표에 따라 가족 돌봄자의 요구에 반응한다.

⑦ 호스피스·완화의료 중 임상적, 윤리적 의사결정에 대한 도전에 반응한다.

⑧ 호스피스·완화의료가 제공되는 모든 현장에서 타 전문가와의 협력과 학제간 팀워크로 종합적인 돌봄을 실천한다.

⑨ 호스피스·완화의료에 적절한 인간관계와 의사소통 기술을 개발한다.

⑩ 자기인식을 하고, 전문가로서 지속적인 성장을 한다.

케나다의 호스피스·완화간호사 자격시험에 명시된 핵심역량은 아래의 9가지 영역을 포함하고 있다. 1) 대상자와 가족 간호, 2) 통증 평가와 관리, 3) 증상 평가와 관리, 4) 임종기 간호, 5) 상실, 비통, 사별 지지, 6) 전문직 간 협력, 7) 교육, 8) 윤리적 법적 이슈, 9) 전문직 발전 옹호(전문직 성장과 자기돌봄, 연구와 평가, 옹호). 우리나라의 경우 호스피스전문간호사의 업무를

자료수집, 임상적 의사결정, 치료적 중재, 응급상황 관리, 교육과 상담, 환경 및 자원 관리, 전문직 발전 참여, 조정과 협동, 연구로 규정하고, 한국간호교육평가원은 이를 기반으로 호스피스전문간호사 자격시험이 출제하고 있다.

이처럼 각 나라별로 호스피스·완화간호사의 핵심역량에 대한 분류는 다양하지만, 공통적으로 전문가적 지식, 기술, 태도를 바탕으로 한 의사결정과 실무능력, 인간관계와 의사소통 능력, 교육과 연구, 질 향상을 포함하고 있다.

2. 기본교육과정: 학부 교육 현황

간호사의 직무는 개인, 가족, 지역사회를 대상으로 전인적 간호중재와 상담, 교육 등을 수행하는 것으로 간호교육과정의 전 과목에 걸쳐 윤리 교육과 전인간호를 위한 교육이 이루어진다. 또한 간호사 국가고시에도 임종징후 사정 및 간호가 출제 범위에 포함되어 있다. 그러나 현재까지는 간호학과 전체 교육과정 중 말기 환자 돌봄 영역은 극히 일부분에 불과하다. 대부분 대학에서는 기본간호학 교과목에서 한두 시간의 임종간호 강의를 하고 있고, 일부 대학에서만 전공 선택 교과목으로 호스피스·완화간호를 다루는 실정이다. 간호대학생의 말기환자에 대한 생명의료윤리 가치관이 확고하지 못하거나, 죽음에 대한 가치관이 확립되지 못한 상태에서 죽음을 부정적으로만 인식하면 신규 간호사가 되었을 때 임종환자 돌봄 시 불안감과 어려움을 느끼게 되고 이로 인해 임종환자와 가족의 요구에 민감하게 반응하지 못할 수 있다. 실제로 25세 미만의 신규간호사의 임종간호태도가 가장 부정적인 것으로 보고된 바 있다.

모든 간호사는 생명의료 윤리의식과 대상자의 신체, 심리, 영적 요구에 민감성을 가지고 자신의 간호현장에서 만나는 말기환자와 그 가족에게 호스피스·완화의료 접근을 할 수 있어야 한다. 때문에 학부교육과정에서의 생애말기 돌봄 교육이 중요하다. 2016년 2월 미

심각한 질환을 앓고 있는 환자와 그 가족에게 양질의 간호를 제공하기 위해서 간호사에게 필요한 역량: AACN Palliative
CARES (Competencies And Recommendations for Educating undergraduate nursing Students)

간호학부 교육과정의 졸업시점에 학생들은 아래의 역량을 갖추어야 한다.
① 말기 질환의 진단 시점에서부터 환자와 가족에게 통합적 간호와 질적 돌봄의 핵심 요소로서 호스피스 · 완화의료를 촉진한다.
② 호스피스 · 완화의료를 위해 향상된 전문가적 준비를 필요로 하는 말기 환자와 가족의 인구학적, 보건의료 비용, 서비스 제공, 돌봄 요구, 그리고 재정적 영향의 역동적 변화를 확인한다.
③ 말기 질환과 죽음에 관한 대상자의 윤리적, 문화적, 영적 가치관과 신념을 인지한다.
④ 호스피스 · 완화의료 서비스를 제공할 때 환자와 가족의 문화적 영적 그리고 기타 형태의 다양성을 존중한다.
⑤ 환자, 가족, 보건의료팀 구성원, 그리고 대중과 호스피스 · 완화의료 이슈에 대해 효과적이고 열정적으로 교육하고 소통한다.
⑥ 말기 환자에게 제공하는 호스피스 · 완화의료를 향상시키고, 호스피스 · 완화의료의 성과와 경험을 강화하며, 지역사회에 이득이 되도록 조율되고 효율적인 호스피스 · 완화의료를 제공하기 위해 학제간 팀 구성원들과 협력한다.
⑦ 생애말기와 말기 질병 과정 동안 환자와 가족의 가치, 선호, 돌봄 목표를 존중하고 공유된 의사결정을 이끈다.
⑧ 말기 환자와 가족 간호에서 윤리원칙을 적용한다.
⑨ 말기 환자와 가족 간호에서 관련법을 알고 적용하며 효과적으로 의사소통한다.
⑩ 말기 질환에서 흔한 통증과 증상을 타당하고 표준화된 도구와 강력한 면담/임상검사 기술을 사용하여 포괄적으로 사정한다.
⑪ 학제간 팀과 근거기반 약물적 비약물적 접근을 사용한 통증과 증상관리 계획과 중재를 분석하고 의사소통한다.
⑫ 말기 환자와 가족의 삶의 질 향상을 위해 환자의 신체적, 심리적, 사회적, 영적 요구를 사정하고 계획하고 치료한다.
⑬ 환자의 돌봄 목표, 국가 질 지표와 가치의 맥락 속에서 호스피스 · 완화의료에 대한 환자와 가족의 성과를 평가한다.
⑭ 말기 질환의 진단에서 생애말기까지 환자와 가족에게 역량 있고, 열정적이며, 문화적으로 민감한 간호를 제공한다.
⑮ 고통, 상실, 윤리적 디스트레스, 그리고 열정피로에 적응하도록 돕는 자기 돌봄 전략을 실행한다.
⑯ 환자, 가족, 비공식적 돌봄 제공자, 그리고 전문직 동료들이 적응하고 고통, 비통, 상실, 말기질병으로 인한 사별에 대해 회복력을 기를 수 있도록 돕는다.
⑰ 복합적인 환자와 가족의 요구에 대해 자문과 의뢰의 필요를 인지한다(예; 전문간호사, 호스피스 · 완화의료팀, 혹은 윤리자문가 등).

그림 46-1. 호스피스·완화의료 돌봄 제공을 위해 간호사에게 필요한 역량

국간호대학협회에서 발표한 간호학부생이 졸업시점까지 성취해야 할 호스피스·완화의료 영역에서의 17개 역량은 그림 46-1과 같다. 우리나라에서도 2019년 호스피스완화간호연구회에서 해외사례를 검토하고 국내 간호교육자와 호스피스완화의료 종사자의 합의 과정을 거쳐 간호학부 졸업시점에 갖추어야 할 말기환자 간호 역량을 발표하였다 표 46-4. 앞으로 이를 기반으로 간호학부 교육과정에 역량기반 말기환자간호 교육을 통합하기 위한 적극적인 노력이 필요하다.

표 46-4. 말기환자 간호역량

영역		역량
1. 호스피스완화간호 원칙	1.1	다양한 간호현장에 호스피스완화간호 원칙을 통합하는 역량
	1.2	말기환자간호 서비스의 범위와 연속성을 확인하고 자원을 연계하는 역량
2. 의사소통	2.1	말기 환자 및 가족과 상실, 슬픔, 죽음에 대해 의사소통 하는 역량
	2.2	전환기에 있는 말기 환자 및 가족과의 효과적인 의사소통 역량
3. 개별적 간호	3.1	말기환자와 가족의 정신 · 신체 · 영적 · 사회적 요구를 통합적으로 사정하고 개별화된 간호제공 역량
	3.2	전인적 요구를 충족하기 위해 협동하는 역량
4. 자기관리	4.1	고통, 상실, 도덕적 고뇌 및 공감피로에 대한 자기성찰과 자기관리 역량
5. 윤리적 실무	5.1	말기환자간호와 관련된 윤리적 법적 표준을 준수하는 역량

출처: 한국호스피스완화간호연구회, 김현숙, 강경아, 김상희, 김예진, 유양숙, 유수정, 이명남, 정연 and 권소희. (2019). 간호학부 졸업시점에 갖추어야 할 말기 환자 간호 역량. Journal of Hospice and Palliative Care, 22(3), 117-124

3. 심화교육과정: 호스피스·완화간호사 교육현황

호스피스·완화의료의 질을 담보하기 위해서는 임상실무자 양성이 선행되어야 한다. 때문에 암관리법 시행규칙 제13조에서는 암 환자 호스피스·완화의료 전문기관에 종사하는 호스피스·완화의료 필수인력(의사, 간호사, 사회복지사)은 반드시 호스피스·완화의료 전문인력 표준교육 60시간을 이수하도록 규정하고 있다. 호스피스·완화의료 전문인력 표준교육은 호스피스·완화의료실무에 요구되는 기본적인 지식, 기술, 태도 습득을 목적으로 2009년부터 지역암센터 및 호스피스·완화의료 전문기관을 중심으로 오프라인으로 이루어지고 있다. 그러나 표준교육이 직종통합 교육이기 때문에 각 직종별 실무역량 향상에 필요한 요구를 충족시키는 데 한계가 있다는 문제점이 지적되었다. 이에 국립암센터에서는 호스피스·완화의료 직종별 이러닝 교육과정을 개발하여 웹기반 이론교육과 현장실습을 병행한 형태로 운영하고 있다.

호스피스·완화간호 실무는 간호사의 교육과 자격수준에 따라, 일반간호사, 호스피스·완화간호사, 호스피스전문간호사로 구분된다. 호스피스·완화의료영역의 모든 간호사들이 석사과정의 호스피스전문간호사 자격을 취득하는 것은 어려울 뿐 아니라 반드시 필요한 것도 아니다. 증가하는 수요를 충족하기 위해서 호스피스·완화의료병동 등에서 풍부한 임상경험을 가지고 직접 간호실무 기능과 역할을 수행하는 중간단계의 호스피스·완화간호사의 확충이 필요하다.

석사과정이 아닌 일반 간호사들을 위한 호스피스·완화의료 교육은 1985년 대한간호협회에서 호스피스 보수교육을 처음 실시한 이후 1996년 가톨릭대학교 간호대학 호스피스교육연구소에서 호스피스교육과정이라는 명칭으로 개설되었고, 이후 전남대학교, 한양대학교, 계명대학교, 부산가톨릭대학교, 경북대학교, 국립암센터 호스피스 고위과정 등 다수의 기관에서 이루어져 왔다. 이후 2014년도부터는 호스피스·완화간호사회에서 호스피스·완화간호사(General Hospice Palliative Nurses)를 민간자격으로 인정하고 있다. 호스피스·완화간호사는 간호사 면허 소지자로서 인증제도에서 요구하는 표준교육과정을 이수하여 호스피스·완화의료영역에서 신체적, 심리사회적, 영적 간호, 임상경험과 실무능력을 갖춘 간호사를 말한다. 호스피스·완화간호사는 호스피스전문간호사와 비교했을 때 직접간호실무 영역에 대한 역할비중이 높다. 호스피스·완화간호사에서 인정하는 표준교육과정은 오프라인 교육으로 130시간(이론 98시간, 실습 24시간, 견학 8시간)으로 구체적 교육내용과 시간은 **표 46-5**와 같다.

4. 상급교육과정: 호스피스전문간호사 교육현황

전문간호사는 의료법 제78조에 의하여 보건복지부장관이 간호사의 면허 이외에 업무 분야별로 인정한 자격증 취득자를 말한다. 전문간호사의 자격인정은 보건복지부령 제462호 전문간호사 자격인정 등에 관한 규칙에 근거하여 최근 10년 이내에 3년 이상 해당 분야의 실무

표 46-5. 호스피스·완화간호사 표준교육과정

이론 교육 내용	시간
1. 호스피스 · 완화간호의 개요	6
2. 삶과 죽음의 이해	10
3. 통증 및 증상완화간호: 통증관리(10), 신체증상관리와 돌봄(8), 정신증상관리와 돌봄(2)	20
4 심리 · 사회적 간호	10
5. 영적간호	6
6. 간호 상담 및 실제	8
7. 임종 및 사별간호	10
8. 호스피스 · 완화간호 윤리	6
9. 호스피스 운영관리	6
10. 보완적 간호중재: 비약물적 간호중재(2), 보완대체요법(6)	8
11. 비암성 말기환자간호	4
12. 소아 · 청소년 호스피스 · 완화간호	4
계	98

12부

경력자로서 보건복지부 장관이 지정하는 기관에서 해당 전문 간호사과정을 이수한 후 한국간호교육평가원에서 실시하는 자격시험을 통과해야 한다. 우리나라 전문간호사는 13개 분야, 즉 보건, 마취, 정신, 가정, 감염관리, 산업, 응급, 노인, 중환자, 호스피스, 종양, 임상, 아동분야로 구분되어 있다. 우리나라에서 전문간호사는 2006년 7월 전문간호사 자격인정 등에 관한 규칙이 제정되면서 배출되기 시작하였고, 2020년까지 총 16,054명의 전문간호사가 배출되었다. 호스피스전문간호사 과정은 2021년 기준 전국에 10개 대학에서 운영하고 있으며 2020년까지 총 614명이 배출되었다.

전문간호사의 주요 역할은 전문가적 간호실무제공자, 교육자, 연구자, 지도자, 자문가, 협동자이며, 해당 분야의 상급실무자로서 리더십을 발휘한다. 호스피스 전문간호사는 특히 상급간호실무자로서 환자와 가족을 포괄적으로 평가하고, 문제를 진단하며, 임상적 의사결정과 의사소통을 수행하고, 응급상황을 관리하며, 교육과 상담, 실무향상을 위한 연구와 질 향상 활동을 수행하고, 호스피스·완화의료팀의 리더로서 역할을 한다.

III 사회복지사 교육

1965년, 한국의 강릉 갈바리 의원에서 마리아의 작은 자매회 수녀들에 의해 시작된 호스피스활동은 미국, 대만, 일본 등에 비해 앞서 도입되었으나, 체계적이고 표준화된 교육과정은 현재까지도 더딘 발전을 보이고 있다.

2014년 6월, 세계보건총회(World Health Assembly, WHA)에서 전 단계에 걸친 의료서비스에 근거중심의 비용 효과적이고, 공평한 완화의료서비스를 통합하기 위해 종합적인 보건시스템의 강화를 강조하는 결의문을 채택하였고, 세계보건기구는 2015년 7월, 완화의료

의 대상질환을 암, 후천성면역결핍증후군, 심혈관질환, 신부전, 만성호흡부전, 당뇨, 파킨슨병, 알츠하이머, 치매 등을 포함한 만성질환까지 확대하였다.

우리나라에서도 2016년 2월, '호스피스·완화의료 및 임종과정에 있는 환자의 연명의료결정에 관한 법률'이 공포되어, 비암성 말기환자까지 호스피스·완화의료의 대상이 확대되었다.

그러나, 아직 우리나라에서는 호스피스·완화의료사회복지사를 위해 암 이외의 후천성면역결핍증, 만성폐쇄성 폐질환, 만성 간경화 등의 확대된 질환에 대한 체계적인 교육과정이 마련되지 않았고, 한국호스피스·완화의료학회가 개최하는 학술대회나 연수강좌에서 의사, 간호사, 사회복지사를 위한 비암성 질환에 대한 공통교육 프로그램이 개설되고 있지만, 사회복지사만을 대상으로 하는 비암성 질환에 대한 교육과정의 개발과 조속한 시행이 요구된다.

1. 교육목표

국내외 호스피스·완화의료 교육목표와 관련하여, 국내 호스피스 시범사업 교육에서 제시된 호스피스·완화의료 사회복지교육목표와 유럽의 European Association for Palliative Care (EAPC) 백서에 제시된 교육과 연구의 교육목표를 살펴보면 다음과 같다.

1) 국내 호스피스·완화의료 사회복지 교육목표

국내에서 품위 있는 죽음에 대한 관심이 증가하고, 암 관리법 시행령과 시행규칙에 말기 암 환자 관리사업이 포함되면서, 호스피스·완화의료 전문가교육의 필요성이 대두되어, 보건복지부가 주관하여, 국립암센터 호스피스·완화의료사업지원평가단의 교육분과위원회에서 개발한 '2004년 말기 암 환자 호스피스 시범사업 교육'에서 제시된 호스피스·완화의료에서의 사회복지 서비스 교육목표는 다음 표 46-6 과 같다.

표 46-6. 호스피스·완화의료에서의 사회복지서비스의 학습목표

교육목표		
태도/행동(Attitude/behavior)	지식(Knowledge)	기술(Skills)
① 호스피스 · 완화의료전문가로서의 역할의 중요성 및 책임감 인식 ② 호스피스 · 완화의료전문가로서의 태도의 변화, 행동의지 함양 ③ 말기 암 환자/가족에 대한 포괄적이며 총체적인 평가 ④ Total pain 완화를 위한 팀 접근의 중요성 인식 ⑤ 사별관리의 중요성에 대한 인식	① 말기 암 환자/가족의 총체적 고통에 대한 이해 ② 신체적/심리적/사회적/경제적/영적 총체적 돌봄(total care) 이해 ③ 다학제 간 효과적인 팀 활동의 중요성 이해 ④ 호스피스 · 완화의료사회복지의 역할 이해 ⑤ 호스피스 · 완화의료사회복지의 실천과정 및 방법 이해	① 포괄적인 심리사회적 사정, 평가기법 습득 ② 호스피스 · 완화의료사회사업 상담기법 습득 ③ 자원체계조직, 관리, 활용기술 습득 ④ 사별관리 기술 습득 ⑤ 효과적인 팀 활동기술 습득

표 46-7. EAPC의 호스피스·완화의료사회복지 교육과 연구의 목표

가치와 태도 (Values and attitudes)	지식 (Knowledge)	기술 (Skills)
• 전문적으로 사회복지와 심리사회적 측면을 연구하는 데 대한 확신 • 교육과 연구 활동을 통해 기꺼이 경험과 연구결과를 나눔 • 지속적 교육과 전문성 향상에 대한 참여 • 활발한 연구에 공헌을 통한 완화의료와 말기 돌봄에 대한 근거기반을 강화하는 데 참여 • 실천을 강화하기 위한 사회사업연구의 개선에 참여	• 사회복지이론에 관한 지식 • 최상의 호스피스 · 완화의료 실천을 위한 기본원리에 관한 지식 • 호스피스 · 완화의료와 말기 돌봄에 있어서 사회복지의 역할과 심리사회적 관점에 관한 지식 • 임종환자의 질병예후에 관한 지식 • 죽음, 임종, 사별, 사별과정, 그리고 관련 이론에 관한 지식 • 다양한 죽음, 임종, 사별의 영향에 관한 지식 • 적절한 도움 전략에 관한 지식 • 의사소통기술에 관한 지식 • 호스피스 · 완화의료에 관한 적절한 연구방법에 관한 지식 • 연구윤리에 관한 지식 • 호스피스 · 완화의료의 현행 이슈에 관한 지식	• 전문사회복지 역할에 맞는 역량 • 교육과 멘토링 기술 • Staff의 수련 또는 전문성 향상을 지도 감독하는 역량 • 연구결과를 비판적으로 평가할 수 있는 역량 • 연구결과를 실천에 적용하는 역량

2) EAPC의 호스피스·완화의료사회복지 교육목표

EAPC는 2008년에 발표된 캐나다의 호스피스·완화의료 사회복지의 역량을 반영하여 유럽의 호스피스·완화의료사회복지를 위한 10대 핵심역량(사회복지실천에 대한 호스피스·완화의료 원리 적용, 사정, 의사결정, 돌봄 계획과 제공, 옹호, 정보제공, 평가, 상호학제간 팀워크, 교육과 연구, 실천에 반영 등)을 발표하였다.

EAPC 백서에 발표된 핵심역량 중 교육과 연구에 대한 가치와 태도, 지식, 기술의 구체적인 교육목표는 다음 표 46-7 과 같다.

2. 호스피스·완화의료 사회복지사 교육과정의 개발동향

1982년, 우리나라에서는 처음으로 가톨릭대학 성모병원에서 의료사회복지사를 포함한 19명의 팀이 구성되어 본격적인 호스피스활동이 시작되었고, 이후 팀 미팅과 증례집담회를 통한 자체교육이 강화되었으며, 1988년에는 강남성모병원에 호스피스 병동이 신설되었고, 1998년에는 강남성모병원 호스피스팀이 증례집담회에서 환자를 돌보면서 증상을 사정하고 중재 및 평가하여, 고찰한 6증례를 정리하여, "마지막 여정의 길벗"이라는 호스피스팀 증례집을 간행하였다.

국내에서도 품위 있는 죽음에 대한 관심이 증가하면서, 2004년에 암관리법 시행령과 시행규칙에 말기 암 환자 관리 사업이 포함되었고, 체계적인 재가 암 환자 관리사업 및 말기 암 환자 관리사업에 대한 필요성이 증가하였고, 전문가교육의 필요성이 제기되어, 국립암센터의 호스피스·완화의료사업 지원평가단에서 '말기 암 환자 호스피스 시범사업 교육 프로그램'을 개발하여

12부

의사, 간호사, 사회복지사 등을 대상으로 실시하였다.

2006년 국립암센터는 미국의 Education in Palliative and End-of-life (EPEC)의 교육과정을 국내 상황에 맞게 수정·보완하여 호스피스·완화의료 표준교육과정을 필수인력인 의사, 간호사, 사회복지사에 대한 공통기본과정으로 개발하였으며, 이 교육과정은 실습교육 16시간을 포함하여 총 60시간으로 구성하고, 사회복지영역은 말기환자 돌봄의 철학 및 원리(4개 주제)와 환자와 가족 돌봄(18개 주제)을 포함하였다.

호스피스·완화의료 필수인력의 기본교육을 위한 표준교육프로그램이 2006년부터 개발되어, 2008년 말부터 시범 운영되었고, 2009년부터는 호스피스·완화의료 병동이 있는 지역 암센터를 거점으로 운영하였으나, 이후 암관리법의 개정으로 운영기관이 국립암센터에서 완화의료 전문기관으로 확대되어, 국립암센터는 표준교육자료 및 운영매뉴얼 보급, 교육자 교육 실시를 통한 강사양성 등을 지원해오고 있다.

한편, 2006년에 대한의료사회복지사협회는 보건복지부의 말기 암 환자 호스피스 시범사업과 제도화에 따른 호스피스·완화의료영역 사회복지사의 자격 및 전문성을 강화하고, 전문인력 양성을 통해 호스피스·완화의료 영역에서의 사회복지 서비스의 질을 향상시키기 위해, 호스피스·완화의료 사회복지사 교육과정(안)을 개발하였다.

세부 교육과정은 기본교육(8시간), 전문교육(14시간), 심화교육(8시간) 총 30시간으로 구성하여, 제1차 호스피스·완화의료 사회복지사 교육과정을 2007년 6월부터 기본교육과정과 전문교육과정을 시행하였고, 2008년 3월에 심화교육과정을 시행하였다.

그러나, 총 30시간으로 구성된 이 교육프로그램은 협회 회장단이 바뀌면서, 교육과정의 지속적인 운영을 중단하여, 결과적으로 표준교육 이수 60시간을 충족시키기에는 매우 부족한 1회성 교육프로그램 운영으로 마무리하게 되었다. 결국, 대한사회복지사협회에서 개발

한 호스피스 교육프로그램은 이미 시행한 30시간과 추가적인 30시간의 교육 프로그램을 회원들에게 제공함으로써, 호스피스·완화의료 전문기관의 인력기준 60시간을 충족시킬 수 있는 기회를 포기한 결과를 초래하였다. 또한 이렇게 개발된 교육프로그램을 중단함에 따라, 협회에서 시행된 교육 프로그램 30시간을 이미 수료한 회원들은 이수교육시간을 전혀 인정받지 못한 채, 호스피스·완화의료 전문기관의 인력기준을 충족시키기 위해, 국립암센터에서 주관하는 호스피스·완화의료 표준교육 60시간 과정을 처음부터 다시 이수해야만 했다.

이러한 맥락에서 호스피스·완화의료사회복지의 교육과 연구에 대한 우려를 공감한 일부 교수진과 현장의 호스피스·완화의료사회복지사들이 뜻을 모아, 2013년에 한국호스피스·완화의료학회 산하에 한국호스피스·완화의료사회사업연구회를 창립하여, 사회복지사의 교육과 연구 및 현안대처에 대한 역할을 수행해 오고 있다. 또한 이 연구회가 중심이 되어, 2014년부터 현재까지 한국호스피스·완화의료학회에서 시행하는 연수강좌와 학술대회의 사회복지사 세션을 주도해 오고 있다. 2015년 7월에 입원형 호스피스·완화의료 국민건강보험 수가가 전면 적용되면서, 암관리법 시행규칙 13조 1항(시설 및 인력기준)에서 요구하는 필수인력의 최소 교육이수시간인 보수교육 4시간은 한국호스피스·완화의료학회가 주최하는 연수강좌를 이수하면 인정된다.

국립암센터는 2010년부터 필수인력인 간호사, 의사, 사회복지사를 위한 이러닝 과정을 순차적으로 개발하여, 교육홈페이지를 개설하여 운용해 오고 있는데, 호스피스·완화의료사회사업 이러닝 교육과정(34차시)은 2013년에 개발되어, 2014년 5월부터 운용되어 오고 있다.

3. 교육 프로그램의 내용

2004년 국립암센터 호스피스·완화의료사업 지원평가단에서 개발한 호스피스·완화의료 사회복지사 교육내용

은 미국의 NHPCO, 위스콘신 Hospice Care Planning, 유럽 EAPC, Hospice & Palliative Care Handbook과 한국의 호스피스·완화의료 표준과 규정 등을 비교하여, 호스피스·완화의료 사회복지사 교육(안)으로 개발되었고,

구체적인 교육내용은 호스피스·완화의료 사회복지사의 역할, 심리사회적 평가, 심리사회적 상담, 사별관리, 영적 돌봄, 호스피스·완화의료 협력체계 구축 및 자원 활용, 심리사회적 평가와 상담 등 모두 15시간이었다.

표 46-8. 제1차 호스피스·완화의료 사회복지사 교육과정

기본교육과정(2007.6.23)	전문교육과정(2007.7.14/21)	심화교육과정(2008.3.29)
1) 호스피스 · 완화의료의 이해 2) 말기 암 환자의 이해 3) 국내외 호스피스 · 완화의료의 현황과 전망 4) 삶과 죽음에 대한 이해 5) 말기 암 환자의 간호관리 6) 영적 돌봄 7) 호스피스 · 완화의료 사회복지사의 역할 8) 호스피스 · 완화의료의 팀 접근	1) 호스피스와 윤리 2) 사별관리 3) 말기 암 환자 및 가족의 심리사회적 특성 4) 암성통증관리 5) 상담의 실제 I (의사소통 및 상담기법) 6) 사례분석 및 토의 I 7) 스트레스 관리 8) 상담의 실제 II – 심리사회 적 평가(사정 및 기록) 9) 가정형 호스피스의 실제 10) 시설형 호스피스의 실제 11) 영양관리 12) 사례분석 및 토의 II	1) 호스피스 운영 및 관리 2) 집단상담의 실제 3) 대체요법의 실제(웃음치료/음악치료의 실제) 4) 호스피스 기관 소개(샘안양병원/보바스기념병원/대전성모병원) 5) 사례분석 및 토의

표 46-9. 호스피스·완화의료 표준교육과정 I·II(국립암센터 중앙호스피스센터, 2022)

호스피스 · 완화의료 전문인력 표준교육과정 I (이론교육) 직종별(사회복지사):40차시(40시간)	
1) 삶과 죽음에 대한 이해 2) 죽음에 관한 의학적 이해 3) 호스피스 · 완화의료의 이해 4) 입원형 호스피스 · 완화의료 5) 가정형 호스피스 · 완화의료 6) 자문형 호스피스 · 완화의료 7) 호스피스 · 완화의료사회복지 실천의 개요 8) 호스피스 · 완화의료사회복지 실천과정의 실제 9) 암 질환에 대한 이해 10) 호스피스 · 완화의료에서의 전인적 사정 11) 호스피스 · 완화의료에서의 심리사회적 사정 12) 호스피스 · 완화의료에서의 심리사회적 사정도구 13) 통증의 이해 14) 통증사정과 통증관리 사례 15) 환자 및 가족 대상 통증교육 16) 말기환자 증상관리 1 –정신 및 신경계 증상 17) 말기환자 증상관리 2 –소화기계, 호흡 및 순환기계 증상 18) 말기환자 증상관리 3 –전신증상 및 응급상황 19) 임종돌봄 20) 환자대상 호스피스 · 완화의료사회복지 실천	21) 가족대상 호스피스 · 완화의료 사회복지실천 22) 말기환자와 가족대상 상담기술 23) 돌봄을 위한 지역사회 자원연결 24) 호스피스 · 완화의료 사회복지 프로그램 25) 영적 돌봄과 사회복지실천 26) 사별가족 돌봄의 이해 27) 사별가족 돌봄 프로그램 운영 28) 호스피스 자원봉사자 관리 29) 팀 접근의 이해와 팀원 간 의사소통 30) 팀원의 스트레스 및 소진관리와 사례 31) 연명의료결정제도의 이해 32) 호스피스 · 완화의료사회복지사의 윤리적 역량강화 33) 호스피스 · 완화의료의 평가와 질 향상 활동 34) 비암성 말기환자관리(폐질환) 35) 비암성 말기환자관리(만성간질환) 36) 비암성 말기환자 관리( ) 37) 소아청소년 호스피스 · 완화의료 38) 사전돌봄계획 39) 의사소통의 실제 40) 예후의 예측과 설명

호스피스 · 완화의료 전문인력 표준교육과정 II (실무교육) 직종별(사회복지사):15차시(20시간)	
1) 말기 돌봄 성찰 및 학습목표 설정 2) 호스피스 · 완화의료 사업소개 3) 전인적 평가와 돌봄계획 수립 4) 환자, 가족과의 의사소통 1 5) 환자, 가족과의 의사소통 2 6) 윤리적 갈등상황 7) 통증관리의 실제 8) 입(임)종돌봄의 실제	9) 사별돌봄의 실제 10) 연명의료계획의 실제 11) 돌봄 프로그램 사례 12) 직종별교육(사회복지사) 　　: 상담기록지 작성 실습, 직종별 토의 13) 기관방문실습(2시간 이상 필수) 14) 기관 자율 프로그램(선택) 15) 학습성찰 및 실천계획

12부

2006년부터 대한의료사회복지사협회가 호스피스·완화의료 사회복지사 교육과정(안)을 개발한 세부 교육과정은 기본교육(8시간), 전문교육(14시간), 심화교육(8시간) 총 30시간으로 구성하였고, 제1차 호스피스·완화의료 사회복지사 교육과정은 2007년 6월부터 기본교육과정과 전문교육과정을 시행하였고, 2008년 3월에 심화교육과정을 시행하였는데, 각 과정별 교육내용은 다음 표 46-8과 같다.

국립암센터가 2006년부터 개발하여 2008년에 시범 운영한 호스피스·완화의료 필수인력의 기본교육을 위한 표준교육프로그램의 내용은 통증 및 증상관리, 심리 사회적 돌봄, 영적 돌봄, 전인적 평가, 사별 돌봄, 임종 돌봄 등 총 19개 주제와 실습교육 등이며, 2009년 국립암센터 교육훈련 소위원회를 중심으로 준비하여 2011년에 완성한 호스피스·완화의료사회복지사 상급교육교재의 내용은 말기환자 돌봄에 대한 이해, 호스피스·완화의료사회복지의 이해, 실천윤리, 팀 접근, 실천과정, 의사소통, 심리사회적 사정, 실천과 개입, 사별가족돌봄 등 11개 주제로 구성되었다 표 46-9.

호스피스·완화의료사회복지사 상급교육교재를 바탕으로 2013년부터 호스피스·완화의료사회복지사 이러닝 교육과정을 개발하여 2014년 5월부터 운영하고 있다.

이 교육과정은 사회복지사(1·2급) 자격 소지자가 교육대상자이며, 호스피스·완화의료사회복지사의 역할, 심리사회적 평가, 심리사회적 상담, 사별 관리 영적 돌봄, 호스피스 협력체계 구축 및 자원 활용 등을 주요내용으로, 온라인 교육 34차시, 실습 교육 16시간, 평가시험으로 구성되어 있다.

한국호스피스·완화의료학회는 2015년 7월부터 호스피스·완화의료 건강보험수가가 시행됨에 따라, 호스피

표 46-10. 한국호스피스·완화의료학회의 연수강좌별 공통교육과 사회복지사 연수교육내용

No.	개최일시	공통교육 연수강좌 주제	사회복지사 연수강좌 주제
1	2014.9.27	호스피스 · 완화의료전문가의 자기관리	호스피스 · 완화의료 표준과 실제
2	2015.5.9	호스피스 · 완화의료의 초기사정	근거중심 사회복지실천과 실제
3	2015.10.17	말기의사소통과 존엄한 죽음에 대한 이해	호스피스 · 완화의료정책동향과 사회사업실무
4	2015.10.25	말기의사소통과 존엄한 죽음에 대한 이해	호스피스 · 완화의료정책동향과 사회사업실무
5	2016.4.30	'연명의료 결정에 관한 법률'에 대한 이해	호스피스 · 완화의료 사회사업의 이론과 실천, 실천사례
6	2016.9.24	비암성 말기질환	사별가족에 대한 사회복지 실천
7	2017.4.15.	젊은 암환자에서의 Hospice Care	가족에 대한 호스피스 · 완화의료 사회복지 실천
8	2017.9.16.	호스피스 · 완화의료 및 연명의료 중단 결정법의 적용과 이해	(Communication in practice)
9	2018.4.21	연명의료결정법과 윤리원칙	삶과 죽음에 대한 태도 성찰/죽음을 요청하는 환자와의 의사소통
10	2018.9.15	Transition to Hospice	전인적 평가/통증평가/사별돌봄
11	2019.4.6	말기 암환자의 영양관리	호스피스 현장에서 사용할 수 있는 상담기법
12	2019.9.21	영적 돌봄의 실제	애도 상담의 실제
13	2020.9.26	가정형 호스피스완화의료 제도	젊은 말기환자를 위한 돌봄
14	2021.4.17	자문형 호스피스	(임종돌봄/증상관리의 최신지견)
15	2021.9.11	통증관리를 위한 다각적인 접근	(영적돌봄/의사소통)
16	2022.4.16	연명의료 계획과 상담	사별 돌봄
17	2022.9.24	말기 환자 돌봄과 관련된 윤리적 문제	호스피스 환자를 위한 심리사회적 상담

스·완화의료전문기관의 필수인력이 이수해야 하는 연간 4시간의 보수교육에 해당하는 연수강좌를 개설해오고 있는데 연수강좌별 공통교육과 사회복지사 연수강좌의 교육내용을 살펴보면 표 46-10과 같다.

4. 국내 사회복지사 수련교육과정

국내에서 시행되고 있는 현행 2급 정신보건사회복지사 및 의료사회복지사의 수련교육과정을 근거, 수련기간, 수련기관, 이론 및 임상수련 이수시간, 슈퍼바이저, 임상수련내용, 수련대상, 수련생정원, 시행년도 등을 비교해 보면 다음 표 46-11과 같다.

정신보건사회복지사 수련과정은 정신보건법에 근거하여 1997년부터 보건복지부 장관이 지정한 수련기관에서 시행되어왔지만, 의료사회복지사 수련과정은 대한의료사회복지사협회 자체규정에 근거하여, 2008년부터 협회의 인증을 받은 의료사회복지사 수련기관에서 시행되어 왔으며, 이론 및 임상수련 시간은 각각 1,000시간으로 동일하다. 정신보건사회복지사 수련과정은 정신보건법에 근거하여 정신보건간호사 및 정신보건임상심리사와 수준을 맞추어 이론교육과 임상수련이 각각 1,000시간씩 시행되어 오다가 2017년에 정신보건법이 개정되면서, 정신건강전문요원, 정신건강사회복지사 등으로 명칭이 바뀌게 되었고, 기존의 정신보건사회복지사를 포함한 간호·임상심리 영역의 전문 단체

표 46-11. 국내 정신건강사회복지사와 의료사회복지사 수련교육과정 비교

구 분	정신건강사회복지사(2급)수련과정에 관한 규정	의료사회복지사 수련교육과정에 관한 규정
법·규정 근거	정신건강전문요원 수련과정(시행규칙 제7조 제2항관련)	영역별 사회복지사 수련과정(의료사회복지사) (시행규칙 제4조의2 제2항 관련)
	보건복지부 고시 제97-16호(1997) 정신보건법 제7조 정신보건법 시행령 제2조, [별표1,2]	대한의료사회복지사협회 수련교육 운영규정(2008)
	보건복지부 고시 제2018-25호(2018) 정신건강증진 및 정신질환자 복지서비스 지원에 관한 법률(이하 정신건강복지법) 제7조, 제17조 정신건강복지법 시행령 제12조 정신건강복지법 시행규칙 제7조, 제8조	사회복지사업법 제11조(2018) 사회복지사업법 시행령 [별표 1의2] 사회복지사업법 시행규칙 제4조의 2
수련기간	1년(2급 정신건강사회복지사) 3년(1급 정신건강사회복지사)	1년(주 20시간 이상)
수련기관	보건복지부장관의 지정을 받은 정신건강전문요원 수련기관	보건복지부장관이 지정하는 영역별(의료) 사회복지사 수련기관
이론 및 임상수련시간	이론 150시간, 실습 830시간, 학술활동 20시간, 총 1,000시간	이론 150시간, 실습 830시간, 학술활동 20시간, 총 1,000시간
슈퍼바이저 자격	[수련지도요원] 1급 정신건강사회복지사	[수련지도자] 사회복지사 1급 자격 취득 후 의료사회복지사로 5년 이상의 근무경력을 갖춘 자
수련과정 내용	[2급 정신건강사회복지사]: 이론 150시간 (정신건강기초, 사정 및 평가, 정신의학, 사회사업치료, 정신건강문제, 사회복귀서비스), 실습 830시간(사회사업사정, 사회사업치료Ⅰ·Ⅱ·Ⅲ) ※ 실습시간의 1/4(208시간)이상은 타 유형의 기관에서 수련	이론 150시간(법과 정책, 임상윤리, 이론과 실제, 조사연구, 기획 및 행정) 실습 830시간(법과 정책, 임상윤리, 이론과 실제, 조사연구, 기획과 행정)
수련대상	1급 사회복지사	1급 사회복지사
수련생 정원	슈퍼바이저 1인당 3명 이하	슈퍼바이저 1인당 3명 이하
시행년도	1997년(국가자격)	2008년(대한의료사회복지사협회:민간자격) 2022년(한국사회복지사협회:국가자격)

12부

에서 위탁받아 수행해오던 수련교육과 평가가 국립정신건강센터로 이관되면서, 일부 혼란이 있었으나, 일부 이론집합교육과 보수교육 등은 한국정신건강사회복지사협회에서 주관하고 있다. 의료사회복지사 수련과정은 대한의료사회복지사협회에서 자체적으로 시행하는 과정으로 법적 근거가 미흡하였으나, 2018년 사회복지사법의 일부 개정으로 의료사회복지사, 학교사회복지사, 정신건강사회복지사 자격이 영역별 국가 자격으로 인정되었고, 기존의 대한의료사회복지사협회에서 발급한 의료사회복지사 자격증을 경과조치 기간 내에 영역별 사회복지사(의료) 자격 특례교육을 이수한 후, 소정의 절차에 따라 영역별(의료사회복지사) 자격증을 한국사회복지사협회에서 발급받고 있다. 최근 국내 정신건강사회복지사와 의료사회복지사의 수련 교육과정을 비교해보면 표 46-11과 같다.

5. 대학교육과 자격인증

WHO는 호스피스·완화의료 기반이 없는 개발도상국의 호스피스·완화의료 전문인력 교육체계를 제시하였는데, 1단계 기본교육은 의사, 간호사, 사회복지사를 대상으로 20~40시간, 2단계 중급교육은 의사, 간호사를 대상으로 60~80시간, 3단계 전문훈련단계는 돌봄 훈련팀을 대상으로 3~60개월, 마지막 단계로 학부생 교육단계로 학부생 교육단계를 권고하고 있다.

우리나라에서 대학교육의 사회복지학 교육과정의 지침서는 (사)한국사회복지교육협의회에서 2년마다 『사회복지학 교과목 지침서』를 간행해 오고 있고, 최근 2015년에 출간된 지침서에서는 신규교과목으로 "국제사회복지론", "사회복지경영론", "케어복지론", "군사회복지론"을 추가하여, 39개 교과목을 제시하고 있다.

국내에서 호스피스·완화의료 사회사업관련 교육교재는 2003년 『호스피스 사회사업』(이광재 저)이 출간되었으나, 아직 비법정 교과목에도 포함되지 못하고 있으며, 2007년 광주대학교 사회복지전문대학원에서 『호스피스 사회복지론』 교과목(김창곤 교수)이 개설되는 등 일부 대학 및 대학원에서 호스피스·완화의료사회사업 교과목을 개설되어 오고 있다.

그러나, 몇몇 대학에서 호스피스·완화의료사회사업 교육이 이루어지고 있으나, 일부 대학에서는 사회복지 전공교수가 아닌 관련 비전공교수가 이를 담당하고 있다.

이러한 현실을 반영하여, 최근 확대된 호스피스·완화의료 대상을 포함한 '호스피스·완화의료사회복지론'의 교육교재 개발과 공식적인 사회복지학 교과목으로 인정받을 수 있도록 임상현장과 학계의 유기적인 협력과 노력이 요구된다.

미국의 사회복지교육인증제도는 사회복지교육협의회(Commission on Social Work Education, CSWE)에서 수행하고 있으며, 협의회 산하 인증위원회가 사회복지 교육기관에 대해 인증기준에 따른 평가와 인증을 주기적으로 시행하여 인증지위를 부여하고 있다.

미국의 사회복지교육협의회 인증위원회에 따르면, 2016년 현재 사회복지전공 511개의 사회복지학사과정과 249개의 석사과정의 교육프로그램을 인증하고 있다.

미국의 호스피스·완화의료사회복지사 자격인증교육은 미국호스피스·완화의료협회(National Hospice and Palliative Care Orgnization)와 미국사회복지사협회(National Association of Social Workers)가 공동으로 호스피스·완화의료사회복지사 자격인증을 관리하고 있으며, 이 자격은 전문사회복지사와 일반사회복지사로 분류된다.

6. 법·규정과 자격기준

2015년 7월부터 호스피스·완화의료 건강보험수가가 시행되면서, 암관리법 시행규칙 제13조와 14조에 따라 필수인력인 의사, 간호사, 사회복지사는 기본 교육 60시간 및 보수교육 연간 4시간을 이수해야만 완화의료건강보험수가를 청구할 수 있게 되었다. 암관리법 시행규칙의 구체적인 내용은 다음과 같다.

현행 암관리법 시행규칙(2016.6.30. 일부개정)은 제13조에 완화의료전문기관의 지정 기준과 제14조에 완화의료전문기관의 지정 절차 등을 명시하고 있다. 특히 제13조 관련 별표(2015년 12월 29일 개정)에서는 호스피스·완화의료전문기관의 인력·시설·장비 기준을 명시하고 있고, 1. 인력 기준의 필수인력을 1) 의사 또는 한의사 2) 전담 간호사 3) 사회복지사로 구분하고, 여기서 사회복지사 인원은 "상근 1명 이상, 다만, 가정에서 완화의료병동 외의 병동에서 호스피스·완화의료 자문을 제공하는 경우에는 1급 사회복지사를 1명 이상 두어야 한다"고 인력기준을 명시하고 있고, 최소 교육 이수 시간은 기본 교육 60시간 및 보수교육 연간 4시간, 다만, 가목의 구분에 따른 필수 인력이 가정에서 호스피스·완화의료를 제공하거나 완화의료병동 외의 병동에서 완화의료자문을 제공하는 경우에는 16시간의 추가교육을 이수하여야 한다고 제시하고 있다.

2017년 8월 4일에 제정된 호스피스완화의료 및 임종과정에 있는 환자의 연명의료 결정에 관한 법률 시행규칙 별표 1에 따라 호스피스 전문기관의 필수인력(의사, 간호사, 사회복지사)은 보건복지부장관이 인정하는 60시간 이상의 호스피스 교육을 이수해야 한다. 법정 기본교육 운영기관은 법 제23조에 따른 권역별 호스피스센터, 법 제25조에 따른 호스피스 전문기관이다.

미국의 호스피스·완화의료 전문사회복지사가 되기 위해서는 사회복지학 석사학위 소지자로서 완화의료 실무경력 최소 2년(3,000시간) 이상, 관련 연수교육 20시간 이상을 받아야 하며, 사회복지사로서의 직무능력을 갖추었음을 입증할 수 있는 동료와 전문가의 평가 결과가 요구되며 2년마다 갱신해야 한다.

미국호스피스·완화의료협회는 호스피스·완화의료사회복지를 위한 지침을 윤리, 가치, 지식, 사정, 태도 및 자기인식, 임파워먼트와 옹호, 문서화, 다학제 팀워크, 문화적 경쟁력, 보수교육과 관리, 리더십, 훈련에 대한 내용을 체계적으로 제시하고 있다.

대만의 경우, 호스피스·완화의료사회복지사는 공식적인 자격증은 없으나, 요구되는 교육시간은 100시간(실습 40시간)으로 의사와 간호사에게 요구되는 80시간(실습 20시간)보다 더 긴 교육시간을 요구하고 있다.

우리나라에서는 필수인력이 의무적으로 기본교육과 보수교육을 이수해야 국민건강보험수가가 인정되기 때문에, 한국호스피스·완화의료학회에서는 2015년부터 필수인력을 위한 보수교육(연수강좌)를 정기적으로 개최하는 한편, 2015년에 완화도우미 교육과정을 개발하여, 현재까지 지역별 교육과정을 시행해오고 있으며, 최근에는 호스피스·완화의료 인정의 제도가 시행되고 있다.

호스피스·완화의료 대상자가 확대되어 연명의료결정법이 시행됨에 따라, 호스피스·완화의료사회복지의 대상자가 확대되면, 사회복지사의 수요도 급증하게 될 것이므로, 이에 대한 체계적이고 검증된 절차에 따라 법령에 근거한 자격증과 표준화된 사회복지사를 위한 교육과정의 개발이 요구된다.

7. 호스피스·완화의료사회복지 교육의 발전방향

이상에서 살펴본 우리나라 호스피스·완화의료사회복지 교육과 관련하여 몇 가지 발전 방향을 제시하면 다음과 같다.

첫째, 최우선적으로 사회복지사를 위한 비암성 호스피스·완화의료 사회복지의 교육 프로그램 개발과 인력 양성이 시행되어야 할 것이다.

둘째, 호스피스·완화의료 사회복지의 전문인력 양성을 위한, 체계적이고 검증된 교육 프로그램과 수련제도의 개발과 정착이 요구된다. 특히 이를 위한 교육자 교육과정과 수련 감독관 교육이 우선되어야 하며, 이를 위해서는 호스피스·완화의료전문기관이나 시설 중 사회복지사를 위한 임상 교육(실습) 및 수련기준에 맞는 교육수련기관의 확보가 요구된다.

셋째, 호스피스·완화의료사회복지의 근거중심실천을

12부

위해서는 임상현장 사회복지사들의 연구역량강화와 임상경험의 데이터베이스 구축, 그리고 연구결과의 지속적인 발표를 위해 관련 학계와 임상현장의 유기적인 협력과 노력이 요구된다.

넷째, 호스피스·완화의료관련 정책과 제도, 법령에 대해 정책의제 선정, 정책 결정, 정책 집행에 적극적인 호스피스·완화의료 사회복지 관련 학계와 현장실무진들의 적극적인 관심과 참여가 요구된다.

🔖 참고문헌

1. 호스피스·완화의료 지원사업 현황, 국립암센터, 2017.2.
2. 가톨릭대학교 강남성모병원 호스피스팀(1998). 마지막 여정의 길벗 -호스피스 팀 증례집-. 서울: 가톨릭대학교 출판부. p.8.
3. 국립암센터(2009). 2009 호스피스·완화의료 표준교육자료. 고양: 국립암센터.
4. 국립암센터(2011). 호스피스·완화의료 사회복지사 상급자교육과정. 고양: 국립암센터.
5. 김남초(1998). 호스피스-완화의료: 교육. 대한의사협회지 41(14): 135-40.
6. 김도연; 의대생(undergraduate) 교육 과정: 완화의학의 교육 및 수련, 인증방안 2009년 한국호스피스·완화의료학회 정기 총회 및 동계학술대회.
7. 김분한, 최상옥, 정복례, 유양숙, 김현숙, 강경아, 유수정, 정연. 호스피스 완화 간호사 역할규명을 위한 직무분석. 한국호스피스·완화의료학회지 2010;13(1):13-23.
8. 김영희, 유양숙, 조옥희. 간호대학생의 말기환자에 대한 생명의료윤리 인식과 죽음에 대한 태도. 한국호스피스·완화의료학회지, 201316(1):1-9.
9. 김창곤. 한국 군의료사회복지의 발전전략. 한국군사회복지학 2013;6(1):14-5.
10. 김창곤. 한국의 호스피스·완화의료정책. 한국호스피스·완화의료학회지 2017;20(1):8-17.
11. 김창곤, 이영숙, 이광재. 한국의 호스피스 사회복지사를 위한 교육과정개발. 한국사회복지학회 추계공동학술대회자료집 2005 Oct. 21, pp.407-13.
12. 김현경, 남은미, 이경은, 이순남. 말기환자 돌봄 교육 후 의과대학생의 인식과 태도 변화. 한국호스피스·완화의료학회지 2012;15:30-5.
13. 대한의료사회복지사협회(2007). 호스피스·완화의료사회복지사 -기본교육과정-.
14. 대한의료사회복지사협회(2007). 호스피스·완화의료사회복지사 -전문교육과정-.
15. 대한의료사회복지사협회(2008). 호스피스·완화의료사회복지사 -심화교육과정-.
16. 심혜영, 장윤정. 호스피스·완화의료사회복지사 e-learning 교육과정 개발. 한국호스피스·완화의료학회지 2015;18(1):9-15.
17. 이광재(2003). 호스피스사회사업. 서울: 인간과 복지. pp.48-9.
18. 이봉재(2013). 미국의 학사과정 사회복지교육의 동향과 전망: 역량기반교육을 중심으로. 세계사회복지교육 학술대회 자료집. 서울: 한국사회복지교육협의회
19. 이영숙. 한국 호스피스·완화의료사회복지의 과거, 현재 그리고 미래. 한국호스피스·완화의료학회지 2013;16(2):65-73.
20. 조명주. 간호대학생의 임종간호 태도에 영향을 미치는 요인. 한국호스피스·완화의료학회지. 2015;18(4):306-13.
21. 한국간호교육평가원(2016). 분야별 전문간호사 직무기술서. http://kabon.or.kr/kabon04/index39.php.
22. 한국간호교육평가원(2016). 전문간호사배출현황. http://kabone.or.kr/kabon05/index02.php.
23. 한국보건의료인국가시험원(2016). 2016년도 제56회 간호사시험 출제범위 공지. http://m.kuksiwon.or.kr/portal/board/view.do?dataSeq=1715&bbsAttrbCode=notice&jjCode=&searchWrd=&sdate=&edate=&menuNo=200008&vieType=&acCode=&qclsCode=&pageIndex=.
24. 한국사회복지교육협의회(2015). 2015-2016년도 사회복지학 교과목지침서. 용인: 한국사회복지교육협의회.
25. 호스피스·완화의료 의사 e-learning 교육과정. http://hospice.cancer.go.kr.
26. Association for Palliative Medicine: 2014 curriculum for undergraduate medical education [cited 2016 Dec 23]. Available from: http://www.apmuesif.phpc.cam.ac.uk/index.php/apm-curriculum.
27. Canadian Society of Palliative Care Physicians: Backgrounder: Palliative care (medical) education January 2015 [cited 2016 Dec 23]. Available from: http://www.cspcp.ca/wp-content/uploads/2014/10/Backgrounder-Palliative-Medicine-Education.pdf.
28. Dickinson GE. Thirty-five years of end-of-life issues in US medical schools. Am J Hosp Palliat Care. 2011;28:412-7.
29. EAPC. Core Competencies for palliative care social work in Europe: an EAPC White Paper - part 2. Eur J Palliat Care. 2015;22(1):38-44.
30. Ferrell, B., Malloy, P., Mazanec, P., Virani, R. CARES: AACN's new competencies and recommendations for educating undergraduate nursing students to improve palliative care. J Prof Nurs 2016;32(5):327-33.
31. Foley KM, Gelband H, editors. Improving Palliative Care for Cancer. Professional Education in Palliative and End-of-Life Care for Physicians, Nurses, and Social Workers. Institute of Medicine (US) and National Research Council (US) National Cancer Policy Board:Washington (DC): National Academies Press (US); 2001.

32. Gamondi, C., Larkin, P., Payne, S. Core competencies in palliative care: an EAPC white paper on palliative care education-part I. Eur J Palliat Care 2013;20(2):86-90.

33. Hong EM, Jun MD, Park ES, Ryu EJ. Death perceptions, death anxiety, and attitudes to death in oncology nurses. Asian Oncol Nurs 2013;13:265-72.

34. http://www.ncc.re.kr/main.ncc?uri=manage01_8#cont4.

35. http://www.who.int/ncds/management/palliative-care/introduction/en/.

36. Jo KH, Kim GM. Predictive factors affecting the preferences for care near the end of life among nurses and physicians. Korean J Med Ethics 2010;13:305-20.

37. Kizawa Y, Tsuneto S, Tamba K, et al. Development of a nationwide consensus syllabus of palliative medicine for undergraduate medical education in Japan: a modified Delphi method. Palliat Med. 2012;26:744-52.

38. Oneschuk D. Undergraduate education in palliative medicine. Oxford: Textbook of palliative medicine and supportive care: 153-73.

39. Paes P, Wee B. A Delphi study to develop the Association for Palliative Medicine consensus syllabus for undergraduate palliative medicine in Great Britain and Ireland. Palliat med 2008;22:360-4.

40. Palliative care nurses New Zealand (2014). A national professional development framework for palliative care nursing practice in Aotearoa New Zealand, Wellington: Ministry of Health. p.12.

41. Royal College of Nursing (2002). A framework for nurses working in specialist palliative care: Competencies Project. Published by the Royal College of Nursing, ; London.

42. www.cswe.org/Accreditation.aspx.

43. 남은미. 의대교육과정 내 '호스피스·완화의료' 표준교육과정의 개발. 2022년 한국호스피스·완화의료학회 정기 총회 및 동계학술대회 초록집

44. Aulino F, Foley K. Professional education in end-of-life care: a US perspective. J R Soc Med 2001;94(9):472-6; discussion 477-8.

45. Cheng HWB, Lam KO. Supportive and palliative care in hemato-oncology: how best to achieve seamless integration and subspecialty development? Ann Hematol 2021;100(3):601-6.

46. Connor SR, Bermedo MCS. Global Atlas of Palliative Care at the End of Life: Worldwide Palliative Care Alliance; 2014. Available from: http://www.who.int/nmh/Global_Atlas_of_Palliative_Care.pdf (Last accessed July 17, 2020)

47. D Doyle. Palliative medicine: the first 18 years of a new sub-specialty of General Medicine. J R Coll Physicians Edinb 2005;35(3):199-205.

48. Cheng HWB, Lam KO. Supportive and palliative care in hemato-oncology: how best to achieve seamless integration and subspecialty development? Ann Hematol 2021;100(3):601-6.

49. https://www.womaneconomy.co.kr/news/articleView.html?idxno=38700

50. https://www.gmc-uk.org/education/standards-guidance-and-curricula/curricula/palliative-medicine-curriculum

51. Head BA, Schapmire TJ, Earnshaw L, Chenault J, Pfeifer M, Sawning S, Shaw MA. Improving medical graduates' training in palliative care: advancing education and practice. Adv Med Educ Pract 2016;7:99-113.

52. Kim KJ, Kim DY, Shin SJ, Heo DS, et al Do Korean medical schools provide adequate End-of-Life Care education? A nationwide survey of the Republic of Korea's End-of-Life Care Curricula. Korean J Hosp Palliat Care 2019;22(4):207-18.

53. McMahon D, Wee B. Medical undergraduate palliative care education (UPCE). BMJ Support Palliat Care 2021 Mar;11(1):4-6.

54. Postier AC, Wolfe J, Hauser J, Remke SS, et al. Education in Palliative and End-of-Life Care-Pediatrics: Curriculum Use and Dissemination. J Pain Symptom Manage 2022;63(3):349-358.

55. Vanhanen A, Niemi-Murola L, Pöyhiä R. Twelve Years of Postgraduate Palliative Medicine Training in Finland: How International Guidelines Are Implemented. Palliat Med Rep 2021;2(1):242-9.

56. Walker S, Gibbins J, Paes P, Adams A, et al. Palliative care education for medical students: Differences in course evolution, organisation, evaluation and funding: A survey of all UK medical schools. Palliat Med 2017;31(6):575-81.

57. Willemsen AM, Mason S, Zhang S, Elsner F. Status of palliative care education in Mainland China: A systematic review. Palliat Support Care 2021;19(2):235-245.

58. World Health Organization. Strengthening of palliative care as a component of integrated treatment throughout the life course. J Pain Palliat Care Pharmacother 2014;28:130-134.

12부

13부

호스피스·완화의료 연구

47장 호스피스·완화의료 연구

47장
호스피스·완화의료 연구

| 강버들, 서상연 |

호스피스·완화의료 연구는 환자와 가족에게 좋은 돌봄을 제공하기 위한 근거를 제공한다. 호스피스·완화의료에서는 환자의 삶의 질 향상과 의사소통(communication), 지지 체계, 의사결정(decision-making) 등이 중요하다. 이러한 영역들은 좋은 연구의 결과에서 나온 견고한 지식을 통해 발전할 수 있다. 호스피스·완화의료 연구는 새로운 치료법뿐만 아니라, 잘 드러나지 않는 증상을 평가하는 척도라든가, 자원의 재분배까지 효율적으로 다루도록 돕는다.

I 호스피스·완화의료 연구의 어려움

1. 호스피스·완화의료 연구 수행의 어려움

호스피스·완화의료 연구는 다음과 같은 여러 고려할 점들로 인해 제한을 받는다.

1) 환자의 질병의 중증도

환자는 심각한 질병으로 인해 불안정한 상태이고, 생애의 마지막 시기라는 특수성으로 인해 연구에 대한 관심이 부족한 경우가 있다. 환자 또는 가족 구성원이 연구 참여에 동의하더라도 질병의 진행, 다른 기관으로 환자 전원, 또는 환자의 사망으로 인해 탈락이 발생할 수 있다.

2) 동질성 (교란변수)

질병의 진행경과에서 여러 단계에 놓인 환자들이 혼재하고, 이들은 여러 가지 증상을 나타내고, 다양한 합병증을 갖는다. 다중약물요법도 주어진 연구 문제에 대한 결과를 혼동시킬 수 있다.

3) 윤리적 염려

고통이 악화될 때 치료의 효과를 조사하는 것은 윤리적으로 어려울 수 있다. 말기 환자는 취약한 집단으로 분류되기 때문에, 위약 사용도 제한을 받기 쉽다.

4) 제한된 자원

연구자, 직원, 자금, 협력체계가 의학의 다른 연구 분야에 비해 미진한 편이다.

이밖에도 연구 집단에서 임상시험을 할 때 정의, 목표, 종료시점 등에 대해 합의가 부족함 등이 제한점이다. 이러한 모든 요인들은 연구 대상의 동질성뿐만 아니라, 대상 환자의 수 그리고 연구를 적시에 완료하기 위한 진행 속도에 영향을 미친다.

2. 호스피스·완화의료 연구의 기획

새 연구를 시작하기 전에 연구 질의(research question) 혹은 연구 가설(hypothesis)을 생성하는 것이 중요하다. 한번 만든 연구 질의는 연구의 목적을 결정하므로, 처음부터 신중을 기한다. 기존의 문헌을 고찰함으로써 연구 주제를 정하는 것도 권할 만한 방법이다. 연구 주제를 정할 때 흔한 실수는, 너무 많은 질의를 한꺼번에 넣고자 하는 것이다. 연구의 목적을 분명히 정하는 것은 연구의 성패를 가름한다. 연구 질의는 분명하고 평이한 언어로 적어서, 전문가가 아닌 일반인이 보아도 쉽게 이해가 갈 정도여야 한다. 다음의 단계는 호스피스·완화의료 연구를 전개하는 데 참고할 만하다 **표 47-1**.

II 호스피스·완화의료 연구의 대상

호스피스·완화의료의 주된 연구대상은 환자이다. 하지만 돌봄 제공자의 상황, 일반 대중의 의견도 조사할 필요가 있다. 일반적으로 연구 대상은 연구의 방법이나 종류에 따라 결정된다. 대상의 특성을 구체화하는 것은 연구자의 책임이고, 분명한 연구 포함/제외 기준(inclusion/exclusion criteria)으로 정해야 한다. 연구 대상의 결정은 나중에 연구 결과의 일반화에 직접적으로 영향을 미친다.

표 47-1. 호스피스·완화의료 연구 기획의 단계

1. 임상적인 문제나 연구 질의를 도출시킨 관찰을 명확하게 기술한다.
2. 임상 동료들과 연구 질의의 타당성과 적합성에 대해 논의한다.
3. 광범위한 문헌 고찰을 통해 지금까지 이 주제에 대해 알려진 것이 무엇인지 파악한다.
4. 연구 질의를 생성하고 연구 목적을 정한다.
5. 연구집단을 결정한다.
6. 적절한 연구설계를 정한다.
7. 측정할 결과를 정한다.
8. 위의 결론을 바탕으로, 계획안(protocol)을 작성한다.

1. 환자

세계 보건기구는 1990년에 호스피스·완화의료 환자를 '치유를 위한 치료에 반응하지 않는 질환을 가진' 집단으로 정의하였다. 2002년에는 '치명적인 질환과 연관된 문제에 직면한' 환자로 정의를 바꾸었다. 특정 질환을 지칭하지는 않았지만, 신체적, 심리적, 사회적 그리고 영적 필요를 모두 포함하는 것은 일관적이다. 최근에는 호스피스·완화의료 환자들을 비암성 질환으로 확대하고, 보다 질환의 초기부터 다가가려는 경향이 강하다.

1) 진단

대상을 너무 구체화하면 후에 연구결과의 일반화에 제한점이 될 수 있다. 반면에 환자 집단이 너무 다양하고 비균질하다면 연구결과 자체를 해석하기가 어려울 수도 있다. 임종은 연구에서 가장 분명히 고정된 시점이나, 이를 사용하기 위해서는 상대적으로 질병이 꽤 진행된 환자들만 모집되는 경우가 흔하다.

2) 예후

상대적으로 예후가 불량한 환자들만 연구에 포함시키면 비교적 상태가 좋은 환자들이 제외되는 문제가 생긴다. 또 다른 문제는 예후의 정확성이다. 임상의들이 예후를 가늠하는 것을 부담스러워할 뿐만 아니라 과대 추산하는 경향이 뚜렷하기 때문이다. 그러다보면 상태가 좋지 않은 환자들은 연구 기간 중에 탈락되기 쉬운 경향이 있다. 호스피스·완화의료 환자 집단을 정의하기

13부

위해, 1년 생존을 측정하는 놀람 질문(surprise question, 선생님의 환자가 다음 해에 사망한다면 놀라시겠습니까?)도 사용되지만, 이는 종종 경계가 불분명한 것이 단점이다. 따라서 향후 1년 생존을 50%의 확률로 측정하거나 지난 한 해 간에 응급실 방문이나 입원 필요성 등의 대체 도구가 사용되고 있다.

3) 필요

호스피스·완화의료 연구에서는 진단이나 예후보다 환자의 필요성에 초점을 맞춘 지지나 중재가 많이 다뤄진다. 예를 들어 통증이나 숨참 같은 하나의 증상 혹은 증상 군집(symptom cluster)에 관심을 두고, 이러한 증상들을 호전시키는 중재의 효과에 대한 연구가 많다. 증상은 병명에 상관없이 일어나므로 상당히 다른 질환군의 환자들이 모여지기 쉽다. 이러한 비균질성은 연구결과의 해석에 어려움을 가져올 수 있다. 층화(stratification)를 통한 분석으로 극복할 수 있지만, 그러기 위해서는 각 세부 군(subgroup)마다 충분한 환자 수가 확보되어야 한다.

4) 동반질환

임상적 돌봄뿐 아니라 연구 목적을 위해서도 동반질환의 종류와 중증도는 자세히 기록되어야 한다. 그렇게 함으로써 연구의 타당성을 평가하는 것이 가능하고, 후에 일반화 가능성을 높인다. 특히 이러한 면은 선진국의 고령화 인구집단에서 중요하다.

5) 인지장애를 동반한 환자

임종이 가까워질수록 인지장애의 유병률은 높아진다. 인지장애는 연구에 동의하고 참여하는 능력을 저해한다. 인지장애가 있는 대상자들이 연구에 포함된다면, 이들에게 가능한 위해와 이득을 충분히 고려하여야 하고, 고위험군을 보호하기 위해 더욱 노력하여야 한다. 종단연구(longitudinal study)에서는 연구등록 시에는 정상이었지만, 시간이 지나면서 인지장애가 발생하는 경우를 염두에 두어야 한다. 생의 마지막 시기인 수주나 수일 사이에는, 환자가 온전히 연구에 동의할 능력이 저하되는 경우가 생긴다. 우선 이러한 능력 저하에 비해 연구의 위해와 이득을 다시 평가하여, 개별 참여자가 연구를 통해 얻는 이득과 잠재적 위험에 대해 심사숙고한다. 둘째, 가족이나 법적 대리인이 대신 동의를 하는 것에 대해 고려한다. 셋째, 개별 환자의 능력저하는 일정하지가 않고 부분적일 수 있다. 즉 어느 정도 수준으로는 동의할 수도 있으므로 동의과정에 이를 포함시키도록 한다.

6) 인구집단에 기초한 연구

지금까지는 개별적으로 대상을 모집하는 연구에 대해 논의했다. 하지만 대규모의 역학자료나 인구집단에 기초한 자료를 이용할 수도 있다. 장점은 이미 자료가 다수 수집되어 있다는 것이지만, 단점은 연구 이외의 목적으로 모여진 자료라는 것과, 상당한 양의 결측치(missing data)가 존재한다는 것이다. 이러한 자료는 원래 수집단계에서부터 개인 수준으로 적용하려던 것이 아님을 염두에 두는 편이 좋다. 현재 호주 등지에서는 국가적 혹은 지역적 임상자료를 임상 연구에 연계시키기 위해서, 표준화된 측정도구를 사용하려는 노력들이 증가하고 있다.

2. 돌보는 가족

전 세계적으로, 전체 호스피스·완화의료 연구의 10% 미만이 돌봄 제공자나 가족들에 대해 다룬다. 사별 후의 연구에 대해서는 연구대상자들에게 정서적 부담이 된다는 염려와, 오히려 긍정적으로 도움이 되었다는 결과가 나오는 등 이견이 존재한다. 대개 사별 후 3~9개월 사이가 연구를 위해 접근하기에 적절한 시기로 알려져 있다.

3. 의료진

전체 호스피스·완화의료 연구의 20%를 차지한다. 의료진의 호스피스·완화의료 직무능력을 향상시키는 목적이거나 혹은 이들의 경험과 견해를 알아보는 연구들이 대부분이다.

4. 일반 대중

대중의 의견은 보건 의료 정책 설정에 영향을 미친다. 또한 일반 대중은 향후 잠재적인 환자거나 돌봄제공자들이다. 대상이 광범위하기 때문에 대표 표본을 선택하는 것이 중요하고, 여러 통계기법을 활용한다.

5. 호스피스·완화의료 대상집단의 기술 항목

대상에 따라 괄호 안을 일반적으로 포함한다. 인구사회학적 지표(연령, 성별, 사회경제적 지표, 인종), 환자(병명, 동반질환, 수행상태, 증상, 인지상태, 임종까지의 기간, 예후), 돌봄제공자(부담 정도), 의료인(전문적인 배경, 호스피스·완화의료 종사 햇수), 일반대중(결혼 상태, 주거형태, 도시 혹은 시골 거주, 종교, 경제상태)

III 호스피스·완화의료에서 연구 설계

1. 개요

적합한 연구 설계를 선택하는 것은 연구의 질에서 가장 중요한 요소이다. 호스피스·완화의료 연구는 역학적 접근을 통한 양적 연구가 흔하다. 역학(epidemiology)이란 인간집단에서 건강과 질병을 연구하는 것이다. 역학적 연구는 관찰, 유사 실험(quasi-experimental) 연구, 그리고 실험 연구를 사용한다. 관찰 연구에서는 연구요인에 대한 중재는 이루어지지 않는다. 실험 연구에서는 연구요인이 무작위로 연구 대상에게 배정되는 반면 유사 실험연구에서는 무작위 과정을 거치지 않고 배정된다.

호스피스·완화의료 연구는 또한 질적(qualitative) 그리고 양적(quantitative) 연구로 나뉠 수 있다. 질적 연구는 '사람들이 주위 사회, 세계와 어떤 의미로 관련되는가'에 대해 언어로 나타내는 방법이다. 이는 언어, 행동 그리고 기록의 분석(documentary analysis)으로 이루어진다. 질적 연구들은 자료를 수집하는 면담(interview), 초점 집단(focus group)의 사용, 중점적으로 관련된 이론의 분석, 내용 분석(content analysis)등을 사용한다. 양적 연구란 주어진 현상이나 질환이 무작위로 일어나는가 아니면 가능성에 의거하는가를 규명한다. 양적 연구는 수적 자료의 통계분석을 요구한다.

호스피스·완화의료 연구는 전향적(prospective)이거나 후향적(retrospective)이다. 전향적 연구는 연구 등록 기준, 통계 분석 그리고 결과의 판단을 잘 조절된 환경에서 하게 된다. 후향적 연구는 이미 모아진 환자 자료를 가지고 재검토하는 것이다.

임상 시험(clinical trials)은 다음과 같이 4상(phase)으로 분류한다. 1상 시험은 약물의 안전, 적정량(optimal dose), 그리고 복약 시간이나 방법(schedule)에 초점을 맞춘다. 2상 시험은 치료 반응의 효용, 특정 종양 혹은 질병의 상태에 대한 효과를 밝히고자 한다. 3상 시험은 무작위 대조연구거나, 실험적인 약물 혹은 치료를 현재의 치료에 비교하는 연구들이다. 4상 시험은 이미 공인된 방법의 심도있는 평가이다. 예를 들면 이미 알려진 치료를 수년간에 걸쳐 장기 독성을 평가하는 것 등이다. 1상 연구는 주어진 약의 안전성과 치료 의도 사이의 딜레마에 당면할 수 있다. 또한 1상 시험에서 약동학과 분자생물학적 표지자를 광범위하게 검사할 수도 있고 이러한 것들은 환자들에게 상당한 부담이 된다. 수행 상태가 좋은 말기 환자들을 대상으로 1상 연구를 할 때에는 윤리적 문제, 삶의 질과 관련하여 개인 환자마다 참여 여부를 숙고하여야 한다. 약물의 효용성은 대부분 2상 시험에서 연구하게 된다. 2상 연구의 주요 문제는 위약의 사용이다. 위약은 호스피스·완화의료에서 증상 조절에 중요하고 사실 30~50%에 달하는 효과를 갖는다. 동시에 환자와 가족 그리고 의료진이 위약 사용에 저항감을 보일 수 있다. 누구든지 아무 치료도 받지 않는 것보다는 잠재적으로 유익한 치료를 받고자 하기 때문이다. 2상 연구의 또 다른 어려움은 3상 연구와 마찬가지로 맹검, 그리고 탈락률이다. 이것은 주어진 치료의 효과를 해석하는 것과, 연구의 적시 완료 모두에 영향을 미친다.

2. 관찰 연구(Observational studies)

여기에는 세 가지 기본 설계가 있는데 단면 연구, 환자 대조군 연구, 코호트 연구가 해당한다.

1) 단면 연구(Cross sectional study)

특정 시점을 정해서 원인(위험요인)과 결과(질환) 사이의 연관성을 평가한다. 단면연구는 가장 간단하고 비용도 비교적 적게 들어가고 연구기간도 짧다. 증상이나 질병의 유병률을 측정하는 데 사용하는 관찰적이고 설명적인 연구 방법이다. 심한 통증의 비율이라든가 심각한 의사소통 문제의 비율 등을 연구할 수 있다. 그러나 드문 문제의 연구에는 적합하지 않다. 제한점으로는 유병기간이 긴 문제를 과도하게 반영할 비뚤림(bias)이 존재한다.

2) 환자-대조군 연구(Case-control study)

질병을 가진 대상(환자)과 질병이 없는 대상(대조군)을 비교하여 위험요인의 기여도를 평가한다. 환자가 대표적인 표본인지, 비교할 때의 변수들은 유사한지 등 선정 기준이 과제가 된다. 호스피스·완화의료에서는 증상이 있는 환자와 증상이 없는 환자를 나누기가 어려워서 이 설계는 잘 쓰이지 않는다.

3) 코호트 연구(Cohort study)

종단 연구(longitudinal study)라고도 하며 시간경과에 따라 추적하여, 위험요인에 노출된 사람의 결과와 노출되지 않은 사람의 결과를 비교하는 관찰 및 분석연구이다. 이 연구는 인과관계에 대한 가치 있는 정보를 제공한다. 종단 연구는 질병의 자연사를 가장 잘 묘사할 수 있는 방법이다. 호스피스·완화의료에서 개인마다 다른 시기에 일어나는 결과변수를 처리하기에 가장 좋은 연구방법이다. 반면에 통계처리가 복잡하고, 선택 비뚤림(selection bias)과 정보 비뚤림(information bias)이 일어날 가능성도 존재한다. 노출이 과거에 일어났고 결과 발생이 평가되었다면 후향 연구도 가능하고, 이로 인해 시간과 자원을 상당히 절약할 수 있다. 완화의료 결과 측정설문(Palliative care Outcome Scale, POS)을 사용하면 죽음의 장소나 과거 입원 등을 평가하는 데 유용하다. 호스피스·완화의료 연구에 특이한 설계로 사후 접근(after death approach)이 있다. 이는 환자 사후에 가까운 보호자를 통해 정보를 얻는 것으로, 대개 환자의 임종을 지킨 가족들이 대상이 된다. 이 설계의 장점은 말기 질환 환자들의 사후에도 대표적인 표본을 평가할 수 있다는 점이다. 단점은 두 가지이다. 첫째, 사망 원인을 판단하는 데에 있어서 종종 신뢰성이 떨어진다. 다른 하나는 대개 임종 후 4~5개월이 지나서 평가가 이루어지므로, 결과의 왜곡이 일어날 수 있다. 그렇지만 가장 염두에 두어야 할 약점은 선택 비뚤림이다.

3. 실험 연구와 유사 실험 연구(Experimental and quasi-experimental studies)

실험 연구와 유사 실험 연구는 인위적인 중재의 효과를 알고자 하는 연구이다. 둘 다 전향적인 연구에 속한다. 인과성은 잘 계획된 실험으로만 증명할 수 있다. 즉 관심 요인(predictor)의 양을 변화시키면 결과변수(outcome)의 양이 변화하는지를 알아보는 것이다.

1) 유사 실험 설계(Quasi-experimental designs)

유사 실험설계는 두 개 이상의 군에 중재를 할당할 때, 무작위에 의하지 않고 배정하는 것이다. 이 연구의 성패는 다음의 요인의 조절에 달려 있다. 즉 환자들을 다른 치료 군에 배정하는 것, 결과의 측정 방법, 비교군의 선택, 치료를 적용하는 시간표의 결정 등을 연구자가 얼마만큼 잘 통제하는가의 문제이다. 한편 외부의 비교군(control group)이 없이 동일한 군에서 치료의 전후비교만 하는 설계(uncontrolled before-after design)가 있다. 이 설계는 인과관계를 평가하기에 부족하다고 여겨진다. 실험군과 비교하기 위한 대조군을 임의로 편리한 방법-거주지, 병원, 행정구역-에 따라 설정하거나, 혹은 과거의(historical) 시점에서 정할 수도 있다. 하지만 이러한 설계는 비뚤림에 노출될 수 있는데, 특히 환자들이 치료법을 결정하는 경우에 그러하다. 새로운 치료 혹은 실험을 선택하는 사람들은 연구의 결과 변수와 관련된 특질 면에서 치료를 선택하지 않은 사람들과 다를 가능성이 있다.

2) 실험 설계(Experimental designs)

실험 연구에서는 연구 대상을 두 개 이상의 군에 무작위적인 방법으로 배치한다. 이 과정은 전적으로 우연에 의해서만 이루어진다는 점이 중요하다. 실험 연구라면, 대상이 연구에 진입할 때부터 중재를 받을 확률은 동일하고, 선택 비뚤림의 위험으로부터 보호된다. 이는 치료군과 대조군이 전적으로 동일함을 보장하는 것이 아니라, 두 군의 특질의 분포는 오직 우연에 의해서만 이뤄진다는 사실을 보장하는 것이다. 호스피스·완화의료 연구에서 실험 연구는 두 가지 설계방법이 있는데, 하나는 평행 설계(parallel design)로 환자들은 무작위적으로 배치되어 중재를 받거나(실험군) 아니면 현재까지 알려진 가장 최선의 치료를 받는다(대조군). 현재 효과적인 치료방법이 알려져 있지 않은 경우에만 대조군은 위약을 투여받거나 아무 중재도 받지 않는다. 교차 설계(crossover trial)에서는 치료의 순서를 다르게 지정하는데, 어떤 순서에 속하느냐는 무작위에 따른다. AB/BA설계란 연구 대상을 반으로 나눠서, A치료를 먼저 받고 B치료를 받는 군 혹은 B치료를 먼저 받은 후 A치료를 받는 군에 배정하는 식이다.

4. 중재의 효과 평가

호스피스·완화의료 연구의 궁극적인 목적은 삶의 말기에 놓인 환자나 가족들의 문제를 조절하고 예방하는 데 유용한 지식을 생산하는 것이다. 중재의 효과를 평가하는 황금 기준(gold standard)으로는 무작위 임상시험이 널리 인정받고 있다. 하지만 관찰 연구나 유사 실험 연구도 실행 가능성, 타당성, 결과의 일반화에 대해 유용한 정보를 제공한다. 연구의 질을 평가하는 데는 내적 타당도(internal validity)와 외적 타당도(external validity)의 두 가지 기준이 있다. 내적 타당도는 '이 연구가 알아내고자 하는 바를 잘 측정하였는가'의 문제로, 효과의 크기를 정확히 재는 것이다. 연구자는 참값으로부터 결과를 멀어지게 하는 비뚤림(bias)을 피하는 데 관심을 기울여야 한다. 인과관계를 설명할 때 다음의 세 가지가 관여할 가능성을 염두에 두어야 한다. 1) 관찰된 연관성이 우연에 의할 경우 2) 연구 대상의 선정이 치우쳐서(선택 비뚤림, selection bias) 혹은 원인이나 결과 변수를 측정하는데 계통적 오류가 발생할 경우(정보 비뚤림, information bias) 3) 외부요인이 원인요인과 연관되고 또한 결과 요인에 독립적으로 영향을 주어 일어난 경우(교란변수, confounders). 그러나 모든 연구는 비뚤림으로부터 자유롭지 못하다. 심지어 무작위 연구도 그러하다. 무작위 연구의 경우 치료하기로 한 의도에 따른 분석(intention to treat analysis)이 내적 타당도를 지키기 위해 추천된다. 모든 대상 환자들은 적격성 여부나, 예정한 치료의 종류, 치료의 순응도, 그리고 측정척도에 대한 순응도와 무관하게 처음에 정했던 소속대로 포함시켜서 결과를 분석하는 것이 바람직하다. 특히 호스피스·완화의료 연구는 예상했던 바와 달리 고착률이 떨어지는 경우가 많기 때문이다.

외적 타당도는 '이 연구결과가 다른 상황에서도 적용될 것인가'의 문제로, 연구결과를 일반화하는 것을 말한다.

임상연구가 보다 실용적이 되려면 매일 통상적으로 이루어지는 진료에 중재가 적용될 가능성을 염두에 두어야 한다. 그럴 때 가장 좋은 연구 설계는 관찰 연구이거나 유사 실험 연구이다.

IV 호스피스·완화의료 연구에서의 윤리적 문제

1. 개요

최근 호스피스·완화의료 연구는 양적, 질적 연구 모두와 기술연구, 중재연구에 이르기까지 다양한 분야에 걸쳐 발전하였다. 하지만 윤리적 문제가 연구에 큰 장벽으로 작용해 왔다. 예를 들어 임종에 가까운 환자를 연구에 참여시켜야 하는지에 대한 고민 등이 제기되었다. 연구자와 임상의들이 고려해야 할 5가지 호스피스·완화의료 연구의 윤리적 측면이 있다. 여기에는 (1) 미래의 환자들에게 연구가 갖는 잠재적 이익, (2) 연구 대상자들에게 이 연구의 잠재적 이익, (3) 대상자에게 이 연구가 갖는 위험성, (4) 대상자의 의사결정 능력, (5) 대상자가 연구 참여를 선택할 때의 자발성이 포함된다.

2. 미래의 환자의 이익: 연구의 타당성과 가치

호스피스·완화의료 연구는 미래의 환자들을 위해 돌봄을 향상시킬 수 있어야 한다.

1) 타당성(Validity)

연구자는 연구 설계와 분석에 있어서 타당한 기술을 사용해야 하며 일반화 가능한 지식을 도출해 내도록 해야 한다. 실제로 일반화 가능성은 미국에서 사용되는 연구의 정의-지식의 일반화를 위한 검증과 평가, 체계적인 조사-에서 핵심부분이다.

2) 가치(Value)

가치는 어떠한 연구가 미래의 환자들의 건강과 안녕을 향상시킬 수 있는 가능성으로 정의될 수 있다. 가치는 타당도처럼, 연구 설계의 과학적 질에 대한 중요한 척도이며 연구의 윤리적 질의 척도이기도 하다. 연구의 중심 목표는 궁극적으로 중요하고, 유익하며, 가치 있는 지식을 생산하는 것이기 때문이다. 대상자들은 적어도 다른 사람들에게 도움이 되기 위해 연구에 참여하고 이에 따르는 위험과 부담을 받아들이기 때문에, 연구자들은 최대한 연구가 그렇게 진행될 수 있도록 윤리적 책임감을 가져야 한다.

3) 호스피스·완화의료 연구에서 타당성과 가치의 극대화

첫째, 연구의 표본의 크기는 연구 주제에 대한 답을 얻을 수 있도록 적절해야 한다. 호스피스·완화의료 연구에서 환자 모집이 어려운 문제가 특히 자주 발생한다. 이에 대한 해결책으로 협조 체계를 통해 다기관 연구로 진행하는 것이 유용하다. 또한 연구를 위한 자료 수집을 일상적인 진료에 통합하는 방법이 연구를 용이하게 하고, 전자의무기록 덕분에 저비용으로 대규모 연구가 가능하다. 둘째, 호스피스·완화의료 연구자들은 연구 대상자를 다양화함으로써, 연구 결과의 일반화 가능성을 향상시킬 수 있다. 과거에 주목받지 못했던 비암성 질환자, 소수인종, 또는 고령 환자 등을 포함하는 표본이 한 예이다. 그리고 지역사회의 병원과 호스피스·완화의료 기관에서 대상자를 모집함으로써 일반화를 향상시킬 수 있다.

3. 대상자의 이익

중재연구에서 치료는 의미 있는 호전 가능성을 제공할 수 있다. 연구 대상자가 임상 시험 약물을 제공받을 기회를 늘리는 방법으로, 위약대조 임상시험에서 표준 1:1 무작위 배정을 변경하거나 교차설계 연구 디자인을 사용할 수 있다. 물론 연구 중재로 인한 잠재적 이득은 확실하지 않으며, 중재의 상대적인 이득을 고려했을 때 합법적인 불확실성 또는 동등성이 있을 때만 윤리적이다. 그러므로 모든 중재연구가 반드시 잠재적인 이득을 제공한다고 해석되어서는 안 된다.

전향적 연구 역시 연구 참여자에 이득을 제공할 수 있다. 예를 들어 자료를 수집하면서 부적절하게 치료되고 있는 통증이나 우울과 같은 연관된 임상 문제를 발견할 수도 있다.

중재연구 또는 기술연구가 연구가 종료된 후에도 대상자에게 도움이 될 수 있다. 대상자들은 연구의 종합된 결과를 학습함으로써 이익을 얻을 수 있다.

4. 위험요인과 부담 최소화

연구자들은 약의 부작용 같은 위험성을 줄이고, 추가적인 외래 방문 등 연구의 부담을 최소화하는 것으로 윤리성을 향상시킬 수 있다. 임상연구에서 사용되는 약제의 위험성은 정보를 제공하는 사전 동의 과정에서 밝혀야 한다.

1) 중재연구에서 위험요인 최소화

가장 이견이 많은 문제 중의 하나는 위약군 또는 가짜 대조군이 윤리적으로 적절한가이다. 일반적으로 위약군은 증상이나 장애에 대한 '비효과적인 또는 특별히 효과적이지 않은' 중재라고 정의될 수 있다. 예를 들어 임상연구에서 새로운 항생제에 대한 위약 대조군 연구는 비윤리적이다. 그러나 증상 연구에서는, 위약 반응이 현저할 수 있고, 적극적인 중재로 보일 수가 있다. 또한 돌발통증과 같이, 연구 대상인 증상이 일시적인

경우도 있다. 다음의 세 가지 경우에 위약 대조군은 윤리적으로 받아들여질 수 있다. 첫째, 위약이 표준 치료와 함께 제공될 때이다. 예를 들어 마약성 진통제와 보조 진통제를 같이 주는 군과 마약성 진통제와 위약을 주는 군을 무작위로 배정하는 경우이다. 둘째, 연구 대상인 증상에 효과적인 치료법이 없는 경우이다. 셋째, 대상자가 적절한 응급치료를 받을 수 있다면 위약대조군이 정당화될 수 있다.

허위 절차(sham procedure)는 위약 대조군처럼, 대상자의 위험이 최소화되고, 일부 대상자가 비특이적인 효과로부터 이익을 얻을 수 있으며, 연구 주제가 높은 가치를 갖는다면 윤리적일 수 있다. 예를 들어, 연구자들은 수술 후 통증 조절 목적으로 사용할 허위 경막외 카테터를 삽입하거나, 교차 설계를 하여 모든 대상자가 실제 시술의 이익을 받을 수 있도록 하는 것이다.

2) 부담 최소화

시간이 걸리는 설문조사, 인터뷰, 추가 연구 방문을 가능한 한 최소화하도록 한다. 연구 대상자가 매우 아프거나 피로할 때 더욱 부담을 줄여야 한다. 호스피스·완화의료 연구자들은 전화 자료 수집 등으로 부담을 최소화할 수 있는 방법에 관심을 기울여야 한다. 또한 돌봄 제공자인 친지와 가족들에게도 부담을 줄이기 위해, 면담 양을 줄이거나 또는 외래 방문시기에 여러 선택권을 주는 등 연구설계에 유연성을 가질 필요가 있다.

5. 의사결정 능력 보장

연구에 참여하기로 동의한 환자들은 반드시 적절한 의사결정 능력이 있어야 한다. 이는 대상자가 타당한 정보를 이해하고, 정보의 의미를 평가하고, 합리적인 결론을 내릴 수 있는 능력을 의미한다. 진행성 질환을 가진 환자의 경우 인지기능 장애의 유병률이 높다. 임종 마지막 한 달에는 10~40% 가량, 임종 수일 전에는 85%에서 인지기능 장애가 발생한다. 의사결정 능력의

13부

저하는 마약성 진통제, 벤조다이아제핀, 스테로이드 등 약물에 의해서도 발생할 수 있다.

임종기 환자에게 종종 나타나는 우울증이나 적응장애는 인지기능 장애에 대한 우려를 더욱 증가시킬 수 있다. 또한 환자들이 심각한 증상 때문에 정보에 집중할 수 없는 경우, 이해력이 부족해져서 의사결정 능력이 저하될 수 있다.

의사결정 능력을 보장하는 문제들은 종단 연구에서 두드러질 수 있다. 등록 당시에 동의할 수 있는 능력을 가졌던 환자라 하더라도, 시간이 흐르면서 기능이 저하될 수 있다. 이러한 문제 때문에 임종기 환자를 연구에 등록시키면 안 된다고 주장하는 연구자들도 있다. 임종기 환자가 참여하는 연구를 시행할 때, 간단하게 이해능력을 평가하거나 특정 상황에서 검증된 도구로 평가하는 것이 중요하다. 예를 들어, 호스피스·완화의료 연구가 면담 또는 최소의 위험성을 갖는 행동 중재 연구일 때 보통은 일상적인 능력평가로 충분하다. 연구가 잠재적인 이득을 제공하지만 최소 이상의 위험을 갖는 경우, 구조화된 이해력 평가가 적합하다. 마지막으로 연구가 잠재적인 이득을 제공하지 않으면서 최소 이상의 위험을 갖는 경우, 공식적인 능력 평가가 반드시 고려되어야 한다. 만약 환자가 동의 능력이 없는 경우 법적인 대리인이 연구를 위해 동의할 수 있다. 이 경우 대리 의사결정자가, 환자의 선호도에 따른 판단을 하거나 환자를 위한 최선의 이익에 대한 평가를 사용하여 의학적 의사결정에 동의하는 것과 마찬가지로, 연구에 동의하도록 한다. 만약 환자가 자세한 정보를 이해하고 동의할 수 있는 능력이 없지만, 의사결정에 참여할 수 있다면, 연구자들은 반드시 환자로부터 찬성을 구하고, 환자의 대리인에게 서면 동의서를 받아야 한다. 이러한 절차는 '이중 동의'(dual consent)라고 불린다. 만약 환자가 의사결정 능력이 간헐적으로 있거나 의사결정 능력을 잃어버리게 될 것이 예상되는 경우, 연구자들은 사전 동의를 획득할 수 있다. 사전 동의는 특수한 상황에서만 시행되어야 하고, 호스피스·완화의료 프로그램에 등록되거나 입원하는 시점과 같이 연구시작이 임박한 시기에 이루어져야 한다.

6. 자발성 보호

연구설계의 윤리적 건전성을 향상시킬 수 있는 방법은 대상자의 자발적 참여를 보호하는 것이다. 일반적으로 현저하게 통제하는 영향이 없이 선택이 이루어질 때, 자발적이라고 할 수 있다. 연구 대상자가 가능한 다른 대안이 어떠한 것이 있는지를 알고, 어느 때라도 연구 중단을 할 수 있음을 이해하고, 연구 참여를 선택했을 때 자발성이 보호될 수 있다. 호스피스·완화의료 수준이 우수한 환경에서 대상자를 모집하면 자발적 연구참여 결정이 이루어질 가능성이 높아진다. 만약 환자가 최상의 진료를 받고 있다면, 연구참여에 대해 자유롭고 분명한 선택을 할 수 있다(환자가 최상의 돌봄을 받지 못하는 상황이면, 자포자기 상태로 연구에 참여하게 되거나, 연구 중단을 하면 효과적인 호스피스·완화의료 돌봄을 받을 수 없을 것이라는 인식 때문에 연구동의 철회를 못 할 수도 있다).

V 심리사회적 주제에 대한 연구

1. 개요

심리사회적 연구는 삶의 질 연구와 인간 경험의 심리적, 사회적, 영적, 그리고 존재론적인 부분을 탐구한다. 연구 역시 모든 사람의 존엄성에 대한 존중과 돌봄에 대한 형평성이라는 호스피스·완화의료의 핵심가치와 원칙에 부합되도록 시행되어야 한다. 심리사회적 연구는 가장 효과적인 치료와 치료가 환자와 가족에게 갖는 의미에도 관심을 기울인다. 이를 위해 다학제 접근을 비롯한 다양한 방법을 사용한다.

표 47-2. 호스피스·완화의료 분야에서의 심리사회적 연구 주제

- 의사소통 연구: 나쁜 소식 전하기, 예후와 임종에 대한 설명
- 변화에 대처하고 적응하기
- 소수민족을 포함한 문화적 문제
- 임종과정
- 임종기의 윤리
- 가족연구: 돌봄제공자, 가족지지
- 슬픔과 사별
- 중재: 심리요법, 약물요법, 물리요법
- 질병경험: 자아, 신체, 존엄성, 타인에 대한 부담에 대한 영향
- 소아에서의 적응, 대처, 돌봄
- 정신적 문제: 불안, 우울, 섬망 등
- 삶의 질
- 성생활과 친밀감
- 사회적 문제: 관계, 휴식, 일, 생활양식

2. 심리사회적 연구의 범위

연구 범위는 다음과 같이 넓은 영역을 포함한다 표 47-2 . 연구 주제의 선택은 그간 다뤄지지 않은 필요에 대한 인식, 치료효과를 개선시키기 위한 바램 등을 고려하여 정해진다.

3. 문헌고찰 및 메타분석

포괄적인 문헌 검토는 연구 주제를 도출하기 전에 이루어져야 하는 필수불가결한 작업이다. 따라서 가설이 생성되거나 연구의 목적이나 목표가 기술되기 전에 공식적인 문헌 검색이 중요하다. 최근 심리사회적 호스피스·완화의료 주제에 대한 체계적인 검토를 통해 종설이 출간되었다. 그 결과 다학제적 호스피스·완화의료팀의 효과, 호스피스·완화의료의 요구 정도, 그리고 암 환자에게 정보를 전달하는 효과적인 방법에 대해 고찰이 이루어졌다. 질적 연구의 메타-합성(meta-synthesis)은 환자의 경험에 대한 이해에 도움을 주었다.

4. 도구 개발

고통, 감정상태, 대처 능력, 삶의 질, 지원, 가족의 기능을 측정하는 도구들은 잘 검증되어 있다. 반면에 영성, 존엄성, 실존에 대한 영역은 앞으로 추가적인 연구가 필요하다.

평가 척도는 선별검사, 진단, 심각도 측정, 변화 측정을 위해 사용될 수 있다. 이러한 도구들이 어떤 목적을 위해 만들어졌는지, 신뢰도와 타당도 검증은 이루어졌는지 확인해 보아야 한다. 연구자들이 스스로 '이 도구의 실제 내용은 무엇이고, 이것을 내 연구에 적용할 수 있을까?'라는 질문을 통해 내용 타당도를 평가하는 것이 필요하다. 호스피스·완화의료 환자들에게는 도구의 실용성과 간결성이 중요하다.

5. 다양한 연구 방법들

1) 임상 사례 보고(Clinical case report)

임상 사례 보고는 증상 발현, 진단, 치료 분야의 문제를 강조하는 중요한 역할을 한다. 사례 보고 수집을 통해 코호트연구의 필요성을 제안할 수 있다. 1996년 호주에서 한시적으로 운영되던 말기 암 환자 법률 시행 당시, 안락사를 요구했던 환자들에 대한 보고가 한 예이다. 이 사례들은 인지되지 못한 우울증, 열악한 의료 서비스, 말기 상태에 대한 의견 불일치를 보고하였고, 법률에 의한 문지기 역할에 결함이 있음을 보여주었다.

2) 문화기술적 사례 연구(Ethnographic case study)

문화기술적 사례연구는, 문화적인 주제나 소수 민족의 주제를 탐구하기 위해, 심층적이고 세부적인 사례를 개발한다. 태국 남부에서 에이즈 환자의 가족 돌봄 제공자에 대한 연구는 그들에 대한 지원 필요성을 확인하였다. 이후 상황 개선을 위해, 세계보건기구가 지원하는, 정책과 모델을 개발하는 연구로 이어졌다. 전립선암 환자의 경험을 탐구하는 혁신적인 연구에서는 사진-소설 기법(photo-novella)을 사용하였다. 환자들에게 면담과 함께 자신의 경험을 표현하는 사진을 제공하도록 부탁했다. 그 결과, 몇몇 환자들은 스스로 자신의 사진 찍기를 선택했고, 다른 환자들은 그들의 경험에서 의미를 찾도록 도운 장소나 상징에 대한 사진을 제공했다.

13부

3) 내러티브 탐구(Narrative inquiry)

내러티브는 연구 면담을 통해, 참가자들이 주요 문화적 자원을 형성하는 언어로 함께 의미를 찾으며, 개인의 사회적 생활을 반영한다. 질적 접근 방법인 내러티브 조사는 전향적 연구만큼 가치가 있다. 질병 내러티브에 대한 전통적 연구는 Kleinman의 연구와 Frank의 저서들로, 치명적인 질병을 경험하는 사람들의 세계에 대한 설명 모델을 보여주었다. 최근의 연구에서는 완화의료에서 밀접한 간호사-환자 관계를 탐색하기 위한 개인과 그룹 내러티브가 눈에 띈다.

4) 문서와 온라인 연구(Textual and electronic study)

다행히도 점점 더 많은 연구자들이 완화의료 환자들이 보다 편안한 시간과 장소에서 응답할 수 있도록 하고 있다. 여기에는 출판된 이야기, 대중 매체의 소식, 인터넷에 올린 일기나 이야기 같은 공개적인 문서가 포함된다. 다른 전자 자료로는 온라인의 지지그룹을 이용하는 방법도 있다. 전화나 웹을 통해 면담이나 지지요법을 시행하는 것도 새로운 방법이다.

5) 임상연구(Controlled clinical trials)

예방적 또는 치료적 중재의 필요성을 시험하는 연구설계이다. 호스피스·완화의료에서 그간 대조시험의 필요에 대해 많은 논쟁이 있었지만, 결과를 최종적으로 검토할 때에는 매우 중요하다. 대조시험에서 발생할 수 있는 방법론적 문제는 환자의 거부 또는 중간 철회, 밝혀지지 않은 임의적인 치료, 용량 변화, 순응도, 중간 평가시의 실수, 결과 평가 이전의 사망 등이 있다. 이러한 어려움에도 불구하고 향후 연구에서 근거의 질을 높이기 위해 임상연구가 필요하다.

6) 통합 연구(Mixed method)

최근 심리사회적 연구에서 연구 방법을 결합하는 접근이 증가하는 추세이다. 둘 이상의 연구방법이 서로 보완하고 정보를 제공하도록 연구를 설계할 수 있다. 최근 우수한 연구사례는 후천성 면역 결핍 증후군과 관련된 질병 과정 중의 대처에 관한 연구이다. Folkman과 동료들은 3제 요법이 적용되기 전인 1990년대에, 후천성 면역 결핍 증후군에 의해 사망하는 동성애자 253명의 돌봄 제공자 코호트에 대한 종단 연구를 시작했다. 격월로 2년 동안 평가가 이루어졌고 연구기간 동안 환자의 2/3가 사망했다. 연구자들은 부정적인 영향을 주로 예상하였지만, 면담 대상자들이 긍정적인 경험을 나누려는 모습에 큰 인상을 받았다. 106개의 내러티브 분석을 통해 의미중심의 대처방법이 자존감, 회복탄력성, 지혜, 죽음을 두려워하지 않는 인식을 향상시키는 것을 보여 주었다.

통합 연구 접근의 문제점은 하나 또는 그 이상의 방법이라도 그 주제를 정당화하기에 불충분할 수 있다는 점이다. 질적 및 양적 연구 분야에서 전문경험을 쌓는 것은 두 분야 모두에서 중요하며, 연구자간의 협력은 강력한 시너지 효과를 일으킨다. 양적 연구는 특정한 측정을 통한 내용을 강조하며 주로 특정 시점에서 비교한다. 질적 연구는 시간에 따른 결과의 변화 형태를 인식하여 형식에 대한 통찰력을 줄 수 있다.

7) 질적 자료 분석을 위한 컴퓨터 보조프로그램의 활용

컴퓨터는 질적 연구를 위한 필수적인 도구가 되어 가고 있다. 비교적 단순한 문장검색기부터 이론을 구축하는 고차원적인 차세대 멀티미디어 기능까지 가능한 다양한 패키지가 있다. 일부 제품은 무료이고, 간단한 프로젝트의 경우 무료 제품만으로 충분할 수 있다. 하지만 대부분 제품의 언어는 영어이고, 간혹 중국어, 일본어가 사용가능할 뿐으로, 한글 자료 분석에 아주 적합한 프로그램은 없다.

6. 심리사회적 연구의 방법론적 어려움과 향후 연구방향

임종하는 환자를 대상으로 연구를 할 때 특별한 어려움

에 직면하게 된다. 환자 모집, 적절한 표본 크기의 달성, 자연 감소율, 환자 상태의 변동성 등이 그러하다. 숙련된 관리자 채용, 다양한 모집 방법, 잘 고려된 선정기준 등이 문제를 해결하는 데 도움이 된다. 또한 대조실험에서 치료의 보류, 섬망이 있을 때 동의 절차는 윤리적 문제가 따를 수 있다. 폭넓은 면접과 긴 설문지의 사용은 스트레스를 유발할 수 있다. 오랫동안 임상의들은 호스피스·완화의료 돌봄을 받는 환자들이 연구에 부적합하다고 주장하며 과학적인 접근을 피해 왔다. 다행스럽게도 전문분야는 성숙하고 있으며, 연구가 발전된 미래를 위해 필수적임을 인식하고 있다. 호스피스·완화의료가 학문 분야로 발전하기 위해서는, 연구활동이 학문적이어야 하며 의미 있는 임상활동의 근거를 만들어내야 한다. 심리사회적 연구는 이러한 노력의 핵심 구성요소이다. 따라서 가장 높은 수준의 통합적 방법론을 사용하여 국제적 협업을 통해 발전시킬 필요가 있다.

향후 우선순위인 연구과제들은 다음과 같다. 견고한 근거 자료를 확립하기 위해 무작위 대조연구를 시행할 필요가 있다. 또한 무작위 대조연구가 약물요법뿐 아니라 영적 고통을 치료하기 위한 의미 중심요법에도 필요하다. 대인정신요법(interpersonal psychotherapy)은 호스피스·완화의료에 적용되어야 할 표준화 중재(standardized intervention) 중 하나이다. 고통(suffering)은 미래 연구 분야의 핵심적인 영역으로 남아 있다. 존중, 존엄, 수치심, 가치 없는 죽음을 탐구하기 위해 통합연구방법론을 사용한 관찰연구가 필요하다. 이를 위해 환자, 가족, 간병인, 의사와 간호사 및 모든 지원인력의 경험을 통합하는 것이 필요하다. 또한 의사소통이 호스피스·완화의료를 위한 중요한 연구 영역으로 남아 있다. 예후와 임종 준비에 대한 논의는 이 분야에서 가장 도전적인 과제이나, 임상의사가 접근하기 위한 체계적인 연구는 아직 부족하다. 호스피스·완화의료에서 효과적인 의사소통의 근본적인 부분은, 임박한

죽음의 현실을 받아들이면서 적절한 대처와 희망을 유지하도록 촉진하는 것이다. 임종기의 의사결정 및 동의서에 대해서도 더욱 체계적인 연구가 필요하다. 한편 사전의료 계획 시 의료진의 순응도를 평가하는 연구가, 전반적인 윤리논쟁에 대해 경험적 증거를 제공하기 위해 필요하다.

마지막으로 전 세계적으로 가장 시급한 문제는 위의 문제들을 해결할 수 있는 헌신적인 연구자를 양성하는 것이다. 새로운 도전적인 과제들에 대처하기 위해서는 견고한 교육과 경험, 그리고 연구 방법론의 발전이 필수적이다.

VI 삶의 질 : 원칙과 실제

1. 호스피스·완화의료에서의 삶의 질 개요

삶의 질 향상은 보건의료 전반의 목표로서, 특히 호스피스·완화의료의 중요한 목표이다. 주관적인 안녕감을 표현하기 위해 다양한 용어들이 존재하나, 공통사항은 응답자의 주관적인 감각이라는 점과 면담 혹은 설문조사를 통해 정보가 수집된다는 점이다. 삶의 질에 대한 다음의 두 가지 일반적 접근법이 있다. 첫 번째, 삶의 질을 '모든 것을 고려한 당신의 삶은 어떠한가'를 포함하는 광범위한 개념으로 보는 것이다. 두 번째, 삶의 질을 증상 정도와 기능을 포함하는 건강 또는 보건의 특정한 측면에 중점을 둔 건강지향적인 개념으로 다루는 것이다. 이러한 두 가지 개념은 상호배타적인 개념이 아니라 삶의 질을 정의하는 데 있어 양 극단 사이의 연속적인 문제이다 그림 47-1.

2. 전반적인 삶의 질

여기에도 두 가지 관점이 존재한다. 삶의 질의 지표로 보건의료 접근성, 교육 등을 들어 이를 사회 현상으로

실존적인 개념으로서의
전반적인 삶의 질

통증이나 피로와 같은
개별적인 징후/증상으로서의 삶의 질

그림 47-1. 실존성에서 단일 증상에 이르는 연속체로서의 삶의 질

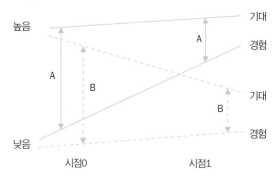

그림 47-2. 기대와 경험의 격차로서의 삶의 질

취급하는 것과, 개개인의 주관적인 인식을 지표로 보아 삶의 질을 주관적인 현상으로 다루는 것이다. 후자의 의미에서 삶의 질은 인간 삶의 심리적, 정신적, 영적 영역을 모두 연결시킨다. 삶의 질은 정상적인 기능, 최소한의 인간의 욕구가 충족되는 정상상태와 밀접하게 관련된다. 이와 같은 최소한의 욕구는 'Maslow의 욕구단계'로 기술되었고, 생물학적 욕구, 밀접한 관계에 대한 욕구, 의미 있는 일에 대한 욕구, 그리고 변화에 대한 욕구로 구성되어 있다. 이러한 경험적 발견은 Calman의 차이 이론(gap theory)과 잘 부합된다. 여기에서 삶의 질은 개인의 기대와 주어진 상황에 대한 인식의 차이의 역관계이다. '그 차이가 작을수록 삶의 질은 더 나아진다'. 차이 이론에 따르면 그림 47-2 에 나타나듯이, 삶의 질의 차이가 시점0에서 시점1로 변할 때 기대와 경험은 변화하게 된다. 사례 A와 B가 보여주듯이, 시점0와 시점1에서 삶의 질이 같게 측정되더라도 변화의 근본적인 원인은 두 개인에서 다를 수 있다. 차이 이론을 염두에 두면 중재연구에서 삶의 질 변화에 기여할 수 있는 모든 요소의 크기를 확인해야 한다.

3. 의료에서의 삶의 질

삶의 질은 질병, 경험, 지원 정도 등에 따라 개개인마다 다른 의미를 가질 수 있다. 전문가들의 관심도 삶의 질에 대한 인식에 영향을 미칠 수 있다. 예를 들어, 호스피스·완화의료 의사에게는 삶의 질의 개선이 환자의 통증 조절을 뜻하는 반면, 다른 전문가에게는 필요한 사회적 지지를 확립하는 것일 수 있다. 많은 연구자와 임상가들은 호스피스·완화의료에서의 삶의 질이 증상조절, 신체적 기능, 사회적 기능, 심리적 안녕감과 의미, 성취감과 관련되어 있다는 것에 동의한다. 이러한 다차원적인 건강 관련 개념은 건강관련 삶의 질(health-related quality of life, HRQOL)이라고 불리고 있다. '삶의 질(QOL)'과 '건강관련 삶의 질(HRQOL)'이라는 용어는 '환자보고 결과(patient-reported outcomes, PROs)'라는 또 다른 용어와 혼란을 겪어왔다. 본질적으로 환자보고 결과는 환자가 작성하거나 보고한 모든 종류의 측정을 포함하는 중립적인 용어이다.

세계보건기구(World Health Organization, WHO, 1958)는 건강의 개념을 다차원적으로 기술하였다. '건강은 단순히 허약함이나 질병이 없는 상태가 아니라 완전한 신체적, 정신적 사회적 안녕 상태이다'. 이러한 세 가지 차원의 건강은 건강관련 삶의 질의 개념에 포함되었다.

수행도는 Karnofsky 수행도 평가도구로 알려진 기준에 따라 정의되었다. 이 간단한 척도는 전이암 환자에서 삶의 질과 관련하여, 중요한 생존율 예측인자로서 사용되었다. 또한 환자의 일반적인 건강에 대한 인식을 측정하는 도구들이 개발되었다. 예를 들어 Short Form 36 (SF-36)등이 있다. 심리적인 영역에 초점을 둔 삶의 질 측정도구로 General Health Questionnaire (GHQ)가 있다.

국제 통증 학회(International Association for the Study of Pain, IASP)에서는 통증을 '실제적인 또는 잠재적인 조직 손상 또는 그러한 손상과 관련되어 기술된 불쾌한 감각 및 정서'라고 정의했다. 이러한 개념은 개인의 주관적인 인식을 중요한 요소로 인식하는 삶의 질과 건강 정의와 매우 유사하다. 그래서 삶의 질, 건강, 통증 측정도구의 내용을 살펴보면, 해당 도구들이 많은 부분에서 유사성을 보인다. '통증의 언어(language of pain)'가 개발되었고, 이는 McGill 통증 설문지(McGill Pain Questionnaire, MPQ)에 잘 기술되어 있다.

4. 평가 도구

대부분의 삶의 질 측정도구들은 환자가 작성하는 종이 기반 설문지 형태이다. 이러한 접근은 호스피스·완화의료 환자에게 어느 정도 적합하지만, 심각한 질병상태의 환자에게는 면담이나 표준화된 관찰에 의한 평가가 더 적절할 수 있다. 면담은 융통성이 있고 자세한 정보를 얻을 수 있지만, 많은 비용과 시간이 소모된다. 더욱이 면담은 여러 시점에서 삶의 질을 측정하는 다기관 연구에서 제한점을 보인다. 특정 완화의료 환자군에서는 삶의 질을 평가할 때, 표준화된 관찰이 자가보고 설문지를 대체할 수 있다. 이론적인 면에서는 이러한 평가 방식이 환자의 인식이 아니라 관찰자의 인식이기 때문에 이의가 제기될 수 있다. 하지만 인지기능 저하 환자에서 통증은 관찰을 통해 측정하도록 권장되고, 이것이 유일한 타당한 방법이다. 실제적인 면에서 최적의 평가 방법에 대해서 아직 잘 알려지지 않은 부분이 있다. 예를 들면 신체적 기능을 평가하는 가장 좋은 방법이 환자에게 직접 질문을 하는 것인지 아니면 환자를 관찰하는 것인지 이다. 또한 어느 정도의 인지기능 장애일 때 환자의 통증 정도를 관찰방법으로 평가할지 등이다. 설문지는 아직까지 대부분 종이 형태로 사용되고 있으나, 연구에서는 전자 형태의 설문지가 점점 흔해지고 있다.

5. 환자보고 결과와 삶의 질

환자의 주관적인 건강상태를 측정하는 것에 관해 환자보고 결과(PROs)라는 용어가 개발되었다. 이것은 환자의 반응을 의사나 다른 사람의 해석을 통해서가 아닌 환자 자신이 직접 건강상태를 측정하는 것으로 정의된다. 환자보고 결과는 광범위한 측정을 포함하는 개념이지만, 구체적으로는, 환자에 의해 완성되어지는 종이나 전자 형식의 설문지에 사용되는 용어이다.

6. 임상에서의 환자보고 결과 사용의 어려움

호스피스·완화의료에서 주관적인 증상에 대한 의사와 보건의료 전문인의 인식은 아직 부족하며, 건강관련 삶의 질의 측정은 아직 임상 진료의 한 부분으로 통합되지 않았다. 이러한 부족한 점은 여러 가지 원인으로 설명 될 수 있다. 몇몇 삶의 질 척도가 임상적인 타당성이 충분하지 않거나, 의사들이 주관적인 경험의 중요성을 믿지 않거나, 일상적인 임상 진료에서 종합적인 삶의 질 평가를 하기가 어렵다는 것 등이 있다. 신체 기능(physical functioning)은 호스피스·완화의료 환자에서 매우 중요하지만 아직도 호스피스·완화의료에 적합한 도구가 부족한 실정이다. 어떤 측정도구들은 연구 참여자와 개인에게 부담을 주기도 하고, 특정 임상연구 집단에 적합한지 검증되지 않은 경우도 있다.

7. 컴퓨터 기반 평가

정보기술의 발전으로 임상에서 전자의무기록(electronic medical records, EMRs)이라는 주요 변화가 일어났다. 이러한 부분은 디지털 영상 및 검사결과 등의 다른 임상 전자 정보 시스템과 통합되어 있다. 오늘날 자료의 수집 및 입력의 구성 및 방법은 다양하다. 체계적 종설(systematic review)은 컴퓨터 기반 의사결정 시스템의 효과에 대한 근거를 제공해 왔다. 호스피스·완화의료에서 환자보고 결과, 의사소통 지원, 의사결정 지원을 위한 컴퓨터 기반 평가 도구가 개발 중이다.

13부

컴퓨터 시스템은 정적인 종이 설문지와는 달리 환자와 의료진과의 의사소통을 동적으로 만들 수 있다. 또한 전자화 양식은 인터넷을 통해 유동적인 형태로 적용이 가능하고, 대리인에 의해 작성되거나, 모바일 장치를 통해서도 쓸 수 있다. 설문지 점수는 자동적으로 계산되고, 디지털화하여 저장될 수 있다. 전체적으로 디지털 자료의 발전은 다른 임상 변수들과 좀 더 쉽게 통합할 수 있게 하고, 임상적 의사결정을 도울 수 있으며, 전자의무기록에 저장될 수 있다.

8. 출판물과 도구의 과잉

MEDLINE에서 '삶의 질'에 대한 검색을 하면, 논문 수가 지난 35~40년간 극적으로 증가한 것을 볼 수 있다. 1966~1970년에는 고작 7개의 논문이 출간되었으나, 2006~2011년에는 약 40,000개의 논문이 출판되었다. 2002년에 설립된 환자보고 결과와 삶의 질에 대한 데이터베이스(a database on PRO and QOL instruments, the PROQOLID)에는 현재 886개의 도구가 포함되어 있다. 빠르게 증가하는 많은 논문들과 새롭게 개발된 설문지들은 연구 목적에 합당한 도구를 선택하는 데 있어 연구자와 임상가가 어려움을 겪고 있다는 사실을 방증한다. 앞으로 표준화되고 합의된 평가도구와 공통 명명법의 개발을 위한 협력이 필요하다.

9. 호스피스·완화의료에서의 건강관련 삶의 질

호스피스·완화의료의 전반적인 목표는 건강관련 삶의 질을 포함한다. 따라서 임종 전 삶의 질의 향상, 증상 조절, 가족지지 등을 반영하는 질문을 포함해야 한다. 또한 목적, 영성(spirituality), 슬픔뿐만 아니라 의미(meaning)도 포함되어야 한다.

생의 말기에서 환자들은 종종 건강관련 삶의 질 도구를 작성할 수 없기 때문에 대리인이 면담(개방형, 반구조형, 구조형) 혹은 설문지를 통해 정보를 제공하게 된다. 가능한 방법 한 가지는 의료인이나 가족 구성원이 환자 대신 건강관련 삶의 질 도구를 작성하도록 하는 것이다. 그러나 많은 연구에서 의료인이나 가족의 평가가 환자의 응답과는 다르다는 것이 밝혀졌다. 관찰자는 질병의 심리적 부담을 과대평가하는 반면 통증이나 다른 증상은 과소평가하기도 했다.

요약하면, 건강관련 삶의 질이란 다른 사람의 해석에 의하지 않고 환자로부터 직접적으로 수집된, 자신의 건강상태에 대한 본인의 인식이다. 이것은 신체적 증상의 정도, 전반적인 건강상태, 영성, 대처방법, 실존 등에 영향을 받는 동적인 현상이며 다차원적인 개념이다. 관련 증상, 신체적, 심리적, 사회적 영역을 삶의 질 측정에 포함시키는 것은 일반적으로 합의가 되었으며, 많은 경우 실존과 영적인 영역도 포함하는 것이 적절하다고 여겨진다.

10. 호스피스·완화의료에서의 환자군과 삶의 질 평가 도구 사용의 순응도

호스피스·완화의료에서 건강관련 삶의 질을 평가할 때 반드시 염두에 두어야 하는 몇 가지 문제점들이 있다. 환자들은 대부분 아프고 허약한 상태이다. 따라서 타당하고 신뢰도가 높은 자료를 얻는 데 어려움이 있을 수 있다. 특히 삶의 마지막 단계에서는 더욱 그러하다. 환자들은 동시에 여러 가지 증상들을 가지고 있는 경우가 흔하고, 신체적인 증상들은 심리적인 문제를 야기할 수 있으며 그 반대도 가능하다.

11. 호스피스·완화의료의 대상자

호스피스·완화의료의 대상자는 잘 정의된 환자군이 아니다. 몇몇 호스피스·완화의료 기관에서는 대부분의 환자가 임종하는 반면 다른 곳에서는 많은 환자가 더 긴 기대여명을 갖기도 한다. 환자군을 규정하는 데 있어 기대여명, 종양관련 치료법의 종류, 연명치료 중단에 대한 환자의 의사, 증상 정도 등의 지표가 사용될 수 있다.

표 47-3. 완화의료에서의 환자군-분류를 위한 제안

	기대여명	Karnofsky 수행도
종양치료와 완화의료 병행	>12개월	>70
1차 완화(Primary palliation)	>6~9개월	60~70
조기 완화(Early palliation)	2~3개월	50~60
후기 완화(Late palliation)	<1개월	30~40
임종 임박상태	<1~2주	<10

고식적 항암화학요법에 대한 임상연구에서 대부분의 환자들은 보통 60~70점 이상의 Karnofsky 수행상태를 가지고 있고, 진단에 따라 차이가 있지만 6개월 이상의 기대여명을 예측할 수 있다. 특히 최근 새로운 형태의 항암제들은 전이암 환자의 생존율을 비약적으로 향상시켰다. 그러므로 호스피스·완화의료가 질병 경과 중보다 조기에 제공되어야 한다는 주장이 많다. 두 번째 환자군은 평균수명이 1~3개월 정도인, 외래 또는 입원 환자로 호스피스·완화의료 돌봄을 받는 환자들이다. 세 번째 환자군은 30~40점 이하의 Karnofsky 수행상태를 보이는, 임종을 앞둔 사람들이다. 이 환자군의 경우 인지기능이 정상인 군과 장애가 있는 군으로 나눌 수 있다 표 47-3.

12. 환자군과 순응도

결측자료는 보고될 것으로 예상했지만 결과가 돌아오지 않은 자료로 정의된다. 두 가지 유형의 결측자료가 있다. 결측항목(item non-response)과 결측양식(unit non-response)이다. 결측항목은 삶의 질 도구 안에서 완성되지 않은 질문 항목이고, 결측양식은 전체 삶의 질 평가가 누락된 것이다. 결측자료는 호스피스·완화의료 연구에서 선택 비뚤림을 일으키는 원인이 될 수 있다. 무작위적인 결측자료는 그리 큰 문제는 아니다. 보통 한 설문지안의 항목에 대한 답변이 1~2%정도 결측된다. 그러나 대부분의 경우 결측자료는 무작위 결측과 비무작위 결측의 혼합된 형태로 나타난다. 이때 결측 자료가 발생한 환자군이 완벽하게 응답한 환자군과 차이가 있는지에 대해 근본적인 문제가 제기된다. 순응도는 예상되는 설문 조사 수치에 비해 실제 완료된 수치에 대한 비율로 정의된다. 환자들은 기저 질환이 악화될 때, 설문지를 완성하는 것이 어려워진다. 비록 어떤 환자들은 도움이 필요하겠지만, 호스피스·완화의료에서 건강관련 삶의 질 설문지의 순응도는 대부분 도달할 수 있다. 삶의 마지막 1~2개월 동안에는 많은 환자들이 신체적 악화, 인지장애, 심각한 고통, 정서적인 부담 때문에 평가도구를 작성하는 데 도움이 필요하게 된다. 도움이 제공되지 않는다면 순응도는 저하될 것이다. 그러나 이런 취약한 환자들에 대해 연구할 수 없다면, 질 관리와 임상 진료 평가도 불가능하므로, 이들을 위한 체계적인 치료 방법을 개발하기 위한 경험적 지식이 부족해진다. 최근의 정보 기술 시스템과 적절한 소프트웨어를 사용함으로써, 환자가 그들의 증상과 상황에 적합한 질문에만 답변하도록 사용자 맞춤 접근이 가능할 수 있다.

결측자료에 대한 두 가지 전략이 있다. 첫 번째는 결측자료의 위험성을 최소한으로 줄이는 것이다. 이것은 설문지의 길이에 대한 고려, 상태가 위중한 환자군을 위한 최적의 방법을 사용한 자료 수집, 자료수집을 위한 표준화된 방법, 어떤 이유로 특정 환자의 참여가 배제되는지에 대한 주의 깊은 관찰 등이다. 이 부분에 있어 연구 윤리는 명확하다. 참여여부는 환자의 권리이다. 두 번째 전략은 편향된 자료인지 밝혀내기 위해, 결측자료의 전체적인 형태를 주의 깊게 분석하는 것이다.

13. 대리 평가(Proxy ratings)

대리인은 환자 본인을 대체하거나 보완하는 정보원으로, 특히 임종기에 중요하다. 한편 건강관련 삶의 질 문헌에서 대리 평가는 일반적으로 부정적인 입장으로 나타난다. 왜냐하면 주관적인 건강에 대한 자료를 수집하는 가장 타당한 방법은 환자가 직접적으로 평가하는

13부

것이라는 사실이 일관적으로 증명되었기 때문이다.

종설과 논평, 그리고 최근 연구에서 돌봄제공자와 중요한 타인(배우자, 연인 등)을 평가자로 하는 주제가 다루어졌다. 결과는 다음과 같이 요약해 볼 수 있다.

- 의료인들은 환자의 불안, 우울, 일반적인 심리적 디스트레스를 과대평가하는 경향이 있다.
- 의료인과 환자간의 평가 일치도는 디스트레스가 있는 상태보다 없는 상태에서 더 높았다.
- 통증과 다른 증상들은 대리인에 의해 과소평가되는 경향이 있다.
- 대리 평가는 항목이 구체적이고 관찰 가능할 때 더욱 정확하다.

대리인 평가에서는 대리자 자료 자체의 한계, 대리 평가 도구의 내용, 공통 척도의 개발 등 현안들이 있다. 이러한 제한점에도 불구하고 돌봄제공자 또는 의료인은 대리 평가자로 이용할 수 있다. 대리 측정도구는 간략하고 타당성이 입증된 것을 선택하여, 타 연구들과 자료를 비교할 수 있고, 측정하는 내용에 대한 의료진의 이해를 최적화한다. 에드몬튼 증상 평가 척도(Edmonton Symptom Assessment System, ESAS), 그리고 EORTC QLQ-C30 (European Organization for Research and Treatment of Cancer Quality of Life Questionnaire Core30)는 이러한 도구들의 예이다. 앞으로 대리 측정 도구와 결과 보고 시스템은 보다 사용자 편의적인 형태로 개발되어야 하고, 대리 평가의 효용성도 향후 연구가 더 필요하다.

14. 설문지 선택

설문지 선택과정의 첫 단계는 연구 목표를 구체화하는 것이다. 전반적인 목표를 설정하고, 구체적인 연구 질의 또는 가설의 개요가 필요하다. 이후 각각의 연구 질문에 대한 임상적인 결과가 결정되어야 한다. 이를 통해 평가 도구를 선택하거나 특정 영역 혹은 항목을 추출하게 된다. 건강관련 삶의 질 평가는 포괄적이기 때문에 일차원적인 척도보다는 다차원적인 도구를 사용하여 측정하는 것이 추천된다. 건강관련 삶의 질 평가는 포괄적(generic), 질병 특이적(disease-specific), 영역 특이적(domain-specific)인 것으로 나뉜다. 포괄적인 측정도구는 특정 환자군이나 질병에 특이적이지 않다. 이러한 도구는 대상자가 한 가지 이상의 상태를 지닐 때 적용가능하고, 다른 환자군과 상태에 걸쳐 비교가 가능하다. 질병 특이적 측정도구는 특정 환자군을 위해 개발되었다. 예를 들어 EORTC QLQ-C30와 암 환자의 기능적 평가 설문지 일반형(Functional Assessment of Cancer—General Version, FACT-G)은 암 환자를 위해 개발되었고, 호스피스·완화의료 환자군을 위해 개발된 도구도 있다. 대부분의 평가도구는 신체적 역할과 사회적 기능, 증상과 안녕감에 대한 주관적 평가 등 다양한 측면을 포함하고 있다. 최근의 도구들은 긍정적인 건강 상태도 평가한다. 이는 단순히 문제 없는 상태가 아닌 양호한 건강 상태와 안녕감이 있는 상태이다. 영역 특이적인 평가도구는 삶의 질 개념 안의 피로, 통증, 디스트레스(distress) 등과 같은 특정한 영역에 대해 평가를 한다.

삶의 질을 평가할 때는 연구의 목적에 따라 포괄적인 도구, 질병 특이적인 도구, 영역 특이적인 도구를 함께 사용할 수 있다. 예를 들어 뼈전이로 인한 통증이 있는 환자군에서 방사선치료의 용량에 따른 효과를 비교할 때 EORTC QLQ-C30과 같은 질병 특이적 도구와 함께 통증에 대한 영역 특이적 도구를 함께 쓰는 것이 타당할 수 있다. 설문지의 수는 평가의 목적에 맞아야 하고, 응답자의 부담과 자료 수집시의 비용 간의 균형을 맞추는 것이 필요하다.

다른 측정 도구를 비교하는 자료는 상대적으로 부족하다. 암 특이적인 평가도구인 EORTC QLQ-C30과 포괄적인 평가도구인 SF-36를 만성적인 비암성 통증을 가진 환자군에서 비교한 연구가 있다. 같은 개념을 측정하는 척도들은 상당히 일치하였고, SF-36 척도는 더 나은 내적 일치도를 보였다. 반면 EORTC QLQ-C30에는 SF-36에 없는 몇 가지 증상들이 포함되었다.

연구자들은 자신들이 살펴보려는 유사한 대상자와 연구환경에서 타당성이 입증되고, 흔히 쓰이는 설문지를 선택하는 것이 좋다. 일반적으로 사용되는 도구는 다른 연구자들이 쉽게 평가할 수 있고, 더 넓은 맥락에서 해석이 가능하다. 다음에는 몇 가지 흔히 사용되는 도구들을 간략하게 논의하도록 한다. 하지만 여기에 나타난 도구들이 다른 도구들에 비해 우월하다는 뜻은 아니다.

15. 포괄적 도구

SF-36은 어떤 질병, 연령, 대상집단에도 특이적이지 않은 8가지 개념을 선택하여 신체 및 정신 건강이라는 두 주요 차원에서 개념화된 건강을 측정했다. 8가지 척도의 심리평가적 타당성은 Cronbach's alpha값이 매우 양호하다. 개정판(version 2)은 2000년도에 출판되었고 사용을 위해서는 허가 계약과 수수료가 필요하다. SF-36 초판은 무료로 사용 가능하다. 보다 간략한 설문지도 개발되었다. SF-36에서 12가지 항목을 선택하여 SF-12라고 이름지었고, 나중에 더 줄여서 SF-8이라고 명명하였다. SF-12은 SF-36보다 정밀도가 떨어진다. SF-12의 개정판은 2002년에 출판되었다.

16. WHO 삶의 질 측정도구

세계 보건기구는 WHO 삶의 질 측정도구(WHO Quality of Life Assessment Instrument, WHOQOL)를 개발했다. 이 도구는 표준화 계획에 따라 15개 국제센터에서 동시에 다개국어로 개발되었다. 초기에는 신체적 건강, 심리적 건강, 독립성, 사회적 관계, 영성과 환경의 5가지 영역을 100개의 항목으로 측정하였다. 각각의 영역은 모두 24개의 측면을 포함하고, 각각의 측면은 4개의 항목으로 이루어졌다. 마지막 4개의 항목은 전반적인 삶의 질과 일반적인 건강 상태를 측정한다. 도구의 길

이에 의한 제한 때문에 26가지 항목으로 축약된 도구가 발표되었다.

17. 질병 특이적 도구

1) EORTC QLQ-C30

암 특이적 설문지인 EORTC QLQ-C30 (European Organization for Research and Treatment of Cancer Quality of Life Questionnaire Core30)는 1993년에 완성되었다. 개정판이 출판되었고, EORTC에서는 3판의 사용을 권장한다. 설문지에는 5가지 기능적 척도(신체적, 역할, 인지, 정서적 및 사회적), 일반적인 삶의 질, 3가지 증상 척도(피로, 통증, 구역/구토), 6가지 단일 항목이 포함된다. 단일 항목은 호흡곤란, 식욕부진, 불면, 변비 및 설사와 같은 암 환자에서 흔한 증상을 평가한다. 평가를 위한 기간설정은 1주일이며 이는 임상 시험에서 특히 적절할 수 있다. 이 도구는 검사/재검사 신뢰도를 포함하여 훌륭한 심리평가적 타당성을 나타낸다.

EORTC 삶의 질 그룹은 이른바 모듈식 접근법(modular approach)을 따르고 있고, EORTC QLQ-C30는 각 암종 특이적인 추가 설문에 의해 보완될 수 있다. EORTC 설문지에 대한 최신정보는 웹사이트에서 찾을 수 있다 (http://www.eortc.org/).

2006년에 개발된 EORTC QLQ-C15-PAL (EORTC Quality of Life Questionnaire Core 15 for Palliaitve patients)은 호스피스·완화의료 환경에서 사용하도록 15가지 항목으로 고안된 단축본이다. 통증, 신체적 기능, 정서적 기능, 피로, 전반적인 건강상태/삶의 질, 구역/구토, 식욕, 호흡곤란, 변비, 수면 등이 설문지에 포함되었다. EORTC QLQ-C15-PAL는 호스피스·완화의료를 위한 핵심 설문지로, 연구 주제나 사용 목적에 따라 보완적인 설문지를 추가할 수 있다.

2) FACT-G

암 환자의 기능적 평가 설문지 일반형(Functional Assess-

13부

ment of Cancer-General Version, FACT-G)은 1993년 처음 발표되었다. 이것은 1997년 만성질환에서 사용하기 위해 만든 만성 질환 치료를 위한 기능적 평가 설문지(Functional Assessment of Chronic Illness Therapy, FACIT)라는 도구의 핵심 설문지로 포함되었다. 따라서 FACIT은 FACT 설문지를 포함하는 보다 광범위하고 포괄적인 도구이다. FACT-G는 신체적 안녕, 사회적/가족적 안녕, 정서적 안녕, 기능적 안녕의 4가지 측면을 다루는 27가지 항목을 포함한다. 이 도구는 모든 유형의 암종 환자에게 사용하기에 적절하다. 평가를 위한 기간 설정은 1주이며, 심리평가적 타당성은 EORTC QLQ-C30에 필적할 정도로 알려졌다. FACT-G는 미국에서 자주 사용되는 경향이 있는 반면 EORTC QLQ-C30은 주로 유럽에서 사용된다.

FACIT 측정 체계 역시 암종 특이적, 증상 특이적, 치료 특이적 하위 척도를 가진 모듈식 접근법을 택했다. 전체 FACIT 측정 체계에 대한 최신정보는 웹사이트에서 찾아볼 수 있다(http://www.facit.org).

18. 영역 특이적 도구

영역 특이적 도구라고 불리는 설문지는 통증, 피로, 불안과 같은 특정 증상을 사정하기 위해 고안되었다. 경우에 따라 이러한 종류의 도구가 필요할 수 있다. 예를 들어 진행성 전립선암 환자를 대상으로 하는 연구에서, EORTC QLQ-C30의 피로 척도는 시간에 따른 피로도의 차이를 발견하지 못하였지만, 다른 피로 특이적 도구는 연구 대상군 간의 차이를 보여 주었다.

1) 불안, 우울, 심리적 고통

불안과 우울을 측정하기 위해 자주 사용되는 영역 특이적 도구는 오래전부터 사용되었다. 예를 들어 입원환자를 위한 불안과 우울척도(Hospital Anxiety and Depression Scale, HADS)는 1983년에 만들어졌다. BDI (Beck Depression Inventory)와 HDS (Hamilton Depression Scale)과 같은 우울증 측정 도구는 1960년대에 출간되었다.

호스피스·완화의료에서 불안과 우울을 측정할 때, 이 도구가 신체적인 항목(피로, 체중감소, 식욕저하 등)을 포함하고 있는지 확인하는 것이 중요하다. 이 증상들은 건강한 집단에서 불안과 우울증과 연관된 의미 있는 증상이고 진단 기준에도 포함되어 있다. 그러나 호스피스·완화의료 환자들에서는 이러한 증상들이 이미 기저 신체질환에 크게 영향을 받고 있기 때문에 불안과 우울만으로 나타난다고 보기 어렵다.

HADS가 유럽에서는 보편적으로 사용되었지만 미국이나 캐나다에서는 거의 사용되지 않은 것처럼 지역별 차이가 있다. HADS는 종양학 및 호스피스·완화의료에서 불안(7개 항목)과 우울 증상(7개 항목)을 측정하는데 가장 많이 사용되는 도구 중 하나이다. 우울증 부척도를 구성하는 4가지 항목은 무쾌감증에 대한 것이고, 2가지 항목은 기분에 대한 것, 한 가지 항목은 행동지체 관련이다. 호스피스·완화의료 환자에서 주요우울장애를 예측하기 위해 불안과 우울에 대한 부척도를 모두 포함한 전체 점수가, 우울에 대한 부척도보다 더 효과적이라고 증명되었다.

불안은 호스피스·완화의료 환자에서 더 많이 발생하지만, 우울증보다는 주목을 덜 받아 왔다. 임상적인 관점에서 불안증상과 우울 증상이 흔히 같이 나타난다. 따라서 불안과 우울 증상을 모두 평가하는 것이 권장된다. 불안에 대한 몇 가지 환자보고 결과들 중, HADS가 완화의료 환경에서 가장 많이 사용되는 도구일 것이다. 불안 척도는 일반적인 불안에 대한 6가지 항목(긴장 및 걱정 등)과 공황상태에 대한 한 가지 항목으로 구성되어 있다.

디스트레스라는 대안적인 용어는 전문가군에서, 1997년에 정치적인 이유로 도입되었다. 스트레스 연구의 개척자 중 한 사람인 Selye가 1975년에 디스트레스를 '대처 또는 적응을 통해 해결되지 않는 지속적인 스트레스'로 처음 정의하였다. 또한 디스트레스는 불안 또는 우울 행동으로 이어질 수 있다고 하였다. 그러므로 디스트레스는 스트레스 요인이 효과적으로 좋은 스트레스를 다루는 개인의 대처 능력을 초과하는 것을 의미한다. 이 용어는 정신적, 정서적 또는 심리사회적인 것보다 더 받아들이기 쉽고, 덜 낙인찍힌 용어로 받아들여졌다. 디스트레스는 정상이라고 여겨졌고, 덜 당황스럽게 느껴졌으며, 자가보고에 의해 측정될 수 있었다. 디스트레스는 정상반응으로부터 우울, 불안, 섬망으로 이어지는 연속적인 것으로 개념화되었기 때문에, 호스피스·완화의료에서도 정신적/심리적 범위를 구별하지 않고 그대로 반영한다. 이 용어의 도입에 따라 디스트레스 온도계와 같은 측정도구들이 개발되었다. 이 온도계는 0에서 10까지 반응을 반영하는 단일 항목으로 고안되었다.

2) 피로

피로는 지침, 쇠약, 또는 에너지 부족과 같은 주관적인 느낌으로 정의될 수 있다. 피로는 호스피스·완화의료에서 가장 흔한 증상이며, 진행된 병기의 거의 모든 환자가 경험한다. 호스피스·완화의료에서의 피로는 많은 경우에서, 심각하게 아픈 상태라는 주관적인 경험을 반영한다.

피로를 측정하는 도구는 1980년대 후반에 처음 출판되었다. 이것은 11점 숫자 척도의 단일 항목 도구로, 선별검사 목적으로 도입되었다. 암 환자의 기능적 평가-피로 설문지(Functional Assessment of Cancer Therapy-Fatigue, FACT-F)척도는 FACIT 측정 체계 안의 13가지 피로 항목이다. 현재의 모든 피로에 대한 평가 도구에는 지쳤다는 주관적인 느낌과, 에너지가 부족하다는 느낌을 의미하는 신체적인 피로가 포함된다.

진행암 환자에게 사용되는 피로 도구에 대한 한 종설에서, 1985년에서 2008년 사이에 발표된 40개 이상의 도구가 확인되었다. 저자들은 대부분의 도구들이 진

행암 환자에서 사용하기에는 부담이 크다고 하고, 간이 피로 설문지(Brief Fatigue Inventory, BFI) 또는 EORTC QLQ-C30 안에 3가지 항목으로 된 피로 척도처럼 간략한 도구를 제안하였다. 그러나 항목의 수는 자료 수집의 목적이라는 큰 맥락하에서 검토되어야 한다. 피로에 대한 자료가 전반적인 증상의 일부분으로 사정되거나, 2차 목표인 경우에는 간략한 도구가 적절할 수 있다. 반면에 간략한 3항목 단일차원 척도의 경우 중재연구에서 민감도가 부족할 수 있다.

3) 통증

통증은 호스피스·완화의료에서 임상적 목적과 연구 목적으로 다양한 중재가 필요하다. 대부분의 경우 통증 강도가 통증 사정의 주요 목표가 된다. 목적에 따라 시간에 따른 통증의 변화, 신체활동에 의한 통증 악화, 또는 돌발 통증과 같은 부가적인 측면도 평가함이 적절하다. 호스피스·완화의료에서 통증 사정과 관련된 몇 가지 주요 과제들은 다음과 같다. 통증에 의해 유발되는 신체적, 감정적 고통의 측정을 어느 정도까지 포함시킬 것인가? 진통제를 투여 받는 환자의 통증을 어떻게 측정할 것인가? 사람마다 다른 통증의 역치를 어떻게 다룰 것인가? 지원체계에 대한 접근을 어떻게 다룰 것인가? 특정 유형의 통증을 구별하는 것은 어떤가? 자가보고 설문지를 작성할 수 없는 인지 능력이 저하된 환자에서 통증을 가장 잘 측정하는 방법은 무엇인가?

McGill 통증 설문지와 같이 영역 특이적 도구는 다차원적인 현상으로 통증을 측정하지만, 이 방법은 다소 광범위하여 쇠약한 호스피스·완화의료 환자에게 적용하기는 어렵다. 간이 통증 설문지(Brief Pain Inventory, BPI)와 같은 평가도구는 통증 강도를 측정하는 것 외에도 통증이 신체적 기능에 미치는 영향을 측정한다. 전문가들의 권고는 연구대상군과 연구목적에 따라 통증 평가도구를 선택하라는 것이다. 또한 이 권고는 인지 기능 장애가 없는 성인에게 적용된다. 통증 강도의 변

13부

화를 평가하기 위해서는 숫자통증등급(numeric rating scale, NRS)을 포함하는 단일 항목을 권장하고, 보다 광범위한 평가를 위해서는 간이 통증 설문지의 단축형(Brief Pain Inventory short form, BPI-sf)을 권장한다 (http://www.npcrc.org). 통증 증후군의 진단과 같이 통증의 질에 대한 연구에는 McGill 단축형 통증 설문지 (Short Form McGill Pain Questionnaire, SF-MPQ)가 권장된다. 인지장애가 있는 환자에서의 통증 평가에 대해서는, 몇 가지 도구들을 사용할 수 있지만, 명확하게 권고될 정도로 충분히 연구되어 있지는 않다.

4) 단일 항목사용

스스로 임의로 만든 항목이나, 전체 평가도구에서 차용한 단일 항목을 사용하는 것은 일반적으로 권장하지 않는다. 스스로 만든 항목의 타당성은 대개 불확실하며, 항목을 전체 문맥에서 이동시킬 경우 답변에도 영향을 미칠 수 있다.

5) 인지기능저하

말기 암 환자의 20~40%에서 섬망 또는 다른 신경 정신병적 상태가 발생한다. 인지기능 장애는 연구 완료율, 자료의 질, 그리고 삶의 질 연구의 타당성에 영향을 줄 수 있다. 주관적인 인지 장애의 경험은 신경 정신병적 장애와 상관관계가 약하지만, 심리적 디스트레스와의 관련성은 매우 높다. 따라서 건강관련 삶의 질 설문지 내의 인지기능 척도는 인지기능보다는 정신적 피로를 측정하게 된다.

인지 장애를 사정하는데 가장 일반적으로 사용되는 면담 기반 도구는 간이 정신 상태 검사(Mini Mental State Examination, MMSE)와 메모리얼 섬망 평가 척도(Memorial Delirium Assessment Scale, MDAS)이다. MDAS는 섬망의 중증도를 평가하기 위해, 간단하고 신뢰할 수 있는 도구이며, 반면에 MMSE는 원인이나 정신과적 진단과 관계없이 인지장애를 찾기 위해 개발된

도구이다. 최근 연구는 의식과 지남력에 대한 표준화된 임상 평가가 인지 장애를 찾아내기 위한 좋은 선별검사 도구라는 것을 알려 준다.

19. 완화의료 특이적 도구

완화의료 환자를 위한 도구들이 개발되고 검증되었다. 임상의와 연구자들은 일반적인 평가도구인 SF-36 또는 질병 특이적 도구, EORTC QLQ-C30, EORTC QLQ-C15-PAL 또는 FACT-G를 사용한다. 일반적인 평가 도구들은 영역 특이적 평가도구에 의해 보완될 수 있다.

1) 임종기 HRQOL

임종기의 환자를 위한 삶의 질 연구는 드물다. 여기에는 몇몇 방법론적 그리고 윤리적 문제가 있다. 생물학적 과정의 급속한 변화와 인지기능의 상실이 어려움이 된다. 앞에서 지적했듯이, 기존의 건강관련 삶의 질 설문지를 사용할 때 임종기 환자 군에서는 순응도의 문제가 있다. 임종기 돌봄에서 12가지 중요한 돌봄의 측면이 확인되었다. 수용가능성과 연속성, 팀 안에서의 조화와 의사소통, 환자와의 의사소통, 환자 교육, 가족의 포용과 인정, 능력, 통증과 증상 관리, 감정 조절, 개인화, 환자의 가치에 대한 관심, 존중과 인본주의, 그리고 환자의 의사결정을 지원하는 것이다. 임종기 환자를 위한 평가도구는 시한부의 질병을 가진 환자를 위한 연구와 비슷한 결론에 도달했다. 즉 결과는 환자에 초점을 맞추고 가족중심적이어야 하며, 임상적으로 의미 있고, 관리 가능하며, 심리평가적으로 타당해야 한다. 인지장애가 있는 임종기 환자에서 주관적인 자료는 관찰자가 대리인으로 수집하게 된다. 그 이외는 환자에 초점을 둔 평가가 권장된다. 임종기 돌봄에서는 가족구성원이 느끼는 돌봄의 질뿐만 아니라 영적 및 실존적 문제를 보다 자세히 다룰 필요가 있다(**표 47-4**).

표 47-4. 임종기 삶의 질

중요 영역
• 증상 관리
• 부적절한 임종기 연장 피하기
• 통제감 획득하기
• 부담 덜기
• 가족, 사랑하는 사람들 간의 관계를 강화시키기

2) 임종기 돌봄 시의 실제적인 HRQOL 측정

임종기 환자들에게는 보다 짧고 간단한 평가도구가 필요하다. 보편적으로 사용되는 단일 평가도구는 없지만, 간단히 통증을 측정할 수 있는 NRS가 개발되어 있다. ESAS는 여러 연구에서 널리 쓰인 간략한 10개 항목의 도구이다. 다른 증상 평가를 위한 도구 또한 사용되는데, MSAS-SF (Memorial Symptom Assessment Scale Short Form)는 증상 평가를 위한 몇 가지 대안 중 하나이다. 앞으로 임종기 환자의 건강관련 삶의 질을 측정하기 위해 새롭고, 간략하며, 포괄적인 도구가 필요하다. 이상적으로는 환자와 대리인이 순서대로 이를 작성할 수 있어야 한다.

20. 자료의 해석

환자군 또는 개인을 비교할 때 요약 점수의 임상적 타당성은 무엇인가? 이것은 일상적인 임상진료 현장과 임상 연구의 두 분야 모두에서 기본적인 질문이다. 예를 들어, 통증 점수의 임상적 중요성을 논의할 때 다음의 질문에 대한 답이 요구된다. 중재가 필요한 점수를 정의하기 위한 적절한 커트라인은 얼마인가? 두 가지의 다른 치료법을 비교하는 무작위 임상 연구에서 0~10점 단위로 통증을 표현할 때, 임상적으로 의미 있는 최소한의 점수 차이는 얼마인가? 임상적으로 의미가 있다는 판단을 내리기 위해서, 임상의는 측정의 본질을 이해해야 하고, 그 외에도 종합 점수의 내용, 측정의 임상적 의미, 그리고 개별 환자와의 관계에 대한 통찰력을 가져야 한다. 삶의 질에 대한 예측은 본질적으로 다차원적이나, 다른 측정 차원을 아우르는 동일한 측정기준은 존재하지 않는다. 즉, 증상 부담 정도에 있어 통증 평가 40점과 오심 평가 40점이 유사할 수 없다. 호스피스·완화의료에서 또 다른 일반적인 문제들은 다음과 같다. 대부분의 환자들은 진행성 질병을 가지고 생활하기 때문에, 실제로 호전이라는 의미는 악화되는 속도의 저하 또는 증상 부담 정도가 안정화되었다는 것에 가깝다. 인체 생리의 복잡성은 하나의 증상이 호전되었을 때, 다른 증상의 강도가 나빠질 수 있다는 것이다. 게다가 대부분의 환자는 종종 광범위한 중재가 필요한 증상의 혼합체를 가지고 있다. 따라서 하나의 구체적인 변수의 결과를 확인하기 어려울 수 있다.

📑 참고문헌

1. Aaronson, N.K., Ahmedizai, S., Bergman, B., et al. The European Organization for Research and Treatment of Cancer QLQ-C30: a quality-of-life instrument for use in international clinical trials in oncology. J Natl Cancer Inst 1993;85:365-76.

2. Bausewein C, Murtach FEM. The population: Who are the subjects in palliative medicine research? In: Textbook of palliative medicine and supportive care. London. CRC press. 2016:187-92.

3. Casarett D. Ethical issues in palliative care research. In: Oxford textbook of palliative medicine. Oxford. Oxford University Press. 2015:1195-7.

4. Chohen, S.R., Mount, B.M., Strobel, M.G., et al. The McGill Quality of Life Questionnaire: a measure of quality of life appropriate for people with advanced disease. A preliminary study of validity and acceptability. Palliat Med 1995;9:207-19.

5. Costantini M. Study designs in palliative medicine. In:Textbook of palliative medicine and supportive care. London. CRC press. 2016:193-9.

6. Flemming. Qualitative research. In: Oxford textbook of palliative medicine. Oxford. Oxford University Press. 2015:1176-81.

7. Folkman, S. (2001). Revised coping theory and the process of bereavement. In M. Stroebe, R. Hansson, W. Stroebe, and H. Schut (eds.) Handbook of Bereavement Research, Consequences, Coping and Car, pp.563-84. Washington DC: American Psychological Association.

8. Franks, P.J., Salisbury, C., Bosanquet, N., et al. The level of need for palliative care: a systematic review of the literature. Palliat Med 2000;14:93-104.

9. Hjermstad, M.J., Lie, H.C., Caraceni, A., et al. Computer-based symptom assessment is feasible in patients with advanced cancer: results from an international multicenter study, the EPCRC-CSA. J Pain Symptom Manage 2012;44(5):639-54.

10. Kaasa S, Forbes K. Research in palliative care. In: Oxford textbook of palliative medicine. Oxford. Oxford University Press. 2015:1145-53.

11. Kassa S, Loge JH. Quality of life in palliative care: principles and practice. In: Oxford textbook of palliative medicine. Oxford. Oxford University Press. 2015:1198-209.

12. Kissane DW, Street AF, Schweers EE et al. Research into psychosocial issues. In: Oxford textbook of palliative medicine. Oxford. Oxford University Press. 2015:1182-93.

13. Kissane, D.W., McKenzie, M., Bloch, S., Moskowitz, C., McKenzie, D.P., and O'Neill, I. Family focused grief therapy: a randomized, controlled trial in palliative care and bereavement. Am J Psychiatry 2006;163:1208-18.

14. Lamont EB, Christakis NA. Prognostic disclosure to patients with cancer near the end of life. Ann Intern Med 2001;134(12):1096-105.

15. Marson, D.C., Schmitt, F.A., Ingram, K.K., and Harrell, L.E. Determining the competency of Alzheimer patients to consent to treatment and research. Alzheimer Dis Assoc Disord 1994;8 Suppl 4:5-18.

16. McPherson CJ, Addington-Hall JM. Judging the quality of care at the end of life:Can proxies provide reliable information? Soc Sci Med 2003;56:95-109.

17. Sepulveda C, Marlin A, Yoshida T, et al. Palliative Care: The World Health Organization's global perspective. J Pain Symptom Manage 2002;24(2):91-6.

18. Sigurdardottir, K.R., Kaasa, S., Rosland, J.H., et al. The European Association for Palliative Care basic dataset to describe a palliative care cancer population: results from an international Delphi process. Palliat Med 2014;28(6):463-73.

19. Van Mechelen W, Aertgeerts B, De Ceulaer K, et al. Defining the palliative care patient: A systematic review. Palliat Med 2013;27(3):197-208.

20. Yennurajalingam S, Bruera E. Research in terminally ill patients. In: Oxford American Handbook of hospice and palliative medicine and supportive care. New York. Oxford University Press. 2016:459-67.

찾아보기

국문 찾아보기

ㄱ

가래 ·· 238
가려움 ·································· 188, 295
가사 ·· 364
가정형 호스피스 ·································· 41, 77
가족 간 의사소통 ································ 533
가족 개입 ······································ 491
가족 돌봄 ······································ 484
가족 모임 ·································· 500, 501
가족 미팅 ·································· 530, 533
가족 중심의 의사결정 ················ 531, 533
가족 평가 ······································ 491
가족의 생애주기 ································ 492
가족의 스트레스 ································ 488
가족체계 ······································ 486
가족회의 ······································ 501
간 뇌병증 ······································ 392
간경변 ······································ 258
간대성 근경련 ································ 188
간성뇌증 ······································ 261
간신증후군 ······································ 393
간이 정신 상태 검사 ························ 578
간이 통증 설문지 ·················· 577, 578
간이 통증 조사지 ······················ 159
간질발작 ·································· 340, 341
간질지속상태 ······································ 340
간헐적 공기 압박 ························ 286
간호보조인력 ······································ 15
간호사 ·································· 15, 18, 20
갈바리 의원 ······································ 23
감염관리 ······································ 87
감정 ······································ 532
강심제 ······································ 376
강화 폐활량계 ······································ 386
개별가족교육 ······································ 498
객혈 ······································ 239
거담제 ·································· 235, 438
거대세포바이러스 ·················· 264, 297
거짓 중독 ······································ 163
건강보험수가 시범 사업 ················ 33

건선 ······································ 296
결절성 양진 ······································ 296
결측자료 ······································ 573
경련 ······································ 348
경정맥요로조영술 ························ 275
경청 ······································ 531
경피경간 담관조영 배액술 ············ 267
경피적 경간 담도조영술 ················ 266
경피적 동맥 색전술 ······················ 334
경피적 척추체 성형술 ··················· 217
고빌리루빈혈증 ······················ 265
고장성 생리식염수 ······················ 235
고정자세불능증 ······················ 265
고주파 열응고법 ······················ 207
고칼슘혈증 ······································ 330
고통의 완화 ······································ 124
공감 ······································ 523
공감만족 ······································ 95
공감피로 ······································ 95
과활동성 섬망 ······························ 321
관계적/사회문화적인 요구 ············ 473
관문통제이론 ······························ 364
관의 조임 ······································ 261
교감신경 차단술 ························ 207
교란변수 ······································ 563
교육의 원칙과 표준 ······················ 85
교육적 개입 ······································ 498
교차 설계 ······································ 563
구강 위생 ······································ 291
구강 점막 ······································ 292
구부리기 ······································ 367
구강건조 ······································ 290
구강세정제 ······································ 291
구심로차단 통증 ························ 144
구역 ······································ 243
구토 ······································ 243
국가호스피스·연명의료위원회 ········ 42
국내호스피스·완화의료기관 지정 기준 ···· 73
국소 혈관 침범 ······················ 258
국소도포제 ······································ 296
국소마취제 ·································· 217, 438
국소적 골용해성 고칼슘혈증 ········ 330
권역별 호스피스센터 ······················ 42

그로버병 ·· 296
그림 ··· 365, 366
근섬유다발수축 ····································· 401
근위축측삭경화증 ································· 400
근접방사선치료 ····································· 232
급성악화 ······································· 384, 387
기관지농루 ··· 238
기관지동맥 색전술 ······························· 240
기관지루 ··· 238
기관지폐포암종 ····································· 231
기관지확장증 ··· 231
기구 ·· 82
기능성신체증후군 ································· 115
기립성 저혈압 ······································· 443
기복증 ·· 268
기생충 감염 ··· 296
기침 ·· 230
기침변이천식 ··· 232
기침억제제 ··· 233
긴 반감기 ··· 442
길버트 증후군 ······································· 263
깊은 슬픔 ··· 504
꼿꼿이 ·· 367

ㄴ

나 전달 법 ·· 459
나뭇잎 ·· 367
나쁜 소식 전하기 ············· 522, 525, 528, 531
날메펜 ·· 268
날트렉손 ··· 268
남은 생애 기간에 따른 개입 ················ 495
내부자원체계 ··· 457
내성 ·· 189
내시경 초음파 ······································· 266
내시경적 담관스텐트 ··························· 266
내시경적 역행성담 췌관조영술 ·········· 266
내시경적 초음파유도 담도배액술 ······· 267
내장 통증 ·· 144, 174
내장 혈관확장 ······································· 259
내적 타당도 ··· 563
냉동파괴술 ··· 207
네도크로밀염 ··· 233

노래 ··· 363, 364, 365
노르에피네프린 재흡수차단제 ············ 309
노인말기환자 ··· 446
노인호스피스 시설 ······························· 437
뇌병증 ·· 263
뇌의 재구성 ··· 154
누르기 ·· 367
누출액 ·· 259

ㄷ

다계통위축증 ··· 399
다듬기 ·· 367
다면적 평가 ··· 106
다발성 신경병증 ··································· 406
다제약물요법 ··· 436
다학제 ······························· 66, 76, 129
다한증 ·· 296
단독 ·· 287
단면 연구 ··· 562
단백효소억제제 ···························· 407, 409
단순림프배출 ··· 285
담기 ·· 367
담즙생성 촉진성 설사 ··························· 249
담즙성 소양증 ······································· 268
대량 객혈 ··· 239
대리 평가 ··· 573
대만 ·· 18
대응(직면)하는 단계 ····························· 509
대인심리치료 ··· 442
대체의학 ··· 362
데스모프레신 ··· 335
덱사메타 ··· 198
도뇨관 ·· 270
도수림프배출 ··· 285
독립형 호스피스·완화의료 ·················· 79
돌발성 통증 ··· 174
돌발성 호흡곤란 ··································· 386
돌발통 ·· 182
돌봄 계획 ··· 126
돌봄의 목표 ··············· 122, 124, 125, 531
돌봄의 우선순위 ··································· 123
동작 ·· 363

동질성의 원리 ·································· 365
두드러기 ·· 296
디스트레스 ···················· 94, 574, 576, 577
딸꾹질 ·· 237
땀띠 ·· 296

ㄹ

레보도파 ·· 397
레비소체 ·· 396
레이저치료 ······································ 232
렘수면행동장애 ································ 399
리더십 ··· 86
리도카인 ·· 228
리듬 ··· 363
리팜피신 ·· 268
릴루졸 ··· 401
림프관섬광조영술 ····························· 283
림프부종 ·· 281
림프유출 ·· 288

ㅁ

마미증후군 ······································ 338
마약성 장증후군 ······························ 248
마약성 진통제 ···················· 180, 217, 229
막카이 기념병원 ································ 18
만다라 그림 ······································ 366
만다라 ··· 365
만성기관지염 ···································· 231
만성단순태선 ···································· 296
만성신장질환 ···································· 387
만성폐쇄성 폐질환 ···············-232, 379
말기 간질환 ····································· 391
말기섬망 ······················· 323, 326, 348
말기심부전 ······································ 372
말기환자 가족 ·································· 487
말기환자 진단기준 ···························· 43
말초신경 차단술 ································ 207
매개체 ··· 367
메모리얼 섬망 평가 척도 ····················· 578
모낭염 ··· 296
모노아민산화효소억제제 ······················ 443

모르핀 ···································· 233, 439
모순성설사 ······································ 252
무기력감 ·· 364
무스카린수용체 ································ 272
무의식 ··· 366
무익한 의료 ······································ 62
문맥고혈압 ······································ 259
문화기술적 사례 연구 ························· 567
물감 ·· 365
미각 장애 ·· 294
미국 ·· 12
미술치료 ···································· 365, 366

ㅂ

바소프레신 ······································ 335
반자발적 안락사 ································ 48
발한 ··· 296
방광배뇨근과민증치료제 ···················· 440
방광질누공 ······································ 276
방광창자누공 ···································· 276
방사선 조사량 ·································· 219
방사선치료 ······································ 219
배경통증 ·· 182
배뇨 곤란 ·· 188
배뇨 증상 ·· 270
배뇨 후 잔뇨 ···································· 441
버드-키아리 증후군 ·························· 259
벌레물림 ·· 296
범람요실금 ······································ 271
변비 ··· 246
병원 불안 우울척도 ···················· 108, 111
보그점수 ·· 226
보라매 병원사건 ································ 35
보완 대체의학 ·································· 358
보완 통합의학 ·································· 358
복강내 온열 항암화학요법 ·················· 260
복강신경총 차단술 ····························· 209
복압요실금 ······································ 271
부갑상선 연관된 단백질 ···················· 330
부교감신경자극제 ······························ 293
부분 작용제 ······································ 185
부분발작 ·· 340

부비동염 ···················· 236
분노의 노출 ················ 365
분변박힘 ···················· 248
분비성 설사 ················ 247
불면증 ······················ 310
불안 ························· 306
불안정 하지 증후군 ········ 390
불완전 교차 내성 ··········· 182
불응성 호흡곤란 ········ 382, 386
불응성기침 ················· 236
비만세포증 ················· 296
비스테로이드성 소염진통제 ··· 191
비스포스포네이트 ······· 201, 331
비언어적 ···················· 533
비위강 감압 ················ 252
비자발적 안락사 ············· 48
비장관체액 요법 ············ 261
비전 ·························· 82
비전형적 항우울제 ······· 305, 309
비전형적 항정신병 약물 ··· 309, 314
비천식성 호산구기관지염 ····· 237
비침습적 양압기계환기 ······ 402
비타민 B12 ················· 333
비타민 K ··················· 335
빅토리아 호스피스 ·········· 494
뼈 전이 ···················· 219

삼출물 ······················ 259
삼투성 설사 ················ 247
삼투압성 제재 ·············· 187
삼환계 항우울제 ··· 199, 305, 407, 439
삽입형 제세동기 ············ 377
상기도 기침증후군 ·········· 231
상담 ························· 459
상대정맥증후군 ············· 335
상실 ························· 504
상처 ························· 298
상치골방광루설치술 ········· 270
상하복신경총 차단술 ········ 212
상호작용 ···················· 365
색 ··························· 366
생균제 ······················ 250
생물학적 치료법 ············ 362
생전유언 ···················· 132
생체전기지항 검사 ·········· 283
생태도 ······················ 458
서방형 제제 ················ 182
선택 비뚤림 ················ 563
선택적 세로토닌 재흡수 억제제 ··· 199, 235, 305, 442
선행의 원칙 ················· 52
설사 ····················· 247, 408
섬망 ················· 187, 316, 443
성기능 장애 ················ 278
세로토닌-노르에피네프린 재흡수 억제제 ········· 199, 309
소극적 안락사 ··············· 48
소아 청소년과의 의사소통 ···· 426
소아청소년 호스피스·완화의료 ·· 414
소아청소년의 죽음 인식 ····· 423
소진 ····················· 92, 95
소화성궤양 ················· 257
속효성 제형 ················ 182
속효성 진통제 ·············· 178
수기요법과 신체에 기초한 요법 ·· 367
수면위생 ···················· 313
수면장애 ···················· 309
수신증 ······················ 273
수용과 병식 ················ 452
수인성 가려움증 ············ 296
수포성유사천포창 ··········· 296
수혈 ························· 257

ㅅ

사례관리자 ·················· 20
사별 위험 사정 도구 ········ 513
사별관리 ················ 505, 512
사별의 슬픔 ················· 2
사별의 준비 단계 ··········· 505
사전돌봄계획 ········· 131, 132, 446
사전연명의료의향서 ···· 132, 136, 446
사진-소설 기법 ············· 567
사회복지사 ·············· 15, 546
사회적 관계망 ·············· 452
사회적 지지 ················ 462
사후 접근 ·················· 562
산소요법 ················ 385, 438
삶의 질 ··········· 123, 364, 463, 570

순수 길항제 ································ 186

순응의 단계 ····························· 509

숫자통증등급 ···························· 158

스코폴라민 ························· 228, 238

스테로이드 ···················· 228, 232, 438

스트레스 ····························· 92, 93

스트로크 ································· 97

슬픔의 반응 단계 ······················ 508

습포 드레싱 ···························· 300

시설 ··································· 82

시슬리 손더스 ···························· 2

시애틀 심부전 스코어 ··················· 374

식도정맥류 ····························· 392

식물 ······························ 366, 367

식욕 부진 ······························ 441

신경병성 통증 ····· 144, 167, 168, 169 170, 171, 172, 174

신경이완제 ····························· 443

신대체요법 ····························· 388

신속동결혈장 ··························· 335

신이식 ································· 388

신체적 의존 ···························· 189

신체화 장애 ···························· 115

신체화 ································· 115

실무 간호사 ···························· 15

실존적/의미적 요구 ····················· 472

실험 설계 ······························ 563

심리 중재 ······························ 366

심리사회적 개입 ························ 494

심리사회적 돌봄 ························ 450

심리사회적 사정 ························ 453

심부 뇌자극술 ·························· 397

심부전 ································· 372

심신의학 ······························ 362

심실보조장치 ··························· 378

심인성쇼크 ····························· 372

심장재동기화치료 ······················ 378

심장콩팥증후군 ························· 375

심폐소생술 ························· 40, 417

ㅇ

아로마 요법 ···························· 368

아르곤플라스마 응고술 ·················· 232

아세트아미노펜 ························· 196

아세틸살리실산 ························· 191

아세틸시스테인 ························· 235

아토피 피부염 ·························· 296

아트로핀 점안액 ························ 228

아편유사제 ····························· 438

악골괴사 ······························ 331

악기 연주 ·························· 363, 364

악성 복수 ······························ 259

악성 장폐색 ···························· 248

악액질 ································· 441

악행 금지의 원칙 ······················· 52

안락사 ······························ 46, 61

안면 통증척도 ·························· 439

안전 ··································· 87

알츠하이머병 ··························· 396

알파수용체 ····························· 272

암 환자의 기능적 평가-피로 설문지 ········· 575

암 환자의 기능적 평가 설문지 일반형 ········ 574

암관리법 ···························· 32, 42

암성 발열 ······························ 296

암성 발한 ······························ 296

암성 통증 ······························ 144

압화 ·································· 367

애도 ·································· 504

액자 ·································· 367

약물 상호작용 ·························· 407

약물복용이상행동 ······················ 163

약물성 피부염 ·························· 296

약사 ··································· 18

양적 연구 ······························ 561

양진 ·································· 296

양치질 ································· 291

억제성 신경전달물질 ···················· 151

업무 절차 ······························ 82

업무수행에 대한 합의 ···················· 82

에드몬튼증상척도지 ················ 109, 312

에릭슨 ································· 432

에이즈 담관병증 ························ 264

에피네프린 ····························· 239

연관통 ································· 155

연명의료 중단 ·························· 527

연명의료결정법 ····················· 32, 433

연명의료계획서 ·· 132, 137
연명의료중단결정 ··· 32
연하곤란 ·· 245
엽산 ··· 333
영 ··· 465
영성-종교성 모델 ·· 468
영성 ·· 116, 465
영적 돌봄 ····················· 468, 470, 477, 479
영적 문제(진단) ······················ 476, 477, 478
영적 안녕 ·· 466
영적 요구 ·· 466
영적 평가 ·· 116, 481
영적선별검사 ·· 469
예술치료 ·· 366
예후 설명 ·· 531
예후 ··· 525
예후인자 ·· 254
오름 담관염 ·· 264
오심/구토 ·· 187
옥시코돈 ·· 439
온라인 연구 ·· 568
옴 ··· 296
완전 울혈제거 요법 ·· 284
완하제 ·· 247
완화의료 결과 측정설문 ···································· 562
완화의료 ·· 3
완화의료적 접근 ·· 416
완화의료전문기관 서비스 제공 원칙 ··················· 456
완화의료팀 ·· 33
완화적 도관 색전술 ·· 334
완화적 비침습적환기 ·· 229
완화적 진정 ······················ 60, 230, 352
외부자원체계 ·· 457
외음부소양증 ·· 296
외적 타당도 ·· 563
요도가와 크리스천 병원 ······································ 16
요로계누공 ·· 275
요배양 검사 ·· 271
욕창 ··· 298
우울장애 ·· 302
우울증 ·· 303, 409
원발성 담즙성 간경화증 ···························· 264, 268
원예치료 ·· 366, 367

원예활동 ·· 366, 367
원활한 의사소통 ·· 530
웰다잉 ·· 432
위루관 ·· 253
위식도 역류 ······················ 231, 233, 237
위약군 ·· 565
위엄 치료 ·· 444
위역류 ·· 438
위장관 출혈 ·· 256
유당불내증 ·· 249
유미성복수 ·· 260
유사 실험 설계 ·· 562
유스트레스 ·· 94
유언장 만들기 ·· 367
음악 치료 ··················· 229, 305, 363, 364, 365
음악감상 ·· 363, 364
음악요법 ······················ 228, 229, 230, 359
음조 ··· 363
의료기관윤리위원회 ·· 37
의료윤리의 4원칙 ·· 52
의료진과 가족 간 의사소통 ································ 533
의료진과의 의사소통 ·· 530
의미중심치료 ·· 444
의사 결정 ·· 533
의사 ··· 15, 18, 20
의사소통 ············· 365, 490, 522, 530, 531, 533, 534
의사조력자살 ·· 48
의치 ··· 291
이기생증 ·· 296
이뇨제 ·· 228
이당류분해효소 결손증 ······································ 249
이동성 및 감각장애 ·· 441
이소성 방전 ·· 153
이식편대숙주병 ·· 248
이식형 약물 주입기 ·· 215
이온형 칼슘농도 ·· 331
이중 동의 ·· 566
이중 효과 ·· 51, 61
이프라트로피움 브로마이드 ································ 233
인공타액 ·· 294
인공호흡기 착용 ·· 40
인구사회학적 지위 ·· 452
인력관리 ·· 86

인생회고요법 ······ 442
인적자원 ······ 85
인지재구조 ······ 365
인지행동치료 ······ 313, 442
일광화상 ······ 296
일본 ······ 16
일차 구심성 신경섬유 ······ 145
일차성 섬유소 용해증 ······ 333
일차원적 시각척도 ······ 226
임상 사례 보고 ······ 567
임상 시험 ······ 561
임종 단계 ······ 505
임종 시기 ······ 432
임종 전 천명 ······ 349
임종기 ······ 343
입마름 ······ 292
입원형 호스피스전문기관 ······ 41

ㅈ

자가팽창형 금속스텐트 ······ 254
자기결정권 ······ 433
자기공명담도 조영술 ······ 266
자르기 ······ 367
자문형 호스피스전문기관 ······ 41
자발성 세균성 복막염 ······ 392
자발적 안락사 ······ 48
자발적인 표현 ······ 366
자서전적 노래 ······ 364
자연사법 ······ 18
자유화 ······ 366
자율성 존중의 원칙 ······ 52
작은 포자충 ······ 264
장미색 비강진 ······ 296
장비 ······ 82
장폐색 ······ 251
장허혈 ······ 253
재정적 효과 ······ 89
저산소증 ······ 228, 438
저항성칼슘형성 ······ 388
저활동성 섬망 ······ 320
적극적 안락사 ······ 48
적극적 치료(개입) 단계 ······ 510

전기소작술 ······ 232
전문 간호사 ······ 15
전신발작 ······ 340
전신섬유화증 ······ 388
전향적 ······ 561
절박요실금 ······ 271
점액용해제 ······ 235
접촉성피부염 ······ 296
정동장애 ······ 115
정맥-림프관 문합술 ······ 287
정보 비뚤림 ······ 562
정보 ······ 87
정신자극제 ······ 305
정신학적 평가 ······ 114
정신활성 의약 ······ 441
정원 ······ 367
정의의 원칙 ······ 52
정직 ······ 532
정직한 의사소통 ······ 532
제지방 체중 ······ 435
조각하기 ······ 365
조정(수용, 화해) 단계 ······ 510
조혈제 ······ 389
조형결핵균복합체 ······ 297
조형예술 ······ 367
존엄사 ······ 48, 55
존엄한 생의 말기 ······ 55
종교 ······ 466, 475
종양 감축술 ······ 253
좋은 죽음 ······ 89, 432
주의약물목록 ······ 436
죽음의 질 순위 ······ 6
중독 ······ 189
중앙 호스피스센터 ······ 42
중재적(침습적) 통증 ······ 206
중증만성질환 ······ 414
즉흥연주 ······ 364, 365
증상완화 ······ 123
지속요실금 ······ 271
지주막하 신경파괴술 ······ 213
지지적 표현치료 ······ 444
직면의 단계 ······ 508
진동효과 ······ 363

진해제 …………………………………… 233
진행성 다초점 백질 연화증 …………… 408
질 관리 …………………………………… 86
질 평가 구조 ……………………………… 88
질 향상 …………………………… 86, 463
질적 연구 ………………………………… 561
집단 교육 ………………………………… 499

大

차이 이론 ………………………………… 570
창조적 에너지 …………………………… 366
척수 약물 전달 장치 …………………… 214
척수압박증후군 ………………………… 337
척추 측방종양 …………………………… 338
척추 후근 신경절 파괴술 ……………… 213
척추고정 ………………………………… 340
척추후궁절제 감압술 …………………… 340
천식 …………………………… 231, 232
철사 감기 ………………………………… 367
체성 신경 차단술 ……………………… 212
체성통 …………………………………… 160
체액성 고칼슘혈증 ……………………… 330
체액여과술 ……………………………… 376
체외 약물 펌프 ………………………… 215
출혈 …………………………… 219, 332
치간 위생 ………………………………… 291
치료의 중단 결정 ……………………… 378
치석 제거술 ……………………………… 291
치석 ……………………………………… 291
친밀감 …………………………………… 432
침 대체제 ………………………………… 294
침 흘리기 ………………………………… 294
침샘 이상 ………………………………… 292
침샘분비자극제 ………………………… 293

ㅋ

카나비노이드 …………………………… 203
카드 ……………………………………… 367
칼슘채널 억제재 ………………………… 438
칼시토닌 ………………………………… 331
커네티컷 호스피스 ……………………… 13

코데인 …………………………… 184, 233
코르티코스테로이드 …………… 255, 261
코호트 연구 ……………………………… 562
콜라주 …………………………………… 365
콜레스티라민 …………………………… 268
콜린억제성 효과 ………………………… 442
콜린에스터라제억제제 ………………… 293
퀴블러로스의 임종환자의 심리적 5단계 …… 459
크레용 …………………………………… 365
크립토스포리디아 ……………………… 264
클로니딘 ………………………………… 217
클로르프로마진 ………………………… 237
클로스트리듐 디피실리균 ……………… 249

ㅌ

타액의 과도한 분비 …………………… 294
테이프 감기 ……………………………… 367
토혈 ……………………………………… 256
통제감 …………………………………… 432
통증감소 ………………………………… 364
통증억제상실 …………………………… 153
통증에너지 ……………………………… 366
통증완화 ………………………………… 219
통합 연구 ………………………………… 568
통합의학 ………………………………… 358
투사 ……………………………………… 366
투석 ……………………………………… 332
트로보플라스틴 ………………………… 334
트리암시놀론 헥사세토나이드 ………… 261
티로신키나아제 저해제 ………………… 264
팀 ……………………………………… 66, 70

ㅍ

파스텔 …………………………………… 365
파종혈관내응고 ………………… 258, 333
파킨슨병 ………………………………… 396
펜타닐 …………………………… 177, 439
편안한 삶 ………………………………… 2
편평태선 ………………………………… 296
평가도구 ………………………………… 107
평행 설계 ………………………………… 561

포괄적 영성모델 ···················· 467
포진형 피부염 ···················· 296
표준형성인암성통증평가도구 ···················· 161
표피생장인자 ···················· 259
표피성장인자수용체 ···················· 248
프로스타글란딘 ···················· 191, 338
피부T세포림프종 ···················· 296
피부건조증 ···················· 296
피부경유내시경위창냄술 ···················· 402
피부묘기증 ···················· 296
피츠버그 수면의 질 지수 ···················· 312

ㅎ

학제간 의료팀 ···················· 66
한국가족 ···················· 485
한국형 돌발성 통증 조사지 ···················· 176
한국호스피스 · 완화의료사회사업연구회 ···················· 548
항고혈압제 ···················· 440
항레트로바이러스제 ···················· 404
항류코트리엔제제 ···················· 233
항문소양증 ···················· 296
항문실금 ···················· 248
항불안제 ···················· 227, 308
항암제 투여 ···················· 40
항우울제 ···················· 170, 305, 308
항정신병 약물 ···················· 309, 323
항콜린성 약물 ···················· 228, 440
항파킨슨제제 ···················· 440
항히스타민 ···················· 309
핵심팀 ···················· 67
행정적 문제 ···················· 89
향기 ···················· 367
허위 절차 ···················· 565
혈관내피성장인자 ···················· 259, 338
혈관색전술 ···················· 257
혈관이형성증 ···················· 257
혈뇨 ···················· 258
혈액 투석 ···················· 40
혈청-복수간 알부민 농도차 ···················· 260
혈청 총 칼슘량 ···················· 331
형제자매 ···················· 422
형질전환성장인자 ···················· 259

호스피스 · 완화의료 교육 ···················· 539
호스피스 · 완화의료 돌봄 ···················· 76
호스피스 · 완화의료 인력 교육 ···················· 42
호스피스 · 완화의료 ···················· 4, 126
호스피스 · 완화의료에 관한 법률 ···················· 4
호스피스 · 완화의료팀 ···················· 70, 451, 543
호스피스의 날 ···················· 42
호스피스전문간호사 ···················· 542
호엔야척도 ···················· 397
호흡 억제 ···················· 188
호흡곤란 ···················· 224, 438
호흡기 치료 ···················· 383
호흡붕괴 ···················· 382
혼합 작용제-대항제 ···················· 186
홍반 ···················· 442
화학적 중독 ···················· 163
화환 만들기 ···················· 367
확장팀 ···················· 67
환경속의 인간 ···················· 460
환자-대조군 연구 ···················· 562
환자보고 결과 ···················· 570
환자와 가족의 의사소통 ···················· 488, 530
환자자율법 ···················· 19
환자중심 ···················· 531
활력증진 ···················· 364
황달 ···················· 263
회복탄력성 ···················· 94
회피의 단계 ···················· 508
횡격막신경자극법 ···················· 237
횡격막신경차단술 ···················· 237
효소 제거술 ···················· 300
후복막 림프종 ···················· 260
후비루 증후군 ···················· 231
후천면역결핍증후군 ···················· 404
후향적 ···················· 561
흉막유착술 ···················· 230
흉막제거술 ···················· 230
흉부 물리치료 ···················· 236
흉수 ···················· 230
흑색변 ···················· 256
희망 ···················· 365

기타 찾아보기

3단계 진통제 사다리 ················· 181

영문 찾아보기

A

ACE (angiotensin converting enzyme) inhibitor ··· 438
Acetaminophen ································ 196
Acetylsalicylic acid ······················· 191
Acquired Immunodeficiency Syndrome (AIDS) ······ 404
Acute exacerbation ························· 382
Advance Care Planning (ACP) ············· 132
Advance Directives (AD) ··········· 132, 446
Affective disorder ························· 115
Afibercept ································· 261
After death approach ····················· 562
Ageusia ·································· 294
Alprazolam ························ 227, 308, 313
ALS Peer Workgroup ····················· 401
Ambroxol ································ 235
Amiloride ································ 261
Amitriptyline ························ 305, 314
Antidepressant drug ····················· 169
Antipsychotics ··························· 323
Antitussive ······························· 232
Aquapheresis ····························· 376
Arachidonic acid ························· 191
Ascending cholangitis ····················· 264
Atropine ································· 239

B

Background pain ·························· 182
Baclofen ·························· 234, 237
Bad news ································ 522
Beck Depression Inventory (BDI) ·········· 303
Beers medication list ····················· 436
Benzodiazepine ··············· 227, 308, 313
Benzonatate ······························ 234
Bereavement ····························· 504
Bethanechol ····························· 293
Bevacizumab ····························· 261
Bisphosphonate ··························· 201
Bleeding ································· 332
Bradykinin ······························ 150

Break through Pain Assessment Tool (BAT) ·········· 175
Breaking bad news ·································· 522
Breakthrough dyspnea ······························ 386
Breakthrough pain ································· 182
Brief Pain Inventory (BPI) ························ 577
Brief Pain Inventory short form (BPI-sf) ··········· 578
Brief Symptom Inventory-18 (BSI-18) ·············· 307
Brief Symptom Inventory (BSI) ········ 118, 120, 304, 307
Bronchoalveolar carcinoma ························· 231
Bronchorrhea ····································· 238
Buprenorphine ··································· 185
Bupropion ···································· 199, 305
Burden of cough questionnaire ···················· 232
Burnout ·· 95
Buscopan ··· 239
Buspirone ···································· 228, 309

C

Cachexia ··· 441
Cancer Dyspnea Scale (CDS) ······················ 226
Cannabinoids ····································· 203
Carbacholine ····································· 293
Carbocysteine ····································· 235
Cardiac Resynchronization Therpy (CRT) ············ 378
Cardiogenic shock ································· 372
Cardiorenal syndrome ····························· 375
Case-control study ································· 562
Cauda equina syndrome ···························· 338
Center for Epidemiologic Studies Depression Scale
    (CES-D) ···································· 303
Cerebral reorganization ···························· 154
Cevimeline ······································· 293
Child-Turcotte-Pugh (CTP) ······················· 391
Chlorhexidine ····································· 291
Chlorpromazine ······························· 228, 443
Chronic Obstructive Pulmonary Disease (COPD) ··· 379
Cicely Saunders ···································· 23
Citalopram ···································· 305, 309
Clinical case report ······························· 567
Clinical trials ····································· 561
Clonazapam ··································· 308, 313
Clonidine ··· 217

Cytomegalovirus (CMV) ·························· 297
Cohort study ······································ 562
Collage ·· 365
Compassion fatigue ································· 95
Compassion satisfaction ···························· 95
Complementary and Alternative Medicine (CAM) ··· 358
Complementary and Integrative Medicine ·········· 358
Complete Decongestive Therapy (CDT) ············ 284
Complex Chronic Condition ······················ 414
Confounders ······································ 563
Confusion Assessment Method (CAM) ·············· 111
Connecticut Hospice ······························· 13
Cough quality of life questionnaire ················· 232
Cross sectional study ······························· 562
Crossover trial ···································· 563
Cryoneurolysis ···································· 207
Cyclooxygenase (COX) ···························· 191
Cytochorme P450 ································· 409
Cytokine ··· 150

D

Daughters of Charity of Saint Vincent de Paul ········ 3
Deafferentation pain ······························ 144
Death rattle ······································ 238
Death with Dignity ································ 48
Delirium Rating Scale (DRS) ······················ 111
Delirium ··· 316
Desiparmine ····································· 305
Desmopressin ····································· 335
Dexamethasone ··································· 198
Dextroamphetamine ······························· 306
Dextromethorphan ································· 234
Diazepam ································· 227, 308, 313
Dimemorfan ····································· 234
Distal symmetric sensory polyneuropathy ··········· 406
Distigmine ······································· 293
Distress Thermometer (DT) ···················· 303, 307
Distress ··· 94
Do Not Resuscitation (DNR) ······················ 133
Double effect ··································· 51, 61
Doxepin ······································ 305, 314
Dronabinol ······································· 408

Drooling ·································· 294
Dual consent ·································· 566
Dual energy X-ray absorptiometry ·················· 288
Duloxetine ·································· 309, 442
Dypsnea crisis ·································· 382
Dysgeusia ·································· 294

E

ECMO ·································· 40
Economist Intelligence Unit (EIU) ·················· 6
Economist Quality of Death Index ·················· 16, 18
Edmonton Symptom Assessment System (ESAS) 107, 226
Education for Physicians on End-of-life Care (EPEC) 138
Education in Palliative and End-of-life (EPEC) ····· 548
Eicosanoids ·································· 150
Electronic study ·································· 568
End-of-Life Nursing Education Consortium (ELNEC)
·································· 432
End-of-dose failure ·································· 182
End-of-life ·································· 8, 432
Endoscopic biliary stent ·································· 266
Endoscopic Retrograde Cholangiopancreatography
(ERCP) ·································· 264, 266
Endoscopic Ultrasound-guided Biliary Drainage ··· 267
EORTC QLQ-C15-PAL (EORTC Quality of Life
Questionnaire Core 15 for Palliaitve patients) ··· 575
EORTC QLQ-C30 (European Organization for Research
and Treatment of Cancer Quality of Life Questionnaire
Core30) ·································· 574
Epsilon aminocaproic acid ·································· 335
Equipment ·································· 82
Erythema ·································· 442
Ethnographic case study ·································· 567
European Society of Medical Oncology (ESMO) ··· 138
Eustress ·································· 94
Euthansia ·································· 46
Experimental designs ·································· 563
External validity ·································· 563

F

Faces Pain Scale ·································· 439

Fentanyl buccal soluble film ·················· 178
Fentanyl buccal tablets ·················· 178
Fentanyl ·································· 185, 439
FICA (faith, importance, community, address in care) ···
·································· 116, 117
Florence Wald ·································· 13
Fms like tyrosine kinase 4 (FLT4) ·················· 284
Fluoxetine ·································· 305, 309, 442
Fluvoxamine ·································· 309
Free drawing ·································· 366
Functional Assessment of Cancer-General Version
(FACT-G) ·································· 574
Functional Assessment of Cancer Therapy-Fatigue
(FACT-F) ·································· 577
Functional somatic syndrome ·················· 115
Furosemide ·································· 331

G

GABA ·································· 151
Gabapentin ·································· 170, 200, 235, 237
Gap theory ·································· 570
Gate control theory ·································· 364
Gemcitabine ·································· 232
Generalized seizure ·································· 340
Glaucine ·································· 235
Glycine ·································· 151
Glycopyrrolate ·································· 228, 239
Good death ·································· 432
Grief ·································· 504
Guaifensin ·································· 235

H

Hospital Anxiety and Depression Scale (HADS) ··· 108, 111
Haloperidol ·································· 237, 443
Health-Related Quality of Life (HRQOL) ·········· 570
Heliox ·································· 230
Here & now ·································· 365
Highly Active Antiretroviral Therapy (HAART) ····· 404
Histamine ·································· 149
Home health aid ·································· 15
Hospes ·································· 3

Hospice 3
Human Immunodeficiency Virus (HIV) 404
Human resources 85
Hydrocodone 233
Hydromorphone 177, 184
Hyperactive delirium 321
Hypercalcemia 330
Hyperhidrosis 296
Hypertonic saline 235
Hypoactive delirium 321
Hypogeusia 294

I

Implantable Cardiovert Defibrillator (ICD) 377
Improvisation 364
Incentive spirometry 385
Inclusive spirituality model 467
Information bias 562
Inotropics 375
Integrative Medicine 358
Interdisciplinary team 66
Interleukin-1 (IL-1) 297, 330
Internal validity 563
Intracavitary instillation 261
Intranasal fentanyl spray 178

K

Korean Cancer Pain Assessment Tool (K-CPAT) 161
Ketamine 201
Korea Declaration on Hospice and Palliative Care 24

L

Lactulose 187
Laminectomy decompression 340
Lean body mass 435
Leicester cough questionnaire 232
Levodopa 397
Levodropropizine 234
Levomepromazine 228
Lewy body 396

Licensed Practical Nurse 15
Listening 364
Living will 132
Local anesthetics 217
Loperamide 250
Lorazepam 227, 308, 313, 341
Lung cancer cough questionnaire 232
Lung volume reduction 230
Lusk 456
Lymphorrhea 288
Lymphoscintigraphy 283

M

Mycobacterium Avium Complex (MAC) 297
MacKay Memorial Hospital 18
Macrolide 236
Magnesium sulfate 187
Mandala 365
Manual Lymph Drainage (MLD) 285
Monoamine oxidase inhibitors (MAOIs) 443
Margnetic Resonance Cholangiopancreatography
    (MRCP) 266
McGil Pain Questionnaire Short Form 578
MD Anderson Symptom Assessment Scale 226
Medical Orders for Life-Sustaining Treatment (MOLST)
    132
Medical Research Council (MRC) 226
Medicare Hospice Benefit 12
Megetrol acetate 408
Melatonin 314
Memorial Delirium Assessment Scale (MDAS) ... 111, 578
Memorial Symptom Assessment Scale (MSAS) ... 108, 226
Methadone 234
Methylphenidate 306, 407, 409
Metoclopromide 237
Midazolam 227, 240
Milroy's disease 284
Mini-Mental State Examination (MMSE) 110, 578
Mirabegron 272
Mirtazapine 305, 309, 314, 408, 442
Mixed method 568
Modafinil 306, 407

Model for End Stage Liver Disease (MELD) ········ 391

Moguisteine ···························· 233

Morphine ···························· 184, 439

Mourning ···························· 504

Memorial Symptom Assessment Scale Short Form
(MSAS-SF) ···························· 579

Multidimensional assessment ··········· 107

Music & movement ···················· 364

Music life review ···················· 364

Myofascial pain syndrome ············· 207

N

N-acetylcysteine ···················· 235

N-methyl-d-aspartate receptor antagonist ········· 200

Nalmefene ···························· 268

Naltrexone ···························· 268

Narrative inquiry ···················· 568

Nasogastric decompression ··········· 252

National Hospice and Palliative Care Organization
(NHPCO) ···················· 13, 391

Natural Death Act ···················· 18

Nedocromil sodium ···················· 233

Nerve growth factor ···················· 150

Neuropathic Cancer Pain ············· 167

Neuropathic pain ···················· 160

Non-invasive positive pressure ventilation (NIPPV) ··· 402

Nortriptyline ···················· 305, 442

Non-steroidal anti-inflammatory drugs (NSAIDs) ········
···························· 191, 439

Nurse Practitioner ···················· 15

O

Octreotide ···················· 202, 256, 335

Olanzapine ···················· 309, 314

Opioid rotation ···················· 181

Opioids ···················· 217, 438

Ornipressin ···················· 239

Overflow diarrhea ···················· 251

Oxycodone ···················· 184

P

Palliative care Outcome Scale (POS) ············· 562

Palliative Care Outcomes Collaboration (PCOC) ······ 10

Palliative care ···················· 3

Palliative Performance Scale (PPS) ············· 495

Palliative sedation ···················· 230

Parallel design ···················· 563

Paroxetine ···················· 305, 442

Partial seizure ···················· 340

Patient-Reported Outcomes (PROs) ············· 570

Patient Autonomy Act ···················· 19

Patient Health Questionnaire-9 (PHQ-9) ············· 303

PDE5I (phosphodiesterase-5 inhibitor) ············· 278

PEACE (Palliative care Emphasis program on symptom
management and Assessment for Continuous medical
Education) program ···················· 18

Pemoline ···················· 306

Percutaneous Transhepatic Cholangiographic Drainage
···························· 267

Performance agreements ···················· 82

Peritoneovenous shunting ···················· 262

Person In Environment ···················· 460

Pholcodine ···················· 234

Photo-novella ···················· 567

Physician Orders for Life-Sustaining Treatment (POLST)
···························· 132

Pilocarpine ···················· 293

Pittsburgh Sleep Quality Index (PSQI) ············· 312

Plant ···················· 82

Playing ···················· 364

PleurX catheter ···················· 262

Postvoidal residual ···················· 441

Pregabalin ···················· 170, 200, 237

Promethazine ···················· 228

Propranolol ···················· 442

Prospective ···················· 561

Prostaglandin ···················· 191

Protease inhibitor ···················· 407

Protussive ···················· 232

Proxy ratings ···················· 573

Psychoactive ···················· 441

Parathyroid hormone related protein (PTHrP) ······ 330

Pursed lip breathing ···································· 385
Pyridostigmine ··· 293

Q

Qualitative ·· 561
Quality improvement ···························· 86
Quality of death ranking ····················· 6
Quantitative ··· 561
Quasi-experimental designs ················ 563
Quetiapine ·· 309, 314

R

Radifrequency thermocoagulation ········ 207
Refractory dyspnea ························· 382, 386
Registered Nurse ······································ 15
Religion ··· 466
Resilience ·· 94
Retrospective ··· 561
Rifampicin ··· 268
Risperidone ·· 309, 443
Rotterdam Symptom Check List (RSCL) ······· 226
Royal College of Physicians (RCP) ········· 138

S

Serum ascites albumin gradient (SAAG) ········ 260
Saliva substitutes ····································· 294
Scopolamine ···································· 239, 255
Seattle Heart Failure Score ···················· 374
Seizure ·· 340
Selection bias ··· 563
Selective serotonin reuptake inhibitor (SSRI) ··· 199, 228, 442
Serotonin-norepinephrine reuptake inhibitor (SNRI) ··· 199
Serotonin ··· 150
Sertraline ·· 305, 309
SF-36 ··· 575
Sham procedure ······································· 565
SHARE ·· 523
Short Form McGill Pain Questionnaire (SF-MPQ) ··· 578
Sialorrhoea ·· 294
Sodium cromoglycate ····························· 234

Somatic nerve block ································· 212
Somatic nociceptive pain ······················· 144
Somatization ·· 115
Somatoform disorders ····························· 115
Song discussion ······································· 365
Song writing ·· 365
Supportive and Palliative Care Indicators Tool (SPICT)
·· 391
SPIKES ··· 523, 524, 527
Spinal cord compression ························· 337
Spinal dorsal root ganglion neurolysis, dorsal root
   ganglionotomy ···································· 213
Spinal drug delivery systems ··················· 214
Spine stabilization ··································· 340
Spirit ··· 465
SPIRITual History tool (SPRIT) ············· 116
Spiritual need ·· 466
Spiritual well-being ································· 466
Spirituality ··· 116, 465
Spironolactone ·· 261
St. Christopher's Hospice ······················· 3
St. Joseph's Hospice ································· 3
Status epilepticus ····································· 340
Stemmer sign ··· 283
Subarachnoid spinal neurolysis ·············· 213
Sublingual fentanyl tablets ····················· 178
Superior hypogastric plexus block ········· 212
Superior vena cava syndrom ···················· 335
Sympathetic nerve block ························· 208

T

Tapentadol ·· 186
Tricyclic antidepressants (TCAs) ········· 199, 443
Team work ··· 70
Team ··· 66
Terlipressin ·· 239
Terminal delirium ······························ 323, 326
transforming growth factor (TGF) ·········· 259
Theophylline ··· 384
Thermal coagulation ······························ 333
Thromboxane ··· 195
Time-limited trial ···································· 63

Tools ·· 82
Total pain ····································· 3
Tramadol ······································ 186
Tranexamic acid ···················· 239, 258, 335
Transmucosal fentanyl ··················· 178
Trazodone ······························ 305, 442
Treitz ligament ························· 256
Triazolam ································ 313
Tumor Necrosis Factor (TNF) ········· 297, 330

U

Ursodeoxycholic acid ··················· 264

V

Vasopressin ························· 257, 258, 335
Vascular endothelial growth factor (VEGF) ········· 259
Venlafaxine ························· 305, 309, 442
Ventricular Assist Devices (VAD) ·········· 378
Victoria Hospice ························· 494
Visceral nociceptive pain ·············· 144
Vision ···································· 82
Vitamin K ································ 258

W

Well dying ································ 432
WHO Quality of Life Assessment Instrument
(WHOQOL) ·························· 575
Work process ····························· 82
World Hospice Palliative Care Alliance (WHPCA) ··· 5

X

Xerostomia ································ 290

Z

Zarit Burden Interview (ZBI) ············ 118
Zolpidem ································ 313